Imprimé en France
Printed in France

L'ART DE LA MUSIQUE

OFFERT PAR LE GOUVERNEMENT FRANÇAIS

SAINT AUGUSTIN . TAPIA . DURAN . BERMUDO . JOHANNES DE SPINOSA . LUTHER . CLAUDE GOUDIMEL . JAN SWEELINCK . PALESTRINA . LE PÈRE COYSSARD . LE PÈRE MERSENNE . PIERRE ARNOUX . HENRI DUMONT . DASSOUCY . CHATEAUBRIAND . LAMENNAIS . RONSARD . SHAKESPEARE . JULIE DE LESPINASSE . CHATEAUBRIAND . Mme DE STAËL . BEETHOVEN . HEGEL . SCHOPENHAUER . HECTOR BERLIOZ . CHARLES GOUNOD . ED. ET J. DE GONCOURT . NIETZSCHE . TCHAÏKOVSKY . BERGSON . ERIK SATIE . GABRIEL FAURÉ . ARNOLD SCHOENBERG . DOMENICO SÇARLATTI . RAMEAU . HAYDN . BEETHOVEN . HECTOR BERLIOZ . ROBERT SCHUMANN . CHARLES GOUNOD . GIUSEPPE VERDI . GEORGES BIZET . SAINT-SAËNS . ALBENIZ . ERIK SATIE . VINCENT D'INDY . GABRIEL FAURÉ . CHARLES KOECHLIN . ARNOLD SCHOENBERG . ALBAN BERG . CHOSTAKOVITCH . DARIUS MILHAUD . PLATON . ARISTOTE . GUILLAUME DUFAY . PIERRE MAILLART . ROLAND DE LASSUS . NICOLAS RAPIN . CLAUDE LE JEUNE . JACQUES MAUDUIT . KUHNAU . MONTEVERDI . ARTHUS-AUX-COUSTAUX . LE PÈRE FRANÇOYS . LECERF DE LA VIÉVILLE . LULLI . PURCELL . ABBÉ PLUCHE . LE PÈRE CASTEL . J.-S. BACH . J.-P. LE CAMUS . GIUSEPPE TARTINI . DOMENICO SCARLATTI . WOLDEMAR . J.-J. ROUSSEAU . GLUCK . MOZART . HAYDN . GRÉTRY . GŒTHE . BEETHOVEN . C. M. VON WEBER . PAGANINI . MENDELSSOHN . SCHUBERT . ROBERT SCHUMANN . FRÉDÉRIC CHOPIN . HECTOR BERLIOZ . FRANZ [illegible] . LUDWIG TIE[illegible] THOMAS DE QUINCEY . EDGAR POE . B[illegible]ELAIRE . NIETZS[illegible] . RICHARD WAGNER . NIETZSCHE . [illegible]ES [illegible]NOD . É[illegible]ARD [illegible] . GEORGES BIZET . ERNE[illegible]SS[illegible] . [illegible]SEPPE [illegible]RD[illegible] [illegible]R CUI . MOUSSORGSKY . [illegible]AÏ[illegible]S[illegible]SKY-KO[illegible]K[illegible]O WOLF . EMMANUEL CH[illegible]ER[illegible]G[illegible]IEL [illegible]AURÉ [illegible]I[illegible]A[illegible] VINCENT D'INDY . ERI[illegible]UKAS [illegible] RÈS . ANDRÉ SUARÈS . CLAUDE DEBUSSY . ALBERT ROUSSEL . RICHARD STRAUSS . ALFRED CORTOT . ALFREDO CASELLA . MAURICE RAVEL . MANUEL DE FALLA . IGOR STRAVINSKY . RENÉ LEIBOWITZ . EDGAR VARÈSE . JEAN COCTEAU . DARIUS MILHAUD . ARTHUR HONEGGER . DARIUS MILHAUD . GEORGES AURIC . LOUIS DUREY . MAURICE JAUBERT . JACQUES IBERT . SERGE PROKOFIEV . KHATCHATURIAN . CHOSTAKOVITCH . ANDRÉ JOLIVET . OLIVIER MESSIAEN . BIANCHERIE . ANDRÉ MAUGARS . PURCELL . VOITURE . MARCO DA GAGLIONE . BOILEAU . JEAN DE LA FONTAINE . PIERRE CORNEILLE . LA BRUYÈRE . VIVALDI . SAINT-EVREMONT . BENEDETTO MARCELLO . RAMEAU . VOLTAIRE . BERTON . GRIMM . J.-J. ROUSSEAU . D'ALEMBERT . GLUCK . MOZART . BEETHOVEN . STENDHAL . RICHARD WAGNER . SMETANA . ALFRED DE MUSSET . GOUNOD . NIETZSCHE . GEORGES BIZET . ÉDOUARD LALO . DEBUSSY . GABRIEL FAURÉ . ERIK SATIE . MAURICE RAVEL . ALBAN BERG . PROKOFIEV . ARTHUR HONEGGER . MARCEL DELANNOY . JEAN-PAUL SARTRE . ANDRÉ HODEIR . BORIS VIAN

dela

Guy Bernard

L'art musique

ÉDITIONS SEGHERS

SOMMAIRE

LA MYSTIQUE MUSICALE

LA VOCATION DE L'ETUDE

IDEES ESTHETIQUES

L'OPERA

LE JAZZ

Jean-Paul Sartre	New York City.
André Hodeir	La charte du Jazz.
Boris Vian	Méfie-toi de l'orchestre.

Les musiciens de jazz disent : Alphonse Picou, Johnny St. Cyr, Mutt Carey, Clarence Williams, Jimmy McPartland, Coleman Hawkins, Duke Ellington, Billy Strayhorn, Alberta Hunter, W. C. Handy, Fats Waller, Count Basie, Lester Young, Benny Goodman, Dizzy Gillespie, Billy Taylor, Errol Garner, Stan Kenton, Paul Desmond, Dave Brubeck, Charlie Parker, Jo Jones.

A JACQUES CHARPIER,
cette dédicace qui ne saurait assez le remercier pour son aide précieuse et patiente, son talent et son amitié sans lesquels ce livre n'aurait sans doute jamais émergé des projets et des songes.

G. B.

AVERTISSEMENT

L'Art de la Musique (comme les ouvrages consacrés à la poésie et à la peinture, parus dans la même collection[1]) n'est pas une anthologie de textes historiques ou critiques. On a voulu plutôt y recueillir des témoignages émanés du monde musical lui-même sur l'essence et l'existence de la musique, telles qu'elles se sont exprimées en Occident, du Moyen Age à nos jours[2]. Aux commentaires et aux jugements venus de l'extérieur on a donc préféré, chaque fois qu'on l'a pu, l'expression directe de la tradition musicale, la confidence de l'artiste, le document d'époque.

Une première précaution, cependant, s'est imposée dans ce choix. On a jugé nécessaire d'en écarter toute considération *technique*. La musique, en effet, plus que tout autre art, suppose, entre le créateur et son œuvre, un système théorique dont la connaissance, si elle est indispensable au musicien et l'objet d'études plus ou moins complexes, ne l'est pas à l'auditeur. Le lecteur n'aura donc pas à souffrir, s'il n'est lui-même musicien, d'une igno-

---

1. *L'Art poétique*, par J. Charpier et P. Seghers, 1956, et *L'Art de la Peinture*, des mêmes auteurs, 1957.

2. En fait, les textes réunis pour cet ouvrage couvraient la préhistoire musicale (cultures dites « primitives » et archaïques) et la musique des grandes civilisations antiques (Egypte, Israël, Chine, Inde, Grèce, Islam). Malgré l'intérêt considérable de ces documents, nous avons préféré ne publier d'abord que ceux qui concernent l'Occident historique, les limites de la collection nous imposant ce partage.

rance qui entrave sa compréhension des pages qui suivent. Il apparaîtra de même au lecteur musicien que l'on peut parler de la musique — et fort justement — sans entrer dans des considérations techniques, somme toute inutiles à l'évaluation de son art. Une foi sincère et profonde peut se passer de la théologie : une telle foi pour la musique suffira à la lecture de ce livre !

Une seconde précaution a dû être prise. L'ambition de ces pages est de *couvrir* une vingtaine de siècles. La crainte qu'on a eue dès lors n'a pas été d'être présomptueux, — ce risque a été pris consciemment ! — mais de dépasser, même en se restreignant à la musique occidentale, les limites imposées par la collection où ce livre paraît. Il a fallu être juste, et ne pas favoriser les uns au détriment des autres. Cela s'entend aussi bien pour les époques que pour les nations et les artistes. De ce fait, un lecteur averti pourra relever certaines absences : qu'il sache qu'elles ont été conscientes, pour autant que l'oubli ne soit pas inévitable, dans ce genre d'entreprise.

Au reste, quelques-unes de ces absences ne sont pas le fait, volontaire ou non, de l'auteur, mais de l'époque, du pays ou de l'artiste. Faire un tel livre, c'est réclamer d'un art, qui ne s'exprime que par des sons, qu'il s'exprime aussi par des mots. Il ne l'a pas toujours fait, sans pour cela abdiquer son prestige essentiel. Pour ne nous en tenir qu'à des noms fort connus, il faut bien avouer que ceux de Lulli, de Jean-Sébastien Bach, de Hændel, de Mozart lui-même, ne recouvrent pas des écrits que ce livre *a priori* exigeait d'eux. Nous avons des lettres qui ne traitent souvent que de la vie quotidienne, telle qu'un homme du commun peut la connaître. Et c'est tout. Certes, le phénomène contraire se produit : il est, surtout au XIXe siècle, des musiciens éloquents... Mais ou bien ils ne disent rien de très intéressant, ou bien leur donner une participation dans ce livre, en rapport avec l'immensité de leur œuvre littéraire, eût abouti à déséquilibrer le sommaire et, chose plus grave, à en rejeter des témoignages plus laconiques mais non moins précieux.

Une troisième précaution a inspiré ce choix. On a toujours tendance à écarter d'un tel recueil des noms peu connus ou qui n'ont guère brillé dans leur art. On a pris garde de ne jamais y céder. Il va sans dire que des auteurs médiocres, aussi bien par la musique qu'ils ont faite que par ce qu'ils en ont dit, ne se retrouveront pas ici. Mais de petits maîtres, de simples artisans, hommes obscurs et parfois inconnus, ont eu leur part, en raison de l'intérêt que, d'aventure, leurs propos suscitent.

Ajoutons enfin que, dans certains cas, on a jugé utile d'avoir recours à des auteurs étrangers à la fonction musicale elle-même pour parler d'un sujet ou d'un artiste qui, sans cette aide extérieure, n'eût pas été présent dans le livre. Chaque fois, on l'a fait avec le même souci de compétence et d'économie.

Un tel livre a donc voulu éviter ces deux périls : le didactisme et le parti pris. Il ne veut rien apprendre qu'à mieux connaître un art qu'on aime, à y découvrir, on l'espère, des visages inconnus, encore que remarquablement ressemblants. Il ne veut rien imposer que l'idée du prestige perpétuel de la musique, encore qu'on y trouve des traces de l'injustice dont cet art a pu être victime.

Enfin, un espoir est permis : qu'un livre de ce genre, dénué de toute obscurité technique, soucieux de montrer les relations profondes qui unissent la musique et le musicien au reste du monde, qui ne s'est pas fermé à l'anecdote, au document curieux, aux circonstances historiques, à la vie même de ses *héros*, bref, qu'une anthologie aussi *libérale* et aussi variée arrive à intéresser un ennemi de la musique (il y en a !) ou du moins un lecteur qui lui était indifférent, et que, de l'intérêt pris à ces pages, celui-ci accède à l'amour de la musique.

L'ÉDITEUR.

AVANT-PROPOS

« DISKOS *ne vit que pour son Hi-Fi et sa Stéréo. Se lève-t-il, ce matin, de mauvaise humeur, il va droit à sa diskothèque y choisir la première des* Quatre Saisons, *de Vivaldi. « Il est vrai, se dit-il, comme Algorythmus nous l'affirma hier à la radio, que cette gravure « Gloria » est d'une technique supérieure au vieil enregistrement d' « Excelsis »; mais Toskanonos a pris beaucoup trop vite tout le début, tandis que, dans la version « Excelsis », non seulement les* tempi *sont justes, mais le modelé des violons incomparable — quoique, au milieu, un certain* rubato *soit véritablement anachronique. La gravure « D.E.O. » présente en revanche un style fort rigoureux, peut-être même un peu trop, alors que l'enregistrement « Excelsis », s'il est techniquement faible, est parfait quant à l'exécution, sous la baguette éminemment vivaldienne de Karakoustein : quelle finesse dans le phrasé, mais, en même temps, quelle magnifique et chaude virilité! Quant à la quatrième version d' « Alleluia », qui paraît cette semaine, on dit qu'elle dépasse toutes les autres, et elle est stéréophonique! » Diskos possède déjà les trois versions : « Gloria », « Excelsis » et « D.E.O. » des* Quatre Saisons; *achètera-t-il cette quatrième? Il y songe pour la fin du mois. Pour l'instant, il se rase et prend sa douche au son du* Printemps *(Vivaldi est toujours Vivaldi, le seul, l'incomparable). Maintenant, il cire ses souliers au son de* Parsifal. *Déjà huit heures! Il coupe net le son au milieu d'un thème, descend en trombe l'escalier. Comme dans certaines peintures primitives où le ciel se divise en chœurs d'anges superposés, chaque étage de la cage d'escalier fait hurler ses radios. Au troisième, Bécaud; au second, la gymnastique musicale; au pre-*

mier... Vivaldi! au rez-de-chaussée, chez la concierge, l'Everlasting Jazz Quartet. *Un bond vers le volant de sa voiture : le bouton du poste révèle d'abord Beethoven à 05, puis Brahms à 07, Bach à 09, et, à 10, dispense le quatrième BBB : Bécaud, une fois de plus! « J'ai encore cinq minutes », pense Diskos. Au bar de l'*Orphée's *le juke-box, Baal aux lèvres sanguinolentes bavant des groseilles musicales, crache un tonnerre de basses si vibrantes et profondes que les petites cuillers, sur le comptoir, résonnent en chœur dans les verres vides. Avec le sifflement du percolateur et le halètement du marteau-piqueur qui défonce le trottoir, tout cela dessine dans l'espace sonore du matin une admirable musique « concrète ». Il est neuf heures quand Diskos arrive à son bureau. Rose, la secrétaire, rythme la frappe de sa machine sur la danse de l' « Elue »,* du Sacre du Printemps *(ce n'est pas facile), que lui murmure le minuscule transistor niché à côté d'elle comme un petit animal au creux de son sac. Diskos disparaît alors dans son bureau insonorisé, étrange île de silence. L'angoisse l'étreint : il lui manque quelque chose, mais quoi? Le téléphone sonne et il n'y pense plus : la journée a commencé. »*

Imaginons que, dans quelques siècles, les lignes qui précèdent figurent, électrotypées, sur des centaines de feuillets d'un papier triste et gris. Un fonctionnaire sans âge les distribue à des filles et des garçons assis devant de longues tables : dévorés d'inquiétude, les candidats au bachot lisent alors le questionnaire d'un Œdipe invisible et malveillant :

« Vous connaissez le texte ci-dessus : « Diskos ou l'amateur de musique (1960) ». Que pensez-vous du rôle joué par la musique dans la vie d'un Parisien de cette époque? La musique occupait-elle une fonction active — ou passive — dans la société d'alors? L'auteur de ce texte a-t-il volontairement exagéré? A votre avis, la musique était-elle, au milieu du XXe siècle, un élément de plaisir individuel? collectif? Une sorte d'évasion spirituelle? Un outil culturel? ou simplement une habitude? Expliquez dans quelle mesure un historien célèbre a pu définir une « Préhistoire radiophonique », une « Civilisation du microsillon ». Exposez les faits sociaux qui ont justifié la R.S.M.M.G. (Réglementation Sonore et Musicale Mondiale de Genève) de l'an 2000, qui rétablit la

peine de mort parmi les sanctions prévues contre les excès sonores et musicaux. Montrez aussi comment, sur le plan individuel, l'homme, saturé de musique, n'était plus capable d'y goûter un plaisir ou une émotion consciente. Comment envisagez-vous dans l'avenir le rôle de la musique dans la société et chez l'individu ? »

Les candidats de l'an 5000 seront sans doute aussi embarrassés pour faire l'exégèse du texte proposé que nous le sommes aujourd'hui à propos d'un passé beaucoup moins lointain relativement à nous, hommes blancs ou noirs, jeunes ou adultes du milieu du XXe siècle. Ils connaîtront peut-être sur le bout des doigts (ou sur les cadrans de leurs aide-mémoire électroniques) les 10 à 20.000 modes musicaux de la machine-à-subdivisions-tonales, ou les 99.876 façons de modifier les timbres essentiels des 84 séries. Mais ils auront bien du mal à imaginer ce que pouvait représenter, signifier une œuvre musicale de l'époque de Diskos, pour un homme et pour la société où il vivait en 1960. Autant que nous, à propos, par exemple, de la musique de la Chine, de la Grèce anciennes, ou même de l'Occident médiéval.

Et cela tient à plusieurs raisons. En premier lieu, la plupart des écrits sur la musique de spécialistes, d'historiens, de philosophes ou d'essayistes concernent soit l'étude du langage musical, l'invention et l'évolution des formes de l'écriture et des instruments, soit la vie — plus ou moins romanesque — des « grands musiciens », soit des réflexions esthétiques d'ordre général ou à propos de telle œuvre particulière. On ne sort que rarement du domaine de la pédagogie, du roman ou de la spéculation plus ou moins gratuite, voire du dilettantisme, attitude à laquelle se prête, hélas! trop facilement l'art subtil de la musique. En second lieu, il reste relativement peu de documents sur la musique des civilisations du passé — et, parmi ceux qui sont conservés, beaucoup sont peu faciles d'accès au non-spécialiste. Et même dans le passé proche de notre propre civilisation. d'énormes lacunes obscurcissent parfois l'enquête, alors que, parfois aussi, il faut découvrir un texte important enseveli dans une jungle de littérature sans consistance. Ainsi, la littérature musicale est-elle souvent décevante, et reste-t-il à faire un travail immense de découverte.

Or, du côté du public, la musique souffre aussi de tena-

ces préjugés. Alors que le lecteur ignorant des techniques picturales ou architecturales ouvre sans réticences un livre sur la peinture vénitienne ou l'architecture romane, l'amateur de musique, faute de connaissances professionnelles, craindra d'aborder un ouvrage spécifique à cet art. La musique a trop souvent, aujourd'hui, parmi les autres arts, une réputation d'hermétisme inaccessible à qui ne possède point les clefs d'une technique déjà savante. Il faut dire qu'un certain pédantisme trop répandu dans de nombreux ouvrages ne facilite pas les choses, alors qu'il serait possible de tout expliquer simplement à un public non averti. Enfin, l'enseignement élémentaire de la musique n'a sans doute jamais été aussi négligé qu'aujourd'hui dans la pédagogie courante. Il est remarquable qu'à l'époque où la musique est incomparablement plus diffusée qu'elle ne l'a jamais été, où elle pénètre dans chaque foyer, dans les autos et les camions, dans les grands magasins, dans les usines, dans les campements ou sur les plages, — où elle a à peu près tout envahi dans notre civilisation, — on est si peu conscient de ce qu'elle est, de ce qu'elle signifie. L'énorme consommation de symphonies classiques ressassées sans répit, de chansons éphémères, où quelques chefs-d'œuvre sont noyés dans une monstrueuse prolifération de sottises, de jazz à haute dose, trop souvent construites comme des recettes de cuisine, sur un martèlement monotone et un catalogue de poncifs harmoniques et instrumentaux, cette prolifération crée une monstrueuse inconscience. Les valeurs de l'audition s'émoussent pour baigner l'auditeur dans un vague climat affectif : la présence de celui-ci n'apparaîtra vraiment qu'ensuite, au passé, négativement, lorsque reviendra le rare silence — avec la sensation qu'il manque soudain quelque chose à la vie ambiante.

Qu'on m'entende bien : il ne s'agit pas de décrier ces géniales inventions électroniques qui permettent d'entendre des œuvres musicales dans de merveilleuses conditions acoustiques. Il ne s'agit pas davantage d'exiger de chaque personne qui les écoute un bagage important de connaissances techniques. Mais l'art de la musique sous-entend un art d'écouter, *pour le public, qui correspond à un art de créer et d'exécuter, pour le compositeur et l'interprète. On dévalorise la vraie musique en la gaspillant, en mélangeant la meilleure avec la pire dans une sorte de désordre sonore continu; et bien des gens ne savent plus, aujourd'hui, accorder aux chefs-d'œuvre l'attention qu'ils méritent. Et si certaines musiques dites « légères » ou certains jazz sans grandeur peuvent créer une agréable musique « d'ameublement », pour parler comme Satie, quels crimes ne commet-on pas en découpant des bouts de « fonds sonores » à la radio dans une symphonie de Brahms ou dans* La Mer, *de Debussy, pour enchaîner deux scènes de roman policier! On tue ainsi, non point les œuvres, qui sont immortelles, mais la faculté de les goûter telles qu'elles le méritent : à leur place, dans leur intégralité. On minimise du même coup l'immense et profonde joie que toute vraie musique peut et doit donner à qui veut et sait l'aimer. L'esprit ne parvient plus, occupé ailleurs, à filtrer le message de l'oreille pour en recueillir l'essence généreuse et bienfaisante : la musique cesse d'être un art.*

On a pourtant exigé beaucoup de la musique aux grandes époques et dans les grandes civilisations du passé. Elle fut pour de nombreuses cultures et pour de longues périodes, un agent actif de cohésion, de durée sociales et un facteur de développement des qualités morales de l'individu. Grâce, d'autre part, à son essence subtile et imprécise, aux infinies richesses de ses procédés d'expression, à son mystérieux reflet dans les profondeurs de l'être affectif, on trouve la musique toujours liée aux phénomènes religieux, quelle que soit leur tendance; de même que son aspect d'impondérabilité, d'abstraction, la destina dès sa naissance, sans doute, aux actes de la magie. Quoi qu'on pense, des survivances de ces états de fait se décèleraient encore aujourd'hui.

On oublie aussi trop souvent que l'histoire de la musique ne se borne pas aux deux derniers siècles de notre civilisation. Il y a seulement un peu plus de cent ans que l'on a daigné s'intéresser à la musique de la Renaissance; encore moins que l'on se penche sur la musique médiévale (à la suite sans doute des études grégoriennes). Même le renouveau d'un Domenico Scarlatti, d'un Vivaldi sont récents. Berlioz parlait de hurlements de chats échaudés à propos de la musique chinoise, pourtant souvent si raffinée, et Debussy ne découvrit le gamelang *javanais qu'à l'Exposition Universelle. Stravinsky, Ravel, Milhaud furent influencés par l'art nègre à travers le jazz nais-*

sant. Mais, pour le grand public, tout ce qui, en remontant le passé, dépasse le règne de la basse continue et de la gamme tempérée se noie dans un brouillard de plus en plus dense qui fait place très vite à une nuit à peu près totale.

*Si l'on étonne certains amateurs de sculptures qui admirent la merveilleuse matière des antiques en leur disant que ce marbre couleur de miel du Pentélique était souvent recouvert de peinture, on surprendra sans doute davantage maint amateur de poésie et de musique en constatant que la grande majorité des poèmes, dans les anciennes civilisations, était inséparable du chant accompagné par un instrument. Une grande partie de la poésie antique était « lyrique » (au sens étymologique du mot). Dans la mythologie grecque, Hermès et Apollon chantent leurs poèmes au son de la lyre; l'*Iliade *et l'*Odyssée *se chantaient dans les cours mycéniennes, comme plus tard au Moyen Age la* Chanson de Roland *et toutes les gestes, la* Cantilène de sainte Eulalie *et les vies de saints, dans les cours féodales. Les odes de Pindare étaient chantées, dans la Grèce classique, comme dans l'Europe médiévale, toute la poésie des goliards, des troubadours, trouvères et minnesinger. « Une strophe sans musique est comme un moulin sans eau », écrit un troubadour. Et les poètes de la Pléiade, de Baïf à Ronsard, se préoccupent des rapports entre les mètres du vers et le rythme de la mélodie. A notre époque, il ne subsiste guère, comme vestiges de cette alliance entre les deux Muses, que l'opéra, la messe, la cantate, la mélodie* (lied) *ou la chanson populaire; la poésie elle-même se cantonne dans une subtile musique de syllabes parlées intérieurement ou extérieurement dont un Racine ou un Valéry fournit de grands exemples.*

L'art de la musique ne saurait être envisagé avec fruit sous son aspect historique, comme sous ses aspects présents et futurs, si l'on ne prenait conscience de tels faits. Mais il est d'autres préjugés qu'il conviendrait de dissiper si l'on veut lire avec profit les textes qui suivent.

On a fâcheusement tendance aujourd'hui, par exemple, à isoler les œuvres musicales du passé et leurs auteurs dans une sorte d'espace inexistant, abstrait, obscur comme cette nuit impénétrable qui entoure les « phares », dont parle Baudelaire à propos de grands génies créateurs. Les compositeurs célèbres des siècles derniers apparaissent comme des géants, des super-individus, des surhommes, des super-novae qu'une gloire divine éclaire sur fond d'inconnu, hors de l'espace et du temps, ainsi que ces silhouettes-portraits à la mode vers 1820, qui se profilent sur du vide. La conception romantique et beethovénienne (entendons : celle que nous construisons autour de Beethoven) du musicien créateur, sorte de démiurge, a donné souvent naissance à cette croyance en une musique plus ou moins détachée de la société contemporaine de son auteur, avec ses organisations et ses croyances, musique qui n'est plus considérée que pour sa valeur en soi, absolue, pour sa pure beauté de formes et de contenu expressif, comme un immense geste gratuit. En revanche, autour de ces figures créatrices, une certaine littérature musicale (ou même le cinéma) dessine de véritables images d'Epinal qui retracent les épisodes saillants de la vie de ces maîtres illustres : Bach composant au milieu des criailleries de sa progéniture, Mozart rendant son tablier au méchant archevêque, Beethoven refusant de se déranger et d'ôter son chapeau devant le grand-duc en promenade, Chopin reflétant dans un prélude les gouttes de pluie à la Chartreuse de Mallorca, Schumann se jetant dans le Rhin, Lulli marmiton, Liszt abbé, Wagner et Louis II, etc. Toutes ces anecdotes ne sont pas toujours négligeables (on en trouvera dans ce livre, citées d'après les sources mêmes) *en ce qu'elles rattachent le créateur à un espace plus concret, mais elles ne suffisent pas à replacer les œuvres dans le milieu où elles naquirent, à montrer leur rapport avec la société et les idées de leur temps. Et c'est souvent ce qu'il importerait de faire (voir les belles études de Romain Rolland) si l'on voulait apprécier comme il se doit le vrai message du musicien. Que l'œuvre soit belle et nous procure des joies peut certes suffire. Il n'en est pas moins vrai qu'une connaissance plus profonde des circonstances et du climat social et spirituel, qui entourent la naissance d'une œuvre, en faciliterait l'accès et peut-être, après tout, donnerait un plus profond et durable plaisir.*

C'est sans doute vers la période romantique, on l'a vu, que la conception courante de la musique s'est ainsi cristallisée à peu près exclusivement autour d'individualités marquantes, parfois révolutionnaires. L'art de la musique sous-entendit alors une sorte de religion anthropomorphique du génie. Nous pensons encore plus ou moins consciemment ainsi. Les grands novateurs de la musique ont souvent dit (par exemple Debussy) : « Ne faites pas ce que je fais » (Debussy avait horreur du « debussysme »). Et pourtant, comme le dit Shaw dans sa préface à Saint Joan, *les génies novateurs sont ceux qui devinent plus tôt que les autres ce qui doit arriver à l'époque suivante : ces presciences sont dans l'air, et si certains esprits les sentent mieux et plus vite que les autres, certains, moins lucides, n'en ont pas moins une conscience vague. Ainsi, tout génie créateur est entouré d'autres créateurs, peut-être moins doués que lui, mais qui possèdent des qualités différentes et parfois valeureuses. L'ignorance, le refus du public contemporain, aveuglé par ses idoles, la modestie, aussi, de certains musiciens, les étranges voies de la mémoire historique et bien d'autres hasards ont sans doute rejeté dans la nuit, autour des « phares », mainte œuvre de valeur. L'étrange oubli, à notre époque, de compositeurs comme Caplet, Emmanuel, Kœchlin, en fournit un triste et vivant exemple. De même que pour la peinture on a découvert tardivement les artistes du XIVe ou du XVe siècle que l'on désigne, faute de savoir leur nom, sous des étiquettes comme « le Maître de la Pietà », « le Maître de Notre-Dame », nous ignorons certainement beaucoup d'œuvres musicales importantes du passé auxquelles, pour des raisons inconnues, leurs contemporains ont refusé leur admiration, ou que les époques suivantes ont simplement oubliées. Même à la gloire, le temps ménage de singulières éclipses. Mendelssohn, au XIXe siècle, ressuscita J.-S. Bach, à peu près disparu sous la célébrité de ses fils, à la fin du XVIIIe siècle. Vers 1900, un certain public considérait davantage Mozart comme le musicien des grâces fleuries et surannées plutôt que le créateur profondément dramatique et céleste qui nous apparaît aujourd'hui. Brahms n'avait guère la faveur des concerts français, il y a seulement une quinzaine d'années : sa popularité à Paris a été aussi tardive que celle de Van Gogh! Des musiciens géniaux comme Monteverdi, Caccini, Alessandro Scarlatti, Albinoni, Vivaldi, Schütz, Telemann, Purcell, n'apparaissaient guère, il y a un demi-siècle, que dans les programmes de très rares concerts historiques, suscités par des sociétés clairsemées d'amateurs éclairés. Le grand Rameau fut à peu près oublié pendant une grande partie du XIXe siècle. Ainsi, même les plus grandes gloires de la musique brillent d'éclats relatifs aux époques, intermittents selon les siècles et les pays, pour reprendre l'image de ces phares baudelairiens qui souvent nous aveuglent. Si l'on pense à tous les manuscrits, les copies, les partitions gravées, anonymes ou non, épars dans les grandes bibliothèques musicales du monde, qui pourrait dire ce qu'elles recèlent de découvertes, de révélations futures ? L'histoire de l'art musical n'est sans doute que dans son enfance — elle devra grandir dans le passé et s'étendre dans l'espace.*

Un autre préjugé, sans doute plus grave, bien qu'il semble déjà quelque peu ébranlé, est que l'art a progressé avec le développement de la culture et des civilisations. Or, il ne saurait y avoir de progrès dans l'art comme il en est dans les inventions techniques et scientifiques. Certains croient encore aujourd'hui, absurdement, que les Egyptiens anciens figuraient les corps de profil parce qu'ils ignoraient la perspective, prenant ainsi une convention, qui n'est point la nôtre, pour une ignorance ou une absence d'imagination et de technique. Il y a certes, dans l'art de la musique comme dans tous les autres arts, des évolutions, des changements, des perfectionnements techniques — et, par là, une appropriation toujours nouvelle de l'idée et de l'émotion à la forme qui veut les exprimer, et que définissent, par exemple, les nouveaux moyens matériels de production du son. Mais la qualité, la valeur de cette relation elle-même ne saurait progresser, pas davantage que l'idée ou l'émotion qui en est à l'origine. Le hautbois du berger grec ou la voix du piroguier africain peut créer une musique aussi parfaitement belle et émouvante que le grand orchestre symphonique du Sacre du Printemps *ou de* Turangalila-Symphonie, *de même qu'un dessin de Lascaux peut être un aussi pur chef-d'œuvre que telle peinture de Vinci ou de Picasso. La palette toujours plus riche des timbres instrumentaux de l'orchestre et la virtuosité toujours croissante des exécutants fournissent certes aujourd'hui au compositeur une matière extrêmement riche dans la variété de ses combinaisons sonores. Le langage musical lui-même n'a guère cessé de s'enrichir en ce qui concerne le groupe-*

ment simultané des notes (harmonie), alors que leurs combinaisons successives (mélodie) ont souvent pâti de l'excessif souci du groupement vertical. Le rythme de notre musique semble avoir profité des premiers contacts avec certaines musiques « exotiques » (influences des folklores d'Europe centrale sur Bartok, des ragas *de l'Inde sur Messiaen, des danses africaines sur Jolivet). Mais qu'on ne s'y trompe pas : la musique n'évolue pas toujours du simple au complexe. La subtilité expressive des mélodies de l'Islam classique, grâce à ses divers modes (ou échelles de sons) qui s'appuyaient sur des divisions tonales auprès desquelles notre système moderne du* tempérament *(gamme divisée en parties aliquotes) paraît grossier, est un exemple de ce raffinement, aujourd'hui abandonné, où s'exprimait une structure mélodique dépouillée de toute harmonie. Les musiques de l'Inde ou de Bali et Java sont d'autres exemples de cet emploi mélodique de divisions de l'octave en intervalles plus proches de la résonance harmonique naturelle que celles de notre gamme du piano, qui n'est qu'un à-peu-près. Ces problèmes de division rationnelle et naturelle de l'octave, rêve des mathématiciens musiciens de la Grèce ancienne, et que l'on retrouve encore dans la musique instinctive de certains folklores, sont d'ailleurs revenus au jour à notre époque dans les travaux d'un Aloïs Haba ou d'un Wichnegradsky.*

Ces quelques réflexions et exemples montrent l'effort à faire aujourd'hui, de la part des écrivains et du public, pour débarrasser tout ce qui entoure la notion d'art musical de conceptions erronées, d'idées toutes faites, de préjugés fâcheux qui se transmettent de génération en génération, on ne sait trop pourquoi. Aussi faut-il retourner aux textes originels, comme on a voulu le faire ici.

Une nouvelle prise de conscience de l'art musical serait nécessaire au moment où l'enseignement d'une culture générale, de plus en plus encombré par les programmes scientifiques, le néglige davantage qu'à aucune autre époque — et cela, comme on l'a remarqué plus haut, alors que la diffusion de la musique dans la vie quotidienne atteint un niveau jamais encore atteint, parfois même monstrueux. Au moment où j'écris ces lignes, se pose socialement *la question de réglementer l'usage de ces minuscules postes à transistors qui pullulent dans la vie publique, et celle des Droits de l'Homme au silence. Espérons que cette saturation même de l'espace sonore par la musique amènera la société d'aujourd'hui à reconsidérer sous un jour plus rationnel le problème de cet art, de ses possibilités, de ses devoirs, de sa signification. A cet égard, une sociologie historique de la musique aiderait à considérer ce problème sous son vrai jour.*

Rien ne s'oppose, certes, à une diffusion continue de musiques dont le seul objet est de plaire à l'oreille, de distraire les soucis de ceux qui l'entendent. Mais rien n'est plus dangereux que de mêler ce continuum *sonore sans grande importance à des œuvres faites pour être écoutées avec une conscience aiguë, une concentration profonde de l'être. C'est, hélas! trop souvent le cas à l'heure actuelle, dans ce monde à la fois trop riche et trop pauvre où vit Diskos. Comme beaucoup de problèmes de notre civilisation, qui se trouve sans doute à un tournant capital de l'évolution humaine, les prodigieuses inventions de la science se sont, la plupart du temps, succédé trop vite pour être suivies par l'esprit : la raison s'est laissée surprendre, quand il a fallu se servir de ces nouvelles et merveilleuses richesses, et l'apprenti sorcier court le risque de se noyer dans son propre déluge.*

On s'étonnera peut-être de voir évoquer de si graves problèmes à propos d'un art souvent considéré comme du délassement agréable. La musique est bien cela, mais elle est autre chose. Il n'y a pas que de la bonne et de la mauvaise musique : il y a celle qu'on entend *avec plus ou moins d'attention et plus ou moins de plaisir, et celle qu'on* écoute *avec la plus grande concentration d'esprit, et dont le domaine s'étend bien au-delà du divertissement, de la joie éphémère, jusqu'à une expression plus ou moins totale, plus ou moins mystique, de l'homme. Cette musique restera souvent sans effet, si l'auditoire ne possède pas quelques éléments de culture musicale, et s'il n'apprend point à l'écouter, avec le respect et l'amour que l'on doit aux chefs-d'œuvre, dès son jeune âge. Une éducation où la musique a été en général oubliée (qui apprend le piano ou le violon, à l'époque de la radio et du disque?) ne facilite pas les choses. Tant de gens disent : « Je n'aime pas la musique! » ou « Je n'y comprends rien! » ou plus simplement : « Oh! moi, la musique, vous savez!* » *en haussant les épaules. Or, ceux-là ignorent en général qu'il faut une clef pour pénétrer au cœur de ce domaine et en recevoir autant de joies et de délectations spirituelles. L'art de la musique ne saurait être qu'instinctif, pas plus chez le créateur que chez celui qui écoute. Contrairement à ce que bien des gens croient, l'auditeur ne saurait être absolument passif. La philosophie esthétique classique a remarqué depuis longtemps ce dialogue qui s'engage entre l'auditeur ou le contemplateur et l'œuvre musicale ou plastique : dialogue nécessaire où l'on recrée plus ou moins en soi-même l'œuvre d'art. Or, le microsillon, qui met l'homme en tête à tête avec l'œuvre, se prête excellemment à ce dialogue et dans les meilleures conditions de sincérité et de concentration, pourvu que l'auditeur veuille et sache écouter, en esprit* « *prévenu* », *avec toute la conscience et le minimum de culture musicale désirables.*

On a constaté plus haut combien, autant que l'enseignement de la musique aux non-spécialistes, la littérature musicale d'aujourd'hui laissait à désirer. Les histoires de la musique sont trop souvent l'histoire des musiciens célèbres : elles négligent à peu près tout ce qui est en dehors des deux ou trois derniers siècles; elles ne font guère intervenir le développement de la société parallèlement à l'évolution de la musique. Quant à la critique des journaux et périodiques, elle se contente trop souvent de rendre compte des qualités des interprètes à propos de tel ou tel concert. Trop d'ouvrages aussi, comme on l'a déjà dit, s'expriment dans une langue technique et savante qui déroute le non-initié. A part quelques émissions, hélas! trop souvent teintées de dilettantisme ou de romanesque, la radio est loin de jouer le rôle qui devrait lui être dévolu en cette matière[1]. *Le seul grand et fructueux effort réalisé en ce sens dans notre pays est celui des* « *Jeunesses Musicales* », *qui a déjà obtenu d'immenses résultats et dont on est en droit d'attendre toujours mieux et toujours plus.*

Le livre qui suit n'a aucunement la prétention de combler l'une des lacunes citées plus haut. On a exposé ail-

---

1. On peut excepter certaines émissions : retransmissions de concerts symphoniques ou de musique de chambre, ou *Plaisir de la musique,* de Roland-Manuel, par exemple.

leurs dans quelles circonstances furent réunis ces textes, tous puisés aux sources même de la pensée des musiciens créateurs, ou d'esprits qui leur étaient proches. On n'y reviendra pas. Mais nous souhaiterions qu'ils fussent pour le lecteur l'objet de méditations personnelles autour de différents problèmes historiques, esthétiques, pratiques, sociaux, que sous-entend l'art de la musique. Il ne s'agit pourtant point d'une démonstration historique, philosophique, technique ou sociologique de la musique. Le choix des textes ne tend nullement à prouver une ou des théories quelconques. Mais on verra, en revanche, que la plupart des problèmes spécifiques à l'art musical ne sont nullement interdits au profane — et qu'il y aurait sans doute intérêt à tirer certains textes fâcheusement oubliés de la nuit des bibliothèques et à les diffuser, pour le bien des amateurs présents ou futurs. Nous pensons, en humaniste, que le passé, ici comme ailleurs, aidera à mieux prendre conscience d'un présent aux apparences parfois surprenantes et périlleuses, et à songer peut-être avec plus de confiance à l'avenir. Des textes comme ceux de saint Augustin ou de l'abbé Pluche, par exemple, font plus que conserver un sens vivant pour nous, ils peuvent donner lieu à d'utiles réflexions. Car de mêmes problèmes se reposeront toujours, au cours des siècles, selon des aspects divers, et il n'est certes pas indifférent ni inutile de connaître la pensée de quelques grands esprits du passé à leur sujet.

Si ces textes peuvent entraîner certains à des réflexions fécondes sur la musique, s'ils sont capables de les aider à se poser ou à reconsidérer bien des questions, s'ils arrivent à intéresser un public qui, d'habitude, n'approche ce qui touche à cet art qu'avec méfiance, scrupules, crainte d'en ignorer la technique et de ne point comprendre suffisamment, s'ils donnent à d'autres le goût de pousser plus avant leur enquête, cette anthologie aura atteint son but, qui est avant tout de faire réfléchir sur un art trop souvent incompris, en demandant au lecteur d'écouter avec attention les voix de ceux qui ont été ou sont des maîtres-ouvriers de cet art.

GUY BERNARD.

leurs dans quelles circonstances furent conçus ces textes, [illegible] esprits qui [illegible] n'y [illegible] pas. Mais nous souhaiterions qu'ils [illegible] pour le lecteur l'objet de méditations personnelles autour de différents problèmes historiques, esthétiques, philo[illegible] l'art de la musique. Il ne s'agit pourtant point d'une [illegible] historique, philosophique, technique ou sociologique de la musique. Le choix des textes [illegible] Mais on [illegible] que la plupart des problèmes [illegible] qu'il y aurait sans doute intérêt à tirer certains textes [illegible] de la nuit des bibliothèques [illegible] pour [illegible] des musiciens présents ou futurs. Nous pensons [illegible] que le passé, [illegible] à mieux prendre conscience d'un présent [illegible] parfois surprenantes [illegible] avec plus de confiance [illegible]. Des textes comme ceux de saint Augustin [illegible] par exemple, font [illegible] donner lieu à d'utiles réflexions [illegible] problèmes se reposent toujours, au cours des siècles, selon des aspects divers, et il n'est certes pas inutile [illegible] de connaître la pensée de quelques grands esprits du passé à leur sujet.

Si ces textes peuvent entraîner [illegible] à des réflexions fécondes [illegible] musique, s'ils sont capables de [illegible] qui [illegible] l'habitude [illegible] [illegible] donnent [illegible] le goût de [illegible] plus [illegible] enquête, cette anthologie aura atteint son but, qui est aussi tout de faire réfléchir sur [illegible] trop souvent [illegible] [illegible] au lecteur d'accorder une attention [illegible] qui ont été [illegible] sont des [illegible]

[illegible]

Gravures extraites de : *Essai sur la musique ancienne et moderne,* par Laborde.
(Paris, 1780, tome premier.)

Cor de Chasse.
Page 223.

Trompette Chinoise,
donnée par Bonnani.

Buccin.
Page 222.

Trompette courbée
Tuba Curva.
Page 233.

Petite Trompette courbée,
donnée par Bonnani.

Trompette courbée.
Page 233.

Flûtes doubles antiques, Tirée d'un marbre du Capitole. Page 227.

Flûte à bec. Page 229.

Sifflet Pastoral ou Flûte de Pan. Page 228.

Flûte double antique, à une seule Embouchure. Page 227.

Sifflet de Paysan. Antique.

Flûte allemande ou Traversiere. Page 269.

Violoncel. *Contrebasse.*

Page 298.

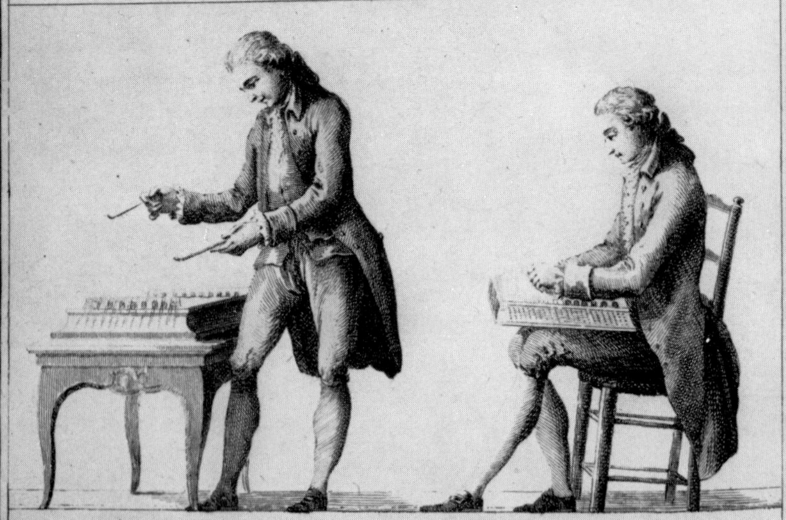

Timpanon. *Psalterion.*

Page 303.

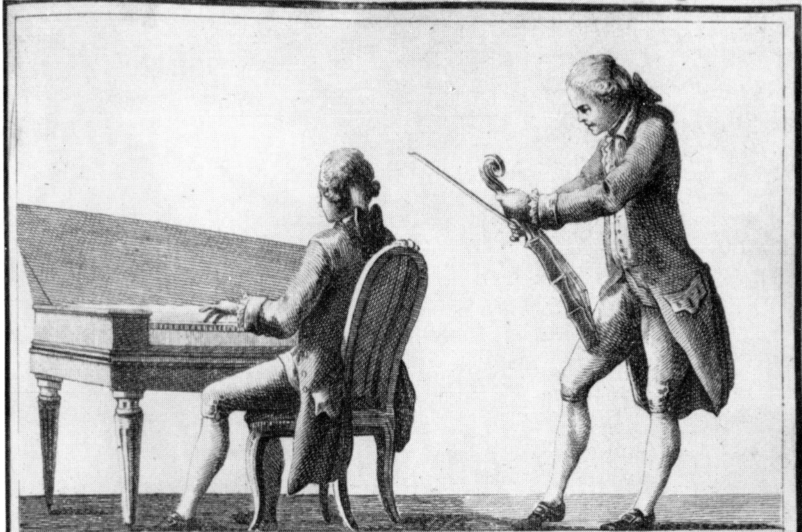

Forte Piano. *Violon vu de profil.*

Epinette. *Violon vu en face.*

Orgue portatif. Luth. Tambourin.
Tirés d'un manuscrit de la Bibliotheque du Roi, du 14. Siecle.

Cette Estampe tirée d'un manuscrit de la Bibliotheque du Roi, prouve que dans le 14.e Siecle on jouoit à cheval, de la Harpe, du Violon à trois Cordes et du Cornet.

Clavecin Vertical *Basson.*

1
2
3
4
5
6
1. Tambourin
2. Lyre.
3. Sistre.
4. Flute double.
5. Autre Lyre
6. Harpe.

LAUDATE DOMINUM !

LAUDATE *Dominum! La musique sacrée du Moyen Age ne se consacre au service que d'un seul Dieu, selon la tradition biblique et chrétienne. Mais aussi la civilisation gallo-romaine est empreinte de souvenirs païens. La Grèce, à travers Rome, nourrit les spéculations des Pères de l'Eglise. L'Orient panthéiste est à la porte de leurs cellules. Saint Augustin s'abreuve d'Aristote. Les modes de la musique grecque deviennent les tons du plain-chant. D'innombrables courants de pensée de la Méditerranée antique se croisent, s'embrouillent, s'interpénètrent dans les lectures et les méditations des érudits ecclésiastiques de cette époque qui nous semble aujourd'hui si courte, dans la fausse perspective de l'histoire : le Moyen Age musical dure plus d'une dizaine de siècles, et notre musique dite classique, disons depuis* Orfeo *de Monteverdi, trois siècles et demi.*

La fixation des rituels musicaux du christianisme, dans cet air lourd de discussion savantes, devint bien vite l'objet d'une bataille. D'un côté, l'écheveau compliqué des traditions orientales, à travers les rituels musicaux des premières églises d'Asie Mineure, avec leurs arabesques vocales, indisciplinées, laissées un peu au gré de l'officiant comme les « quillismes » de la psalmodie hébraïque; d'autre part, la tradition grecque et enfin l'envahissement inévitable des églises par les chants populaires des Gaulois et des Francs, tout cet étrange désordre, aussi bien que la carence et les imperfections de la notation musicale, explique les tentatives réformatrices de Grégoire le Grand pour universaliser, « catholiciser » la musique rituelle de l'office chrétien selon l'Eglise de Rome, et établir ainsi une sorte de musique canonique reliée une fois pour toutes aux offices chrétiens, que nous appelons aujourd'hui « musique grégorienne ».

Cependant, l'érudition chrétienne continuait à se pencher sur les traités de musique grecque, et la musique des céré-

monies païennes n'abandonnait point volontiers son rôle à l'intérieur des églises.

Aussi l'Eglise, qui a accepté provisoirement cette intrusion, s'en méfie de plus en plus et finit par interdire sévèrement sa porte à ce carnaval d'idées et de sensations profanes.

A ce propos, il est curieux de remarquer que cette méfiance s'exprime sur un plan supérieur, chez un saint Augustin, par exemple, lui-même influencé par le « moralisme » platonicien à l'égard des plaisirs de l'art en général et de la musique en particulier.

A cette attitude réticente, raidie et parfois barbare de l'Eglise musicale de la fin du Moyen Age va succéder, sur un autre plan, grâce à un nouvel apport des idées antiques de l'Orient, une réconciliation de l'homme avec une certaine conception de Dieu, une réunion musicale de l'esprit et de la chair : sur un certain plan mystique qui correspond à peu près historiquement à ce que nous appelons la « Renaissance ». D'Espagne nous sont parvenus des témoignages singulièrement riches et émouvants de ce nouvel ordre de pensée, d'une Espagne sans doute fécondée par la pensée des théoriciens gréco-islamiques. On y reprend en effet de vieilles idées, colorées cependant d'un esprit nouveau, où l'esprit chrétien a marqué son empreinte.

Et ces idées vont faire leur chemin jusqu'aux derniers penseurs chrétiens du XIXe siècle, au moment même où, éthiquement et esthétiquement, la musique sacrée achèvera de s'éteindre.

G. B.

LA BIBLE est pauvre en renseignements sur la musique hébraïque. Il n'y a pas, à proprement parler, une théorie musicale judéo-chrétienne qui prenne ses sources dans les Ecritures. Nous laissons ici à Laborde, le plus important des musicologues du XVIIIe siècle, le soin de discerner l'origine mythique de la musique, telle qu'elle apparaît dans un passage de la Genèse.

RÉVÉLATION QUE DIEU FIT A JUBAL

Sans nous arrêter à discuter l'opinion de ceux qui pensent que le premier homme était grand musicien, parce que, suivant saint Thomas, (*Summ. theo.*, part. I, ques. 94, art. 3), *il eut la science de toutes choses par le moyen des images mises en lui par Dieu et non acquises par son expérience* : nous nous en tenons à ce qu'on lit dans la Genèse, chap. 4, v. 21, que[1] *Jubal fut le père de ceux qui chantaient avec la harpe et l'orgue.* Ainsi Jubal peut être regardé comme l'inventeur de la musique instrumentale.

A l'égard de son origine, c'est une opinion extravagante que celle de Caméléon Pontique de vouloir l'attribuer au chant des oiseaux. Le chant plaît sans doute à l'oreille : il est même assez varié pour faire plaisir aux sens; mais sans en faire à l'intelligence humaine, qui ne peut porter aucun jugement, ni par théorie ni par pratique, sur la plus grande partie des intervalles formés par le chant des oiseaux.

Le sentiment de Lucrèce paraît avoir plus de vraisemblance quand il assure que l'origine de la musique vient des sons formés par le vent dans les roseaux. Ces roseaux n'étaient que le corps sonore; mais la cause était l'agitation causée par le vent qui, excitant l'air qui y était renfermé, produisait des sons distincts.

Zarlin rapporte que, suivant l'opinion de quelques-uns, la musique doit son origine au son de l'eau, et il nomme Varron et Boccace. Je crois cette opinion aussi extravagante que celle

1. Quelques auteurs croient que Jubal donna son nom au premier instrument qui ait été inventé, de même qu'au *Jubileum* : c'est ainsi que les Hébreux appelaient chaque cinquantième année, dont la fête était annoncée au son des instruments bruyants.

de Caméléon Pontique. Santovin, Gaffurio, Angelini, Bontempi, Zarlin et d'autres, affirment que Jubal, en entendant le son produit par les marteaux de Tubalcaïn, trouva la musique et les proportions de ses intervalles. Ils s'appuient sur le témoignage de l'historien Josèphe; quoique le P. Scorpioni assure qu'on ne trouve pas dans Josèphe un seul mot de ce fait, dont les Grecs font honneur à Pythagore. Mais comme ce philosophe adopta dans sa philosophie plusieurs lois des Juifs, il est possible qu'il ait tiré des livres de Moïse les connaissances dues à Tubalcaïn, et que les Grecs lui aient attribué cette belle découverte. Vincent Galilée, après avoir rapporté cette histoire sur Pythagore, ajoute : *D'autres veulent que ce soit Dioclès à qui apartient cette invention, non par le moyen des forgerons, mais parceque se trouvant dans la boutique d'un potier-de-terre, il frapa par hasard quelques vases avec une baguette, et observant que, suivant la différence de leur grandeur, ils rendaient des sons différens, il s'appliqua à rechercher les proportions musicales par les sons graves ou aigus.*

Il me semble qu'il est plus raisonnable de croire que cette découverte ait été faite par Jubal[1], qui étant frère de Tubalcaïn, entendait souvent le bruit des marteaux, et vivait plusieurs siècles avant Pythagore et Dioclès. On peut cependant concilier ces différents systèmes en accordant la division des sons, et par conséquent l'invention du chant, à Jubal, et la théorie de leurs proportions à Pythagore.

LABORDE, *Essai sur la musique ancienne et moderne,* 1780.

---

1. « Lamech (*descendant de Caïn*) eut deux femmes, dont l'une s'appelait *Ada,* & l'autre *Sella. Ada* enfanta *Jabel,* qui fut pere de ceux qui demeurent dans des tentes & des Pasteurs. Son frere s'appelait *Jubal*; il fut pere de ceux qui chantent sur le luth & sur l'orgue [*cithara* & *organo*]. *Sella* enfanta *Tubalcaïn* qui eut l'art de travailler avec le marteau, & qui fut habile pour faire toute sorte d'ouvrages d'airain & de fer » (Genèse, ch. 4, v. 19 et suiv.).

SAINT AUGUSTIN

SAINT AUGUSTIN est né, en Numidie, en 354; il est mort en 430. Ce rhéteur païen, devenu l'un des premiers Pères de l'Eglise, rédigea peu après sa conversion au christianisme, en 387, un traité sur la musique, le* De Musica, *qui atteste à la fois de sa grande culture humaniste et de l'exigence de ses préoccupations religieuses.

UNE CONQUÊTE MÉTHODIQUE

... Ensuite, la raison tenta de s'élever jusqu'au sommet heureux d'où elle pouvait contempler la création divine. Elle y monta par degrés, craignant de tomber de haut, et se fraya un chemin à travers les régions inconnues qu'elle avait conquises et ordonnées. Elle voulait contempler par elle-même, sans nuages, sans l'aide des yeux du corps, les beautés sublimes et sans limites. Les sens l'en empêchaient. Alors elle commença la critique de ceux qui croyaient connaître la vérité absolue et le clamaient impérieusement, essayant d'arrêter son essor. L'oreille assurait que le langage était soumis à cette avidité; par lui, en effet, s'étaient affirmées la grammaire, la rhétorique et la dialectique. La raison distingua aussitôt avec précision le son lui-même de l'idée qui en découle. Elle constata que l'oreille ne peut apprécier que le son en soi, sous ses trois formes : chant de l'être vivant, voix des instruments à vent, sonorité des instruments à cordes; ainsi nous entendons les chœurs des tragédies, des comédies, ou autres masses chorales, les ensembles des flûtes et autres instruments de même nature, les mélodies chantées par les harpes, les lyres, le rythme du tambour ou de tout instrument qui résonne sous la main qui le frappe.

Un tel exercice serait à dédaigner si l'on ne savait ordonner les sons en les mesurant par des temps, avec diverses alternances de lenteur et de rapidité. La raison se souvint qu'elle avait remarqué, par l'examen de la grammaire, les rythmes des pieds et les accents; c'était là ce qu'elle cher-

chait pour la musique. Il lui était facile d'observer que les syllabes brèves et longues étaient réparties dans le discours de manière sensiblement égale; elle tenta de réunir et d'ordonner ces pieds avec logique; consultant l'oreille, elle établit d'abord de petites mesures qu'elle appela césures et hémistiches. Les pieds n'y devaient pas dépasser les bornes que fixait le bon goût et la raison détermina exactement les limites à partir desquelles les pieds reviendraient; ce fut sans doute l'origine du mot *vers*. Quand les vers ne se conformeraient pas à une mesure régulière et que cependant les pieds s'y succéderaient dans un ordre rationnel, on les nommerait *rythmes*, ce qui en notre langue latine signifie *nombre*. Ainsi naquirent les poètes, et, devant les merveilles qu'ils créaient par l'harmonie dans le langage, la raison les combla d'honneurs et leur donna licence de produire tous les rythmes rationnels qu'ils voudraient. S'exerçant d'abord sur les mots, ils eurent pour arbitres les littérateurs.

La raison constata bientôt que les *nombres* régissaient toute la musique et régnaient sur le mouvement et sur l'harmonie. Elle étudia leur nature avec le plus grand soin, reconnut qu'il y avait des nombres divins, éternels, et que tous l'avaient aidée jusqu'alors à disposer *toute chose avec ordre*. En même temps, elle remarquait, non sans en être attristée, qu'ils perdaient beaucoup de leur splendeur et de leur pureté en passant par les bouches humaines; *or, comme tout ce que notre esprit contemple est toujours présent et immortel, comme les nombres étaient tels, tandis que le son, parce qu'il est sensible, passe et n'existe bientôt plus que dans notre mémoire, la raison permit au poète — car il devait remonter à l'origine de toute chose — d'imaginer que les Muses étaient filles de Jupiter et de la mémoire.*

C'est pourquoi le nom de *musique* fut donné à cet art qui parle aux sens et à l'esprit.

L'Ordre, II, 14, *trad. J. Huré.*

DUPLICITÉ ET PRÉEXISTENCE DE L'HARMONIE

La mort méritée par le pécheur, et à quoi il était destiné, fut subie par le juste qui, de plein gré, était allé au-devant d'elle, acquittant ainsi la double dette de l'homme. Ainsi, nous voyons dans toutes les choses dominer la loi de l'adaptation, du rapport, de la consonance et de l'union entre eux de deux éléments divers; c'est ce que les Grecs nommaient *harmonie.* Il n'est pas dans notre sujet de démontrer combien est agréable ce rapport naturel de l'unité à la dualité. Mais, qu'il nous soit permis de le dire, le sentiment de cette harmonie est, par essence, inné en nous par la volonté absolue de Dieu qui nous a créés. C'est pourquoi ceux-là mêmes qui ignorent toute science musicale sont néanmoins sensibles à la musique, soit qu'ils entendent chanter, soit qu'ils chantent eux-mêmes. C'est par l'harmonie, en effet, que concordent entre elles les diverses sonorités de la musique; si bien que notre oreille, — indépendamment de préjugés techniques, ignorés de la plupart, — est, tout à coup, désagréablement choquée, lorsque les lois qui régissent la musique ne sont pas observées.

L'Incarnation du Verbe, II, *trad. J. Huré.*

LA MUSIQUE AFFERMIT L'AMOUR DE DIEU

SAINT AUGUSTIN

... Quelquefois, trop enclin à craindre un tel piège, je me laisse égarer par une sévérité exagérée : alors je voudrais éloigner des oreilles de tous les chrétiens, comme des miennes, tout accent des suaves cantilènes qui accompagnent habituellement les Psaumes de David, et il me semble plus prudent de s'en tenir à la manière d'Athanase, évêque d'Alexandrie, qui, si j'en crois ce qui me fut conté, préconisait pour la psalmodie une sonorité si sobre, qu'il semblait qu'on récitât les psaumes et non qu'on les chantât. Néanmoins, lorsque je me rappelle les larmes que je versais en entendant les chants de notre Eglise (Seigneur), aux premiers jours de ma conversion, et lorsque, maintenant encore, je suis ému, non par le chant, mais par ce qu'il exprime, si la voix du chanteur est claire et bien rythmée, je conviens à nouveau de l'utilité d'une telle institution; aussi ai-je tendance, sans prétendre trancher la question, à approuver le maintien dans l'Eglise d'une telle coutume; ainsi, par les joies de l'ouïe, l'âme faiblissante, toujours, s'affermira dans la piété.

Confessions, X, 13. *trad. J. Huré.*

SAINT BASILE (329-379)

Le chant est un moyen d'unification; la psalmodie ramène le peuple des fidèles à l'harmonie d'un seul chœur.

La psalmodie procure le plus grand de tous les biens : l'amour.

Ps. 1, 2.

RHABAN MAUR (IVe s.)

Le chant est un moyen de faire arriver les fidèles à la contrition, à la *componctio cordis*; les paroles ne les toucheraient pas suffisamment : la musique est un moyen de les amener à un état d'esprit vraiment religieux.

De Cleric. Institut., II, 48.

LE MOINE PAMBON (IVe s.)

Quand nous sommes en présence de Dieu, nous devons avoir une grande contrition, et non une voix éclatante. Les moines ne se sont pas retirés dans ce désert pour avoir le verbe haut, moduler des hymnes, arranger des rythmes, agiter les mains et les pieds en courant çà et là : c'est avec crainte et tremblement, avec larmes et soupirs, avec respect, contrition et humilité de la voix que nous devons apporter nos prières à Dieu...

Des jours viendront où les chrétiens corrompront les livres saints des Evangiles, des saints apôtres et des divins prophètes, en édulcorant l'écriture èt en composant des cantilènes... Leur raison se dissoudra en mélodies et discours de païens.

Le chant exprime l'allégresse du croyant pénétré par le sentiment du divin; c'est un moyen de proclamer et de publier la gloire de Dieu.

Le chant, comme la musique instrumentale, est un des moyens employés pour donner le plus d'éclat possible à un acte religieux.

Le chant est un moyen employé pour que la parole sacrée *porte* mieux. La poésie, le drame, la harangue ont besoin de secours et d'aide pour arriver à la foule et l'émouvoir. Les premiers docteurs de l'Eglise, investis d'une mission divine, se sont servis du chant, à l'exemple des Grecs, pour donner un véhicule au verbe liturgique.

L'ORCHESTRE DES ANGES

SAINT JEAN CHRYSOSTOME (347-407)

Notre chant n'est qu'un écho, une imitation de celui des anges. C'est dans le ciel que la musique a été inventée. Autour et au-dessus de nous chantent les anges. Si l'homme est musicien, c'est par une révélation du Saint-Esprit; le chanteur est inspiré d'en-haut.

DANTE (1265-1321)

Et, comme l'unisson des cordes de la harpe
Et du luth fait entendre un doux tintinnement
Même à celui qui ne connaît pas l'air,
S'harmonisait encor tout le long de la croix
Un cantique naissant des feux que je voyais,
Et qui me ravissait, sans ouïr les paroles.
Mais l'hymne, assurément, était un chant de gloire,
Car jusqu'à moi les mots : « Sois vainqueur! Ressuscite! »
Venaient, comme à celui qui écoute et n'entend.

Paradis, XIV.

Comme je me tournais, attentif à ce bruit,
J'ouïs chanter, je crois, *Te Deum laudamus*
Par une voix unie au doux son de la porte :
Et ce que j'entendais me faisait tout à fait
L'effet que l'on ressent quand on vient à chanter
De concert avec l'orgue et que tantôt les voix
Couvrent l'orgue, et tantôt sont couvertes par lui.

Purgatoire, IX.

L'ÉGLISE SE MÉFIE

A la suite de saint Augustin, certains théologiens chrétiens n'ont pas hésité à identifier l'art musical au service et à la célébration de la divinité. Ils ont même vu dans l'essence de la musique une pure manifestation de mysticisme. L'Eglise, pourtant, n'adopta pas sans réticences un tel point de vue. Elle vit, dans certaines formes musicales (dont beaucoup, il faut le dire, étaient d'origine populaire profane), un témoignage de faiblesse, de frivolité et jusqu'à la sournoise intervention du Diable. Ainsi plusieurs conciles et autres instances ecclésiastiques mirent la musique et les musiciens en accusation, allant jusqu'à sanctionner leurs abus par la courroie et le fouet !

BRUNO CARTHUS (Ve s.)

Dieu n'aime pas la musique en soi. Il n'a pas plus besoin de chant que de victimes; s'il admet, s'il veut qu'on chante, c'est par pitié pour la faiblesse de l'homme et son penchant aux enfantillages. Il accepte un petit mal (la musique) pour en éviter un beaucoup plus grave (l'éloignement de la vraie religion)... La musique est un inconvénient nécessaire, un pis-aller indispensable.

EXPOS. IN PSAL., 41.

TATIEN

... Laissons les fables d'Hégésilaus et du poète Ménandre. Pourquoi perdrais-je le temps à admirer dans les fables un joueur de flûte, et pourquoi m'arrêterais-je à considérer un Antigénide thébain, disciple de Philoxène, qui faisait ce métier ? Nous vous laissons ces choses frivoles et inutiles, mais croyez plutôt les vérités de notre religion, et quittez à notre exemple ces badineries...

CONTRE LES GRECS.

TERTULLIEN (vers 155-vers 220)

... Les arts qui appartiennent à la comédie sont sous la protection de Vénus et de Bacchus. L'art qui règle les gestes et les différentes postures du corps, qui appartient proprement à la comédie est consacré à la mollesse de Vénus et de Bacchus, qui sont deux démons également dissolus, l'un en ce qui regarde le sexe et l'autre en ce qui regarde le luxe et la débauche. Les concerts de musique de violes et de luths sont dédiés à Apollon, aux Muses, à Minerve et à Mercure, qui les ont inventés. Vous qui êtes chrétiens, haïssez et détestez ces choses dont les auteurs ne peuvent être que l'objet de votre haine et de votre aversion...

DES SPECTACLES, X.

SAINT JEAN CHRYSOSTOME

... Ceux qui vont au spectacle, non par hasard, mais de propos délibéré et avec tant d'ardeur qu'ils abandonnent l'église par un mépris insupportable pour y aller, où ils passent tout le jour à regarder ces femmes infâmes, auront-ils l'impudence de dire qu'ils ne les voient pas pour les désirer, lorsque leurs paroles dissolues et lascives, les voix et les chants impudiques les portent à la volupté ?... Car si, en ce lieu où l'on chante les Psaumes, où l'on explique la parole de Dieu et où l'on craint et respecte sa divine majesté, la concupiscence ne laisse pas de se glisser secrètement dans les cœurs, comme un subtil larron, ceux qui sont toujours à la comédie, où ils ne voient et n'entendent rien de bon, où tout est plein d'infamie et d'iniquité, dont leurs oreilles et leurs yeux sont investis de toutes parts, comment pourraient-ils surmonter la concupiscence ?...

DE DAVID ET DE SAÜL.

...Les chansons et les vers infâmes causent à l'âme une odeur plus insupportable que tout ce que nos sens abhorrent le plus, et cependant, lorsque les comédiens les récitent devant vous, non seulement vous n'en avez pas de peine, mais vous en riez, vous vous en divertissez, bien loin d'en avoir de l'aversion et de l'horreur.

SUR SAINT MATTHIEU, 38, 11.

... Mais que dirai-je du bruit et du tumulte de ces spectacles ? de ces cris et de ces applaudissements diaboliques ? de ces habits qu'il n'y a que le démon qui les ait inventés ? On y voit un jeune homme qui, ayant rejeté tous ses cheveux derrière la tête, prend un coiffure étrangère, dément ce qu'il est et s'étudie à paraître une fille dans ses habits, dans son marcher, dans ses regards et dans sa parole. On y voit un vieillard qui, ayant quitté toute la honte avec ses cheveux qu'il a fait couper, se ceint d'une ceinture, s'expose à toutes sortes d'insultes, et est prêt à tout dire, à tout faire et à tout souffrir. On y voit des femmes qui ont essuyé toute honte, qui paraissent hardiment sur un théâtre devant un peuple, qui ont fait une étude de l'impudence, qui, par leurs regards et leurs paroles, répandent le poison de l'impudicité dans les yeux et dans les oreilles de tous ceux qui les voient et qui les écoutent, et qui semblent conspirer par tout cet appareil qui les environne à détruire la chasteté, à déshonorer la nature, et à se rendre les organes visibles du démon, dans le dessein qu'il a de perdre les âmes; enfin tout ce qui se fait dans ces représentations malheureuses ne porte qu'au mal : les paroles, les habits, le marcher, la voix, les chants, les regards des yeux, les mouvements du corps, le son des instruments, les sujets même et les intrigues des comédies, tout y est plein de poison, tout y respire l'impureté...

SUR SAINT MATTHIEU, 6, 38.

L'ÉGLISE INTERDIT

Constitutions du roi Childebert, 555.

... Les nuits sont passées dans les veilles, l'ivresse, des jeux de bouffons, ou des chants; même les nuits des saints jours de Pâques, de Noël et des autres fêtes, et le dimanche, des sauteuses courent par les villes; toutes choses, où Dieu est certainement offensé, et que nous défendons expressément...

Concile de Bragance, 572.

... Celui qui mènera des danses devant les églises des saints, l'homme qui se déguisera en femme, ou la femme en homme, seront soumis à trois ans de pénitence...

Concile de Châlons, vers 650.

Il y a beaucoup de choses qui, pour n'être point amendées, tant qu'elles n'ont que peu d'importance, s'aggravent au pis. Ainsi, tout le monde trouve étrangement inconvenant qu'aux dédicaces des églises et aux fêtes des martyrs, il se forme de très nombreux chœurs de femmes pour chanter des vers impies et obscènes, dans le temps même où la prière et l'audition des psaumes, récités par les clercs, seraient l'unique devoir. Aussi les prêtres doivent-ils défendre qu'on se place dans le centre des églises, ou auprès des portiques, ou sous les porches; et s'il y a résistance, il faut user de l'excommunication ou tout au moins de punitions disciplinaires...

Concile de Constantinople, 692.

Tout ce qu'on nomme « Calendes, Vœux, Brumaires », et les assemblées du premier jour de mars, seront désormais anéantis; car telle est notre volonté. Quant à ces danses publiques de femmes, sources de maux et de ruines, et à ces chœurs et mystères, au nom des faux dieux et des gentils, ou d'hommes et de femmes qui sont des coutumes antiques tout à fait étrangères à la vie chrétienne, nous les prohibons expressément, ordonnant que nul homme ne se déguise en femme ou aucune femme en homme; que nul ne représente des personnages de comédie ou de tragédie; que personne, quand les vignerons font le vin dans les cuves, n'invoque le nom de l'exécrable Bacchus; ni que, au moment de verser le vin dans les tonneaux, nul ne fasse rire par des actions marquées au coin de l'imposture et de la folie, et qui ne prouvent que l'ignorance ou la vanité. Par conséquent, quiconque désormais contreviendra à nos prescriptions, une fois celles-ci connues parmi les clercs, sera déposé, et parmi les laïcs, mis hors de communion...

Concile d'Aquilée, 791.

Il est bon que tous les honneurs mondains, dont les gens du siècle et les princes de la terre ont la coutume, tels que la chasse, les chants séculiers, les réjouissances sans terme et sans modération, et tous les jeux de cette nature, ne soient pas dans les habitudes des gens d'église...

Concile de Tours, 813.

Les prêtres de Dieu doivent s'abstenir de toutes choses capables d'enivrer les yeux et les oreilles, et par là d'amollir la vigueur de l'âme; ce qui peut s'entendre de quelques genres de musique et de bien d'autres choses; car c'est au milieu de ces plaisirs des oreilles et des yeux que la multitude des vices a coutume de pénétrer jusqu'au cœur. Aussi les indécences des histrions déshonnêtes et de leurs jeux obscènes doivent-elles être évitées; et il faut en donner avis aux autres prêtres...

Concile de Châlons, 813.

Les prêtres doivent s'abstenir de tous les divertissements des oreilles et des yeux; ni s'occuper de chiens, ni d'éperviers, ni de faucons ou d'autres choses semblables; et non seulement repousser loin d'eux, mais engager les fidèles à chasser de même ces jeux indécents ou obscènes des histrions et des bateleurs...

Lois ecclésiastiques de Keneth, roi d'Écosse, 840.

Les fugitifs, les bardes, les oisifs, les bateleurs, et tous les gens de cette sorte, seront punis de coups de courroies et du fouet...

Règlements de Gauthier, évêque d'Orléans, 858.

Lorsqu'à propos d'un anniversaire il y a assemblée dans un presbytère, on doit s'y conduire avec bienséance et sobriété, prendre garde à trop parler, ne pas chanter des cantilènes rustiques, et ne pas permettre que des danseuses, imitant Hérodiade, fassent en votre présence leurs jeux indécents...

Concile d'Avignon, 1209.

Nous avons décrété qu'aux vigiles des saints il n'y aurait pas, dans les églises, de ces danses de théâtre, de ces réjouissances indécentes, de ces réunions de chanteurs et de ces chants mondains, lesquels, la plupart du temps, non seulement provoquent l'âme des auditeurs au péché, mais encore souillent la vue et l'ouïe des spectateurs...

Concile de Paris, 1212.

Nous prohibons aux assemblées de femmes pour danser et chanter, l'octroi de permissions d'entrer dans les cimetières ou dans les lieux consacrés, quels que soient les égards dus aux coutumes.

Les religieuses ne se mettront pas à la tête des processions qui font en chantant et en dansant le tour des églises et de leurs chapelles, ni dans leur propre cloître, ni ailleurs, ce que même nous ne croyons pas pouvoir permettre aux séculiers; car selon saint Grégoire, il vaut mieux, le dimanche, labourer et bêcher que de conduire des danses...

Concile de Bayeux, vers 1300.

Les prêtres défendront, sous peine d'excommunication, les assemblées pour danser et chanter dans les églises ou dans les cimetières. Ils préviendront les fidèles de n'y plus revenir, saint Augustin ayant dit : « Il faut mieux, un jour de fête, bêcher ou labourer que danser. » En effet, on peut juger combien est grave le péché de danser ou chanter dans le saint lieu, par la rigueur des canons qui le condamnent. Et si des gens ont fait des danses devant les églises des saints, qu'ils soient soumis, s'ils se repentent, à une pénitence de trois ans...

Concile de Tolède, 1473.

L'Église où notre rédempteur Jésus, au nom de qui tout le monde fléchit le genou, s'immole incessamment pour nous doit être surtout purgée de choses honteuses. Aussi, dans nos métropoles, nos églises, cathédrales et autres, la coutume inepte étant, aux fêtes de Noël, de saint Étienne, saint Jean et des saints Innocents et autres, pendant les messes solennelles, d'introduire dans l'église des larves, des monstres et d'y faire des jeux de théâtre et des montres, toutes choses inconvenantes; en outre d'y parler tumultueusement, de pousser des cris, de chanter des vers, et de tenir des discours dérisoires, qui empêchent l'office et détournent l'esprit du peuple des choses pieuses, nous défendons...

En réaction contre la suspicion que l'Eglise avait pu marquer à l'égard de la musique, un certain nombre de théologiens et théoriciens espagnols, aux XVᵉ et XVIᵉ siècles, réhabilitèrent l'art musical, en en faisant, comme le Bachelier TAPIA, une vertu réconciliatrice de la raison et de l'instinct; comme DURAN, un instrument de charité et de contemplation; comme BERMUDO, un dispensateur de fortune, de santé et de vertu; comme Johannes de SPINOSA, une manière de confirmer l'être dans son essence.

TAPIA (Espagne, XVᵉ s.)

LA RÉCONCILIATION DE L'ESPRIT ET DE LA CHAIR

Qu'est-ce qu'unir la subtilité et la sublimité de l'esprit avec la bassesse et la lourdeur de la chair, sinon joindre des lettres aiguës aux graves pour qu'elles fassent consonance ? Qu'est-ce que la loi qui maintient et conserve si longtemps les quatre éléments dans un corps en paix, sinon la musique proportionnelle où Dieu les mit ? N'avez-vous pas observé la naturelle amitié de la puissance rationnelle qui est l'esprit avec l'irrationnelle qui est la chair, dans l'homme ? Et, certes, ces deux choses si distinctes ne sont pas liées par quelque lien corporel, mais par une vertu, cause de la proportion dans laquelle Dieu composa les humeurs dans l'homme. Mettre en proportion un esprit si proche de Dieu et un corps qui n'est rien; c'est là une science et un pouvoir qui n'appartient qu'à Dieu. De sorte que de deux choses aussi distinctes que l'âme et le corps naît, en l'homme, cette musique humaine (Augustin). De même que Dieu a mis dans l'homme cette musique naturelle, de même l'homme a une inclination et une amitié naturelles envers et avec elle, les semblables désirent et envient leurs semblables, et ils en jouissent : mais avec ceux qui ne le sont pas ils s'attristent et se troublent. On induit clairement de là qu'en entendant des dissonances, on est pris de peine et de tristesse (Cic., *De amici*, c. 13), tandis que les suaves chansons et consonances nous donnent la joie parce que nous éprouvons en nous un accord semblable. Boèce le Romain prouve ainsi la ressemblance de l'homme avec la musique : nous avons, dit-il, l'expérience de ce que l'état de notre âme et de notre corps est, en certaine façon, composé de proportions par lesquelles l'homme produit des modulations harmoniques. Ne pensez pas que celui qui chante ou qui joue sur un mode joyeux le fasse pour que la musique lui donne de la gaieté, écrit Papinien, sinon pour que l'allègre harmonie qui existe dans le cœur de celui qui chante ou qui joue la produise en quelque manière : ce dont il se délecte; et il en est de même du chanteur triste qui cherche des modes proportionnés à sa tristesse afin de l'éveiller. Ceux qui jouent des instruments à cordes ont une règle commune : ils ne doivent ni monter trop les aiguës qui pourraient se casser, ni trop baisser les graves qui pourraient ne plus donner de sons. Il faut une grande prudence et une grande habileté pour mettre les instruments en un si juste milieu et en une si juste tonalité que ni la musique ni les cordes ne perdent rien. Combien saint Paul (*ad Ro.*, c. 12) accordait exactement le monocorde humain, lorsqu'il disait : Que votre service soit conforme à la raison! Ne détendez pas les cordes de la sensualité au point que la musique se perde, et n'étouffez pas l'esprit au point qu'il en meure, car on perd autant par excès que par défaut. Que la sensualité soit donc accordée avec la raison et celle-ci avec Dieu, si vous voulez faire de la bonne musique. Car, bien que ce soit de la musique instrumentale, chacun est obligé de suivre la même mesure (Ysidoro, lib. 3, *Ethi.*, c. 18) puisque l'on fait l'instrumentale avec le secours et l'aide de l'homme; et il y a des artistes de touche comme sur la vihuela, la harpe et leurs pareilles, dont la musique est dite artificielle ou rythmique; et il y en a d'autres qui jouent des instruments à vent comme la flûte, la *dulçayna* et les orgues, dont la musique est dite organique. C'est ainsi que l'ont appelée les philosophes, selon le notable musicien Andrea (lib. 1, c. 1, *Invenci.*), et cette musique rythmique et organique peut se dire harmonique, car l'homme la peut atteindre et même d'humaine la rendre divine, en l'étudiant pour mieux aimer Dieu.

LE VERGER DE MUSIQUE, 1470, *trad. H. Collet.*

DURAN (Espagne, XVe s.)

LA LOUANGE, L'ALLÉGRESSE ET L'EXORCISME

Comme la vie humaine est brève, et l'art de musique long et de grande spéculation, car il contient en soi la pratique et la théorie; comme il est constitué pour servir et louer Notre-Seigneur; comme dans les sciences pratiques il n'en est aucune qui ne dirige le cœur humain vers la charité et la contemplation, autant que la musique; comme elle est une science divine et humaine qui embrase et provoque les cœurs à l'amour de Dieu; comme sans elle on ne peut — en désirant avec zèle le service de Dieu — célébrer les offices avec la solennité et la perfection dues; comme enfin il est désirable que toutes confusions, discordes et erreurs cessent sur ce point parmi les gens d'Eglise; j'ai tenu à leur épargner le temps qu'ils mettaient à étudier les moyens de procéder dans la pratique, en déclarant en un style bref et précis, par les causes et les principes vrais (dans la théorie comme dans la pratique), ce que j'ai compilé dans les éléments de plain-chant intitulés *Lumière Belle.* Et le nom semble consonant avec l'effet que *quasi lucet inter alias artes huius facultatis.* Car de même que les choses se manifestent à nous par le moyen de la lumière, ainsi par l'art se manifestent et se dévoilent à nous les ambiguïtés comme aussi disparaissent les erreurs du chant. Et je continuerai en la divisant en trois catégories : car la parfaite perfection consiste en ce nombre, selon Virgile (*et numero deus impare gaudet*). La musique, en effet, a trois excellences sur les facultés humaines. La première est que Notre-Seigneur grâce à elle est servi, apaisé, encensé et loué. Et dans la Nativité de Notre Sauveur, on chantait : *Gloria in excelsis deo.* Et dans le premier des rhéteurs, on voit que ces trois sciences — rhétorique, logique et musique — *naturaliter nobis insunt.* La seconde (excellence est) que *musicam esse cibus anime quod laetificat eam refociliando cor et omnia membra*, car le chant est le délice des anges, l'hymne des Saints, et par suite les ecclésiastiques surtout le doivent savoir avec grande affection et diligence, car, en soi, il semble une chose divine et spirituelle, et fait que les personnes dévotes, attentives et contemplatives, persévèrent dans les offices divins, en louant le Seigneur comme on le lit de David, d'Orphée, de Tubal Cayn (*sic*), fils de Lamech, et de beaucoup d'autres. Car les humains n'inventent rien de plus agréable à Dieu que la louange musicale. Et par la musique se manifeste l'allégresse du cœur bénissant et glorifiant Notre-Seigneur. La musique est douée d'une telle vertu qu'elle provoque dans le cœur un esprit prophétique qui fait pronostiquer l'avenir. La troisième excellence de la musique est de mettre en fuite les esprits malins. C'est ainsi que nous voyons par expérience que s'il y a une tempête de tonnerre, d'éclairs, de tourbillons et de grêle, avec le son de la cloche tout cesse, et le nuage s'épanche; car les mauvais esprits fuient avec grande tristesse et douleur toute harmonie spirituelle : ce qui plaît à Dieu ennuie le diable... Et comme on l'a déjà dit : avec la musique spirituelle on apaise et on loue Notre-Seigneur, et le mal esprit en reçoit grande douleur et tristesse, et la fuit... car son office est d'inspirer des pensées vaines, tristes, désespérées; d'être l'occasion de maint vice et péché : toutes choses que la musique éloigne. Et elle excite aussi les belliqueux dans les batailles. La musique profane inutile est celle qui en tout nuit et offense. Elle incline les cœurs à de mauvais désirs, rend les hommes égarés, libidineux, insensés, désaccordés et plongés profondément dans le vice. L'histoire scholastique nous dit que la musique réjouissait davantage un être joyeux, mais attristait davantage un être triste. Je procéderai ainsi en rectifiant et en déclarant le plain-chant, en me conformant à la position de saint Grégoire, laquelle doctrine a été suivie par tous et doit être acceptée et connue de tous...

Le Commentaire sur la Lux Bella, 1498, *trad. H. Collet.*

BERMUDO (Espagne, XVIe s.)

LA FORTUNE, LA SANTÉ ET LA VERTU

Trois sont les biens qu'en ce monde les hommes peuvent posséder. Les uns s'appellent de fortune, les autres corporels et les troisièmes spirituels. Les biens de fortune sont les deniers (*dineros*) et autres richesses; les corporels sont la santé, l'allégresse et les choses de ce ton; les spirituels sont les vertus. Avec la musique nous atteignons à ces trois choses : que la musique apporte avec elle les biens de la fortune, nous le voyons en ce que journellement les princes et seigneurs font envers les musiciens... Et quant aux autres biens, il suffit de rappeler les témoignages de D'Etaple, d'Aristote, de Philelphos, de Basile, de Sénèque, de Boèce, de Pythagore, de Cicéron (*De Consiliis*), l'Ecclésiaste et les Rois, Galien, Avicenne et Isidore. Si donc quelqu'un me demandait pourquoi de notre temps nous ne voyons pas les musiciens obtenir de pareils effets malgré tout leur savoir, je lui répondrais que je ne sais pas si les musiciens étrangers ne les ont pas obtenus, mais que, si, en Espagne, nous n'avons rien vu de semblable, c'est que beaucoup manquent de la connaissance des modes. ... Un enfant naît et vit un an : c'est une demi-croche de la musique de Dieu. Il vit deux ans : c'est une croche. Il vit quatre ans : c'est une demi-minime. Il vit huit ans : c'est une minime; et ainsi vous pouvez multiplier.

Trad. H. Collet.

JOHANNES DE SPINOSA (Espagne, XVIe s.)

A TOUTE ŒUVRE MUSIQUE DONNE PERFECTION

S'il est une science qui puisse donner occasion aux hommes de parler en elle, quelle est celle qui peut rivaliser là-dessus avec notre musique, puisque de toutes les sciences elle est la plus connue ? Elle, dont la délectation — si nous ne savons la surprendre par la raison — nous est si naturelle que dès l'abord notre sens la perçoit, et de telle façon que nous pensons tous en être bons juges : et non sans cause, car non seulement elle appartient à l'entendement ou spéculation de la vérité et à l'exercice des mœurs, comme dit Boèce, lib. 1, *De musica*, c. 1, mais encore à toutes les œuvres elle donne perfection, ce pourquoi non seulement les savants d'autrefois cherchaient à la savoir, mais encore tous les rois et empereurs; et l'on tenait pour aussi simples ceux qui ne la savaient pas, que l'on tient aujourd'hui pour tels ceux qui ne savent pas lire. Et cela, à mon sens, était fort sage : car sans la musique on pourrait difficilement comprendre comment les causes des choses étant si différentes, ou même contraires, peuvent, en s'unissant, former un « causado »; d'autant plus qu'elle nous est si conjointe que (comme dit Platon) nous ne la pouvons nier; car, grâce à son pouvoir, la raison écartée du corps le rejoint; et c'est pourquoi on ne saisit jamais mieux les choses que lorsqu'on les entend en tons accordés conformes : si la musique nous trouve pleins d'énergie, elle l'affermit davantage, si craintifs, elle nous rend plus craintifs encore; si prudents, elle aiguise notre prudence; si ignorants, beaucoup plus ignorants nous fait; si calmes, elle purifie notre tempérance; si furieux, elle nous rend plus courroucés; si justes, elle nous donne plus de justice; si injustes, plus de cruauté; et, par conséquent, il en est ainsi de tous les autres vices et vertus, etc...

L'ART DE MUSIQUE, 1520, *trad. H. Collet.*

LA THÉORIE ET LA PRATIQUE

[Il y a] une musique spéculative et théorique, et une autre active et pratique. De ces deux musiques, la seconde répond mieux à notre objet... Il appartient au musicien théorique de mesurer et de peser (selon Placentino) les consonances formées dans les instruments, non pas à l'aide de l'oreille qui pour cela est impertinente, mais avec l'entendement et la raison, comme firent Plutarque, Boèce, Fabro Stapulensi, Glarean, Goscaldos (*sic*), Tohar, Lux bela (*sic*), Ciruelo et beaucoup d'autres. La musique pratique est un art libéral (Guido) qui administre véritablement les principes du chant. Tous les chanteurs et joueurs libéraux, habiles à composer et à jouer selon l'art, peuvent être dits musiciens pratiques : tels furent saint Grégoire, Augustin, Ambroise, Bernard et d'excellents artistes qui existent aujourd'hui en Espagne et en Italie. Cette musique pratique est aussi en deux manières : le plain-chant et le chant d'orgue. Le plain-chant selon saint Bernard au début de sa *Musique*, est une règle qui détermine la nature et la forme des chants réguliers; la nature consistant en la composition des points. Pour la musique mesurable ou d'orgue, le musicien Andrea (lib. I, c. 1) dit qu'il y a des quantités variables de signes, et diverses inégalités de figures, lesquelles sont augmentées ou diminuées selon l'exigence du temps ou du mode. L'origine des deux sciences théorique et pratique, selon Hugo de Sancto Victore (lib. I, *Di dacc.*, c. 5), fut l'homme. Il faut considérer deux choses dans l'homme, une bonne et une mauvaise. L'une est l'homme intérieur, l'esprit, l'habileté, le naturel, et finalement l'entendement par lequel l'homme peut spéculer et contempler les choses célestes, divines et humaines. La mauvaise est le vice et la nécessité. Comme celle-ci n'est pas le naturel, on doit la jeter dehors (*lançar fuera*) autant que cela est possible à l'homme; et si l'homme ne peut arriver tout à fait à exiler (*desterrar*) le mal, au moins il sera bien accordé (*templado*) en cherchant des remèdes. Nous devons donc agir pour réparer le naturel. Comme l'homme se voyait dans la nécessité, il commença à songer comment il pourrait apporter remède à son état; et c'est ainsi que de l'entendement naquit la science théorique; et par la nécessité il trouva le moyen de régler l'œuvre par l'intelligence, c'est-à-dire la science pratique. Et si le curieux me demandait quelle est la meilleure de ces deux sciences musicales, je répondrais que la théorique a le prix, mais que si l'on apprenait l'une et l'autre science, cela n'en vaudrait que mieux. Cependant si l'on compare seulement la théorique avec la pratique, la science apparaît certes plus élevée que l'usage que l'on en fait. C'est une plus grande chose, dit Boèce (lib. I, c. 34), de savoir agir que d'agir, car le fait tient du corps et sert à la science et à l'art. La raison, où siège la science, ordonne comme reine et maîtresse, et les mains comme la voix obéissent ainsi que des esclaves. Autant l'esprit surpasse le corps, autant la théorie excède la pratique : car la théorie a pour demeure l'âme, et la pratique a pour demeure le corps. La raison, parce qu'elle est reine dans le royaume des puissances, a besoin du service de tous les membres dans les puissances extérieures où elle commande. Donc si elle possède la science, elle saura commander avec rectitude; mais si elle en manque, son œuvre sera boiteuse (*no sera recta la obra*). Pour que la raison puisse spéculer, elle n'a pas besoin de l'œuvre, car les œuvres de la main n'ont aucune valeur si la raison ne les guide pas. Voulez-vous voir l'excellence de la musique dans la spéculation et sa bassesse dans l'œuvre (*sic*) ? Considérez les noms que nous donnons à chacun de ceux qui exercent la musique sur un instrument, dit Boèce, ils prennent le nom de l'instrument qu'ils jouent. Le joueur d'orgue s'appelle organiste; le joueur de flûte s'appelle tibicine (*tibicina*) parce qu'en latin flûte est dite *tibia*; et le joueur de vihuela ou de harpe s'appelle cithariste, parce que cet instrument a pour nom latin *cithara*. Mais le théoricien emprunte son nom à la science elle-même : c'est-à-dire musicien. Et si les praticiens obtiennent le nom de musiciens, c'est avec un diminutif : musiciens d'orgues, musiciens de vihuela, etc. Et ce que je dis de la musique est propre à tous les arts.

Ibid.

LUTHER

LUTHER (1483-1546) attribuait à la musique une haute fonction morale. Il fut ainsi amené à en recommander l'enseignement et à la faire participer à l'éducation morale de la jeunesse. De même emprunta-t-il au folklore la plupart des thèmes du choral servant, jusqu'à aujourd'hui, aux cultes protestants.

UN DON DE DIEU

La musique est une demi-discipline qui rend les gens plus patients et plus doux, plus modestes et plus raisonnables. Celui qui la méprise, comme font tous les fanatiques, ne saurait en convenir. Elle est un don de Dieu et non pas des hommes; aussi chasse-t-elle le démon et rend-elle joyeux. Avec elle on oublie la colère et tous les vices. C'est pourquoi, j'en suis pleinement convaincu et je ne crains pas de le dire, *après la théologie aucun art ne peut être égalé à la musique.*

Je voudrais bien pouvoir louer dignement ce magnifique présent de Dieu, le bel art de la musique; mais je trouve dans cet art de si grands et de si nobles avantages, que je ne sais par où commencer ou finir ce que j'aurais à dire à sa louange; je ne sais de quelle manière ni dans quelle forme le faire envisager à tous les mortels pour le leur rendre plus clair et plus précieux.

La Musique est le baume le plus efficace pour calmer, pour réjouir et pour vivifier le cœur de celui qui est triste, de celui qui souffre.

La musique est un régulateur qui rend les hommes plus doux, plus bénévoles, plus modestes et plus raisonnables.

J'aimai toujours la musique. Quiconque est versé dans cet art ne peut manquer d'être un homme d'une bonne trempe; il est propre à tout. — Il faut de toute rigueur conserver la musique dans les écoles. Il faut qu'un maître d'école sache chanter; sans cela, je n'en fais nul cas.

La musique est un don sublime que nous a fait Dieu, et qui tient de très près à la théologie. Je ne donnerais pas pour des trésors le peu que j'en sais. Il faut habituer la jeunesse à cet art, car il rend les hommes bons, fins et aptes à tout.

Le chant est le meilleur art et le meilleur exercice de tous. Il n'a rien de commun avec le monde; on ne le rencontre ni devant les juges, ni dans les controverses. Ceux qui savent chanter ne se livrent ni aux chagrins, ni à la tristesse. Ils sont gais et chassent les soucis avec des chansons.

LETTRE A SENFI.

CLAUDE GOUDIMEL

CLAUDE GOUDIMEL (1505-1572), originaire de Besançon, fut un des plus importants musiciens français de la Renaissance. Artiste profondément religieux, il composa nombre de motets, Magnificat, messes et psaumes, mais il mit aussi en musique des poèmes de Ronsard et d'Horace.

UNE TRÈS NOBLE ET EXCELLENTE SCIENCE

A tres noble et tres illustre personnage, Monseigneur Jean Brinon, seigneur de Villaines et conseiller du Roy en son parlement à Paris, Claude Goudimel prie humble salut. Le divin Platon escript entre aultres choses (tres illustre Senateur) qu'il n'y a entre les hommes rien de decepvable, ni qui induise à erreur les humains, comme la faincte apparence, et fausse similitude des choses vrayes, et bonnes, dont il est advenu que par cy devant tant de sciences libérales, curieusement cherchées, et divinement inspirées, soubz umbre, et couleur de bien, ont esté corrompues, et appliquées à maulvais usage, comme nous appert clairement des painctres, poëtes, et aultres, qui jusques à présent se sont plus occupez à ouvrages lascifs, desordonnez, lubricques et damnables, qu'à employer leur esprit à exalter, et glorifier le nom du Tout-Puissant qui a voulu toutes sciences estre congnues à l'homme, pour la contemplation de sa haulte et divine Majesté. Que diray ie de la tres noble, et excellente science de musique ? Que Strabon au

dixiesme de sa Geographie par le tesmoignage des pythagoriques appelle philosophie; et neantmoins (ô injures execrables) nous la voyons aujourd'hui par lascives, sales et impudiques chansons tant dépravée et desguisée, que maints bons espritz se sont du tout corrompus, et effeminez. Ie ne veux pour cela accuser ceulx qui (rejectée toute impudique immodicité) se sont exercez à composer Mottetz, Psalmes, et cantiques saints, et fideles : à l'imitation desquelz (mon tres honoré Seigneur) inspiré d'un bon vouloir, et affection chrestienne, me suis mis en debvoir de publier les louanges du Createur. Et cognoissant de long temps qu'en vous, attaint de l'esprit de Dieu, toutes singulieres vertus, et exquises sciences, comme un miracle apparoissent, et sont par vous divinement soutenues, et qu'entre tous les arts la Musique par vostre moyen, et appuy de vostre noblesse bien née, a esté plus illustrée en ce pays de France, qu'elle n'a jamais esté par cy devant : i'ay pris la hardiesse de vous offrir, et consacrer ce mien petit labeur, ne sachant à qui plus dignement ie le puisse dedier, ne qui par la multitude de ses graces, et bienfaictz, mon present ouvrage se tiendra assuré de la morsure des mesdisantz, et envieux, et soubz un tel patron, et defenseur, sera receu agreable des bons et vertueux. Vous suppliant le recepvoir, et rendre digne de vostre seigneurie. De Paris, ce 6e jour d'aoust 1551.

DÉDICACE DES PSAUMES DE DAVID, 1551.

UN ACCORD CÉLESTE

**Comme jadis les poëtes,
Les Sybilles & Prophetes,
Remplis d'un divin esprit,
Au Dieu des dieux le plus sage
En commencerent l'ouvrage
Qu'ils coucherent par escrit :**

**Ainsi moi dont la poitrine
Se meust, s'eschauffe & mutine
Par mains accords bien reduits,
A toi qui es l'Accord mesme,
le presente le poëme
De l'œuvre que ie conduis.**

**Œuvre porté sur les ailes
Des louanges immortelles
Du Dieu iadis adoré
Par la troupe fugitive
Qui vit la deserte rive
Du pays tant desiré.**

**Car comme la renommee
S'espand dedans l'univers,
De la Harpe d'Idumee
S'espand dedans l'univers,
D'autant qu'un Roi plein d'a-
A la corde chanteresse [dresse
Daigna marier ses vers :**

**Ainsi ceste melodie,
Faite beaucoup plus hardie,
Ira suyvant pas à pas
De ces louanges sacrees
Les routes plus asseurees
Contre l'oubli du trespas.**

Tellement que la noblesse
De ceste antique Deesse
Iointe à son premier bon-heur,
Au lieu d'amours et de noises
Dedans les bouches Françoises
A recouvre sa grandeur.

C'est ceste mesme noblesse
Pour qui l'on dit qu'en la Grece
D'un seul nom estoit nommez
Les annonceurs des presages,
Les Musiciens, les sages,
Et les poëtes estimez.

Ceste grandeur recouverte
Rendra la ville deserte
Où regnent les voluptez :
Et la Musique divine
Servira de Medecine
A toutes adversitez.

Car comme les Platoniques
Pensent que les republiques,
Et royaumes terriens
Changent ainsi que se change
L'entresuite & le meslange
Des accords musiciens :

Ainsi ceste accord celeste,
Qui poursuit & qui deteste
L'empire de Cupidon,
Fera que verrons changee
D'amour la flamme enragee
En un celeste brandon...

DÉDICACE DES CENT CINQUANTE PSAUMES DE DAVID, 1580.

IAN SWEELINCK

IAN PETERSZOON SWEELINCK (1562-1621) fut le plus grand musicien hollandais de son temps. Il publia plusieurs livres de Psaumes, des Rimes françoises et italiennes, *un recueil de* Chansons sacrées, *etc. Organiste de la Vieille Eglise d'Amsterdam, il est considéré comme l'inventeur de la fugue d'orgue à sujet unique et, de ce fait, comme l'annonciateur de Jean-Sébastien Bach. Sweelinck avait de l'essence de la musique une conception métaphysique inspirée aussi bien de la pensée grecque que du dogme judéo-chrétien.*

INCORPORER LA DOCTRINE EN L'ESPRIT

Messieurs, il y a une telle correspondance de la Musique avec nostre ame, que plusieurs, recherchants soigneusement l'essence d'icelle, ont jugé qu'elle est pleine d'accords harmonieux, voire que c'est une pure harmonie. Toute la Nature mesmes, à dire vray, n'est autre chose qu'une parfaite Musique, que le Créateur fait retentir aux oreilles de l'entendement de l'homme, pour luy donner plaisir, et l'attraire doucement à soy : comme nous les voyons à l'œil en l'ordre tant bien agencé, au nombre si bien proportionné, ès mouvements et revolutions si bien accordantes des corps célestes : ce qui a meu aucuns de dire que le Firmament est le patron original de la Musique : laquelle aussi est une vraye image de la region elementaire, comme on le peut appercevoir au nombre des elemens et de leurs quatre premieres qualités, et en l'accord admirable de leurs contrarietés. Voilà pourquoy les sages du temps ancien, considerans qu'une chacune chose a ceste propriété, de se mouvoir, tourner et encliner à son semblable par son semblable, se sont servis de la Musique, et l'ont mise en usage, non seulement pour donner du plaisir aux oreilles, mais principalement pour modérer ou esmouvoir les affections de l'ame, et l'ont appropriee à leurs oracles, à fin d'instiller doucement, et incorporer fermement leur doctrine en nos esprits, et les esveillans les eslever plus aisement à la contemplation et admiration des œuvres divines. Orphee entre les Payens et David entre les Hebrieux, se sont estudiés à celà. Cestuy-cy vrayment inspiré de l'Esprit de Dieu, a composé des Pseaumes, qu'il a baillé à des maistres Chantres, pour estre entonnés sur divers instruments. Son œuvre a esté conservée par l'immuable fermeté de la Vérité divine; mais la besoigne de ses Chantres nous demeure incognue par l'injure des temps. Ayant jecté les yeux sur un subject si excellent, je me suis entremis de le reuestir d'une nouvelle Musique. Vray est que plusieurs par cy devant se sont employés à celà. Mais comme des faces humaines il ne s'en trouve point qui se ressemblent en tout et par tout, ainsi en prend des conceptions et ouvrages de nostre esprit. Ce qui me fait penser que ce mien essay ne sera pas rejecté de ceux, pour l'usage de delectation desquels je l'ay mis en lumière : ausquels si j'apperçoy qu'il soit aggréable, je prendray l'occasion avec le temps, moyennant la grace de Dieu, de produire le reste. Ce pendant je pren la hardiesse de presenter à vos Seigneuries ces premices de mes labeurs, non pour la valeur de la chose, ny le merite de celuy qui la presente, ny encor moins pour esperance ou desir d'aucun emoluement et avantage qui m'en puisse revenir : ains seulement, en partie pour donner plus de splendeur à ce mien ouvrage, le couvrant de la faveur du nom de vos Seigneuries, en partie pour une recognoissance de l'estroitte obligation qui m'astreint à ceux que je recongnoy vrais Peres de ma patrie, desquels j'ay esté gratifié en maintes sortes dès ma jeunesse, qui estans studieux et amateurs de tous les honnestes arts et disciplines, m'ont establi en la charge que j'exerce depuis plusieurs années en ceste ville.

Priant vos Seigneuries de vouloir accepter ce mien labeur et le prendre d'aussi bonne part, comme il vous est presenté de cœur sincère et humble affection.

D'*Amsterdam,* ce 30 mars, en l'an 1603.

PRÉFACE AUX CINQUANTE PSAUMES DE DAVID, 1604.

PALESTRINA

PIERLUIGI DA PALESTRINA (1514-1594) est considéré comme l'un des plus grands musiciens catholiques. Il est l'auteur de plusieurs recueils de messes. Son œuvre la plus célèbre est la Messe du Pape Marcel. *Il travailla à la révision du* Graduel *ordonnée par Grégoire XIII. Dans les dédicaces de ses livres de motets, il témoigne d'un souci constant d'harmoniser ses compositions et sa foi religieuse, tout en se réservant, au sein de sa création, la latitude d'en varier le style et l'inspiration. Oublié, pendant plusieurs siècles, Palestrina fut redécouvert par un Gounod et un Debussy.*

ÉGAYER ET CONDUIRE LES AMES

Joannes Petraloysius Praenestinus, Salut.

C'est une grande force de la musique, non seulement d'égayer mais encore de conduire et diriger de tous côtés les âmes des hommes, et tous les plus sages de l'antiquité l'ont dit, et tous les jours la chose se confirme d'elle-même. Ceux-là méritent d'autant plus d'être blâmés, qui abusent d'un si magnifique présent de Dieu, non seulement pour des choses légères et frivoles, mais encore, comme si les hommes n'étaient pas assez portés d'eux-mêmes vers les choses mauvaises, pour les inciter plus encore au plaisir et à la paresse. Certes, en ce qui me concerne, je me suis toujours, même étant jeune, écarté de cette coutume et j'ai pris grand soin, qu'il ne provienne de moi rien qui pût rendre quelqu'un mauvais et malhonnête. D'un âge déjà mûr et penchant vers la vieillesse, il vaut d'autant mieux pour moi que je persiste dans cette conduite, et tout ce qui appartient en moi à cette faculté, si peu que ce soit, je l'appliquerai cependant ce petit (talent) tout entier à des choses graves et sérieuses et dignes de l'homme Chrétien. Comme j'avais désormais décidé de le faire à jamais, Prince illustris., je t'offre, comme hommage de mon âme, ce livre dans lequel j'ai renfermé un choix de morceaux qu'on a coutume de chanter à l'Église, adapté aux principales fêtes de l'année. D'autres, de genre différent, suivront, si la vie le permet, si Dieu le veut, par lesquels tu verras que les grâces que tu me fais chaque jour n'ont pas été placées chez un homme, nullement remarquable sans doute, mais certainement ni paresseux, ni adonné à l'inerte oisiveté.

Rome, aux Nones de Mai MDLXIX.

DÉDICACE DU PREMIER LIVRE DE MOTETS, 1569,
trad. J.-G. Prod'homme.

Sanctissimo D.M. Gregorio XIII.

Il y a trop de vers des poètes qui ne chantent que des amours étrangères à la profession et au nom même de Chrétien. A ces poèmes, œuvres d'hommes visiblement égarés, un grand nombre de musiciens ont consacré tout leur talent et tous leurs artifices. Ainsi, bien qu'ils aient recueilli la gloire due à leur génie, ils ont, par le vice de pareils sujets, offensé des hommes honnêtes et graves. D'avoir été moi-même du nombre de ces musiciens, je rougis et je m'afflige aujourd'hui. Mais puisque le passé ne peut être changé, et que ce qui est fait ne saurait n'être pas fait, j'ai changé de dessein. C'est pourquoi je me suis consacré aux poèmes écrits sur les louanges de Notre Seigneur JÉSUS-CHRIST, et de sa très Sainte mère, la Vierge MARIE, et j'ai choisi ceux qui renferment l'amour divin du Christ et de l'épouse de son âme, le cantique de

Salomon. J'ai employé un genre un peu plus gai que celui dont j'ai l'habitude dans les chants Ecclésiastiques : car j'ai compris que le sujet lui-même l'exigeait. Quoi qu'il en soit, j'ai voulu offrir cet ouvrage à ta Sainteté, à qui je ne doute pas qu'il ne donne satisfaction, peut-être un peu pour la chose elle-même, mais surtout pour l'intention et l'effort...

Dédicace du quatrième livre de Motets, 1584,
trad. J.-G. Prod'homme.

LE PÈRE COYSSARD (XVIIe s.)

LA FLEUTE D'ISMÉNIAS

Monsieur, on disoit de la fleute d'Isménias, que c'estoit un canal dont il couloit beaucoup de volupté. Et certes c'estoit bien dit, puisque de ce canal tel plaisir estoit sorti, que non-seulement les Athènes et les Corinthes, mais les Spartes s'y estoient baignées et abreuvées, voire où toute la Grèce s'estoit plongée, comme en un baing plein d'odeur et de suavité. Car cette volupté n'estoit pas une volupté brutale et deshonneste, mais c'estoit une amiable recréation, propre pour restaurer un esprit lassé et le remettre plus que devant aux questes de la vertu...

Mais je veux m'arrester icy, je veux revenir à mes fleustes comme Robin, ou plutost à cette harpe de David, qui estant tombée en mains des hérétiques, nous a fait de piteux sons, et joué des chansons bien lugubres et funestes. Je dis des chants bien esloignez de l'esprit de David, et de ce divin Isménias, dont la musique estoit si plaisante, et si bien accordée. Car depuis cent ans ou environ que l'Europe l'a entendue, en quelle part n'a elle corné la guerre, et mis le fer et le feu ? et quelles disproportions n'a elle excitées ? Quels mauvais tons ne nous a elle sonnez ? et quelles séditions n'a elle faites ?

Dédicace du Sommaire de la Doctrine chrétienne, 1608.

David chantant ses psaumes. Bible de Souvigny, fin XIIe s. *(Cliché Giraudon)*

La Musique
Cathédrale
de Chartres,
XIIIe s.

(Cliché Giraudon)

LE PÈRE MERSENNE

LE PERE MERSENNE (1588-1648) fut un bénédictin infiniment érudit et laborieux, dont deux ouvrages nous ont conservé la mémoire et le savoir : sa correspondance scientifique avec Descartes et son traité de L'Harmonie universelle, *où il envisage la musique comme l'art qui symbolise l'ordre même de l'univers.*

L'ENTRETIEN ÉTERNEL

Puis que la perfection de chaque chose consiste en son essence, en ses proprietez, & en ses accidens, & que son excellence doit estre mesuree selon ses principes, ou suivant la fin à laquelle elle est destinée, je dis que la chanson qui aura tout ce qui est requis à sa perfection & qui sera la mieux proportionnee à sa fin sera la plus excellente de toutes. Or elle aura toutes ses parties lors qu'elle respondra parfaitement à la lettre et au sujet que l'on prend, & ne pourra jamais estre plus excellente que quand elle aura le sujet le plus excellent de tous, qui consiste à descrire les grandeurs & les loüanges de Dieu, & l'amour & l'ardeur dont nous devons l'adorer éternellement.

D'où il est aisé de conclure que toutes les chansons de Cour qui n'ont point d'autre sujet que les profanes, & qui ne contiennent autre chose que les loüanges des hommes, qui ne subsistent le plus souvent que dans les flatteries, & qui n'ont point d'autre soustien que la vanité & le mensonge, ne peuvent estre parfaites, puis que la vérité leur manque, sans laquelle il n'y a nulle perfection, & qu'elles sont privees du sujet qui ravit les Anges, & qui servira d'un entretien éternel à tous les predestinez.

L'Harmonie universelle, 1636-1637.

LE CONCERT DES BIENHEUREUX

Les plus grandes chordes, & les Basses approchent du silence & du repos; & par conséquent représentent au mieux les puissances suprêmes, & même la divinité; & contiennent les moindres chordes & les Dessus, comme Dieu contient toutes choses.

Je laisse mille comparaisons qui se peuvent tirer de la 3. & 4. proposition du 4. livre de la Composition, pour exprimer les différents emplois de tous les membres d'une République par les différents effets des 4. parties de la Musique. Ce que l'on peut aussi appliquer au gouvernement moral de l'âme, dont la volonté est la plus grosse chorde qui fait remuer toutes les autres facultées comme il lui plait : si ce n'est que l'on donne cette prérogative à l'entendement. Quoiqu'il en soit, toutes les créatures sont comme autant de chordes ou de tuyaux de la grande Lyre de l'Univers, que le divin Orphée gouverne en donnant tel ton & tel accord qu'il lui plait à toutes les parties du monde, comme l'on peut comprendre par cette figure, dans laquelle les lettres ordinaires de l'échelle de Musique, qui commencent par T (qui signifie la plus basse partie, à savoir la terre) représentent chaque étage du monde, & ont l'étendue du Disdiapason, c'est-à-dire du plus grand système des Grecs, dont on voit l'imagination dans les degrés & intervalles qu'ils ont mis entre les planètes. Or il n'est pas besoin de particulariser tout le symbolisme de cette figure, puisqu'elle est remplie de dictions qui expliquent tout, & qu'il suffit que chacun tienne bien la partie que la providence divine lui a donnée en cette vie, afin que nous oyons le concert des Bien-heureux, & que nous y soyons admis pour joindre nos voix & nos cœurs avec les fleurs, & que nous adorions Dieu éternellement en esprit & vérité.

Ibid.

PIERRE ARNOUX (XVIIe s.)

TOUT LE CIEL CHANTE

Si la béatitude de la vue a tout ce qu'elle peut désirer, aussi aura l'ouye en la musique très mélodieuse, en l'harmonie très plaisante, aux fredons très gentils, et aux très délectables, douces et belles voix. Là il y a maistre de chapelle; il y a là les chantres et musiciens en toute abondance, il y a là mille millions de très belles voix qui s'accordent en tons divers et en très parfaicte observation de toutes les règles de la musique. Le maistre de chapelle, c'est Jésus-Christ; les chantres sont les anges avec tous les bienheureux. Il y a là trois escadrons d'anges, et chacun d'iceux fait trois chœurs : les chérubins, les séraphins et les Throsnes font le *dessus* et l'*altus*; les dominations et les principautez font la *contre haute*; les Vertus et les Puissances font le *tenor*; les archanges et les anges qui sont au plus bas chœur, font les *bassus* : les saincts mesme sous-entrent aussi avec ce chantre pour chanter ensemble avec eux. Jesus-Christ donne la voix (le ton) à tous, et entonnent le motet, lequel est tout nouveau. Parmi cette céleste musique étant de si mélodieuses voix par espèces infuses, il y a encore pour l'entière perfection d'icelle le son de la harpe, des flûtes, des violes, de l'espinette, du luth et de toutes autres sortes d'instrumens, qui chatouilleront à merveille la délicatesse de nos oreilles.

Du Paradis et de ses merveilles..., 1665.

ANONYME (XVIIe s.)

MUSIQUE VA JUSQU'A L'INFINY

Ne pourrois-je pas dire avecque les Saints Peres, et mesme avecque l'Ecriture, que le monde aussi bien que le Ciel est une continuelle Musique dont Dieu mesme est le Directeur et le Maître ? Car n'est-ce pas lui, en effet, qui y donne le bransle à toutes choses aussi bien qu'à tous les Cieux ? qui fait observer aux uns et aux autres toutes les pauses et toutes les autres loys de l'harmonie que sa Providence y a voulu établir ? et qui enfin leur soufle (pour ainsi parler).

Ne pourrois-je pas dire encore que dans le Paradis mesme la Musique a beaucoup d'employ et qu'elle y est tout à fait considerée puisqu'on y chante incessamment les loüanges de Dieu ? Puisque dans l'Apocalypse plusieurs Vieillards posënt leurs couronnes aux pieds de l'Agneau, et, s'estans humblement prosternez devant luy, ils entonnent avec des voix et avecque des luths divers Cantiques à sa gloire ? et puis qu'enfin des millions d'Anges répondent pareillement en Musique aux harmonieux et devots Motets de nos vingt et quatre Elogistes ?...

Qui ne sçait que l'étenduë de la Dance a des bornes, soit à l'égard de leurs pas et de leurs figures; au lieu que l'estenduë de la Musique va jusqu'à l'infiny, soit pource qui concerne la nouveauté des accords, soit touchant la diversité des mouvements, la pluralité des Musiciens et la manière de la conduite ? Au lieu qu'en effet tout est Musique, et au Ciel, et à la Terre; que les Anges, les hommes, les oyseaux, les Astres, enfin toutes les créatures se mélent d'harmonie et gardent l'ordre et les temps que leur Autheur a voulu leur prescrire.

LE MARIAGE DE LA MUSIQUE AVEC LA DANCE, 1664.

HENRI DUMONT

HENRI DUMONT (1610-1684) fut organiste de Saint-Paul, puis organiste de la chapelle royale, Abbé de Notre-Dame de Sailly, directeur de la musique de la reine, chanoine de Saint-Servais de Maestricht. Ces diverses charges gênèrent peut-être son travail de composition. Il publia néanmoins ces Messes en plain-chant musical, *encore jouées de nos jours, et quelques recueils de motets. Ce musicien tout ecclésiastique n'hésite pas à se référer aux autorités païennes, pour célébrer les pouvoirs transcendants de son art.*

LA PLUS PURE IMAGINATION

Ce n'est pas sans sujet que les plus grands Esprits de l'Antiquité ont cru que la Musique estoit un don du Ciel, envoyé sur la terre pour le plaisir des Hommes. Il est certain que l'Harmonie qu'elle compose a quelque chose de divin, puis qu'elle est une production de la plus haute et de la plus pure imagination que l'Esprit humain puisse concevoir, et que pour en faire voir l'excellence, il faut estre comme hors de soy, et encore heureusement inspiré d'un Genie qu'on peut dire n'estre pas à nous. Quand les anciens Theologiens nous ont asseurés que les mouvemens des Cieux ne subsistoient que par elle, et que par l'opposition de ses accords tout l'Univers s'entretenoit dans une éternelle Paix : Que c'estoit par elle que les plus fameux Chantres des Siecles passez avoient fait descendre les Arbres des plus hautes Montagnes, animé les Rochers, arresté le cours des fleuves les plus impetueux, appaisé les vents, calmé les mers, apprivoisé les bestes les plus farouches, basty les murailles d'une des plus superbes Villes du Monde, et rendu mesme l'Enfer pitoyable; ils nous ont sans doute voulu montrer l'empire qu'elle a sur toutes les passions de l'Ame. En effet nous voyons par experience, et il n'y a presque personne qui ne l'esprouve en luy-mesme, s'il n'est tout à fait stupide, qu'elle donne le bransle aux mouvemens de l'Esprit, et qu'on ne se sente esmeu de joye, de compassion, de tristesse, d'aversion ou de haine, selon les choses que ses accords annoncent à l'oreille. Parmy les Grecs le Ton Lydien excitoit les larmes, l'Ionien la joye, le Dorien la gravité, et celuy qui estoit employé aux nombres qu'on nommoit Pyrriques animoit les soldats à la guerre, et les rendoit invincibles. De tous les sens il n'y en a pas un qui ne sente si puissamment charmé par ses agreables objets, que l'oüye l'est par la douceur des sons. Elle appaise et endort les douleurs, efface la tristesse et rejoüyt mesme les plus miserables. Les Anciens l'apeloient à leurs plus magnifiques esbats. Elle presidoit aux Theatres et aux Cirques, et jamais ces grands Hommes n'estoient en paix ny en guerre sans elle. Elle estoit inseparable compagne de leurs batailles, de leurs victoires, de leurs triomphes, de leur gloire, et en un mot de toutes leurs belles actions.

Dédicace à M. de Halus des Meslanges..., 1657.

DASSOUCY

CHARLES COYPEAU, SIEUR DASSOUCY (1604-1674), est l'un des plus importants de ces petits maîtres du XVIIe siècle, qui s'illustrèrent dans le genre burlesque, avec Scarron et Cyrano de Bergerac. Son existence fut pleine de tribulations, qu'il nous raconte dans ses Aventures. *Sa pensée, incessamment orientée vers le comique, n'est pourtant pas sans témoigner de préoccupations qu'on peut dire en un certain sens métaphysique, à l'égal de celles du Père Mersenne.*

LE GRAND MAISTRE DE MUSIQUE

Si vous voulez voir un plaisant effet du hazard, il ne faut qu'aller chez un Imprimeur, et composer un livre des lettres que vous prendrez sans choix dans les cassettes, et puis le mettre au jour, je m'asseure, quand vous en ferez la lecture, que vous ne direz pas que ce hasard a fait le Monde, et si vous en voulez un autre exemple plus parfait, étendez des cordes sur un Clavessin, et laissez-en la disposition à la mercy du hazard, je defie le hazard de les accorder en cent mille ans, non-seulement le hazard, qui n'est rien, mais tout ce qui est dans la nature (hors de l'homme) n'en sçauroit venir à bout; et quand tous les animaux du monde auroient des mains et des instrumens pour cet effet, ils ne pourroient jamais en disposer et en accorder, non pas mesme une seule corde. Et si vous me demandez pourquoy l'homme entre tous les animaux est le seul capable de mettre ces cordes en leur place, c'est que l'homme est le seul icy bas de toutes les essences créées, à qui Dieu ait fait part de son intelligence, sans laquelle nulle chose ne peut venir à la connaissance de cette disposition, et par laquelle Dieu ayant fait de l'homme un raccourcy de soy-mesme, il luy a donné le pouvoir et la faculté d'exprimer en petit ce que ce souverain Maistre de l'harmonie du Monde, dans son grand et vaste Empire, nous fait voir en grand; et qu'ainsi ne soit, voyez ce que Dieu, ce grand Maistre de Musique, fait pour tirer l'harmonie de cette grande machine qu'on appelle le Monde.

LE CLAVESSIN DU MONDE

Et voyons d'autre part ce que cet homme fait pour tirer l'harmonie de cette petite machine qu'on appelle Clavessin, car vous devez sçavoir que par les plus petites choses nous venons à la connoissance des plus grandes. Toutes les parties qui composent ce grand Univers, ce sont les cordes que Dieu a étenduës sur cette grande machine du Monde, et lesquelles, bien que de nature differente, et de qualitez contraires, Dieu a disposées; en sorte qu'au lieu qu'en toute autre disposition, elles seroient contraintes par leur propre nature de se détruire les unes et les autres, elles s'entreservent si bien, que, si l'une de ses parties, que Dieu a disposées dans certains degrez de proportion que nous appelons intervalles, estoit hors des limites, où cette souveraine intelligence les tient attachées, elle mettroit toutes les autres en desordre, et toute cette harmonie iroit en confusion.

Les parties desquelles Dieu compose sa Musique, ce sont les quatre Elemens que cet homme represente sur cet instrument par quatre cordes; sur lesquelles il produit en racourcy les mesmes accords que Dieu tire de ces quatre grandes cordes, qui produisent toute cette harmonie, par qui subsiste tout ce qui en est composé. Cette grosse corde que vous voyez sur cet instrument, qui fait la basse, represente la Terre, et sur cette petite machine fait le ton grave, comme sur cette grande machine du Monde la Terre par sa gravité represente les grosses cordes du Clavessin. Cette autre corde qui suit, que vous voyez un peu plus deliée, et dans un lieu plus eminent, fait dans cette petite Musique, et sur ce mesme Clavessin, la partie du milieu, que l'on nomme Tenor. L'eau de mesme que nous voyons d'une qualité plus tenuë et plus déliée, et dans une sphere un peu plus élevée, fait dans cette grande Musique du Monde, entre l'Air et la Terre, cette mesme partie que nous appelons Tenor. Cette autre corde que vous voyez sur ce Clavessin, encore plus déliée et plus élevée, fait un tempérament entre la Taille et le Dessus, comme cette grande corde, encore plus subtile et plus déliée que les deux précédentes, que nous appelons l'Air, est une autre partie, qui, dans une sphere encore plus haute, fait un temperamment entre l'Eau et le Feu, que nous appelons, en langage de Musique, haut de Contre; et cette dernière qui tient le haut bout, la plus fine et la plus déliée de toutes, que nous appelons Chanterelle, nous représente le feu le plus fin, le plus épuré et le plus subtil de tous, qui, comme le plus noble, placé au dessus de tous les autres, fait cette partie que nous appelons le Dessus, qui est cette partie brillante qui donne la vie et le jour à tout l'ouvrage, et sans qui nostre Musique ne produiroit rien que de triste et de melancolique, non plus que cette grande harmonie, sans le feu, dont Dieu a allumé le Soleil et les Estoiles, et que nous voyons briller dans ce grand Astre, qui donne la lumière au Monde et porte la joye et la clairté par tout l'Univers.

LES YEUX DE L'ESPRIT

Mais comme l'œil humain ne peut aucunement appercevoir ces proportions harmoniques, sans lesquelles il n'y auroit dans ces quatre grandes cordes aucune union ny aucun accord, parce que nous ne les pouvons connoistre que par leur effet, qui ne se communique à nous que par les mesmes proportions qui font l'harmonie dont nous sommes composez; de mesme cet homme ne pouvant connoistre que des yeux du corps, en quel degré ny en quelle situation sont ces cordes qu'il a tendues sur cet instrument, par ce que la veuë n'est pas le sens destiné pour juger des sons, ny des proportions ou disproportions, qui détruisent ou produisent l'harmonie, il a recours aux yeux de son esprit; et par l'intelligence que Dieu lui a donnée, qui est la mesme dont Dieu s'est servy pour accorder ces grandes cordes, l'homme avec une petite clef, hausse et baisse ces cordes jusques à tant qu'il les ait reduites au mesme temperament, et aux mesmes proportions dans lesquelles Dieu a restraint et enfermé ces quatre Elemens, et par la mesme harmonie de ces mesmes quatre qualitez contraires, dont ce mesme homme est composé, mettant la main sur son Clavessin, et sonnant toutes ces cordes ensemble à la lueur de cette mesme intelligence, il les reduit le plus près de cette perfection qui est en Dieu, autant que sa capacité se peut étendre, et de cette reduction il en fait un accord.

L'HOMME MULTIPLIE LES ACCORDS...

Et comme l'harmonie du Monde ne seroit pas belle sans sa variété, cet homme, de ces quatre premieres cordes qu'il a accordées, en tire quantité d'autres cordes, et des tons differens, desquels il compose plusieurs differens accords, et par une intelligence bien plus raffinée, et des proportions encore bien plus subtiles, melant les accords parfaits aux imparfaits, et les dissonnances aux consonnances, il donne l'ame à son ouvrage, et en fait une modulation, dont résulte cette harmonie, qui, comme nous voyons, touche les ames, et emeut les passions.

... ET DIEU LES PROPORTIONS

Dieu de mesme : apres avoir disposé ces quatre grandes cordes, et les avoir reduites dans les proportions harmoniques, il en a fait l'accord, par qui nous voyons encore aujourd'huy subsister cette harmonie du monde; et, pour le rendre plus agreable par sa variété, de la variété des tons qu'il a tirez de ces quatre grandes cordes, il a composé tous les accords que nous voyons qui subsistent par les proportions de ses quatre qualitez contraires, en a donné l'ame, et les couleurs à toutes choses, en a formé les fleurs, les fruits, les plantes, les mineraux, et tous les individus, et meslant les accords imparfaits avec les accords parfaits, et les dissonnances avec les consonnances, qui sont les biens et les maux, les plaisirs et les douleurs, les vices et les vertus, la pauvreté et les richesses, la santé et la maladie, de l'enchaisnement de ces choses, il en a fait cette parfaite modulation, d'où procède cette merveilleuse harmonie, qui ravit et entraisne après soy tout l'Univers.

TOUT EST MUSIQUE

Mais ces proportions harmoniques, que l'on voit dans la construction de ce grand Edifice du Monde, qui se voyent dans la Musique, dans la Poësie et dans la Peinture, et que l'on peut remarquer encore en ce discours, ne s'étendent pas seulement dans les choses plus grandes, mais encore dans les plus petites. Tout ce que nous voyons dans la Nature est Musique; et rien ne peut subsister sans cette harmonie, que l'homme seul, à l'imitation de Dieu, est capable de produire et faire paroistre, non pas à cause du rapport et de la simpatie qu'il a de l'harmonie dont il est composé, avec les proportions harmoniques de toutes les choses, puisque la plus excellente de toutes les bestes ne sçauroit seulement faire un soulier; mais à cause de ce rayon d'intelligence que Dieu luy a donné, sans lequel le plus habile de tous les hommes ne pourroit pas seulement peler une pomme, ny rogner ses ongles sans se couper. Si donc l'homme fait en petit ce que Dieu fait en grand, il est bien aisé à l'homme de venir à la connoissance de son Dieu.

Les Pensées de Monsieur Dassoucy dans le Saint-Office de Rome, 1676.

CHATEAUBRIAND

CHATEAUBRIAND (1768-1848) ne s'est guère intéressé à la musique qu'à travers le christianisme. On constatera néanmoins que le point de vue apologétique, qui est ici le sien, n'empêche pas le romantique de s'exprimer, en faisant de la religion chrétienne une « religion essentiellement mélodieuse ».

UNE RELIGION ESSENTIELLEMENT MÉLODIEUSE

Platon a merveilleusement défini la nature de la musique : « On ne doit pas, dit-il, juger de la musique par le plaisir, ni rechercher celle qui n'aurait d'autre objet que le plaisir, mais celle qui contient en soi la ressemblance du beau. »

En effet, la musique, considérée comme art, est une imitation de la nature; sa perfection est donc de représenter *la plus belle nature possible.* Or, le plaisir est une chose d'opinion qui varie selon les temps, les mœurs et les peuples, et qui ne peut être le *beau,* puisque le *beau* est un, et existe absolument. De là toute institution qui sert à purifier l'âme, à en écarter le trouble et les dissonances, à y faire naître la *vertu,* est, par cette qualité même, propice à la plus *belle* musique, ou à l'imitation la plus parfaite du *beau.* Mais si cette institution est en outre de nature religieuse, elle possède alors les deux conditions essentielles à l'harmonie, le *beau* et le *mystérieux.* Le chant nous vient des anges, et la source des concerts est dans le ciel.

C'est la religion qui fait gémir, au milieu de la nuit, la vestale sous ses dômes tranquilles; c'est la religion qui chante si doucement au bord du lit de l'infortuné. Jérémie lui dut ses lamentations, et David ses pénitences sublimes. Plus fière sous l'ancienne alliance, elle ne peignit que des douleurs de monarques et de prophètes; plus modeste, et non moins royale sous la nouvelle loi, ses soupirs conviennent également aux puissants et aux faibles, parce qu'elle a trouvé dans Jésus-Christ l'humilité unie à la grandeur.

Ajoutons que la religion chrétienne est essentiellement mélodieuse, par la seule raison qu'elle aime la solitude. Ce n'est pas qu'elle soit ennemie du monde, elle s'y montre au contraire très aimable; mais cette céleste Philomèle préfère les retraites ignorées. Elle est un peu étrangère sous les toits des hommes; elle aime mieux les forêts, qui sont les palais de son père et son ancienne patrie. C'est là qu'elle élève la voix vers le firmament, au milieu des concerts de la nature : la nature publie sans cesse les louanges du Créateur, et il n'y a rien de plus religieux que les cantiques que chantent, avec les vents, les chênes et les roseaux du désert.

Ainsi le musicien qui veut suivre la religion dans ses rapports est obligé d'apprendre l'imitation des harmonies de la solitude. Il faut qu'il connaisse les sons que rendent les arbres et les eaux; il faut qu'il ait entendu le bruit du vent dans les cloîtres, et ces murmures qui règnent dans les temples gothiques, dans l'herbe des cimetières et dans les souterrains des morts.

Le christianisme a inventé l'orgue et donné des soupirs à l'airain même. Il a sauvé la musique dans les siècles barbares : là où il a placé son trône, là s'est formé un peuple qui chante naturellement comme les oiseaux. Quand il a civilisé les sauvages, ce n'a été que par des cantiques; et l'Iroquois qui n'avait point cédé à ses dogmes a cédé à ses concerts. Religion de paix! vous n'avez pas, comme les autres cultes, dicté aux humains des préceptes de haine et de discorde, vous leur avez seulement enseigné l'amour et l'harmonie...

LE GÉNIE DU CHRISTIANISME, 1802.

LAMENNAIS

LAMENNAIS (1782-1854) cesse d'être, dans son ouvrage d'esthétique intitulé De l'Art et du Beau, *uniquement préoccupé de théologie. L'étude rationnelle qu'il fait du phénomène musical implique cependant une transcendance à caractère mystique de ces trois éléments, le physique, le physiologique et le mental, qu'il distingue dans l'essence de la musique.*

CE QUE LES ÊTRES ONT DE PLUS INTIME

La puissance de la musique a sa raison dans l'essence même du son qui, manifestant ce que les êtres ont de plus intime, agit aussi sur ce qu'ont de plus intime ceux qui perçoivent cette manifestation. C'est pourquoi elle ne dépend pas des simples lois du nombre appliquées à la résonance des corps sonores. Elle est le résultat de l'action des lois physiques, physiologiques et morales, action qui s'exerce directement sur le principe interne qui constitue la nature des êtres. La musique offre donc trois degrés ou trois divisions correspondantes à ces trois ordres de lois, qui correspondent eux-mêmes aux trois ordres d'êtres inorganiques, organisés et intelligents; et ces lois se combinent à mesure qu'on s'élève d'un degré à l'autre, comme les formes constitutives de la nature des êtres se combinent elles-mêmes à mesure que ceux-ci s'élèvent dans la série indéfiniment croissante des existences créées.

LE PHYSIQUE

Le premier degré, ou la musique dans ses relations avec les corps inorganisés, dépend des lois purement physiques, desquelles le nombre est l'expression naturelle, nécessaire; et tous les arts dont nous avons précédemment traité dépendent aussi, dans leurs éléments, pour parler de la sorte, matériels, des lois physiques ou des lois du nombre. Rien n'échappe à ces lois, parce que rien, dans la Création, qui ne soit limité. Subordonnées de plus en plus, proportionnellement à la perfection toujours croissante des êtres, aux lois supérieures de ceux-ci, modifiées par elles, on les retrouve partout, voilées quelquefois, mais radicalement indestructibles et inaltérables. Il est remarquable que, comme les corps existent nécessairement sous trois dimensions correspondantes aux trois principes essentiels de l'être, aucun son fondamental ne sauroit être produit sans une triple résonance simultanée, base première des accords et de l'échelle des tons, c'est-à-dire du système régulier des sons musicaux. En tant que mesurables, chacun d'eux a pour expression un nombre fixe de vibrations en un temps donné, et ces vibrations plus ou moins rapides, observées sur une corde sonore, correspondent elles-mêmes à des rapports fixes de longueur ou de distance. Mais le mouvement vibratoire n'affecte pas seulement la masse apparente du corps vibrant, il s'étend à chacune de ses molécules, et la forme de ces molécules et de leur groupement détermine celle du mouvement ou de ses directions, qui engendrent des figures géométriquement symétriques, comme le montrent les belles expériences de Chladni. Ainsi, dans les corps inorganiques, le son a un rapport certain à leur nature intime et en est une vraie manifestation. Nul corps différent d'un autre corps par sa composition ou sa forme radicale ne rend exactement le même son. De là ce qu'on appelle le timbre. Quel que soit le corps vibrant, le nombre des vibrations isochrones détermine la place de chaque son dans la série musicale des tons constamment invariables. Le timbre, indépendant du nombre des vibrations, manifeste la nature du corps, dont il est véritablement l'expression spécifique, la voix.

LE PHYSIOLOGIQUE

La musique, à son second degré, se complique des lois physiologiques des êtres. C'est pourquoi on a vu, dès l'origine, les musiciens se diviser sur la mesure des intervalles et sur la manière d'en déterminer les rapports, les uns voulant qu'on n'employât, pour établir ces fondements de l'Art, que le raisonnement et le pur calcul; les autres soutenant, au contraire, que l'on devoit s'en remettre uniquement au jugement de l'oreille. Souvent renouvelée, cette discussion s'est prolongée jusqu'à nos jours, et, réduite à ces termes rigoureusement opposés entre eux, elle seroit éternelle, car aucune des deux opinions n'est admissible en tant qu'exclusive. Elles sont vraies toutes deux, fausses toutes deux. Il est très-vrai que les lois physiques, et par conséquent le nombre qui en est l'expression, président originairement à la détermination des intervalles et de leurs rapports, sans quoi il seroit d'une évidente impossibilité qu'ils eussent une relation constante avec les vibrations des corps sonores inorganiques; il est faux qu'elles y président seules, ainsi que le reconnoît d'Alembert lui-même, et c'est pour cela que ces lois, fondées d'ailleurs sur l'expérience toujours imparfaite, ne donnent que des rapports approchés. Il est très-vrai que le jugement de l'oreille est indispensable pour apprécier avec justesse les harmoniques d'un son; il est faux que ces harmoniques ne soient pas soumises primitivement aux lois du nombre, quoique les nombres qui les représentent, calculés sur des bases nécessairement hypothétiques, n'aient aucune valeur absolue, et soient peut-être même incommensurables entre eux.

Le son affecte d'une certaine manière relative à leur nature les êtres doués de sensibilité et d'instinct. Ils agissent par la voix les uns sur les autres, se communiquent des impressions aussi variées que profondes, expriment dans un langage analogue à leurs facultés et à l'organisation qui en est la condition passive leurs appétits et leurs passions, l'amour, la haine, le désir, la crainte, la colère, la douleur, la joie, la sympathie et l'antipathie. Les oiseaux ont leur chant : plusieurs imitent le nôtre. Quelques animaux, des insectes même, dit-on, se montrent sensibles à l'harmonie de nos instruments. Le clairon, la trompette, le cor, animent à la chasse, au combat, ceux dont nous nous sommes fait des compagnons et des auxiliaires. Le rythme surtout exerce sur eux une influence puissante, comme nous l'avons remarqué ailleurs. Il les excite à une marche soutenue, mesurée, et en diminue la fatigue. Il est clair que tous ces effets dépendent immédiatement de causes spéciales, correspondantes à la nature vivante, et dont les lois, dès lors, ne sont pas exprimables en nombres. Peut-on concevoir qu'une sensation, essentiellement indivisible, soit en aucun sens représentée par une formule numérique ? Une sensation, qu'est-ce, si ce n'est une certaine modification, un certain état de l'être radical ayant conscience de soi, de la substance rigoureusement une ? Voilà donc la musique des corps inorganisés, qui, par l'adjonction d'un nouvel élément, de l'élément physiologique, prend un caractère également nouveau, et, s'élevant dans une sphère plus haute, passe sous l'empire de lois d'un autre ordre, des lois supérieures de ce qui vit et sent.

Elle s'élève encore pour devenir la musique propre de l'homme, expression de sa nature complète, sous le triple point de vue physique, physiologique et moral; et conséquemment les lois de ces trois ordres s'y combinent, comme elles se combinent dans l'homme même, et suivant le même mode de subordination.

De l'art et du beau, 1841.

LA MYSTIQUE MUSICALE

La musique sacrée s'est éteinte. Mais la musique n'en reste pas moins liée au surnaturel. Le surnaturel immédiat, dont on attend des résultats pratiques, comme la guérison d'une maladie. Une longue chaîne de textes montrera d'abord ici cette croyance universelle, et bien oubliée aujourd'hui, en la thérapeutique musicale et ses effets immédiats sur le corps humain.

Mais ces résultats magiques, hérités des sorciers primitifs, ne sont que peu de chose à côté des extraordinaires répercussions morales attribuées à la musique sur le psychisme humain et ses conséquences. On verra que dans le haut Moyen Age platonicien, un roi ignorant de la musique n'était considéré que comme « un âne couronné », qu'à la Renaissance humaniste, Ronsard ne concevait pas qu'un vrai souverain pût se passer de connaissances musicales.

Et peu à peu, comme passent les siècles, ces notions musicales se décantent de leurs idées concentrées sur une divinité précise, auréolée de son culte, pour se refléter à peu près exclusivement dans le cœur de l'individu. Le ciel descend dans l'âme de chacun, illuminé par la musique. Désormais, il n'est plus tellement question de Dieu, mais d'une part surnaturelle de l'homme, que la musique est susceptible de « sensibiliser » pour une certaine conscience éthique, qui met en scène un « au-delà » très vague. De Mlle de Lespinasse à Schoenberg, cette notion apparaît de mieux en mieux en qui écoute ou crée la musique. D'autant mieux, sans doute, que ce dieu devient de plus en plus vague, lui aussi, et finit par s'exprimer exclusivement dans l'éthos de l'individu qui reçoit ou qui donne la musique.

Le dieu de la Neuvième Symphonie *de Beethoven est aussi imprécis dans le ciel que défini sur la terre parmi les hommes que celui de Schoenberg. Il n'en est pas moins agissant et grandiose. Mais c'est un dieu dont le ciel est désormais parmi les hommes.*

G. B.

Le caractère thérapeutique de la musique s'affirme dès l'Antiquité. Il continue à être reconnu, de nos jours, dans certaines cultures dites « primitives ». Si aucun des textes qui suivent n'est bien convaincant, il n'en demeure pas moins curieux que de telles croyances aient pu se perpétuer à travers les siècles. Il y a manifestement là, en dépit d'un tel scepticisme, une sorte de confirmation des effets de la musique sur la sensibilité profonde de l'homme, que la religion, comme on l'a vu, atteste dans le domaine qui lui est propre. Ici ce n'est plus que de magie qu'il peut s'agir et cette magie prélude aux extases esthétiques personnelles que la musique, par la suite, ne laissera pas d'inspirer.

LA MUSIQUE GUÉRIT...

Quelques-uns croyent que les anciens faisoient pratiquer de certaines danses si bien reglees, qu'elles preservoient les hommes de plusieurs maladies, & qu'elles les guerissoient quand ils estoient malades. Si l'on pouvoit remettre cét art en usage l'on espargneroit des grandes sommes d'argent que l'on employe à tant de medecines. Mais nous n'avons pas une assez grande connoissance des mouvements necessaires pour guerir ou pour prevenir les maladies; & quand nous l'aurions, l'on trouveroit peut estre bien peu de gens qui s'y voulussent assujettir. Toutesfois l'on peut lire ce que Mercurial a escrit des differentes sortes d'exercices dont usoient les anciens, & voir ce qui nous reste de ces mouvements dans Galien, & dans les autres Autheurs Grecs & Latins, d'où l'on peut tirer quelque lumiere pour restablir ce qui nous a ésté ravy par le temps, ou pour inventer un nouvel art; & une nouvelle méthode pour chasser les indispositions du corps & de l'esprit par des exercices, & des mouvements reglez de l'un & de l'autre. Or le fondement de cét art doit estre pris du mouvement ou du repos qui sont causes des maladies, ou qui sont necessaires pour ouvrir ou pour resserrer les pores du corps, afin de chasser les excremens & les mauvaises humeurs, & de retenir les esprits & la chaleur naturelle par les onctions d'huile, d'où l'on a tiré cét aphorisme, *melintus, oleum foris* : Sur quoy l'on peut lire le traité que Verulam a fait de la vie & de la mort.

LABORDE, *op. cit.*

★

Personne n'a pu douter jusqu'à présent que la musique ne fût d'un grand secours, non seulement pour conserver la santé, mais aussi pour guérir les infirmités; elle convient à tous les âges, elle est de toutes les conditions : au milieu d'un tumulte, elle impose le silence, elle égaye la solitude, elle réjouit les hommes, elle dissipe les nuages qui souvent éclipsent leurs esprits, elle éloigne les soins rongeurs; c'est elle qui est l'âme de toutes les fêtes, elle en bannit la tristesse et les ennuis : c'est la raison pour laquelle les Anciens révéraient Apollon non seulement comme le dieu de la musique, mais aussi comme celui de la médecine; elle métamorphose la tristesse en joie, la crainte en confiance, la férocité en clémence, elle seule désarme les plus intrépides et les plus orgueilleux. Les animaux les plus féroces, lorsqu'ils ressentent quelque mouvement de douceur et de plaisir, ont une espèce de chant qui leur est propre : l'on ne connaît la barbarie d'un peuple que par le mépris qu'il fait de la musique.

MARQUET, 1769.

... DE SURDITÉ, SCIATIQUE, RHUMATISMES, PESTE ET EMPORTEMENT...

N'a-t-on pas écrit, d'autre part, qu'en effet Asclepiades a restably l'ouye des sourds par la mélodie de son Flageollet ? que la Flûte d'Ismenias avoit la vertu de remedier à la sciatique et aux rhumatismes ? que Thale le Cretence guerissoit mesme de la peste avec les agréments de sa Lyre ? et que David enfin sçavoit calmer, avec la douceur de sa Harpe, les plus fougueux emportements de Saül ?

MARIAGE DE LA MUSIQUE AVEC LA DANCE, 1664.

Xenocrates, d'après Martianus Capella, employait le son des instruments pour guérir la folie furieuse, et Apollonius Dyscolus, dans son *Histoire fabuleuse*, nous rapporte, d'après Théophraste, que la musique est un remède souverain contre le découragement et le désordre de l'esprit, et que le son de la flûte guérit l'épilepsie et la goutte sciatique (...). Athénée ajoute que pour rendre plus sûre la guérison de cette dernière maladie, la flûte doit jouer dans le mode phrygien (...) Coctius Aurelianus nous dit même comment le charme opère en de telles occasions : la douleur est apaisée en produisant une vibration de la partie malade. Galien parle sérieusement de jouer de la flûte sur l'endroit douloureux.

BURNEY, 1776.

... DE LA CUISSON DES VERGES ET DE LA MÉLANCOLIE DES MATELOTS...

Les Tyrrhéniens, dit (Aristote) ne fouettent jamais leurs esclaves qu'au son des flûtes, considérant celui-ci comme un contrepoids à la douleur, et pensant, par une telle diversion, alléger l'ensemble du châtiment. On peut ajouter à ce récit un passage de Julius Pollux qui nous apprend que, dans les trirèmes, il y avait toujours un joueur de flûte (*tibicen*), non seulement pour marquer la cadence, à chaque coup de rames, mais pour rafraîchir et égayer les rameurs par la douceur de la mélodie. Et Quintilien dit à cette occasion que la musique est un don de la nature pour nous permettre de supporter avec plus de patience labeurs et travaux.

BURNEY.

... DE PIQURE D'ARAIGNÉE ET DE VIPÈRE...

Ce n'est que par la musique qu'on peut parvenir à la guérison du *tarentisme*. Les tarentules sont des espèces d'araignées qui, semblables à des abeilles, piquent l'épiderme et y distillent un venin pestilentiel; au même moment la peau se raidit, elle s'enfle, les membres s'engourdissent, les yeux s'obscurcissent, l'esprit est plongé dans un état affreux de mélancolie et de tristesse. Nul autre antidote à cette maladie que la musique. Elle ne se fait pas plutôt entendre, qu'à l'instant le malade commence à s'agiter, ses membres se dégourdissent, il crie, il chante, il danse, il saute pendant deux ou trois heures, suivant le temps que dure la musique... Ensuite vous mettez le malade dans un lit où il transpire abondamment (il y a de quoi!), puis vous recourez de nouveau à la symphonie; pour lors le malade recommence ses chants, ses sauts et ses danses, et bientôt après il se trouve parfaitement guéri. Il faut cependant varier la musique, suivant les différentes tarentules et les divers tempéraments.

MARQUET.

Le son de la flûte était aussi un remède contre la morsure de vipère, d'après Théophraste et Démocrite.

BURNEY.

... DE L'HYPOCONDRIE...

On prétend que le roi d'Espagne étant tombé dans une espece de démence hypocondriaque, qui lui faisait négliger toutes les affaires, & l'empêchait même de se faire faire la barbe & de se présenter au Conseil, la Reine qui avait inutilement employé toutes sortes de moyens pour le tirer de cet état, voulut tenter encore le pouvoir de la musique, à laquelle Philippe était très sensible. Elle fit venir le célèbre Farinelli, fit disposer secrètement un concert, près de l'appartement du Roi, auquel ce Chanteur fit entendre soudain un de ses plus beaux airs. Philippe parut d'abord frappé, bientôt ému; à la fin du second air, il fit entrer le Virtuose, l'accabla de complimens & de caresses, lui demanda un troisieme morceau, dans lequel Farinelli se surpassant encore, le Roi transporté lui demanda quelle récompense il voulait, jurant de lui tout acorder. Farinelli pria le Roi de se faire faire la barbe & d'aller au Conseil. De ce moment, la maladie du Roi devint docile aux remedes, & le Chanteur eut tout l'honneur de sa guérison. Tel fut le principe de sa faveur. Il devint premier ministre; & ce qu'il y a de plus admirable, il se souvint toujours qu'il n'était auparavant qu'un Chanteur.

LABORDE.

... DE LA SOMNOLENCE...

Près de sa mort, Louis XI retourna à Tours où il pensa quérir alleigement par l'armonie de musique. Pour raison de quoy commanda appeler les ioueurs de tous les instrumens de musique, que l'on tient pour certain avoir esté assemblez iusques au nombre de six vingtz. Entre lesquelz y furent aucuns pasteurs de brebis : qui par plusieurs iournées continuellement resonoyent non loing de la chambre du roy pour le consoler : et afin qu'il ne succombast du sommeil qui moult le grevoit...

R. GAGUIN, *Chronique*, 1454.

... DU DÉSESPOIR...

Ricimer, roi des Vandales, ayant perdu une grande bataille contre Belisaire, fut contraint de se sauver dans les montagnes, où il fut investi. Etant accablé de douleur, il envoya demander à ce général un pain pour l'empêcher de mourir de faim, une éponge pour essuyer ses larmes, & un Instrument de musique pour se consoler dans son désespoir.

P. MERSENNE, *op. cit.*

... DE LA MÉLANCOLIE ET DE LA GOUTTE...

Je me souviens qu'étant à La Haye en 1688, un de mes amis, qui étoit Ecuyer du Prince d'Orange, me fit entendre un petit concert dans la chambre de ce Prince, composé seulement de trois Musiciens excellens; mon ami me dit que c'étoit la potion cordiale dont son Maître se servoit pour dissiper la mélancolie, ou pour se soulager quand il étoit malade. J'ai connu quantité de gens de consideration qui se servoient de la même recette pour appaiser les douleurs de la goutte. Ainsi l'on peut dire que la musique est un remède assez specifique pour soulager les malades, comme aussi pour guérir les maux qui consistent dans l'imagination.

Idem.

... DE LA PASSION AMOUREUSE...

Un fameux Médecin de la Cour m'a assuré avoir guéri une Dame de la première qualité, qui étoit devenue folle d'une passion amoureuse, par l'inconstance de son Amant; il fit faire un retranchement dans la chambre de cette Dame pour placer des Musiciens, sans qu'elle pût les voir; on lui donnoit trois concerts le jour; & la nuit on y chantoit des airs qui flatoient sa douleur, & d'autres pour contribuer à rappeller sa Raison, qui étoient tirez des plus beaux endroits des Opera du Sieur de Lully; cela dura six semaines pour la remettre dans son bon sens, & l'on réussit en faisant quelque dépense.

Id.

... *DE LA FOLIE FURIEUSE*...

Une Demoiselle de la Musique du Roi m'a dit avoir vu un fameux Organiste qui fut guéri d'une maladie très violente qui lui avoit causé une alienation d'esprit, en sorte qu'il tomboit dans des fureurs dangereuses, ce qui obligea des Musiciens ses amis à le veiller : ils s'avisèrent par hazard de faire un petit Concert de voix & d'Instrumens pour se tenir éveillez eux-mêmes; ils furent fort étonnez de voir que cela tranquilisa l'esprit du malade, & qu'il dit à l'un d'eux, l'appelant par son nom, tu manques à un tel endroit; voyant l'effet de leur concert, ils continuerent pendant quinze jours, & rendirent la santé au malade, en remettant son esprit dans sa première situation, ce que les Médecins n'avoient pu faire par leurs remèdes.

Id.

... *DES AFFRES DE LA MORT*...

On trouve, dans les Mémoires de M. *l'abbé Victorio Siry*, que la Reine Elizabeth d'Angleterre étant au lit de la mort, & se souvenant des effets de la musique, fit venir toute la sienne dans sa chambre; afin, disoit-elle, de pouvoir mourir aussi gayement qu'elle avoit vécu; & pour dissiper les horreurs de la mort; elle écouta cette symphonie fort tranquillement jusqu'au dernier soupir.

Id.

... DE L'IGNORANCE

Louis IV dit d'Outre-Mer, étant à Tours avec toute sa Cour environ l'an 940, quelques-uns de ses Courtisans entrerent dans l'Eglise de Saint-Martin dans le tems que l'on y chantoit l'Office; ils furent fort surpris d'y voir le Comte d'Anjou, nommé *Foulque* II, placé au rang des Chanoines, qui chantoit l'office comme eux, parcequ'il aimoit la Musique; ces Courtisans vinrent dire au Roi que le Comte d'Anjou étoit devenu prêtre; il se moqua un peu de la dévotion du Comte, sur le recit qu'ils lui en firent : cette raillerie déplut si fort au Comte d'Anjou, qu'il écrivit dè le lendemain une lettre au Roi & lui manda : *Sçachez, Sire, qu'un Roi sans Musique est un Ane couronné.*

BOURDELOT, *Histoire de la Musique...*, 1743.

RONSARD

RONSARD (1524-1585), à l'instar de presque tous les poètes de la Renaissance, a accordé à la musique une importance égale à celle de la poésie. Les idées qu'il exprime ici, inspirées par celles de l'Antiquité, supposent à la musique une valeur morale et lui attribuent le caractère mystérieux, sinon sacré, d'un art inspiré.

MUSIQUE EST SIGNE DE VERTU ET MAGNANIMITÉ

Sire, tout ainsi que par la pierre de touche on esprouve l'or s'il est bon ou mauvais, ainsi que les anciens esprouvayent par la Musique les esprits de ceux qui sont genereux, magnanimes et non sorvoyans de leur premiere essence; et de ceux qui sont engourdiz, paresseux et abastardiz en ce corps mortel, ne se souvenant que de la celeste armonie du ciel, non plus qu'aux compagnons d'Ulysse d'avoir esté hommes, après que Circe les eut transformés en porceau. Car celuy, Sire, lequel oyant un doux accord d'instrumens ou la douceur de la voyx naturelle, ne s'en resjouit point, ne s'en esmeut point, et de teste en pieds n'en tressault point, comme doucement ravy, et si ne sçay comment derobé hors de soy, c'est signe qu'il a l'ame tortue, vicieuse et dépravée, et duquel il se faut donner garde, comme de celuy qui n'est point heureusement né. Comment se pourroit-on accorder avec un homme qui de son naturel hayt les accords ? celuy n'est digne de voyr la douce lumière du soleil, qui ne fait honneur à la Musique, comme petite partie de celle, qui si armonieusement (comme dit Platon) agitte tout ce grand univers. Au contraire celuy qui lui porte honneur et reverence est ordinairement homme de bien, il a l'ame saine et gaillarde, et de son naturel aime les choses haultes, la philosophie, le maniement des affaires politicques, le travail des guerres, et bref en tous offices honorables il fait tousjours apparoistre les estincelles de sa vertu. Or de déclarer icy que c'est que Musique, si elle est plus gouvernée de fureur que d'art, de ses concerts, de ses tons, modulations, voyx, intervalles, sons systemates, et commutations : de sa division en enarmonique, laquelle pour sa difficulté ne fut jamais parfaitement en usage; en chromatique, laquelle pour sa lasciveté fut par les anciens banye des republiques; en diatonique, laquelle comme la plus approchante de la melodie de ce grand univers fut de tous approuvée. De parler de la Phrigienne, Dorienne, Lydienne : et comme quelques peuples de Grece, animez d'armonie, alloyent courageusement à la guerre, comme nos soldats aujourd'huy au son des trompettes et tabourins; comme le Roy Alexandre oyant les chants de Timothée devenait furieux, et comme Agamemnon, allant à Troye, laissa en sa maison tout expres je ne sçay quel musicien Dorien, lequel, par la vertu du pied Anapeste, moderoit les efrenées passions amoureuses de sa femme Clytemnestre, de l'amour de laquelle Egiste enflammé ne peut jamais avoyr joyssance, que premièrement il n'eut fait meschamment mourir le musicien, de vouloir encores deduir comme toutes choses sont composées d'accords, de mesures et de proportions, tant au ciel, en la mer qu'en la terre, de vouloir discourir davantage comme les plus honorables personnages des siecles passes se sont curieusement sentis espris des ardeurs de la musique, tant monarques, princes, philosophes, gouverneurs de provinces et cappitaines de renom : je n'auroys jamais fait; d'autant que la musique a tousjours esté le signe et la marque de ceux qui se sont monstrez vertueux, magnanimes et véritablement nez pour ne sentir rien de vulgaire. Je prendray seullement pour exemple le feu Roy votre pere que Dieu absolve lequel ce pendant qu'il a régné a fait apparoistre combien le ciel l'avoit liberallement enrichy de toutes graces et de presens rares entre les Roys, lequel a surpassé soit en grandeur d'empire, soit en clemence, libéralité, bonté, piété et religion, non seullement tous les Princes ses predecesseurs, mais tous ceux qui ont jamais vescu portant cet honorable tiltre de Roy : lequel pour descouvrir les etincelles de sa bien naissance et pour monstrer qu'il estoyt accomply de toutes vertus, a tant honoré, aymé et prisé la musique, que tous ceux qui restent aujourd'huy en France bien affectionez à cet art, ne le sont tant tous ensemble que tout seul particulierement l'estoit. Vous aussi, Sire, comme heritier et de son royaume et de ses vertus, monstrez combien vous estes son filz favorisé du ciel, d'aymer si perfaittement telle science et ses accordz sans lesquels chose de ce monde ne pourroit demourer en son entier. Or de vous conter icy d'Orphée, de Terpandre, d'Eumolpe, d'Arion, ce sont histoires desquelles je ne veux empescher le papier, comme choses à vous congneues. Seullement je vous reciteray que les plus magnanimes

Roys faisoyent anciennement nourrir leurs enfans en la maison des musiciens comme Peleus qui envoya son fils Achille, et Eason son fils Iason, dedans l'antre venerable du centaure Chiron, pour estre instruitz tant aux armes qu'en la médecine, et en l'art de musique : d'autant que ces trois mestiers meslez ensemble ne sont mal seans à la grandeur d'un Prince, et advint d'Achille et de Iason, qui estoyent princes de votre age, un si recommandable exemple de vertu, que l'un fut honoré par le divin poëte Homere, comme le seul autheur de la prinse de Troye, et l'autre celebré par Apolloine Rhodien, comme le premier autheur d'avoir apris à la mer de soufrir le fardeau incongru des navires : lequel ayant outrepassé les roches Symplegades, et donté la furie de la froide mer de Scytie, finablement s'en retourna en son pays, enrichy de la noble toison d'or. Donques, Sire, ces deux princes vous seront comme patrons de la vertu, et quand quelques foys vous serez lassé de voz plus urgentes affaires, à leur imitation vous adoucirez vos souciz par les accords de la musique, pour retourner plus fraiz et plus dispos à la charge royalle que si dextrement vous suportez. Il ne faut pas aussi que votre Majesté s'esmerveille si ce livre de meslanges, lequel vous est tres humblement dedié par vos treshumbles et tresobeissans serviteurs et imprimeurs Adrian le Roy et Robert Ballard, est composé des plus vieilles chansons qui se puissent trouver aujourd'huy, pour ce qu'on a tousjours estimé la musique des anciens estre la plus divine, d'autant qu'elle a esté composée en un siecle plus heureux, et moins entaché des vices qui regnent en ce dernier age de fer. Aussi les divines fureurs de musique, de poësie et de paincture, ne viennent pas par degrés en perfection comme les autres sciences, mais par boutées et comme esclairs de feu, qui deça qui dela apparoissent en divers pays, puis tout en un coup s'esvanouissent...

PRÉFACE AUX MESLANGES DE CHANSONS... AU ROI CHARLES IX, 1572.

SHAKESPEARE

SHAKESPEARE (1564-1616) exprime, dans le cours de ses pièces et de ses poèmes, une conception métaphysique de la musique marquée par le néo-platonisme de la Renaissance, et l'on retrouve chez lui l'idée de cette musique des sphères *chère à l'Antiquité.*

ÉCOUTE, JESSICA!...

L'homme qui n'a pas de musique en lui, que n'émeut point le concert des doux sons, est propre aux trahisons, aux stratagèmes et aux rapines. Les mouvements de son âme sont mornes comme la nuit, et ses affections sombres comme l'Erèbe. Défiez-vous d'un tel homme.

LE MARCHAND DE VENISE, *trad. J. Paris.*

La musique t'ennuie et tu n'es qu'harmonie.
Les délices pourtant s'accordent; joie en joie
se repose, pourquoi recevoir sans plaisir
ce qui t'est cher ? Pourquoi te plaire à ton ennui ?
Et si l'accord parfait de notes consonantes,
l'une à l'autre liée offense ton oreille,
il ne faut que gronder doucement ton erreur
de délaisser les voix qu'il faudrait soutenir.
Ecoute : chaque corde à sa compagne unie,
vibre et la mutuelle ordonnance réveille,
comme un père un enfant avec l'heureuse mère
réunis, chanteraient un seul chant délectable.
Et leur multiple voix qui paraît être unique
sans paroles, te dit : seul, tu ne seras rien.

SONNET VIII, *trad. Giraud d'Uccle.*

JULIE DE LESPINASSE

JULIE DE LESPINASSE (1732-1776), amie des Encyclopédistes et dont le salon fut l'un des plus brillants du XVIIIe siècle, manifeste à l'égard de la musique une passion et un « trouble » qui excèdent le registre du simple sentimentalisme, et atteignent à un état véritablement extatique.

LE PLUS FORT BATTEMENT DE CŒUR DU XVIIIe SIÈCLE[1]

Orphée a amolli, calmé mon âme, j'ai répandu des larmes, mais elles étaient sans amertume; ma douleur était douce... Oh! quel art charmant, quel art divin! La musique a été inventée par un homme sensible qui avait à consoler des malheureux... elle répand dans mon sang, dans tout ce qui m'anime, une douceur et une sensibilité si délicieuses que je dirais presque qu'elle me fait jouir de mes regrets et de mes malheurs...

Cette musique me rend folle, elle m'entraîne; je n'y puis plus manquer un jour; mon âme est avide de cette espèce de douleur... Je vais sans cesse à *Orphée*... Il n'y a qu'une chose dans le monde qui me fasse de bien, c'est la musique; mais c'est un bien qu'un autre appellerait douleur. Je voudrais entendre dix fois par jour cet air qui me déchire : *« J'ai perdu mon Eurydice »*...

L'impression que j'ai reçue de la musique d'*Orphée* ne ressemble en rien à ce que j'ai éprouvé ce matin; elle a été si profonde, si sensible, si déchirante, si absorbante qu'il m'était absolument impossible de parler de ce que je sentais : j'éprouvais le trouble, le bonheur de la passion; j'avais besoin de me recueillir; et ceux qui n'auraient pas partagé ce que je sentais auraient pu croire que j'étais stupide. Cette musique, ces accents attachaient du charme à ma douleur, et je me

---

1. C'est ainsi que les Goncourt ont désigné Mlle de Lespinasse.

Les sept arts : La Musique. Cathédrale du Puy, XIIIe s. *(Cliché Bulloz).*

Le Repentir de David. Francesco di Stefano (1422-1457), Le Mans. *(Cliché Bulloz).*

sentais poursuivie par ces sons déchirants : « *J'ai perdu mon Eurydice...* » Et comment voudriez-vous, après cela, que je pusse y comparer l'effet de la *Fausse Magie* (de Grétry) ? Comment pouvoir comparer ce qui ne fait que plaire et attacher à ce qui remplit l'âme, à ce qui la pénètre, à ce qui la bouleverse ? Comment comparer l'esprit à la passion ? Comment comparer un plaisir vif et animé à cette mélancolie douce qui fait presque de la douleur une jouissance? Oh ! non, je ne compare rien, et je jouis de tout.

CORRESPONDANCE.

CHATEAUBRIAND

MONOTONIE DES LARMES

Le caractère essentiel de la tristesse consiste dans la répétition du même sentiment, et pour ainsi dire dans la monotonie de la douleur. *Diverses* raisons peuvent faire couler les larmes; mais les larmes ont toujours une *semblable* amertume : d'ailleurs il est rare qu'on pleure à la fois pour une foule de maux; et quand les blessures sont multipliées, il y en a toujours une plus cuisante que les autres, qui finit par absorber les moindres peines. Telle est la raison du charme de nos vieilles romances françaises. Ce chant *pareil*, qui revient à chaque couplet sur des paroles variées, imite parfaitement la nature : l'homme qui souffre promène ainsi ses pensées sur différentes images, tandis que le fond de ses chagrins reste le même.

LE GÉNIE DU CHRISTIANISME, 1802.

MADAME DE STAËL

Mme DE STAEL (1766-1807) confirme à la fois Chateaubriand et Julie de Lespinasse. Elle est la première peut-être à décrire la mentalité musicale romantique. Elle confère à la musique le pouvoir d'une catharsis, d'une purification spirituelle. On retrouve chez elle les idées de l'Antiquité sur la vertu morale de la musique, mais aussi, dans ce qu'elle l'appelle le « vague de la musique », une notion toute moderne de la psychologie esthétique.

LE VAGUE DE LA MUSIQUE

De tous les beaux-arts, la musique est celui qui agit le plus immédiatement sur l'âme. Les autres la dirigent vers telle ou telle idée; celui-là seul s'adresse à la source intime de l'existence, et change en entier la disposition intérieure. Ce qu'on a dit de la grâce divine qui tout à coup transforme les cœurs peut, humainement parlant, s'appliquer à la puissance de la mélodie; et parmi les pressentiments de la vie à venir, ceux qui naissent de la musique ne sont pas à dédaigner.

La musique est un plaisir si passager, on le sent tellement s'échapper à mesure qu'on l'éprouve, qu'une impression mélancolique se mêle à la gaieté qu'elle cause. Mais aussi, quand elle exprime la douleur, elle fait encore naître un sentiment doux. Le cœur bat plus vite en l'écoutant; la satisfaction que cause la régularité de la mesure, en rappelant la brièveté du temps, donne le besoin d'en jouir. Il n'y a plus de vide, il n'y a plus de silence autour de vous; la vie est remplie, le sang coule rapidement; vous sentez en vous-même le mouvement que donne une existence active, et vous n'avez point à craindre, en dehors de vous, les obstacles qu'elle rencontre.

La musique double l'idée que nous avons des facultés de notre âme; quand on l'entend, on se sent capable des plus nobles efforts. C'est par elle qu'on marche à la mort avec enthousiasme; elle a l'heureuse impuissance d'exprimer aucun sentiment bas, aucun artifice, aucun mensonge. Le malheur même, dans le langage de la musique, est sans amertume, sans déchirement, sans irritation.

La musique soulève doucement le poids qu'on a presque toujours sur le cœur, quand on est capable d'affections sérieuses et profondes, ce poids qui se confond quelquefois avec le sentiment même de l'existence, tant la douleur qu'il cause est habituelle. Il semble qu'en écoutant des sons purs et délicieux, on est prêt à saisir le secret du Créateur, à pénétrer le mystère de la vie. Aucune parole ne peut exprimer cette impression, car les paroles se traînent après les impressions primitives, comme les traducteurs en prose sur les pas des poètes.

Le vague de la musique se prête à tous les mouvements de l'âme, et chacun croit retrouver dans une mélodie, comme dans l'astre pur et tranquille de la nuit, l'image de ce qu'il souhaite sur la terre.

Corinne ou l'Italie, 1807.

BEETHOVEN

BEETHOVEN (1770-1827) qui, comme Gœthe, est écartelé entre deux siècles et deux esthétiques, est généralement considéré comme ayant accompli son œuvre selon trois styles : le premier classique, le second romantique et le troisième qu'on pourrait dire visionnaire. Si ces divisions, quelque peu académiques, aident à comprendre l'évolution de son œuvre, elles ne peuvent, en revanche, en exprimer l'unité, le caractère profond, constant et suprêmement individuel. Romain Rolland voit une telle unité dans la permanence, chez Beethoven, d'un conflit, d'une opposition essentiels à sa création, l'expression d'un combat « entre l'Âme et le Destin », qui implique une Passion musicale à la faveur de laquelle l'art se substitue à la religion.

UNE LUTTE AVEC L'ANGE

***par* Romain Rolland**

L'auditeur, même le moins habitué à l'analyse de ses sentiments, ne tarde pas à discerner dans cette musique hallucinante et exaltante un motif psychique persistant : c'est un combat entre deux éléments, une monumentale dualité[1]. Elle se manifeste, du commencement à la fin de l'œuvre de Beethoven. Vous la trouvez déjà dans la *Pathétique* de 1798 et dans tels allégros des premiers quatuors et des trios antérieurs à 1800, qui sont de petits drames passionnés. Je n'entends point par là une action où s'affrontent des personnages différents (ce serait une interprétation puérile), mais, dans l'unité même de l'esprit beethovénien, de cet esprit de tempête, brûlant, volontaire et tendu, deux formes de la même âme, deux âmes en une, mariées et opposées, discutant, bataillant, corps à corps enlacées, on ne sait si pour la guerre ou pour l'embras-

1. Ou, plus exactement, comme on le verra plus loin, un *dédoublement* de l'être, qui est chez Beethoven un état, en quelque sorte, chronique. (Note de R. Rolland.)

sement. Il y a là deux antagonistes, qui sont de force inégale et parlent inégalement au cœur. L'un commande et opprime; l'autre se débat et gémit. Mais les deux adversaires, le vainqueur et le vaincu, sont également nobles. Et c'est là le grand point. Rien de méprisable en eux. Rien d'impur, ou de douteux. Aucune souillure. Jamais musique au monde n'a donné l'impression d'une telle pureté d'âme. Alors, victoire ou défaite, tout nous est bénéfice. Et notre cœur se lave, aussi bien dans l'une que dans l'autre, de ses flétrissures journalières.

Vous remarquez que jusqu'à cette étape, qui est celle où s'arrêtent la plupart des auditeurs de Beethoven, nous ne savons pas de quel combat il s'agit. Du moins, nous ignorons quel est le sens de ce combat dans l'existence de Beethoven. Nous y participons, les yeux fermés; mais notre instinct a déjà flairé qu'à cette lutte chacun de nous est intéressé. Et quand plus tard nous apprenons ce qu'elle signifiait chez Beethoven, ce n'est pas une découverte, nous ne faisons que donner son nom à ce que nous sentions sans pouvoir le définir. Ce combat, chez Beethoven, c'est celui entre l'âme et le destin. Je ne le suppose point; mon imagination ne le prête point à Beethoven. Beethoven même nous le dit. Ses écrits en sont pleins. — Surtout ce manuscrit Fischoff, où les citations de poètes aussi bien que ses propres réflexions, tout donne le même son de tragique défi à la Fatalité.

J'en pourrais extraire vingt exemples. J'en choisis trois, qui sont comme trois marches du même escalier, — l'escalier des géants :

I. « Maintenant le destin m'empoigne... » Que je ne disparaisse pas sans gloire dans la poussière!...

II. Montre ta puissance, Destin!... Nous ne sommes pas maitres de nous-mêmes : ce qui est résolu, doit être. Et qu'il soit donc!...

III. Que puis-je faire ? — Etre plus que le destin!

Trois cris, trois épisodes de la même mêlée : L'orgueil qui se débat. L'acceptation stoïque. Et la victoire de l'esprit. — Combien de fois nous les entendons, ces trois cris dans la musique!... Et de même que les coups de hache du bûcheron sur un arbre font retentir toute la forêt, ces grands cris de Beethoven se répercutent dans le cœur de toute l'humanité.

Car ce combat qu'il livre, nous tous nous le livrons : il est de tous les temps et de tous les pays. Partout l'esprit de l'homme, l'élan de ses désirs, l'envol de ses espoirs, ses coups d'ailes forcenés vers l'amour, vers le pouvoir et vers la connaissance, se heurtent à la main de fer : la brièveté de la vie, son instabilité, les forces limitées, l'indifférente nature, la maladie, l'échec, les déceptions. — Nous retrouvons chez

Beethoven nos défaites, nos souffrances, mais ennoblies par lui, élargies, purifiées.

C'est un premier bienfait. Et le second, le plus grand, est que cet homme torturé nous apporte la résignation héroïque, la paix dans la souffrance. Il a réalisé pour lui, il réalise pour nous cette harmonie stoïque de voir la vie comme elle est, et de l'aimer comme elle est. Il fait bien plus : il épouse le Destin, et de sa défaite il se taille une victoire. Ces enivrants finales de l'*Ut mineur* et de la *Neuvième Symphonie,* qu'est-ce d'autre que l'âme délivrée, qui, sur son propre corps abattu, s'élève, triomphale, vers la lumière ?

Cette victoire n'est pas seulement celle d'un homme isolé. Elle est la nôtre. Beethoven a vaincu pour nous. Il l'a voulu. — Constamment revient chez lui la préoccupation d'agir pour les autres. Que son infortune leur soit utile! Vous vous souvenez des belles paroles du Testament de Heiligenstadt :

« Que le malheureux se console, en trouvant un malheureux comme lui, qui, malgré tous les obstacles de la nature, a cependant fait tout ce qui était en son pouvoir pour être admis au rang des artistes et des hommes dignes d'estime! » (1802).

Et quand, après dix ans de combats titaniques, où chaque symphonie représente une victoire, cet homme affamé de bonheur voit qu'il n'en est pas pour lui sur la terre, quel est son mot d'abnégation ?

« Tu ne peux plus être homme, tu ne le peux plus pour toi, seulement pour les autres... »

Sans cesse dans ses lettres revient l'idée de servir par son art les autres hommes. Ecrivant à Naegeli, et se défendant de toute pensée intéressée, de toute « mesquine vanité », il n'assigne à sa vie qu'un double objet : le sacrifice de soi « à l'art divin », et l'action pour le bien des autres :

« Depuis l'enfance, ce fut mon plus grand bonheur et plaisir de pouvoir agir pour les autres » (1824).

« Jamais, depuis mon enfance, ne s'est relaché mon zèle pour servir la pauvre humanité souffrante » (1821).

Sentir « *l'humanité à venir* », dit-il ailleurs (1815).

Ne nous méprenons pas sur cette pensée! Il ne s'agit jamais d'un art qui se subordonne à des intentions utilitaires, d'un art fabriqué ou adapté *ad usum* des démocraties — ce qu'on appelle aujourd'hui un art « social ». — Non. L'art est, pour Beethoven, une fin en soi :

« Que tout ce qui s'appelle vie soit sacrifié au Très-Haut et consacré a l'art! » (1815).

« L'Art est le Dieu vivant. O Gott über alles! » (1816).

« A la gloire du Tout-Puissant, de l'Eternel, de l'Infini! » (1815).

Et ces notes personnelles sont d'accord avec les grandes paroles religieuses que rapportent de lui aussi bien Bettine (1810) que Joh. Andr. Stumpff (1824) :

« Dieu est plus près de moi, dans mon art, que des autres... La musique est une des plus hautes révélations de toute philosophie... Qui a compris une fois ma musique sera libre de la misère où les autres se traînent!... »

Il n'est donc pas question de faire des concessions au goût des hommes. On ne fait pas de concessions sur le Dieu vivant, sur l'Art! On ne l'apporte pas aux hommes pour l'abaisser à leur taille, mais pour qu'ils se haussent jusqu'à lui.

C'est pourquoi si jamais musique a réalisé, au degré de celle de Beethoven, les conditions d'une grande musique populaire (tels *Egmont* et l'*Ut mineur,* ou les chœurs de la *Neuvième,* qui devraient être les pierres angulaires de nos Fêtes du Peuple), — si donc Beethoven a été, avec Haendel, le chantre par excellence du Peuple idéal, du Peuple plus grand, plus mûr que celui d'aujourd'hui, du Peuple qui doit être, — jamais musicien n'a professé en revanche avec plus d'énergie l'indépendance de l'artiste à l'égard du public :

« Je n'écris pas pour la foule » (après *Fidelio,* 1806).

Et en 1827, près de mourir :

« On dit : « La voix du peuple, la voix de Dieu. » Je n'y ai jamais cru. »

Non! Ce n'est pas la *Vox populi* qui est la *Vox Dei.* C'est la *Vox Dei* qui doit être la *Vox populi.* C'est elle, dont Beethoven se croit l'interprète, le porteur auprès des hommes. Et le meilleur moyen de les servir, le seul, est de leur faire entendre cette voix toute pure, sans rien atténuer de sa vigueur et de sa vérité intime. Or, comme le Dieu qui est en lui, c'est le meilleur de lui, le plus désintéressé et le plus héroïque, son propre sacrifice, il offre donc aux autres ce sacrifice de soi, dans sa musique. C'est son sang. Sa musique est une sorte d'*Abendmahl,* une Cène où l'âme crucifiée et qui va ressusciter se donne en pâture aux hommes, dans sa souffrance rachetée.

Romain Rolland, *Conférence de Vienne* pour le centenaire de la mort de Beethoven, *Revue Musicale,* 1927.

HEGEL

HEGEL (1770-1831) a longuement parlé, dans son Esthétique, *de la musique. Il y a vu, entre autres choses, l'art prédestiné à l'expression de la plus pure « intériorité subjective », c'est-à-dire celui qui peut le mieux communiquer aux hommes ce que l'artiste a de plus intime. A ce titre, l'un des caractères principaux de la musique serait d'être l'agent d'une* communion *particulière des âmes.*

L'INTÉRIORITÉ SUBJECTIVE

Pour que la musique exerce toute l'action dont elle est capable, la simple succession abstraite des sons dans le temps ne suffit pas. Il y faut encore un *contenu*, il faut qu'elle éveille dans l'âme un sentiment vivant, qu'elle soit elle-même l'âme de ce contenu, son expression sonore.

Aussi devons-nous faire le sort qu'ils méritent aux absurdes récits d'anciens écrivains, sacrés et profanes, sur la fabuleuse toute-puissance de la musique. Déjà dans les miracles d'Orphée, qui sont d'une époque plus civilisée, les sons et leurs mouvements suffisaient bien à dompter des animaux sauvages qui venaient se coucher autour de lui, mais non les hommes qui exigeaient le contenu d'une doctrine plus élevée. C'est pourquoi les hymnes qui, sous le nom d'Orphée et sous une forme qui n'est peut-être pas leur forme originelle, sont parvenus jusqu'à nous, contiennent des éléments mythologiques et autres. Célèbres pour les mêmes raisons sont les chants guerriers de Tyrtée qui, d'après ce qu'on raconte, auraient insufflé aux Lacédémoniens, après de longs combats malheureux, un enthousiasme irrésistible qui leur a permis de remporter la victoire sur les Messéniens. Ici encore le rôle principal revient au contenu des représentations que ces élégies étaient destinées à évoquer, bien que, lorsqu'il s'agit de peuples barbares et d'époques aux passions déchaînées, il ne faille pas sous-estimer la valeur et l'action du côté musical proprement dit. Les fifres des Hollandais n'ont pas mal contribué à enflammer les courages, et l'on ne saurait nier l'action qu'avaient exercée, pendant la Révolution française, la *Marseillaise*, le *Ça ira*, etc. Mais l'enthousiasme proprement dit a sa source dans une idée définie, dans le véritable intérêt de l'esprit qui anime une nation et que la musique peut élever momentanément au niveau d'un sentiment plus vivant, les sons, le rythme, la mélodie entraînant et emportant le sujet qui s'abandonne. Mais de nos jours on ne croit plus la musique capable de provoquer une telle explosion de courage, d'insuffler un tel mépris de la mort. Toutes les armées, de nos jours, possèdent de bonnes musiques régimentaires qui ont pour tâche d'occuper, de distraire, d'encourager à la marche et à l'attaque. Mais ce n'est pas avec cela qu'on espère battre l'ennemi. Ce n'est pas à force de sons de trompettes et de battements de tambours qu'on fait naître le courage, et il faudrait beaucoup, beaucoup de trompettes pour voir, à leurs sons, s'écrouler des murs, comme l'ont fait les murs de Jéricho. Ces résultats s'obtiennent aujourd'hui par d'autres moyens : enthousiasme intellectuel, canons, génie des commandants en chef, la musique ne pouvant prêter qu'un appui secondaire à ces puissances, dont l'action s'exerce en dehors d'elle.

Une dernière particularité du mode d'action subjective des sons tient à la manière dont l'œuvre d'art musicale parvient jusqu'à nous, et qui diffère de celle des autres œuvres d'art. Etant donné en effet que les sons n'ont pas, comme les œuvres de l'architecture, de la sculpture, de la peinture, une existence objective permanente, mais qu'ils disparaissent aussitôt qu'ils ont résonné; l'œuvre d'art musicale a besoin, en raison même de cette existence instantanée, de *reproductions* répétées. Mais la nécessité de ces rappels renouvelés à la vie a encore un autre sens, plus profond. Comme c'est en effet l'intériorité subjective elle-même que la musique prend pour contenu, dans le but de se présenter, non sous l'aspect d'une œuvre objective ayant une forme extérieure, mais comme une expression de cette intériorité même, l'extériorisation doit être celle d'un sujet *vivant* qui, par elle, communique aux autres, leur fait partager toute cette intériorité. C'est le plus souvent le cas du chant exécuté par la voix humaine, mais aussi, d'une façon plus relative, celui de la musique instrumentale qui exige, pour produire l'action recherchée, des artistes expérimentés ayant acquis une habileté, tant spirituelle que technique, dans l'exécution.

Ce dernier fait donne encore plus d'importance au rôle que la subjectivité joue dans la musique, et poussé à l'extrême il est de nature à isoler celle-ci de toutes ses autres déterminations, en faisant de la virtuosité subjective le seul centre et le seul contenu du plaisir musical.

ESTHÉTIQUE, *trad. Jankelevitch.*

SCHOPENHAUER

SCHOPENHAUER (1788-1860), alors que Hegel demeurait limité à des considérations plutôt psychologiques sur la musique, n'hésite pas, dans le même ordre d'idées, à affirmer péremptoirement la valeur métaphysique *de cet art, qui lui apparaît le plus* complet *de tous, dans cette « interview » que l'on pourrait croire enregistrée au magnétophone.*

UNE MÉTAPHYSIQUE DIRECTE

Propos rapportés par le romancier Von Beyer

Je mets en mouvement le marteau rouillé de la porte. Des pas qui traînent. Une vieille servante ouvre : « Monsieur le Docteur travaille, mais entrez donc. »

Devant une table couverte de livres et de papiers est assis le grand créateur du *Monde comme volonté et représentation.*

La physionomie géniale, les cheveux ébouriffés, les rides de la pensée, le torse courbé, il paraît plus de trente-sept ans.

... Mes relations avec Hoffmann l'intéressent. Il fait quelques remarques justes sur le poète. — Autour de ses lèvres un rictus — on ne sait trop, se moque-t-il de vous ? Il l'appelle le « musicien-poète », par conséquent semble attacher une importance particulière à l'élément musical dans son œuvre. Et aussi « le Démocrite entre les poètes ».

Je me hasarde : « Le poète qui rit. »

« RIEN DE TOUT CELA! » s'emporte Schopenhauer. « DU MOINS JE NE PENSE PAS A CE... CONTE SUR L'ABDÉRITE. C'EST L'EMPIRIQUE — L'ÉCLECTISME DE SA NATURE [1] — LE MOUVEMENT PRIMITIF DE SES FIGURES [2]. DÉMOCRITE AUSSI FUT UN EXCELLENT MUSICIEN. » Tout cela jaillit d'un trait.

---

1. Les écrits de Démocrite sur la physique, la mathématique, l'éthique, la musique.
2. Schopenhauer entend sans doute par là le mouvement primitif des atomes de Démocrite.

J'essaie d'amener la conversation sur le sexe féminin. Je connais l'avis du philosophe sur les femmes et Hoffmann l'empirique. Je prends comme exemple un vivant personnage féminin dans l'œuvre de Hoffmann. Il n'y prête aucune attention. Et s'en tient à la musique.

« A LA SENSATION TRANSPOSÉE EN SONORITÉ, J'AI APPORTÉ UN INTÉRÊT TOUT PARTICULIER », dit-il pensivement. « NON SEULEMENT AU POINT DE VUE DE L'ESTHÉTIQUE, MAIS AUSSI PÉDAGOGIQUE ET COMME A UNE MANIFESTATION HUMAINE EN GÉNÉRAL. RIEN N'EST PLUS DIRECT QUE LA MUSIQUE. »

Je dis que j'avais déjà entendu des paroles semblables dans une conversation avec Gœthe.

« Avec Gœthe ? Vous ? Quand ? » Ces mots semblent quelque peu impolis. « Au cours de ma rencontre avec lui à Berka. »

Je lui fais connaître que j'avais été chargé de transmettre de la musique de la part de mon professeur Zelter, à Schutz, se trouvant à Berka. « Zelter votre professeur ? Vous possédez donc des connaissances en musique ? »

Je lui donne des détails sur ma découverte d'un cycle poétique de Gœthe sur la musique, dans la maison de l'organiste de Berka, ami de Gœthe, ainsi que de la rencontre que j'avais eue par hasard avec le grand poète dans son Berka bien-aimé. « Les vers de Gœthe donnent une explication de la mission musicienne de l'homme. »

Puis, comme s'il s'adressait à lui-même :

« GŒTHE — IL EST CONVAINCU DE LA MISSION DE LA MUSIQUE AUPRÈS DE L'HUMANITÉ. »

Je fais remarquer que Gœthe mettait en rapport le sentiment de la musique avec les idées philosophiques, que dans son développement des idées fondamentales de Spinoza, il avait expliqué comment *être* et *sentir* profondément (Erleben) deviennent, au moyen de la musique, une unité la plus parfaite dans l'âme humaine.

« OUI, dit Schopenhauer, C'EST TRÈS BIEN, TRÈS PERSUASIF. IL N'Y A RIEN D'AUSSI COMPLET QUE LA MUSIQUE. POUR CE QUI EST DES AUTRES PERFECTIONS ON N'EN FAIT PAS GRAND-CHOSE, MAIS LA MUSIQUE, OUI, C'EST LA L'ÉLÉMENT MÉTAPHYSIQUE QUE NOUS SOMMES CAPABLES DE SENTIR DIRECTEMENT. »

J'explique que Gœthe se servait de l'antihellénisme dionysiaque pour donner une forme (tangible) à la musique qui ici devenait un événement de haute portée intérieure (Erlebnis) en sorte que l'homme s'y épanouissait entièrement, se fondait avec l'extra-humain, se sentait devenir un avec lui.

« NON SEULEMENT L'HELLÉNISME, dit Schopenhauer, PROUVE LA PUISSANCE D'ACTION DE LA MUSIQUE, LES PRÊTRES DE TOUTES LES ÉPOQUES ONT SU UTILISER LA MUSIQUE EN VUE DE LEURS DESSEINS. NOUS LE CONSTATONS PAR L'IVRESSE DE LA DANSE DE TEMPS HINDOUE, AINSI QUE PAR L'OUBLI DANS LE NIRVANA. JE NE PEUX ME REPRÉSENTER UNE RELIGION SANS MUSIQUE. »

RÉCIT DU ROMANCIER VON BEYER, *Revue Musicale*, 1929.

HECTOR BERLIOZ

HECTOR BERLIOZ (1803-1869) apparaît, selon l'opinion de Th. Gautier, comme le Victor Hugo de la musique. Créateur, dans son œuvre, d'une esthétique nouvelle (musique « à programme ») et d'une instrumentation révolutionnaire, chef d'orchestre cosmopolite, qui portait son message dans toute l'Europe, novateur en matière de critique musicale, Berlioz devait profondément influencer toute la jeune musique romantique de l'Europe.

LA TRANSE MUSICALE

La célèbre cantatrice, Mme Malibran, entendant pour la première fois au Conservatoire, la symphonie en *ut* mineur de Beethoven, fut saisie de convulsions telles qu'il fallut l'emporter hors de la salle. Vingt fois nous avons vu, en pareil cas, des hommes graves obligés de sortir pour soustraire aux regards du public la violence de leurs émotions.

Quant à celles que l'auteur de cette étude doit personnellement à la musique, il affirme que rien au monde ne saurait en donner l'idée exacte à qui ne les a point éprouvées. Sans parler des affections morales que cet art a développées en lui, et pour ne citer que les impressions reçues et les effets éprouvés au moment même de l'exécution des ouvrages qu'il admire, voici ce qu'il peut dire en toute vérité.

A l'audition de certains morceaux de musique, mes forces vitales semblent d'abord doublées; je sens un plaisir délicieux, où le raisonnement n'entre pour rien; l'habitude de l'analyse vient ensuite d'elle-même faire naître l'admiration; l'émotion croissant en raison directe de l'énergie ou de la grandeur des idées de l'auteur, produit bientôt une agitation étrange dans la circulation du sang; mes artères battent avec violence; les larmes qui, d'ordinaire, annoncent la fin du paroxysme, n'en indiquent souvent qu'un état progressif, qui doit être de beaucoup dépassé. En ce cas, ce sont des contractions spasmodiques des muscles, un tremblement de tous les membres, un *engourdissement total des pieds et des mains*, une paralysie partielle des nerfs de la vision et de l'audition, je n'y vois plus, j'entends à peine; vertige... demi-évanouissement... On pense bien que des sensations portées à ce degré de violence sont assez rares, et que d'ailleurs il y a un vigoureux contraste à leur opposer, celui du *mauvais effet musical,* produisant le contraire de l'admiration et du plaisir. Aucune musique n'agit plus fortement en ce sens, que celle dont le défaut principal me paraît être la platitude jointe à la fausseté d'expression. Alors je rougis comme de honte, une véritable indignation s'empare de moi, on pourrait, à me voir, croire que je viens de recevoir un de ces outrages pour lesquels il n'y a pas de pardon; il se fait, pour chasser l'impression reçue, un soulèvement général, un effort d'excrétion dans tout l'organisme, analogue aux efforts du vomissement, quand l'estomac veut rejeter une liqueur nauséabonde. C'est le dégoût et la haine portés à leur terme extrême; cette musique m'exaspère, et je la vomis par tous les pores.

Sans doute l'habitude de déguiser ou de maîtriser mes sentiments permet rarement à celui-ci de se montrer dans tout son jour; et s'il m'est arrivé quelquefois, depuis ma première jeunesse, de lui donner carrière, c'est que le temps de la réflexion m'avait manqué, j'avais été pris au dépourvu.

A TRAVERS CHANTS, 1862.

CHARLES GOUNOD

CHARLES GOUNOD (1818-1893) doit à son Faust *une popularité qui n'est pas près de faiblir. Après avoir écrit pour l'opéra, se souvenant peut-être de sa première vocation religieuse, il composa plusieurs messes et un* Requiem *qu'il laissa, comme celui de Mozart, inachevé. Gounod, quoique sensible au romantisme ambiant, sut conserver dans ses œuvres une simplicité et une clarté toutes françaises, qui annoncent Bizet. Gounod fut le premier protecteur de Debussy. Darius Milhaud et Stravinsky lui ont rendu justice, alors que bien des esthètes le décriaient.*

UNION DE L'IDÉAL ET DU RÉEL

L'artiste n'est pas simplement une sorte d'appareil mécanique sur lequel se réfléchit ou s'imprime l'image des objets extérieurs et sensibles; c'est une lyre vivante et consciente que le contact de la nature révèle à elle-même et fait vibrer; et c'est précisément cette vibration qui est l'indice de la vocation artistique et la cause première de l'œuvre d'art.

Toute œuvre d'art doit éclore sous la lumière personnelle de la sensibilité, pour se consommer dans la lumière impersonnelle de la raison. L'art, c'est la réalité concrète et sensible fécondée jusqu'au beau par cette autre réalité, abstraite et intelligible, que l'artiste porte en lui-même et qui est son *idéal,* c'est-à-dire cette révélation intérieure, ce tribunal suprême, cette vision toujours croissante du terme final vers lequel il tend de toute l'ardeur de son être.

S'il était possible de saisir directement l'idéal, de le contempler face à face dans la vision complète de sa réalité, il n'y aurait plus qu'à le copier pour le reproduire, ce qui reviendrait à un véritable réalisme, supérieur assurément, mais définitif et qui, du même coup, supprimerait chez l'artiste les deux facteurs de son œuvre, la fonction personnelle qui constitue son *originalité,* et la fonction esthétique qui constitue sa *rationalité.*

Telle n'est pas la position de l'idéal vis-à-vis de l'œuvre

d'art. L'idéal n'est reproductible d'aucune façon adéquate; il est un pôle d'attraction, une force motrice, on le *sent,* on le *subit;* c'est l' « excelsior » indéfini, le « desideratum » impérieux dans l'ordre du beau, et la persistance de son témoignage intime est la garantie même de son insaisissable réalité. Dégager du réel inférieur et parfait la notion qui détermine et mesure le degré de conformité ou de désaccord de ce réel dans la nature avec sa loi dans la raison, telle est la fonction supérieure de l'artiste; et ce contrôle du réel dans la nature par sa loi dans la raison est ce qu'on nomme « l'esthétique ». L'esthétique est la « rationalité du beau ».

Dans l'art, comme en tout, le rôle de la raison est de faire équilibre à la passion; c'est pourquoi les œuvres d'un ordre tout à fait supérieur sont empreintes de ce caractère de tranquillité qui est le signe de la vraie force, « maîtresse de son art jusqu'à le gourmander ».

Dans cette collaboration de l'artiste avec la nature, c'est, nous l'avons vu, l'émotion personnelle qui donne à l'œuvre d'art son caractère d'*originalité.*

On confond souvent l'originalité avec l'étrangeté ou bizarrerie : ce sont pourtant choses absolument dissemblables. La bizarrerie est un métal anormal, maladif; c'est une forme mitigée de l'aliénation mentale et qui rentre dans la classe des cas pathologiques : c'est, comme l'exprime fort bien son synonyme l'excentricité, une déviation par la tangente.

L'originalité, tout au contraire, est le rayon distinct qui rattache l'individu au centre commun des esprits. L'œuvre d'art étant le produit d'une mère commune qui est la nature et d'un père distinct qui est l'artiste, l'originalité n'est pas autre chose qu'une déclaration de paternité; c'est le nom propre associé au nom de famille; c'est le passeport de l'individu régularisé par la communauté.

Toutefois, l'œuvre de l'artiste ne consiste pas uniquement dans l'expression de sa personne, ce qui en est la marque distinctive, il est vrai, la physionomie propre, mais, aussi et par cela même, la limite. En effet, si, par la sensibilité, l'artiste se trouve en contact avec les données de la nature, il entre, par la raison, en contact avec l'idéal, en vertu de cette loi de transfiguration qui doit s'appliquer à toutes les réalités qui *existent,* pour les rapprocher, de plus en plus, des réalités qui *sont,* autrement dit, de leur prototype parfait.

Qu'on me permette de citer un mot qui me semble fournir, sinon une preuve, du moins une formule assez frappante des considérations qui précèdent.

Sainte Thérèse[1], cette femme éminente que l'éclat de ses

1. Sainte Thérèse d'Avila, naturellement.

lumières a fait placer au nombre et au rang des plus illustres docteurs de l'Eglise, disait qu'elle ne se rappelait pas avoir jamais entendu un mauvais sermon. Dès qu'elle le dit, je ne demande pas mieux que de l'en croire. Il faut, néanmoins, convenir que, si la grande sainte ne s'est point fait illusion, il y a eu là, en faveur de son temps ou, tout du moins, de sa personne, une grâce tout à fait spéciale et qui n'est certes pas une des moindres que Dieu puisse accorder à ses fidèles.

Quoi qu'il en soit, et sans vouloir aucunement révoquer en doute la sincérité d'un pareil témoignage, il y a moyen de l'expliquer, de le traduire, et de comprendre comment et jusqu'à quel degré parfois prodigieux la relation inexacte d'un fait peut se concilier avec la véracité absolue du témoin.

Pourquoi sainte Thérèse ne se souvenait-elle pas d'avoir jamais entendu un mauvais sermon ? C'est parce que ceux qu'elle entendait au-dehors étaient spontanément transfigurés et littéralement *créés à nouveau* par la sublimité de celui qu'elle entendait en permanence au fond d'elle-même : c'est parce que la parole du prédicateur, si dénuée qu'elle fût de prestige littéraire et d'artifices oratoires, l'entretenait de ce qu'elle aimait le plus au monde, et qu'une fois emportée dans cette direction et à cette hauteur, elle ne voyait plus et n'entendait plus que le Dieu même de qui on lui parlait.

« Prenez mes yeux », disait un peintre célèbre, à propos d'un modèle que son interlocuteur trouvait affreux; « Prenez mes yeux, monsieur, et vous le trouverez sublime! »

C'est ainsi qu'un grand artiste se révélera soudainement à lui-même et plongera, d'un regard instantané, jusque dans les profondeurs de son art, au simple contact d'une œuvre même de médiocre valeur, mais qui aura suffi pour faire jaillir en lui la divine étincelle où se reconnaît le génie. Qui sait si le *Barbier de Séville* et *Guillaume Tell* n'ont pas eu pour berceau le tréteau paternel qui a commencé l'éducation musicale de Rossini ?

Passer des réalités sensibles à l'émotion, puis de l'émotion à la raison, telle est la marche progressive du développement intellectuel; c'est ce que saint Augustin résume admirablement dans une de ces formules si nettes et si lumineuses que l'on rencontre à chaque pas dans ses œuvres : « *Ab exterioribus ad interiora, ab interioribus ad superiora* », du dehors au-dedans, du dedans au-dessus.

L'art est une des trois incarnations de l'idéal dans le réel : c'est une des trois opérations de cet esprit qui doit *renouveler la face de la terre;* c'est une des trois *renaissances de la nature dans l'homme;* c'est, en un mot, une des trois formes de cette « autogénie » ou « immortalité propre » qui constitue la résurrection de l'humanité, en vertu de ses trois puissances créatrices fonctionnellement distinctes mais substantiellement identiques, à savoir : l'amour, raison de l'être, la science, raison du vrai, l'art, raison du beau.

Après avoir essayé de montrer, dans l'union de l'idéal et du réel, la loi qui régit le progrès de l'esprit humain, il resterait à faire la contre-preuve, en montrant où aboutit la séparation, l'isolement des deux termes.

Dans l'art, le réel seul est la servilité de la copie; l'idéal seul est la divagation de la chimère.

Dans la science, le réel seul est l'énigme du fait sans la lumière de sa loi; l'idéal seul est le fantôme de la conjecture sans sa confirmation par les faits.

Dans la morale, enfin, le réel seul est l'égoïsme de l'intérêt, ou absence de sanction *rationnelle* dans le domaine de la *volonté;* l'idéal seul est l'utopie, ou absence de sanction *expérimentale* dans le domaine des *maximes*.

De tous côtés, le corps sans l'âme ou l'âme sans le corps, c'est-à-dire négation de la loi de la vie pour l'être qui, par sa double nature, appartient à la fois au monde sensible et au monde intelligible, et dont l'œuvre n'est complète et normale qu'à la condition d'exprimer ces deux ordres de réalité.

S'il est un symptôme qui caractérise ces trois hautes vocations humaines, le service du bien, du vrai et du beau, s'il est un lien qui trahisse leur commune divinité d'origine et les élève à la dignité d'un véritable apostolat, c'est le désintéressement, c'est la gratuité.

Les fonctions de *la vie* sont si étroitement soudées à celles de *l'existence* que la liberté divine de la vocation est bien obligée de subir la nécessité humaine de la profession; ainsi les passionnés de la vie s'entendent-ils généralement fort peu et fort mal aux choses de l'existence; mais, en soi et de leur nature, toutes les fonctions supérieures de l'homme sont *gratuites*. Ni l'amour, ni la science, ni l'art n'ont rien de commun avec une estimation vénale; ce sont les trois personnes divines de la conscience humaine; on ne vend que ce qui meurt; ce qui est immortel ne peut que se donner. C'est pourquoi les œuvres du bien, du vrai et du beau défient les siècles; elles sont vivantes de l'éternité même de leur principe.

Mémoires d'un artiste, 1896.

ED. ET J. DE GONCOURT

EDMOND et JULES DE GONCOURT (1822-1896 et 1830-1870) font souvent preuve, dans leur Journal, *d'une psychologie qui déborde le cadre du naturalisme littéraire dont ils furent les apôtres.*

LA MESSE DE L'AMOUR[1]

Ce que j'aime surtout dans la musique : ce sont les femmes qui l'écoutent.

Elles sont là, comme devant une pénétrante et divine fascination, dans des immobilités de rêves, que chatouille, par instants, l'effleurement d'un frisson.

Toutes, en écoutant, prennent la tête d'expression de leur figure. Leur physionomie se lève et peu à peu rayonne d'une tendre extase. Leurs yeux se mouillent de langueur, se ferment à demi, se perdent de côté ou montent au plafond chercher le ciel. Des éventails ont, contre les poitrines, un battement pâmé, une palpitation mourante, comme l'aile d'un oiseau blessé; d'autres glissent d'une main amollie dans le creux d'une jupe; et d'autres rebroussent, avec leurs branches d'ivoire, un vague sourire heureux sur de toutes petites dents blanches. Les bouches détendues, les lèvres doucement entrouvertes, semblent aspirer une volupté qui vole.

Pas une femme n'ose presque regarder la musique en face. Beaucoup, la tête inclinée sur l'épaule, restent un peu penchées comme sur quelque chose qui leur parlerait à l'oreille; et celles-ci, laissant tomber l'ombre de leur menton sur les fils de perles de leur cou, paraissent écouter au fond d'elles.

Par moments, la note douloureusement raclée sur un violoncelle, fait tressaillir leur engourdissement ravi; et des pâleurs d'une seconde, des diaphanéités d'un instant, à peine

---

1. A propos d'une soirée chez la princesse Mathilde.

visibles, passent sur leur peau qui frémit; suspendues sur le bruit, toutes vibrantes et caressées, elles semblent boire, de tout leur corps, le chant et l'émotion des instruments.

La messe de l'amour! — on dirait que la musique est cela pour la femme.

Journal, 8 février 1866.

La musique est ce qui enlève le plus la femme au-dessus de la vie, ce qui lui donne le plus de dégoût pour le rationnel et l'existant. Peut-être est-ce ce qu'on devrait le moins lui apprendre, car c'est lui créer un sens d'aspiration à ce qui n'est pas.

Journal, 14 février 1866.

FRÉDÉRIC NIETZSCHE

NIETZSCHE (1844-1900) a souvent parlé de la musique, surtout à propos de Wagner, dieu qu'il renia par la suite, pour se défendre et illustrer, à travers Bizet, une conception « méditerranéenne » de la musique. Il l'a considérée comme un art susceptible d'étendre et d'approfondir la connaissance humaine, de donner « la parole à des choses qui jadis n'avaient pas de langue ».

LA MUSIQUE RÉDEMPTRICE

La musique en tant qu'art universel, sans nationalité, hors du temps est, parmi les arts, le seul florissant. Elle représente pour nous l'art tout entier et le monde esthétique. C'est pourquoi elle est rédemptrice.

L'ALLÉGORIE SENTIMENTALE

Qu'on prenne, par exemple, les sentiments de l'Amour, de la Crainte et de l'Espérance : la musique ne peut directement en tirer rien du tout... Au contraire ces sentiments peuvent servir de symboles à la musique. Telle est la position du poète lyrique par rapport à cette sphère (métaphysique) de la « Volonté », dont aucun concept, aucune image ne nous rapproche et qui est le contenu et l'objet propre de la musique : il s'en donne une traduction allégorique sous la forme de sentiments. Il en va de même de tous ces auditeurs qui éprouvent une action de la musique sur leurs états affectifs. La puissance de la musique, lointaine et hors de portée, s'adresse, chez eux, à un monde intermédiaire qui leur donne comme un avant-goût, une pré-notion symbolique de la musique proprement dite, et ce monde est celui des sentiments... Mais à tous ceux sur qui la musique n'a prise que par le moyen des sentiments, il faut dire qu'ils demeureront toujours dans le parvis et n'auront pas accès au sanctuaire de la musique, puisque celui-ci, comme je le disais, ne peut être manifesté, mais seulement symbolisé par le sentiment.

Quand donc, dans une humanité atteinte de si profondes blessures, résonne la musique de nos maîtres allemands, à proprement parler, que nous fait-elle entendre ? Précisément rien autre chose que le sentiment juste qui est l'ennemi de toute convention, de tout ce qui rend artificiellement l'homme étranger et inintelligible à l'homme : cette musique est retour à la nature, en même temps qu'elle est purification et transformation de la nature; car, dans l'âme des hommes les plus pleins d'amour, la contrainte à ce retour à la nature a surgi, et dans leur art retentit la nature transformée en amour.

SANS LA PAROLE NI L'IMAGE

Je n'ai à m'adresser qu'à ces esprits qui ont avec la musique une parenté immédiate, pour qui la musique est, en quelque sorte, le sein maternel, et dont le commerce avec les choses est presque exclusivement constitué d'inconscients rapports musicaux. Je demande à ces musiciens authentiques s'il leur est possible d'imaginer un homme qui fût capable d'écouter le troisième acte de *Tristan et Yseult,* sans aucun secours de la parole et de l'image, comme un colossal développement purement symphonique, sans que son âme fût comme forcée de tendre convulsivement toutes ses ailes avec une violence à perdre haleine. Un homme qui comme ici a, pour ainsi dire, appliqué son oreille au ventricule de la volonté du monde, qui est placé au point d'où il sent le frénétique désir de vivre se répandre dans toutes les artères du monde, comme un torrent mugissant ou comme une cascade vaporeuse, cet homme pourrait n'être pas brusquement brisé ? Sous la misérable enveloppe fragile comme verre de l'individu humain, il pourrait supporter l'écho d'innombrables cris de joie et de douleur s'élevant du « lointain espace de la nuit des mondes », sans céder irrésistiblement à cet appel de berger de la métaphysique et se réfugier dans la patrie originaire ? Mais qu'il soit possible de recevoir l'impression d'une telle œuvre dans sa totalité, sans renier l'existence individuelle, qu'une telle création ait pu être édifiée sans écraser son créateur — d'où tirerons-nous la solution d'une telle contradiction ?

Entre notre suprême exaltation musicale et cette musique s'interposent le mythe tragique et le héros tragique, qui ne sont au fond que symboles des événements les plus universels que seule la musique peut exprimer directement. Mais le mythe, s'il restait à l'état de symbole, et que nous fussions en proie à la seule manière de sentir dionysiaque, demeurerait sans action sur nous et inaperçu; à aucun moment il ne pourrait nous détourner de prêter l'oreille à l'écho des *universalia ante rem.* C'est ici qu'intervient l'action de la force apollinienne qui, par le baume salutaire d'une illusion ravissante, rend à lui-même l'individu presque dissous. Nous croyons soudain ne plus voir que Tristan lui-même, lorsqu'il gît là sans mouvement et se demande, à peine conscient : « Le vieil air! Que m'éveille-t-il ? » Et ce qui tout à l'heure nous impressionnait comme un sourd gémissement jailli du centre de l'être nous dit seulement à présent combien « nue et vide est la mer ». Et là où nous avions le sentiment de défaillir privés de souffle, dans la tension convulsive de tous les sentiments, là où nous ne tenions plus que par un fil à cette existence, maintenant nous n'entendons et ne voyons plus que le héros blessé à mort et pourtant ne mourant pas, avec son appel lointain de désespoir : « Désir! Désir! Alors que je meurs, désirer, et de désir, ne pouvoir mourir! » Et quand après une telle outrance et une telle profusion de dévorantes tortures, la joie délirante du cor, presque comme la torture suprême, vient nous fendre le cœur, alors entre nous et cette « ivresse en soi » se dresse Kurwenal transporté de joie, tourné vers le vaisseau qui porte Yseult. Si violemment que nous souffrions avec Tristan, en un certain sens cependant la pitié nous sauve de la souffrance originaire du monde, comme l'image symbolique du mythe nous sauve de la perception immédiate de l'idée suprême du monde, comme la pensée et la parole nous sauvent du débordement sans digue de la volonté inconsciente. Grâce à cette magnifique illusion apollinienne, il nous semble que le royaume des sons s'avance lui-même vers nous, sous la forme d'un monde plastique; il nous semble aussi qu'en lui, comme en la matière la plus tendre et la plus expressive, ait été modelé et sculpté le seul destin de Tristan et Yseult.

NAISSANCE DE LA TRAGÉDIE, *trad. H. Albert.*

TCHAIKOVSKY

TCHAIKOVSKY (1840-1893), musicien profondément russe, héritier de Glinka, mais aussi influencé par le romantisme allemand et le ballet européen, se distingue des musiciens du groupe des Cinq, dont l'esthétique, profondément russe, elle aussi, penchait davantage vers la musique populaire de leur pays. Son inspiration demeure subjective et soumise à un tempérament un peu morbide et sentimental, qui fit de son existence un calvaire quotidien.

LE LANGAGE DE L'AMOUR

Vous me demandez si j'ai connu d'autre amour que le platonique. Oui et non. Si la question était posée un peu différemment : « Avez-vous éprouvé le bonheur d'un amour satisfait ? » Ma réponse serait : non, non, non! Je crois que la réponse à votre question est dans ma musique. Demandez-moi si je comprends le pouvoir, l'immense force de ce sentiment, et je peux affirmer oui, oui, oui, répétant que j'ai fait de mon mieux plus d'une fois pour exprimer en musique les tourments et les délices de l'amour. Y ai-je réussi ? Je l'ignore, ou plutôt je laisse aux autres le soin d'en juger. Je n'admets pas du tout votre opinion que la musique ne peut exprimer complètement les sentiments de l'amour. Au contraire, la musique en est seule capable. Vous dites que des paroles sont indispensables. Non, les mots seuls ne suffisent pas et, là où ils sont impuissants, se présente tout armé un langage plus éloquent, la musique. Lorsque les poètes ont recours à cette forme pour exprimer l'amour, ils usurpent un rôle qui appartient exclusivement à la musique. Les mots sous forme de poésie cessent d'être simplement des mots, ils deviennent de la musique. La meilleure preuve que la poésie qui s'efforce d'exprimer l'amour est plutôt musique que mots (tel par exemple, Fet, qui me plaît beaucoup) est que, tant qu'on lit attentivement cette poésie comme des mots, et non comme une musique, les mots n'ont presque aucun sens. Pourtant, en réalité, ils possèdent non seulement un sens, mais une pensée profonde, non pas littéraire, mais purement musicale. Je suis heureux que vous placiez si haut la musique instrumentale. Ce que vous dites des paroles qui gâtent la musique, en la faisant souvent redescendre de hauteurs inaccessibles, est absolument vrai, et je l'ai toujours senti profondément — peut-être est-ce pour cela que j'ai mieux réussi dans les compositions instrumentales que dans la musique vocale...

C. Drinker Bowen, *L'Ami bien-aimé. Histoire de Tchaïkovsky et de Nadejda von Meck* (...), *traduit de l'anglais par Maurice Rémon,* 1940.

BERGSON

BERGSON (1859-1941) a su, en philosophe, exprimer et approfondir des phénomènes de la conscience, qui concernent de près l'émotion de la durée intérieure, dont participe l'essence de la musique.

LA DURÉE TOUTE PURE...

La durée toute pure est la forme que prend la succession de nos états de conscience quand notre moi se laisse vivre, quand il s'abstient d'établir une séparation entre l'état présent et les états antérieurs. Il n'a pas besoin pour cela de s'absorber tout entier dans la sensation ou l'idée qui passe, car alors au contraire il cesserait de durer. Il n'a pas besoin non plus d'oublier les états antérieurs : il suffit qu'en se rappelant ces états il ne les juxtapose pas à l'état actuel comme un point à un autre point, mais les organise avec lui, comme il arrive quand nous nous rappelons *fondues pour ainsi dire ensemble* les notes d'une mélodie. Ne pourrait-on pas dire que, si ces notes se succèdent, nous les *apercevons* néanmoins les unes dans les autres et que leur ensemble est comparable à un être vivant dont les parties, quoique distinctes, se pénètrent par l'effet même de leur solidarité ? La preuve en est que si nous rompons la mesure en insistant plus que de raison sur une note de la mélodie, ce n'est pas sa longueur exagérée, en tant que longueur, qui nous avertira de notre faute, mais le changement qualitatif apporté par là à l'ensemble de la phrase musicale.

ESSAI SUR LES DONNÉES IMMÉDIATES DE LA CONSCIENCE, 1889.

ERIK SATIE

ERIK SATIE (1866-1925) est l'un des musiciens les plus originaux de notre temps : ami de Debussy, il fit preuve d'une intuition géniale, en composant ses Sarabandes, *dont la nouveauté harmonique devait influencer, comme celles de Chabrier, toute la musique de l'époque. Il rompit avec toute tradition dès ses débuts, et ce n'est qu'à quarante ans qu'il s'occupa d'étudier la musique avec Vincent d'Indy et Albert Roussel. Des* Gymnopédies *à* Parade *et à* Socrate, *l'humour de Satie se mêle au génie de l'invention. Il manifestait à l'égard de la musique, telle qu'il l'entendait, une vénération qui ne porte aucune trace de désinvolture ou de dilettantisme.*

UNE JUSTE INFLAMMATION

Le cœur serré de pitié et d'indignation, nous subissons l'humiliation infligée à l'esthétique dans l'œuvre de Richard Wagner, que des entrepreneurs de spectacles populaires livrent à la malsaine curiosité d'une foule incompétente. Quels que soient nos préférences et les sentiments que nous professions dans l'intimité de notre jugement pour celui qui travailla dans sa manière à la glorification d'un art qui nous est cher, nous devons à sa mémoire et à sa cendre l'hommage d'un pieux silence, qui vient de lui être dérobé. Nous savons qu'il pratiquait l'affection de ses conceptions et qu'en des jours pénibles il lui répugna de voir son œuvre monstrueusement souillée par l'association des chorégraphies que la dépravation des mœurs et l'abdication de la dignité humaine ont exaltées. Ce misérable contact lui a été imposé, nonobstant, dans un coupable sacrifice au goût du siècle.

Pour nous, profondément tristes, nous déplorons la méconnaissance du caractère sacré de l'art, l'inobservance du recueillement qu'il commande, et son attachement aux vaines conventions du monde.

EPIGRAPHE DU « FILS DES ETOILES »

DÉDICATOIRE :

Sans préjudice des pratiques des grands imprécateurs
Mes cousins, J'offre cette œuvre à Mes pairs.

Par ainsi, et pour la précédence des exemples, Je ne demande point l'exaltation. J'appelle sur Mes convives la miséricorde du Père, créateur des choses visibles et invisibles; la protection de la Mère Auguste du Rédempteur, Reine des Anges; comme les prières du chœur glorieux des Apôtres et des Saints Ordres des Esprits bienheureux.
Que la juste inflammation de Dieu écrase les superbes et les indécents!

1895.

GABRIEL FAURÉ

GABRIEL FAURE (1845-1924) écrivit surtout de la musique de chambre, de très nombreuses mélodies, dont un certain nombre sur des poèmes de Verlaine, Hugo, etc..., mais aussi des chœurs, des pièces pour piano, de la musique de scène, et quelques symphonies. C'est un musicien aux audaces discrètes, aux harmonies nouvelles, qu'il ne faut pas enfermer dans le cadre de ses mélodies, si parfaites fussent-elles. Son époque voulut voir en lui un musicien de caractère hellénistique. La suite de Pelléas et Mélisande, *son opéra* Pénélope *suffisent à prouver que son élégance ne l'empêche pas d'atteindre à la profondeur, et son* Trio en ré mineur *à une évidente spiritualité.*

Pour moi, l'art, la musique surtout, consiste à nous élever le plus loin possible au-dessus de ce qui est...

Combien de fois est-ce intraduisible, le point où l'on en est, celui vers lequel on pense marcher. Et combien de fois me demandé-je à quoi cela sert, la musique ? et qu'est-ce que c'est ? et qu'est-ce que je traduis ? quels sentiments ? quelles idées ? Comment exprimer ce dont moi-même, je ne puis me rendre compte!...

OPINIONS MUSICALES, 1930.

ARNOLD SCHOENBERG

ARNOLD SCHOENBERG (1874-1951), après avoir été passionnément wagnérien, réagit contre les pauvretés et les surenchères de cette esthétique. Il se libéra des emprises techniques de la tonalité, chercha une nouvelle organisation des sons. Un tel anticonformisme allait de pair chez lui avec le désir d'un ordre nouveau, qui aboutit au système dodécaphonique, dont il est le précurseur, et dont on verra plus loin la théorie. Son Pierrot lunaire *et son* Thème et variations pour orchestre *sont parmi ses œuvres les plus connues et les mieux accessibles.*

ET LA LUMIÈRE FUT

Afin de comprendre l'essence même de la création, il faut accuser le fait qu'il n'y avait pas de lumière avant que le Seigneur dise : « Que la lumière soit. » Et puisqu'il n'y avait pas encore de lumière, l'omniscience du Seigneur en eut une vision que seule son omnipotence pouvait réaliser.

Nous autres êtres humains, lorsque nous faisons allusion à l'un de ces esprits que nous nommons créateurs, nous ne devrions jamais oublier ce qu'est, en vérité, un créateur.

Un créateur a une vision de quelque chose qui n'existait pas avant cette vision.

Et un créateur a le pouvoir de donner vie à sa vision, le pouvoir de la réaliser.

En fait les concepts du créateur et de la création devraient être formés en harmonie avec le modèle divin : inspiration et perfection, désir et réalisation, volonté et accomplissement coïncident spontanément et simultanément. Dans la création divine, il n'y eut pas de détails qui durent être effectués plus tard : « la lumière fut », subitement et dans son ultime perfection.

Hélas! les créateurs humains — si une vision leur est accordée — doivent parcourir le long chemin qui sépare la vision de l'accomplissement; une route difficile où, chassés du paradis, même les génies se trouvent obligés de gagner leur pain à la sueur de leur front.

Et, hélas! c'est une chose de concevoir une vision, au cours d'un instant créateur, en pleine inspiration, et c'est une autre chose que de matérialiser sa vision en reliant laborieusement de petits détails, jusqu'à ce qu'ils fusionnent en une sorte d'organisme.

Et, hélas! admettons même qu'un organisme en résulte, un peu à la manière d'un homuncule ou d'un automate, et qu'il lui reste encore quelque chose de cette spontanéité de la vision; encore faut-il organiser cette forme afin qu'elle devienne un message compréhensible pour « celui qui regarde »...

Conférence faite a Los Angeles, a l'Université de Los Angeles, en 1939, *trad. René Leibovitz.*

LA VOCATION ET L'ÉTUDE

Plateau, école italienne, XVᵉ s., Musée de Douai. *(Cliché Bulloz).*

Les Muses. « Le Champion des Dames », XVe s., Bibliothèque de Grenoble. *(Cliché Bulloz).*

On ne sait pas grand'chose de l'éducation musicale profane au moyen âge; en revanche, l'expansion du christianisme romain nécessite une musique de culte unique, afin de lutter contre une immense variété de tendances venues de l'Orient ou empruntées aux traditions populaires. L'œuvre unificatrice de Grégoire le Grand eût été impossible sans un enseignement musical codifié dans toute l'Europe. C'est la grande époque de ces maîtres de chant voyageurs formés à Rome, qui allaient enseigner un peu partout des professeurs de musique grégorienne. De nombreux textes montrent l'étude sévère qui se pratiquait ainsi dans les monastères.

A côté de cet art du chant romain, c'est également dans les monastères que l'on enseignait la théorie musicale générale, héritée des Grecs et des Arabes, en même temps que s'y greffaient de nouvelles spéculations. A la Sorbonne et dans les autres universités, la musique faisait partie du Quadrivium, *au même titre que l'astronomie ou la mathématique. Une forêt de textes impossibles à citer ici, et à peine déchiffrés, montre souvent l'extrême complication de ces théories, d'où n'était pas absent un certain pédantisme.*

C'est à la Renaissance que l'enseignement musical se laïcise vraiment, tant en France qu'en Italie et en Allemagne. Mais c'est aussi avec l'avènement de la basse continue *qu'il se simplifie et se normalise.*

*Toute l'époque classique (XVII*e *et XVIII*e *siècles) atteste des formes d'enseignement assez fixes. S'il y avait des écoles collectives (comme le montre un texte amusant de Burney), l'enseignement se transmettait plutôt par leçons particulières. Notons que l'on n'apprenait pas toujours la musique pour être musicien, mais pour enrichir sa culture générale. Diderot, d'Alembert ou Lacépède offrent de tels exemples. C'était là une conception éloignée de notre actuelle pédagogie, où l'étude de la musique, devant les programmes très chargés des écoles, a été délibérément sacrifiée.*

Le XIXe siècle sera celui du développement des écoles et conservatoires de musique, à Paris, par exemple, du Conservatoire de Cherubini à l'Ecole Niedermeyer ou à la Schola Cantorum.

Mais aussi, avec le romantisme, la notion de vocation se sensibilise chez l'individu, parallèlement à l'individualisation du créateur. Un musicien comme Schumann, d'abord étudiant en droit, puis apprenti virtuose, ne se consacre exclusivement à la composition que plus tard. Lorsqu'il sera devenu un créateur, il voudra faire profiter les jeunes élèves musiciens d'une expérience qui fut toute personnelle et passionnée, plutôt que didactique.

Si l'étude demeure nécessaire à l'exercice de la musique, l'accent est mis désormais sur la vocation de l'élève et la liberté de ses propres conceptions. Pour être musicien, sans doute faut-il apprendre et savoir la musique, mais encore faut-il y être prédestiné. Aucun enseignement ne prévaudra sur l'absence d'une telle disposition. De même, le créateur utilisera une science acquise, mais en la mettant au service de sa personnalité, et l'existence de musiciens autodidactes, comme Borodine, qui était médecin et chimiste, devient possible, sans faire scandale.

Tel est à peu près le sens de l'évolution de l'enseignement musical que retracent les textes qui suivent. On y verra maintes lacunes, car beaucoup de textes nous ont paru trop techniques, pour les faire figurer ici. Nous nous sommes bornés à illustrer le problème de quelques témoignages significatifs.

G. B.

L'ART GRÉGORIEN ENSEIGNÉ DANS LES GAULES...

Tous les chantres de France apprirent la « note romaine » qu'on appelle aussi maintenant « note française », excepté qu'ils ne pouvaient parfaitement exprimer dans le chant les sons tremblés, ornés, répercutés ou détachés, « effrangeant » ces sons dans leur gosier, à cause de leur voix naturellement rude, plutôt que de les exprimer comme il le fallait.

Or, Charlemagne, notre patrice et roi des Français, froissé, pendant un séjour à Rome (*probablement en 783*), de la dissonance qui existait entre le chant des Romains et celui des Gaulois, laissa au pape Adrien deux de ses clercs les plus studieux : « Lorsqu'ils furent suffisamment instruits, ils furent chargés d'abord de rappeler à Metz la douceur de la vieille modulation. Mais quand ceux qui avaient été instruits à Rome furent morts, le très prudent roi, voyant le chant des églises des Gaules être à nouveau très éloigné de celui de Metz [1] », demanda au pape Adrien d'autres chanteurs. Touché des prières du roi, Adrien lui envoya deux « chantres très savants » de la *Schola* romaine : Théodore et Benoît, porteurs d'antiphonaires grégoriens que « *lui-même avait tenu à noter en notation romaine* ».

Le roi Charles, revenu en France, envoya l'un des chanteurs à Metz, l'autre à Soissons, ordonnant aux maîtres de chant de toutes les villes de France de leur confier leurs antiphonaires à corriger et d'apprendre d'eux le chant. Le principal magistère en fait de chant resta à la ville de Metz : « Autant l'enseignement romain surpassait le messin dans l'art de la cantilène, autant le chant messin surpassait celui des autres scholae des Gaules [2]. » Jean le Diacre donne également cette même appréciation.

---

1. Jean Diacre, *Vita S. Gregorii*, II, 7.
2. Le moine d'Angoulême, *Vie de Charlemagne*.

Ce très saint pape Grégoire, serviteur de Dieu, qui fut illustre prédicateur et sage pasteur[1] et édita tant de choses pour le salut de l'humanité, y compris le chant susdit, que nous chantons partout à l'église selon les règles de l'art musical; *edidit et sonum iam dictum, quem in ecclesia vel ubique canimus musicis artibus.*

H. Lavoix, *Histoire du chant au moyen âge.*

NOTKER (vers 840-912)

Lorsque j'étais encore tout jeune homme, et que les « mélodies très longues », de plus en plus confiées à ma mémoire, la fuyaient comme un instable songe, je commençai silencieusement à rechercher de quelle manière je pourrais bien les retenir. Or, il arriva alors qu'un certain prêtre de l'abbaye de Jumièges, récemment dévastée par les Normands, vint jusqu'à nous, apportant avec lui son antiphonaire, dans lequel quelques vers étaient modulés sur les séquences, mais déjà fortement corrompus. Je fus aussi ravi de les voir peu disposés à les goûter : cependant, à leur imitation, je commençai à écrire : *Laudes Deo concinat orbis universus qui gratis est liberatus,* et un peu après : *Coluber Adae malesuasor.* Quand j'eus montré ces essais à mon maître Ison, celui-ci, me félicitant de mon zèle et prenant pitié de mon impéritie, loua ce qui pouvait être loué et corrigea ce qui valait moins, me disant : « Chaque mouvement mélodique de la cantilène doit avoir une syllabe. »

... *ET EN ANGLETERRE*

BÈDE (673-735)

[*L'évêque Benedict, retournant de Rome en Angleterre, en 680, ramène avec lui le prêtre Jean.*]

... Afin qu'il puisse enseigner dans son monastère le système

---

1. Il est à peine inutile de faire remarquer que ces désignations regardent exclusivement saint Grégoire Ier, dont l' « élévation du corps » ou canonisation venait d'être récemment faite (844).

de chant tout au long de l'année tel qu'il était pratiqué à Saint-Pierre de Rome. Le prêtre Jean fit ainsi que lui avait ordonné le pape, enseignant aux chanteurs dudit monastère (de Wearmouth) l'ordre et la façon de chanter et de lire à haute voix et perpétrant par écrit tout ce qui était requis tout au long de l'année pour la célébration des fêtes, et ces écrits sont encore conservés dans ce monastère, et ont été copiés ailleurs par beaucoup d'autres. Ledit Jean n'enseigna pas seulement aux frères de ce monastère, mais aussi ceux qui avaient de l'adresse au chant venaient de presque tous les monastères de la même province pour l'entendre, et beaucoup l'invitaient à venir enseigner en d'autres lieux.

D'après *Oxford History of Music.*

L'ANTIPHONAIRE ET LA FÉRULE

SAINT BÉNIGNE DE DIJON

Aux Nocturnes, et, en vérité à toutes les Heures, si les garçons commettent quelque faute dans la psalmodie ou autres chants, tant par sommeil que par péché semblable, que, sans le moindre délai, ils soient dévêtus du froc et du capuchon, et, dans leur seule chemise, battus avec des verges d'osier lisse et flexible préparées spécialement à cet effet. Si quelqu'un d'entre eux, alourdi de sommeil, chante mal les Nocturnes, que le maître lui mette alors dans la main un livre suffisamment gros pour qu'il le tienne jusqu'à ce qu'il soit suffisamment éveillé. A Matines, le maître principal se tiendra devant eux avec une verge jusqu'à ce qu'ils soient tous à leurs places, et le visage bien couvert. De même, lorsqu'ils se lèvent, s'ils se lèvent trop lentement, la verge sera immédiatement sur eux... Bref, il me semble qu'un fils de roi ne pourrait être plus diligemment éduqué dans son palais qu'un garçon dans un monastère bien réglé...

Op. cit.

SAINT ETIENNE D'OBAZINE

Etienne était énergique dans la discipline et des plus sévères pour châtier les fautes des délinquants. Car si quelqu'un levait tant soit peu les yeux à l'église, souriait si peu soit-il ou s'assoupissait si légèrement soit-il, ou laissait négligemment tomber le livre qu'il tenait, ou faisait quelque bruit inopiné, ou chantait trop vite, ou bien faux, il recevait à l'instant même un coup de verge sur la tête, ou bien une main ouverte sur la joue, si fort que la gifle retentissait aux oreilles de tous : punition qui était spécialement infligée aux plus jeunes garçons, pour leur propre amendement et la crainte des autres...

Op. cit.

EVÊQUE GRANDISON D'EXETER

Ceux qui se tiennent aux stalles supérieures dans le chœur, et ont des lumières à leur portée, à Matines, lancent intentionnellement et en connaissance de cause des gouttes de suif ou des bouts de mèche sur la figure ou sur les cheveux de ceux qui se tiennent aux stalles inférieures, dans le but d'exciter le rire et peut-être d'engendrer la discorde... Item, lorsque certains ministres commettent (et ceci, comme nous le déplorons, trop souvent) des fautes évidentes en chantant ou en lisant incorrectement, cependant que d'autres, qui savent mieux (et qui devraient donc plutôt avoir compassion pour l'ignorant et déplorer les erreurs de leurs frères) éclatent, en entendant certains, en imprécations et moqueries dans la langue vulgaire : « Maudit soit celui qui dit le dernier mensonge! »...

Op. cit.

L'ENSEIGNEMENT DU CHANT EN ITALIE AU XVIIe SIÈCLE...

ROMAIN ROLLAND

Voici quel était l'emploi du jour chez Mazzochi : Le matin, on consacrait une heure à chanter des difficultés; une heure à étudier les lettres; une heure à l'enseignement et à l'exercice du chant, devant un miroir, pour ne faire aucun mouvement désagréable du front, des yeux, de la bouche. — L'après-midi, on donnait une demi-heure à la théorie; une demi-heure au contrepoint sur le *Canto Fermo*; une heure à la pratique et à la mise en œuvre de la leçon de contrepoint dans une composition; une heure à l'étude des lettres. — Le reste de la journée, on étudiait le clavicembalo; on s'exerçait à s'accompagner soi-même; on composait quelque psaume, ou motet, ou canzonetta..., suivant son caractère. — Quelquefois on sortait pour faire résonner l'écho du Monte Mario, hors de la porte Angélique, et juger de ses propres accents. On étudiait la manière des célèbres chanteurs, et on en rendait compte au maître, etc.

HISTOIRE DE L'OPÉRA.

... AU XVIIIe...

BURNEY

31 octobre (*1770*). — Je suis allé ce matin avec le jeune Olivier, à son Conservatoire de Saint-Onuphre, et j'ai visité toutes les chambres où les garçons étudient, dorment et mangent. Sur le premier palier de l'escalier, il y avait un trompettiste qui hurlait sur sa trompette jusqu'à ce qu'il soit près d'éclater; sur le second, un joueur de cor français beuglait de même. Dans la salle d'études commune, il y avait un *concert hollandais* composé de sept ou huit clavecins et encore plus de violons ainsi que plusieurs voix, chacun exécutant des choses différentes, et en clés diverses [1] : d'autres garçons étaient en train d'écrire dans la même salle; pourtant, comme c'était l'époque des vacances, beaucoup de ceux qui étudiaient et jouaient d'ordinaire dans cette pièce étaient absents. Ce charivari que faisaient tous ensemble les élèves peut être utile à la maison, et apprendre à chacun de ces garçons à se concentrer sur sa propre partie, malgré tout ce qui se passe autour de lui; cela peut aussi leur donner de la puissance, en les obligeant à jouer très fort, afin d'arriver à s'entendre eux-mêmes; en revanche, au milieu d'une telle cacophonie, d'une telle dissonance continuelle, il est tout à fait impossible de donner tant soit peu de poli et de fini à leur jeu : d'où la négligence grossière si caractéristique de leurs exécutions publiques; et le manque total de goût, de

---

1. Au lecteur qui s'étonnera d'un tel tohu-bohu, rappelons que l'on procède de même, de nos jours, au pensionnat des jeunes filles de la Légion d'honneur, dans la classe de piano.

netteté et d'expression, chez tous ces jeunes musiciens, avant qu'ils ne les aient acquis ailleurs.

Le lits, qui sont dans la même salle, servent de siège pour les clavecins et autres instruments. Parmi trente ou quarante garçons, qui s'exerçaient ainsi, je n'en pus découvrir que deux jouant le même morceau : certains de ceux qui étudiaient le violon me semblèrent posséder une grande dextérité. Les violoncellistes travaillent dans une autre pièce; les flûtes, hautbois et autres instruments à vent dans une troisième, à l'exception des trompettes et des cors qui sont obligés de s'escrimer, soit dans les escaliers, soit sur le faîte de la maison.

Il y a dans le collège seize jeunes *castrati,* et ceux-ci couchent en haut, à part, dans des appartements plus chauds que ceux des autres garçons, par crainte des rhumes, qui eussent rendu, dans le présent, leurs voix inaptes à l'étude, et entraîné, par la suite, leur perte définitive.

Dans ces écoles, les seules vacances de l'année sont en automne, et seulement pour quelques jours; en hiver, les garçons se lèvent deux heures avant le jour, et, dès ce moment, ils étudient sans relâche — à part une heure et demie pour le déjeuner — jusqu'à huit heures du soir; et cette persévérance inlassable, avec du génie et un bon enseignement, doit former, en quelques années, de bons musiciens.

... *EN FRANCE AU XVIII*e

MONTECLAIR

...

Ne point chanter proche ou vis-à-vis d'une porte ou d'une fenêtre entrouverte.

Chanter le moins qu'il sera possible *pendant* ou immédiatement après le repas.

Exercer la voix le matin à jeun.

Ne point chanter vis-à-vis d'un grand feu sans mettre quelque chose devant sa bouche.

Ne jamais chanter le soir au serein...

PETITE MÉTHODE POUR APPRENDRE LA MUSIQUE AUX ENFANTS ET MÊME AUX PERSONNES PLUS AVANCÉES EN AGE, 1736.

DOMENICO SCARLATTI

DOMENICO SCARLATTI (1685-1757), après avoir appris la musique avec son père, Alessandro Scarlatti, le célèbre compositeur napolitain poursuivit ses études à Venise auprès de Gasparini. Il fit une brillante carrière comme exécutant, occupa les fonctions de maître de musique de l'infante de Portugal, plus tard reine d'Espagne et qu'il y suivit comme « maestro da camara ». En plus d'un style éblouissant de virtuosité, ses Exercices pour le Clavecin *témoignent d'un génie précurseur.*

AUGMENTER SES PROPRES DÉLICES

Lecteur,

Ne t'attends pas, dilettante ou professeur, quel que tu sois, à trouver dans ces compositions une connaissance artistique profonde, mais bien plutôt l'enjouement ingénieux de l'Art, pour s'assurer la maîtrise du clavecin. Ni l'intérêt ni l'ambition, mais la seule obéissance m'a poussé à les publier. Peut-être te plairont-elles, et, dès lors j'obéirais mieux à d'autres ordres pour agrémenter tes loisirs avec un style plus facile et varié : sois donc plus humain que critique, et ainsi tu augmenteras tes propres délices. Pour t'indiquer la disposition des mains, je t'avertis que par D j'ai indiqué la main droite et par M la gauche. Sois heureux.

LETTRE-DÉDICACE DES EXERCICES DE CLAVECIN, vers 1750.

RAMEAU

RAMEAU (1683-1764), l'un des plus grands musiciens français, fut un compositeur et un théoricien fécond. Vers dix-huit ans, il fit un voyage en Italie, dont il ne goûta pas la musique. Organiste à Avignon, à Clermont, à Paris, il continua ses études tout en composant ses premières pièces pour clavecin. Ce n'est que vers quarante ans que son Traité d'Harmonie *le rend célèbre. Enfin, il écrit pour l'Opéra, où il donne ses chefs-d'œuvre, dont les* Indes galantes *ont connu récemment une triomphante résurrection.*

FAIRE DE PETITS OUVRAGES AVANT DE GRANDS

Je suis très sensible, monsieur, à l'honneur que vous me faites, et, en même temps très mortifié de ne pouvoir vous être que d'un faible secours, tant parce que mes affaires ne me permettent pas de m'en détourner que parce que ce que vous souhaitez demande un bien plus long détail que vous ne vous l'imaginez peut-être. Il faut être au fait du spectacle, avoir longtemps étudié la nature, pour la peindre le plus au vrai qu'il est possible, avoir tous les caractères présens, être sensible à la danse, à ses mouvements, sans parler de tous les accessoires; connoître les voix, les acteurs, etc. Le ballet vous conviendroit mieux que la Tragédie pour début. Je crois, d'ailleurs, M. Panard plus capable de l'un que de l'autre; il a du mérite, mais il ne nous a point encore donné de lyrique. Il faudroit, avant que d'entreprendre un si grand ouvrage, en avoir fait de petits, des cantates, des divertissemens, et mille bagatelles de cette sorte qui nourrissent l'esprit, y échauffent la verve, et rendent insensiblement capable de plus grandes choses. J'ai suivi le spectacle depuis l'âge de douze ans; je n'ai travaillé pour l'Opéra qu'à cinquante ans, encore ne m'en croyois-je pas capable; j'ai hasardé, j'ai eu du bonheur, j'ai continué. Je suis avec toute la considération possible, monsieur, votre très-humble et très-obéissant serviteur.

LETTRE A UN JEUNE MUSICIEN QUI SE PROPOSAIT D'ÉCRIRE UN OPÉRA, 29 mai 1744.

HAYDN

HAYDN (1732-1809), s'il n'est pas à proprement parler l'inventeur de la symphonie et du quatuor à cordes, est celui qui, le premier, les illustra. Il apprit la musique avec un oncle, puis en tant qu'enfant de chœur. Il continua de le faire comme accompagnateur d'un professeur de chant célèbre de l'époque, Porpora. Enfin il travailla sous la protection de divers princes. Ses très nombreuses symphonies, aujourd'hui, sont toujours fréquemment jouées et font occuper à Haydn une place de choix et d'intermédiaire prestigieux entre Bach et Beethoven.

UN DON DU TOUT-PUISSANT

Je suis né en 1733[1], le dernier jour de mars, dans le petit bourg de Rohrau, en Basse-Autriche, près de Prugg-sur-la-Leitha. Mon père était charron et sujet du comte Harrach. Très doué pour la musique, il jouait de la harpe sans savoir ses notes. Un jour qu'il m'écoutait, gamin de cinq ans, chanter correctement les petits morceaux qu'il exécutait, il se décida à me confier à notre parent, directeur de l'école de Haimbourg, afin de m'y faire apprendre les premiers éléments de la musique et autres choses utiles à la jeunesse. Le Tout-Puissant (qui a seul droit à mon immense gratitude) m'avait donné tant de dispositions pour la musique que, dès ma sixième année, je pus chanter avec assurance quelques messes au chœur et jouer un peu de piano et de violon..

J'avais sept ans lorsque le maître de chapelle von Reutter, qui traversait par hasard Haimbourg, entendit ma voix, agréable quoique faible. Il m'admit aussitôt dans sa maîtrise, où j'appris, outre les études courantes, le chant, le piano et le violon avec d'excellents maîtres. Jusqu'à dix-huit ans, je chantai les soprani avec le plus grand succès, aussi bien à Saint-Etienne qu'à la Cour. Mais, dès l'instant où ma voix

1. En fait, en 1732.

eut mué, il me fallut consacrer péniblement huit années entières à l'enseignement de la jeunesse. Combien de génies périssent par la faute de ce misérable pain quotidien, qui leur ravit le temps de travailler! Je n'échappai malheureusement pas à cette dure loi et j'aurais pu gagner le nécessaire si je n'avais consacré une partie de la nuit à mon travail de composition. J'écrivais sans me lasser, mais sans principes, lorsque j'eus enfin le bonheur d'apprendre du célèbre Porpora, qui se trouvait alors à Vienne, les véritables règles de la composition. Enfin, sur la *recommandation* de M. von Fürnberg (dont je possédais particulièrement les bonnes grâces), je fus nommé directeur de la musique auprès du comte von Morzin et, enfin, maître de chapelle auprès de son Altesse le Prince [1], auprès duquel je désire vivre et mourir.

A Mlle L. Zoller, 1778. Cité par B. CHAMPIGNEULLE, *Les plus beaux écrits des grands musiciens.*

BEETHOVEN

LA PREMIÈRE DE MES OCCUPATIONS

Dès ma quatrième année, la musique a commencé à être la première des occupations de mon jeune âge. Familiarisé de si bonne heure avec la douce muse, qui faisait retentir mon âme de pures harmonies, elle me devint, et il put me sembler souvent que moi-même je lui devenais cher. Voici que j'atteins déjà ma onzième année [2], et depuis lors, dans les heures d'inspiration, ma muse m'a souvent murmuré : « Tente une fois de mettre en écrit les harmonies de ton âme! » Onze ans, pensais-je — et comment prendre la mine d'un auteur ? Et que diraient les hommes de l'art ? J'en fus presque intimidé. Pourtant ma muse le voulait — j'obéis et j'écrivis.

1783.
CORRESPONDANCE, *trad. Chantavoine.*

---

1. Le prince Esterhazy.
2. Non point onze, mais treize ans; le père de Beethoven, à l'insu de son fils, le rajeunissait toujours de deux ans, afin de faire paraître encore plus grande sa précocité.

HECTOR BERLIOZ

DE L'ÉDUCATION MUSICALE CHEZ LES EUPHONIENS

L'éducation musicale des Euphoniens[1] est ainsi dirigée : les enfants sont exercés de très bonne heure à toutes les combinaisons rythmiques; ils arrivent en peu d'années à se jouer de la division fragmentaire des temps de la mesure, des formes syncopées, des mélanges de rythmes inconciliables, etc.; puis vient pour eux l'étude du solfège, parallèlement à celle des instruments, un peu plus tard celle du chant et de l'harmonie. Au moment de la puberté, à cette heure d'efflorescence de la vie où les passions commencent à se faire sentir, on cherche à développer en eux le sentiment juste de l'expression et par suite du beau style.

Cette faculté si rare d'apprécier, soit dans l'œuvre du compositeur, soit dans l'exécution de ses interprètes, la vérité d'expression, est placée au-dessus de toute autre dans l'opinion des Euphoniens.

Quiconque est convaincu d'en être absolument privé, ou de se complaire à l'audition d'ouvrages d'une expression fausse, est inexorablement renvoyé de la ville, eût-il d'ailleurs un talent éminent ou une voix exceptionnelle; à moins qu'il ne consente à descendre à quelque emploi inférieur, tel que la fabrication des cordes à boyaux ou la préparation des peaux de timbales.

Les professeurs de chant et des divers instruments ont sous leurs ordres plusieurs sous-maîtres destinés à enseigner des

---

1. Euphonia : dans l'utopie, non dépourvue d'humour, de Berlioz, cette petite ville imaginaire d'Allemagne de 12.000 âmes était « un vaste conservatoire de musique », dont les habitants se consacraient uniquement à la pratique de cet art, vers le XXIVe siècle. Le compositeur mêle à des critiques amères de sa propre époque des rêves constructifs qui méritent parfois d'être sérieusement considérés, telle l'idée d'enseigner aux enfants, avant toute chose, le rythme.

spécialités dans lesquelles ils sont reconnus supérieurs. Ainsi, pour les classes de violon, d'alto, de violoncelle et de contrebasse, outre le professeur principal qui dirige les études générales de l'instrument, il y en a un qui enseigne exclusivement le pizzicato, un autre l'emploi des sons harmoniques, un autre le staccato, ainsi de suite Il y a des prix institués pour l'agilité, pour la justesse, pour la beauté du son et même pour la ténuité du son. De là les nuances de *piano* si admirables que les Euphoniens seuls en Europe savent produire.

Le signal des heures de travail et des repas, des réunions par quartiers, par rues, des répétitions par petites ou par grandes masses, etc., est donné au moyen d'un orgue gigantesque placé au haut d'une tour qui domine tous les édifices de la ville. Cet orgue est animé par la vapeur, et sa sonorité est telle qu'on l'entend sans peine à quatre lieues de distance. Il y a cinq siècles, quand l'ingénieux facteur A. Sax, à qui l'on doit la précieuse famille d'instruments de cuivre à anche qui porte son nom[1], émit l'idée d'un orgue pareil destiné à remplir d'une façon plus musicale l'office des cloches, on le traita de fou, comme on avait fait auparavant pour le malheureux qui parlait de la vapeur appliquée à la navigation et aux chemins de fer, comme on faisait encore il y a deux cents ans pour ceux qui s'obstinaient à chercher les moyens de diriger la navigation aérienne, qui a changé la face du monde. Le langage de l'orgue de la tour, ce télégraphe de l'oreille, n'est guère compris que des Euphoniens; eux seuls connaissent bien la téléphonie, précieuse invention dont un nommé Sudre entrevit, au XIXe siècle, toute la portée, et qu'un préfet de l'harmonie d'Euphonia a développée et conduite au point de perfection où elle est aujourd'hui. Ils possèdent aussi la télégraphie, et les directeurs des répétitions n'ont à faire qu'un simple signe avec une ou deux mains et le bâton conducteur, pour indiquer aux exécutants qu'il s'agit de faire entendre, fort ou doux, tel ou tel accord suivi de telle ou telle cadence ou modulation, d'exécuter tel ou tel morceau classique tous ensemble, ou en petite masse, ou en crescendo, les divers groupes entrant alors successivement.

Quand il s'agit d'exécuter quelque grande composition nouvelle chaque partie est étudiée isolément pendant trois ou quatre jours; puis l'orgue annonce les réunions au cirque de toutes les voix d'abord, elles se font entendre par centuries formant chacune un chœur complet. Alors les points de respiration sont indiqués et placés de façon qu'il n'y ait jamais plus d'un quart de la masse chantante qui respire au même

---

1. Les saxophones, évidemment, alors inventés depuis peu.

endroit, et que l'émission de la voix du grand ensemble n'éprouve aucune interruption sensible.

L'exécution est étudiée, en premier lieu, sous le rapport de la fidélité littérale, puis sous celui des grandes nuances, et enfin sous celui du style et de l'*expression.*

Tout mouvement du corps indiquant le rythme pendant le chant est sévèrement interdit aux choristes. On les exerce encore au silence, au silence absolu et si profond, que trois mille choristes euphoniens réunis dans le cirque, ou dans tout autre local sonore, laisseraient entendre le bourdonnement d'un insecte, et pourraient faire croire à un aveugle placé au milieu d'eux qu'il est entièrement seul. Ils sont parvenus à compter ainsi des centaines de pauses, et à attaquer un accord de toute la masse après ce long silence, sans qu'un seul chanteur manque son entrée.

Un travail analogue se fait aux répétitions de l'orchestre; aucune partie n'est admise à figurer dans un ensemble avant d'avoir été entendue et sévèrement examinée isolément par les préfets. L'orchestre entier travaille ensuite seul; et enfin la réunion des deux masses vocale et instrumentale s'opère quand les divers préfets ont déclaré qu'elles étaient suffisamment exercées.

Le grand ensemble subit alors la critique de l'auteur, qui l'écoute du haut de l'amphithéâtre que doit occuper le public, et quand il se reconnaît maître absolu de cet immense instrument intelligent, quand il est sûr qu'il n'y a plus qu'à lui communiquer les nuances vitales du mouvement, qu'il sent et peut donner mieux que personne, le moment est venu pour lui de se faire aussi exécutant, et il monte au pupitre-chef pour diriger. Un diapason fixé à chaque pupitre permet à tous les instrumentistes de s'accorder sans bruit avant et pendant l'exécution; les préludes, les moindres bruissements d'orchestre sont rigoureusement prohibés. Un ingénieux mécanisme qu'on eût trouvé cinq ou six siècles plus tôt, si l'on s'était donné la peine de le chercher, et qui subit l'impulsion des mouvements du chef sans être visible au public, marque, *devant les yeux* de chaque exécutant et tout près de lui, les temps de la mesure, en indiquant aussi d'une façon précise les divers degrés de *forte* et de *piano*. De cette façon, les exécutants reçoivent immédiatement et instantanément la communication de celui qui les dirige, y obéissent aussi rapidement que font les marteaux d'un piano sous la main qui presse les touches, et le maître peut dire alors qu'il *joue de l'orchestre* en toute vérité.

Des chaires de philosophie musicale occupées par les plus savants hommes de l'époque, servent à répandre parmi les Euphoniens de saines idées sur l'importance et la destination de l'art, la connaissance des lois sur lesquelles est basée son existence, et des notions historiques exactes sur les révolutions qu'il a subies. C'est à l'un de ces professeurs qu'est due l'institution singulière des *concerts de mauvaise musique* où les Euphoniens vont, à certaines époques de l'année, entendre les monstruosités admirées pendant des siècles dans toute l'Europe, dont la production même était enseignée dans les Conservatoires d'Allemagne, de France et d'Italie, et qu'ils viennent étudier, eux, pour se rendre compte des défauts qu'on doit le plus soigneusement éviter. Telles sont la plupart des cavatines et finales de l'école italienne du commencement du XIXe siècle, et les fugues vocalisées des compositions plus ou moins religieuses des époques antérieures au XXe siècle. Les premières expériences faites par ce moyen sur cette population dont le sens musical est aujourd'hui d'une rectitude et d'une finesse extrêmes, amenèrent d'assez singuliers résultats. Quelques-uns des chefs-d'œuvre de *mauvaise musique,* faux d'expression et d'un style ridicule, mais d'un effet cependant, sinon agréable, au moins supportable pour l'oreille, leur firent pitié; il leur sembla entendre des productions d'enfants balbutiant une langue qu'ils ne comprennent pas. Certains morceaux les firent rire aux éclats, et il fut impossible d'en continuer l'exécution. Mais quand on en vint à chanter la fugue sur le *Kyrie eleison* de l'ouvrage le plus célèbre d'un des plus grands maîtres de notre ancienne école allemande, et qu'on leur eut affirmé que ce morceau n'avait point été écrit par un fou, mais par un très grand musicien, qui ne fit en cela qu'imiter d'autres maîtres, et qui fut à son tour fort longtemps imité, leur consternation ne put se dépeindre. Ils s'affligèrent sérieusement de cette humiliante maladie dont ils reconnaissaient que le génie humain lui-même pouvait subir les atteintes; et le sentiment religieux, s'indignant chez eux en même temps que le sentiment musical, de ces ignobles et incroyables blasphèmes, ils entonnèrent d'un commun accord la célèbre prière *Parce Deus,* dont l'expression est si vraie, comme pour faire amende honorable à Dieu, au nom de la musique et des musiciens.

Tout individu possédant toujours une voix quelconque, chacun des Euphoniens est tenu d'exercer la sienne et d'avoir des notions de l'art du chant. Il en résulte que les joueurs d'instruments à cordes de l'orchestre, qui peuvent chanter et jouer en même temps, forment un second chœur de réserve que le compositeur emploie dans certaines occasions et dont l'entrée inattendue produit quelquefois les plus étonnants effets.

Les chanteurs à leur tour sont obligés de connaître le mécanisme de certains instruments à cordes et à percussion, et d'en jouer au besoin, en chantant. Ils sont ainsi tous harpistes, pianistes, guitaristes. Un grand nombre d'entre eux

Maestro del Cassone Adimari. Cortège nuptial. Détail.
Florence, Galleria dell'Accademia.

(Phot. Scala)

savent jouer du violon, de l'alto, de la viole d'amour, du violoncelle. Les enfants jouent du sistre moderne et des cymbales harmoniques, instrument nouveau, dont chaque coup frappe un accord.

Les rôles des pièces de théâtre, les solos de chant et d'instruments ne sont donnés qu'à ceux des Euphoniens dont l'organisation et le talent spécial les rende les plus propres à les bien exécuter. C'est un concours fait publiquement et patiemment devant le peuple entier qui détermine ce choix. On y emploie tout le temps nécessaire. Lorsqu'il s'est agi de célébrer l'anniversaire décennal de la fête de Gluck, on a cherché pendant huit mois, parmi les cantatrices, la plus capable de chanter et de jouer *Alceste;* près de mille femmes ont été entendues successivement dans ce but.

Il n'y a point à Euphonia de privilèges accordés à certains artistes au détriment de l'art. On n'y connaît pas de premiers sujets, de droit en possession des premiers rôles, lors même que ces rôles ne conviennent en aucune façon à leur genre de talent ou à leur physique. Les auteurs, les ministres et les préfets précisent les qualités essentielles qu'il faut réunir pour remplir convenablement tel ou tel rôle, représenter tel ou tel personnage; on cherche alors l'individu qui en est le mieux pourvu, et fût-il le plus obscur d'Euphonia, dès qu'on l'a découvert il est élu. Quelquefois notre gouvernement musical en est pour ses recherches et sa peine. C'est ainsi qu'en 2320, après avoir pendant quinze mois cherché une Eurydice, on fut obligé de renoncer à mettre en scène l'*Orphée* de Gluck, faute d'une jeune femme assez belle pour représenter cette poétique figure et assez intelligente pour en comprendre le caractère.

L'éducation littéraire des Euphoniens est soignée; ils peuvent jusqu'à un certain point apprécier les beautés des grands poètes anciens et modernes. Ceux d'entre eux dont l'ignorance et l'inculture à cet égard seraient complètes, ne pourraient jamais prétendre à des fonctions musicales un peu élevées.

C'est ainsi que, grâce à l'intelligente volonté de notre empereur et à son infatigable sollicitude pour le plus puissant des arts, Euphonia est devenue le merveilleux conservatoire de la musique monumentale.

LES SOIRÉES DE L'ORCHESTRE (Vingt-cinquième soirée).

ROBERT SCHUMANN

ROBERT SCHUMANN (1810-1856) eut à lutter contre l'état de juriste auquel on le destinait, quand, lui, ne se concevait que comme un musicien. Ayant appris très jeune le piano, il commença par y consacrer toutes ses compositions. Ce n'est que vers la trentaine qu'il écrivit sa Première Symphonie, *puis de la musique de chambre. Schumann est un romantique, mais plein de verve, de délicatesse et plus souvent encore d'une sensibilité toute onirique, à la manière allemande. Ses* lieder *attestent d'une profonde intuition poétique et son langage musical en général d'une riche et originale impulsion créatrice. Il a laissé de très importants écrits sur la musique.*

CONSEILS AU JEUNE MUSICIEN

L'éducation de l'oreille est la cnose la plus importante. Efforce-toi de bonne heure de reconnaître tous les tons et toutes les tonalités. Examine quels sons produisent la cloche, le verre, le coucou.

Tu joueras avec application des gammes et autres exercices pour les doigts, mais cela ne suffit pas. Il y a beaucoup de gens qui pensent ainsi arriver à tout, qui, jusqu'à un âge avancé, consacrent tous les jours des heures aux exercices mécaniques. C'est à peu près comme si l'on s'efforçait de réciter tous les jours l'A, B, C, aussi vite que possible et de plus en plus vite.

On a inventé ce qu'on appelle des *claviers muets;* essaie-les quelque temps, pour voir qu'ils ne valent rien. Ce n'est pas avec des muets qu'on peut apprendre à parler.

Joue en mesure! Le jeu de nombreux virtuoses est comme la démarche d'un ivrogne. Ne les prends pas pour modèles.

Apprends de bonne heure les lois fondamentales de l'harmonie.

N'aie pas peur des mots : *Théorie, Basse continue, Contrepoint,* etc.; ils te feront un aimable accueil, si tu fais de même (avec eux).

Ne *tapote* jamais! Joue toujours carrément et jamais un morceau à moitié.

Traîner ou presser la mesure sont de grandes fautes.

Efforce-toi de jouer bien et avec agrément des morceaux faciles; cela vaut mieux que d'exécuter mal des compositions difficiles.

Tu auras toujours un instrument bien accordé.

Non seulement, il faut exécuter tes morceaux avec les doigts, mais il faut pouvoir les fredonner sans piano. Fortifie ton imagination de façon à pouvoir conserver dans ta mémoire, non seulement la mélodie d'un morceau, mais encore l'harmonie adéquate.

Efforce-toi, même si tu n'as que peu de voix, de chanter à première vue sans l'aide de l'instrument; l'acuité de ton ouïe se perfectionnera de plus en plus. Mais si tu as une voix bien timbrée, n'hésite pas un instant à la cultiver, et considère-la comme le plus beau don que le ciel t'ait accordé!

Il faut acquérir la faculté de lire toute musique et de la comprendre (en la lisant) sur le papier.

QUAND TU JOUES...

Quand tu joues, ne t'inquiète pas de qui t'écoute.

Joue toujours comme si un maître t'écoutait!

Si quelqu'un te présente un morceau pour te le faire déchiffrer, lis-le d'abord.

Quand tu auras terminé ta tâche musicale quotidienne, et que tu te sentiras fatigué, ne te force pas à continuer de travailler. Mieux vaut se reposer que travailler sans plaisir ni entrain.

En prenant de l'âge, ne joue rien qui soit à la mode. Le temps est précieux. Il faudrait avoir cent vies humaines, si l'on voulait connaître seulement tout ce qu'il y a de bon.

Ce n'est pas avec des douceurs, des gâteaux et des bonbons que d'un enfant on fait un homme sain. Comme celle du corps, la nourriture de l'esprit doit être simple et substantielle. Les musiciens se sont toujours souciés de celle-ci; tenez-vous en là.

... MÉFIE-TOI DE LA MODE QUI PASSE

Toute la camelote à passages change avec le temps; c'est là seulement où la virtuosité sert à de nobles buts qu'elle est estimable.

Il ne faut pas vulgariser de mauvais ouvrages, mais, au contraire, aider de toutes ses forces à les écraser.

Tu ne joueras ni n'écouteras de mauvais ouvrages, à moins d'y être forcé.

Ne recherche jamais l'exécution brillante qu'on appelle bravoure. Dans un morceau, tâche de faire impression en rendant l'idée que le compositeur a voulu exprimer; il n'en faut pas plus; ce qu'on ajoute est caricature.

Considère comme quelque chose d'odieux de changer quoi que ce soit aux œuvres des bons compositeurs, d'en rien omettre ou d'y ajouter des ornements à la nouvelle mode. C'est là la pire injure que tu puisses faire à l'art.

Sur le choix des morceaux à étudier, consulte des personnes plus âgées que toi. Tu gagneras ainsi beaucoup de temps.

Tu apprendras à connaître peu à peu toutes les œuvres importantes de tous les maîtres importants.

Ne te laisse pas séduire par le succès qu'obtient souvent celui qu'on appelle grand virtuose. Que l'approbation des artistes te soit plus précieuse que celle de la grande masse.

Tout ce qui est à la mode se démode, et si tu t'y consacres jusqu'à un certain âge, tu deviendras un sot que personne n'estimera.

Beaucoup jouer dans le monde a plus d'inconvénients que d'avantages; tiens compte de ton public; mais ne joue jamais quoi que ce soit dont tu rougirais de honte dans ton for intérieur.

UN DON A PARTAGER AVEC TOUS

Mais ne perds jamais une occasion de faire de la musique avec d'autres personnes, en duo, trio, etc. Ces exercices rendront ton jeu coulant, plein d'élan. Accompagne souvent les chanteurs.

Si tout le monde voulait être premier violon, nous ne pourrions pas entendre un orchestre au complet. Aie donc de l'estime pour tout musicien dans l'emploi qu'il remplit.

Aime ton instrument, mais ne le considère pas comme le premier et l'unique. Pense qu'il y en a d'autres, et aussi beaux. Pense aussi qu'il y a des chanteurs, et que le sublime en musique s'exprime dans le chœur et l'orchestre.

A mesure que tu grandiras, fréquente plutôt les partitions que les virtuoses.

Travaille bien les fugues des bons maîtres et avant tout

celles de Joh. Seb. Bach. Que le *Clavecin bien tempéré* soit ton pain quotidien. Alors certainement tu deviendras un bon musicien.

Parmi tes camarades, recherche ceux qui en savent plus que toi.

Repose-toi souvent de tes études musicales en lisant assidûment les poètes. Promène-toi souvent au grand air.

Tu pourras apprendre beaucoup des chanteurs et des cantatrices, mais ne crois pas tout (ce qu'ils te diront).

De l'autre côté de la montagne, il y a aussi des hommes. Sois modeste! Tu n'as encore rien trouvé ni pensé, que d'autres n'aient déjà pensé et trouvé avant toi. Et l'eusses-tu fait, considère-le comme un don d'en-haut, que tu dois partager avec tous.

L'étude de l'histoire de la musique, fortifiée par l'audition vivante des chefs-d'œuvre des différentes époques, te guérira très vite de la vanité et de la présomption.

Un beau livre sur la musique, c'est celui de Thibaut, *Sur la pureté de l'art musical*. Lis-le souvent en prenant de l'âge.

Quand tu passes devant une église et que tu y entends jouer de l'orgue, entre et écoute. S'il t'est permis de t'asseoir au banc de l'orgue, essaye de placer tes petits doigts sur les touches et admire cette puissance de la musique.

Ne néglige aucune occasion de jouer de l'orgue. Il n'y a pas d'instrument qui, comme l'orgue, permette, en jouant, de corriger immédiatement les impuretés et les négligences dans la composition musicale.

Applique-toi à chanter en chœur, surtout les parties intermédiaires. Cela te rendra *musicien*.

EXPLORE LE MONDE MUSICAL

Mais qu'appelle-t-on être *musicien* ? Tu ne l'es pas si, tenant les yeux attachés avec anxiété sur la musique, tu as de la peine à jouer ton morceau jusqu'au bout; tu ne l'es pas si (quelqu'un t'ayant, par exemple, tourné deux pages à la fois), tu restes en plan et ne peux continuer. Mais tu l'es si, dans un morceau nouveau, tu pressens à peu près ce qui va suivre, ou si, dans un morceau que tu connais, tu le sais par cœur, — en un mot, si tu as la musique non seulement dans les doigts, mais encore dans la tête et le cœur.

Mais comment devient-on musicien ? Mon cher enfant, la chose principale, une oreille juste, une conception prompte, viennent, comme en toutes choses, d'en-haut. Mais cette disposition peut être cultivée et améliorée. Tu ne deviendras pas musicien en te cloîtrant tout le long du jour pour faire des études mécaniques, mais en explorant le monde musical sous toutes ses faces et notamment en fréquentant beaucoup le chœur et l'orchestre.

Familiarise-toi de bonne heure avec l'étendue de la voix humaine; étudie spécialement le chœur; examine dans quels intervalles réside sa plus haute puissance et dans quels autres il faut chercher les effets d'expression douce et tendre.

Ecoute bien tous les chants populaires; c'est une mine inépuisable des plus belles mélodies et qui révélera à tes yeux les caractères des différents peuples.

Exerce-toi de bonne heure à lire dans les anciennes clefs. Autrement, bien des trésors du passé te resteront cachés.

Observe de bonne heure le son et le caractère des divers instruments; cherche à pénétrer ton oreille de leurs timbres propres.

Ne manque jamais l'occasion d'entendre de bons opéras.

Respecte l'ancien, mais va d'un cœur ardent au-devant du nouveau; n'aie pas de préjugé contre les noms d'inconnus.

Ne juge pas du mérite d'une œuvre d'après une première audition; ce qui plaît du premier coup n'est jamais le meilleur. Les maîtres veulent être étudiés. Bien des choses ne te paraîtront intelligibles qu'avec l'âge.

En jugeant les compositions nouvelles, discerne d'abord si ce sont des œuvres d'art, ou si elles ont pour but d'amuser les amateurs. Défends les premières; quant aux autres, ne te fâche pas!

Mélodie, c'est le cri de guerre des amateurs, et, certes, une musique sans mélodie n'en est pas une. Mais comprends bien ce qu'ils entendent par là; pour eux, une chose facile à retenir et d'un rythme aimable en tient lieu. Il en est cependant d'autre sorte, et lorsque tu parcours Bach, Mozart, Beethoven, ils t'apparaissent sous mille formes différentes : tu seras, je l'espère, bientôt rassasié de la monotonie de ce qu'on dénomme mélodie, dans les opéras italiens modernes notamment.

SEUL AVEC TOI-MÊME...

Si tu trouves de petites mélodies au piano, c'est déjà bien joli; mais si elles viennent d'elles-mêmes, sans piano, réjouis-toi plus encore, car alors le sentiment intime de la musique se sera ému en toi. Les doigts doivent exécuter ce que la tête a conçu; non le contraire.

Quand tu commenceras à composer, fais tout de tête. C'est seulement quand un morceau de piano sera achevé (en pensée), que tu l'essaieras sur l'instrument. Si ta musique est née de ton cœur, si tu la ressens, elle agira de même sur autrui.

Si le ciel t'a doué d'une imagination vive, tu resteras souvent pendant des heures solitaire devant ton piano, comme si tu étais ensorcelé, à vouloir exprimer ton être intime en harmonies, et tu te sentiras peut-être d'autant plus mystérieusement ravi dans des cercles magiques, que le domaine de l'harmonie te sera peut-être encore inconnu. Ces heures-là sont les plus heureuses de la jeunesse. Garde-toi pourtant de t'abandonner souvent à un talent qui te conduira presque toujours à gaspiller ton temps et tes forces comme à la poursuite de noires silhouettes. C'est seulement par les signes précis de l'écriture que tu acquerras la force d'employer les formes avec certitude. Tu devras donc écrire plutôt qu'improviser.

ON N'A JAMAIS FINI D'APPRENDRE

Fais en sorte d'acquérir de bonne heure la science du chef d'orchestre, observe souvent les bons chefs; essaye même de diriger en pensée. Cela te donnera de la lucidité en toi-même.

Ne néglige pas l'étude de la vie, non plus que celle des autres sciences et arts.

Les lois de la morale régissent l'art.

Par le travail et la persévérance, on s'élève toujours plus haut.

Avec une livre de fer, qui coûte quelques liards, on fabrique des milliers de ressorts de montre dont la valeur est 100.000 fois supérieure. Emploie loyalement la livre que tu as reçue du ciel.

Sans enthousiasme, on ne fait rien comme il faut en art.

L'art n'est point là pour procurer la richesse. Sois toujours un artiste de plus en plus grand; tout le reste te sera donné par surcroît.

Ce n'est que si tu comprends bien la forme que tu comprendras l'esprit.

Peut-être le génie seul comprend-il parfaitement le génie.

Quelqu'un soutenait qu'un musicien complet devait être capable, après une seule audition, de voir devant soi une œuvre d'orchestre, même compliquée, comme (s'il la lisait) dans la partition réelle. C'est la plus belle chose que l'on puisse imaginer.

On n'a jamais fini d'apprendre.

RÈGLES DE CONDUITE D'UN MUSICIEN,
trad. J.-G. Prod'homme.

CHARLES GOUNOD

UNE RÉVÉLATION PATHÉTIQUE

On donnait aux Italiens le *Don Giovanni* de Mozart. Ma mère m'y conduisit elle-même; et cette divine soirée passée auprès d'elle, dans une petite loge des quatrièmes du Théâtre-Italien, est restée l'un des plus mémorables et des plus délicieux souvenirs de ma vie. Je ne sais si ma mémoire est fidèle, mais je crois que c'est Reicha [1] qui avait conseillé à ma mère de me mener entendre *Don Juan.*

Devant le récit de l'émotion que me fit éprouver cet incomparable chef-d'œuvre, je me demande si ma plume pourra jamais le traduire, je ne dis pas fidèlement, cela me paraît impossible, mais au moins de manière à donner quelque idée de ce qui s'est passé en moi pendant ces heures uniques dont le charme a dominé ma vie comme une apparition lumineuse et une sorte de vision révélatrice. Dès le début de l'ouverture, je me sentis transporté par les solennels et majestueux accords de la scène finale du Commandeur, dans un monde absolument nouveau. Je fus saisi d'une terreur qui me glaçait; et, lorsque vint cette progression menaçante sur laquelle se déroulent ces gammes ascendantes et descen-

1. Professeur de musique de Gounod.

dantes, fatales et implacables comme un arrêt de mort, je fus pris d'un tel effroi que ma tête tomba sur l'épaule de ma mère, et qu'ainsi enveloppé par cette double étreinte du beau et du terrible, je murmurai ces mots :

— Oh! maman, quelle musique, c'est vraiment *la* musique, cela!

L'audition de l'*Otello* de Rossini avait remué en moi les fibres de l'instinct musical; mais l'effet que me produisit le *Don Juan* eut une signification toute différente et une tout autre portée. Il me semble qu'il dut y avoir entre ces deux sortes d'impressions quelque chose d'analogue à ce que ressentirait un peintre qui passerait tout à coup du contact des maîtres vénitiens à celui des Raphaël, des Léonard de Vinci et des Michel-Ange. Rossini m'avait fait connaître l'ivresse de la volupté purement musicale. Mozart faisait plus : à cette jouissance si complète au point de vue exclusivement musical et sensible, se joignait, cette fois, l'influence si profonde et si pénétrante de la vérité d'expression unie à la beauté parfaite.

MÉMOIRES D'UN ARTISTE, 1896.

GUISEPPE VERDI

VERDI (1813-1901) est l'un des auteurs d'opéras les plus fréquemment joués encore de nos jours, comme Rigoletto, le Trouvère, la Traviata, *etc. Il porta le style du* bel canto *à son apogée, mais il se soucia aussi de donner à ses œuvres un caractère théâtral et dramatique que la faiblesse de leur livret ne permet pas toujours de mettre en évidence.*

UN PROGRAMME D'ÉTUDE

Je n'ai jamais eu et je n'aurai jamais l'intention de donner des leçons à personne. J'admire, sans préjugés d'école, tout ce qui me plaît : je fais comme je sens, et je laisse faire aux autres ce que bon leur semble.

J'aurais mis ma gloire à diriger les élèves dans l'étude grave et sévère, et en même temps si claire des premiers pères de la musique (Scarlatti, Durante, Leo) [1]. J'aurais voulu, pour ainsi dire, mettre un pied dans le passé, l'autre dans le présent et dans l'avenir (car la « musique de l'avenir » ne me fait pas peur) et j'aurais dit aux jeunes étudiants : exercez-vous dans la *Fugue* fermement, opiniâtrement, jusqu'à la satiété, et jusqu'à rendre votre main assez sûre et forte pour fléchir la note à votre guise. Vous apprendrez ainsi à composer avec sûreté, à bien disposer les parties, à moduler sans affectation. Etudiez Palestrina et un petit nombre d'autres de ses contemporains. Ensuite, passez tout droit à Marcello et arrêtez surtout votre attention sur les récitatifs. Allez rarement aux représentations des œuvres modernes; ne vous laissez pas transporter par les beautés harmoniques et instrumentales, ni par l'accord de septième diminuée,

1. Verdi venait de refuser le poste de directeur du Conservatoire de Naples, qu'on lui offrit à la mort de Mercadante.

écueil et refuge de nous tous, qui ne savons pas composer quatre mesures sans une demi-douzaine de ces septièmes. Une fois terminées ces études, associées à une large culture littéraire, je dirais enfin aux élèves : « Maintenant, mettez-vous la main sur le cœur; écrivez et (si vous possédez un organisme artistique) vous serez compositeurs. De toute façon vous n'irez pas augmenter la foule des imitateurs et des *malades* de notre époque, qui cherchent, et cherchent et (c'est parfois tant mieux) ne trouvent jamais. Dans l'enseignement du chant, j'aurais voulu aussi les études anciennes, unies à la déclamation moderne... Je vous souhaite de trouver un homme qui soit surtout savant et sévère dans les études. On peut admettre les libertés et les erreurs de contrepoint au théâtre, où elles sont parfois belles, mais pas dans un Conservatoire. Revenons au passé : ce sera un progrès.

LETTRE A FIRNIMO, *archiviste du Conservatoire de Naples,* 1870.

Cité par *Bonaventura,* VERDI, 1923.

GEORGES BIZET

GEORGES BIZET (1838-1875) est avant tout l'auteur de Carmen *et de* l'Arlésienne. *Nietzsche faisait grand cas de son art. Il a révolutionné l'opéra, en lui donnant à la fois une structure plus complexe et plus d'unité. Il fut un grand mélodiste, mais aussi s'occupa de renouveler et d'intensifier les effets de l'orchestration, et sut harmoniser le raffinement et l'éclat dans ses compositions.*

VIVE LE SOLEIL ET L'AMOUR!

Lancez-vous, tâchez d'arriver au pathétique, évitez la sécheresse, ne faites pas trop fi de la sensualité, austère philosophe. Songez à Mozart et lisez-le sans cesse. Munissez-vous de *Don Juan,* des *Noces,* de *La Flûte,* de *Cosi fan tutte.* Lisez Weber aussi. Vive le soleil, l'amour... Ne riez pas et ne me maudissez pas. Il y a là une philosophie qu'on peut rendre très élevée. L'art a ses exigences. Du reste, livrez-vous à vous-même et ce sera bien.

SANS STYLE, PAS D'ART!

Votre prochain envoi devra se composer de syncopes et de *fleuri* [1]. Pour le fleuri, faites la part de l'inspiration ou, si le mot vous semble trop prétentieux, de l'*oreille.* Cher ami, ce que Laboulaye dit à G., je vous le dirai sans cesse, au risque de ressembler à Brid'oison ou au tuteur qui m'amuse fort : sans forme, pas de style! sans style, pas d'art!... Méditez ce précepte de Buffon, qui se connaissait en style : « Les ouvrages bien écrits seront les seuls qui passeront à la postérité... Quelle que soit l'élévation des pensées. si elles ne sont pas suffisamment et purement exprimées, l'ouvrage périra... Les faits sont hors de l'homme, le style est l'homme même... »

LETTRE A UN ÉLÈVE, 1865-1866.

1. Formes du contrepoint scolaire.

SAINT-SAËNS

SAINT-SAENS (1835-1921) fut un enfant prodige. Au cours de sa longue existence, il fut organiste de l'église de la Madeleine, publia des traités théoriques, enseigna le piano à l'école Niedermeyer, fonda et dirigea la Société Nationale de Musique, fut élu membre de l'Institut et statufié de son vivant. Son œuvre symphonique est importante : on en connaît surtout la Danse macabre; *il composa plusieurs opéras, dont un sur le thème de* Samson et Dalila, *de la musique de chambre et des pièces d'inspiration religieuse. Debussy a vanté l'étendue exceptionnelle de sa connaissance musicale.*

UN PÉDAGOGUE PRUDENT

— Découragez les débutants! Ah! non! c'est trop dangereux! On peut si facilement se tromper!

— Il y a eu des célèbres dont les commencements n'annonçaient rien de bon.

— Il y a eu des timides, qui se défient d'eux-mêmes et ne font rien, si on ne les encourage pas.

— Ce qu'il faut décourager, ce sont les incapables, les prétentieux, ceux qui veulent tout savoir sans avoir appris, ceux qui prétendent se faire des règles eux-mêmes. Ceux-là ne font jamais rien de bon.

— Ce qu'il ne faut pas, c'est flatter les débutants, leur faire croire trop tôt qu'ils ont pondu des chefs-d'œuvre! Ils n'y sont que trop disposés! Il faut leur enseigner, au contraire, que si bien que l'on fasse, on doit s'efforcer de mieux faire encore.

A P. Aquétant, SAINT-SAËNS PAR LUI-MÊME.

ALBENIZ

ALBENIZ (1860-1909) donna son premier concert à l'âge de quatre ans, et, comme chez Liszt, le virtuose est étroitement lié, chez lui, au compositeur. Son inspiration est spécifiquement espagnole, comme son style. Son chef-d'œuvre, Iberia, *est une suite pour piano réputée très difficile, son écriture témoignant d'une recherche constante et passionnée, qui n'est pas un simple souci d'originalité ou de virtuosité, mais un approfondissement des possibités rythmiques et harmoniques.*

UNE INTUITION SUPÉRIEURE

Il sentait la musique par le véhicule des touches du clavier. Il ne pouvait la sentir « embouteillée » en d'autres spéculations psychiques. De la concentration, des auditions de la musique intérieure, il ne savait rien. Les outres de son intuition supérieure et extraordinaire, nourrie par le travail lent et continu d'assimilation de chaque heure et de chaque jour, étaient pleines d'un vin pur, riche et imprégné d'essences, doré par la couleur du soleil méditerranéen; il remplissait sa coupe jusqu'à déborder; il vous l'offrait avec la générosité d'un enfant prodigue de l'art; et vous vous sentiez conquis, dominé, transporté et enivré de parfums et de lumière.

PEDRELL, *cité par H. Collet.*

ERIK SATIE

FAIRE CRÉDIT A LA JEUNESSE

Pour mon compte, j'ai toujours fait crédit à la jeunesse... Jusqu'à ce jour, je n'ai pas eu à m'en plaindre... Certainement, on ne m'a pas toujours payé à l'échéance... Peu importe, je continue à faire crédit.

Notre époque est clémente aux jeunes. Qu'ils se méfient, toutefois... Leur jeunesse servira à les attaquer.

Il ne faut pas être subtil pour avoir remarqué que les personnages d'un certain âge vous parlent toujours de leur expérience... C'est très gentil de leur part... Mais, aussi, faudrait-il savoir s'ils en ont, de l'expérience...

La mémoire humaine est courte... N'est-il pas d'usage, à chaque mouvement brusque de l'atmosphère, d'entendre dire : « De mémoire d'homme, on n'a jamais vu ça... »

Moi, je veux bien les croire; ... mais qu'ils ne me parlent pas trop de leur expérience... de leur flair... Je les connais, je les reconnais, même.

... On reprochera donc à ces jeunes gens leur jeunesse... J'ai écrit mes sarabandes à vingt et un ans, en 1887; mes gymnopédies à vingt-deux ans, en 1888.

Ce sont les seules œuvres de moi qu'admirent mes détracteurs — détracteurs quinquagénaires, bien entendu... La logique voudrait qu'ils aimassent mes œuvres d'homme mûr, de compatriote. Non.

CONFÉRENCE DE L'ECOLE D'ARCUEIL, 1923.

QUELLE BARBE!

En 1905, je me suis mis à travailler avec d'Indy. J'étais las de me voir reprocher une ignorance que je croyais avoir, puisque les personnes compétentes la signalaient dans mes œuvres. Trois ans après un rude labeur, j'obtins à la Schola Cantorum mon diplôme de contrepoint, paraphé de la main de mon excellent maître; lequel est bien le plus savant et le meilleur homme de ce monde. Me voilà donc, en 1908, avec, en mains, une licence me donnant le titre de contrapontiste. Ma première œuvre de ce genre est un choral et fugue à quatre mains. J'ai été bien engueulé dans ma pauvre vie, mais jamais je ne fus autant méprisé. Qu'est-ce que j'avais été faire avec d'Indy ? J'avais écrit avant des choses d'un charme si profond. Et maintenant! Quelle jambe! Quelle barbe!

Là-dessus, les « jeunes » d'organiser un mouvement anti-d'Indyste et de faire jouer les *Sarabandes,* le *Fils des Etoiles,* etc., œuvres jadis considérées comme fruit d'une grande ignorance, à tort, suivant ces « jeunes ».

Voilà la vie, mon vieux.

C'est à rien n'y comprendre.

LETTRE A SON FRÈRE CONRAD, 1910.

VINCENT D'INDY

VINCENT D'INDY (1851-1931) réorganisa les études du Conservatoire de Paris, non sans se trouver en butte aux partisans de la routine et du conformisme. C'est alors qu'il fonda une école particulière, la Schola Cantorum, *où il enseigna la composition. Plus tard, il accepta de retourner au Conservatoire, où il enseigna la direction d'orchestre. Il eut, en tant que pédagogue, une grande influence sur Satie, Albert Roussel, Georges Auric, Arthur Honegger. Ses propres compositions sont extrêmement rigoureuses, méthodiques, disciplinées mais non pas sans audaces ni personnalité profonde. Il a laissé un célèbre* Traité de composition.

LA OU FINIT LE MÉTIER...

... Il y a dans l'art une partie métier qu'il est indispensable de posséder à fond lorsqu'on se croit appelé à la carrière artistique. Tout instrumentiste, tout chanteur, tout compositeur, doit avant toutes choses, se rendre maître absolu de la technique de son instrument, de sa voix, de son écriture musicale. Mais lorsqu'on en est arrivé là, lorsqu'on est capable de se tirer sans accroc de concertos émaillés des traits les plus scabreux, de voltiger avec succès au travers des vocalises les plus compliquées, d'aligner d'une façon congrue les contrepoints les plus sévères et même de mettre sur pied une fugue correcte, il faudrait bien se garder de croire que c'est là le terme de l'éducation et que pour avoir surmonté, souvent avec peine, toutes ces difficultés, on soit devenu un artiste consommé; c'est précisément le contraire, et, si l'on s'arrête à ce point qui n'est à proprement parler qu'à moitié route, on risque, neuf fois sur dix, de rester toute sa vie un demi-savant, partant, un médiocre.

Ces premières études nécessaires, qui ne sont autre chose que l'équivalent des mouvements d'assouplissement dans l'exercice militaire, seront classées, dans l'école dont je parle, sous la rubrique : Enseignement du premier degré.

Le chœur. Bosch (?). Musée de Lille. *(Cliché Giraudon).*

La Nativité. Piero della Francesca (vers 1410-1492). National Gallery, Londres.
(Cliché Anderson - Giraudon).

Mais là où finit le métier, l'art commence.

Et c'est alors que la tâche des professeurs sera, non plus d'exercer les doigts, le larynx, l'écriture des élèves, de façon à leur rendre familier l'outil qu'ils auront à manier, mais de former leur esprit, leur intelligence, leur cœur, afin que cet outil soit employé à une besogne saine et élevée, et que le métier acquis puisse ainsi contribuer à la grandeur et au développement de l'art musical.

... Chanteurs et instrumentistes aussi bien que compositeurs seront tenus d'étudier de façon plus ou moins approfondie et au moins de connaître le chant grégorien, les mélodies liturgiques médiévales et les œuvres religieuses de l'époque de la polyphonie vocale. C'est que j'estime que nul artiste n'a le droit d'ignorer le mode de formation de son art, et comme il est absolument avéré que le principe de tout art, aussi bien de la peinture et de l'architecture que de la musique, est d'ordre religieux, les élèves n'auront rien à perdre et tout à gagner dans la fréquentation des belles œuvres de ces époques de croyance, dont l'ensemble sera pour leur esprit comme la souche primitive sur laquelle viendront plus tard se greffer les rameaux de l'art social moderne.

... Celui qui s'hypnotise en la recherche exclusive de l'originalité, risque fort de ne la point trouver, nous en voyons journellement des exemples. Beethoven, qui, durant toute sa première manière, procéda du style de Mozart, de Clementi et des auteurs de son temps, Jean-Sébastien Bach, qui copia de sa propre main les principales œuvres de Vivaldi et des clavecinistes français, ne furent pas, ce me semble, dépourvus d'une certaine originalité; je maintiens donc qu'il est non seulement favorable mais même indispensable au développement des qualités personnelles chez l'artiste de connaître et d'étudier toutes les productions antérieures à son époque, en prenant pour modèle les admirables ouvriers d'art du moyen âge, qui ne songeaient qu'à imiter dans leurs œuvres les types plastiques établis, pour ainsi dire dogmatiquement, par leurs prédécesseurs. Ceux-là ne recherchaient point l'originalité à tout prix, ils étaient simplement et sincèrement d'accord avec leur conscience d'artiste, c'est ce qui les fit grands! Guerre au particularisme, ce fruit malsain de la déviation protestante; tout pour le bien de tous, telle est la devise qu'élèves et professeurs de la Schola s'efforceront de mettre en pratique.

DISCOURS D'INAUGURATION DE L'ECOLE DE CHANT LITURGIQUE ET DE MUSIQUE RELIGIEUSE ET CLASSIQUE, 1900.

GABRIEL FAURÉ

NE RIEN IGNORER DE LA TRADITION

Dans quelque ordre d'idée qu'on se place : lettres, sciences, arts, une éducation qui ne serait pas basée sur l'étude des classiques ne saurait être ni complète, ni forte... Tous ceux qui, dans l'immense domaine de l'esprit humain, ont semblé apporter des éléments nouveaux, des pensées et un langage jusqu'alors inconnus, n'ont fait que traduire, à travers leur sensibilité personnelle, ce que d'autres avaient déjà pensé et dit avant eux; de même que la forme de leur langage, pour si brillante et si hardie qu'elle soit, ne fait que résumer les efforts, les acquisitions, les progrès successifs que nous a légués le passé. Pour bien connaître un art, il ne faut rien ignorer de ses origines et de son développement...

Op. cit.

CHARLES KŒCHLIN

CHARLES KOECHLIN (1867-1950) fut un des théoriciens contemporains les plus écoutés et son Traité d'orchestration *demeure une des pièces maîtresses de la littérature musicale moderne. Il n'en laissa pas moins de nombreuses compositions, jusqu'ici peu jouées.*

UNE DISCIPLINE CONSENTIE

Si les règles de l'harmonie vous semblent violées (et elles le sont, en effet) par maint chef-d'œuvre indiscutable et d'ailleurs réellement traditionnel : purement écrit, ces règles sont profitables, pour ne pas dire *absolument nécessaires* à l'élève qui veut travailler sérieusement...

A vrai dire, il existe une infinité de styles, et ceux des leçons d'harmonie, qui visent surtout *au charme*, ne sont pas les seuls qu'on puisse admettre. Autant de musiciens, je dirai même autant d'œuvres : autant de styles différents. Mais chercher ainsi le *joli*, est-ce chose répréhensible ? Le charme est-il donc forcément mièvre ? Lorsqu'on a vu un Claude Debussy, un Gabriel Fauré, s'immortaliser par des œuvres à la fois séduisantes, profondes, et fortes, on comprend la haute beauté du charme de *Douce France*. Le but de l'harmonie, qui est de réaliser avec plénitude et douceur, mais sans platitude ni faiblesse, n'est point si facile ni si négligeable. Présenter les modulations avec netteté, les enchaînements sans heurts incohérents, s'inspirer de la *clarté* des grands classiques du XVIIIe siècle (Bach, Mozart,...) c'est la base de toute étude musicale...

Quant à la façon de travailler, on recommande en général l'habitude d'écrire *à la table,* sans le secours du piano. Il faut, pour cela, développer le sens de l'*audition intérieure*; tout bon musicien la possède dans une certaine mesure; mais cultivant ce don, il atteindra des résultats presque inespérés. Toutefois nous conseillons (au début surtout) de *vérifier* au piano : notez bien les erreurs de l'oreille et toutes les surprises que vous pouvez avoir. Avant que d'être lue, la musique est faite pour être entendue : par des exécutions au piano, par la mémoire de ces exécutions, vous développerez votre faculté d'*entendre dans le silence* les sonorités simultanées que sont les accords.

Pour la composition musicale, l'élève restera libre d'avoir recours ou non à l'instrument. Le vrai but, *le seul,* c'est de faire de la musique, — n'écrivant jamais des notes au hasard, mais toujours avec un sens musical. Auditeur, critique, professeur même, nous n'avons pas à rechercher quels furent les moyens du compositeur, — mais à envisager le résultat...

L'utilité *en apparence la plus pratique* n'est pas toujours la véritable.

D'ailleurs, on ne s'adresse ici qu'à des personnes aimant de réfléchir. Et ne vaut-il pas mieux traiter l'élève en *grand garçon,* voire en homme fait, en artiste, que d'adopter l'attitude d'un pion ? La discipline proposée dans ce livre, qu'elle soit librement consentie. Vous n'aurez pas à regretter de vous y être soumis de vous-même...

Il ne reste plus qu'à souhaiter bonne chance aux jeunes musiciens avides de s'instruire. Bonne chance, et *bon zèle.* Souvenez-vous de Jean-Sébastien Bach : « J'ai dû beaucoup travailler, disait-il. Tout autre, avec autant de travail, serait parvenu où j'en suis... » Extrême modestie, je sais bien,

— mais dont il faut retenir l'encouragement. Si vraiment « le génie est une longue patience », commencez par accorder cette patience à l'étude de l'harmonie, et vous en serez récompensé.

PRÉFACE AU TRAITÉ DE L'HARMONIE.

ARNOLD SCHŒNBERG

SOYEZ NATUREL COMME VOS MAINS

(*Un de ses élèves raconte qu'il lui apporta un jour une mélodie qu'il affectionnait tout particulièrement en raison de sa grande difficulté. Schœnberg la parcourut du regard, puis demanda :*)

— Soyons francs : l'avez-vous conçue spontanément aussi pleine de complications ? Votre idée première exigeait-elle vraiment un accompagnement si complexe dans sa forme ?

(*L'élève hésita avant de répondre, réfléchit, mais Schœnberg, qui avait découvert d'un regard la technique de toute la mélodie, ne céda pas et poursuivit ses questions :*)

— N'auriez-vous pas postérieurement ajouté cette figure-ci pour draper un squelette harmonique trop pauvre, de même que l'on pare une maison de façades ?

(*Il avait visé juste. L'élève reconnut que sa première idée avait été purement harmonique, et qu'il avait effectivement cru devoir ajouter par la suite la figure d'accompagnement :*)

— Voyez-vous, il fallait, puisqu'il en est ainsi, accompagner votre mélodie d'une manière toute harmonique. Son aspect en devient primitif, mais il gagne en vérité. Car ce que vous avez ici n'est que du clinquant. Ce n'est au fond qu'une « invention » à trois voix, ornée d'une mélodie chantée, et la musique ne doit pas servir de parure : elle doit être vraie. Attendez donc avec patience le moment où une phrase musicale se présentera à vous avec son plein développement rythmique. Vous serez surpris de la force d'impulsion que contient une découverte de ce genre. Examinez la mélodie de Schubert, *Le Fleuve,* et voyez la façon dont un mouvement découle de l'autre. Il faut que rien ne vous semble difficile. Vos compositions doivent être pour vous naturelles,

naturelles comme le sont vos mains et vos vêtements. Si cela n'est pas, n'écrivez rien. Vos œuvres vous paraissent-elles simples ? Elles n'en valent que mieux! Apportez-moi donc un jour ceux de vos travaux que vous ne voulez pas me montrer parce qu'ils vous semblent trop simples et dépourvus de technique. Car mes jugements sur vous ne peuvent se fonder que sur ces œuvres-là, organiques, par rapport à vous, puisqu'elles vous sont naturelles. Si ce que vous écrivez paraît très compliqué, doutez *a priori* de sa sincérité.

UN GRAND MODÈLE SUFFIT

Il faut, pour atteindre la perfection, avoir en soi des dispositions naturelles. Cela étant, des règles pédagogiques spéciales sont, au fond, superflues; l'exemple d'un grand modèle que l'élève désirerait égaler suffit. Ce qui sert à la fin en vue de laquelle nous sommes créés, nous l'apprenons sans savoir comment, et ce que nous apprenons, nous l'apprenons dans la mesure de nos aptitudes.

La pédagogie joue évidemment son rôle et contribue à cette acquisition spontanée, mais seulement au cas où le nombre des objets à apprendre est trop grand pour un temps disponible relativement trop petit.

Si l'on peut s'étonner du nombre considérable de gens qui réalisent les espoirs que leurs professeurs ont mis en eux, même dans des matières pour lesquelles ils n'ont pas d'aptitudes spéciales, l'on conviendra cependant que les résultats sont rarement supérieurs à la moyenne. En Art, c'est là un phénomène constant. Il y avait jadis des amateurs qui se distinguaient des artistes professionnels, moins par leur savoir, qui était grand, que par le fait que leur art n'était pas un gagne-pain. Aujourd'hui, par contre, trop d'artistes sont des amateurs par le talent, et ne se distinguent de ces derniers que parce qu'ils font de l'art une profession; il faut dire que « l'amateur éclairé » est devenu assez rare. De ce fait, le grand responsable est la pédagogie. Du dilettante comme de l'artiste, elle requiert à la fois trop et trop peu : un but qu'il faut atteindre. Trop peu, car elle leur donne plus que ne réclame le but recherché, et elle leur épargne ainsi un effort personnel qu'auraient pu aisément fournir les ressources de leurs dons naturels; — trop, car, de la même manière, elle leur donne moins qu'il ne leur faut, et elle les paralyse et les empêche ainsi de devenir le spécialiste que leurs facultés leur eussent permis d'être. En art, il n'est qu'un seul maître : un penchant véritable. Et celle-ci n'a qu'un auxiliaire efficace : l'imitation.

1917.

ALBAN BERG

ALBAN BERG (1885-1935) fut le disciple de Schœnberg qui se félicita d' « avoir pu guider ce grand talent vers la réalisation de ses possibilités individuelles, vers le maximum d'indépendance. » Ses Chansons pour orchestre, *inspirées par des vues de cartes postales et composées selon une technique atonale, firent scandale. Il médita longtemps son opéra,* Wozzeck, *qui est devenu l'œuvre la plus célèbre de la musique nouvelle. Avec son* Concerto pour violon et orchestre, *Berg abandonna l'anarchie atonale pour utiliser la discipline dodécaphonique mise au point par Schœnberg. C'est un des sommets du dodécaphonisme.*

L'APPEL A L'ENSEIGNEMENT

L'artiste de génie est pédagogue par nature. Ses paroles sont un enseignement, ses actions, des exemples à suivre et son œuvre, la révélation de la vérité. En lui coexistent le docteur, le prophète, le messie. C'est dans le langage courant, plutôt qu'auprès de ceux qui abusent de celui-ci, qu'il faut chercher une définition adéquate de la valeur spirituelle de son être. L'artiste créateur, on l'appelle « Maître », et l'on dit de lui qu'il fait « école ».

Cette constatation ne devrait-elle pas convaincre notre époque de la prédestination d'Arnold Schœnberg à l'enseignement ? Ne lui suffirait-il pas de soupçonner l'importance artistique et humaine de ce musicien ? Certes, elle n'a ni de l'une ni de l'autre la plus faible idée! Située elle-même à l'antipode de tout ce qui est éternel, notre époque est essentiellement dépourvue de la faculté de pressentir et de détecter des choses aussi intemporelles! Pourtant, c'est seulement à la condition d'avoir reconnu l'appel de tout artiste à l'enseignement que l'on pourra porter un jugement juste sur l'enseignement d'Arnold Schœnberg!

Cet enseignement n'est séparable, ni de l'aspect plus spécifiquement créateur, ni du fondement humain de la personnalité. Seul un enseignement nourri de la sorte pourra prétendre à être absolument recevable. Chez Schœnberg, une volonté pédagogique nettement affirmée lui confère une autorité supplémentaire. Car toute grande volonté artistique, qu'elle vise à la création personnelle, à l'interprétation, à la critique ou à l'enseignement lui-même, ne peut se contenter que des succès les plus éclatants!

Chercher à rendre un hommage exclusif à une œuvre aussi miraculeuse, issue d'hypothèses et d'exigences aussi peu ordinaires, reviendrait à vouloir résoudre le problème de la génialité, à vouloir sonder le fond des mystères divins. On se heurte ici à l'impossibilité de mesurer l'incommensurable, de limiter l'illimité. Cette entreprise ne sera jamais qu'une gageure, comparable à celle de quiconque voudrait décrire la beauté, la richesse, la majesté des vagues de la mer. Abandonné sans résistance à l'onde infinie, l'heureux nageur se sent emporté par ses flots les plus hauts, tout droit vers l'Eternité. Léger et fier, il perd rapidement de vue ceux qui se sont brisés sur les récifs de leur stérilité spirituelle et ceux qui s'attardent prudemment aux havres de la temporalité.

CHOSTAKOVITCH

CHOSTAKOVITCH (né en 1906) est un musicien soviétique dont l'œuvre et la personne ont été le plus soumises à l'idéologie. Il eut deux fois le prix Staline, mais sa 8e et sa 9e Symphonie *furent vivement critiquées. Chostakovitch, pour sa musique du film la* Chute de Berlin, *reçut une troisième fois le prix Staline. Son œuvre symphonique, malgré ses préoccupations politiques, demeure l'une des plus grandes du siècle.*

AVEC ENTHOUSIASME ET SANS ESPRIT CRITIQUE

Je suis né en 1906 à Leningrad. Mes dispositions pour la musique se révélèrent en 1915, date à laquelle je commençai mes études musicales. En 1919, j'entrai au Conservatoire de Leningrad, que je terminai en 1925. J'ai travaillé sous la direction de L. Nicolaïev (piano et théorie de la composition), du professeur N. Sokolov (contrepoint et fugue) et du professeur M. Steinberg (harmonie, fugue, orchestration et composition pratique). Mes études au Conservatoire terminées, j'y restai comme stagiaire à la classe de composition, dirigée par le professeur M. Steinberg. J'ai commencé à composer du temps où je faisais encore mes études au Conservatoire. Notamment ma Symphonie, qui a fait le tour de presque toutes les estrades symphoniques du monde, a été ma composition de fin d'études au Conservatoire.

Je m'imprégnais avec enthousiasme et sans esprit critique de toutes les connaissances et finesses qui m'étaient enseignées. Mais une fois mes études finies, il me fallut réviser une grande partie du bagage musical que j'avais acquis. Je compris que la musique n'est pas seulement une combinaison de sons disposés dans tel ou tel ordre, mais un art capable d'exprimer, par ses moyens propres, les idées ou les sentiments les plus divers. Cette conviction, je ne l'ai pas acquise sans peine. Il suffit de dire que, durant toute l'année 1926, je n'ai pas écrit une seule note. Mais à dater de 1927, je n'ai pas cessé de composer. Pendant cette période, j'ai fait deux opéras : *Le nez* (d'après Gogol) et *Lady Macbeth de Mzensk* (d'après Lesskoff), trois ballets dont l'*Age d'Or* et le *Boulon,* trois symphonies, dont *Ode à Octobre* et *Symphonie du 1er mai,* 24 Préludes pour piano, un Concerto pour piano et orchestre, des films, etc.

Dans cet intervalle de temps, ma technique s'est perfectionnée et affermie. Travaillant sans relâche à prendre possession de mon art, je m'applique à créer mon propre style musical, que je cherche à rendre simple et expressif.

Je ne conçois pas mes progrès ultérieurs en dehors de notre construction socialiste. Et le but que j'assigne à mon œuvre, c'est d'aider en tous points à édifier notre remarquable pays. Il ne peut y avoir de plus grande joie pour un compositeur que d'avoir conscience de contribuer par sa création à l'essor de la culture musicale soviétique, appelée à jouer un rôle de premier ordre dans la refonte de la conscience humaine.

LA REVUE MUSICALE, 1936.

DARIUS MILHAUD

DARIUS MILHAUD (né en 1892) est le maître de la polytonalité, mais à ses recherches proprement techniques, il associe des éléments du folklore provençal, voire antillais et les formes modernes de la musique populaire, en particulier celles du jazz. Le registre de son œuvre va des plus fines nuances d'écriture aux effets les plus accusés du modernisme. Il est célèbre pour sa Création du monde, *qui est un ballet, son opéra,* Christophe Colomb, *sa* Suite provençale, *et de nombreuses pièces de musique de chembre. Darius Milhaud est un des musiciens actuels les plus féconds et qui a formé le plus de disciples, tant en France qu'aux U.S.A.*

UN ENSEIGNEMENT EXEMPLAIRE

Je commençai le violon à sept ans. L'enseignement de Bruguier pourrait servir d'exemple à tous. Lorsqu'il m'eut appris les principes élémentaires de l'instrument, il me fit déchiffrer et jouer de petits morceaux faciles; il avait tout de suite compris qu'il n'obtiendrait rien de moi en m'astreignant à faire des exercices trop arides. Il voulait éviter que je me raidisse et prenne le violon en aversion; il désirait que je devienne un musicien plutôt qu'un virtuose. Grâce à sa méthode, je fis de rapides progrès et pus bientôt jouer des sonates avec mon père ainsi que des transcriptions de symphonies classiques.

Je prenais des leçons particulières afin de me préparer au lycée où j'entrai à l'âge de dix ans. Ma mère me soumit alors à une discipline si régulière que je devins le type du bon élève qui remporte tous les ans le prix d'excellence. J'étais à peine rentré du lycée que ma mère me faisait préparer mes devoirs et apprendre mes leçons; elle me les relisait le lendemain matin pendant mon petit déjeuner; afin de m'éviter tout surmenage inutile, elle me faisait réviser mon travail longtemps avant les dates prévues pour les compositions; si j'avais quelques pages de verbes à recopier, elle m'en dispensait en imitant mon écriture. C'est grâce à sa sollicitude et à celle de Bruguier que je pus poursuivre mes études en travaillant mon violon pendant plusieurs heures par jour. Je jouais déjà des morceaux de virtuosité, mais ce que je préférais à toute chose, c'était faire de la musique avec mon père lorsqu'il rentrait du bureau. Comme il déchiffrait très bien, il m'accompagnait à ma leçon de déchiffrage du dimanche; le jeudi, j'allais seul chez Bruguier; il me faisait travailler dans son salon encombré de bibelots et de violons précieux; l'été, c'était lui qui venait à l'Enclos; il possédait une ravissante propriété non loin de chez nous. Bruguier fut un des premiers autour de nous à avoir une automobile; une de ces autos hautes comme une armoire à glace que l'on mettait très difficilement en marche. Après la leçon, nous prenions congé de lui pour aller déjeuner; combien de fois l'avons-nous retrouvé sur la terrasse, manivelle en main, essayant désespérément de démarrer.

En 1904, Bruguier me demanda de faire partie de son quatuor à cordes avec M. Pourcel, un violoncelliste professionnel, professeur au Conservatoire d'Aix et un menuisier, Ségalas, qui jouait fort bien de l'alto. Comme j'allais au lycée, il fixa les répétitions au mercredi et au samedi afin de ménager mes forces et pour que je puisse me reposer le lendemain matin. Nous jouions surtout des quatuors classiques; cependant mon maître s'intéressait aux œuvres contemporaines : il interpréta Franck à une époque où l'on trouvait encore en province « que cela faisait bien du bruit et que les anges du ciel devaient faire de la musique bien plus belle et... plus silencieuse ». En 1905, nous étudiâmes le *Quatuor* de Debussy qui fut une telle révélation que je me procurai bientôt la partition de *Pelléas*. J'avais peu l'occasion d'entendre de la musique symphonique; il y avait bien des concerts à Marseille que dirigeait Gabriel Marie, mais mes parents voulaient m'éviter la fatigue de longs trajets; ils ne m'y emmenaient que lorsqu'il y avait des séances de musique de chambre intéressantes, comme celles du trio Cortot-Thibaud-Casals ou bien quand un virtuose jouait un des concertos que j'avais étudiés. Je me souviens d'avoir ainsi entendu Pablo de Sarasate, le type du violoniste de race, interpréter avec une technique d'une clarté rayonnante le concerto de Saint-Saëns et quelques-unes de ses propres compositions très amusantes; Eugène Ysaye, le colosse du violon, ample et sobre à la fois; Jacques Thibaud, sensible et élégant; Jan Kubelik, virtuose acrobatique éblouissant. La musique me devenait de plus en plus essentielle et mes parents s'en rendaient compte; ils pensaient que je deviendrais un virtuose... ils auraient certes préféré que je travaille avec mon père, mais ils n'entravèrent pas mes aspirations et, aussi bien pendant mon enfance que par la suite, ils me soutinrent moralement et matériellement.

NOTES SANS MUSIQUE.

IDÉES ESTHÉTIQUES

La musique est sans doute d'abord une vocation qui convie à une étude, c'est ensuite et avant tout un art. On trouvera donc dans le chapitre qui suit, des considérations d'ordre esthétique. On ne s'étonnera pas de leur nombre et de leur diversité. Il s'agit du cœur même de l'art musical, cœur des plus mystérieux, qui ne bat pas toujours de la même façon au cours de l'histoire. Tantôt l'esthétique ne se dégage guère de la technique, tantôt elle s'échappe dans des régions plus ou moins obscures et abstraites. Certains de ces textes présentent donc un aspect sec de traité; certains autres sont au bord de la rêverie. Ce cœur de notre livre est aussi une croisée de chemins, où se rencontrent des idées qu'on a déjà vues ou qu'on reverra par la suite. L'esthétique n'est pas une science pure; au reste, il n'est pas sûr qu'elle soit une science. En musique, elle ne saurait se détacher complètement d'un état tout émotionnel, intuitif et à jamais mystérieux, même au moment où le philosophe s'imagine qu'il le transcende et l'organise dans le sens d'une œuvre. De même, l'esthétique, sans la technique, serait inconcevable si désinvolte (sinon révoltée) soit-elle à l'égard des méthodes et des procédés. Disons que de cette émotion obscure et de cette technique positive, elle est à la fois la conscience, la réunion et l'organisation relative.

A un extrême, nous verrons, dans les textes qui suivent, les croyances esthétiques du musicien lui-même, qu'il découvre et dont il se persuade au cours de sa création, d'essais décevants et de réussites rassurantes. Ce sont sans doute les textes les plus importants, car ils sont pensés et écrits dans le vif du sujet; mais ce sont aussi les plus discutables, parce que les plus passionnés et que souvent ils sont écrits presque malgré soi, comme des aveux qui échappent, des cris d'enthousiasme ou de désespoir (Schumann, Tchaïkovsky). A la faveur de cette prise (ou de cette crise) de conscience, le compositeur qui regarde avec sévérité son œuvre passée, peut aussi édifier une esthétique plus pondérée et plus synthétique (Grétry, Stravinsky).

A l'autre extrême, le théoricien (Platon, Hegel) qui se préoccupe de découvrir des lois objectives générales, mais n'est pas lui-même créateur.

Ces attitudes esthétiques, passionnées, perspicaces et « dégagées », avec tous leurs degrés intermédiaires, se généralisent peu à peu jusqu'à atteindre à la théorie. Mais, comme me le disait un jour Georges Braque, « les théories arrivent toujours après coup, une fois que tout est fait ». Je lui répondis que, cependant, de telles théories posthumes permettent peut-être au public de s'orienter plus facilement, de se placer dans une perspective propice à la découverte et à l'abord de l'œuvre elle-même. Mais une autre question, plus brûlante, se pose : dans quelle mesure une esthétique formulée expérimentalement à partir d'un passé plus ou moins récent, influence-t-elle avec profit ceux qui viennent après ? Debussy avait horreur des « debussystes », comme il le disait lui-même : il détestait, comme Picasso, qu'on l'imitât. Il n'en avait pas moins une théorie, une esthétique assez précise, pour laquelle il combattait.

Wagner, auparavant, avait construit une esthétique du drame musical, qui ne pouvait appartenir qu'à lui, comme son influence désastreuse l'a bien montré. Il est nécessaire à l'artiste d'avoir une idée de son art, mais au fil de l'histoire, comme on va le voir, il est aussi nécessaire que cette idée soit personnelle, et nouvelle.

Il y a pourtant des retours, *dans l'esthétique musicale, qui ne sont point rétrogrades. Les musiciens de la Renaissance recherchent un style vocal « mesuré à l'Antique »; à la fin du XIX*[e] *siècle, certains entendent réemployer les anciens modes grecs; Stravinsky, après le* Sacre *et les* Noces, *retourne à l'esthétique de Beethoven, Bellini, Tchaïkovsky; les années 20, ne l'oublions pas, furent révolutionnaires en musique, en étant néo-classiques!*

Cela dit, il existe peu de doctrines esthétiques complètes énoncées par les compositeurs eux-mêmes (Schoenberg). Le plus souvent c'est aux autres qu'il appartient de la déduire de leurs œuvres. Mais l'entreprise est risquée; elle prend alors la forme de spéculations et de commentaires arides, et nous n'avons pas voulu en surcharger ces pages. Néanmoins nous avons ménagé une place, dans cette collection de textes, à des esprits éclairés qui ont eu des rapports assez étroits avec l'évolution de l'art musical, sans avoir écrit eux-mêmes de musique. Ils sont une sorte de miroir réfléchissant la musique de leur temps ou telle qu'en leur temps on entendait la musique. Il servent la musique et servent au musicien. Car il est impossible de concevoir une esthétique vivante, où le musicien composerait dans le vide. Les relations entre le créateur et le public ont une importance autre qu'extérieure : ce sont elles qui, à la fin, corroborent l'esthétique du musicien, de quelques difficultés que ces relations s'assortissent. La querelle des Bouffons au XVIIIe siècle, par exemple, — que l'on retrouvera à propos d'opéra — montre l'échauffement, inconcevable de nos jours, de toute une société à la faveur d'une longue rivalité d'esthétiques nationales, la française et l'italienne, qui se partageaient ses suffrages; mais il se trouve aussi que les œuvres qui lui sont attachées sont du plus grand intérêt et manifestent rigoureusement leur personnalité et leur originalité réciproques.

Les nombreux textes qui suivent dévoileront au lecteur bien d'autres problèmes et, sans doute des surprises. Il n'est guère possible de les exprimer en détail; il est sans doute impossible d'en faire un seul problème, encore mieux de lui donner une solution. De très grands musiciens comme Bach et Mozart n'ont jamais exprimé leur esthétique; de plus petits qu'eux nous ont rebattu les oreilles de la leur; à partir du début du XIXe siècle, la passion, sinon le caprice ou le hasard, inspire souvent le compositeur. Il se trouve donc que ces idées esthétiques *se présentent sans grande logique et ne semblent pas obéir à une* rationalité *qui en favoriserait l'exposé. Sans doute vaudra-t-il mieux faire de cette incohérence son bien : le lecteur, cessant de vouloir trop y voir clair, n'en verra que mieux l'extrême diversité, la profonde personnalité de ces* idées, *les drames et les victoires qu'elles expriment, les grandes œuvres et les grands destins d'où elles sont nées. Ne voulant pas se former une conception universelle et unique de l'art musical, on saura mieux en connaître et en approfondir les héros et leurs exploits.*

G. B.

PLATON (429-347 av. J.-C.)

LES TROIS ÉLÉMENTS DE LA MÉLODIE

La mélodie se compose de trois éléments : les paroles, l'harmonie et le rythme.

Entre les paroles qui sont mises en musique et celles qui sont simplement parlées il n'y a pas de différence, puisqu'elles doivent être conçues suivant les règles que nous avons déterminées tout à l'heure, et dans la même forme de diction.

Pour l'harmonie et le rythme, ils doivent s'accommoder aux paroles.

LA BONNE ET LA MAUVAISE HARMONIE

Mais nous avons dit que les plaintes et les lamentations n'avaient pas de place en nos discours.

Quelles sont donc les harmonies plaintives ?...

C'est la lydienne mixte, la lydienne aiguë, et quelques autres semblables.

Eh bien, ces harmonies-là ne doivent-elles pas être rejetées ? Elles sont pernicieuses même pour les femmes, que le devoir oblige à une tenue convenable, et à plus forte raison pour les hommes.

Il faut dire aussi que rien ne messied plus aux gardiens que l'ivresse, la mollesse et la paresse.

Et quelles sont les harmonies qui sont molles et faites pour les buveurs ?

Il y a... une sorte d'harmonie ionienne et une lydienne qu'on appelle lâches.

Je ne me connais pas en harmonies... mais laisse-nous celle qui sait imiter comme il convient les tons et les accents d'un brave engagé dans une action guerrière ou dans quelque travail violent, et qui, trahi par le sort, court au-devant des blessures et de la mort ou tombe dans quelque autre disgrâce, mais qui, en toutes ces occasions, repousse sans lâcher pied et sans perdre courage les assauts de la fortune. Laisse-nous-en encore une autre pour imiter un homme engagé dans une action pacifique, non violente, mais volontaire, qui, pour arriver à son but, cherche à gagner un dieu par la prière ou à persuader un homme par ses leçons et ses conseils, ou qui au contraire se montre sensible aux prières, aux leçons et aux remontrances de son semblable, et qui, ayant par ces moyens, réussi suivant ses désirs, n'en conçoit pas d'orgueil, mais se conduit en toutes ces circonstances avec sagesse et modération et s'accommode des événements. Ce sont ces deux harmonies, la violente, la volontaire, qui sont les mieux faites pour imiter les accents du malheur, du bonheur, de la sagesse, de la bravoure; ce sont elles qu'il faut nous laisser.

Dès lors... nous n'aurons que faire pour nos chants et nos mélodies d'instruments à cordes nombreuses et qui rendent toutes les harmonies.

Il... reste donc... la lyre et la cithare pour la ville et une sorte de flûte de Pan pour les bergers à la campagne.

LES BONS ET LES MAUVAIS RYTHMES

Il ne faut point chercher des rythmes variés ni des pieds de toute espèce, mais discerner quels sont les rythmes qui expriment la vie d'un homme réglé et courageux, et quand on les a discernés, contraindre la mesure aussi bien que la mélodie à se conformer aux paroles d'un tel homme, et non les paroles à la mesure et à la mélodie.

... Nous consulterons Damon pour savoir quelles mesures conviennent à la bassesse, à la violence, à la folie et aux autres défauts, et quelles mesures il faut réserver aux qualités contraires. Je crois l'avoir vaguement entendu parler d'un mètre composé qu'il appelait énople, d'un dactyle, d'un héroïque qu'il disposait je ne sais comment, où il égalait les « levés » et les « baissés » et qui se terminait par une brève ou par une longue indifféremment. Il parlait aussi, je crois d'une iambe et de je ne sais quel pied nommé trochée, où il ajustait des longues et des brèves; et dans certains de ces mètres, si je ne me trompe, il critiquait ou louait le mouvement de la mesure non moins que les rythmes eux-mêmes ou quelque détail commun aux deux. Je ne sais pas au juste ce qui en est; mais comme je l'ai dit, remettons-nous-en sur cette matière à Damon; car cette discussion demanderait beaucoup de temps, n'est-il pas vrai ?

La grâce ou le manque de grâce dépendent de la perfection ou de l'imperfection du rythme.

Mais le bon et le mauvais rythme se règlent et se modèlent l'un sur le bon style, l'autre sur le mauvais, et il en est de même de la bonne et de la mauvaise harmonie, s'il est vrai que le rythme, comme nous le disons tout à l'heure, se règle sur les paroles, et non les paroles sur le rythme et l'harmonie.

LA SIMPLICITÉ VÉRITABLE

Mais la manière de dire... et les paroles elles-mêmes ne dépendent-elles pas du caractère de l'âme ?

Et tout le reste ne dépend-il pas du discours ?

Ainsi l'excellence du discours, de l'harmonie, de la grâce et du rythme vient de la simplicité de l'âme, non pas de cette simplicité qui n'est que sottise en dépit du nom flatteur dont on la décore, mais de la simplicité véritable d'un caractère où s'allient la bonté et la beauté.

LA RÉPUBLIQUE, l. III, *trad. E. Chambry.*

ARISTOTE (384-322 av. J.-C.)

PUISSANCE MORALE DE LA MUSIQUE

Tandis que la peinture et la sculpture, s'adressant à l'organe de la vue, imitent les objets extérieurs et les personnes à l'aide des couleurs et des formes, les arts musicaux (poésie, musique, danse), qui agissent par l'intermédiaire du sens de l'ouïe, imitent (reproduisent) les états d'âme, les affections et les actions à l'aide du rythme, de la parole, et de la succession mélodique.

Poétique, I.

Il existe, dans les mélodies, des reproductions réelles de la colère, de la bravoure, de la continence, et généralement de tous les caractères épiques.

Politique, VIII, 5.

Rien de pareil ne se constate dans les perceptions que les autres sens sont capables de recevoir. Le toucher et le goût ne reproduisent en rien les impressions morales. Le sens de la vue les rend dans une mesure très restreinte. Les images qui font l'objet de ce sens finissent peu à peu par agir sur ceux qui les contemplent; mais ce n'est point là précisément une imitation des affections morales... Dans les compositions musicales, au contraire, il y a reproduction des états d'âme.

Ibid.

Il est visible que l'harmonie et le rythme ont une certaine affinité avec l'âme; aussi beaucoup de philosophes ont dit que l'âme est une harmonie, d'autres qu'elle porte une harmonie en elle.

Ibid.

La musique ne doit pas viser à un seul but d'utilité, mais à plusieurs. En premier lieu, elle contribue à l'amélioration morale.

Politique, VIII, 7.

Qu'est réellement la musique dans la triple attribution qu'on lui donne : une science, un jeu, ou un simple passe-temps ? On peut hésiter entre ces trois caractères, car la musique les possède également. Le jeu n'a pour objet que de délasser; mais il faut aussi que le délassement soit agréable, car le bonheur n'est qu'à ces deux conditions; et la musique, tout le monde en convient, est un délicieux plaisir, isolé ou accompagné du chant. Musée l'a bien dit :

... Le chant, vrai charme de la vie.

Aussi ne manque-t-on pas de la faire entrer dans toutes les réunions, dans tous les divertissements, comme une véritable jouissance. Ce motif-là suffirait donc à lui seul pour la faire admettre dans l'éducation. Tout ce qui procure des plaisirs innocents et purs peut concourir au but de la vie, et surtout peut être un moyen de délassement.

... Il suffirait, pour démontrer la puissance morale de la musique, de prouver qu'elle peut modifier nos sentiments. Or, certainement, elle les modifie. Qu'on voie l'impression produite sur les auditeurs par les œuvres de tant de musiciens, surtout par celles d'Olympos. Qui nierait qu'elles enthousiasment les âmes ? Et qu'est-ce que l'enthousiasme, sinon une modification toute morale ?

... Rien n'est plus puissant que le rythme et les chants de la musique pour *imiter* aussi réellement que possible la colère, la bonté, le courage, la sagesse même et tous ces sentiments de l'âme, et aussi bien tous les sentiments opposés à ceux-là...; et lorsqu'en face de simples *imitations,* on se laisse prendre à la douleur, à la joie, on est bien près de ressentir les mêmes affections en présence de la réalité... La musique est évidemment une imitation directe des sentiments moraux. Dès que la nature des modes vient à varier, les impressions des auditeurs changent avec chacun d'eux et les suivent. A une harmonie plaintive, comme celle du mode appelé mixolydien, l'âme s'attriste et se resserre; d'autres modes attendrissent le cœur et ce sont les moins graves : entre ces extrêmes, un autre mode procure surtout à l'âme un calme parfait, c'est le mode dorien... Ces diverses qualités des modes ont été bien comprises par les philosophes qui ont traité de cette partie de l'éducation, et leurs théories ne s'appuient que sur le témoignage même des faits. Les rythmes ne sont pas moins variés que les modes : les uns calment, les autres bouleversent l'âme. Il est donc impossible de ne pas reconnaître la puissance morale de la musique; et puisque cette puissance est bien réelle, il faut nécessairement faire entrer aussi la musique dans l'éducation des enfants.

POLITIQUE, V, 5.

DES QUESTIONS ET DES RÉPONSES

Pourquoi ceux qui se donnent de la peine et ceux qui prennent du plaisir font-ils (également) usage de la flûte ?

N'est-ce pas parce que les uns veulent y trouver une atténuation à leur fatigue, les autres un plaisir de plus ?

★

Pourquoi écoute-t-on avec plus de plaisir ceux qui chantent des morceaux de musique que l'on se trouve connaître à l'avance, que des morceaux inconnus ?

Serait-ce que l'intention (du compositeur) est, en quelque sorte, plus facile à saisir, lorsque l'on connaît le morceau chanté et que l'on se plaît à en être l'auditeur, ou bien parce qu'il est agréable d'apprendre (ce morceau) ?

Or la cause de ce double plaisir, c'est que. dans ce dernier cas, on acquiert la science, puis, que l'on s'en sert et que l'on reconnaît (ce que l'on a appris); de plus, ce qui nous est familier est plus agréable que ce qui ne l'est pas.

Pourquoi écoutons-nous avec plus de plaisir la monodie si elle est chantée au son d'une (seule) flûte ou d'une (seule) lyre (qu'avec plusieurs de ces instruments) ? Pourtant on chante le même air de ces deux manières indifféremment... En effet si l'on chante mieux le même air (quand il est accompagné de la flûte ou de la lyre), il devrait être encore plus agréable de l'entendre avec accompagnement de flûtes ou de lyres nombreuses.

N'est-ce pas parce qu'on se trouve paraître (mieux) saisir l'intention (du compositeur) lorsqu'on entend un morceau avec l'accompagnement d'une (seule) flûte, tandis que celui de flûtes ou de lyres nombreuses n'est pas plus agréable, vu qu'il couvre la voix du chanteur ?

Pourquoi, étant admis que la voix humaine est plus agréable (que le son des instruments), celle d'une personne qui chante sans paroles ne sera-t-elle pas la plus agréable, par exemple, celle des chanteurs qui font le térétisme (*qui fredonnent*) mais plutôt la flûte ou la lyre ?

N'est-ce pas que, même dans ce cas-là, à moins que les chanteurs ne produisent des sons imitatifs, ce n'est pas aussi agréable ? Mais c'est une affaire d'exécution. En effet, la voix humaine est plus agréable; mais les instruments sont plus sonores que la bouche. Voilà pourquoi il est plus agréable d'entendre le jeu d'un instrument que le térétisme.

Pourquoi la perception auditive est-elle la seule qui possède un caractère moral ? En effet un chant quelconque lors même qu'il est exécuté sans paroles possède néanmoins ce caractère tandis que la couleur, l'odeur et la saveur en sont dépourvues ?

N'est-ce pas parce que (cette perception) seulement comporte une impression qui n'est pas celle que le bruit nous fait éprouver et qui existe aussi pour les autres (sens) ? Ainsi la couleur impressionne le sens de la vue. Mais (ici) nous éprouvons (en outre) une impression consécutive à ce bruit. Or, cette impression a quelque ressemblance (avec le moral) et dans les rythmes, et dans la disposition mélodique des sons aigus et graves. Il n'en est pas ainsi dans leur mélange, car la symphonie ne possède pas de caractère moral. Au contraire dans les autres perceptions sensibles cela n'a pas lieu. Ces impressions se rapportent à l'action; or les actions dénotent un caractère moral.

Pourquoi appelle-t-on *nomes* (lois) les airs que l'on chante ?

N'est-ce pas parce que, avant de connaître l'écriture, on chantait les lois, afin de ne pas les oublier, usage encore observé chez les Agathyrses. Ainsi donc on donna aux premiers des chants survenus ultérieurement la même dénomination qu'aux précédents.

Pourquoi est-ce que tout le monde aime le rythme, le chant et généralement les consonances ?

N'est-ce pas parce que nous aimons naturellement les changements conformes à la nature ? La preuve, c'est que les petits enfants, dès leur naissance, aiment ces trois choses. D'abord, c'est par le fait de l'habitude que nous aimons les tours mélodiques. Quant au rythme, nous l'aimons parce qu'il contient un nombre connu, ordonné et qu'il nous impressionne d'une façon ordonnée. En effet, le changement soumis à un certain ordre est plus propre à notre nature que celui qui en est dépourvu, de sorte qu'il est mieux en rapport avec elle. La preuve, c'est que, si le travail, le boire et le manger sont réglés, nous conservons et nous augmenterons même la puissance de notre nature, tandis que si ces (actes) sont désordonnés, nous l'altérons et la faisons dévier; car les maladies sont des changements survenus dans une disposition du corps non conforme à la nature. En ce qui concerne la consonance, elle nous plaît parce que c'est un mélange de contraires qui ont un rapport entre eux. Maintenant, le rapport est un ordre, ce qui (tout à l'heure) était une chose agréable à notre nature. D'autre part, ce qui est mélangé est toujours plus agréable que ce qui ne l'est pas, et, surtout, lorsqu'il s'agit d'un objet soumis aux sens, le rapport qui réside dans la consonance devrait avoir, dans des conditions égales, la puissance de ses deux extrêmes.

PROBLÈMES MUSICAUX D'ARISTOTE, *trad. Ch. Em. Ruelle.*

LA MUSIQUE AU MOYEN AGE

La conception médiévale de l'esthétique musicale s'articule selon deux traditions : l'une, héritée de Platon, s'incarnerait d'abord en saint Augustin; l'autre, héritée d'Aristote, en Al Farabi ou Avicenne, comme en témoigne, par exemple, Jérôme de Moravie :

« La musique se divise en musique active et musi*que* spéculative.

« La musique active a pour propriété de faire trouver les harmonies par les instruments, la nature ou l'art.

« La musique spéculative *représente la théorie. Elle se divise en cinq parties :*

« 1. Principes et définitions. — 2. Composition, proportions. — 3. Application des principes sur les diverses espèces d'instruments. — 4. Les cas naturels comme le poids des neumes (pondera neumatum) *c'est le calcul des intervalles, d'après l'expérience des marteaux de Pythagore. — 5. La composition des harmonies. »*

RICARDUS

La musique est la consonance de plusieurs voix dissemblables réunies en une seule.

ISIDORE DE SÉVILLE (570-636)

La musique est la connaissance de la modulation par le son et le chant (des *Etymologies,* t. III).

HUGUES DE SAINT-VICTOR

La musique est la division et la variété modulante des voix.

GUI D'AREZZO (995-1050)

La musique est la science de bien moduler.

BRUNETTO LATINI (1220-1294)

La seconde science est musique qui nos enseigne faire voiz et chans, et sons en citoles et en orgues et en autres estrumenz acordables, les uns contre les autres, por delitier la gent ou en eglise por le service Nostre Seignor.

JEAN DE GARLANDE (XIIe s.)

La musique est la science des nombres, rapportée au son ou pratiquement la science des sons multiples, autrement dit la musique est la science de chanter et d'arriver facilement à perfectionner le chant.

JEAN COTTON (XIe-XIIe s.)

La musique est ainsi nommée de la muse (musette), qui est un instrument au son doux et agréable, le plus parfait de toute la musique et qui contient tout en lui-même; le souffle l'anime comme une flûte, la main le conduit comme une vièle...

GIRARD DE CAMBRIE

La musique prend son nom des muses, et les muses sont ainsi appelées du grec *maso,* c'est-à-dire « qui cherche »; parce que, grâce à elle, comme l'ont voulu les anciens, on peut chercher en même temps les vers et le chant...

SAINT THOMAS (1225-1274)

La musique occupe le premier rang parmi les sept arts libéraux. C'est la musique qui célèbre dans l'Eglise les combats et les triomphes de Dieu; c'est elle qu'adoptent les saints dans leurs dévotions, c'est par elle que les pécheurs implorent le pardon, que les tristesses se réconfortent, que les courages sont plus vaillants. Ainsi que le dit Isidore dans son livre des *Etymologies,* il est aussi honteux de ne pas savoir chanter que de ne pas savoir lire, puisque les saints avec les Anges et les Archanges, avec les Trônes et les Dominations et avec toute la milice et la cour céleste ne cessent de faire entendre tous les jours *sanctus, sanctus, sanctus.*

Il est donc manifeste que la musique est la plus noble des sciences humaines et que chacun doit s'étudier à l'acquérir de préférence à toutes les autres, car à part la musique, aucune science n'a osé franchir les portes de l'Eglise.

De arte musicae.

ANONYME (XIIIe s.)

LE MARIAGE DE MUSIQUE ET ORAISON

Quant Aritmetique out sa raison definie,
L'autre fille parla par mout grand signourie :
Elle out a nom Musique, et mout fut envoisie;
Par sa jolivetei ne puet lassier ne die :

A la reverdie, au bois!
A la reverdie!

— Dame, ce dist Musique, foi que je doi Jhesu,
Je me veul marier, kar trop ai atendu.
Orison veul avoir, ensi l'ai esleü;
Por mesdisans ne veul que ce soit deffendu :

Je voudrois que mesdisant
Fussent sourt et aveugle et mu.

— Et saveis vos por quoi veul avoir Orison ?
Por ce que devant Deu fait boin oïr son nom.
N'est nule melodie ne de lai ne de son
Qui autant plaise a Deu, si cum lisant trouvon.

Orison ne sera jai en tel mucie
Qui Deus de son dous son n'oie la melodie :
C'est celle que les angles deduit et eibanie
Et par cui l'arme a Deu est tost racompagnie.

— Se vos la me donneis, bien sai qu'el me vourra,
Et ce sai bien por autre jai ne me guerpira,
Et ce nel me donneis, por ce ni remanra
Li amours de nos deus, mais toz tens durera :

Deshait ait qui lara
Por chastoi de meire
Son ami qui l'a.

— Meire, kar l'otroiés, si fereis mout que sage.
Mout miex vaut que je l'aie par droit de mariage
Que nos fassions ensenble par lait et par hontage.
— Fille, ce dit Gramaire, ci ne voi point d'outrage.

— Bien lou le mariage, jai ne le defferai,
Mais selonc mon pouoir, fille, vos aiderai.
— Dame, ce dist Musique, mout aveis le cuer vrai.
Certes por si bel don de joie chanterai :

La rose m'est donneie, j'ai ne la perderai.

LE MARIAGE DES SEPT ARTS, *trad. Langfors.*

ANONYME (XIIIe s.)

LE SIXIÈME ART

La sixime art est musike
Ki se forme d'arismetike;
De ceste muet tute atempraunce
Ke naist de tute concordaunce
Et tote duce melodie
Ke au munde puet estre oïe.
De lui sunt tut li chaun estreit
Ke au munde poient estre feit.
Ki de musike ad la science
Del munde seit la concordaunce;
Tute riens ke de bien se paine
A concordaunce se remaine.

IMAGO MUNDI.

ANONYME

MADAME MUSIQUE CONTRE LA SCOLASTIQUE

Madame Musique aus clochetes
Et si clerc plain de chançonnetes
Saltérions et fléuteles;
De la note du premier *fa*
Montoient jusqu'en le *sol fa.*

Li douz ton diatesalon,
Diapante, diapason
Sont hurtées de divers gerbes
Par quarréures et par trebles,
Parmi l'ost aloient chantant,
Par lor chant les vont enchantant.
Celes ne se combatent pas,
Mais Donaet isnel le pas
Ala tel cop férir Platon
D'un vers borserez el menton
Qu'il le fist trestout esbahir...

LE COMBAT DES SEPT ARTS.

CHANT ET CHANTEURS AU MOYEN AGE

ARNOLPHE DE SAINT-GILLES (XVe s.)

Suivant moi, il existe aujourd'hui quatre espèces de chanteurs. Les premiers pullulent de tous côtés; ils ignorent absolument l'art musical, mais en revanche, ils n'y ont aucune disposition naturelle; sans même rien connaître de la musique plane, ils osent, dans leur sotte présomption, mordre à belles dents les consonances musicales. Ils aboient avec rage, ils braient plus haut que les ânes et entonnent brutalement leur sauvage trompette, vomissant mille horreurs musicales; harmonisant à rebours, ils posent en règle le barbarisme musical, et aveuglés par un intolérable orgueil, ils ont l'insolence de se présenter comme des modèles de chant et de se préférer eux-mêmes aux premiers de leur art; ils s'offrent même à son de trompe, avec éclat et pour enseigner impudemment et diriger, si bien qu'ils sont pris pour des musiciens par les hommes qui ne savent pas la musique, pervertissant ainsi tout l'enseignement régulier par un enseignement vicieux, et mêlant leurs dissonances à la consonance des hommes instruits. Intolérables et nuisibles aux autres chantres, ils sont comme l'ivraie qui en grandissant étouffe la première moisson. Impossible de leur imposer silence; ils ne demandent qu'à pousser insolemment des cris étourdissants, foulant sans honte aux pieds les perles harmoniques plus précieuses que l'or même. Ces intrus doivent être impitoyablement chassés de l'empire musical, avec d'autant plus d'ignominie que l'art est plus respectable.

On compte dans la seconde espèce de chanteurs les laïques qui, à la vérité, n'ont aucune connaissance de l'art musical, mais qui, à force de zèle, se sont assoupli les oreilles à toute espèce de musique. Aimant ardemment le chant, ils s'associent aux musiciens, comme la panthère suit les animaux à l'odeur, comme l'abeille qui, voulant rendre plus doux son miel, recherche avec un soin jaloux toutes les fleurs, ils réunissent comme dans une corbeille la moisson des épis musicaux. Afin de pouvoir chanter plus agréablement avec les chantres, ils s'exercent à toutes sortes de musique et ainsi ils deviennent habiles et experts à ce point qu'ils arrivent à remplacer par l'habitude et les dispositions naturelles ce qui leur manque du côté de la science. On rencontre quelquefois aussi des clercs, qui grâce à un merveilleux instinct inné de l'invention musicale, savent trouver et exécuter sur les instruments les morceaux les plus difficiles que la voix humaine pourrait à peine chanter; d'autres, aidés par une mémoire non moins étonnante, reproduisent ce qu'ils ont entendu, si bien que quelquefois, par ce curieux effort de mémoire, la pensée même de l'auteur apparaît plus brillante et plus belle. En réalité, ces musiciens sont hors de la musique, mais il serait injuste de les en exclure complètement; ils finissent par être dans la maison comme les fils adoptifs font partie de la famille.

Dans le troisième groupe, il faut, sans hésiter, classer ceux qui au plus profond de leur cœur gardent les précieux trésors de la musique et de la science des sons, laborieusement acquis à force d'études et de louable travail. Les défauts de leur organe les empêchent de briller au premier rang, et ils le savent bien, mais la science de la musique, vivace en eux, supplée à l'insuffisance des moyens naturels; ce qu'ils ne peuvent exécuter par eux-mêmes, ils le font faire par des disciples qu'ils ont consciencieusement instruits, en partageant avec eux leurs richesses musicales et en leur révélant les secrets de l'art d'une manière digne de l'art lui-même. En effet, ils ont en leur cœur les sources mêmes de la théorie musicale, ils les découvrent libéralement aux artistes praticiens... Démontrant ainsi par l'oreille et le calcul, ils n'altèrent l'art en aucune façon, mais ils enseignent la vraie musique. Il faut avouer qu'ils fatiguent en chantant ceux qui les écoutent, mais ils rachètent ce défaut par leur parole, quand ils exposent verbalement les règles de notre art.

Dans la quatrième espèce, la plus noble de beaucoup, on voit briller ceux qui, doués d'un heureux instinct naturel et d'une voix aussi douce que le miel, font entendre des sons semblables à ceux du rossignol, que dis-je, plus doux encore que ceux de Philomèle, et qu'il faudrait louer à l'égal de ceux de l'alouette. Chez eux, une connaissance élevée de l'art du

Joueuse de viole. Ecole ombrienne, XVIe s. Castello. *(Cliché Brogi - Giraudon).*

Vénus et Mercure chassant les vices de l'Olympe (détail).
Lorenzo Costa (1460-1535). Louvre. *(Cliché Giraudon).*

chant dirige l'instrument naturel, suivant le mode, la mesure, le nombre et la couleur, variant par de merveilleuses modulations les difficultés des consonances, jetant dans l'âme de l'auditeur une douce sensation de plaisir, par la souplesse multiple des modes. Ceux-là, pour rendre plus faciles et plus agréables les prolations, reprennent à leur source, pour ainsi dire, les plus compliquées, sachant les ramener à leur première forme, comme, en remettant une monnaie sur le coin, on la refrappe, pour lui rendre ses contours primitifs. En effet, n'est-il pas surprenant de voir avec quelle aisance le musicien habile sait, en l'adoucissant par une prolation artificielle, donner à une dissonance fondamentale la tournure flatteuse d'une consonance ? C'est ainsi que grâce à l'art et à la nature, notre musicien trouve le suprême bonheur; la musique, fille de l'arithmétique, le couronne du diadème d'or des bienheureux. Elle le nourrit de son lait le plus doux et le conduit au comble de la félicité.

Sauf meilleur avis, cet opuscule, soigneusement rédigé, prouve qu'étant donné ces espèces de musiciens, les chantres doivent se conduire suivant la place qu'ils méritent. Que chacun, d'après son rang et son savoir, se plaise à chanter le plus souvent possible en restant toujours plein de déférence pour ceux qui lui sont supérieurs, mais, en revanche, que le sot qui ne sait que hurler comme une femme, apprenne à contenir ses bruyantes manifestations.

Cité par H. Lavoix fils, *La Musique au temps de saint Louis.*

JÉROME DE MORAVIE

Si vous voulez bien chanter, ne méprisez aucun chant, vînt-il même d'un ignorant; écoutez-les tous avec attention; car, de même qu'il peut arriver que la roue de la meule rende un son musical (*discretum sonum*), de même une voix inculte peut, par hasard, produire une belle note...

... Il est nécessaire que les voix ne se mêlent pas dans le chant, comme la voix de poitrine avec celle de tête ou de gorge...

Les voix sont suaves, épaisses, claires, aiguës; les voix pénétrantes, comme celles de la trompette, s'entendent de loin et remplissent un vaste local.

Les voix subtiles sont celles qui manquent de souffle comme chez les enfants, les femmes, les malades et dans les instruments à cordes. Plus les cordes sont fines, plus les sons deviennent subtils.

Les voix sont épaisses, au contraire, lorsque, pour les émettre, on emploie un grand souffle comme dans les voix d'hommes; elles sont aiguës comme dans les cordes.

La voix dure est celle dont le son est violent comme le tonnerre ou le bruit d'un bouclier frappé ou bien encore du marteau battant le fer.

La voix aveugle s'éteint aussitôt, comme dans les vases de terre.

Le son naturel est *discret* ou *indiscret*. Le *discret* est celui qui a en lui-même ses consonances, l'*indiscret* est celui dans lequel on ne peut discerner aucune consonance, comme le rire, le gémissement de l'homme, l'aboiement du chien. Nous pouvons conserver la même division du son, jusque dans la musique instrumentale artificielle : les appeaux avec lesquels on prend les petits oiseaux, les flûtes fermées avec du parchemin aux deux extrémités et avec lesquelles les enfants s'amusent, rendent un son indiscret; mais dans la sambuque, dans la cithare, dans les cymbales et aussi dans les orgues, on distingue parfaitement la différence des consonances. La musique proprement dite n'a aucun rapport avec le son que nous avons appelé *indiscret*. En revanche le son discret que l'on appelle aussi proprement *phtongus* est essentiellement musical...

Je comparerais volontiers le chanteur à cet homme ivre qui finit bien par retrouver sa maison, mais qui serait incapable de dire par quel chemin il y est revenu.

Ibid.

SAINT BERNARD

Il faut que des hommes chantent d'une manière virile et non avec des voix aiguës et factices comme celles des femmes, ou d'une manière lascive et légère comme des histrions...

Ceux qui répondent aux psaumes et font des roulades sur les répons, ne feraient pas plus de mal en taisant leur méchante langue. Il y en a qui corrompent mauvaisement les psaumes sacrés, ce que condamnent les saintes écritures, ce que réprouvent aussi les règles, jongleurs, comiques, mimes, sauteurs, trémousseurs, etc.

TINCTORIS (vers 1445-1511)

Nous nommons plus exactement *contrepoint* celui que nous faisons par improvisation et qui s'appelle vulgairement *chant sur le livre*... Lorsque deux, trois, quatre, ou un plus grand nombre de personnes chantent ensemble, aucune n'est sujette de l'autre; il suffit à chacun des chantres de s'accorder avec le ténor en ce qui concerne le mouvement et l'ordre des concordances. Cependant, je ne considère pas comme blâmables, mais comme très dignes d'éloges, les chantres qui se concertent entre eux avec prudence et s'entendent d'abord sur le placement et l'ordre des consonances, car ils forment une harmonie beaucoup mieux remplie et plus suave...

GUI D'AREZZO

Que le musicien (compositeur) se mette donc en face des divisions sur lesquelles il peut placer les cadences du chant comme le métricien (poète) le fait des pieds dont il composera le vers, si ce n'est que *le musicien n'est point lié par la nécessité d'une aussi importante loi...*

Il y a, en effet, des chants *comme prosaïques,* où les parties (de phrase) se trouvent par places, sans grande raison, à la manière de la prose.

Mais j'appelle *métriques* des chants (et souvent nous chantons ainsi), qui nous paraissent scandés presque comme les pieds d'un vers (ou : scandés comme les pieds des « quasiversus »)...

Enfin, comme les poètes lyriques unissent tantôt tels ou tels pieds, ainsi ceux qui font un chant placent les neumes raisonnablement, avec discrétion et diversité.

MICROLOGUS.

HERRERA (Espagne, XVIe s.)

Que prétendiront les sacrés conciles[1], sinon corriger et refréner l'audace de ceux qui voulaient varier le chant de leurs amendements ? de vouloir extirper cet abus de la variété et de rétablir l'uniformité dont s'éloignent aujourd'hui les amateurs de nouveautés ? Et pour que l'on voie plus clairement le dommage causé dans la musique par la présomption et l'arrogance de ceux qui ont prétendu mettre la main sur elle, qu'on lise dans la vie de saint Léon et l'on devra se convaincre avec tristesse que des huit tons composés par l'insigne pontife et docteur saint Grégoire, à peine est-il resté la moindre trace, par suite de l'audace de ceux

1. Cf. pp. 46 et sq.

qui de main en main transformèrent le chant (*Canturia*). On verra aussi avec quelle raison l'on défendit jadis, et l'on défend aujourd'hui, la cause de la musique des Préfaces qui est connue comme étant sienne, afin de la garder de toute violation, de tout mélange et de toute altération, petite ou grande. En effet, outre que la correction ouvre la porte à de très grands inconvénients, comme par exemple qu'un sacristain ignorant (comme il y en eut un à Madrid) ose amender la *Canturia* ecclésiastique, il se produit un dommage plus grand, à mon avis : et c'est que l'œuvre composée par un saint aussi illustre, autorisée et réformée par d'autres nombreux docteurs, accréditée et employée dans l'Eglise catholique pendant plus de mille ans, cette œuvre puisse être changée pour quelques fantaisies bizarres de ceux qui ne sont ni saints, ni docteurs de l'Eglise comme saint Grégoire, qui sont des ignorants au prix de lui en matière de grammaire et d'accents, et qui ne sont même pas aussi théoriciens ou praticiens que nos raisonnables musiciens d'Espagne. Aussi bien je tiens pour sacrilège ce que ces gens-là font... et ce que je fais, en les citant en face de saint Grégoire... Ensuite le plain-chant se mêla avec la musique mesurée, qu'on appelle chant d'orgue et contrepoint, jusqu'à tomber en de tels excès que Jean XXII, pontife romain, défendit d'employer le chant d'orgue dans l'office divin, comme il apparaît par l'extravagant *Docta Sanctorum patrum*, et comme me l'apprit — avec mainte autre chose — Bartolomé de Quevedo, mon maître, Racionero dans la sainte église de Tolède, très savant en lettres humaines (humanités) et en musique. Il est certain que de la musique et du plain-chant que saint Grégoire composa, on n'emploie aujourd'hui que trois clausules de psaumes, et que les autres se sont implantées dans l'Eglise par suite de l'abus introduit dans la musique. Ce dommage irréparable qu'a reçu le plain-chant ecclésiastique avec la perte des tons est une bonne réponse à ces censeurs qui allèguent pour excuse que ces corrections n'altèrent pas la substance, mais que ce sont seulement quelques points et ligatures qui améliorent les accents. Au contraire, il est sûr que la perte des cinq tons ne se fit pas d'un coup... mais qu'on les supprima à la façon de nos censeurs, à savoir de la même manière que procède la vermine : en rongeant ici un point, et plus loin un autre, déliant ici une ligature, l'introduisant où elle n'a que faire, et laissant ainsi les points de la Préface rongés et consumés de telle manière qu'elle finit par ressembler à du linge mangé ou déchiré dont la substance, certes, n'a pas changé, mais qui est tellement abîmé qu'on ne peut plus le revêtir... comme la Préface ne peut plus s'entendre!... C'est là le chemin par où se sont perdus les tons de saint Grégoire, et par où se perdra aussi le ton des Préfaces si l'on n'y apporte remède : le remède inventé par l'expérience contre la vermine, à savoir que l'on expose le linge à l'air et qu'à la claire lumière on découvre les malandrins qui sont de petits vers pernicieux abîmant et consumant le vêtement le plus riche, le plus précieux et du drap le plus fin que l'on puisse trouver dans toute la musique ecclésiastique. Et il faut considérer avec attention l'artifice employé par ces censeurs, car il n'existe pas d'hommes d'affaires qui traitent ce qui leur importe avec autant de subtilité d'esprit. Ne traitent-ils pas par exemple de changer la lettre des Préfaces, et comme l'échéance arrive sans qu'on les paye comme ils le méritent, ils rechangent la partie pour la fête du Samedi Saint sur la bénédiction du cierge, et de là, avec plus de dommages, ils la reportent à l'*Ista Dominica* sur le *Te Deum laudamus,* et ce qui commença si petitement comme nous l'avons vu à propos des piqûres de vers, se termine en grand, grâce à cette subtilité, et même prétend s'étendre à tout le trésor ecclésiastique, en pointant les Préfaces d'arbitraire façon, et en composant celle du *Te Deum* et de la *Bénédiction* tout différemment de la rédaction tolédane approuvée en Espagne. On veut même aller jusqu'à réformer de façon générale la musique romaine universelle, et après cela, l'on ne peut s'étonner de ce que les tons de saint Grégoire se soient perdus. Quant à moi, je pense sans aucun doute que le péril est plus grand que court cette question à cette époque-ci que dans les temps passés, parce que les censeurs antiques furent peu nombreux en plusieurs pays (*provincias*), et ceux d'aujourd'hui sont très nombreux dans l'Espagne seulement. Jadis s'élevèrent contre eux de célèbres pontifes, des conciles, des empereurs, et maint homme grave, de grande autorité et culture, et maintenant on trouverait difficilement quelqu'un qui ose les affronter; et ceux qui devraient défendre la *Canturia* ou bien jugent la chose de peu d'importance, ou bien dissimulent...

« Mais toujours la majesté immense de Dieu a suscité quelque bon esprit (par exemple Daniel) pour ne pas permettre que l'on porte un faux témoignage contre cette très belle Suzanne (*sic*); ainsi qu'il fit sous le pontificat de Grégoire XIII, en incitant un prêtre et chevalier espagnol, non moins religieux que savant, à défendre l'accusation portée devant le pontife contre la musique ecclésiastique et ses accents par les plus grands maîtres de Rome, derrière un autre personnage de plus grande autorité que celle que possède et ont jamais eue les censeurs espagnols. L'altercation et les raisons des deux parties arrivèrent aux oreilles du pontife qui manda (persuadé de la vérité) qu'on ne devrait plus jamais traiter de cette matière. »

Trad. H. Collet.

LES TROUBADOURS : LES OISEAUX SONT LEURS MAITRES DE CHANT[1]

JAUFRE RUDEL (XIIe s.)

J'ai beaucoup de maîtres de chant,
Autour de moi, et de maîtresses :
Prés et vergers, arbres et fleurs,
Refrains d'oisels, complaintes, cris,
Par douce et suave saison,
Mais ne me vient que peu de joie :
Nulle gaîté ne me peut plaire
Que le soulas d'un noble amour!
Que les pipeaux soient aux bergers
Et aux petits enfants joueurs
Et qu'à moi soient telles amours
Dont jouir puisse jouissance!

Lorsque les jours sont longs en mai,
Doux chant d'oiseaux m'est cher de loin,
Mais quand de là m'en suis allé,
Me souviens d'un amour de loin,
Je vais d'humeur morne et penché,
Aussi chant ni fleur d'aubépin
Ne me plaît plus qu'hiver gelé!

BERNARD DE VENTADOUR (XIIe s.)

Lorsque l'eau de la fontaine
S'éclaircit, quand fait soleil,
Que paraît fleur églantine,
Que rossignolet au bois
Reprend, module, égalise
Son doux chanter et raffine,
J'ai bien droit le mien de reprendre!

---

1. Les textes qui suivent ont été transcrits par l'auteur.

★

Quand point la fleur au vert feuillage
Que je vois temps clair et serein,
Le doux chant d'oiseaux par le bois
M'adoucit le cœur, me ranime,
Comme oiseaux chantent à leur guise,
Moi qui au cœur ai tant de joie,
Dois bien chanter, puisque c'est mon métier
De ne penser à rien qu'à joie et chant.

PEIRE VIDAL (fin XIIe s.-début XIIIe)

Alouette et rossignol
Préfère à nul autre oisel,
Car par joie du temps nouvel,
Commencent premiers leur chant :
Et à ceux-ci ressemblant,
Quand les autres troubadours
Sont muets, d'amour je chante
Pour ma Dame Na Vierna!

EXPRIMER LA JOIE D'AMOUR

BERNARD DE VENTADOUR

Ce n'est merveille si je chante
Mieux que nul autre chantateur :
Vers Amour mieux me trait le cœur,
Et mieux me suis fait à son ordre.
Corps et cœur, et savoir et sens,
Et force et pouvoir y ai mis,
Tant vers Amour le frein me tire
Que vers autre part ne me tourne.
. . . .
Tristan, vous n'aurez rien de moi,
Car m'en vais triste où je ne sais,
De chanter je cesse et m'abstiens,
De joie d'amour me cacherai.

AIMERIC DE PEGULAN (XIIIe s.)

Fine Amour inspire ma chanson
Plus que ne fait aucune autre science
Car sans Amour je ne saurais rien,
Mais j'ai bien cher payé ma connaissance!

ARNAUT DANIEL (fin XIIIe s.)

Sur ce « son » gracieux et gai,
Fais des mots, rabote et dole,
Ils seront vrais et certains
Quand j'aurai passé la lime,
Car Amour planit et dore
Mon chanter, qui vient de celle
Qui valeur maintient et gouverne.

GUIRAUT RIQUIER (1292)

Devrais bien de chant m'abstenir
Car au chant convient l'allégresse
Or m'étreint tant mélancolie
Qu'elle me fait partout douleur
Remembrant mon dur temps passé
Regardant le triste présent
Et me souciant de l'avenir :
Partout n'ai raison que de pleurs!

Ains ne me doit avoir saveur
Mon chant qui est sans allégresse
Mais Dieu m'a donné tel savoir
Qu'en chantant je peins ma folie
Mon sens ma joie mon déplaisir

Ce qui me nuit et qui me sert
Qu'autrement ne sais rien bien dire
Je suis venu trop le dernier.

Or n'est plus prisé nul métier
Dans les cours moins que beau savoir
De « trouver » car ouïr et voir
Que frivolités ne veut-on
Et cris mêlés de déshonneur
Car tout ce qui donnait la gloire
Est maintenant tout oublié
Le monde n'est que tromperie.

CE QUE DOIT ÊTRE UNE BONNE CHANSON

JAUFRE RUDEL

Ne sait chanter qui air ne dit,
Ni « vers » trouver qui « mots » ne fait,
Ce qu'est poème ne connait
Qui le sens n'en comprend en soi,
Ainsi commence ma chanson,
Plus l'entendrez, plus vous plaira.
. . . .
Ce « vers » est bon, ja n'en manquai,
Tout ce qui y est, y est bien,
Celui qui de moi l'apprendra,
Qu'il ne le brise par morceaux,
Car tels ils l'auront en Quercy,
Bertrand et le comte en Toulouse.
Ce « vers » est bon, ils (en) feront
Quelque chose qu'on chantera!

GUILLAUME DUFAY

GUILLAUME DUFAY (vers 1400-1474) fut un musicien essentiellement religieux. Il travailla à la chapelle pontificale sous le pontificat de Félix V, et finit ses jours comme chanoine de la cathédrale de Cambrai. En dehors de nombreuses messes et motets, il écrivit des chansons françaises. Il fut un maître du contrepoint, avec Binchois et Dunstable. D'après A. de Fulda, il fut le premier musicien à écrire Magnum initium formalitatis.

UNE NOUVELLE PRATIQUE

O toi qui es pleine de tous biens, ô toi, réconfort des pécheurs, dont c'est le propre de prier pour les malheureux pécheurs qui se sont éloignés de Dieu, prie ton fils pour le salut des chanteurs! Et d'abord pour Guillaume Dufay : exauce, ô mère, les prières que je fais pour cet astre de la musique, pour cette lumière des chanteurs! Prie aussi pour Dussart, Busnois, Caron, maîtres en cantilènes, pour Georget de Brelles et Tinctoris, cymbales de ta gloire, et pour Okeghem, Despres, Corbet, Heniart, Faugues et Molinet, et pour Régis et pour tous les chanteurs, ainsi que pour moi, Loyset Compère, qui te supplie d'un cœur pur, d'intercéder en faveur de ces maîtres...

Motet de LOYSET COMPÈRE, *Prière pour les chantres.*

Car des anciens nous avons
Lart lexperience et lespreuve
Et les choses prestes trouvons.
Si nest merveille se scavons
Plus tost ou plus quilz ne scavoyët.
Car encores nous adjoustons
Beaucoup aux choses quils trouvoiët.

Pour le temps du mauvais Cayn
Quant Jubal trouva la pratique
En escoutant Tubalcayn
Accorder les sons de musique
Lart ne fut pas si auctentique
Quelle est au temps de maintenant.
Aussy ne fut le rhetorique
Ne le parler si avenant.

Tapissier Carmen Cesaris
Ne pas longtemps si bien chanterrët
Quilz esbahirent tout paris
Et tous ceulx qui les frequenterrët
Mais onques jour ne deschanterrent
En melodie de tel chois
Ce mont dit qui les hanterrët
Que G. Du Fay et Binchois.

Car ilz ont nouvelle pratique
De faire frisque concordance
En haulte et basse musique
En fainte en pause et en nuance,
Et ont prins de la contenance
Angloise et ensuy Dunstable
Pour quoy merveilleuse plaisance
Rend leur chant joyeux et notable.

Des bas et des haults instrumët
On a joue le temps passe
Doubter nen fault très doulcemët
Chascun selon son pourpense
Mais jamais on na compasse
N'en doulchaine nen flaiolet
Ce quntz negueres trespasse
Faisoit appele Verdellet.

Ne face on mention d'Orphee
Dont les poetes tant escrivent
Ce n'est qu'une droicte faffée
Au regart des harpeurs qui vivët
Qui si parfaictement avivent
Leurs accors et leurs armonies
Quil semble de fait quilz estrinët
Aux angeliques melodies.

Tu as les aveugles ouy
Jouer à la court de Bourgongne
Nas pas certainement ouy
Fust il jamais telle besongne :

Jay veu Binchois avoir vergongne
Et soy faire emprez leur rebelle
Et Du Fay despite et frongne
Quil na melodie si belle.

Le Champion des Dames.

★

A trois, a quatre, a cinq, a six,
Bien remplis, doulcement assis
Et tant plaisans sans point doubter,
Que qui les chante ou oit chanter,
En a le cœur tout resjouy,
Comme Dompstaple ou du Fay,
Qui tant doulcement en leur temps
Par bel et devost passe-temps
Ont composay (ce sçay-ie bien)
Et plusieurs aultres gens de bien :
Robinet de Magdelaine,
Binchoiz, Fede, Jorges et Hayne
Le Rouge, Alixandre, Okeghem,
Bunoiz, Basiron, Barbingham,
Louyset, Mureau, Prioris,
Jossequin, Brume, Tintoris
Et beaucoup d'aultres, ie t'asseure,
Dont n'ay pas memoire à ceste heure.
Je te vueil bien dire qu'ilz font
Grant honneur ès lieulx, ou ilz sont.
C'est ung deduyt que d'estre la.
Et si te dy avec cela
Pour resveiller bien les oreilles,
Qu'ilz jouent si bien que merveilles
Des orgues en tant de beaux lieux,
L'une des choses soubz les cieulx
Qui est plus plaisante à ouir
Pour tout humain cueur resiouir
Et doibs sçavoir que c'est lyens
Que les grans princes terriens
Se fournissent pour leurs chapelles
De bons chantres et des voix belles,
D'organistes semblablement
Bien jouans merveilleusement.

Eloi d'Amerval, *Livre de la Deablerie.*

PIERRE MAILLART (XVIe s.)

LA RENAISSANCE : UNE FLORAISON UNIVERSELLE

S'il est vray que le temps nous apporte toujours quelque chose de nouveau, certes il semble que cela doit surtout trouver lieu en la musique, en laquelle rien n'est estimé bon s'il n'est nouveau. Aussi depuis la naissance de notre musique, combien de fois a-t-elle été changée et renouvelée. Il y a environ deux cents ans que vivaient Ockéghem, Hobrecht, Pierre de la Rue et semblables. Les musiciens du jourdhuy peuvent savoir quelle musique ils nous ont laissée. A ceux-là ont succédé Josquin Després, Jean Mouton, Richafort et autres, lesquels ont trouvé un autre air et une autre manière de composer. Depuis sont venus Nicolas Gombert, Mancicourt, Clemens non papa, Créquillon, Certon et plusieurs autres semblables lesquels ont disposé la musique tout d'une autre façon. Et puis a encore été changée par Adrien Willaert, Cyprien di Rore, Orlando di Lasso, Philippe de Monte et autres de semblable humeur. Et de notre temps nous la voyons encore traiter d'une autre sorte par Jacque de Wert, Luca Marenzio, Jean Feretti et leurs semblables. Et non seulement les diverses saisons, ains encore les diverses provinces nous fournissent aussi diverses sortes de musique, car autres sont les Madrigals d'Italie, autres les chansons à la Napolitaine, autres les Vellancicos d'Espagne, autres les airs de France et autres les chansons et motets d'Allemagne et du Pays-Bas. Les musiciens mesmes d'une mesme temps et d'un mesme pays sont si différents entre eux qu'il n'y a si petit compagnon qui ne tâche d'avoir quelque air ou quelque grâce particulière par laquelle il puisse être recognu et distingué des autres, tant sont les nouveautés recherchées en musique.

LES TONS OU DISCOURS SUR LES MODES DE MUSIQUE... 1610.

ROLAND DE LASSUS

ROLAND DE LASSUS (1532-1594) est après Palestrina, le musicien le plus célèbre de la Renaissance. D'origine flamande, il vécut en Italie, en France, en Angleterre et en Bavière, où il fut maître de chapelle du duc Albert V. Extrêmement fécond, Lassus publia des motets, des madrigaux, des cantiques, des psaumes, des chansons sacrées et profanes, etc. On l'appela le « prince des musiciens ».

DONNER DES AILES AUX VERS

L'aile qu'Orlande peut donner aux vers, est telle,
Que son vol animé de mouvements si beaux,
Si prompts, si hauts, surpasse en volant toute autre aile.
D'enfer au ciel, du ciel aux infernales eaux,
Mercure en un moment remonte et redevale,
Ayant au chef, aux piés, ses ailerons jumeaux.
Ce beau vol peut porter à la rive infernale.

ETIENNE JODÉLLE, *En faveur d'Orlande.*

NICOLAS RAPIN

NICOLAS RAPIN (vers 1540-1608) fut un des auteurs de la Satyre Ménippée, *avec Passerat, Pithou, Leroy, etc...*

NOS CHANSONS MESURER SUR LE PÉNIBLE LUTH...

J'ay premier mis le pied sur l'estroicte carrière
Où nul n'avait entré : j'ay ouvert la barrière
Me fiant en ma force, et conduit un essein
De jeunes studieux sur un nouveau dessein.
Le premier des François j'ay mis le vers lyrique
Et l'iambe tragiq sur le modèle antique,
Suivant le train d'Horace et l'air de ses chansons,
Mais non pas son amour eschaufé des garçons.
Que si j'ay retenu l'unisson de la rime
Petau tu ne m'en dois tenir en moins d'estime.
La rime s'accommode au saphiq mouvement
Et le viste trochée en va plus gravement.
...
Quand Baïf nos chants le premier reforma
Contre ses desseins l'ignorance s'arma,
Et chassa bien loin de cet art la beauté
Pour sa nouveauté.
Bien qu'il eut l'esprit de sciences instruit
Son savoir resta misérable et sans fruit,
Ses labeurs ingrats et sa Muse sans pris
Vindrent à mépris.
J'ai depuis son temps le nuage éclarcy
Et de miel François sa rudesse adoucy.
...
Il se voit combien mon étude a servy
Jà de tous côtés la jeunesse à l'envy
Suit de près mes pas, et la France j'entr'oy
Chanter après moy.

. . .
Il restoit de donner pour le commencement
Au langage commun quelque bel ornement :
Quand un docte Baïf, tout le premier voulut
Nos chansons mesurer sur le pénible luth;
Mais l'heur lui desfaillit, plus que le bon savoir :
Faudroit-il que la France eust le malheur de voir
Sous ton règne, où le ciel tout bonheur eust donné,
Un si brave dessein de tout abandonné ?

Les œuvres latines et françoises de
Nicolas Rapin, 1610.

CLAUDE LE JEUNE

CLAUDE LE JEUNE (vers 1528-1600), l'un des plus célèbres musiciens du XVIe siècle, écrivit des motets et des psaumes et utilisa la polyphonie avec un grand charme mélodique.

DE LA DOUCEUR AU CONTREPOINT

Le Printemps rajeunit la terre,
Et les semences qu'elle enserre
Se respandent en mille fleurs :
Ainsi ceste douce harmonie
Nous change, et rajeunit la vie,
Par ses traitz de mille couleurs.

Le Jeune a faict en sa vieillesse,
Ce qu'une bien gaye jeunesse
N'auseroit avoir entrepris :
Ses œuvres font voir à la France,
Qu'il n'y a que sa consonance,
Qui merite d'avoir le pris.

Quelle plus celeste merveille,
Quel charme plus doux à l'oreille
Que d'ouyr chanter les saisons ?
On fait grand cas de l'Eloquence,
Mais ce Claudin par sa science
Pouvait autant que ses raisons.

Tantost il sonnoit les alarmes,
Faisoit mettre la main aux armes,
Tantost les ostoit de la main :
Tantost il changeoit la tristesse
En plaisir et en allégresse.
Bref cet homme estoit plus qu'humain.

On aperçoit en sa Musique
Les secrets de Mathematique
Bien observez de poinct en [poinct :
Mais en cet Art, dont elle est [pleine,
On voit qu'il a donné sans peine
La douceur à son contrepoinct.

Toy, qui gouteras ses delices,
Ses melodieux artifices,
Et ses mignars ravissements :
Déplore aussi la Destinée,
Qui nous a si tost terminée
Sa vie, et ses beaux mouve- [ments.

Mais sa Memoire n'est pas morte,
Car sa vertu, comme plus forte,
Le fait vivre au cœur des François.
Un Empereur veut un Trophée :
Mais nous donnons à notre Orphée
Les plus doux accords de nos voix.

D'AMBRY, *Ode sur la musique du défunt Sieur Claudin Le Jeune*, en exergue au *Printemps*, 1603.

JACQUES MAUDUIT

JACQUES MAUDUIT (1557-1627) fut un virtuose du luth. Il composa des chansons mesurées, des œuvres d'inspiration religieuse et de la musique de scène pour les divertissements de la Cour de France.

LA BELLE MUSIQUE DE FRANCE

Il s'adonna particulièrement, et d'un si grand soin, à la Musique, sans autre secours que des livres, et se perfectionna tellement en tous ses genres, que la France dès son vivant l'honora du surnom de Pere de la Musique, et avec raison, parce que luy seul a comme engendré la belle Musique en France par l'excellence de plusieurs ouvrages, et des concerts composez de voix et de toutes sortes d'instrumens harmoniques, ce qui n'y avoit point esté pratiqué avant luy, du moins si parfaitement. C'est là que l'on a veu des gens de toutes qualitez qui s'exerçoient tres volontiers sous la iustesse de sa mesure. Son merite luy donna place dans l'illustre Académie du docte Baïf, que Charles IX protecteur du Parnasse honoroit ordinairement de sa royale presence...

... Il avoit une telle creance parmy les gens de Musique, que rien ne s'opposoit à l'ordre qu'il establissoit, avec une telle symmetrie des places, qu'il faisoit prendre à tout son monde, qu'elle le faisoit merveilleusement reussir. Il avoit l'oreille si iuste et si délicate, qu'ordinairement il remarquoit entre quantité d'instrumens sonnans ensemble une chorde mal accordee, laquelle sans se mesprendre, il alloit aiuster, avant mesme que celuy qui la touchoit s'en fust apperceu.

... Or bien que j'aye donné quelques pieces de Musique de sa façon dans le 13e article de la 57e question sur la Genèse, à sçavoir *En son temple sacré,* etc., qui ravit les auditeurs, lorsqu'il est bien chanté avec les voix et les instruments, et *Iuge le droit,* et quelques autres, ie veux icy adiouster la derniere partie de la messe, dont j'ai parlé cy devant, afin que l'on experimente la douceur de sa maniere de composer, et la force d'une musique tres simple, chantée avec devotion, et que teus ceux qui l'ont chery durant sa vie, le puissent chenter à son intention, car l'Eglise en a particulierement ordonné la lettre, et le sujet, pour invoquer la misericorde divine en faveur des deffunts.

Nous esperons que la messe entiere, l'office des trois jours de la Semaine Sainte, et plusieurs autres compositions qu'il a fait verront bien tost le jour avec les traitez de la Rythmique, et de la maniere de faire des vers mesurez de toutes sortes d'especes en nostre langue, pour donner une particuliere vertu et energie à la melodie, que son fils aisné a preparez.

P. MERSENNE, *L'Harmonie universelle,* 1636-1637.

KUHNAU

KUHNAU (1660-1722) fut le prédécesseur de Bach à Saint-Thomas de Leipzig. Organiste réputé, on lui doit de grandes compositions religieuses.

MES FRUITS SONT POUR TOUS

J'ai usé de la même liberté que la nature, lorsqu'en suspendant les fruits aux arbres elle en donne à une branche plus ou moins qu'à une autre... Je n'ai pas été longtemps à les produire : il en a été comme en certains pays, où, grâce à la chaleur subite, tout pousse avec une telle rapidité qu'on peut faire la récolte un mois après avoir semé. En écrivant ces sept Sonates, j'éprouvais une ardeur telle que, sans négliger mes autres occupations, j'en ai fait une chaque jour, et qu'ainsi cet ouvrage, que j'ai commencé un lundi, était terminé le lundi de la semaine suivante. Je ne mentionne cette circonstance qu'afin que l'on ne s'attende pas à trouver ici des qualités rares et exceptionnelles. Il est vrai qu'on ne désire pas toujours des choses extraordinaires; nous mangeons souvent les plus simples fruits de nos champs avec autant de plaisir que les fruits étrangers les plus exquis et les plus rares, bien que ceux-ci coûtent fort cher et viennent de fort loin. Je sais qu'il y a des gourmets parmi les amateurs de musique qui n'admettent que ce qui vient de France ou d'Italie, — surtout quand le hasard leur a permis de respirer l'air de ces pays. Mes fruits sont à la disposition de tous; ceux qui ne les trouveront pas de leur goût n'ont qu'à chercher ailleurs. Quant aux critiques, elles ne leur seront pas épargnées; mais le poison des ignorants ne peut leur faire plus de mal qu'une rosée froide aux fruits mûrs.

PRÉFACE AUX FRUITS DU CLAVIER, 1700.

MONTEVERDI

MONTEVERDI (1567-1643), l'un des plus grands musiciens de tous les temps, est célèbre pour ses madrigaux, dont il publia neuf livres, qui témoignent de remarquables réussites harmoniques, mais surtout pour son opéra, Orfeo, *qui est le premier chef-d'œuvre du genre, où il allie à la perfection le style du récitatif aux ressources du contrepoint, de l'harmonie et d'une riche orchestration. Dans sa musique d'église, Monteverdi fit preuve d'un attachement aux traditions, qui l'égale à Palestrina. Il termina sa vie comme maître de chapelle à Saint-Marc de Venise.*

ADAPTER LES HARMONIES A LA SALLE

... Ce sera chose sainte d'aller voir le théâtre de Parme, pour pouvoir autant que possible adapter les harmonies divines convenables à la grandeur [de la salle], ce qui ne sera pas chose facile (suivant moi), de concerter les discours nombreux et variés que je trouve dans ce magnifique intermède[1], en attendant je travaille et j'écris, afin de pouvoir montrer ensuite à Votre Excellence Illustrissime quelque chose et la meilleure que je trouverai...

Au marquis Bentivoglio, Venise, 25 septembre 1627,
trad. J.-G. Prod'homme.

ARTHUS-AUX-COUSTEAUX

ARTHUS-AUX-COUSTEAUX (?-1656) occupa plusieurs charges de musicien ecclésiastique en Picardie, puis à la Sainte-Chapelle. Il écrivit des Noëls *et des* Cantiques spirituels, *mais aussi de la musique profane, non exempte d'inspiration courtisane, et eut la réputation d'un « pédant fieffé ».*

BIEN COMPOSER, POLIR ET CHANTER

Lecteur, je te prie d'agreer cette seconde partie d'un petit Ouvrage que j'ay donné au Public il y a long-temps : J'ay composé la première partie sur les douze Modes Naturels et Transposez, Harmoniques et Arithmetiques. Et la seconde aussi, sur les douze Modes, mais au Naturel seulement; je te prie d'en excuser les defauts : j'ay compose cecy pour le delasser de plus grands Ouvrages, et n'ay pas eu dessein de travailler pour les Maîtres, mais pour instruire les Escholiers : Ce n'est pas qu'il n'y ait des Maîtres, bien que tres habiles, qui apres avoir Composé sur deux ou trois Modes, ont une entiere satisfaction d'eux mesmes, ou qu'ils en soient rebutez par la difficulté : Et quand on leur dit qu'ils n'imitent pas ces

---

1. Pour les fêtes du mariage d'Odoardo Farnese.

illustres Anciens, Orlande, Claudin le Ieune, du Caurroy, et Bournonville, ils respondent que ce n'est pas là usage, et ainsi la mode du temps nous fait perdre l'usage des douze Modes; Modes, que nous pouvons appliquer aux passions, comme le Phrygien porte au desespoir, et le Dorien à la douceur, ce qui se peut voir dans le Solitaire second de Pontus de Thiard, et dans les escrits du Pere Mersene, pour ne pas parler des Anciens, ie ne sçaurois m'empescher de reciter icy, ce qui m'a esté rapporté d'un grand Maistre de notre siecle, qui depuis quelque temps ayant entrepris de faire une piece du cinquiesme Mode, que l'on appelle vulgairement quatriesme ton de l'Eglise, y a fait quelque cadence empruntée, ou irreguliere, voulant dire que c'est un Mode abondant, qui reçoit en luy toutes les autres cadences; ie te prie, Lecteur, de considerer si cela peut estre, et s'il se doit faire; Il a esté contraint pourtant de s'excuser à quelqu'un de ses Auditeurs qu'il n'y cognoist gueres; C'est un de ces Admirateurs ignorants, qui apres avoir entendu trois ou quatre belles voix, avec les Luths, les Thuorbes, les Violes, et les autres Instruments bien touchez pour suppleer au defaut de la Musique, s'en vont haussant les yeux et les espaules, disant par tout, Qu'il ne faut plus rien entendre apres ces merveilles : Ceux qui les croiroient en demeureroient là, et mespriseroient tous les autres Compositeurs : Ils disent pour toutes ces raisons que la Musique n'est faite que pour contenter l'oreille de ceux qui n'y cognoissent rien, mais je leur respond que si la Musique mal composée et bien chantée nous plaist, à plus forte raison nous doit plaire et agreer davantage, celle qui est bien composée, bien polie, et bien chantée. La Musique se doit faire pour trois fins; La première pour attirer l'attention des Auditeurs par une belle et agréable harmonie accomodée au sujet; la seconde, pour plaire aux Chantres, par des chants qui les puissent animer à bien chanter, non pas comme des Enfants de Chœur, à qui l'on apprend le plus souvent à chanter leur Partie avec des larmes : La troisiesme, pour les yeux des Maistres, voyans la Partition d'une piece bien commencée, par un bon devant, un bon present et un bel apres, et continuée de la sorte jusques à la cadence finale, qui est le verbe du discours. Voilà ce que j'ay appris des bons Maistres, qui ne disent pas que la Musique ne consiste qu'en deux ou trois belles voix, qui sont capables de faire passer la plus meschante Musique pour bonne, par les ornements qu'elles y apportent; comme les voix de Messieurs Berthod, Hedouïn, le Gros, et plusieurs autres, qui font esclater les chants de quelques Maistres du siecle, qui sans eux n'auroient pas tant de reputation; tels Maistres ne reçoivent d'ordinaire dans leurs concerts que ceux qui n'en sont qu'Amateurs et non pas cognoissans; Ils ne trouvent jamais de lieux assez favorables pour faire chanter leur Musique, ayant tousjours quelque chose à redire; tantost l'Eglise est trop haute, la salle est trop basse, ou il faudroit oster la tapisserie : Bref, ils ne sçavent à quoy s'en prendre, et comme ils ne cognoissent pas leurs deffauts ils ayment tellement leurs Ouvrages qu'ils ne trouvent rien de bon que ce qu'ils font, et n'y veulent pas introduire les cognoissans de peur de n'estre pas approuvez. Ie n'ay pas entrepris, Lecteur, de te marquer les fautes de leur Musique afin qu'ils excusent les miennes; je ne reprens que leur vanité, et me soumets librement à la Censure.

Au lecteur, SUITE DE LA PREMIÈRE PARTIE DES QUATRAINS DE M. MATHIEU..., 1652.

LE PÈRE FRANÇOYS (XVIIe s.)

LOIS HARMONIQUES ET BONNE GRACE

La *musique* est un chant recueillant harmonieusement en soy des paroles bien dites, mesurées en quelque gracieuse cadence de rime, ou balancées en une inégale égalité, doucement pêlemêlant les sons graves et aigus, bas et haut, fendans et perçans, ou rabbatus, etc.

La *gamme* est une échelle assise sur les jointures de la main gauche, où sont les clefs qui font l'ouverture du chant!

Consonnance est un heureux rencontre de deux sons ou plus, qui sont mesurables, et ont je ne sçay quelle affinité et bonne intelligence, d'où ce fait une alliance ou douce confusion, et un heureux meslange d'où naist la consonnance et accord qui contente l'oreille : mais s'ils ne s'accordent et que chacun fasse son cas à part, se voulant porter tout entier à l'oreille, sans s'allier à l'autre, à l'heure ils sont receus aigrement de l'oreille, et font un fascheux discord et dissonnance qui blesse l'oreille et effarouche l'ouye.

Les anciens compositeurs ne faisaient que des carmes à certaine cadence de pieds, puis y adjoustaient quelque air, et c'estoit tout; depuis on y adjousta des loix harmoniques, puis des modes Doriennes, Phrygiennes et Lydiennes, et avec des tourdions, meslant cela de bonne grâce.

La belle forme estoit jadis fort simple, car peu de chordes, la simplicité et gravité estoit l'excellence de la musique; ils n'aimoient point ces chansons fertillardes, ces fredons sur fredons, ces voix forcées qui se guindent jusqu'au ciel, et se précipitent jusqu'aux abysmes d'enfer, devalant par mille crochets, defigurant le visage au hasard de perdre l'haleine et la vie, et mille telles singeries qu'ils ne pouvoient souffrir, nommant cette musique effemmée et affectée : ainsi ils s'abstenoient des chants rompus et diminués, n'estimant rien que la bonne grâce.

ESSAY DES MERVEILLES DE NATURE ET DES PLUS NOBLES ARTIFICES..., 1621.

LECERF DE LA VIÉVILLE (XVIIe s.)

L'EXPRESSION MUSICALE

La Musique d'un Motet, qui en est pour ainsi dire le corps, doit être expressive, simple, agréable. (Le naturel fera partie de chacune de ces trois qualitez en particulier.) Elle sera différente seulement de la Musique prophane, en ce qu'elle devra avoir les deux premiéres en un degré plus éminent, & se soucier moins de la troisiéme. Et la décision de saint Augustin pour lui-même, est une raison sans replique de ceci. *Lors qu'il arrive*, dit-il [1], *que le chant me touche davantage que ce que l'on chante, je confesse avoir commis un péché qui mérite châtiment.* Or l'expression & la simplicité feront prendre plaisir principalement à ce qui sera chanté : l'agrément feroit prendre plaisir principalement au chant.

La Musique d'Eglise doit être expressive. Les règles que nous nous sommes établies la mènent là bien certainement. N'est-il pas évident que plus ce qu'on craint est terrible : & plus nos sentimens veulent être exprimez d'une manière vive & marquée ? Or où est-ce qu'on craint & qu'on souhaite de si grandes choses ? Les passions d'un Opéra sont froides,

1. *Conf.*, l. X, ch. 33, trad. d'And.

au prix de celles qu'on peint dans notre Musique d'Eglise : je ne compte point le ridicule des unes et la solidité des autres. Je parle en Critique, & point en Prédicateur : je les compare les unes aux autres, telles que chacun les estime de son côté, & je soutiens que, par les seules régles d'une juste proportion, les sentimens de nos Motets, étans infiniment plus importans que ceux de nos Airs, exigent une expression infiniment plus forte. Qu'est-ce que c'est que les passions de nos Opera ? La crainte de déplaire en découvrant son amour, un dépit, une jalousie, la douleur de n'être point aimé, le ressentiment de quelque mépris, la fureur d'être abandonné, ou sacrifié à un Rival; au plus, un désespoir qui fait desirer la mort, & qui force le Heros à se la donner de sa propre main. Cela est tantôt badin, tantôt un peu plus sérieux. Mais cela aproche-t-il des intérêts qui font parler le Chrétien ? Un jugement irrévocable & sans apel, un bonheur sans fin & sans mesure, une éternité de tourmens épouvantables, cette inévitable nécessité d'avoir, peut-être à l'instant, une de ces deux destinées, dont la simple pensée rend indifférens tous les états de la vie, cette oposition perpetuelle entre la bassesse, l'ingratitude de l'Homme, & la bonté, la grandeur incompréhensibles de Dieu. Quelles idées, quelles images, & quels tons puissans faut-il pour marquer une crainte & une espérance, qui ne regardent jamais de moindres objets que ceux-là! Un libertin de bon goût, qui ne croiroit rien, mais qui suposeroit ce Systéme, comme on supose en Poësie le Systême de la Théologie Payenne, avoueroit volontiers qu'un Motet qui roule là-dessus a toûjours à apréhender de n'être pas assez expressif. *Ergo scientiam modulandi jam probabile est esse scientiam bene movendi*[1]. La Science de la Musique, & de la Musique d'Eglise plus que de la prophane, n'est autre chose que la science d'émouvoir vivement & à propos.

Mais il se présente ici une difficulté. Dans l'envie d'être expressif que doit avoir le Compositeur, ne visera-t-il qu'à exprimer le sens général des paroles de son Motet, ou descendra-t-il à l'expression particuliére de chaque verset, & puis de chaque mot ? Il est constant que la plupart des Pseaumes, des Cantiques, &c. ont une espèce de dessein, une passion qui domine, & à laquelle tous les autres sentimens viennent aboutir : Je croirois que le Compositeur doit suivre principalement celle-là, & selon que les autres y ont plus ou moins de raport, les faire plus ou moins sentir. Par exemple, la tristesse régne dans le Pseaume 50. *Miserere mei, Deus.* S'il s'y rencontre quelque passage de joye; comme en effet, le Prophéte y marque en passant celle qu'il aura, lorsque Dieu lui

---

1. Saint Augustin, *De Music.*, l. I.

aura pardonné; je coulerois plus légérement sur ce sentiment étranger. Je n'apuyerois pas sur un bonheur éloigné, un bonheur en esperance, *exultabunt ossa humiliata,* comme sur un bonheur present & assuré, tel que David le décrit dans le Pseaume 147. *Lauda, Jerusalem, Dominum.* Il me semble que l'expression particuliére de chaque Verset doit être ainsi liée & subordonné à l'expression générale du Pseaume. Néanmoins, quand le Verset est d'un chant singulier, ou beaucoup plus vif que le reste, quand le Prophète lui-même a voulu faire une oposition de mouvemens, ou quand il raporte les sentimens & les discours de plusieurs personnes, ce qui lui arrive quelquefois : on doit sans doute s'attacher à donner à ces Versets une expression singuliére & remarquable, & le génie du Musicien peut se déployer & briller là par une variété féconde. Pour les mots, il y auroit & de la puérilité & de la contrainte, à vouloir les exprimer tous à part. Je dis même certains mots distinguez dans toutes les Langues, & ausquels les Musiciens ont égard d'ordinaire. Ce seroit une petitesse que de n'oser passer *Fluvius* & *Fulgur,* sans y mettre des roulemens, parce qu'il est vrai que les roulemens sont propres à peindre le cours d'un Fleuve & la chute du Tonnerre. Ce sont des mots privilégiez, & il y en a quantité d'autres de ce genre, sur lesquels le Musicien a une espéce de droit de s'égayer par l'autorité de l'usage. Qu'il en profite s'il veut, j'y consens. Mais de même qu'on lui pardonnera de s'y amuser & d'y couler un petit ornement, pourvû que cela n'aille pas au badinage; on lui pardonnera, & plus aisément encore, de les négliger, pourvû que cela n'aille pas à la sécheresse. Ce qui rend les expressions des mots belles, & l'art de les placer [1]. *Est autem quid deceat Oratori videndum, non in sententiis solum, sed etiam in verbis.* Lors qu'elles fortifient l'expression du Pseaume entier, lors qu'elles remplissent & qu'elles animent un verset, qui sans elles seroit languissant : lors qu'elles ont quelque nouveauté ou quelque grace qui ne nuit à rien, qu'on en use. La plus haute habileté du Musicien consiste à y observer un milieu raisonnable. C'est une régle universelle pour tous les beaux Arts, &, si je ne me trompe, pour toutes les choses du monde, que je tâche d'établir, depuis le premier Dialogue, & avec laquelle on ne s'égarera point : *Virtus est medium, & utrimque reductum,* dit cet Homme [2], dont le bon sens décide si souvent nos questions. Qu'un milieu raisonnable soit la mesure de ces divers genres d'expression, qui peuvent embarasser un Compositeur de Musique Latine.

Elle doit être simple, & parce qu'autrement elle ne seroit

---

1. Cicéron, *Orator.*
2. *Du Royaume de Siam,* t. I, p. 519.

pas expressive, ni agréable, & parce que les raisons de bienséance que nous avons expliquées au premier Article, lui prescrivent une grande simplicité. Le respect dû à Dieu, à son Temple, à son Ecriture, à ses Fêtes, ne souffre pas qu'on babille. Il demande une éloquence courte & resserrée.

Enfin, elle doit être agréable. Je me sers de ce terme pour comprendre la mélodie & l'harmonie sous un même mot. Puis qu'il a plû à nos Musiciens, que la mélodie [1] fût *un chant mélodieux d'une partie seule,* & l'harmonie, *une convenance de sons de plusieurs parties,* je me soûmets à cette définition : quoique les Dictionnaires, & celui de Trevoux même, sçavant & abondant en définitions de Musique, ne s'y arrêtent pas, & que *mélodie* ne soit guéres en usage. J'entends donc par agréable, qu'un Motet doit être mélodieux & harmonieux. Ce n'est pourtant que par tolerance, & pour compatir à notre foiblesse que l'agrément est renfermé dans l'idée d'un bon Motet; car, à la rigueur, il lui suffiroit d'être expressif & simple. Mais un Motet est chanté devant des Auditeurs, dont les oreilles sont bien aises d'être flatées, en même tems que le cœur est touché. Il n'est pas défendu au Compositeur de tâcher de leur donner ce second plaisir de plus : à la bonne heure quand il peut obéir tout ensemble à la grande loi, qui est d'exprimer, & à la seconde, qui est de plaire. C'est à lui à voir quels ornemens peuvent convenir si naturellement & si juste à ses paroles, qu'ils y paroissent presque nécessaires, & qu'ils y joignent l'agrément à l'expression, & il a la liberté d'user de ces ornemens. Mais qu'il se souvienne toûjours que l'expression est un devoir, & l'agrément une grace. Ses Auditeurs euxmêmes le mépriseront, s'il quitte l'essentiel pour le surabondant, & si le soin de chatouiller les oreilles, le détourne d'aller à leur cœur. Dans la Musique des Opera, le badinage est fade & grotesque : dans celle d'Eglise, il l'est bien davantage, & il est outre cela impie & odieux.

COMPARAISON DE LA MUSIQUE ITALIENNE ET DE LA MUSIQUE FRANÇAISE, 1705-1706.

1. *De divinâ Psalmod.,* cap. 17.

LULLI

LULLI (1632-1687) est, par excellence, le musicien du Grand Siècle. Amené d'Italie par de Guise, en 1644, il s'illustra comme violoniste et fut nommé compositeur du roi, par Louis XIV, en 1653. Il créa la compagnie des Petits-Violons, se réserva la composition des ballets de la Cour et se fit octroyer le privilège de l'Opéra. Il installa son théâtre, rue de Vaugirard, puis au Palais-Royal. Il composa, à partir de 1673, un opéra par an, la plupart du temps sur des livrets de Quinault. Longtemps son Thésée, *son* Amadis, *sa* Proserpine *furent réputés des chefs-d'œuvre. Ses musiques de scène sur des pièces de Molière sont toujours pleines de charme. Il est aussi l'auteur de musiques religieuses généralement méconnues. L'art de Lulli est tout classique d'expression, mais aussi varié par les sentiments et l'invention technique. Ses qualités harmoniques sont remarquables, son orchestration parfois curieuse, ses mélodies d'une ligne toujours impeccable. Lulli peut être considéré comme le père de l'Opéra en France.*

AU-DESSUS DES RÈGLES ET DES PRÉCEPTES[1]

Il a sçù parfaitement les régles de son art; mais au lieu que ceux qui l'ont précédé n'ont acquis de la réputation que pour les avoir bien observées dans leurs ouvrages, il s'est particulièrement distingué en ne les suivant pas, et en se mettant au-dessus des règles et des préceptes. Un faux accord, une dissonance, étoit un écueil où échouaient les plus habiles, et ç'a esté de ces faux accords et de ces dissonances que M. de Lully a composé les plus beaux endroits de ses compositions, par l'art qu'il a eu de les préparer, de les placer et de les sauver.

PERRAULT, *Les Hommes illustres...*

---

1. Les quelques lettres connues de Lulli ne traitent pas de son art. Perrault et, surtout, Lecerf de La Viéville nous ont paru fort susceptibles de combler cette lacune.

COMMENT IL TRAVAILLAIT

Lulli s'était non pas associé, mais attaché Quinaut : c'était son Poëte. Quinaut cherchait et dressait plusieurs sujets d'opéra. Ils les portaient au roi, qui en choisissait un. Alors Quinaut écrivait un plan du dessein et de la suite de sa pièce. Il donnait une copie de ce plan à Lulli, et Lulli voyant de quoi il était question en chaque acte, quel en était le but, préparait à sa fantaisie des divertissements, des danses et des chansonnettes de bergers, de nautoniers, etc. Quinaut composait ses scènes : aussitôt qu'il en avait achevé quelques-unes, il les montrait à l'Académie française, dont vous savez qu'il était : après avoir recueilli et mis à profit les avis de l'Académie, il apportait ces scènes à Lulli.

... Vous croiriez que Lulli recevait les scènes de Quinaut sans y regarder après de si habiles réviseurs, nenni. Il ne s'en reposait nullement sur leur autorité. Il examinait mot à mot cette poésie revue et corrigée, dont il corrigeait encore, ou retranchait la moitié, lorsqu'il le jugeait à propos. Et point d'appel de la critique. Il fallait que son poète s'en retournât rimer de nouveau. Dans *Phaëton,* par exemple, il le renvoya vingt fois changer des scènes entières, approuvées par l'Académie française. Quinaut faisait Phaëton dur à l'excès, et qui disait de vraies injures à Théone. Autant de rayé par Lulli. Il voulut que Quinaut fît Phaëton ambitieux, et non brutal; et c'est à Lulli, mesdames, que votre sexe doit le peu de galanterie que conserve Phaëton, qui, sans lui, aurait donné de fort mauvais exemples. M. de Lile Corneille est auteur des paroles de *Bellerophon.* Lulli le mettait à tout moment au désespoir. Pour cinq ou six cents vers que contient cette pièce, M. de Lile fut contraint d'en faire deux mille. A la fin, Quinaut se mordait si bien les doigts, que Lulli agréait une scène. Lulli la lisait, jusqu'à la savoir par cœur : il s'établissait à son clavecin, chantait et rechantait les paroles, battait son clavecin, et faisait une basse continue. Quand il avait achevé son chant, il se l'imprimait tellement dans la tête qu'il ne s'y serait pas mépris d'une note. Lalouette ou Colasse venaient, auxquels il le dictait. Le lendemain il ne s'en souvenait plus guère. Il faisait de même les symphonies, liées aux paroles; et dans les jours où Quinaut ne lui avait rien donné, c'était aux airs de violon qu'il travaillait.

NE JAMAIS PERDRE L'INSTANT PROPICE

Lorsqu'il se mettait au travail, et qu'il ne se sentait pas en humeur, il quittait très souvent, il se relevait la nuit pour aller à son clavecin; et en quelque lieu qu'il fût, dès qu'il était pris de quelque saillie, il s'y abandonnait. Il ne perdait jamais un bon moment. Méthode très habile et très sensée; car il est constant qu'un bon moment bien pris et bien employé, vaut mieux et mène plus loin qu'une journée d'application à contrecœur. Il faisait un opéra par an; trois mois durant, il s'y appliquait tout entier, et avec une attache, une assiduité extrême. Le reste de l'année, peu. Une heure ou deux de fois à autre, des nuits qu'il ne pouvait dormir, des matinées inutiles à ses plaisirs. Il avait pourtant toute l'année l'imagination fixée sur l'opéra qui était sur le métier ou qui venait d'en sortir : pour preuve de quoi, si l'on obtenait de lui qu'il chantât, il ne chantait d'ordinaire que quelque chose de celui-là...

UN CARACTÈRE INDÉPENDANT

... Lulli, ce qui est à remarquer, n'avait ni aide, ni ressource dans autrui. Il ne tirait nul secours des lumières ni des conseils de personne : secours si utile, ou plutôt si nécessaire aux auteurs les plus éclairés. Nous ne le louerons pas de cela. Je vous dirai même qu'il avait une brusquerie dangereuse, qui ne lui laissait pas la patience d'écouter ce qu'on aurait eu à lui remontrer, et par où il devenait incapable de recevoir des avis. Sur la musique, plus que sur aucun autre sujet, il aurait été impatient et indocile... Il avouait que si on lui avait dit que sa musique ne valait rien, il aurait tué celui qui lui aurait fait un pareil compliment. Il ne risquait rien, ajoute Furetière, de ne marquer de la colère que dans cette occasion. Il n'en a pas été la peine. Néanmoins c'était un défaut, qui pourrait le faire soupçonner de vaine gloire et de présomption, si l'on ne savait pas d'ailleurs qu'il n'en avait aucune. Défaut honteux à un grand homme, et qui certainement lui a été préjudiciable. Tout admirable qu'il est, il s'est égaré en plusieurs endroits : un peu de docilité pour deux ou trois censeurs raisonnables l'aurait redressé. Mais est-il un homme sans défauts et encore un poète ou un musicien ? Il avait une espèce de raison pour s'excuser qu'il ne consultait personne sur les opéras qu'il allait mettre au jour, c'est que le roi lui faisait l'honneur d'être jaloux d'en avoir l'étrenne : le roi ne voulait point qu'on eût le plaisir de les voir avant lui. Il n'y avait que M. le comte de Fiesque, de l'amitié duquel Lulli s'honorait, comme M. le comte de Fiesque s'honorait de l'estime de Lulli, qui en vît quelques morceaux; non par considération que Lulli eût pour sa naissance, mais peut-être parce qu'il aimait à les entendre chanter à M. le comte de Fiesque, dont Benserade disait :

Et les rochers le suivent quand il chante...

IL MÈNE SON POÈTE PAR LA MAIN...

Et quelle fidélité! M. de Fiesque n'aurait pas fait passer en main tierce pour quatre souris et six regards obligeants d'une déesse la moindre chanson de Lulli, avant que la première représentation de l'opéra l'eût rendue publique. Feraulas n'avait pas plus de discrétion sur les secrets de l'amour du grand Cyrus, que M. de Fiesque sur la musique de Lulli.

C'est ainsi que se composait par Quinaut et par Lulli le corps de l'opéra, dont les paroles étaient faites les premières. Au contraire, pour les divertissements, Lulli faisait les airs d'abord, à sa commodité et à son particulier. Il y fallait des paroles. Afin qu'elles fussent justes, Lulli faisait un canevas de vers, et il en faisait aussi pour quelques airs du mouvement. Il appliquait lui-même à ces airs de mouvement et à ces divertissements, des vers, dont le mérite principal était de cadrer en perfection à la musique, et il envoyait cette brochure à Quinaut, qui ajustait les siens dessus. De là est venu que ces petites paroles des opéras, et qui y sont fréquentes, comme je l'observais tantôt, conviennent toutes si parfaitement au chant, dans leur brièveté et dans leur douceur. Le musicien avait le soin et le talent de mener le poète par la main. Quinaut a été très utile à Lulli, on ne saurait en douter : mais outre que Lulli donnait quatre mille francs à Quinaut pour un opéra, et le roi deux, récompense déjà honnête pour un rimeur, et que les rimeurs d'aujourd'hui n'attraperaient pas, Lulli a été de son côté de quelque utilité à Quinaut pour les paroles. Il a contribué à la gloire que Quinaut s'est acquise par elles; et si la conduite des pièces n'était pas encore meilleure qu'elle n'est, ce n'était point la faute de Lulli...

... SON ŒUVRE JUSQU'AU PUBLIC...

Lulli savait aussi parfaitement faire exécuter un opéra et en gouverner les exécuteurs que le composer.

Du moment qu'un chanteur, une chanteuse, de la voix desquels il était content, lui étaient tombés entre les mains, il s'attachait à les dresser avec une affection merveilleuse. Il leur enseignait lui-même à entrer, à marcher sur le théâtre, à se donner la grâce du geste et de l'action. Il payait un maître à danser à La Forêt, et il forma ainsi de sa main Dumesnil, qui avait passé de la cuisine au théâtre, ce que les railleries perpétuelles de la Comédie italienne, et surtout le *Persée cuisinier,* ont assez appris à toute la France...

Quelque exercés que fussent les acteurs de Lulli par les opéras précédents, lorsqu'il les chargeait d'un rôle nouveau et difficile, il commençait par le leur montrer dans sa chambre, avant les répétitions générales. De cette sorte Beaupui jouait d'après lui le personnage de Protée dans *Phaëton*, qu'il lui avait montré geste pour geste. On répétait enfin. Il ne souffrait là que les gens nécessaires, le poète, le machiniste, etc. Il avait la liberté de reprendre et d'instruire les acteurs et les actrices : il leur venait regarder sous le nez, la main haute sur les yeux, afin d'aider sa vue courte, et ne leur passait quoi que ce soit de mauvais. On s'étonne que depuis sa mort on ait moins vu d'acteurs bons comédiens que de son temps : c'est qu'il faut aujourd'hui qu'ils se fassent, ce qui est long et difficile, au lieu que Lulli les formait. Pour son orchestre, vous aurez peut-être ouï dire qu'il avait l'oreille si fine que du fond du théâtre il démêlait un violon qui jouait faux, il accourait et lui disait : « C'est toi, il n'y a pas cela dans ta partie. » On le connaissait, mais on ne se négligeait pas, on tâchait d'aller droit en besogne, et surtout les instruments ne s'avisaient guère de rien broder. Il ne le leur aurait pas plus souffert qu'il le souffrait aux chanteuses. Il ne trouvait point bon qu'ils prétendissent en savoir plus que lui, et ajouter des notes d'agrément à leur tablature. C'était alors qu'il s'échauffait, faisant des corrections brusques et vives. Il est vrai que plus d'une fois en sa vie il a rompu un violon sur le dos de celui qui ne le conduisait pas à son gré. La répétition finie, Lulli l'appelait, lui payait son violon au triple, et le menait dîner avec lui. Le vin chassait la rancune, et l'un avait fait un exemple; l'autre y gagnait quelques pistoles, un repas et un bon avertissement. Mais le soin qu'avait Lulli de ne mettre dans son orchestre que des instruments d'une habileté connue, l'exemptait d'en venir souvent à ces corrections. Il n'en recevait point sans les éprouver; et pour les éprouver, il avait coutume de leur faire jouer les songes funestes d'*Atys*. C'était la mesure de la légèreté de main qu'il leur demandait. Vous voyez que ce terme de vitesse est raisonnable et borné.

Lulli se mêlait de la danse presque autant que du reste. Une partie du *Ballet des Fêtes de l'Amour et de Bacchus* avait été composée par lui, l'autre par Desbrosses. Et Lulli eut presque autant de part aux ballets des opéras suivants que Beauchamp. Il réformait les entrées, imaginait des pas d'expression et qui convinssent au sujet; et quand il en était besoin, il se mettait à danser devant ses danseurs pour leur faire comprendre plutôt ses idées. Il n'avait pourtant point appris, et il ne dansait qu'ainsi de caprice et par hasard; mais l'habitude de voir des danses et un talent extraordinaire pour tout ce qui appartient aux spectacles le faisaient danser, sinon avec une grande politesse, au moins avec une vivacité très agréable...

... *AVEC UNE MERVEILLEUSE AUTORITÉ*

... Lulli avait par là une merveilleuse autorité dans la république musicienne. Ses gens qui étaient tous les jours frappés de près de la force de ses talents, et qui le voyaient si audessus d'eux pour toutes les choses où ils s'appliquaient les uns les autres, ne pouvaient pas se dispenser de le respecter et de le craindre. Mais outre cette première autorité, outre celle que lui donnaient encore ses charges, ses richesses, sa faveur, son crédit, il avait deux maximes, qui lui attiraient une extrême soumission de la part de ce peuple musicien, qui est d'ordinaire pour ses conducteurs ce que les Anglais et les Polonais sont pour leurs princes. — *Lulli payait à merveille, et point de familiarité.* Au regard de la familiarité, ce n'était pas qu'il ne fût bon et libre, il l'était et nous l'avons dit. Il se faisait aimer de ses acteurs, et ils soupaient ensemble de bonne amitié, cependant il n'aurait pas entendu raillerie avec les hommes qui auraient abusé de ses manières sans façon, et il n'avait jamais de maîtresse parmi les femmes.

LECERF DE LA VIÉVILLE, *La Comparaison de la musique italienne et de la musique française*, 1705.

Amphion. Gravure d'après un projet d'Antoine Caron.

Un *concert*. Le Titien (1489-1576). National Gallery, Londres.
(Cliché Hanfstaengl - Giraudon).

PURCELL

PURCELL (1659?-1695) a été appelé le « prince des musiciens anglais ». Très fécond, il composa de la musique religieuse anglicane, un grand nombre de pièces instrumentales, des cantates, des trios, des sonates et six opéras, dont Didon et Enée, *qui est réputé son chef-d'œuvre.*

POUR LES AMES MUSICALES

Plutôt que de célébrer, dans une savante harangue, la beauté et les charmes de la musique (laquelle se recommande d'elle-même par l'intermédiaire d'une main habile et d'une voix angélique mieux que par les artifices recherchés d'un panégyrique), je ne dirai dans cette préface que peu de choses au sujet de cet ouvrage et de son auteur. L'auteur a fidèlement tenté une juste imitation des plus fameux maitres italiens, ceci surtout afin de faire apprécier le sérieux et la gravité de cette sorte de musique à nos compatriotes dont l'humeur devrait commencer à être excédée de la frivole légèreté de nos voisins. Il confesse que cette tentative est hardie et audacieuse, car nombreux sont les artistes dont la plume, d'une éminente habileté, serait bien mieux qualifiée que la sienne pour un tel travail, mais il espère néanmoins que ses faibles efforts les inciteront à tenter eux-mêmes en temps voulu, et plus dignement, cette entreprise. Il avoue sans honte sa gaucherie dans le langage italien, gaucherie due au malheur de son éducation qu'on ne saurait lui imputer sans injustice; mais il peut affirmer pourtant qu'il ne se trompe pas en plaçant à leur juste hauteur l'élégance et le pouvoir du style italien qu'il recommande aux artistes anglais. Aucun effort et aucun soin n'ont été négligés, tant dans l'invention que dans la mise en œuvre de cet ouvrage, lequel aurait vu le jour beaucoup plus tôt si l'auteur n'eût finalement jugé convenable de publier toute la basse chiffrée, ce qui n'était point tout d'abord dans ses intentions. Il lui reste seulement à informer le lecteur anglais qu'il se trouvera en présence de quelques termes qu'il n'a peut-être pas accoutumé de lire et dont les principaux suivent : *Adagio* et *Grave,* qui indiquent simplement un mouvement très lent : *Presto, Largo, Poco Largo* ou simplement *Largo,* qui indiquent un mouvement modéré; *Allegro* et *Vivace,* un mouvement très vif, animé et rapide; *Piano,* qui signifie doux. L'auteur n'a plus rien à ajouter, si ce n'est son vœu très sincère que ce livre puisse ne tomber que dans les mains de ceux dont l'âme est musicale, car il se flatte de croire que, pour eux, son œuvre ne sera ni déplaisante ni inutile.

PRÉFACE DES SONATES A TROIS, 1683.

ABBÉ PLUCHE

L'abbé PLUCHE (1688-1761) fut l'un des philosophes du début du XVIIIe siècle, qui entendirent prouver à travers l'ordre de la Nature l'excellence de la création divine. Son Spectacle de la Nature *n'en laisse pas moins la théologie pour parler de la musique de son siècle.*

LA MUSIQUE EST UNE PAROLE

Comme la parole est le signe de nos pensées, l'écriture est le signe de la parole. L'une non plus que l'autre n'a donc pour premier & principal but que l'instruction.

Il en est de même de la musique & de la peinture, qui tiennent un si beau rang parmi les arts. La musique est une parole, & la peinture une façon d'écrire. Si elles procurent la satisfaction de l'œil & de l'oreille, c'est pour rendre leurs leçons plus efficaces par l'agrément qui les accompagne; mais sitôt qu'elles prétendent plaire sans instruire, ne commencent-elles pas de ce moment à dégénérer ? ne manquent-elles pas le but auquel elles tendent par leur institution ? Cette question est belle : & c'est l'unique point de ces arts si étendus que nous traiterons ici, en laissant aux grands maîtres le soin d'en enseigner le fond & la pratique.

Il n'y a personne à qui il ne soit permis d'y prendre quelque goût : & comme sans être poëte on peut très-bien sentir la difference qu'il y a de Virgile, qui peint la nature, à Lucain qui fait montre d'esprit; on peut sans être musicien sentir les vraies beautés de la musique, & juger sainement du mérite des musiciens. Mais ne risquons ni de leur attribuer aucune méprise, ni de vouloir donner à l'un aucune préférence sur un autre; qu'à l'aide d'une régle lumineuse qui soit avouée des musiciens mêmes, & qui décide de la juste valeur de leur méthode. Nous pouvons chercher cette régle ou dans les prétentions des plus grands maîtres, ou dans des idées universellement reçues, & sur-tout dans les besoins de la société. La décision des grands maîtres paroît peu propre à nous instruire sur ce que nous cherchons. Ils sont trop divisés de sentimens.

M. RAMEAU PERFECTIONNE L'HARMONIE

M. Rameau, après avoir fait une étude profonde de l'harmonie & des moyens de la perfectionner, a porté cette partie de la musique à une hardiesse de composition & à une liberté d'exécution, où les Italiens mêmes ne paroissent pas l'avoir amenée. Les applaudissemens qu'on a donnés avec justice au savoir de cet homme célébre ont fait bien des jaloux, bien des imitateurs, & conséquemment bien de mauvais copistes.

MM. DE LA LANDE, COUPERIN ET D'AUTRES : SERVIR LA MÉLODIE

D'une autre part MM. de la Lande, Mourèt, de Bouffèt, Couprin, d'Agincourt, le Clerc, & d'autres maîtres de la première réputation, dont plusieurs sont encore vivans, ont toûjours prétendu que le premier mérite de la musique étoit la belle mélodie ou le beau chant; parce que c'est le chant qui fait le goût & le caractère de la piéce; mais que la mélodie étoit ou incompatible ou méconnoissable, soit avec une rapidité extrême, soit avec une trop forte charge d'accords, & d'ornemens; qu'ainsi le beau chant étant noyé dans ces vîtesses modernes ou banni totalement de la musique nouvelle, elle cessoit d'être raisonnable; que le mépris qu'on y faisoit du chant étoit porté au point de prendre indifféremment celui qui avoit le moins de conformité avec le caractère du sujèt; mais que c'étoit une méprise étrange de penser que le feu & l'harmonie pussent suffire pour rendre une musique completement belle quelqu'en fût le chant; qu'autant vaudroit mettre l'air de Nicolas Gardien en quatre parties, & invoquer la paix en grand concert sur l'air des niais de Sologne. Ce qu'ils ajoûtent semble encore plus pressant. Ils disent que comme nous naissons tous un peu géométres, ou amis de la simétrie & des mesures, nous naissons tous musiciens les uns plus les autres moins; que le premier pas de notre musique & de celle de tous les peuples qui ont eu quelque culture, a été de former un chant : & le second pas, de nourir & de relever ce chant par d'agréables consonances; qu'ainsi l'armonie est une beauté de second ordre, & nécessairement subordonnée à la première; que c'est une suivante qui doit être attentive à aider, à produire, à faire valoir sa maîtresse, non à la cacher; moins encore à la détruire.

UNE MUSIQUE DIABOLIQUE

Tous nos grands mélodistes conviennent du rare talent de M. Rameau pour l'harmonie; mais ils prétendent qu'une nouveauté, un procédé qui réussit à un grand génie, nous inonde souvent de mauvais imitateurs, & peut tout à coup introduire une mode ridicule, ou une manière pleine d'affectation; qu'il en est du désordre de la musique comme de celui du bel esprit; que l'un & l'autre sont les deux maladies du siècle, causées toutes les deux par la contagion de l'exemple; que le brillant de cette musique légère a rempli d'émulation la plûpart de nos compositeurs, qui se croyent à présent autant d'aigles, à proportion de la rapidité de leur vol & de la difficulté qu'on éprouve à les suivre; d'où nous est venue la nouvelle musique, la musique difficile, & qu'ils appellent eux-mêmes Diabolique; mais que toutes ces vivacités de nouvelle introduction, quand elles rouleroient toûjours à quatre parties, quand elles petilleroient comme un torrent d'étincelles, ne sont, après tout, si le chant y manque, rien de plus que des bluettes, un assortiment de feu violèt, des bagatelles harmonieuses. Ils font encore entendre leur pensée d'une autre sorte. La mélodie, disent-ils, est au sujèt qu'on traite ce que l'habit est au corps qu'on veut parer; & l'harmonie est au chant ou à la mélodie, ce que la doublure & les ornemens sont à l'habit. Les ornemens peuvent relever la coupe & le goût d'un bel habit, si on les y mèt avec ménagement, ou bien ils cacheront l'habit si on les prodigue. Quatre parties vives & légères, mais destituées de chant, sont quatre rangées de fanfioles[1] cousues ensemble & attachées sur un sac. Il ne peut provenir de-là ni un bel habit, ni une belle musique. Telle est la querelle des premier maîtres de l'art.

MM. GUIGNON ET BAPTISTE : POUR OU CONTRE LA VIRTUOSITÉ

Même partage parmi ceux qui dirigent nos plus beaux concerts. M. Guignon persuadé que la musique est faite pour tirer l'homme de l'ennui, a choisi la méthode la plus propre à l'amuser & à le surprendre. Le jeu de cet habile artiste est d'une légèreté admirable; & il prétend que l'agilité de son archèt rend au Public un double service, qui est de tirer les Auditeurs de l'assoupissement par son feu, & de former, par le travail de l'éxécution, des concertans qu'aucune difficulté n'arrête. Il ne pouvoit, semble-t-il, autoriser sa conduite de motifs plus nobles & plus satisfaisans.

M. Baptiste au contraire n'approuve point cette ambition de dévorer toute sorte de difficultés, ou s'il la croit utile à quelque chose, il est bien éloigné de la regarder comme la route de la perfection. C'est selon lui aller arracher péniblement quelques perles baroques au fond de la mer; pendant qu'on peut trouver des diamans à la surface des terres. Il ne conclut rien à l'avantage d'une piéce de ce que l'éxécution en paroît prodigieuse, & il mèt au premier degré de son estime ce qui plaît surement à l'Auditeur. Il cherche, dit-il souvent, non ce qui fait suer le musicien, non ce qui éblouit l'assistant par la légèreté, ou l'étourdit par le fracas; mais ce qui est en possession de le toucher, de le ravir. Baptiste applique à sa musique ce qu'on a dit de la poésie[2]; que c'est peu de

1. Garnitures de mode.
2. « Non fatis est pulchra esse poemata : dulcia sunto : Et quocumque volent animum auditoris agunto » (*Horat. in Art.*).

chose de causer la surprise à quelques amateurs par une vivacité brillante, mais que le grand art étoit de plaire à la multitude par des émotions douces & variées. Il exige dans cette vûe que le son instrumental soit suivi, soutenu, moelleux, passionné & conforme aux accens de la voix humaine, dont il n'est que l'imitation & l'appui. Mais quand la musique est hachée & pulvérisée à la moderne, il fuit comme si c'étoit une grêle ou un orage, un charivari ou un sabat. Je puis rapporter ses termes & ses dédains sans m'en déclarer partisan. Il n'examine point de quelle nation, ni de quelle main vient une piéce. Allemande, Italienne, Angloise, elle lui est égale. S'il la trouve noble ou gracieuse, il la joue, & se la rend comme propre par la justesse de ses sons, & par la singulière énergie de ses expressions. Mais il refuse constamment son ministère à tout ce qui n'a d'autre mérite que celui d'être difficile, bizarre, ou hérissé. La liberté & la persévérance de son choix lui ont souvent attiré les reproches, tantôt d'homme trop entier ou même capricieux, qui ne se prêtoit à rien; tantôt de musicien ignorant que les difficultés effraioient. Il souffrit une sorte de persécution, & s'exila volontairement, avant la retraite honorable dont il joüit à la Cour du Roi de Pologne. On l'avoit souvent consolé en lui disant qu'il avoit en partage l'expression qui est ce que la musique & la peinture ont de plus touchant, & que le son qu'il tiroit de son instrument étoit le plus beau dont l'oreille humaine pût être frappée. Mais il se crut un jour dédommagé de toutes les amertumes précédentes par un jugement qui lui parut encore plus honorable. Il aime singuliérement les piéces de Corelli, & en a si finement saisi le goût, que les ayant jouées à Rome devant Corelli lui-même, ce grand musicien l'embrassa tendrement & lui fit présent de son archèt.

M. MONDONVILLE SE TOURNE COMME ON VEUT

Il est difficile de se fixer à une régle dans cette diversité de sentimens parmi les maîtres. Un autre génie augmente encore ma perpléxité. Plus fécond que Baptiste, aussi vif que Guignon, harmoniste comme Rameau, mélodiste comme Mourèt, tendre comme Lulli, il se tourne comme il veut & comme on veut. Le chant, les accords, les sons majestueux, les airs passionnés, la rapidité, l'emportement même, tout lui est égal :

il excelle dans tous les goûts. Tous les partis en effet mettent M. Mondonville à leur tête. Pourroit-on le deviner, & s'autoriser de son goût particulier ? faut-il reconnoître dans les graces vraiment touchantes de sa composition, ce qu'il fait par discernement & par inclination ? faut-il reconnoître dans le badinage de son jeu, ce qu'il accorde par complaisance à la mode dominante ? S'il étoit possible de se plaindre de ce qu'on admire & de ce qu'on honore, je reprocherois à cet aimable homme d'entretenir parmi nous une division intestine, qui s'échauffe & qui dégénérera en une guerre civile. On lui imputera les maux qu'il n'aura pas empêchés.

N'ÊTRE D'AUCUNE NATION NI D'AUCUNE ÉCOLE

Malgré la chaleur de nos disputes, & la difficulté d'adjuger la palme à une méthode plûtôt qu'à l'autre, nous pouvons prendre un parti raisonnable, qui est de n'être ni d'aucune nation, ni d'aucune école, & de chercher le bon usage de la musique dans l'institution de ce bel art, dans la pratique générale des nations, enfin dans les vrais besoins de la société.

Ne peut-on pas dire d'abord que la connoissance de l'institution de la musique emporte avec elle la connoissance de la destination, & de sa vraie nature ? On n'a pas ignoré jusqu'à nos jours à quoi la musique peut & doit servir. Dans la plus haute antiquité nous voyons toujours les cantiques étroitement unis aux assemblées de religion, aux traités d'alliance entre une nation & une autre, enfin à la célébration des grands événemens, & des hommes qui avoient bien servi la société. De là les hymnes, les odes, & les formules solennelles. On les retrouve par tout dans le sacré, dans le profane, dans la pratique ancienne, & jusques dans la moderne par une imitation des coutumes précédentes. On mettoit en chant tout ce qu'on avoit intérêt de retenir. Le chant en rendoit l'impression plus vive. La poésie préparoit & facilitoit le chant par le choix des paroles, par l'agrément de la mesure, & par la beauté des images. Les langues changeoient avant qu'on abandonnât ces anciennes formules de chant, auxquelles on touchoit aussi peu qu'aux anciens monumens : & si le sens des figures ou des cantiques n'étoit plus entendu, on les renouvelloit les uns & les autres, ou l'on les expliquoit sans les supprimer.

CONTRE LA MUSIQUE PURE

Allons à la vraie raison de la méprise de tant de musiciens. Le son est l'objet de l'oreille, comme la couleur l'est de l'œil. Les beaux sons sont le plaisir de l'oreille & les belles couleurs le plaisir des yeux. Mais comme les couleurs sont destinées à mettre une distinction dans les objèts, elles ne plaisent pas long-tems si elles ne tiennent à quelque figure : parce qu'alors elles sont hors de leur place. Un beau papier marbré & un beau point d'Hongrie sont d'agréables couleurs & rien de plus. Le premier coup d'œil n'en déplaît pas : on peut même y chercher d'utiles nuances, & de bonnes combinaisons. Mais si l'on vouloit prolonger ce spectacle inanimé, même en le diversifiant un quart-d'heure de suite, on n'y tiendroit point : l'esprit cherche, non des couleurs, mais des objèts colorés. De même les sons par leur variété nous aident à désigner une infinité de choses & de pensées. Mais si les sons viennent à la file sans tenir ni à un objet ni à une pensée : ils nous fatiguent sans qu'on sache pourquoi. Naturellement les sons nous appellent & nous occupent des choses dont ils sont le signe. Ils marquent un départ, un mouvement, une nouvelle, une fête, un avis, une expression de joie, de tristesse, de besoin, ou de quelque autre situation. Mais ils commencent à nous ennuyer quand ils ne sont plus signes de rien. Les cloches & les trompettes nous réjouissent par leurs annonces : mais quand elles nous ont bien fait entendre ce qu'elles avoient à nous dire, on voudroit que l'annonce eût une fin. On entend de même avec plaisir le prélude qui prépare l'oreille au chant qui va suivre, ou le jeu intermédiaire qui en délassant les voix forme un agréable lien entre deux chants, au lieu d'en rompre la suite par un long silence. Les sons même qui prolongent quelque peu l'expression de la parole ou du chant qui a précédé, sont encore bien reçus. Mais il y a une sorte d'absurdité & un dégoût inévitable dans une longue suite de sons qui par eux-mêmes ne sont point significatifs ou qui cessent de l'être après nous avoir suffisamment avertis.

Aussi le musicien qui ne voulut plus faire entendre que des sons inanimés, ou qui crut pouvoir se passer long-tems de la musique vocale, éprouva-t-il combien il est difficile de nous attacher quand aucune pensée ne nous arrête. N'ayant ni l'habitude ni la volonté d'occuper l'esprit, il redoubla ses efforts du côté de l'oüie. Il essaia de l'enchanter par la multitude des ornemens : & comme il crut n'avoir point d'ennemi plus redoutable que l'assoupissement ou l'ennui, il mit son industrie entière à tenir toûjours l'oreille éveillée à force de trémoussemens, & de secousses. Il multiplia dans la musique instrumentale les variétés qui se montrent avec discrétion dans le beau chant, & mit bout à bout les vitesses & les lenteurs, le grand fracas & les silences, puis une longue file de pétillemens, de soubresauts, d'emportemens & de fougues.

LA SONATE : UN EXERCICE

Le plus beau chant, quand il n'est qu'instrumental, devient presque nécessairement froid, puis ennuyeux, parce qu'il n'exprime rien. C'est un bel habit séparé du corps & pendu à une cheville : ou s'il a un air de vie c'est au plus à la façon d'une marionnette & d'un voltigeur, qui peut surprendre un moment par l'imitation des mouvemens de l'homme & surpasser même de beaucoup l'agilité du naturel. Mais toute cette vivacité artificielle n'a rien de comparable à la beauté de la nature même, & à la noblesse d'une contenance aisée. Encore peut-il y avoir une apparence de sens dans ce que fait une marionnette. Quand un pantomime fait ses gesticulations, toutes muettes qu'elles sont, on ne laisse pas de les entendre. On devine pourquoi il rit, ou pourquoi il se lamente. On sait ce qui l'agite, ce qui lui fait retarder ou précipiter ses pas. Un objet l'attire : il fuit devant un danger : on voit une intention, & personne ne le traite de fou, puisqu'il y a des motifs, de la justesse, & de la liaison dans toutes ses démarches. Mais on n'eût jamais bonne opinion d'un esprit qui passe de la tristesse aux grands éclats de rire, & du badinage à l'air grave, à l'air tendre, à la colère, & à la rage sans avoir aucun sujèt de rire ni de se fâcher. Or les sonates & bien d'autres musiques font-elles autre chose que ce que nous venons de dire ? Il semble même que plus elles seront passionnées moins elles doivent paroître raisonnables. Je suis cependant bien éloigné de leur attribuer tout le désavantage & l'opprobre de cette comparaison. Elles sont plutôt comme les études que font les jeunes peintres des différentes attitudes & des différentes passions de l'homme. Elles sont propres pour former l'artiste, mais peu réjouissantes pour le public.

Je crains même que l'artiste en y acquérant une utile légèreté, ne s'y altère le goût, s'il perd de vûe le vrai but de son art. La musique est une parole : c'est à l'esprit qu'elle parle, & elle anime tout ce qu'elle lui dit. Que si, le sens mis à part, le musicien court uniquement après les sons, & qui pis est après des sons fantasques & disloqués, il méconnoîtra par une suite nécessaire la dignité, les sentimens, & les graces. Il perdra le discernement de la simplicité majestueuse & de la simplicité élégante, qui l'une & l'autre réjouissent l'oreille, sans jetter le trouble ou la confusion dans l'esprit, & sans lui ôter un seul moment le droit qu'il a d'entendre ce qui se dit.

ÊTRE NATUREL

Telles sont les méprises par lesquelles le musicien, même avec des talens très-beaux & très-estimables, a souvent perverti le vrai usage des sons. Après avoir gâté les jugemens des amateurs de ce bel art, en les habituant à la manie des tiraillemens & des convulsions, il prit leur surprise & leurs applaudissemens pour la preuve de la supériorité de sa méthode. L'émulation tourna peu-à-peu les compositeurs de ce côté. C'est aujourd'huy à qui l'emportera en vitesses, & en singularités pénibles. L'auditeur étonné se récrie : & le musicien se croit dans le Ciel. Comment espérer après cela de le voir rentrer dans le simple, ni d'y voir revenir les oreilles qu'il avoit accoutumées au trouble des grands ébranlemens. On sent venir toutes ses menues adresses. D'abord paisible, puis emporté, tout-à-coup il s'arrête. Son archèt va par bonds, par sauts : viennent les soupirs, viennent les tonnerres, viennent les échos. Il semble fuir : on ne l'entend plus. Peu-à-peu il rapproche, roule, plane, grimpe, tombe & se relève. Il marche ensuite frédonnant, gasouillant, sautillant, voletant, pirouettant, papillonnant. S'il quitte les airs brusques & les déchiquetures de la voix des oiseaux qu'il contrefait sans cesse & à propos de rien; ce sera pour vous livrer les cris de toute une basse-cour, le bruit du canon & des bombes, ou le raclement des tourne-broches, ou le fracas des charrettes. De tout ce qui fait bruit dans la nature la voix humaine & l'expression du cœur est ce qu'il imite le moins; ou ce qu'il se pique le moins de suivre : toûjours dans le merveilleux ou dans le singulier, jamais dans le naturel.

LE BEAU N'EST PAS CAPRICIEUX

Tel est le désordre où en est la musique instrumentale naturellement destinée à aider notre chant : mais loin de s'y conformer, elle a porté la contagion de ses irrégularités jusques dans la vocale & l'a assujettie à tous ses caprices comme à la seule règle du beau. On y méconnoît également tous les caractères de notre voix, lesquels ne peuvent manquer de disparoître dès qu'on les sépare de la pensée qui les amène. Et au lieu de nous toucher par la beauté des divers accens qui ne sont propres à la voix humaine que parce qu'ils sont significatifs, on prétend nous émouvoir par un ramage & par des sons qui ne sont point les nôtres, ou nous passionner vis-à-vis de rien. Roulades, virevoltes, singulière étendue de voix, efforts prodigieux : tout cela est étranger au vrai mérite de la musique. Ce que vous admirez est tout au plus le mérite de l'acteur. Il s'agissoit de m'occuper l'esprit d'une pensée juste, d'une image touchante, & d'y ajoûter par le choix de vos sons une émotion proportionnée : mais ou vous ne m'occupez de rien, ou vous m'occupez tantôt du savoir du compositeur, tantôt de la souplesse des doigts de celui qui exécute. J'aimerois autant qu'on fît dépendre la beauté d'un discours des frisures de l'orateur.

IL FAUT ÉCONOMISER LES ORNEMENTS

Après le double travers de nous émouvoir sans nous rendre meilleurs, & de parler pour ne rien dire, la musique moderne en a un autre dont chacun peut être juge. Sans doute on s'y propose de plaire : on ne s'y propose même que cela, mais elle ruine par son propre caractère le plaisir qu'elle nous promèt. Tous les beaux arts se ressemblent. Tout ce qu'ils produisent est également subordonné au bon sens & à la bienséance. Il en est donc d'une pièce de musique comme d'un poëme, d'un tableau, d'un appartement, d'un édifice, d'un habit, en un mot de tout ce qu'on arrange pour produire une agréable impression. C'est un tout, où l'esprit s'attend à trouver du soin & des parures : mais si vous les accumulez, l'esprit s'y perd. Il ne jouit plus d'un ornement confondu avec une multitude d'autres qui en émoussent le sentiment : & cette vérité se peut éprouver en Italie comme en France. On ne sent la vraie beauté des parures qu'autant qu'il s'y trouve de réserve, de choix, & sur tout de bienséance. Or la bienséance embrasse le sujèt, le lieu, le tems, & les personnes. Elle éloigne souvent plus de fleurs qu'elle n'en admèt. C'est une nécessité que ces différences délicates qui sont les vraies sources du beau, disparoissent quand on n'est occupé que du soin d'éblouir par la multitude des embellissemens. Un cabinet qui en est trop plein dégénère en une friperie arrangée. C'est le magasin d'un brocanteur.

LE GOUT UNIVERSEL DIRIGE LE SAVOIR

Je voudrois savoir pourquoi de toutes les paroles que nos musiciens modernes habillent en falbala, ou qu'ils découpent en ziczagues & en pretentailles, il n'y en a aucunes qui descendent jusqu'à nous, & qui fassent fortune dans la bourgeoisie. Il n'y a pas encore long-tems que les airs qui avoient plu à la Cour prenoient faveur parmi le peuple même. Chacun chantoit, parce qu'il étoit permis pour chanter d'employer la voix humaine. Aujourd'hui nous nous taisons, parce qu'on ne veut plus entendre que les roulades du serin & les soupirs du rossignol. Mais dans un million de gosiers humains, en trouverez-vous une centaine, une douzaine, qui puissent sangloter comme le rossignol ? & quand il seroit communément possible de le contrefaire, ce seroit sortir du naturel plûtôt que de nous perfectionner. Une Dame ne devroit non plus s'efforcer de mettre dans son chant les soupirs & la volubilité de la langue de cet oiseau, que de mettre dans sa danse ou dans ses manières l'inquiétude & les mouvemens brusques des yeux, de la tête, & du corps des linottes.

Nous autres qui faisons la multitude, nous sommes peu touchés de ces agrémens si aprêtés. Nous les abandonnons sans peine aux personnes du grand monde chez qui ils semblent avoir trouvé leur principal refuge. Mais combien de plaintes contre ce mauvais goût parmi ceux-mêmes qui sont le plus dans l'occasion de le souffrir, & dans la contrainte d'y applaudir ? Combien de seigneurs ne sont-ils pas blessés de voir que c'est pour eux qu'on se farde ?

Les efforts & l'émulation produisent sans doute du nouveau, de l'extraordinaire, & si vous voulez du savant : mais du savant & de l'artificiel à l'agréable, la distance est souvent fort grande. Le savoir ne plaît que quand il est dirigé par le goût le plus universel.

LE SPECTACLE DE LA NATURE, 1725.

LE PÈRE CASTEL

LE P. CASTEL (1688-1757) fut un abbé philosophe à la mode de son temps, épris de mathématiques et de belles-lettres. Soutenu par Fontenelle il s'établit à Paris où il s'occupa principalement d'entretenir ses contemporains de la pesanteur universelle, du développement des mathématiques et d'une idée qui lui était chère, celle de la « musique en couleurs ou du clavessin pour les yeux. » Son ouvrage posthume « Esprit, Saillies et Singularités du P. Castel » est pour plus d'un tiers consacré à la musique en général et à celle, très particulière, qu'il entendait fonder sur une conciliation de la vue et de l'ouïe. Le cinéaste Eisenstein s'intéressa à ses travaux.

UN PLAISIR DE L'ESPRIT

La musique est incontestablement une science toute mathématique. Je sçais bien ce qu'on oppose : une musique composée sur les régles des mathématiques, est une très-insipide musique; et Lulli n'étoit point mathématicien. Je ne nie point les faits; il faut garder les régles des mathématiques, mais il faut garder aussi celles du bon goût; et puisqu'il s'agit de plaire à l'oreille, on doit la consulter; après cela, il y a une mathématique naturelle de goût et de génie; la raison la donne, l'usage la développe; mais jusque-là, Lulli lui-même n'est qu'un habile artisan : toute sa science est au bout de ses doigts : il peut enchanter mes sens, mais il ne peut éclairer mon esprit; n'est-il pas honteux pour les musiciens de notre siècle, de ne sçavoir rendre raison de ce qu'ils pratiquent tous les jours depuis leur enfance ?

La musique est un plaisir de l'esprit, un simple agrément. La plupart des gens y cherchent le plaisir des sens, et ne l'y trouvent pas. De-là vient que si peu de gens la goûtent bien; c'est qu'il y en a peu qui la connoissent. Les animaux grossiers, pesans, terrestres, à quatre pieds, ne goûtent point la musique. A bien prendre la chose, les petits oiseaux n'ont pas plus de chant que les gros, ni même que les animaux à quatre pieds. Si le rossignol chante, la poule chante, le corbeau chante, l'oie chante, le chat chante, etc. Et si le chat ne fait que crier, le chant du rossignol n'est qu'un cri. Il y a autant d'inflexion de voix, de diversité de sons, dans l'un que dans l'autre. Seulement le cri du rossignol est plus doux; plus doux pour nous. Car un chat trouve sans doute son miaulis tout aussi gracieusement modulé que le rossignol trouve son ramage agréable. Encore même y a-t-il plus de vérité plus d'expression dans le ramage du chat. Il y a des accents plaintifs et qui vont au cœur. Le chien exprime fort bien sa joie, sa colere, la tristesse par l'inflexion de sa voix. Le rossignol n'a point de vraies inflexions relatives à aucun sentiment du cœur, à aucune idée de l'esprit, à aucune sensation même du corps, puisqu'elles sont toujours les mêmes. Ce que les oiseaux apprennent de notre musique, n'est point l'effet de leur goût. Chaque espece a son chant; et souvent, dans une voliere, on n'entend pas deux oiseaux qui modulent sur le même ton. Ils chanteront des années tous à la fois sans se donner le ton, et sans jamais aucun concert; et nul ne paroîtra sentir la cacophonie de leur faux ensemble. Ils se piqueront d'émulation, je veux le croire, et chanteront à l'envi; mais émulation de cri et de bruit : ils ne se piqueront ni d'attraper le chant l'un de l'autre, ni d'aucune réponse harmonique. Dans une campagne au moins, a-t-on jamais vu la linotte imiter le rossignol, la fauvette imiter la linotte ? Ce qu'ils apprennent de musique prouve la plus grande médiocrité du goût. Ils apprennent indifféremment tout ce qu'on trouve à propos de leur siffler, et mieux, ce qu'il y a de plus plat et de plus facile.

ESPRIT, SINGULARITÉS ET SAILLIES..., 1763.

J.-S. BACH

J.-S. BACH (1685-1750) est, selon Wagner, « le miracle le plus extraordinaire de toute l'histoire de la musique ». Son œuvre emplit soixante gros volumes. Il dut son éducation à lui-même plutôt qu'à la conduite d'un maître. Il voyagea pour apprendre son art en Allemagne et en France. Il fut organiste à Arnstadt, à Mülhausen, à Weimar, maître de chapelle du prince de Cöthen, cantor de Saint-Thomas de Leipzig où il mourut. Bach représente, du point de vue technique, l'apogée suprême de la polyphonie et du contrepoint. Ignoré aux débuts de l'ère romantique, il n'est redécouvert qu'en 1829, avec sa Passion selon saint Matthieu, *dirigée par Mendelssohn. Ce ne fut qu'en 1850 que l'on songea à recueillir et publier son œuvre. Bach rend* parfait *l'art musical tel qu'il s'est manifesté du moyen âge jusqu'à lui.*

UN MYSTÈRE TOUT CLAIR [1]

par Alain

Il n'est rien de plus agréable que de parler sur la musique, entre amis, quand les cahiers sont encore ouverts, quand le Pleyel résonne encore. Je veux me mettre par souvenir en cette heureuse situation afin de louer Bach comme je pourrai le mieux, Bach qui n'a pas besoin d'être loué; et Dieu non plus, disent les fidèles, n'a pas besoin d'être loué; mais les fidèles ont grand besoin de le louer. Après l'angélique Bach il s'établit un silence de choix comme fait de gradins, où les paroles doivent se poser selon une loi meilleure que celle de la vanité, de la fureur ou de l'ennui. Je ne crois pas que même un beau poème soit plus près de nos pensées que ne l'est une des quarante-huit célèbres fugues du *Clavecin*. Plus près

1. Rappelons que Jean-Sébastien Bach n'a laissé aucun écrit de sa main sur son art. Il a inspiré, en revanche, une abondante littérature, où nous avons cru devoir choisir l'essai suivant par Alain, qui a commenté Bach en esthéticien plutôt qu'en critique et sans obscurités techniques.

de nos pensées, je veux dire de notre loi toute blanche, telle qu'elle est avant qu'il y soit écrit un mot. Je ne puis oublier cette parole de Gœthe, la plus étonnante qui ait été dite sur Bach : « Entretien de Dieu avec lui-même avant la création. » Grâce à notre grand ami Romain Rolland, on sait maintenant que Gœthe s'est nourri aussi de musique, et qu'il redoutait une certaine musique, comme on peut craindre une femme que l'on va aimer; mais on sait aussi que Bach effaçait toute crainte en Gœthe comme en tous. Et certes la fiction du paradis terrestre signifie quelques moments de notre existence où l'irrévocable commencement de quelque chose étant ajourné, nos purs pouvoirs jouent avec eux-mêmes, selon la grâce de l'enfance.

Après tant d'orgueil, après tant d'étrange
Oisiveté, mais pleine de pouvoir,
Je m'abandonne à ce brillant espace...

Toutefois le diabolique orgueil se prend ici à lui-même, par le sentiment immobile d'un grand risque : « Si je voulais... » Bach se meut déjà à travers les possibles, et les achève sans les fixer. Cette destinée est unique et elle est musicienne. Les autres musiques, je dis les très grandes, ne sont pas purement musiciennes; on les soupçonne quelquefois de bruit; il n'y a jamais de bruit dans Bach; même surmonté. On y trouve, comme on l'a dit, toutes les audaces, mais transparentes; c'est seulement par l'imitation opaque qu'on les découvre.

J'ai plaisir, toujours, à lire dans la courte préface de Czerny à son édition du *Clavecin*, qu'il avait le souvenir présent et vivant de Beethoven jouant ces fugues, ce qui fait voir que Beethoven les jouait ordinairement, quotidiennement. C'est de là qu'il s'élançait; c'est là qu'il revenait. Il n'est guère de musicien qui n'en dise autant. Chopin, d'après ce que j'ai lu, ne jouait jamais la musique de Schumann; et cela est à remarquer, car tout ce que Chopin écrivait, Schumann le jouait, l'étudiait, le louait, le faisait connaître. Mais la loi de reconnaissance fut ici de nul effet; et cette opposition, cette étrangeté, cet éloignement, si on y réfléchit, délivre d'une certaine manière d'aimer Chopin, et même de jouer Chopin. Mieux encore, on sait que Chopin joua toute sa vie les préludes et fugues de Bach, et qu'il en fit une édition; hors cela, à peine un peu de Beethoven. Au reste, ni la musique de Chopin, ni la musique de Beethoven ne ressemblent à celle de Bach. A grand peine y découvrirait-on des parties de jeu céleste et de ces créations sans matière, par exemple dans la *sonate op. 78* de Beethoven, ou dans l'*Etude en* ut *dièse mineur* de Chopin; et encore, dans cette dernière, le *quasi cello* nous avertit, et ce n'était pas nécessaire, que le son est ici tordu avec l'homme et tremble de se sauver. Mais quel péril ? La *Jeune Parque* répond assez; car c'est une transformée de la musique, comme le poète aimerait à dire, mais non pas de la musique de Bach. « Les anneaux de ton rêve animal », cela ne peut être pensé, à aucun degré, d'aucune œuvre de Bach; l'enfer n'y est point du tout. Mais pourtant le sel n'y manque point; l'intérêt qu'on y prend est immense, et partout égal; les péripéties embrassent toutes les variétés, tous les drames, le sévère, le tonnant, le désertique, le mélancolique, Jérémie et Anacréon, Athalie et Chloé. Toutefois sans visage; vous ne trouvez que musique. Là est situé le mystère; et c'est un mystère tout clair. Je citerai un exemple qui m'étonne à chaque fois, le *Prélude* et la *Fugue en* ut *dièse mineur*, qui se trouvent au commencement du premier cahier (IVe); ici la plus naïve grâce, le sentiment le plus uni et le plus ravissant, dans le prélude; puis, sur le plus nu des thèmes, où sonnent les intervalles les plus sévères et les plus caractéristiques du ton, s'élève une grandeur sèche et presque terrible; non pas terrible, car il n'y a rien derrière, nul prestige, nul sortilège, nulle contrainte. L'esprit n'y trouve que lui-même, et justement comme il voudrait être par simple liberté. D'autres œuvres de Bach me sont plus opaques; mais je sais que cela vient de ce que je n'y ai pas assez regardé; et telles, en leur complication supérieure, elles ne m'émeuvent pas plus, ni moins. Cet art dit tous ses secrets; il les dit à chaque fois, et il est neuf à chaque fois. Les biographes nous content que lorsque Wagner et Liszt avaient le bonheur d'être ensemble, le fameux virtuose jouait le *Clavecin* de bout en bout, pendant que Wagner écoutait et lisait le Maître des maîtres. Quelle conversation!

La technique de Bach nous est connue; je dirais même qu'elle nous est sensible. On sait qu'il jouait à vue n'importe quelle musique. Difficulté et vitesse n'étaient rien pour lui. Un jour qu'il fit une faute, il se mit en colère et laissa tout. C'est légende; mais la légende dit toujours vrai. Je me plais à imaginer, selon un récit bien connu, le grand improvisateur devant trois clavecins neufs et admirables; il y eut aussitôt trois belles fugues pour chacun, la plus belle pour le plus beau. L'improvisation étonnerait moins, si l'on pensait qu'elle est le moyen de tous les arts sans exception. Car à quoi revient-elle ? A ceci que l'on fait sans savoir ce que l'on va faire; et il n'y a point de beau au monde qui ne soit fils d'un tel miracle; selon mon opinion ce miracle du beau est même le seul miracle et la seule révélation, et qui suffit bien. Un beau vers ne peut que paraître, comme Vénus hors des flots, et étonner celui qui l'a fait. Le peintre ne copie pas sur sa toile une œuvre déjà achevée dans un rêve immatériel; de telles vues sur l'art sont elles-mêmes des rêves. L'imagination, tant vantée, est riche d'émotions, mais stérile de formes. Il n'y a point de danse avant le mouvement du danseur; il n'y a pas de portrait avant le pinceau; il n'y a pas de musique avant le chant; il n'y a pas de statue avant le marbre et le ciseau; et même, par analogie, nous devons penser qu'à la grande époque il n'y eut point d'architecture avant la pierre, le mortier et la truelle. Je ne veux pas dire qu'on ne compose pas aussi par l'esprit; mais on doit savoir que l'exacte réalisation d'un tel plan n'est jamais qu'industrie; il n'y a de beau qu'autant que l'exécution dépasse le projet. Même dans la prose la plus simple, ce qui est prévisible par l'idée est laid, ou disons sans beauté. Ces principes d'esthétique seront toujours refusés; ils sont insupportables, je l'avoue, car ils condamnent à travailler sans espérer. L'ambitieux voudrait penser son œuvre avant qu'elle soit faite; et il croit la penser; il dit même souvent qu'elle était bien plus belle en son esprit que dans le marbre ou sur la toile. Au contraire, celui qui n'a pas fait plus beau qu'il n'espérait ignore ce que c'est que l'art. Et, bref, un plan de poème n'est nullement un poème. Seulement il est vrai qu'il n'y a rien de plus facile que de mettre de la prose en vers. Une ample discussion s'élève ici, et qui trouve au moins sur quoi buter. Mais nous voilà bien loin de Bach ? Non pas.

On fait une fugue comme on fait une table; et Bach semble se plaire à nous le rappeler : « Vous entendez, semble-t-il dire, que je suis les règles, et que ce n'est pas difficile. » Mais il a été fait des milliers de fugues, qui sont selon les règles, et qui n'intéressent pas. Telle est l'industrie. Est-ce donc le thème qui est beau, et qui donne beauté à la fugue ? Je ne le pense pas; j'ai plutôt le sentiment que Bach partait aussi bien sur un thème qui semblait n'annoncer rien de rare; disons qu'il réussissait presque toujours, en suivant le métier, qui est de répondre, d'imiter, de varier, de redoubler, de dédoubler, de rassembler, de dénouer. En quoi il y a une part de choix après délibération, et comme un jeu de puzzle. Mais on sait bien aussi que la beauté manquera toujours à une telle production de l'esprit; non pas la convenance, l'harmonie, la proportion, la symétrie; le bon artisan trouvera ces choses, et, en les trouvant, il trouvera aussi le beau s'il a du bonheur. Mais comment et où ? On ne peut répondre, puisqu'il n'y a pas de règle du beau ni de modèle du beau. Toutefois, si l'on veut essayer de répondre, ce qui est un jeu attachant, la beauté continue d'une fugue de Bach est un objet de choix. Il ne s'agit pas ici d'émotions d'abord subies dans leur tumulte, et puis de passions nouées et enfin dénouées, comme il est sensible presque toujours en Beethoven; et, par des remarques de ce genre, on ne fait que substituer à la mystérieuse musique un drame individuel plus mystérieux encore. Mais en Bach on voudrait dire qu'il n'y a de drame qu'entre les sons eux-mêmes; drames dont il est possible de démêler quelque chose.

On peut analyser le beau de deux manières, en partant de la forme ou au contraire de la matière; la première marche, par les canons et les règles, manque toujours le beau, en dépit de la confiance que l'on a en la raison, et qui revient toujours. L'autre méthode voudrait considérer, pour l'éloquence et la poésie, l'acoustique; pour la sculpture, le grain du marbre; pour la peinture, l'enduit colorant; et ainsi du reste. Mais, en tous ces genres, la matière ne parle pas assez. Je ne trouve qu'en la musique cette matière seconde que produit le luthier ou le facteur de pianos; matière qui ruisselle dans les exercices de gammes et d'arpèges, matière déjà formée d'après la voix, mais qui règle la voix et qui la tempère dans le plein sens du mot, puisqu'elle la retire des passions. On sent cette lutte en Gluck et en tous; en Bach, non. Le secret de cette forme est en ceci que, sous la grammaire, elle interroge le physique des sons; par quoi elle est chose émouvante, mais non troublante, à la manière des vents et des eaux, et se trouve plus physiologique qu'aucune autre, au sens où la statue est physiologique.

Quelqu'un disait : « Je n'espère pas composer comme Bach, ni même jouer comme Bach, mais je voudrais entendre comme Bach. » Sur ce propos, je considérai le portrait du Maître, et je vins à comprendre que cet homme est le contraire d'un sourd. Au lieu de prévoir ce qu'il fera, ce qui n'est que grammaire, il écoute ce qu'il fait. Que le premier son soit produit par un clavecin, ou par un violon, ou par une voix d'enfant, de femme ou d'homme, ce son n'a pas seulement son nom et sa place dans la grammaire des sons; il remplit le temps d'une certaine manière; il met en mouvement certains possibles, non tous; je l'ai observé en des chœurs russes, où l'on entend que, pour un autre soliste, les chœurs reprennent autrement; c'est que chacun des chanteurs écoute premièrement, et cherche passage comme dans une foule. Je ne dirai rien de plus de la voix, car on conçoit mal une improvisation en chœur; cela appartient aux anciens temps. Mais pour le violon, j'entends très bien que le premier son, différent selon l'instrument, selon la saison, selon l'homme, selon le doigt, que le premier annonce quelque chose et l'exige. L'art du développement se montre ici en raccourci; mais il périt aussitôt devant l'imposante suite qui serre de près l'exécutant; aussi je crois que le grand instrumentiste règle au contraire autant qu'il peut le son initial sur ce qui suivra; cela est pieux et beau; mais c'est obéir à la musique faite. Au rebours l'inventeur tire beaucoup de ce premier son; et Bach en tire peut-être tout; le premier son appelle le suivant, et les deux ensemble tressent déjà une sorte de corbeille. C'est pourquoi, sur le plus simple des thèmes, le miraculeux musicien prend de l'air et s'envole; pour mieux dire il pressent, dans le son unique, l'œuvre unique; il exprime seulement ce qui cherche à être; il donne corps à des places vides où la résonance chante déjà. Je m'explique ainsi cette merveille des sons tenus qu'il écrit dans ses *Fugues*; et c'était pour le clavecin! L'instrument ne pouvait, mais la musique exigeait; le vide même chantait dans l'oreille; ainsi le piano a accompli les fugues; et en revanche les fugues ont accompli le piano; car vous pensez bien que, dans cette musique naturelle, les nouvelles résonances entretiennent en son mouvement la corde toujours libre. On ne peut savoir ce que Beethoven ou Chopin cherchaient dans les illustres *Fugues*; mais sans doute cette résonance obligée, renforcée, impérissable, comme la basse finale de la grande *Fugue en* la *mineur* (la XXe), cette résonance est une des choses qu'ils y cherchaient; et c'est pourquoi, connaissant ces fugues comme un aveugle connaît son escalier, ils les jouaient encore et encore. C'est ainsi que le clavecin de Bach nous apprend le piano.

Les artistes savent ces choses; ils ne cessent de ruminer et de développer ces pensées sans paroles. On comprend bien que si j'écris là-dessus, ce n'est pas pour instruire personne; c'est Bach qui enseigne Bach. Comme exemple de ces promesses de sons, je me donne souvent la *XVIIe fugue* du premier cahier, en *la* bémol majeur. Le thème est presque sans forme; on dirait que l'instrumentiste distrait éveille machinalement quelques notes; et la chose en serait restée là si la parfaite oreille n'avait surpris un monde en formation dans ces limbes; et maintenant nous sentons bien que l'ample conclusion de cette fugue n'apporte rien qui ne fût déjà dans le thème. Désormais nous le savons; et ce thème tout nu arrive sur nous comme une nécessité de la nature. Cet événement est devenu éternel. Que d'autres événements sonores ont péri! Cette réflexion n'attriste point. Au contraire, de ces immortels sauvetages nous arrivons à penser que tout serait beau si nous ne manquions pas à la nature. Cette pensée est pleinement religieuse. Chaque fugue représente le salut d'une âme misérable. On voit par où cette musique nous retrouve, et comment le pur drame des sons représente tous nos drames. De la même manière le poète réveille une idée vieille comme le monde par un juste mouvement du rythme et des sonorités qui retrace physiologiquement nos tragiques expériences. Chacun sent bien que la promesse d'une rime, ainsi que l'accomplissement, est une vive image de nos reconnaissances. Il se peut bien que cette part de musique soit dans tous les arts, et que la beauté y sauve toujours un commencement. Dont chacun fera l'essai, autant que ces problèmes l'intéresseront.

Comme disait Léonard, la nature esquisse bien des formes dans les feuillages et dans les fentes des vieux murs.

Ce qui est propre à la musique, et que je veux remarquer pour finir, c'est que le son n'attend point, c'est que la promesse périt aussitôt. Ce grand péril des sons est ce qui donne du prix au temps. Le poète peut attendre; tout reste suspendu; et cette place réservée à ce qui viendra reste la même par la puissante armature de ce qui est déjà fait. Au contraire, il me semble que la musique vieillit si elle ne s'achève. C'est ce que signifient les silences mesurés, et même les silences non mesurés, car ils sont aussi strictement mesurés que les autres, seulement il faut du génie pour les sentir, ou bien une parfaite oreille, ce qui est presque la même chose. Car, dans le silence non mesuré, il se passe, à ce que je crois, la même chose que lorsque l'on écoute les harmoniques d'un *ut*, par exemple; le *si* bémol ne paraît qu'à la fin, après un démêlement et assoupissement des autres échos. Il y a donc un mûrissement de la musique pendant les silences, mais un point d'urgence aussi, où on la perdrait si on ne la continuait. Et le ralentissement, si naturel à la terminaison, ne marque peut-être qu'un ralliement de sons oubliés. Car il faut qu'ils s'assoupissent tous ensemble en une fin absolue; entendez comme ils se glissent entre les sons maîtres. Ainsi puissent survivre de ces fantaisies une idée ou deux. Maintenant je ferme mon clavecin de paroles.

Le langage de J.-S. Bach, *La Revue Musicale*, décembre 1932.

JEAN-PIERRE LE CAMUS

JEAN-PIERRE LE CAMUS (17?-17?) n'est connu que par ses* Psaumes, *publiés en 1764, à Genève, où il enseigna sans doute la musique et fut maître de chapelle.

COMMENT COMPOSER LA MUSIQUE DE DIEU

J'ai l'honneur de présenter au public une nouvelle musique sur les Psaumes du roi et prophète David ayant été engagé à cet ouvrage par un très-grand nombre de mes concitoyens qui se sont plaint avec raison de celles qui se chantent actuellement dans nos églises, de même que dans tous les particuliers protestants où elle a lieu. Ces plaintes réitérées ont engagé plusieurs musiciens, tant en Allemagne qu'en Hollande, à essayer de la corriger, et ils n'ont pas allié le facile avec le mélodieux. Effectivement dans notre musique on n'aperçoit aucune mélodie et la perte de l'haleine sert de règle pour la mesure; c'est ce qui fait qu'il est aussi impossible d'entendre les paroles, les accents étant égaux, que de distinguer le psaume qu'on chante à moins d'une routine consommée. J'ai mis tous mes efforts dans celle que j'offre aujourd'hui au public. J'ai suivi pas à pas le roi prophète, dans toutes les situations différentes qu'il nous peint, j'ai embrassé le sens de tout un psaume, je change aussi de musique. Je ne puis attribuer l'anéantissement général du goût pour la musique vocale dans notre République qu'à notre ennuyeux chant. Il n'est pas étonnant que de jeunes gens élevés jusqu'à l'âge de douze à treize ans, à entendre un chant traînant, ils ne prennent aucun goût, ils ne se persuadent qu'il en est de même de toutes les autres musiques, ils ont même de la répugnance pour le terme. Je ne dis ceci que par l'expérience que j'en fais tous les jours; et c'est ce qui est cause que nous n'avons pas un seul musicien vocal.

Quant à l'harmonie, je ne pense pas qu'il soit possible de rien entendre de si monotone, on pourroit s'en servir efficacement contre l'Insomnie, comme les anciens Grecs et Romains

se servaient au contraire d'une espèce de musique pour se mettre en fureur. Je m'explique touchant cette harmonie : chaque note étant note tonique dans ce prétendu chant sans mesure, porte en conséquence l'accord parfait, sans aucuns mélanges de dissonances, lequel sans cesse répété ne peut qu'être très ennuyeux : remarquez que la dissonance ménagée à propos fait que la consonance flatte infiniment plus l'oreille, de même qu'un temps clair et beau plaît et réjouit beaucoup plus après un temps sombre et pluvieux, que s'il fait été continuel. D'ailleurs l'on ne peut jamais savoir sur quel ton l'on chante, puisque le chant principal dans presque tous les Psaumes se trouve dans un ton, et la basse dans un autre, ce qu'il est aisé de démontrer.

Autrefois les Grecs regardaient comme sauvages ceux qui n'avaient pas une teinture de musique, j'espère que par le moyen des tons de mon plain-chant, facile, mesuré, et j'ose dire mélodieux, il sera aisé de donner à la jeunesse du goût pour cette science, si estimée des anciens, et aujourd'hui de toutes les nations policées; de la remettre en vigueur et lui donner en quelque sorte son lustre chez nous.

Lorsque le chant grégorien succéda à l'ambrosien ce fut avec une facilité et une rapidité étonnante dans toute l'Europe, cependant ce dernier composé sur de la prose, tout défectueux qu'il paraissait aux oreilles de tout le monde, est beaucoup supérieur à notre insipide chant quoique composé sur des vers; tous les connaisseurs conviendront qu'il est plus aisé de composer une bonne musique sur des vers que sur de la prose.

Quant à la versification, il serait à souhaiter que quelque habile poète se prêtât à la changer et si mon ouvrage a le bonheur de plaire au public, je m'engagerai toujours avec plaisir de composer une musique en conséquence.

Il est inutile d'insister que j'ai agi plus par honneur que par intérêt, l'on peut aisément s'en convaincre, je souhaite de toute mon âme avoir réussi au gré de mes concitoyens, et que cette nouvelle musique puisse servir plus avantageusement à l'édification publique, au moins mes efforts à ce sujet pourront donner de l'émulation à d'autres pour enchérir sur moi. Après cette édition j'aurai (s'il plaît à Dieu) l'honneur d'offrir au public mes psaumes à quatre parties, composés tant pour l'orgue que pour plusieurs sortes d'instruments, auxquelles je joindrai une basse fondamentale : ce sera à cette pierre de touche que les connoisseurs decideront de mon ouvrage.

PRÉFACE DES PSAUMES DU ROI ET PROPHÈTE DAVID, 1764.

GIUSEPPE TARTINI

TARTINI (1692-1770) fut un violoniste et un compositeur italien, maître de chapelle à Padoue.

COMMENT COMPOSER LA MUSIQUE DU DIABLE

Une nuit (en 1713), je rêvais que j'avais fait un pacte, et que le diable était à mon service. Tout me réussissait au gré de mes désirs, et mes volontés étaient toujours prévenues par mon nouveau domestique.

J'imaginai de lui donner mon violon, pour voir s'il parviendrait à me jouer quelques beaux airs; mais quel fut mon étonnement lorsque j'entendis une sonate si singulière et si belle, exécutée avec tant de supériorité et d'intelligence, que je n'avais même rien conçu qui dût entrer en parallèle. J'éprouvais tant de surprise, de ravissement, de plaisir, que j'en perdais la respiration. Je fus réveillé par cette violente sensation. Je pris à l'instant mon violon, dans l'espoir de retrouver une partie de ce que je venais d'entendre; ce fut en vain. La pièce que je composai alors est, à la vérité, la meilleure que j'aie jamais faite, et je l'appelle encore la *Sonate du Diable*; mais elle est tellement au-dessous de celle qui m'avait si fortement ému, que j'eusse brisé mon violon et abandonné pour toujours la musique, s'il m'eût été possible de me priver des jouissances qu'elle me procurait.

Cité par J.-B. WECKERLIN, *Musiciana*, 1877.

DOMENICO SCARLATTI

UN PLAISIR DES SENS

Scarlatti disait fréquemment à M. Laugier qu'il était conscient d'avoir enfreint dans ses leçons toutes les règles de la composition, mais, comme il demandait si ces entorses aux règles offensaient l'oreille et qu'on lui répondait par la négative, il dit penser qu'il n'y avait guère d'autre règle digne de l'attention d'un homme de génie que celle de ne pas déplaire aux seuls sens dont la musique est l'objet.

Cité par BURNEY, *op. cit.*

FRANÇOIS COUPERIN

FRANÇOIS COUPERIN (1668-1733) fut le professeur de clavecin des Enfants de France. Il écrivit de nombreuses pièces pour cet instrument et une méthode, l'Art de toucher le clavecin, *parue en 1717.*

CONSEILS D'UN CLAVECINISTE

La musique (par comparaison à la poésie) a sa prose et ses vers...

Il y a, selon moi, dans notre façon d'écrire la musique, des défauts qui se rapportent à la manière d'écrire notre langue; c'est que nous écrivons différemment de ce que nous exécutons; ce qui fait que les étrangers jouent notre musique moins bien que nous ne faisons la leur.

Il faut conserver une liaison parfaite dans ce qu'on exécute; que ceux qui sont composés de battements soient faits bien également, et par une gradation imperceptible. Prendre bien garde à ne point altérer le mouvement dans les pièces réglées;

et à ne point rester sur des notes dont la valeur soit finie. Enfin, former son jeu sur le bon goût d'aujourd'hui, qui est sans comparaison plus pur que l'ancien.

L'ART DE TOUCHER LE CLAVECIN, 1716.

WOLDEMAR (XVIIIe s.)

CONSEILS D'UN VIOLONISTE

Premier Décalogue

1. Le son jamais ne hausseras,
Ni baisseras aucunement.

2. Mesure tu n'altèreras,
Mais frapperas également.

3. L'archet toujours tu main-[tiendras
Permanent et solidement.

4. Symphonie tu sabreras
Hardiment, vigoureusement.

5. Doucement accompagneras,
La femme principalement.

6. Le grand Allegro joueras
Fièrement, mais modérément.

7. Romance tu soupireras
Tendrement, amoureusement.

8. Dans l'Adagio fileras
Le son purement, largement.

9. Pour le Largo, tu gémiras
Tristement, mais sensible-[ment.

10. Le Rondo tu caresseras
Vivement et légèrement.

Second Décalogue

1. En Concertos tu choisiras
Viotti préférablement.

2. Le faible tu n'écraseras,
Afin d'agir honnêtement.

3. Dans le Duo ne chercheras
A briller exclusivement.

4. La Sonate tu chanteras
Sagement et correctement.

5. Dans le Trio ne broderas,
L'auteur suivras exactement.

6. A l'orchestre tu ne feras
Que la note tout uniment.

7. Sur toutes clefs transposeras,
Pour accompagner sûrement.

8. En Quatuor ne forceras
Que pour la chambre seule-[ment.

9. Au chef d'orchestre obéiras
Docilement, aveuglément.

10. En public tu ne trembleras,
Ni devant les Rois même-[ment.

LES COMMANDEMENTS DU VIOLON, cité par J.B. WECKERLIN, *op. cit.*

JEAN-JACQUES ROUSSEAU

J.-J. ROUSSEAU (1712-1778) fut aussi, de son temps, une célébrité musicale grâce à son Devin de village *et à de nombreuses romances. Il rédigea un* Dictionnaire de musique, *dans un esprit encyclopédique, mais tout personnel, où il exprime ses propres idées sur cet art.* Sa Lettre sur la musique française *est un témoignage très important sur la fameuse* Querelle des Bouffons, *qui bouleversa les mélomanes du XVIIIe siècle.*

LES TROIS PARTIES DE LA MUSIQUE

Toute musique ne peut être composée que de ces trois choses : mélodie ou chant, harmonie ou accompagnement, mouvement ou mesure.

Quoique le chant tire son principal caractère de la mesure, comme il naît immédiatement de l'harmonie, et qu'il assujettit toujours l'accompagnement à sa marche, j'unirai ces deux parties dans un même article; puis je parlerai de la mesure séparément.

L'harmonie, ayant son principe dans la nature, est la même pour toutes les nations; ou si elle a quelques différences, elles sont introduites par celle de la mélodie : ainsi, c'est de la mélodie seulement qu'il faut tirer le caractère particulier d'une musique nationale, d'autant plus que ce caractère étant principalement donné par la langue, le chant proprement dit doit ressentir sa plus grande influence.

LA MÉLODIE

On peut concevoir des langues plus propres à la musique les unes que les autres : on en peut concevoir qui ne le seraient point du tout. Telle en pourrait être une qui ne serait composée que de sons mixtes, de syllabes muettes, sourdes ou nasales, peu de voyelles sonores, beaucoup de consonnes et d'articulations, et qui manquerait encore d'autres conditions essentielles dont je parlerai dans l'article de la mesure. Cherchons, par curiosité, ce qui résulterait de la musique appliquée à une telle langue.

Premièrement, le défaut d'éclat dans le son des voyelles obligerait d'en donner beaucoup à celui des notes; et, parce que la langue serait sourde, la musique serait criarde. En second lieu, la dureté et la fréquence des consonnes forceraient à exclure beaucoup de mots, à ne procéder sur les autres que par des intonations élémentaires; et la musique serait insipide et monotone; sa marche serait encore lente et ennuyeuse par la même raison; et quand on voudrait presser un peu le mouvement, sa vitesse ressemblerait à celle d'un corps dur et anguleux qui roule sur le pavé.

Comme une telle musique serait dénuée de toute mélodie agréable, on tâcherait d'y suppléer par des beautés factices et peu naturelles; on la chargerait des modulations fréquentes et régulières, mais froides, sans graces et sans expression; on inventerait des fredons, des cadences, des ports de voix, et d'autres agréments postiches qu'on prodiguerait dans le chant et qui ne feraient que le rendre plus ridicule sans le rendre moins plat. La musique avec toute cette maussade parure, resterait languissante et sans expression; et ses images, dénuées de force et d'énergie, peindraient peu d'objets en beaucoup de notes, comme ces écritures gothiques dont les lignes, remplies de traits et de lettres figurées, ne contiennent que deux ou trois mots, et qui renferment très peu de sens en un grand espace.

L'HARMONIE

L'impossibilité d'inventer des chants agréables obligerait les compositeurs à tourner tous leurs soins du côté de l'harmonie; et, faute de beautés réelles, ils y introduiraient des beautés de convention, qui n'auraient presque d'autre mérite que la difficulté vaincue : au lieu d'une bonne musique, ils imagineraient une musique savante; pour suppléer au chant, ils multiplieraient les accompagnements; il leur en coûterait moins de placer beaucoup de mauvaises parties les unes au-dessus des autres, que d'en faire une qui fût bonne. Pour ôter l'insipidité, ils augmenteraient la confusion; ils croiraient faire de la musique, et ils ne feraient que du bruit.

Un autre effet qui résulterait du défaut de mélodie serait que les musiciens, n'en ayant qu'une fausse idée, trouveraient partout une mélodie à leur manière : n'ayant pas de véritable chant, les parties de chant ne leur coûteraient rien à multiplier, parce qu'ils donneraient hardiment ce nom à ce qui n'en serait pas, même jusqu'à la basse continue, à l'unisson de laquelle ils feraient sans façon réciter les basses-tailles; sauf à couvrir le tout d'une sorte d'accompagnement dont la prétendue mélodie n'aurait aucun rapport à celle de la partie vocale. Partout où ils verraient des notes ils trouveraient du chant, attendu qu'en effet leur chant ne serait que des notes. *Voces, praetereaque nihil.*

LE RYTHME

Passons maintenant à la mesure, dans le sentiment de laquelle consiste en grande partie la beauté et l'expression du chant. La mesure est à peu près à la mélodie ce que la syntaxe est au discours; c'est elle qui fait l'enchaînement des mots, qui distingue les phrases, et qui donne un sens, une liaison au tout. Toute musique dont on ne sent point la mesure ressemble, si la faute vient de celui qui l'exécute, à une écriture en chiffres, dont il faut nécessairement trouver la clef pour en démêler le sens; mais si en effet cette musique n'a pas de mesure sensible, ce n'est alors qu'une collection confuse de mots pris au hasard et écrits sans suite, auxquels le lecteur ne trouve aucun sens, parce que l'auteur n'y en a point mis.

J'ai dit que toute musique nationale tire son principal caractère de la langue qui lui est propre, et je dois ajouter que c'est principalement la prosodie de la langue qui constitue ce caractère. Comme la musique vocale a précédé de beaucoup l'instrumentale, celle-ci a toujours reçu de l'autre ses tours de chant et sa mesure : et les diverses mesures de la musique vocale n'ont pu naître que des diverses manières dont on pouvait scander le discours et placer les brèves et les longues les unes à l'égard des autres; ce qui est très évident dans la musique grecque, dont toutes les mesures n'étaient que les formules d'autant de rythmes fournis par tous les arrangements des syllabes longues ou brèves, et des pieds dont la langue et la poésie étaient susceptibles. De sorte que, quoi qu'on puisse très bien distinguer dans le rythme musical la mesure de la prosodie, la mesure des vers et la mesure du chant, il ne faut pas douter que la musique la plus agréable, ou du moins la mieux cadencée, ne soit celle où ces trois mesures concourent ensemble le plus parfaitement possible.

GLUCK

C.-W. GLUCK (1714-1787) est le grand innovateur, en matière d'opéra, au XVIIIe siècle. Il en écrivit une trentaine, dont les plus renommés sont Alceste, Armide, Orphée, Iphigénie en Aulide *et* Iphigénie en Tauride. *Il réforma l'opéra contre les outrances de l'italianisme, travailla à l'union de la musique, du texte et de l'action, se soucia de vérité psychologique et de profondeur dramatique. Sa musique n'est pas subordonnée au drame mais elle veut en exprimer l'idée et les passions et non pas se superposer à lui, en l'ignorant souvent, comme un pur caprice, ce qui était le cas chez ses prédécesseurs. Il écrivit une grande partie de son œuvre en France.*

COMMENT IL COMPOSAIT

D'après Corancez

M. Gluck ne s'abusait pas sur l'art qu'il professait. Il l'avait trop bien approfondi; il savait de plus que les oreilles se lassent aisément, et qu'une fois parvenues à la fatigue, il ne fallait plus compter sur aucun effet. C'est pour cela qu'autant qu'il le pouvait il réduisait en trois actes tous les sujets dont il se chargeait. Il voulait que toutes les parties fussent liées entre elles et présentassent en même temps une telle variété que le spectateur pût aller jusqu'à la fin sans s'apercevoir que son attention fût captivée. Il avait, en conséquence, une manière de composer qui, je crois, lui était particulière. Il m'a dit souvent (ce sont ses propres expressions) qu'il commençait par faire le tour de chacun de ses actes; ensuite qu'il faisait celui de la pièce entière; qu'il se supposait toujours placé au milieu du parterre; et que, sa pièce ainsi combinée et ses morceaux caractérisés, il regardait son ouvrage comme fini, quoiqu'il n'eût encore rien écrit; mais que cette préparation lui coûtait ordinairement une année entière du travail le plus pénible, et le plus souvent une maladie grave... Et c'est ce qu'un grand nombre de gens appellent faire des chansons!

MÉMOIRES.

D'après Méhul

J'arrivai à Paris en 1779, ne possédant que *mes seize ans, ma vielle et l'espérance.* J'avais une lettre de recommandation pour Gluck, c'était mon trésor : voir Gluck, l'entendre, lui parler, tel était mon unique désir en entrant dans la capitale, et cette idée me faisait tressaillir de joie.

En sonnant à sa porte, je respirais à peine. Sa femme m'ouvrit et me dit que M. Gluck était au travail, et qu'elle ne pouvait le déranger. Mon désappointement donna sans doute à mes traits un air chagrin qui toucha la bonne dame : elle s'informa du sujet de ma visite. La lettre dont j'étais porteur venait d'un ami. Je me rassurai, parlai avec feu de mon admiration pour les ouvrages de son mari, du bonheur que j'aurais en apercevant seulement le grand homme; et Mme Gluck s'attendrit tout à fait. En souriant, elle me proposa de voir travailler son mari, mais sans lui parler, sans faire aucun bruit.

Alors elle me conduisit à la porte du cabinet d'où s'échappaient les sons d'un clavecin sur lequel Gluck tapait de toutes ses forces. Le cabinet s'ouvrit donc et se referma sans que l'illustre artiste se doutât qu'un profane approchait du sanctuaire : et me voilà derrière un paravent, heureusement percé par-ci par-là pour que mon œil pût se régaler du moindre mouvement, de la plus petite grimace de mon Orphée.

Sa tête était couverte d'un bonnet de velours noir, à la mode allemande; il était en pantoufles, ses bas étaient négligemment tirés par un caleçon, et pour tout autre vêtement il avait une sorte de camisole d'indienne à grands ramages qui descendait à peine à la ceinture.

Sous ces accoutrements je le trouvai superbe. Toute la pompe de la toilette de Louis XIV ne m'aurait pas émerveillé comme le négligé de Gluck.

Tout à coup, je le vois bondir de son siège, saisir des chaises, des fauteuils, les ranger autour de la chambre en guise de coulisses, retourner à son clavecin pour prendre le ton, et voilà mon homme tenant de chaque main un coin de sa camisole, fredonnant un air de ballet, faisant la révérence comme une jeune danseuse, des glissades autour de sa chaise, des tricotets et des entrechats, et figurant enfin les poses, les passes et toutes les allures mignardes d'une nymphe de l'Opéra.

Ensuite, il lui prit sans doute envie de manœuvrer le corps de ballet, car l'espace lui manquant, il voulut agrandir son théâtre, et à cet effet il donna un grand coup de poing à la première feuille du paravent qui se déplia brusquement, et je fus découvert.

Après une explication et d'autres visites, Gluck m'honora de sa protection et de son amitié.

A PROPOS D'IPHIGÉNIE (1774)

Mon ignorance absolue dans l'art musical ne rebutait point M. Gluck; je ne craignais pas de l'interroger, surtout quand il s'agissait de relever quelques défauts apparents. Ses réponses avaient toujours un caractère de simplicité et de vérité qui ne faisait qu'augmenter de jour en jour mon estime pour sa personne.

*Je le priai donc de m'expliquer pourquoi le morceau de la colère d'Achille, dans le même opéra d'*Iphigénie*, me causait un frisson général et me mettait, pour ainsi dire, dans la situation du héros lui-même; tandis que si je le chantais seul, loin de trouver dans le chant rien de terrible et de menaçant, je n'y voyais, au contraire, qu'une marche d'une mélodie agréable à l'oreille.*

« Il faut avant tout, me dit-il, que vous sachiez que la musique est un art très borné, et qui l'est surtout dans la partie que l'on appelle *mélodie*. On chercherait en vain, dans la combinaison des notes qui composent le chant, un caractère propre à certaines passions; il n'en existe point. Le compositeur a la ressource de l'harmonie, mais souvent elle-même est insuffisante. Dans le morceau dont vous me parlez, toute ma magie consiste dans la nature du chant qui précède et dans le choix des instruments qui l'accompagnent. Vous n'entendez depuis longtemps que les tendres regrets d'Iphigénie et ses adieux à Achille; les flûtes et le son lugubre des cors y jouent le plus grand rôle. Ce n'est pas merveille si vos oreilles ainsi reposées, frappées subitement du son aigu de tous les instruments militaires réunis, vous causent un mouvement extraordinaire, mouvement qu'il était, à la vérité, de mon devoir de vous faire éprouver, mais qui cependant ne tire pas moins sa force principale d'un effet purement physique. »

CORANCEZ, *Mémoires.*

L'allégorie de la Musique (détail).
Filippino Lippi (1457-1504).
Kaiser Friedrich Museum, Berlin.
(Cliché Giraudon).

La Muse Thalie, XVIe s., Bibliothèque Nationale, Paris. *(Cliché Giraudon).*

A PROPOS D'ALCESTE

Alceste *n'eut aucun succès à la première représentation. Je joignis M. Gluck dans les corridors; je le trouvai plus occupé à chercher la cause d'un événement qui lui paraissait si extraordinaire, qu'affecté de ce peu de succès.*

« Il serait plaisant, me dit-il. que cette pièce tombât; cela ferait époque dans l'histoire du goût de votre nation. Je conçois qu'une pièce composée purement dans le système musical réussisse ou ne réussisse pas; cela tient au goût très variable des spectateurs. Je conçois même qu'une pièce de ce genre réussisse d'abord avec engouement et qu'elle meure ensuite en présence et pour ainsi dire du consentement de ses premiers admirateurs. Mais que je voie tomber une pièce composée tout entière sur la vérité de la nature et dans laquelle toutes les passions ont leur véritable accent, je vous avoue que cela m'embarrasse. *Alceste*, m'ajouta-t-il fièrement, ne doit pas plaire seulement à présent et dans sa nouveauté. Il n'y a point de temps pour elle. J'affirme qu'elle plaira également dans deux cents ans, si la langue française ne change point, et ma raison est que j'en ai posé tous les fondements sur la nature, qui n'est point soumise à la mode. »

L'événement a prouvé combien cet homme extraordinaire devait compter en effet sur la vérité de ses principes.

Le chœur des dieux infernaux m'avait frappé de la plus grande terreur, mais je ne pouvais concevoir ce qui avait pu amener M. Gluck à faire prononcer quatre vers sur une même note.

« Il n'est pas possible, me dit-il, d'imiter le langage des êtres fantastiques, puisque nous ne les avons jamais entendus; mais il faut tâcher de se rapprocher des idées que nous donnent d'eux les fonctions dont ils sont chargés. Les diables, par exemple, ont un caractère de convention bien connu et bien prononcé : l'excès de la rage et de la fureur doit y dominer. Mais les dieux infernaux ne sont pas les diables; nous les regardons comme les ministres du destin; ils n'agissent point par une passion qui leur soit propre; ils sont impassibles. Alceste, Admète leur sont indifférents; il faut seulement qu'à leur égard le destin s'accomplisse. Pour montrer cette impassibilité qui les caractérise spécialement, je n'ai pas cru pouvoir mieux faire que de les priver de tout accent, réservant à mon orchestre le soin de peindre tout ce qu'il y a de terrible dans ce qu'ils annoncent. »

Ibid.

LETTRE A LA HARPE

Il m'est impossible, monsieur, de ne pas me rendre aux très judicieuses observations que vous venez de faire sur mes opéras dans votre *Journal de Littérature* du 5 de ce mois[1]; je ne trouve rien, absolument rien à y répliquer.

J'avais eu la simplicité de croire jusqu'à présent qu'il en était de la musique comme des autres arts, que toutes les passions étaient de son ressort, et qu'elle ne devait pas moins plaire en exprimant l'emportement d'un furieux et le cri de la douleur, qu'en peignant les soupirs de l'amour.

Il n'est point de serpent ni de monstre odieux,
Qui par l'art imité ne puisse plaire aux yeux.

Je croyais ce précepte vrai en musique comme en poésie. Je m'étais persuadé que le chant, rempli partout de la teinte des sentiments qu'il avait à exprimer, devait se modifier comme eux, et prendre autant d'accents différents qu'ils avaient de différentes nuances; enfin que la voix, les instruments, tous les sons, les silences même, devaient tendre à un seul but qui était l'expression et que l'union devait être si étroite entre les paroles et le chant, que le poème ne semblât pas moins fait sur la musique que la musique sur le poème.

Ce n'étaient pas là mes seules erreurs; j'avais cru observer que la langue française était peu accentuée et n'avait pas de quantité déterminée comme la langue italienne; j'avais été frappé d'une autre différence entre les chanteurs des deux nations. Si je trouvais aux uns la voix plus molle et plus flexible, les autres me semblaient mettre plus de force et plus d'action dans leur jeu; j'avais conclu de là que le chant italien ne pouvait convenir aux Français. En parcourant ensuite les partitions de vos anciens opéras, malgré les trilles, les cadences et les autres défauts dont leurs airs m'avaient paru chargés, j'y avais trouvé assez de beautés réelles pour croire que les Français avaient en eux-mêmes leurs propres ressources.

---

1. *Armide* avait été représentée le 23 septembre 1777. La Harpe en rendit compte dans son *Journal* le 5 octobre. Il donnait, pour terminer, cette appréciation du rôle principal :

« Le rôle d'Armide est presque d'un bout à l'autre une criaillerie monotone et fatigante. Le musicien en a fait une Médée et a oublié qu'Armide est une enchanteresse et non pas une sorcière. » Gluck adressa sa réponse au *Journal de Paris,* qui l'inséra le 12 octobre.

Voilà, monsieur, quelles étaient mes idées lorsque j'ai lu vos observations. Aussitôt la lumière a dissipé les ténèbres; j'ai été confondu en voyant que vous en aviez plus appris sur mon art en quelques heures de réflexion, que moi après l'avoir pratiqué pendant quarante ans. Vous me prouvez, monsieur, qu'il suffit d'être homme de lettres pour parler de tout. Me voilà bien convaincu que la musique des maîtres italiens est la musique par excellence, est la seule musique; que le chant, pour plaire, doit être régulier et périodique, et que même dans ces moments de désordre, où le personnage chantant, animé de différentes passions, passe successivement de l'une à l'autre, le compositeur doit toujours conserver le même motif de chant.

Je conviens avec vous que de toutes mes compositions *Orphée* est la seule qui soit supportable; je demande bien sincèrement pardon au Dieu du goût d'avoir « assourdi » mes auditeurs par mes autres opéras; le nombre de leurs représentations et les applaudissements que le public a bien voulu leur donner ne m'empêchent pas de voir qu'ils sont pitoyables; j'en suis si convaincu, que je veux les refaire de nouveau; et comme je vois que vous êtes pour la musique tendre, je veux mettre dans la bouche d'Achille furieux un chant si touchant et si doux, que tous les spectateurs en seront attendris jusqu'aux larmes.

A l'égard d'*Armide*, je me garderai bien de laisser le poème tel qu'il est, car, comme vous l'observez judicieusement, les *opéras de Quinault, quoique pleins de beautés, sont coupés d'une manière très peu favorable à la musique; ce sont de fort beaux poèmes, mais de très mauvais opéras*; dussent-ils donc devenir de très mauvais poèmes, comme il n'est question que d'en faire de beaux opéras à votre manière, je vous supplierai de me procurer la connaissance de quelque versificateur qui remette *Armide* sur le métier et qui ménage deux airs dans chaque scène. Nous limiterons ensemble la quantité et la mesure des vers; pourvu que le nombre des syllabes soit complet, je ne m'embarrasserai pas du reste. Cet arrangement pris, je ferai de mon côté la musique, de laquelle, comme de raison, je bannirai scrupuleusement tous les instruments bruyants, tels que la timbale et la trompette; je veux qu'on n'entende dans mon orchestre que les hautbois, les flûtes, les cors de chasse et les violons, avec des sourdines, bien entendu; il ne sera plus question que d'arranger les paroles sur ces airs, ce qui ne sera pas difficile, puisque d'avance nous aurons pris nos dimensions.

Alors, le rôle d'Armide ne sera plus « une criaillerie monotone et fatigante », ce ne sera plus « une Médée, une sorcière », mais « une Enchanteresse »; je veux que dans son désespoir elle vous chante un air si *régulier*, si *périodique*, et en même temps si tendre, que la petite-maîtresse la plus vaporeuse puisse l'entendre sans le moindre agacement de nerfs.

Si quelque mauvais esprit s'avisait de me dire : Monsieur, prenez donc garde qu'Armide furieuse ne doit pas s'exprimer comme Armide enivrée d'amour; Monsieur, lui répondrais-je, je ne veux point effrayer l'oreille de M. de la Harpe, je ne veux point « contrefaire » de la douleur la plus vive; je lui répondrais encore que M. de la Harpe ne veut pas entendre « le cri d'un homme qui souffre ».

N'ai-je bien saisi, monsieur, l'esprit de la doctrine répandue dans vos observations ? J'ai procuré à plusieurs de mes amis le plaisir de les lire : « Il faut être reconnaissant, m'a dit l'un d'eux en me les remettant; M. de la Harpe vous donne d'excellents airs, il fait sa profession de foi en musique, rendez-lui le change; procurez-vous ses ouvrages poétiques et littéraires, et, par amitié pour lui, relevez-y tout ce qui ne vous plaira pas. Bien des gens prétendent que la censure dans les arts ne produit d'autre effet que de blesser l'artiste sur qui elle tombe; et pour le prouver, ils disent que jamais les poètes n'ont eu plus de censeurs et n'ont été plus médiocres que de nos jours; mais consultez là-dessus les journalistes, et demandez-leur si rien est plus utile à l'Etat que les journaux. On pourra vous objecter qu'il ne vous sied pas à vous, musicien, de décider en poésie; mais cela sera-t-il plus étonnant que de voir un poète, un homme de lettres, juger despotiquement en musique ? »

Voilà ce que me dit mon ami; ses raisons m'ont paru très solides; mais, malgré ma reconnaissance pour vous, je sens, monsieur, que, toute réflexion faite, il m'est impossible de m'y rendre, sans encourir le sort de ce dissertateur qui faisait en présence d'Annibal un long discours sur l'art de la guerre.

J'ai l'honneur d'être, etc.

JOURNAL DE PARIS, 12 octobre 1777.

W.-A. MOZART

W.-A. MOZART (1756-1791) est, selon Romain Rolland, l'artiste moderne qui se rapproche le plus des Grecs anciens, par le sublime et la pureté d'expression: Mozart écrivit des opéras, comme La Flûte enchantée, Don Juan, Cosi fan tutte, *des symphonies, des concertos, des messes, de la musique vocale, de la musique de chambre, des pièces pour piano, etc. Enfant prodige, il connut très tôt le succès, mais son existence fut pleine de difficultés matérielles et morales. Son œuvre a le registre le plus étendu : elle va du simple divertissement aux créations les plus pathétiques. Elle ne cesse jamais de donner l'image d'une perfection classique que son extrême invention n'empêche jamais de se réaliser formellement.*

CONTRE LES INDIFFÉRENTS

M. Grimm m'a donné une lettre pour (*la duchesse de Chabot*) et j'y suis allé. Le contenu de cette lettre avait pour but principal de me *recommander* à la *duchesse de Bourbon* (qui était naguère au couvent), de me faire de nouveau connaître à elle et de me rappeler à son souvenir. Mais huit jours se sont passés sans la moindre nouvelle. Comme la duchesse de Chabot m'avait tout de suite remis à huit jours, je tins parole et me représentai chez elle. Je dus alors attendre une demi-heure dans une grande pièce glacée, non chauffée, sans cheminée. Enfin la duchesse vint à moi, avec la plus grande amabilité, et me pria de me contenter du piano qui était là, aucun des siens n'étant en état, et de vouloir bien en essayer. Je lui répondis que je jouerais de grand cœur quelque chose, mais que, pour le moment, cela m'était impossible, tant je ne sentais plus mes doigts, de froid; et je la priai de me faire mener, au moins, dans une chambre où il y aurait une cheminée et du feu. « *Oh! oui, monsieur, vous avez raison!* », ce fut toute sa réponse. Après quoi elle s'assit et commença de dessiner, toute une heure durant, en *compagnie* d'autres messieurs, qui étaient tous assis en cercle autour d'une grande table. Ainsi j'eus l'honneur d'attendre, une heure entière. Fenêtres et portes étaient ouvertes. J'avais froid, non seulement aux mains, mais par tout le corps et aux pieds, et la tête commença vite à me faire mal aussi. Et puis c'était *altum silentium*, et je ne savais plus que devenir, si longtemps, de froid, de mal de tête et d'ennui. Souvent je me disais en moi-même : « Si ce n'était pour M. Grimm, comme je m'en retournerais à l'instant! » Pour abréger, je me mis enfin à jouer, sur ce *misérable* et détestable *piano-forte*. Mais le plus vexant c'est que *Madame* et tous ces *messieurs* n'interrompirent pas un instant leur dessin, mais le poursuivirent tout le temps, en sorte que c'est pour les sièges, les tables et les murs que je dus jouer. Dans des conditions aussi défavorables, je perdis patience. J'avais commencé les *Variations* de Fischer... j'en jouai la moitié et me levai. Alors, une foule *d'éloges*. Mais je dis ce qu'il y avait à dire : que je ne pouvais me faire aucun honneur avec un pareil piano, et qu'il me serait très agréable que l'on choisît un autre jour, où il y en aurait un meilleur. La duchesse ne voulut cependant pas me laisser aller : je dus attendre une demi-heure, jusqu'à ce qu'arrivât son mari. Pour celui-ci, il s'assit à côté de moi et m'écouta avec toute son attention. Et moi... j'en oubliai tout le froid, le mal de tête... et en dépit de ce méchant piano, je jouai... comme je joue quand je suis bien en train. Donnez-moi le meilleur piano d'Europe, mais, pour écouter, des gens qui ne comprennent ou ne veulent comprendre rien, qui ne sentent pas avec moi ce que je joue, j'en perdrai toute joie à jouer.

A son père, 1er mai 1778, *trad. H. de Curzon.*

L'INQUIÉTUDE ET LE TRIOMPHE

J'ai dû faire une symphonie pour l'ouverture du *Concert spirituel.* Elle a été exécutée le jour de la Fête-Dieu, avec un applaudissement général. D'après ce que j'entends dire, il en a été fait mention dans le *Courrier de l'Europe*... Elle a donc plu exceptionnellement. A la répétition, j'ai eu très peur, car, de ma vie, je n'ai rien entendu de plus mauvais : vous ne pouvez vous imaginer comment ils ont, deux fois de suite, bâclé et raclé à fond la symphonie... J'étais vraiment très inquiet... Je l'aurais bien fait répéter une fois de plus, mais on a toujours tant de morceaux à répéter qu'il n'y avait plus assez de temps. Et je dus aller me coucher le cœur inquiet et l'humeur mécontente et furieuse. Le lendemain, j'avais pris la résolution de ne pas aller du tout au *Concert*. Mais il fit beau, le soir, et je finis par me décider, avec le dessein arrêté, si cela marchait aussi mal qu'à la répétition, de pénétrer dans l'orchestre, de prendre le violon des mains de M. Lahoussaye, le premier violon, et de *diriger* moi-même. Je priai Dieu qu'il me fît la grâce que tout marchât bien, puisque tout est pour son plus grand honneur et sa *gloire*, et *eccc*... la symphonie commença. Raaff était assis à côté de moi. Juste au milieu du premier *allegro* était un *passage* que je savais bien devoir plaire : tous les auditeurs en furent transportés... et il y eut un grand *applaudissement*... Comme je savais bien, quand je l'écrivis, quelle sorte d'*effet* il ferait, je l'avais ramené une seconde fois, à la fin... même accueil *da capo*. L'*andante* plut aussi, particulièrement le dernier *allegro*... J'avais entendu dire qu'ici tous les derniers *allegro* commencent, comme les premiers, avec, tout de suite, l'ensemble des *instruments*, et généralement *unisono*; aussi commencé-je avec les deux violons seuls, *piano*, et pendant huit mesures seulement... puis, là-dessus, tout de suite, un *forte*... De sorte que les auditeurs (comme je m'y attendais) firent *ch*..., au moment du *piano*. Et lorsque soudain éclata le *forte*... entendre le *forte* et battre des mains fut tout un. Dans ma joie, sitôt la symphonie achevée, je m'en allai au *Palais royal*... pris une bonne glace, dis le chapelet que j'avais promis de dire... et restai à la maison... Car c'est toujours à la maison que je suis le mieux, c'est toujours à la maison que je serai le mieux... Ou bien chez un bon, vrai, loyal Allemand... qui, s'il est célibataire, vit pour lui-même, en bon chrétien, et, s'il est marié, aime sa femme et élève bien ses enfants.

Maintenant, je vous donne une nouvelle que vous aurez peut-être déjà sue : l'impie, le maître fourbe Voltaire est *crevé*, autant dire comme un chien, comme une brute... Voilà ses gages!

***A son père*, 3 juillet 1778, *ibid*.**

HAYDN

L'OREILLE, LE CŒUR ET LES RÈGLES

Sitôt que j'avais saisi une idée, tous mes efforts consistaient à la conformer aux règles de l'art et à l'étayer par elles. J'essayais ainsi de m'aider moi-même. C'est là ce qui manque le plus à nos nouveaux compositeurs : ils alignent un petit morceau auprès d'un premier et s'interrompent lorsqu'ils ont à peine commencé : il ne reste rien dans le cœur des auditeurs lorsqu'ils ont entendu de telles œuvres.

★

Lorsque j'estimais qu'une chose était belle, c'est-à-dire que mon oreille et mon cœur en étaient satisfaits, plutôt que de l'immoler à la sèche rhétorique scolaire, je préférais y laisser subsister un petit solécisme.

Cité par PIERRE BARBAUD, *Haydn.*

GRÉTRY

GRETRY (1741-1813) est l'auteur de O Richard, ô mon Roi! *qui fut l'hymne royaliste, au début de la Révolution française. Il écrivit de nombreux opéras, qu'on ne joue plus depuis longtemps, des symphonies, de la musique de chambre, des pièces d'inspiration aussi bien religieuse que révolutionnaire. Son œuvre écrite,* Mémoires *et* Réflexions d'un solitaire, *est sans doute supérieure à sa musique : si celle-ci a les défauts de son siècle, celle-là en a les qualités. C'est un compositeur un peu trop frivole et sentimental; c'est un écrivain qui sait raisonner, passer outre aux idées reçues, être compétent et original — du moins quand il parle de musique.*

DE L'EXALTATION DE L'ESPRIT

Il est des hommes dont la tête s'exalte trop aisément; d'autres dont la tête ne s'exalte jamais, et d'autres qui, en s'exaltant, ne s'écartent point de la modération. C'est, je pense, la sensibilité extrême, nulle ou modérée, de l'individu qui cause ces différentes exaltations de notre esprit. Si l'on demande lequel de ces trois hommes, ainsi organisé, est préférable aux autres, l'on répondra, sans doute, que c'est celui qui est mixte, parce qu'il ne permet point à son esprit d'outrepasser les bornes de la raison; et parce que, exempt de l'apathie qui rend l'homme égoïste, il peut vivre hors de lui-même et pour le bonheur de l'humanité. Cependant le concours des deux autres semble lui être nécessaire, surtout dans les sciences et les arts : c'est en évitant les excès de l'un et de l'autre qu'il se constitue. Le premier se croit seul inspiré et adore sa chimère; le second, aussi dur, aussi froid que la glace, semble redouter les rayons du soleil qui le dissolveraient; le troisième, regardant plus haut et plus bas que lui, tantôt avec une douce pitié, tantôt avec horreur, sourit à celui qui s'échauffe par des inventions exaltées qu'il sait modérer; puis jetant un regard sévère sur le monstre congelé, se croit heureux de pouvoir éviter les excès.

MÉMOIRES ET ÉCRITS SUR LA MUSIQUE.

LE SOUVENIR ET LA SPONTANÉITÉ DANS LA CRÉATION

Plus on travaille et plus on tourmente son imagination, plus il est difficile de poursuivre sa carrière. Il est douloureux de n'acquérir l'expérience qui mûrit le jugement, qui établit l'ordre dans les idées, qui sait faire beaucoup avec peu de choses, qu'en perdant cette fraîcheur, cette facilité que donne l'abondance même des idées. On dira peut-être qu'il faut conserver par écrit celles qui, rejetées à présent, peuvent devenir précieuses pour l'avenir. Je ne conseille à personne de faire ce magasin; je crois que l'imagination se nourrit des idées qu'on écarte, en attendant qu'elles conviennent à un autre sujet; mais les écrire serait en débarrasser la mémoire, et par conséquent l'appauvrir.

Les fibres du cerveau conservent longtemps les impressions que le sentiment a produites; et quoiqu'elles semblent éteintes, soyons sans inquiétude : dès qu'un sujet analogue les rappellera, vous serez sûr alors qu'elles ne se représenteront que pour se placer mieux que la première fois, puisque c'est au sentiment qui vous domine qu'elles devront une seconde existence, que l'on pourrait regarder comme une résurrection. Qui ne se rappelle d'avoir senti l'inquiétude que donne un sentiment presque évanoui, mais dont il reste cependant assez pour exciter le regret de l'avoir perdu ? Voici l'expédient dont je me suis servi pour me rappeler, avec pleine intelligence, un trait de chant presque oublié. Si je puis me souvenir dans quelle situation physique ou morale j'étais alors; si, par exemple, j'étais à la campagne, travaillant, un beau jour d'été, seul dans ma chambre, jouissant d'une perspective agréable; si je puis, dis-je, me rappeler qu'en une semblable situation j'ai créé un trait de chant que j'ai perdu ensuite, c'est en me transportant en réalité ou en idée, dans un lieu de même aspect, que je suis certain de trouver le trait que je chercherai peut-être en vain dans tout autre lieu. D'autres que moi ont éprouvé sans doute que l'on retrouve, même involontairement, les idées qui semblent perdues, lorsque l'âme est affectée ainsi qu'elle l'était à la première création.

Quand l'esprit cherche à produire, il m'a semblé n'avoir que deux manières d'opérer.

Si vous ne trouvez que des idées anciennement conçues pour rendre ce que vous sentez actuellement; s'il vous semble que ce n'est qu'au défaut d'idées plus intimes à votre sujet que vous vous servez des anciennes, vous ne ferez qu'une production médiocre. Mais si, tel que la fable nous dit que Minerve sortit du cerveau de Jupiter, votre sujet présent réveille tout à coup une idée dans votre imagination, et que, sans retranchement, sans amplification, ni modification quelconque, vous sentiez ce sujet clairement expliqué, c'est alors qu'un mouvement de satisfaction vous dit que vous ne pouvez mieux faire. Ce sentiment intérieur est une inspiration qu'il ne faut pas combattre; car après avoir résisté, il se laisse vaincre, et c'est toujours au préjudice de nos productions. Quoique je n'aie pas dit la centième partie de tout ce qu'on pourrait dire sur le chapitre des idées, parce que je crois qu'il est bon d'être sobre lorsqu'on traite de pareilles matières, et qu'il est prudent de ne pas trop tendre le fil qui nous guide dans ce labyrinthe métaphysique, l'on doit penser que c'est de la situation où j'étais, en faisant l'*Amant jaloux*, que j'ai voulu parler. L'abondance des idées ne me gênait plus et j'adoptais, sans indécision, celles qui se présentaient à mon imagination, soit qu'elles fussent d'ancienne date, ou que les paroles les fissent naître.

Ibid.

LA RÈGLE NE DOIT PAS ÊTRE UNE LIMITATION

Malheur à l'artiste qui, trop captivé par la règle, n'ose se livrer à l'essor de son génie; il faut des écarts pour pouvoir tout exprimer; il doit savoir peindre l'homme sensé qui passe par la porte, et le fou qui passe par la fenêtre.

Si vous ne pouvez être vrai qu'en créant une combinaison inusitée, ne craignez point d'enrichir la théorie d'une règle de plus; d'autres artistes placeront peut-être encore plus à propos la licence que vous vous êtes permise, et forceront les plus sévères à l'adopter. Le précepte a presque toujours suivi l'exemple. Ce n'est cependant qu'à l'homme familiarisé avec la règle, qu'il est quelquefois permis de la violer, parce que lui seul peut sentir qu'en pareil cas la règle n'a pu suffire.

Ibid.

HEGEL

UN ART QUI DOIT ÉLABORER SES PROPRES MATÉRIAUX

La sculpture et la peinture trouvent déjà leurs matériaux sensibles, bois, pierres, métaux, couleurs, etc., tout faits ou n'ont à leur faire subir que de légères transformations pour les rendre susceptibles d'une utilisation artistique. Mais la musique, qui évolue dans un élément créé par l'art et pour l'art, doit procéder à une élaboration beaucoup plus difficile avant de devenir capable de produire des sons. En dehors d'alliages de métaux en vue de la fonte, du frottage des couleurs avec des sucs de plantes, des huiles, etc., de leurs mélanges en vue d'obtenir de nouvelles nuances, la sculpture et la peinture n'ont pas besoin d'inventions extraordinaires. Mais, en dehors de la voix humaine, qui est un don direct de la nature, la musique doit se donner elle-même les moyens lui permettant de créer des sons et sans lesquels elle ne saurait même pas exister.

En ce qui concerne ces moyens, nous avons déjà défini plus haut la sonorité, en disant qu'elle résulte de la vibration d'un corps existant dans l'espace, qu'elle est la première animation intérieure se dressant contre la juxtaposition dans l'espace sensible et qui, par la négation de la spatialité réelle, s'affirme comme l'unité idéelle de toutes les propriétés physiques du corps : poids spécifique et cohésion. Quant aux propriétés qualitatives des matériaux qu'on fait ainsi résonner, elles sont, tant au point de vue physique qu'à celui de leur construction artificielle, très variées : c'est tantôt une colonne d'air rectiligne ou ondulatoire, enfermée dans un canal en bois ou en métal, tantôt une corde tendue, métallique ou en fibres de boyaux, tantôt une surface de parchemin tendu ou une cloche de verre ou de métal, etc. Il existe, sous ce rapport, une certaine hiérarchie entre les instruments, en ce sens que c'est la direction linéaire des sons émis qui confère à ceux-ci le caractère le plus essentiellement musical (instruments à cordes ou à vent), tandis que les autres, ceux à surface plate (tambour, grosse caisse, timbale, harmonica), ne jouent qu'un rôle secondaire. On dirait qu'il existe, entre l'intériorité se percevant elle-même et les sons linéaires, une affinité secrète qui fait que la subjectivité, simple en soi, exige, pour son expression, la vibration sonore de la simple longueur, et non celle de surfaces larges ou rondes.

NE RIEN EXPRIMER QUE L'ŒUVRE ELLE-MÊME

La poésie épique, où le poète déroule devant nous un monde objectif d'événements et d'actions, ne permet pas au rhapsode récitant d'adopter une autre attitude que celle de la passivité à l'égard de ce qu'il raconte. Moins il se met en avant, mieux cela vaut; il peut même sans inconvénients réciter d'une façon monotone et sans âme. Ce qui est en effet destiné à agir, c'est la chose elle-même, l'exécution poétique, le récit, et non le ton et la manière dont les faits sont racontés et récités. De là découle une règle applicable au premier mode d'exécution musicale. Si en effet la composition est d'une perfection pour ainsi dire objective, en ce sens que le compositeur n'a fait qu'exprimer en sons la chose elle-même ou les sentiments par elle suscités, la reproduction sera également objective. Non seulement l'artiste exécutant n'aura rien à y ajouter venant de lui, mais il risque même de nuire grandement à l'effet en le faisant. Il doit se conformer sans réserves au caractère de l'œuvre, n'en être que l'organe obéissant. Mais tout en faisant preuve de cette obéissance, il ne doit pas, comme cela n'arrive que trop souvent, il ne doit pas se laisser glisser jusqu'au niveau d'un simple manœuvre, comme celui qui tourne la manivelle d'un orgue de Barbarie. Pour qu'on puisse encore, à ce propos, parler d'art, il faut que l'artiste, au lieu de donner l'impression d'un automate musical, qui ne fait que réciter une leçon et répéter machinalement ce qui lui est prescrit, sache animer l'œuvre conformément au sens que voulait lui donner le compositeur et dans son esprit même. Mais la virtuosité de cette animation consiste uniquement à résoudre les problèmes difficiles, non seulement sans donner l'apparence d'une lutte contre une difficulté pénible à surmonter, mais en procédant aussi librement que possible, de même qu'au point de vue spirituel la génialité consiste seulement à s'élever dans la reproduction à la hauteur spirituelle du compositeur et à rendre son œuvre vraiment vivante.

L'ANIMER PAR SES PROPRES MOYENS

Il en est tout autrement des œuvres musicales dans lesquelles la liberté et l'arbitraire du compositeur s'affirment d'une façon patente et où l'on a moins à rechercher une réussite parfaite dans l'expression et les autres manières de traiter le mélodique, l'harmonique, le caractéristique, etc. Ici la bravoure de la virtuosité est tout à fait à sa place, et la génialité, d'autre part, au lieu de se borner à la simple exécution du donné, peut aller jusqu'à un point où l'exécutant se met lui-même à composer, à combler des lacunes, à approfondir ce qui lui paraît trop superficiel, à animer ce qui lui paraît insuffisamment animé, bref à donner l'impression d'un effort indépendant et d'un travail créateur. C'est ainsi que dans l'opéra italien une assez grande liberté est laissée au chanteur, surtout en ce qui concerne les fioritures, et étant donné que la déclamation s'écarte ici du contenu particulier des paroles, cette exécution indépendante devient, à son tour, un libre courant mélodique dans lequel l'âme exprime sa propre résonance et jouit de ses propres vibrations. Lorsqu'on dit que Rossini a rendu facile la tâche des chanteurs, cela n'est vrai qu'en partie. Il la rend également difficile, car il fait souvent appel à l'activité de leur génie musical indépendant. Si le chanteur est vraiment génial, l'œuvre d'art en reçoit un charme tout à fait singulier. On n'est pas seulement en présence d'une œuvre d'art, mais on assiste à une création artistique réelle. Devant cette présence pleine de vie, on oublie toutes les conditions extérieures, l'endroit où on se trouve, l'occasion précise à laquelle on est redevable de ce spectacle, le moment précis du service divin, le contenu et le sens de la situation dramatique, on n'a plus besoin, on ne veut plus d'aucun texte, il ne reste que le ton général du sentiment auquel l'âme de l'artiste, repliée sur elle-même, s'abandonne avec effusions, en même temps qu'elle fait preuve de génialité dans l'invention, de virtuosité dans l'exécution, d'esprit, de goût et de grâce dans le choix des fioritures et des interruptions plaisamment gaies du cours de la mélodie.

Cette animation produit un effet encore plus remarquable lorsqu'elle est le fait, non de la voix humaine, mais de quelque autre instrument. Par leur sonorité, les instruments sont en général plus éloignés de l'expression intime de l'âme, ils sont une chose extérieure, une chose morte, alors que la musique est mouvement et activité intérieurs. Mais lorsque l'extériorité de l'instrument disparaît, lorsque la musique intérieure s'échappe tout entière à travers la réalité extérieure, cette virtuosité fait de l'instrument, qui n'est en soi qu'un objet extérieur, un organe fonctionnant en parfait accord avec l'âme de l'artiste. Je retrouve, parmi mes souvenirs de jeunesse, celui d'un virtuose de la guitare qui avait composé pour son insignifiant instrument des musiques guerrières, avec une absence de goût totale. Il était, si je ne me trompe, tisserand de son métier et, lorsqu'on lui parlait, il faisait l'impression d'un homme à l'esprit obtus. Mais dès qu'il se mettait à jouer, on oubliait son absence de goût dans ses compositions, comme il s'oubliait d'ailleurs lui-même, et il obtenait des effets merveilleux, parce qu'il mettait dans son instrument toute son âme qui, aurait-on dit, ne connaissait pas d'exécution plus élevée que celle qu'elle faisait retentir dans ces sons.

LA VIRTUOSITÉ, CE MERVEILLEUX MYSTÈRE

Une virtuosité, lorsqu'elle a atteint ce degré, témoigne non seulement d'une maîtrise surprenante sur l'extérieur, mais aussi d'une pleine liberté intérieure, puisqu'elle se meut à son aise, comme en se jouant, au milieu de difficultés en apparence insurmontables, use habilement d'artifices, se permet des interruptions, des saillies, des badinages inspirés par le caprice du moment et fait du baroque même, grâce à ses inventions originales, un objet de jouissance. Une tête obtuse est en effet incapable d'inventer des artifices ingénieux, tandis que chez les artistes de génie cette ingéniosité est une preuve de la maîtrise qu'ils exercent sur leur instrument, dont leur virtuosité sait franchir les limites et vaincre l'insuffisance. Une pareille exécution insuffle à l'œuvre musicale une vie d'une intensité extraordinaire, et nous assistons à ce merveilleux mystère d'un outil extérieur devenant un organe animé, et nous voyons passer devant nous, comme dans un éclair, en même temps que la conception intérieure, l'exécution d'une géniale fantaisie dont la vie évanescente nous laisse tout pénétrés d'émotion.

ESTHÉTIQUE, *op. cit.*

GŒTHE (1749-1832)

PRODUCTIVITÉ ET GÉNIE

GŒTHE. — Oui, mon ami, on n'est pas seulement productif en écrivant des poèmes ou des pièces de théâtre, il existe aussi une *productivité des actes,* et celle-ci, en bien des cas, est de beaucoup supérieure à l'autre. Le médecin lui-même doit être productif, s'il tient à guérir vraiment; s'il ne l'est point, il peut bien lui arriver çà et là de réussir, comme par hasard, mais dans l'ensemble il ne fera qu'un charlatan.

ECKERMANN. — Il semble que dans ce cas vous appelez productivité ce qu'on pourrait qualifier du nom de génie.

GŒTHE. — En effet, l'un et l'autre sont choses très voisines. Qu'est-ce en effet que le génie, sinon cette force productive d'où naissent des actions qui peuvent se montrer à la face de Dieu et de la nature, et qui, par cela même, ont suite et durée ?

Toutes les compositions de Mozart sont de cet ordre; il y a en elles une force créatrice qui agit de génération en génération et qui ne semble pas devoir être tarie et consommée de sitôt. On en peut dire autant d'autres grands compositeurs et artistes. Quelle action n'ont pas exercée sur les siècles suivants Phidias et Raphaël, Dürer et Holbein!...

(*Mardi 11 mars 1828.*)

ECKERMANN. — ... Je crois même que le mot *composition* est impropre et humiliant lorsqu'il s'agit des productions authentiques de l'art et de la poésie.

GŒTHE. — C'est un mot ignoble que nous devons aux Français et dont il faudra bien que nous tâchions de nous débarrasser le plus tôt possible. Comment peut-on dire que Mozart a *composé Don Juan* ? — Une composition, cela ? — Comme s'il s'agissait d'un gâteau ou d'un biscuit fait avec des œufs, de la farine et du sucre, le tout battu ensemble! Non, c'est une création de l'esprit : les parties et le tout sont pénétrés d'une seule âme, d'un seul mouvement, du souffle d'une seule vie. Celui qui l'a faite n'a pas cherché, n'a pas divisé, n'a pas procédé suivant son bon plaisir, mais il était possédé par le démon de son génie, et il a dû exécuter ce que celui-ci lui ordonnait.

(*Dimanche 20 juin 1831.*)

CONVERSATIONS DE GŒTHE AVEC ECKERMANN,
trad. Chuzeville.

BEETHOVEN

EXPRIMER LA NATURE...

Dieu des forêts, Dieu tout-puissant! Je suis béni, je suis heureux dans ces bois, où chaque arbre me fait entendre ta voix. Quelle splendeur, oh, Seigneur! Ces forêts, ces vallons respirent le calme, la paix, la paix qu'il faut pour te servir!...

Mon « décret » m'oblige à demeurer dans le pays. Comme cela m'est aisé! Ici, je ne suis pas torturé par ma malheureuse infirmité. Il me semble qu'à la campagne, chaque arbre me fasse entendre sa voix, me dise : Saint! Saint! Oh, enchantement de la forêt! Qui pourrait exprimer tout cela ?

CARNETS INTIMES, 1815, *trad. M. V. Kubié.*

... *MAIS NE PAS LA DÉCRIRE*

Les descriptions d'une image appartiennent à la peinture; le poète aussi peut en cela s'estimer heureux devant ma muse; son domaine n'est pas si limité que le mien, qui en revanche s'étend plus loin dans d'autres régions, de sorte qu'on ne peut atteindre si facilement son empire...

CORRESPONDANCE, 1817.

Laissons à l'auditeur le soin de s'orienter. *Sinfonia Caracteristica* — ou un souvenir de la vie à la campagne. Tous spectacle perd à vouloir être reproduit trop fidèlement dans une composition musicale. — *Sinfonia Pastorella.* Les titres explicatifs sont superflus; même celui qui n'a qu'une idée vague de la campagne comprendra aisément le dessein de l'auteur. La description est inutile; s'attacher plutôt à l'expression du sentiment qu'à la peinture musicale.

CARNETS INTIMES, 1807.

... La *Symphonie Pastorale* n'est pas un tableau; on y trouve exprimées, en nuances particulières, les impressions que l'homme goûte à la campagne...

Ibid. 1808.

Attribué à Van Balen, Van Kessel, d'après Brueghel le Jeune.
Allégorie de l'Ouïe. Détail. Musée municipal de Saint-Germain-en-Laye.

(Phot. Giraudon)

SEULS HÆNDEL, BACH...

J'ai été à Vienne, pour chercher dans la bibliothèque de Votre Altesse Impériale ce qui me convenait le mieux. Le dessein principal est d'atteindre rapidement le but (avec la meilleure réunion des arts); mais en cela, des vues pratiques peuvent faire exception, ce à quoi les anciens nous servent doublement, ayant eu pour la plupart une réelle valeur artistique (quant au génie, seuls l'*Allemand* Händel et Sébastien Bach en ont eu); seulement dans le monde de l'art comme dans le grand ensemble de la création dont la liberté et le progrès sont le but, si nous autres modernes nous ne sommes pas encore si avancés que *nos ancêtres pour la solidité,* pourtant le raffinement de nos mœurs a aussi étendu bien des choses. Il ne faut pas qu'on puisse reprocher l'étroitesse d'esprit à mon auguste disciple en musique [1], déjà mon rival pour les lauriers de la gloire et *iterum venturus judicare vivos et mortuos* [2].

LETTRE A L'ARCHIDUC RODOLPHE, 1819.

Prenez place dans ma chambre, portraits de Händel, de Bach, de Gluck, de Mozart, de Haydn! Vous pouvez m'aider à accepter mes souffrances (1815).

...

« Malheureusement les génies médiocres sont condamnés à imiter les défauts des grands maîtres sans en apprécier les beautés : de là, le mal que Michel-Ange fait à la peinture, Shakespeare à l'art dramatique et que Beethoven fait de nos jours à la musique [3]. »

CARNETS INTIMES, 1816.

JE N'AI JAMAIS RETOUCHÉ MES COMPOSITIONS

... J'ai remarqué avec bien du plaisir que les 62 airs, que j'ai composés pour vous, vous sont enfin parvenus et que

1. L'archiduc Rodolphe.
2. Texte extrait de la messe en *ré*.
3. Citation en français, sans doute recopiée par B. sur une revue française.

vous en êtes satisfait, à l'exception de 9 que vous me marquez et dont vous voulez que je change les ritournelles et les accompagnements. Je suis fâché de ne pas pouvoir vous y complaire. Je ne suis pas accoutumé de retoucher mes compositions. Je ne l'ai jamais fait, pénétré de la vérité que tout changement partiel altère le caractère de la composition. Il me fait de la peine que vous y perdez, mais vous ne sauriez m'en imputer la faute, puisque c'est à vous de me faire mieux connaître le goût de votre pays et le peu de facilité de vos exécutants. Maintenant, muni de vos renseignements, je les ai composés de nouveau et comme j'espère, de sorte qu'ils répondront à votre attente. Croyez-moi, que c'est avec une grande répugnance, que je me suis résolu à mettre à gêne mes idées et que je ne m'y serais jamais prêté, si je n'avais réfléchi que comme vous ne voulez admettre dans votre collection que de mes compositions, mon refus y pourrait causer un manque et frustrer par conséquence le beaucoup de peines et de dépenses que vous avez employé pour obtenir une œuvre complète...

LETTRE A UN ÉDITEUR ANGLAIS, 1813.

★

NE PLUS JAMAIS IMPROVISER

Dieu sait pourquoi, ma musique de piano me fait toujours une très mauvaise impression, surtout quand elle est mal exécutée...

CARNETS INTIMES, 1804.

Ne plus jamais improviser au piano comme autrefois — malgré tout ce que je pourrais entendre...

Ibid., 1816.

LE MOUVEMENT N'EST PAS TOUJOURS LE CARACTÈRE

Je me réjouis de partager cordialement vos vues, touchant cette désignation du mouvement, qui nous vient encore de la barbarie de la musique : car peut-il, par exemple, y avoir rien de plus absurde que *allegro,* qui, une fois pour toutes, signifie *gai,* alors que nous sommes souvent fort éloignés d'avoir une pareille idée de ce mouvement, en sorte que le morceau lui-même dit le contraire de l'indication. Quant à ces quatre mouvements principaux qui sont loin d'avoir la vérité ou l'exactitude des quatre vents principaux, nous les rejetons volontiers; autre chose sont les mots qui désignent le caractère du morceau; ceux-là, nous ne pouvons les abandonner, car si la mesure, à proprement parler, est plutôt le corps, ceux-ci ont déjà trait à l'esprit du morceau. Pour moi, j'ai pensé voilà longtemps à abandonner ces absurdes désignations d'*allegro, andante, adagio, presto;* le métronome de Maelzel nous offre pour cela la meilleure occasion. Je vous donne ici *ma parole* que je ne les emploierai *plus* dans mes nouvelles compositions. Une autre question est de savoir si nous arriverons ainsi à généraliser l'usage du métronome; je le crois à peine! Mais qu'on nous traite de *tyrans,* voilà ce dont je ne doute point. Si notre cause s'en trouvait servie, cela vaudrait toujours mieux que l'accusation de servilité...

Au conseiller von Mosel, 1817.

Les deux derniers airs dans votre lettre du 21 décembre m'ont beaucoup plu. C'est pourquoi je les ai composés *con amore,* surtout l'autre de ces deux. Vous l'avez écrit en *la* bémol, mais comme ce ton m'a paru peu naturel et si peu analogue à l'inscription *amoroso* qu'au contraire il le changerait en *Barbaresio,* je l'ai traité dans le ton lui convenant.

Si à l'avenir dans les airs que vous serez dans le cas de m'envoyer pour être composés il y avait des *andantino,* je vous prierais de me notifier si cet *andantino* est entendu plus lent ou plus vite que l'*andante,* puisque ce terme, comme beaucoup d'autres dans la musique, est d'une signification si incertaine, que maintes fois *andantino* s'approche du *allegro,* et maintes fois autre est joué presque comme *adagio.*

Pour le reste, j'approuve fort votre intention de faire adapter les Poésies aux Airs, puisque le poète peut appuyer par le rythme des vers sur quelques endroits que j'ai élevés dans les ritournelles.

Lettre a un éditeur anglais, 1813.

SACRIFIER LA VIE A L'ART

Ne sois plus homme que pour autrui, renonce à l'être pour toi-même! Pour toi, il n'est plus de bonheur, hormis en toi, par ton art. Oh! Dieu! donne-moi la force de me vaincre! Rien, désormais, ne doit plus m'enchaîner à la vie (1812).

Sacrifions la Vie à l'Art! Qu'il soit un sanctuaire : puissé-je vivre, même à l'aide de remèdes, s'il en existe! (1815).

Perfectionner, si possible, l'appareil auditif, et puis voyager. C'est ton devoir envers toi, envers les hommes, et envers Lui, le Tout-Puissant; ainsi seulement tu pourras développer un jour tout ce qu'il faut dissimuler en toi. Et une petite Cour, une petite chapelle, où le chant écrit par moi sera exécuté à la gloire du Tout-Puissant, de l'Eternel, de l'Infini! (1815).

Carnets intimes.

Vous recevrez certainement aussi le Quatuor d'ici le milieu d'octobre. Par trop accablé, et d'une santé débile, il faut avoir avec moi quelque patience; je suis ici à cause de ma santé, ou bien plutôt de mon état maladif : pourtant cela va déjà mieux. Apollon et les Muses ne voudront pas déjà me livrer à la mort, car je leur dois encore tant, et il faut qu'avant mon passage aux Champs Elyséens je laisse après moi ce que l'Esprit m'inspire et me dit d'achever. Il me semble que j'ai à peine écrit quelques notes. Je souhaite le meilleur succès à vos efforts pour l'art. Il n'y a que lui et la science pour nous faire entrevoir et espérer une vie plus haute.

Lettre a un éditeur, 1824.

TESTAMENT DE HEILIGENSTADT[1]

O vous qui pensez que je suis un être haineux, obstiné, misanthrope, ou qui me faites passer pour tel, combien vous êtes injustes! Vous ignorez la raison secrète de ce qui vous

---

1. On désigne d'ordinaire par ce nom la célèbre lettre que Beethoven, à 32 ans, adressa à ses deux frères, des environs de Vienne, à la suite d'une crise de désespoir due, principalement, à son infirmité.

paraît ainsi. Dès l'enfance, mon cœur, mon esprit inclinaient à ce sentiment délicat : la bienveillance. J'étais toujours disposé à accomplir de grandes actions; mais n'oubliez pas que depuis bientôt six ans je suis atteint d'un mal pernicieux, que l'incapacité des médecins est venue aggraver encore. Déçu d'année en année dans l'espoir que mon état s'améliore, forcé enfin d'envisager l'éventualité d'une infirmité durable, dont la guérison exigerait des années, en admettant qu'elle fût possible, doué d'un tempérament ardent et actif, porté aux distractions qu'offre la société, je me suis vu contraint, de bonne heure, à m'isoler, à passer ma vie loin du monde, solitaire. S'il m'est arrivé, parfois, de vouloir ignorer tout cela, la triste expérience que je faisais alors de mon ouïe perdue venait durement me le rappeler; et pourtant je ne pouvais encore me résoudre à dire aux hommes : « Parlez plus haut, criez, car je suis sourd. » Ah! comment avouer la faiblesse d'un sens, qui, chez moi, devrait être infiniment plus développé que chez les autres, d'un sens que j'ai possédé autrefois dans une perfection telle que bien peu de musiciens l'ont jamais connue. Non, je ne le puis pas. Aussi, pardonnez-moi si, comme vous le voyez, je me retire aujourd'hui du monde, alors qu'auparavant je m'y mêlais volontiers. Je suis d'autant plus sensible à mon infortune qu'elle me fait méconnaître de tous.

Il ne m'est plus permis de chercher un délassement dans la société de mes semblables; fini, le plaisir des entretiens agréables et de nature élevée, finis les épanchements. Complètement seul, ou presque, je ne puis fréquenter le monde que dans la mesure où l'exige l'absolue nécessité. Il me faut vivre en proscrit; si je m'approche d'une société, aussitôt je me sens pris d'une angoisse terrible dans la crainte où je suis d'être exposé au danger qu'on remarque mon état.

Il en fut ainsi pendant ces six mois que j'ai passés à la campagne. Mon médecin très sensé me priant de ménager mon ouïe le plus possible, prévint, pour ainsi dire, mon penchant personnel, encore qu'entraîné par mon esprit sociable j'y aie cédé quelquefois. Mais quelle n'était pas mon humiliation si quelqu'un, à côté de moi, percevait les sons lointains d'une flûte et que je n'entendais rien, ou les chants d'un berger, et que je n'entendais rien non plus. Pareils incidents me jetaient au seuil du désespoir. Pour un peu, j'aurais mis fin à mes jours...

C'est l'art, et lui seul, qui m'a retenu. Ah, il me paraissait impossible de quitter ce monde avant d'avoir donné tout ce que je sentais germer en moi; ainsi je végétais, prolongeant une existence misérable, — combien misérable en vérité est ce corps d'une sensibilité telle que tout changement un peu brusque peut me faire passer du meilleur état de santé au plus mauvais! Patience, — il s'agit, paraît-il, de te prendre pour guide, c'est fait. Ma résolution sera durable, je l'espère; je tiendrai jusqu'à ce qu'il plaise aux Parques inexorables de trancher le fil de ma vie.

Peut-être irai-je mieux, peut-être non : je suis résigné. Dans ma vingt-huitième année, me voir déjà dans l'obligation de devenir philosophe n'est pas chose aisée; pour un artiste, c'est plus dur encore que pour un autre homme. Divinité, tu vois d'en-haut le fond de mon cœur, tu le connais; tu sais bien que l'amour de l'humanité, le désir de faire le bien l'habitent. Oh! vous, qui lirez un jour ceci, pensez que vous avez été injustes pour moi; et que le malheureux se console en rencontrant un malheureux comme lui, qui, en dépit de tous les obstacles de la nature, s'est toujours efforcé d'être admis au rang des artistes et des hommes d'élite!...

1802.

WEBER

*C.-M. VON WEBER (1786-1826) est le fondateur de l'opéra romantique allemand, avec des œuvres aussi importantes qu'*Obéron *ou* Freischütz *et des compositions pour piano. Son* Invitation à la Valse *a été orchestrée par Berlioz. Weber, dans ses opéras, annonce Wagner.*

NÉCESSITÉ DE LA SOLITUDE...

Sorti des cercles mondains, j'entre dans ma chambre, paisible et solitaire. Cette solitude bienfaisante me permet au moins de répudier toute contrainte. Le repos succède aux luttes et aux tempêtes; sous cette quiétude extérieure, combien peu sauraient voir la douleur qui me ronge en anéantissant mon esprit et mon corps!

Ce n'est que sous la pression que l'onde se soulève, que le ressort se détend. Ce ne sont que les situations difficiles et périlleuses qui révèlent les grands caractères. S'il en est ainsi, le génie doit se trouver en moi, de même qu'une belle destinée, car jamais mortel ne traversa des circonstances plus défavorables et plus oppressives. Dans les plus petites comme dans les plus grandes entreprises de ma vie, le sort a jeté mille traverses sur ma route; et si jamais j'ai réussi en quelque chose, les obstacles, les difficultés incroyables qu'il m'a fallu vaincre en ont attristé la jouissance. Une insensibilité presque complète contre les coups du destin est le seul avantage que je porte encore en moi. La sensation d'un brisement absolu est si forte que le plaisir même ne peut plus produire dans mon âme une impression sans mélange. La joie ne m'apparaît plus que comme un fantôme qui me rend toute jouissance amère.

Dès ma naissance, le chemin de la vie s'ouvrit devant moi autrement que pour tout autre homme. Je ne puis me réjouir au souvenir de mon enfance; aucune joie d'une libre jeunesse ne m'a exalté; et déjà l'expérience de l'âge mûr m'éclaire. J'ai tout obtenu par moi, tout tiré de moi-même, et rien ne m'est venu d'autrui. Je n'ai jamais aimé, car ma raison m'a montré bien vite que les femmes, dont, fou que j'étais, je me croyais aimé, se jouaient de ma bonne foi, poussées par de misérables motifs. L'une faisait la coquette avec moi, parce que j'étais le seul homme de sa connaissance au-dessous de quarante ans. Une autre était attirée par mon uniforme. La troisième s'imaginait peut-être m'aimer, parce qu'elle avait besoin d'aimer quelqu'un, et que le hasard m'avait ouvert l'entrée de son intimité. Ma foi dans la femme, que mon cœur avait idéalisée, a disparu, et par suite aussi une grande partie de mon espoir dans le bonheur d'ici-bas. Si je savais trouver jamais une femme qui voulût se donner la peine de me tromper, si adroitement que je pusse la croire, je lui promettrais toute ma reconnaissance, lors même que je viendrais à me réveiller de mon rêve.

... ET DE L'AMOUR

Je le sens, il faut que j'aime; tour à tour j'adore les femmes, je les hais et je les méprise. Jamais je ne connus les tendres liens de l'amour entre frère et sœur. Ma mère, la mort me l'a enlevée de bonne heure. Mon père m'aimait avec exaltation, et cependant, faut-il le dire ? malgré tout le respect et l'affection que je lui garderai éternellement, sa faiblesse pour moi nuisait à ma confiance en lui. Je croyais aussi avoir trouvé des amis; mais l'habitude de me voir les avait seule attachés à moi. A peine étions-nous séparés, que déjà j'étais oublié. Je me réfugiai alors dans l'art, j'adorai en idolâtre les grands artistes, et, dans l'intimité, je les trouvai, avec la divinité que je leur avais prêtée, aussi abaissés que je me sentais bas moi-même. Si les maîtres se compromettent, que peut faire l'élève ? Si je n'eusse trouvé en toi, art divin, les règles pour me maîtriser moi-même, j'eusse été perdu. Et toi, mon unique soulagement, mon tout, peux-tu donc te trouver en ennemi sur ma route ? Dans l'ardeur de mon embrasement, je rencontre le sentiment de mon néant, et je le renverse à terre. Force de l'humanité, pièges qui nous environnez, pourquoi venir vous placer entre l'art, mon seul ami, et Dieu ? En me soumettant à vous, ennemis tout-puissants, je m'anéantis en riant, je me perds; et par un bon mot je prononce mon arrêt de mort.

Bref, misère est le lot de l'homme. En rien il ne peut approcher la perfection. Toujours mécontent et en désaccord avec lui-même, il personnifie le mouvement perpétuel, continuellement ballotté, sans force, sans volonté, sans repos.

FRAGMENT D'UN JOURNAL, 18 janvier 1811,
onze heures du soir.

DE L'UNITÉ DANS LA VARIÉTÉ

Vous semblez voir en moi, d'après mon quatuor et mon *Caprice,* un imitateur de Beethoven. Ce jugement, très flatteur pour quelques-uns, ne m'est pas du tout agréable. Premièrement, je hais tout ce qui porte la marque de l'imitation, et deuxièmement, je diffère trop de Beethoven dans mes vues pour que je puisse jamais me rencontrer avec lui. Le don brillant et incroyable d'invention qui l'anime est accompagné d'une telle confusion dans les idées, que ses premières compositions seules me plaisent, tandis que les dernières ne sont pour moi qu'un chaos, qu'un effort incompréhensible pour trouver de nouveaux effets, au-dessus desquels brillent quelques célestes étincelles de génie qui font voir combien il pouvait être grand s'il eût voulu maîtriser sa trop riche fantaisie. Ma nature ne me portant pas à goûter le grand génie de Beethoven, je crois pouvoir défendre ma musique par rapport à la logique et à l'art oratoire, et produire avec un seul morceau une impression déterminée. Car, pour moi, le but qu'on doit poursuivre dans toute œuvre d'art, c'est de mettre d'accord les diverses pensées de l'ouvrage, si bien que dans la plus grande variété apparaisse toujours l'unité que le premier « principe » ou thème a fait naître.

PAGANINI

PAGANINI (1782-1840) a été le violoniste le plus célèbre de son temps. Ses compositions, qui furent toujours guidées par la virtuosité, sont des prodiges de technique et d'acrobatie musicales. Il a considérablement enrichi l'art du violon.

DEUX CORDES POUR UNE AMOUREUSE...

A Lucques, je dirigeais l'orchestre, lorsque la famille régnante assistait à l'Opéra. Souvent aussi, j'étais appelé au cercle de la cour, et chaque quinzaine, j'y organisais des concerts. La princesse Elisa se retirait toujours avant la fin, parce que les sons harmoniques de mon instrument irritaient ses nerfs. Une dame fort aimable, que j'aimais depuis longtemps sans le lui dire, se montrait au contraire fort assidue à ces réunions, je crus entrevoir qu'un secret penchant l'attirait vers moi. Insensiblement, notre passion mutuelle augmenta, mais des motifs importants nous commandaient la prudence et le mystère : notre amour n'en devint que plus vif.

Un jour, je promis à cette dame, pour le prochain concert, une galanterie musicale qui ferait allusion à nos amours, et je fis annoncer à la Cour une nouveauté sous le titre de *Scène amoureuse.* La curiosité fut vivement excitée; mais l'étonnement de l'assemblée fut extrême, lorsqu'on me vit entrer dans la salle, avec un violon qui n'avait que deux cordes. Je n'y avais laissé que le *sol* et la chanterelle; celle-ci devait exprimer les sentiments d'une jeune fille, l'autre, faire entendre le langage passionné d'un amant. J'établis ainsi une sorte de dialogue où les accents les plus tendres succédaient aux emportements de la jalousie. C'étaient des mélodies, tantôt insinuantes, tantôt plaintives, des accents de fureur ou de bonheur. Venait ensuite la réconciliation des amants qui exécutaient un pas de deux, que terminait une coda endiablée...

Cité par A. Bachman, *Paganini,* S.I.M., 1907.

... UNE SEULE POUR NAPOLÉON

Ce morceau eut un succès considérable, et la dame de mes pensées laissa tomber sur moi des regards enivrants. La princesse Elisa, après m'avoir comblé d'éloges, me dit gracieusement : « Vous venez de faire l'impossible, une seule corde ne suffirait-elle pas à votre talent ?... » J'en fis l'essai et il me réussit : je composai pour la quatrième corde ma *Sonate militaire* intitulée *Napoléon,* que j'exécutai le 25 août devant une Cour nombreuse et brillante. Le succès dépassa mon attente. Ma prédilection pour la corde *sol* date de cette époque. On ne se lassait pas d'entendre ce que j'écrivais pour cette corde, et chaque jour, j'y acquérais plus d'adresse; c'est ainsi que, par degrés, je suis arrivé à cette habileté qui ne doit plus vous étonner...

Ibid.

LE DIABLE ET L'EXÉCUTANT

Un clou m'était entré dans le talon; j'arrivai sur la scène en boitant et le public se mit à rire. Au moment où je commençais, les bougies de mon pupitre tombèrent... Autres éclats de rire... Enfin, dès mes premières mesures du solo, ma chanterelle se rompit, ce qui mit le comble à l'hilarité; mais je jouai le morceau sur trois cordes, et les rires se changèrent en exclamations...

A Vienne, un bruit ridicule mit à l'épreuve la crédulité de quelques enthousiastes. J'y avais joué les variations qui ont pour titre *Le Streghe* (*Les Sorcières*) et elles avaient produit quelque effet. Un monsieur, qu'on m'a dépeint au teint pâle, à l'air mélancolique, à l'œil inspiré, affirma qu'il n'avait rien trouvé qui l'étonnât dans mon jeu : car il avait vu distinctement, pendant que j'exécutais mes variations, le diable près de moi, guidant mon bras et conduisant mon archet. Sa ressemblance frappante avec mes traits démontrait assez mon origine; il était vêtu de rouge, avait des cornes à la tête et la queue entre les jambes. Vous comprenez, monsieur, qu'après une description si minutieuse, il n'y avait pas moyen de douter de la vérité du fait, aussi beaucoup de gens furent-ils persuadés qu'ils avaient surpris le secret de ce qu'on appelle mes tours de force...

Ibid.

MENDELSSOHN

MENDELSSOHN (1809-1847) a réussi, dans son œuvre, une synthèse des formes classiques et de l'inspiration romantique. Sa Symphonie n° 4 *lui fut inspirée par son premier séjour en Italie, en 1830; mais elle n'est pas à proprement parler influencée par la musique du pays. Son chef-d'œuvre est sans doute la suite symphonique* Le Songe d'une nuit d'été. *Le grand public en connaît surtout la partie intitulée* La Marche nuptiale. *Les amateurs en préfèrent l'ouverture, pleine d'invention mélodique et instrumentale.*

LA MUSIQUE ITALIENNE, QUELQUE CHOSE DE VULGAIRE ET DE BAS

Nous avons beau vouloir venir à bout d'une œuvre fausse et impossible, elle est et demeure *autre chose* encore, et la musique italienne, de même qu'un sigisbée, sera éternellement pour moi quelque chose de vulgaire et de bas. Il se peut que j'aie l'esprit trop lourd pour comprendre ces deux phénomènes, mais je n'ai pas à m'en préoccuper. Je vous dirai seulement que naguère, à la Société Philharmonique, après qu'on eut joué tout le Pacini et le Bellini, le chevalier Ricci me pria de lui jouer l'accompagnement du *Non più andrai*; eh bien! dès les premières notes si profondément dissemblables, et si éloignées de tout ce qu'on peut imaginer, je compris clairement que j'étais en présence d'un mal sans remède, tant qu'il y aurait ici un ciel si bleu et des hivers si doux. Les Suisses, eux aussi, sont incapables de peindre de beaux paysages parce qu'ils en ont tous les jours sous les yeux. « Les Allemands, dit Spontini, traitent la musique comme une affaire d'Etat »; pour moi, j'en accepte l'augure. Récemment plusieurs musiciens d'ici parlaient de leurs compositeurs et je les écoutais en silence. L'un d'eux ayant cité aussi ***, les autres l'interrompirent en disant qu'on ne pouvait pas le compter comme Italien, attendu qu'il était imbu des principes de l'école allemande, et qu'il n'avait jamais bien pu s'en débarrasser; de sorte qu'en Italie il n'était pas vraiment chez lui. Nous autres Allemands nous disons de lui tout le contraire, et ce doit être une terrible chose que de se trouver ainsi entre deux patries sans en avoir une. Quant à moi, je reste fidèle à notre drapeau; il est assez honorable.

CORRESPONDANCE, *trad. A. A. Rolland.*

LA MUSIQUE ALLEMANDE EST PAUVRE EN MÉLODIE

Albani m'a reçu, et j'ai eu l'honneur de causer pendant une demi-heure avec un cardinal. « Ainsi, me dit-il, après avoir lu ma lettre de recommandation, vous êtes un pensionnaire du roi de Hanovre ? » Je répondis que non. « Mais vous avez déjà vu Saint-Pierre, sans doute ? » Cette fois, ma réponse fut affirmative. Sachant que je connaissais Meyerbeer, il me déclara qu'il ne pouvait pas souffrir sa musique, qu'il la trouvait trop savante. Tout cela, ajouta-t-il, est si artificiel, si pauvre en mélodie, qu'on s'aperçoit de suite que c'est l'œuvre d'un Allemand; car, voyez-vous, mon ami, les Allemands ne se doutent pas du tout de ce que c'est que la mélodie. « Oui », lui dis-je. Dans mes partitions, poursuivit Son Eminence, tout chante. Non seulement les voix humaines, mais le premier violon chante, le second violon chante, le hautbois chante, et ainsi de suite jusqu'aux cornets et même la contrebasse. J'exprimai naturellement à mon interlocuteur, en termes très respectueux, le désir de voir un échantillon de cette musique si chantante; mais il fit le modeste et ne voulut rien me montrer.

Idem, Rome, 15 mars 1831.

ENTHOUSIASME ET DIFFICULTÉS

J'ai composé depuis Vienne la première *Nuit de Sainte-Walpurgis* de Gœthe, et je n'ai pas encore eu le courage de l'écrire. Maintenant la chose a pris tournure, mais elle est devenue une grande cantate avec orchestre complet, et on peut la rendre très gaie, car il y a, au commencement, des chants de printemps et une foule de morceaux du même genre. Aux cris des hiboux, au bruit que font les veilleurs avec leurs fourches et leurs manches à balai, vient se joindre le vacarme des sorcières pour lequel j'ai, tu le sais, un faible particulier. Des trompettes en *ut* majeur annoncent les druides sacrificateurs, puis un chœur saccadé, sinistre, est chanté par les veilleurs saisis d'épouvante, et le tout se termine par le chant grave et plein du sacrifice. Ne crois-tu pas que cela pourrait faire un nouveau genre de cantate ? Je n'ai pas besoin d'y mettre une introduction instrumentale, l'ensemble est suffisamment animé. J'espère avoir bientôt terminé ce travail. Du reste, je compose en ce moment avec ardeur : la symphonie italienne marche à grands pas; ce sera le morceau le plus gai que j'aie fait, notamment la finale. Je n'ai encore rien d'arrêté quant à l'*adagio*; je crois que j'attendrai d'être à Naples pour l'écrire. Le *Donne-nous la paix* est fini, et le *Nous croyons tous* le sera ces jours-ci. Il n'y a que la Symphonie Ecossaise que je ne peux pas encore bien attrapper; s'il me vient une bonne idée, je me mettrai tout de suite à l'œuvre et je ne la quitterai plus avant d'avoir fini.

Idem, Rome, 22 février 1831.

SCHUBERT

SCHUBERT (1797-1828), l'un des premiers romantiques, composa des symphonies, dont certaines sont perdues, des sonates, de la musique de chambre, etc., mais il est surtout réputé pour ses lieder. *L'invention et la sensibilité mélodiques sont caractéristiques de son génie.*

LE SEUL AMOUR DE LA MUSIQUE

De soi et de ses œuvres, Schubert parlait rarement, et seulement en quelques mots. Sa conversation favorite roulait sur Haendel, Mozart et Beethoven. Il mettait aussi très haut les deux Haydn; mais leurs œuvres donnaient trop peu d'aliment et d'élan à son esprit.

Il avait la plus haute estime pour Beethoven. Une nouvelle sonate ou symphonie de ce maître souverain des sons était pour Schubert la jouissance la plus parfaite. Il admirait autant l'esprit gigantesque de Haendel, dont il jouait avec passion, dans ses heures de récréation, les oratorios et opéras sur la partition.

Schubert était absolument ravi par les opéras de Mozart, en particulier *Don Juan, la Flûte enchantée, Figaro* et les ensembles d'*Idoménée.* Mozart était pour lui comme le modèle le plus magnifique des compositeurs d'opéra. Il ne plaçait pas si haut les opéras de Cherubini.

Il prévoyait nettement que les œuvres de Rossini causeraient de grands dommages à l'opéra allemand; mais il s'en consolait, car, étant donné ce qui manque à leur contenu intime, ils ne pourraient pas tenir à la longue, et parce que, en fin de compte, on en reviendrait, et l'on exhumerait le *Don Juan, la Flûte enchantée* et le *Fidelio.* D'ailleurs, il ne repoussait pas totalement les productions de Rossini; il louait ce fécond compositeur pour le goût délicat dans l'instrumentation, la nouveauté et la grâce de mainte mélodie.

Schubert avait l'esprit religieux et croyait en Dieu et à l'immortalité de l'âme. Ses sentiments religieux s'expriment nettement dans nombre de ses lieder. Du temps où il endurait la misère, il ne perdit nullement courage et si, parfois, il possédait plus que ce dont il avait besoin, il partageait volontiers avec d'autres qui lui demandaient de petits cadeaux.

Depuis l'époque où je fis la connaissance de Schubert, il n'eut pas la moindre histoire de cœur. C'était un gaillard sec pour le beau sexe, et il n'était rien moins que galant.

ANSELME HUTTEN BRENNEN, *trad. J. Prod'homme,*
La Revue Musicale, 1er décembre 1928.

SUR DEUX LIEDER CÉLÈBRES

Un après-midi, accompagné de Mayerhofer, j'allai voir Schubert, qui habitait avec son père, Himmelpfortgrund. Nous le trouvâmes tout enflammé, lisant à haute voix le *Roi des Aulnes.* Il marcha un moment, de long en large, avec le livre, s'assit brusquement et, en très peu de temps, la magnifique ballade fut sur le papier. Nous courûmes au Konvikt (Schubert n'avait pas de piano) et, le soir même, on y chanta le *Roi des Aulnes,* qui fut accueilli avec enthousiasme. Rucziska, le vieil organiste de la Cour, le joua lui-même ensuite, d'un bout à l'autre, sans le chant, très attentif à toutes les parties et avec un vif intérêt. Il fut très ému par la composition. Comme quelques-uns critiquaient une certaine dissonance qui revenait plusieurs fois, Rucziska expliqua, en la faisant entendre au piano, qu'elle répondait parfaitement au texte, qu'elle en était d'autant plus belle, et qu'elle se résolvait avec beaucoup de bonheur.

VON SPAUN, 1816, *ibid.*

Lorsque Schubert eut composé le petit lied de *La Truite,* il nous l'apporta le jour même, au Konvikt, pour l'essayer, et il fut répété plusieurs fois avec le même vif plaisir; tout à coup, Holzapfel s'écria : « Ciel! Schubert, tu as trouvé cela dans le *Coriolan*! » Dans l'ouverture de cet opéra, il y a en effet un passage qui a de l'analogie avec l'accompagnement de *La Truite.* Schubert en convint aussitôt et voulut détruire le lied, mais nous l'en empêchâmes et sauvâmes de la destruction cet admirable lied.

EBNER, 1813, *ibid*

ROBERT SCHUMANN

Le jeune Schumann, dont la pensée était imprégnée de l'esprit de Jean-Paul, Hoffmann et autres écrivains romantiques allemands, entendit en dégager une esthétique musicale révolutionnaire. Avec quelques amis, il avait alors fondé, sous le nom de Davidsbündler *(les Compagnons de David) une association, qui se réunissait périodiquement pour discuter de cette esthétique nouvelle et organiser la lutte contre les « Philistins ». Cette association publia une petite revue, où, sous forme de manifestes et de pensées diverses, ses adhérents exprimaient leurs conceptions nouvelles. Schumann, s'inspirant d'un texte de Jean-Paul sur les personnalités multiples qu'un même moi peut contenir, s'était incarné lui-même, dans les* Davidsbündlertanze *et dans le célèbre* Carnaval, *en plusieurs personnages, dont chacun reflétait un aspect de son être. On retrouve trois de ces personnages, Florestan, Eusebius et Maitre Raro, dans les écrits de Schumann. Florestan représente un caractère héroïque et chevaleresque; Eusebius tendre et mélancolique; Maître Raro, professoral et spéculatif.*

OUVERTURE DE LÉONORE

Beethoven a dû pleurer lorsque, à la première audition à Vienne, elle a presque essuyé un échec, — Rossini, en pareil cas, aurait ri tout au plus. Il se laissa persuader d'en écrire une nouvelle en *mi*, qui aurait aussi bien pu être écrite par un autre compositeur. Tu as commis une erreur, — mais tes larmes étaient nobles.

EUSEBIUS.

La première conception est toujours la plus naturelle et la meilleure. La raison erre, le sentiment, non.

RARO.

La Dame à l'orgue (détail). Tapisserie, XVIe s. Mobilier National. *(Cliché Giraudon)*.

Les deux Musiciens. Caravage (?) Louvre. *(Cliché Giraudon).*

Ne tremblez pas tous à la fois, brigands de l'art, aux paroles que Beethoven prononça sur son lit de mort : je crois être au commencement — ou, comme (dit) Jean-Paul : il me semble que je n'ai encore rien écrit.

FL.

Le talent travaille, le génie crée.

FL.

CRITIQUE ET REPORTER

L'œil armé (du télescope) voit des étoiles, là où l'œil nu (voit) seulement des nébuleuses.

FL.

Boulangers de pain suisse, qui travaillent pour le *bon goût,* sans y tâter le moins du monde, — qui ne profitent en rien du *bon goût,* parce qu'ils y travaillent jusqu'à en être dégoûtés.

La pierre d'achoppement qu'ils rencontrent partout ne saurait être pour eux la pierre de touche de la vérité qui, on le sait, est la chose la plus ridicule.

FL.

Un drame sans une représentation vivante aux yeux serait un drame étrange et sans vie pour la foule, de même qu'une poésie uniquement musicale sans la main qui l'explique. Mais que les exécutants (qui jouent) viennent en aide aux créateurs (les poètes), et la moitié du temps est gagnée.

E.

Le musicien cultivé pourra étudier avec autant de profit une madone de Raphaël, et un peintre une symphonie de Mozart. Bien plus : tout acteur servira au sculpteur pour un homme au repos, et les œuvres du sculpteur (seront utiles) aux personnages vivants de l'acteur : pour le peintre, le poème devient image, le musicien transformera les tableaux en musique.

E.

L'esthétique d'un art est celle d'un autre (art); la matière seule diffère.

FL.

Il est difficile de croire qu'il puisse se créer en musique (art) romantique d'essence, une Ecole spécifiquement romantique.

Fl.

Paganini est le point solstitial de la virtuosité.

Fl.

Ce qu'on apprend étant enfant, on ne l'oublie jamais.

Fl.

La musique est l'art qui s'est formé le plus tard; ses commencements furent les états simples de la joie et de la douleur (majeur et mineur), et l'homme même le plus cultivé ne s'imagine guère qu'il puisse y avoir des douleurs plus intimes, de sorte que, pour lui, l'intelligence de tous les maîtres plus individuels (Beethoven, Schubert) est si difficile. Quand on a pénétré plus profondément dans les mystères de l'harmonie, on a acquis la faoulté d'exprimer les nuances les plus délicates du sentiment.

La foule veut des foules.

Si tu veux connaître un homme, demande-lui quels sont ses plaisirs, autrement dit, si tu veux juger le public, considère ce qu'il applaudit — non, vois plutôt la mine qu'il fait, dans son ensemble, après une audition. Comme la musique, au contraire de la peinture, est l'art dont nous jouissons le mieux collectivement (une symphonie dans une chambre, avec un *seul* auditeur, causerait peu de plaisir à celui-ci) (l'art) qui nous saisit tous ensemble, à plusieurs milliers, d'un coup et au même instant, qui nous transporte au-dessus de la vie, comme au-dessus d'un océan qui nous étreint, sans nous tuer en nous engloutissant, mais renvoie aux hommes comme l'image du génie ailé, jusqu'au moment où il vient se poser dans le bois sacré des dieux. Aussi produit-elle des œuvres qui exercent le *même* pouvoir sur les esprits qui, pour cette raison, doivent être évidemment reconnus comme les plus sublimes, tant par le jeune homme que par le vieillard. Je me souviens que, dans la Symphonie en *ut* mineur, au passage qui précède le mouvement final, quand tous les nerfs sont tendus jusqu'à la crispation, un enfant se cramponna à moi de plus en plus fort et que, lui en ayant demandé la raison, il me répondit : j'ai peur!

Eusebius.

Il faut distinguer si c'est Beethoven qui écrit des gammes

chromatiques, ou son cœur (après une audition du Concerto en *mi* bémol).

FL.

L'homme le plus âgé a été le plus jeune; le dernier venu est le plus âgé; aussi subissons-nous la loi des siècles précédents!

FL.

Ton opinion, ô Florestan, que la *Symphonie pastorale* et la *Symphonie héroïque* te plaisent moins, parce que Beethoven les a ainsi qualifiées, me paraît fondée sur un sentiment juste. Mais si tu me demandais pourquoi, je ne saurais te répondre.

E.

Il ne peut rien y avoir de pire que d'être loué par un gredin.

FL.

SUR LES CHANGEMENTS DANS LA COMPOSITION

Souvent deux variantes peuvent avoir la même valeur.

EUSEBIUS.

La première est *généralement* la meilleure.

RARO.

Comme cela me fâche d'entendre dire : Une symphonie de Kalliwoda n'en serait pas une de Beethoven. Il est vrai que celui qui est friand de caviar sourit d'entendre dire à un enfant qu'il aime les pommes.

E.

DISCOURS DE CARNAVAL DE FLORESTAN

prononcé après une exécution de la IXe symphonie de Beethoven

Florestan monta sur le piano et dit :

« Compagnons de David ici rassemblés, jeunes gens et

hommes faits, vous qui devez assommer les Philistins, musiciens et autres, et surtout les plus longs.

« Je ne divague jamais, excellents (compagnons)! Vraiment, je la connais mieux que moi-même, cette Symphonie. Je ne perdrai pas un mot là-dessus. Toute parole à son sujet vous embêterait, ô Compagnons de David! J'ai célébré véritablement les *Tristes* d'Ovide, j'ai suivi des cours d'anthropologie. Il est difficile d'être irrité contre beaucoup de choses, il est difficile de peindre beaucoup de satires avec son visage, assez difficile de monter en ballon, comme le Gianozzo de Jean-Paul, pour faire croire seulement aux hommes qu'on se soucie des mêmes choses qu'eux, si loin, si loin au-dessous passent ces bipèdes, ainsi les appelle-t-on, à travers une gorge étranglée qu'on peut toujours appeler la vie.

« Certes, je ne me fâcherai pas, si peu que j'aie entendu. Pourtant c'est Eusèbe qui m'a fait rire. Il s'est conduit comme un vrai drôle, en rudoyant ce gros homme qui lui demandait mystérieusement, pendant l'adagio : « Monsieur, est-ce que Beethoven n'a pas écrit aussi une symphonie de la bataille ? — C'est justement la *Symphonie pastorale,* monsieur, lui a répondu notre Eusèbe impassible. — Ah! ah! parfait, » dit le gros homme avec un accent traînant, et il s'est replongé dans ses réflexions.

« Il faut bien que l'homme ait besoin d'un nez; sinon, Dieu ne lui en aurait pas donné un. Ils supportent bien des choses, ces publics, et je pourrais vous en dire des plus étonnantes à cet égard; ainsi, le jour où vous, Kniff, m'avez tourné les pages, au concert où je jouais un *Nocturne* de Field. A la moitié du morceau, le public était déjà plongé dans ses réflexions, autrement dit, il dormait. Malheureusement, j'avais un des pianos les plus surannés qui se soient jamais présentés à un auditoire et, au lieu de la pédale, j'attrapai la musique turque, assez *piano* par bonheur, de sorte que je fis croire au public, par ce coup de hasard, qu'une espèce de marche (de janissaires) se faisait entendre à la cantonade, et je la fis revenir de temps en temps, par de légers coups. Naturellement, Eusèbe a contribué pour sa part à le faire savoir. Mais le public d'applaudir, à en fumer.

« Une foule d'histoires de ce genre m'est venue à l'esprit pendant l'adagio, lorsque éclata le premier accord du mouvement final. « Qu'est-ce autre chose, Cantor (dis-je à mon voisin qui s'était mis à trembler), qu'un accord avec quinte retardée dans un renversement un peu bizarre parce qu'on ne sait pas si l'on doit prendre pour basse le *la* des timbales ou le *fa* des basses ? » Voyez seulement Türk, 19e partie, p. 71 : « Ah! monsieur, vous parlez bien fort; vous voulez plaisanter! » D'une voix plus douce, plus effrayante, je lui murmurai à l'oreille : « Cantor, faites attention aux orages!

L'éclair n'envoie pas de valet en livrée avant d'éclater, tout au plus un orage l'annonce, et après, un coup de tonnerre. C'est sa manière. — Pourtant des dissonances comme celles-là doivent être préparées »; déjà la suivante jaillissait. Cantor, la belle septième des trompettes vous pardonne.

« J'étais tout à fait épuisé de ma douceur, et j'avais bien travaillé de mes petits poings.

« Alors, ô chef d'orchestre, tu m'as donné une belle minute, lorsque tu as attaqué si magnifiquement le temps du thème grave des basses bien alignées, que j'en ai oublié pas mal de mes colères du premier mouvement où, malgré l'humble voile de l'indication : *un poco maestoso,* s'exprime toute la majesté d'un dieu qui s'avance lentement.

« Qu'est-ce que Beethoven a bien pu s'imaginer avec ces basses ? — Monsieur, répondis-je assez ennuyé, vous avez assez de peine : le génie aime à plaisanter, — on dirait un chant de veilleur de nuit. La belle minute était passée, — le diable lâché de nouveau. Et comme je considérais maintenant ces Beethovéniens qui étaient là, les yeux écarquillés et disaient : « Ça, c'est de notre Beethoven, c'est une œuvre allemande, — au dernier mouvement, il y a une double fugue, — on lui reproche de ne pas en faire, — mais, comme il l'a faite, — oui, voilà notre Beethoven. » Un autre chœur reprit : « On dirait que tous les genres de poésie sont renfermés dans cette œuvre, dans le premier mouvement l'épopée, dans le second l'humour, dans le troisième le lyrisme, dans le quatrième (le mélange de tous) le drame. » Un autre reprit, sur le ton élogieux, que c'était une œuvre gigantesque, colossale, comparable aux pyramides d'Egypte. D'autres voyaient dans la symphonie une représentation de l'histoire de la création de l'homme — d'abord le chaos — puis l'appel de la divinité : « Que la lumière soit! » — alors le soleil se lève sur le premier homme, surpris d'une telle magnificence, — bref, c'était tout le premier chapitre du *Pentateuque.*

« J'étais de plus en plus fou et stupide. Et comme je les voyais suivre dans le texte et applaudir à la fin, je pris Eusèbe par le bras et lui fis descendre l'escalier rempli de lumière, au milieu de figures souriantes.

« En bas, à la lueur des réverbères, Eusèbe dit comme *a parte* : « Beethoven — que de choses dans ce mot! déjà la sonorité grave des syllabes vibre comme pour l'éternité. On dirait qu'il ne peut y avoir d'autres lettres pour ce nom. — Eusèbe, dis-je avec un calme sincère, tu te permets de faire l'éloge de Beethoven ? Comme un lion, il se serait dressé devant vous, et vous aurait demandé : qui êtes-vous donc, vous qui osez cela ? — Ce n'est pas pour toi que je parle, tu es bon, toi, — mais faut-il donc qu'un tel homme traîne toujours mille pygmées à sa suite ? Celui-là, qui s'est tellement efforcé, qui a tellement lutté en d'innombrables combats, croyez-vous le comprendre parce que vous souriez et applaudissez ? Vous qui ne pouvez m'evpliquer la loi musicale la plus élémentaire, vous voulez vous mêler de porter un jugement d'ensemble sur un maître ? Ceux-là que je mets tous en fuite, quand je prononce seulement le mot de contrepoint, — ceux-là qui éprouvent peut-être après lui telle ou telle sensation et s'écrient aussitôt : oh! cela est fait exactement selon (les règles de) notre *corpus* — ceux-là qui veulent parler d'exceptions, ignorent les règles, — ceux-là qui estiment en lui, non pas la mesure dans une puissance, gigantesque du reste, mais l'excès, — gens du monde superficiels, — ambulantes souffrances de Werther, — véritables enfants fanfarons hors d'âge, — (ce sont) ceux-là qui veulent l'aimer, et même le louer ? »

« Compagnons de David, je ne vois personne qui l'osât, comme certain gentilhomme silésien qui écrivait récemment en ces termes à un marchand de musique :

BEETHOVEN

« Honoré monsieur!

« Je viens de finir d'arranger ma bibliothèque musicale. Je voudrais que vous voyiez comme elle est magnifique. A l'intérieur, des colonnes d'albâtre, des glaces avec des rideaux de soie, des bustes de compositeurs, magnifique en un mot. Mais pour lui donner l'ornement le plus précieux, je vous prie de m'envoyer encore les œuvres complètes de Beethoven, *car il me plaît beaucoup.* »

A mon avis je ne vois guère ce que je pourrais ajouter à cela.

VISITE DE ROSSINI A BEETHOVEN

Le papillon volait sur le chemin de l'aigle, mais celui-ci l'évita pour ne pas l'écraser d'un coup d'aile.

E.-S.

ITALIEN ET ALLEMAND

Regardez cet aimable et folâtre papillon, mais enlevez-lui sa poussière colorée, et voyez comme il vole piteusement et combien peu on fait attention à lui, tandis qu'on retrouve après des siècles des squelettes de géants que leurs descendants se montrent avec curiosité.

LE BAL MASQUÉ

C'est tout un carnaval qui danse dans les *Danses allemandes* (de Schubert). « Ce qui serait beau, cria Florestan dans l'oreille de Fritz Friedrich, ce serait que tu ailles chercher ta *Lanterna magica* et que tu projettes sur le mur le bal masqué. » L'autre, joyeux, court et revient.

Le groupe que voici est parmi les plus gracieux. La pièce faiblement éclairée, — au piano, Zilia, la rose blessée dans les boucles (de sa chevelure), — Eusèbe dans son paletot de velours noir, penché sur la chaise, — Florestan (vêtu de même), debout sur la table et pérorant, — Serpentin entourant le cou de Walt de ses jambes et de temps à autre, montant sur lui à califourchon, — le peintre, à la Hamlet, étalant avec ses yeux de taureau ses ombres dont quelques-unes couraient déjà du mur au plafond avec leurs pattes d'araignée, Zilia préluda et Florestan dit à peu près ceci, quoique sous une forme un peu plus parfaite :

« N° 1. *La* majeur. Des masques qui se pressent. Tambours. Trompettes. Jet de vapeur lumineux. Homme portant perruque : « Tout a l'air de bien marcher. » — 2. Personnage comique qui se gratte derrière les oreilles et fait sans cesse *pst, p t.* Il disparaît. — 3. Arlequin les bras aux hanches. Il dégringole par la porte, la tête la première. — 4. Deux masques, raides et distingués, dansent en n'échangeant que de rares paroles. — 5. Svelte chevalier poursuivant un masque : « Enfin, je te tiens, belle joueuse de cithare. — Lâchez-moi. » Elle s'enfuit. — 6. Hussard, raide, avec plumet et sabretache. — 7. Moissonneur et moissonneuse heureux de valser. »

CES DIABLES DE ROMANTIQUES

Où se cachent-ils, ces romantiques du diable ? Le bon vieux chef d'orchestre, M. de Breslau, se déclare soudain leur adversaire le plus décidé; l'*Allgemeine musikalische Zeitung* continue, elle aussi, à les dépister partout. Mais où se cachent-ils ? Seraient-ce par hasard Mendelssohn, Chopin, Bennet, Hiller, Henselt, Taubert ? Qu'est-ce que ces vieux messieurs ont à leur reprocher ? Estiment-ils plus Vanhal, Pleyel, ou Herz et Hünten ? Mais, si l'on a visé celui-ci ou celui-là, qu'on le dise plus franchement. On parle finalement des « supplices et tortures de cette période de transition en musique »; mais il y a assez de gens sensibles et perspicaces qui pensent autrement. Qu'on cesse donc d'entasser pêle-mêle tout ce qui peut sembler digne de blâme dans les compositions de l'Ecole franco-allemande, dans Berlioz, Liszt, etc., par exemple, et de rendre suspects les efforts des jeunes compositeurs allemands. Si cela ne vous convient pas, donnez-nous vous-mêmes des œuvres, ô vieux messieurs, — des œuvres, des œuvres!...

Carnet de pensées et de poésie.

L'OPINION PERSONNELLE

Combien peu possèdent, comme Schubert, une individualité telle qu'ils peuvent répandre autour d'eux une série variée de tableaux musicaux, tout en mettant de côté, pour eux-mêmes et pour leur propre cœur, leurs inspirations moins importantes! La feuille de papier de musique est, pour Schubert, ce qu'est, pour d'autres, le journal quotidien dans lequel ils inscrivent leurs sentiments fugitifs; il lui confie les variations de son humeur et — d'après mon simple jugement — son cœur, entièrement rempli par la musique, écrit des notes comme d'autres écrivent des mots. Il y a déjà des années que j'ai commencé une esthétique de l'art musical : elle était assez avancée, lorsque je me rendis compte que les opinions personnelles me faisaient défaut — et, encore plus, l'objectivité, — si bien que je recueillais, tout bonnement, de-ci, de-là, ce que d'autres avaient dénaturé sans s'en être rendu compte. Si vous saviez à quel point je suis intérieurement oppressé et angoissé en pensant que je pourrais imprimer « (op. 100) » sur mes symphonies, si je les avais écrites; combien je me sens à l'aise en face d'un orchestre complet, et comme je serais de force à tenir tête à mes ennemis, à les diriger, à les dompter et à les faire reculer! J'ai peu de fierté, moins par parti pris général que suivant les circonstances : j'affecte d'être fier devant les gens qui le méritent — mais souvent je suis tellement au pouvoir de la musique qui domine mon être, qu'il ne m'est pas possible d'écrire, et que j'en arrive à être d'une humeur telle qu'un jour, un critique d'art me disant : « Je ferais mieux de ne pas écrire, car je ne produis pas », je lui partis d'un éclat de rire au nez, en lui disant qu'il n'y comprenait rien!

LETTRE A F. WIECK, 6 novembre 1829.

FRÉDÉRIC CHOPIN

CHOPIN (1810-1849) a presque exclusivement écrit pour le piano. Il a enrichi la technique de cet instrument et en a dévoilé toute l'essence musicale. Il n'est pas dominé par la virtuosité, comme Liszt ou Paganini, mais par une conception de son art profondément pianistique. S'il n'a presque jamais utilisé de grands thèmes ni des formes monumentales de la composition, il a excellé, sans appauvrir sa création, dans les genres mineurs : nocturne, prélude, valse, ballade, scherzo, mazurka et polonaise, ces deux derniers genres mettant à contribution des sources spécifiquement nationales, mais qu'il personnalise au plus haut degré. Harmonie et mélodie y sont profondément originales.

UN MUSICIEN, RIEN QU'UN MUSICIEN

Chopin et Delacroix s'aiment, on peut dire, tendrement[1]. Ils ont de grands rapports de caractère et les mêmes grandes qualités de cœur et d'esprit. Mais, en fait d'art, Delacroix comprend Chopin et l'adore, Chopin ne comprend pas Dela-

---

1. C'est George Sand qui parle. Les textes qui suivent sont relatifs aux séjours que Chopin fit chez elle à Nohant, où il rencontra de nombreux musiciens et artistes célèbres. Chopin ne s'étant pas exprimé sur son art, dans sa correspondance, nous avons, là aussi, préféré le témoignage vivant qui paraît le mieux rapporter ses propres idées.

croix. Il estime, chérit, et respecte l'homme; il déteste le peintre. Delacroix, plus varié dans ses facultés, apprécie la musique, il la sait et il la comprend; il a le goût sûr et exquis. Il ne se lasse pas d'écouter Chopin; il le savoure, il le sait par cœur. Cette adoration, Chopin l'accepte et il en est touché; mais quand il regarde un tableau de son ami, il souffre et ne peut trouver un mot à lui dire. Il est musicien, rien que musicien. Sa pensée ne peut se traduire qu'en musique. Il a infiniment d'esprit, de finesse et de malice, mais il ne peut rien comprendre à la peinture et à la statuaire. Michel-Ange lui fait peur. Rubens l'horripile. Tout ce qui paraît excentrique le scandalise. Il s'enferme dans tout ce qu'il y a de plus étroit dans le convenu. Etrange anomalie! Son génie est le plus original et le plus individuel qui existe. Mais il ne veut pas qu'on le lui dise. Il est vrai qu'en littérature Delacroix a le goût de ce qu'il y a de plus classique et de plus formaliste...

LE REFLET D'UN REFLET

... Maurice[1] casse les vitres au dessert. Il veut que Delacroix lui explique le mystère des reflets, et Chopin écoute les yeux arrondis par la surprise. Le maître établit une comparaison entre les tons de la peinture et les sons de la musique. L'harmonie en musique ne consiste pas seulement dans la construction des accords, mais encore dans leurs relations, dans leur succession logique, dans leur entraînement, dans ce que j'appellerais au besoin leurs effets auditifs. Eh bien, la peinture ne peut pas procéder autrement . « Le reflet du reflet » nous lance dans l'infini, et Delacroix le sait bien, mais il ne pourra jamais le démontrer...

Je me permets de communiquer comme je peux mon appréciation. Chopin s'agite sur son siège.

— Permettez-moi de respirer, dit-il, avant de passer au relief. Le reflet, c'est bien assez pour le moment. C'est ingénieux, c'est nouveau pour moi; mais c'est un peu de l'alchimie.

— Non, dit Delacroix, c'est de la chimie toute pure. Les tons se décomposent et se recomposent, etc...

... Chopin ne l'écoute plus. Il est au piano et ne s'aperçoit pas qu'on l'écoute. Il improvise comme au hasard. Il s'arrête.

---

1. Le fils de G. Sand

— Eh bien, eh bien! s'écrie Delacroix, ce n'est pas fini!

— Ce n'est pas commencé. Rien ne me vient... rien que des reflets, des ombres, des reliefs qui ne veulent pas se fixer. Je cherche la couleur, je ne trouve même pas le dessin.

— Vous ne trouverez pas l'un sans l'autre, reprend Delacroix, et vous allez les trouver tous les deux.

— Mais si je ne trouve que le clair de lune!

— Vous avez trouvé le reflet d'un reflet, répondit Maurice.

L'idée plaît au divin artiste. Il reprend sans avoir l'air de recommencer, tant son dessin est vague et comme incertain. Nos yeux se remplissent peu à peu de teintes douces qui correspondent aux suaves modulations saisies par le sens auditif. Et puis la note bleue résonne, et nous voilà dans l'azur de la nuit transparente. Des nuages légers prennent toutes les formes de la fantaisie; ils remplissent le ciel; ils viennent se presser autour de la lune qui leur jette de grands disques d'opales et réveille la couleur endormie. Nous rêvons à la nuit d'été; nous attendons le rossignol.

Un chant sublime s'élève!

UNE GRANDE LOGIQUE DANS UNE SPHÈRE IDÉALE

Le maître sait bien ce qu'il fait. Il rit de ceux qui ont la prétention de faire parler les êtres et les choses au moyen de l'harmonie imitative. Il ne connaît pas cette puérilité. Il sait que la musique est une impression humaine et une manifestation humaine qui pense, c'est une voix humaine qui s'exprime. C'est l'homme en présence des émotions qu'il éprouve, les traduisant par le sentiment qu'il en a sans chercher à en produire les causes par la sonorité. Ces causes, la musique ne saurait les préciser; elle ne doit pas y prétendre. Là est sa grandeur, elle ne saurait parler en prose.

Quand le rossignol chante à la nuit étoilée, le maître ne vous fera deviner ni pressentir par une ridicule notation le ramage de l'oiseau. Il fera chanter la voix humaine dans son sentiment particulier, qui sera celui qu'on éprouve en écoutant le rossignol, et si vous ne songez pas au rossignol, vous n'en aurez pas moins une impression de ravissement qui mettra votre âme dans la disposition où elle serait, si vous tombiez dans une douce extase par une belle nuit d'été, bercé par toutes les harmonies de la nature heureuse et recueillie.

Il en sera ainsi de toutes les pensées musicales dont le dessin se détache sur les effets d'harmonie. Il faut la parole chantée pour en préciser l'intention. Là où les instruments seuls se chargent de la traduire, le drame musical vole de ses propres ailes et ne prétend pas être traduit par l'auditeur. Il s'exprime par un état de l'âme où il vous amène par la force ou la douceur. Quand Beethoven déchaîne la tempête, il ne tend pas à peindre la lueur livide de l'éclair et à faire entendre le fracas de la foudre. Il rend le frisson, l'éblouissement, l'épouvante de la nature dont l'homme a conscience et que l'homme fait partager en l'éprouvant. Les symphonies de Mozart sont des chefs-d'œuvre de sentiment que toute âme émue interprète à sa guise sans risquer de s'égarer dans une opposition formelle avec la nature du sujet. La beauté du langage musical consiste à s'emparer du cœur ou de l'imagination sans être condamné au terre à terre du raisonnement. Il se tient dans une sphère idéale où l'auditeur illettré en musique se complaît encore dans le vague, tandis que le musicien savoure cette grande logique qui préside chez les maîtres à l'émission magnifique de la pensée.

Chopin parle peu et rarement de son art; mais quand il en parle, c'est avec une netteté admirable et une sûreté de jugement et d'intention qui réduiraient à néant bien des hérésies s'il voulait professer à cœur ouvert.

Mais jusque dans l'intimité il se réserve et n'a de véritable épanchement qu'avec son piano. Il nous promet pourtant d'écrire une méthode où il traitera non seulement du métier, mais de la doctrine.

Delacroix promet aussi dans ses moments d'expansion d'écrire un traité de dessin et de la couleur. Mais il ne le fera pas, quoi qu'il sache magnifiquement écrire. Ces artistes inspirés sont condamnés à chercher toujours en avant et à ne pas s'arrêter un jour pour regarder en arrière.

LE MUSICIEN ET LE POÈTE

On sonne, Chopin tressaille et s'interrompt. Je crie au domestique que je n'y suis pour personne. « Si fait, dit Chopin, vous y êtes pour lui. — Qui donc est-ce ? — Mickiewicz. — Oh! oui, par exemple! Mais comment savez-vous que c'est lui ? — Je ne le sais pas, mais j'en suis sûr, je pensais à lui. »

C'est lui, en effet. Il serre affectueusement les mains et s'assied vite dans un coin, priant de continuer. Chopin continue; il est sublime. Mais le petit domestique accourt tout effaré; la maison brûle! Nous allons voir. Le feu a pris, en effet, dans ma chambre à coucher; mais il est temps encore.

Nous l'éteignons lestement. Pourtant cela nous tient occupés une grande heure, après quoi nous disons : « Et Mickiewicz, où peut-il être? » On l'appelle, il ne répond pas; on rentre au salon, il n'y est pas. Ah! si fait, le voilà dans le petit coin où nous l'avons laissé. La lampe s'est éteinte, il ne s'en est pas aperçu; nous avons fait beaucoup de bruit et de mouvement à deux pas de lui, il n'a rien entendu, il ne s'est pas demandé pourquoi nous le laissions seul; il n'a pas su qu'il était seul. Il écoutait Chopin; il a continué de l'entendre.

De la part d'un autre, cela ressemblerait à de l'affectation, mais le doux et humble grand poète est naïf comme un enfant et, me voyant rire, il me demande ce que j'ai. « Je n'ai rien, mais la première fois que le feu prendra dans une maison où je serai avec vous, je commencerai par vous mettre en sûreté, car vous brûleriez sans vous en douter, comme un simple copeau. — Vraiment ? dit-il, je ne savais pas. »

Et il s'en va sans avoir dit un mot. Chopin reconduit Delacroix qui, retombant dans le monde réel, lui parle de son tailleur anglais et ne semble plus connaître d'autre préoccupation dans l'univers que celle d'avoir des habits très chauds qui ne soient pas lourds.

HISTOIRE DE MA VIE, 1854.

LA RAISON ELLE-MÊME ORNÉE PAR LE GÉNIE

Dans la journée, il m'a parlé de musique, et cela l'a ranimé[1]. Je lui demandais ce qui établissait la logique en musique. Il m'a fait sentir ce que c'est qu'harmonie et contrepoint; comme quoi la fugue est comme la logique pure en musique. J'ai pensé combien j'aurais été heureux de m'instruire en tout cela qui désole les musiciens vulgaires. Ce sentiment m'a donné une idée du plaisir que les savants, dignes de l'être, trouvent dans la science. C'est que la vraie science n'est pas ce que l'on entend ordinairement par ce mot, c'est-à-dire une partie de la connaissance différente de l'art; non! La science envisagée ainsi, démontrée par un homme comme Chopin, est l'art lui-même et par contre l'art n'est plus alors ce que croit le vulgaire, c'est-à-dire une sorte d'inspiration qui vient de je ne sais où, qui marche au hasard, et ne présente que l'extérieur pittoresque des choses.

---

1. C'est Delacroix qui parle.

C'est la raison elle-même ornée par le génie, mais suivant une marche nécessaire et contenue par des lois supérieures. Ceci me ramène à la différence de Mozart et de Beethoven. « Là, m'a-t-il dit, où ce dernier est obscur et paraît manquer d'unité, ce n'est pas une prétendue originalité un peu sauvage, dont on lui fait honneur, qui en est cause; c'est qu'il tourne le dos à des principes éternels; Mozart jamais. Chacune des parties a sa marche, qui, tout en s'accrochant avec les autres, forme un chant et le suit parfaitement; c'est là le contrepoint, *punto contrapunto*. Il m'a dit qu'on avait l'habitude d'apprendre les accords avant le contrepoint, c'est-à-dire la succession des notes qui mènent aux accords... Berlioz plaque des accords, et remplit comme il peut les intervalles... »

JOURNAL, 1849.

UNE CRÉATION SPONTANÉE, UNE ÉCRITURE DIFFICILE

Sa création était spontanée et miraculeuse. Il la trouvait sans la chercher, sans la prévoir [1]. Elle venait sur son piano, soudaine, complète, sublime, ou elle se chantait dans sa tête pendant une promenade, et il avait hâte de se la faire entendre à lui-même en la jetant sur l'instrument. Mais alors commençait le labeur le plus navrant auquel j'aie jamais assisté. C'était une suite d'efforts, d'irrésolutions, et d'impatiences pour ressaisir certains détails du thème de son audition : ce qu'il avait conçu tout d'une pièce, il l'analysait trop en voulant l'écrire, et son regret de ne pas le trouver net, selon lui, le jetait dans une sorte de désespoir. Il s'enfermait dans sa chambre des journées entières, pleurant, marchant, brisant ses plumes, répétant et changeant cent fois une mesure, l'écrivant et l'effaçant autant de fois, et recommençant le lendemain avec une persévérance minutieuse et désespérée. Il passait six semaines sur une page pour en revenir à l'écrire telle qu'il l'avait tracée du premier jet.

J'avais eu longtemps l'influence de le faire consentir à se fier à ce premier jet de l'inspiration. Mais quand il n'était plus disposé à me croire, il me reprochait doucement de l'avoir gâté et de n'être pas assez sévère pour lui. J'essayais

---

1. George Sand reprend la parole.

de le distraire, de le promener. Quelquefois, emmenant toute ma couvée dans un char à bancs de campagne, je l'arrachais malgré lui à cette agonie; je le menais au bord de la Creuse, et pendant deux ou trois jours, perdus au soleil et à la pluie dans des chemins affreux, nous arrivions, riants et affamés, à quelque site magnifique où il semblait renaître. Ces fatigues le brisaient le premier jour, mais il dormait! le dernier jour, il trouvait la solution de son travail sans trop d'efforts; mais il n'était pas toujours possible de le déterminer à quitter ce piano qui était bien plus souvent son tourment que sa joie et peu à peu il témoigna de l'humeur quand je le dérangeais. Je n'osais insister. Chopin fâché était effrayant, et comme avec moi il se contenait toujours, il semblait près de suffoquer et de mourir...

G. Sand, *op. cit.*

PRESCIENCES

Le pauvre grand artiste était un malade détestable[1]. Ce que j'avais redouté, pas assez, malheureusement, arriva. Il se démoralisa d'une manière complète. Supportant la souffrance avec assez de courage, il ne pouvait vaincre l'inquiétude de son imagination. Le cloître était pour lui plein de terreurs et de fantômes, même quand il se portait bien. Il ne le disait pas, et il fallut le deviner. Au retour de mes explorations nocturnes dans les ruines avec mes enfants, je le trouvais à dix heures du soir, pâle, devant son piano, les yeux hagards et les cheveux comme dressés sur sa tête. Il lui fallait quelques instants pour nous reconnaître.

Il faisait ensuite un effort pour rire, et il nous jouait des choses sublimes qu'il venait de composer, ou, pour mieux dire, des idées terribles ou déchirantes qui venaient de s'emparer de lui, comme à son insu, dans cette heure de solitude, de tristesse et d'effroi. C'est là qu'il a composé les plus belles de ces courtes pages qu'il intitulait modestement des *Préludes*. Ce sont des chefs-d'œuvre. Plusieurs présentent à la pensée des visions de moines trépassés et l'audition des chants funèbres qui l'assiégeaient; d'autres sont mélancoliques et suaves; ils lui venaient aux heures de soleil et de santé, au bruit du rire des enfants sous la fenêtre, au son lointain des guitares, au chant des oiseaux sous la feuillée

1. C'est au cours d'un séjour à Majorque, où sa mauvaise santé l'avait conduit, que se situent les événements qui suivent.

humide. D'autres encore sont d'une tristesse morne, et, en vous charmant l'oreille, vous navrent le cœur. Il y en a un qui lui vint par une soirée de pluie lugubre et qui jette dans l'âme un abattement effroyable. Nous l'avions laissé bien portant ce jour-là, Maurice et moi, pour aller à Palma acheter des objets nécessaires à notre campement. La pluie était venue, les torrents avaient débordé; nous avions fait trois lieues en six heures pour revenir au milieu de l'inondation, et nous arrivions en pleine nuit, sans chaussures, abandonnés par notre voiturier à travers des dangers inouïs. Nous nous hâtions en vue de l'inquiétude de notre malade. Elle avait été vive, en effet; mais elle s'était comme figée en une sorte de désespérance tranquille, et il jouait son admirable prélude en pleurant. En nous voyant entrer, il se leva en jetant un grand cri, puis il nous dit d'un air égaré et d'un ton étrange : « Ah! je le savais bien que vous étiez morts! »

Quand il eut repris ses esprits et qu'il vit l'état où nous étions, il fut malade du spectacle rétrospectif de nos dangers; mais il m'avoua ensuite qu'en nous attendant il avait vu tout cela dans un rêve, et que, ne distinguant plus ce rêve de la réalité, il s'était calmé et comme assoupi en jouant du piano, persuadé qu'il était mort lui-même. Il se voyait noyé dans un lac; des gouttes d'eau pesantes et glacées lui tombaient en mesure sur la poitrine et quand je lui fis écouter le bruit de ces gouttes d'eau, qui tombaient en effet en mesure sur le toit, il nia les avoir entendues. Il se fâcha même de ce que je traduisais par le mot d'harmonie imitative. Il protestait de toutes ses forces, et il avait raison, contre la puérilité de ces imitations pour l'oreille. Son génie était plein de mystérieuses harmonies de la nature, traduites par des équivalents sublimes dans sa pensée musicale et non par une répétition servile des sons extérieurs, Sa composition de ce soir-là était bien pleine des gouttes de pluie qui résonnaient sur les tuiles sonores de la Chartreuse, mais elles s'étaient traduites dans son imagination et dans son chant par des larmes tombant du ciel sur son cœur.

Ibid.

L'ESTHÉTIQUE DE CHOPIN

D'après lui-même.

Je joue un peu, j'écris un peu. Je suis tantôt content, tantôt mécontent de ma sonate avec violoncelle. Je la jette dans un coin, puis je m'y mets de nouveau. J'ai trois nouvelles mazurkas; je ne crois pas qu'elles aient les anciens (*mot illisible*); mais il faut du temps pour en juger. Lorsqu'on est en train d'écrire, on croit que c'est bon, car autrement on n'écrirait pas. C'est après seulement, qu'à la réflexion, l'on rejette ou l'on garde ce qui convient. Le temps est le meilleur critique et la patience, le meilleur maître.

D'après Liszt.

On ne saurait s'appliquer à faire une analyse intelligente des travaux de Chopin sans y trouver des beautés d'un ordre très élevé, d'une expression parfaitement neuve et d'une contexture harmonique aussi originale qu'accomplie. Chez lui, la hardiesse se justifie toujours, la richesse, l'exubérance même n'excluent pas la clarté; la singularité ne dégénère pas en bizarrerie baroque; les ciselures ne sont pas désordonnées, et le luxe de l'ornementation ne surcharge pas l'élégance des lignes principales. Les meilleurs ouvrages abondent en combinaisons qui, on peut le dire, forment époque dans le maniement du style musical. Osées, brillantes, séduisantes, elles déguisent leur profondeur sous tant de grâce et leur habileté sous tant de charme, que ce n'est qu'avec peine qu'on peut se soustraire à ce charme entraînant pour les juger à froid sous le point de vue de leur valeur théorique; valeur qui a déjà été sentie, mais qui se fera de plus en plus reconnaître, lorsque le temps sera venu d'un examen attentif des services rendus à l'art durant la période que Chopin a traversée.

C'est à lui que nous devons cette extension des accords, soit plaqués, soit en arpèges, soit en batteries; ces sinuosités chromatiques et enharmoniques dont ses *Etudes* offrent de si frappants exemples; ces petits groupes de notes surajoutées, tombant par-dessus la figure mélodique, pour la diaprer comme une rosée et dont on n'avait encore pris le modèle que dans les fioritures de l'ancienne école de chant italien. Reculant les bornes dont on n'était pas sorti jusqu'à lui, il donna à ce genre de parure l'imprévu et la variété que ne comportait pas la voix humaine servilement copiée par le piano, dans des embellissements devenus stéréotypés et monotones.

Il inventa ces admirables progressions harmoniques qui ont doté d'un caractère sérieux même les pages qui, par la légèreté de leur sujet, ne paraissaient pas devoir prétendre à cette importance...

D'après Schumann.

(A propos des *Etudes.*)

Que de fois nous l'avons annoncé, celui-là, comme une étoile rare des heures tardives de la nuit! Où va, où conduit son chemin, combien long encore, et combien brillant, qui le sait ? Mais toutes les fois qu'il s'est montré, ç'a été la même ardeur profonde et sombre, la même lumière, la même acuité.

Ces *Etudes* me font souvenir à propos, que je les ai, pour la plupart, entendu jouer à Chopin, *qui les joua très à la Chopin.* Qu'on imagine une harpe éolienne qui aurait toute l'échelle des sons et que la main d'un artiste jette ces sons, pêle-mêle, en toutes sortes d'arabesques fantastiques, de façon pourtant que toujours on entende un son fondamental grave et une délicate note haute continue... on aura à peu près une image de ce jeu de Chopin. Rien d'étonnant que les pièces que nous préférions soient celles que nous lui avons entendu jouer. Je cite avant tout la première, plus un poème qu'une étude. On se tromperait en pensant qu'il faisait entendre nettement chaque petite note qu'on y voit. C'était plutôt une ondulation de l'accord de *la* bémol majeur transportée par la pédale jusque dans le haut. A travers les harmonies l'on percevait, en larges notes, la mélodie merveilleuse. Vers le milieu, à côté de ce chant, une voix de ténor ressortait du flot des accords. L'*Etude* achevée, il semble qu'on voie s'échapper comme une image radieuse, contemplée en rêve, et que l'on voudrait, déjà à demi réveillé, pouvoir rattraper encore...; voilà qui laisse peu de chose à dire et dispense de tout éloge...

R. SCHUMANN, *Ecrits sur la musique et les musiciens, trad. H. de Curzon,* 1898.

(A propos de l'*Impromptu* en *la* bémol, du *Scherzo* en *si* bémol mineur et des *Mazurkas.*)

Chopin ne peut déjà plus rien écrire où l'on ne doive forcément, dès la septième ou la huitième mesure, s'écrier : « C'est de lui! » On a appelé cela une *manière,* et déclaré qu'il n'en sortirait pas. On en devrait pourtant se montrer reconnaissant. N'est-ce plus, en effet, cette même force si originale qui a projeté déjà sur vous, dans ses premières œuvres, de si merveilleux rayons de lumière, et vous a d'abord confondus, pour vous ravir ensuite ? Maintenant qu'il vous a livré une série des plus rares créations, maintenant que vous le comprenez plus aisément, vous l'exigez tout à coup autre qu'il n'est ? J'appellerai cela abattre un arbre sous le prétexte qu'il nous rapporte chaque année les mêmes fruits. D'ailleurs, chez lui, ces fruits ne sont pas une seule fois les mêmes : le tronc reste bien identique, mais les fruits, comme saveur et comme croissance, sont les plus différents du monde.

Ainsi l'*Impromptu,* si peu qu'il ait d'importance dans le cercle total de ses œuvres, je saurais à peine lui comparer quelque autre composition de Chopin : c'est, une fois de plus, si délicat de forme, avec une cantilène au commencement et à la fin, enchâssée dans un charmant travail de figures de toutes sortes, c'est un si vrai impromptu, rien de plus et rien de moins, qu'il n'y a pas une seule autre composition de lui à mettre à côté.

Le *Scherzo,* avec son caractère passionné, rappelle déjà ses prédécesseurs : il n'en reste pas moins un morceau extrêmement captivant, et qu'on peut comparer sans désavantage à une poésie de lord Byron, aussi fin, aussi hardi, avec ce même mélange d'amour et de mépris. Mais sans doute cela ne convient pas à tout le monde.

Chopin a également élevé les *Mazurkas* à la hauteur d'une petite « forme d'art »; quel que soit le nombre de celles qu'il a écrites, bien peu se ressemblent : chacune, presque, a quelque trait poétique à elle, quelque trait neuf dans la forme ou dans l'expression. Telle est, dans la seconde de celles que j'ai inscrites, la tendance du ton de *si* mineur vers celui de *fa* dièse mineur, et concluant aussi (à peine le remarque-t-on) en *fa* dièse; dans la troisième l'oscillation des tons entre le mineur et le majeur jusqu'à la victoire de la tierce majeure; de même, dans la dernière, qui a pourtant une strophe faible, la conclusion soudaine avec les quintes, devant lesquelles les *cantores* allemands joindront les mains au-dessus de leur tête...

Ibid.

(A propos des *Préludes.*)

J'ai qualifié les *Préludes* de remarquables. J'avoue que je me les figurais autres, et traités, comme ses *Etudes,* dans le plus grand style. C'est presque le contraire : ce sont des esquisses, des commencements d'études, ou si l'on veut, des ruines, quelques plumes d'aigle. Dans chaque pièce, toutefois, la même fine écriture perlée, c'est Frédéric Chopin; on le reconnaît, jusque dans les silences, à son souffle ardent.

Il est et demeure le plus audacieux, le plus fier génie poétique du temps. Ce cahier contient aussi du morbide, du fiévreux, du farouche. Que chacun y cherche ce qui lui convient, seul, le bourgeois n'y trouvera rien...

Ibid.

(A propos de la *Sonate* en *si* bémol mineur.)

Chopin va, par des dissonances, de dissonances en dissonances. Et cependant, combien cette œuvre contient encore de beauté! Ce serait caprice d'appeler cela Sonate, si ce n'était orgueil d'avoir ainsi accouplé quatre de ses enfants les plus fous... Après l'introduction commence une phrase orageuse et passionnée dont Chopin a le secret. Il faut l'entendre souvent et bien jouée. Cette partie offre un beau chant. On dirait que l'arrière-goût polonais a disparu, que, par-dessus l'Allemagne, il incline vers l'Italie. On sait que Bellini et Chopin étaient amis, qu'ils se communiquaient souvent leurs impressions et n'ont pas été sans s'influencer mutuellement. Mais ce n'est qu'une légère incursion vers le sud. A peine la période chantante achevée, le Sarmate tout entier éclate dans sa hautaine originalité. Jamais Bellini n'aurait osé un entrelacement d'accords comme nous en rencontrons à la fin de la première phrase. Tout le mouvement finit d'une manière peu italienne. A ce propos, le mot de Liszt me revient à la mémoire : « Rossini et consorts terminent toujours par un : Votre très humble serviteur. » Chopin dirait plutôt le contraire. Le second mouvement n'est que la continuation de cette inspiration : audacieux, spirituel, fantastique; le trio délicat, rêveur, tout à fait à la Chopin, scherzo de nom seulement, comme beaucoup de Beethoven. Suit, encore plus sombre, une Marche funèbre qui contient beaucoup de repoussant! A sa place, un adagio, en *ré* bémol, par exemple, aurait sûrement produit un plus grand effet. Ce que nous trouvons dans le dernier mouvement, sous le nom de Finale, renferme plus de sarcasmes que de musique. Et pourtant, il faut l'avouer, dans cette partie aussi, sans mélodie, sans joie, un certain génie impitoyable nous souffle au visage, terrasse de son poing pesant quiconque voudrait se cabrer contre lui, et fait que nous écoutons jusqu'au bout, comme fascinés et sans gronder... mais aussi sans louer : car ce n'est pas là de la musique. Et ainsi se termine la Sonate, comme elle a commencé, énigmatiquement, et semblable à un sphinx au sourire moqueur.

Ibid.

(A propos des *Nocturnes*
et de la *Ballade*.)

Les *Nocturnes* se distinguent essentiellement des premiers par une parure plus simple, une grâce plus discrète. On sait sous quel aspect jadis Chopin se présentait : comme tout parsemé de fanfreluches, de pendeloques d'or et de perles, Il est déjà devenu tout autre, et plus grave : il aime encore la parure, mais c'est la parure plus réfléchie, sous laquelle la noblesse de la poésie n'en éclate que plus aimablement. Oui, pour ce qui est du goût, et du plus fin, il le lui faut accorder... Ce n'est rien, sans doute, pour les docteurs en basse fondamentale qui ne font que courir après les quintes et dont chacune trouvée en défaut peut exciter l'indignation. Mais il y a encore bien des choses qu'ils auraient à apprendre de Chopin, et la manière de faire des quintes avant tout.

Nous devons encore mentionner la *Ballade* comme un morceau remarquable. Chopin a déjà écrit une composition sous ce même nom, une de ses plus sauvages et plus originales; la nouvelle est autre chose, inférieure à la première comme œuvre d'art, mais non moins fantastique et spirituelle. Les pages du milieu, toutes passionnées, paraissent n'avoir été intercalées que postérieurement; je me rappelle fort bien avoir entendu Chopin jouer sa ballade avec une conclusion en *fa* majeur; aujourd'hui, elle finit en *la* mineur. Il dit aussi ce jour-là à propos de ce morceau, qu'il avait été inspiré, pour ses *Ballades*, par quelque poésie de Mickiewicz. Inversement, un poète pourrait très aisément, sans sa musique, retrouver des paroles; elle remue le plus intime de l'âme.

Ibid.

D'après Maurice Ravel.

Dans la *Barcarolle* de Chopin, ce thème en tierce, souple et délicat, est constamment vêtu d'harmonies éblouissantes. La ligne mélodique est continue. Un moment, une mélopée s'échappe, reste suspendue et retombe mollement, attirée par des accords magiques. L'intensité augmente. Un nouveau thème éclate, d'un lyrisme magnifique, tout italien. Tout s'apaise. Du grave s'élève un trait rapide, frissonnant, qui plane sur des harmonies précieuses et tendres. On songe à une mystérieuse apothéose...

HECTOR BERLIOZ

LES MODES D'ACTION DE NOTRE ART MUSICAL

La Mélodie

Effet musical produit par différents sons entendus *successivement,* et formulés en phrases plus ou moins symétriques. L'art d'enchaîner d'une façon agréable ces séries de sons divers, ou de leur donner un sens expressif, ne s'apprend point, c'est un don de la nature, que l'observation des mélodies préexistantes et le caractère propre des individus et des peuples modifient de mille manières.

L'Harmonie

Effet musical produit par différents sons entendus *simultanément*. Les dispositions naturelles peuvent seules, sans doute, faire le grand harmoniste; cependant la connaissance des groupes de sons produisant les *accords* (généralement reconnus pour agréables et beaux), et l'art de les enchainer régulièrement, s'enseignent partout avec succès.

Le Rythme

Division symétrique du temps par les sons. On n'apprend pas au musicien à trouver de belles formes rythmiques; la faculté particulière qui les lui fait découvrir est l'une des plus rares. Le rythme, de toutes les parties de la musique, nous paraît être aujourd'hui la moins avancée.

L'Expression

Qualité par laquelle la musique se trouve en rapport direct de caractère avec les sentiments qu'elle veut rendre, les passions qu'elle veut exciter. La perception de ce rapport est excessivement peu commune; on voit fréquemment le public tout entier d'une salle d'opéra, qu'un son douteux révolterait à l'instant, écouter sans mécontement, et même avec plaisir, des morceaux dont l'expression est d'une complète fausseté.

Les Modulations

On désigne aujourd'hui par ce mot les passages ou transitions d'un ton ou d'un mode à un mode ou à un ton nouveau. L'étude peut faire beaucoup pour apprendre au musicien l'art de déplacer ainsi avec avantage la tonalité, et à modifier à propos sa constitution. En général les chants populaires modulent peu.

L'Instrumentation

Consiste à faire exécuter, à chaque instrument, ce qui convient le mieux à sa nature propre et à l'effet qu'il s'agit de produire. C'est en outre l'art de grouper les instruments de manière à modifier le son des uns par celui des autres, en faisant résulter de l'ensemble un son particulier que ne produirait aucun d'eux isolément, ni réuni aux instruments de son espèce. Cette face de l'instrumentation est exactement, en musique, ce que le coloris est en peinture. Puissante, splendide, et souvent outrée aujourd'hui, elle était à peine connue avant la fin du siècle dernier. Nous croyons également, comme pour le rythme, la mélodie et l'expression, que l'étude des modèles peut mettre le musicien sur la voie qui conduit à la posséder, mais qu'on n'y réussit point sans des dispositions spéciales.

Le point de départ des sons

En plaçant l'auditeur à plus ou moins de distance des exécutants, et en éloignant dans certaines occasions les instruments sonores les uns des autres, on obtient dans l'effet musical des modifications qui n'ont pas encore été suffisamment observées.

Le degré d'intensité des sons

Telles phrases et telles inflexions présentées avec douceur ou modération ne produisent absolument rien, qui peuvent devenir fort belles en leur donnant la force d'émission qu'elles réclament. La proposition inverse amène des résultats encore plus frappants : en violentant une idée douce on arrive au ridicule et au monstrueux.

La multiplicité des sons

Est l'un des plus puissants principes d'émotion musicale. Les instruments ou les voix étant en grand nombre et occupant une large surface, la masse d'air mise en vibration devient énorme, et ses ondulations prennent alors un caractère dont elles sont ordinairement dépourvues. Tellement que, dans une église occupée par une foule de chanteurs, si un seul d'entre eux se fait entendre, quels que soient la force, la beauté de son organe et l'art qu'il mettra dans l'exécution d'un thème simple et lent, mais peu intéressant en soi, il ne produira qu'un effet médiocre; tandis que ce même thème repris sans beaucoup d'art, à l'unisson, par toutes les voix, acquerra aussitôt une incroyable majesté.

Des diverses parties constitutives de la musique que nous venons de signaler, presque toutes paraissent avoir été employées par les anciens. La connaissance de l'harmonie leur est seule généralement contestée.

A TRAVERS CHANTS, 1862.

UNE « MUSIQUE A PROGRAMME », LA SYMPHONIE FANTASTIQUE

Le compositeur a eu pour but de développer dans ce qu'elles ont de musical différentes situations de la vie d'un artiste[1]. Le plan du drame instrumental, privé du secours de la parole, a besoin d'être exposé d'avance. Le programme suivant doit donc être considéré comme le texte parlé d'un opéra, servant à amener des morceaux de musique dont il motive le caractère et l'expression.

Rêveries. Existence passionnée (première partie).

L'auteur suppose qu'un jeune musicien, affecté de cette maladie morale qu'un écrivain célèbre appelle le vague des passions, voit pour la première fois une femme qui réunit tous les charmes de l'être idéal que rêvait son imagination et en devient éperdument amoureux. Par une singulière bizarrerie, l'image chérie ne se représente jamais à l'esprit de l'artiste que liée à une pensée musicale, dans laquelle il

1. Berlioz a exprimé dans cette œuvre son amour malheureux pour Harriet Smithson. Cette notice est beaucoup plus étendue et précise que celle qui figurait au programme de la première audition (version définitive : 2 décembre 1832).

trouve un certain caractère passionné, mais noble et timide, comme celui qu'il prête à l'objet aimé.

Ce reflet mélancolique avec son modèle le poursuivent sans cesse comme une double idée fixe. Telle est la raison de l'apparition constante, dans tous les morceaux de la symphonie, de la mélodie qui commence le premier allegro. Le passage de cet état de rêverie mélancolique interrompu par quelques accès de joie sans sujet, à celui d'une passion délirante, avec ses mouvements de fureur, de jalousie, ses retours de tendresse, ses larmes, ses consolations religieuses, est le sujet du premier morceau.

Un bal (deuxième partie).

L'artiste est placé dans les circonstances de la vie les plus diverses, au milieu du tumulte d'une fête, dans la paisible contemplation des beautés de la nature; mais partout, à la ville, aux champs, l'image chérie vient se présenter à lui et jeter le trouble dans son âme.

Scènes aux champs (troisième partie).

Se trouvant un soir à la campagne, il entend au loin deux pâtres qui dialoguent un ranz des vaches; ce duo pastoral, le lieu de la scène, le léger bruissement des arbres doucement agités par le vent, quelques motifs d'espérance qu'il a conçus depuis peu, tout concourt à rendre à son cœur un calme inaccoutumé et à donner à ses idées une couleur plus riante. Il réfléchit sur son isolement : il espère n'être bientôt plus seul... Mais si elle le trompait!... Ce mélange d'espoir et de crainte, ces idées de bonheur, troublées par quelques noirs pressentiments, forment le sujet de l'adagio.

(A la fin, l'un des pâtres reprend le ranz des vaches, l'autre ne répond plus... Bruit éloigné de tonnerre... Solitude... Silence.)

Marche du supplice (quatrième partie).

Ayant acquis la certitude que, non seulement celle qu'il adore ne répond pas à son amour, mais qu'elle est incapable de le comprendre, et que, de plus, elle en est indigne, l'artiste s'empoisonne avec de l'opium. La dose de narcotique, trop faible pour lui donner la mort, le plonge dans un sommeil accompagné des plus horribles visions. Il rêve qu'il a tué celle qu'il aimait, qu'il est condamné, conduit au supplice et qu'il assiste à sa propre exécution. Le cortège s'avance aux sons d'une marche bruyante, tantôt sombre et farouche, tantôt brillante et solennelle, dans laquelle un bruit sourd de pas graves succède sans transition aux éclats les plus bruyants. A la fin de la marche, les quatre premières mesures de l'*idée fixe* reparaissent comme une dernière pensée d'amour interrompue par le coup fatal.

Songe d'une nuit de sabbat (cinquième partie).

Il se voit au sabbat, au milieu d'une troupe affreuse d'ombres de sorciers, de monstres de toute espèce réunis pour ses funérailles. Bruits étranges, gémissements, éclats de rire, cris lointains auxquels d'autres cris semblent répondre. La mélodie aimée reparaît encore, mais elle a perdu son caractère de noblesse et de timidité : ce n'est plus qu'un air de danse ignoble, trivial et grotesque; c'est elle qui vient au sabbat... rugissement de joie à son arrivée... elle se mêle à l'orgie diabolique... cérémonie funèbre (parodie burlesque du *Dies irae,* ronde du sabbat, ronde du sabbat et *Dies irae* ensemble).

Le Figaro, 21 mai 1829.

LE JUSTE MILIEU

Examinons les théories qu'on dit être celles de son école (de Wagner), école généralement désignée aujourd'hui sous le nom d'école de la musique de l'avenir, parce qu'on la suppose en opposition directe avec le goût musical du temps présent, et certaine au contraire de se trouver en pleine concordance avec celui d'une époque future.

On m'a longtemps attribué à ce sujet, en Allemagne et ailleurs, des opinions qui ne sont pas les miennes; par suite, on m'a souvent adressé des louanges où je pouvais voir de véritables injures; j'ai constamment gardé le silence. Aujourd'hui, mis en demeure de m'expliquer catégoriquement, puis-je me taire encore, ou dois-je faire une profession de foi mensongère ? Personne, je l'espère, ne sera de cet avis.

Parlons donc, et parlons avec une entière franchise. Si l'école de l'avenir dit ceci :

« La musique, aujourd'hui dans la force de sa jeunesse, est émancipée, libre; elle fait ce qu'elle veut.

« Beaucoup de vieilles règles n'ont plus cours; elles furent faites par des observateurs inattentifs ou par des esprits routiniers, pour d'autres esprits routiniers.

« De nouveaux besoins de l'esprit, du cœur et du sens de l'ouïe imposent de nouvelles tentatives, et même dans certains cas l'infraction des anciennes lois.

« Diverses formes sont par trop usées pour être encore admises.

« *Tout est bon,* d'ailleurs, *ou tout est mauvais,* suivant l'usage qu'on en fait et la raison qui en amène l'usage.

« Dans son union avec le drame, ou seulement avec la parole chantée, la musique doit toujours être en rapport direct avec le sentiment exprimé par la parole, avec le caractère du personnage qui chante, souvent même avec l'accent et les inflexions vocales que l'on sent devoir être les plus naturels du langage parlé.

« Les opéras ne doivent pas être écrits pour des chanteurs; les chanteurs, au contraire, doivent être formés pour les opéras.

« Les œuvres écrites uniquement pour faire briller les talents de certains virtuoses ne peuvent être que des compositions d'un ordre secondaire et d'assez peu de valeur.

« Les exécutants ne sont que des instruments plus ou moins intelligents destinés à mettre en lumière la forme et le sens intime des œuvres : leur despotisme est fini.

« Le maître reste le maître; c'est à lui de commander.

« Le son et la sonorité sont au-dessous de l'idée.

« L'idée est au-dessous du sentiment et de la passion.

« Les longues vocalisations rapides, les ornements du chant, le trille vocal, une multitude de rythmes, sont inconciliables avec l'expression de la plupart des sentiments sérieux, nobles et profonds.

« Il est en conséquence insensé d'écrire pour un *Kyrie eleison* (la prière la plus humble de l'Eglise catholique) des traits qui ressemblent à s'y méprendre aux vociférations d'une troupe d'ivrognes attablés dans un cabaret.

« Il ne l'est peut-être pas moins d'appliquer la même musique à une invocation à Baal par les idolâtres et à la prière adressée à Jehovah par les enfants d'Israël.

« Il est plus odieux encore de prendre une créature idéale, fille du plus grand des poètes, un ange de pureté et d'amour, et de la faire chanter comme une fille de joie, etc... »

Si tel est le code musical de l'école de l'avenir, nous sommes de cette école, nous lui appartenons corps et âme, avec la conviction la plus profonde et les plus chaleureuses sympathies.

Mais tout le monde en est; chacun aujourd'hui professe plus ou moins ouvertement cette doctrine, en tout ou en partie. Y a-t-il un grand maître qui n'écrive *ce qu'il veut ?*

Qui donc croit à l'infaillibilité des règles scolastiques, sinon quelques bonshommes timides qu'épouvanterait l'ombre de leur nez, s'ils en avaient un ?...

Je vais plus loin : il en est ainsi depuis longtemps. Gluck lui-même fut en ce sens de l'école de l'avenir; il dit dans sa fameuse préface d'*Alceste* : « *Il n'est aucune règle que je n'aie cru devoir sacrifier de bonne grâce en faveur de l'effet.* »

Et Beethoven, que fut-il, sinon de tous les musiciens connus le plus hardi, le plus indépendant, le plus impatient de tout frein ? Longtemps même avant Beethoven, Gluck avait admis l'emploi des pédales supérieures (notes tenues à l'aigu) qui n'entrent pas dans l'harmonie et produisent de doubles et triples dissonances. Il a su tirer des effets sublimes de cette hardiesse, dans l'introduction de la scène des enfers d'*Orphée,* dans un chœur d'*Iphigénie en Aulide,* et surtout dans ce passage de l'air immortel d'*Iphigénie en Tauride :*

« *Mêlez vos cris plaintifs à mes gémissements.* »

M. Auber en a fait autant dans la tarentelle de la *Muette.* Quelles libertés Gluck n'a-t-il pas prises aussi avec le rythme ? Mendelssohn, qui passe pourtant dans l'école de l'avenir pour un classique, ne s'est-il pas moqué de l'unité tonale dans sa belle ouverture d'*Athalie,* qui commence en *fa* et finit en *ré* majeur, tout comme Gluck, qui commence un chœur d'*Iphigénie en Tauride* en *mi* mineur pour le finir en *la* mineur ? Donc nous sommes tous, sous ce rapport, de l'école de l'avenir.

Mais si elle vient nous dire :

« Il faut faire le contraire de ce qu'enseignent les règles.

« On est las de la mélodie; on est las des dessins mélodiques; on est las des airs, des duos, des trios, des morceaux dont le thème se développe régulièrement; on est rassasié des mélodies consonantes, des dissonances simples, préparées et résolues, des modulations naturelles et ménagées avec art.

« Il ne faut tenir compte que de l'idée, ne pas faire le moindre cas de la sensation.

« Il faut mépriser l'oreille, cette guenille, la brutaliser pour la dompter : la musique n'a pas pour objet de lui être agréable. Il faut qu'elle s'accoutume à tout, aux séries de septièmes diminuées ascendantes ou descendantes, semblables à une troupe de serpents qui se tordent et s'entre-déchirent en sifflant; aux triples dissonances sans préparation ni résolution; aux parties intermédiaires qu'on force de marcher ensemble sans qu'elle s'accordent ni par l'harmonie ni par le rythme, et qui s'écorchent mutuellement; aux modulations atroces, qui introduisent une tonalité dans un coin de l'orchestre avant que dans l'autre la précédente soit sortie.

« Il ne faut accorder nulle estime à l'art du chant, ne songer ni à sa nature ni à ses exigences.

« Il faut, dans un opéra, se borner à noter la déclamation, dût-on employer les intervalles les plus inchantables, les plus saugrenus. les plus laids.

« Il n'y a point de différence à établir entre la musique destinée à être lue par un musicien tranquillement assis devant son pupitre et celle qui doit être chantée par cœur, en scène, par un artiste obligé de se préoccuper en même temps de son action dramatique et de celle des autres acteurs.

« Il ne faut jamais s'inquiéter des possibilités de l'exécution.

« Si les chanteurs éprouvent à retenir un rôle, à se le mettre dans la voix, autant de peine qu'à apprendre par cœur une page de sanscrit ou à avaler une poignée de coquilles de noix, tant pis pour eux : on les paye pour travailler : ce sont des esclaves.

« Les sorcières de Macbeth ont raison : le beau est horrible, l'horrible est beau. »

Si telle est cette religion, très nouvelle en effet, je suis fort loin de la professer; je n'en ai jamais été, je n'en suis pas, je n'en serai jamais.

Je lève la main et je le jure : *Non credo.*

A TRAVERS CHANTS.

MISÈRES ET SPLENDEURS DU COMPOSITEUR CHEF D'ORCHESTRE

Tu ne connais pas ces incertitudes, mon cher Liszt : il t'importe peu de savoir si, dans la ville où tu comptes passer, la chapelle est bien composée, si le théâtre est ouvert, si l'intendant veut le mettre à ta disposition, etc. En effet, à quoi bon pour toi tant d'informations! Tu peux, modifiant le mot du roi Louis XIV, dire avec confiance :

« L'orchestre, c'est moi! le chœur, c'est moi! le chef, c'est encore moi! Mon piano chante, rêve, éclate, retentit; il défie au vol les archets les plus habiles; il a, comme l'orchestre, ses harmonies cuivrées; comme lui, et sans le moindre appareil, il peut livrer à la brise du soir son nuage de féeriques accords, de vagues mélodies; je n'ai besoin ni de théâtre, ni de décor fermé, ni de vastes gradins; je n'ai point à me fatiguer par de longues répétitions; je ne demande ni cent, ni cinquante, ni vingt musiciens; je n'en demande pas du tout; je n'ai pas même besoin de musique. Un grand salon, un grand piano, et je suis maître d'un grand auditoire. Je me présente, on m'applaudit; ma mémoire s'éveille, d'éblouissantes fantaisies naissent sous mes doigts, d'enthousiastes acclamations leur répondent; je chante l'*Ave Maria* de Schubert ou l'*Adélaïde* de Beethoven, et tous les cœurs de tendre vers moi, toutes les poitrines de retenir leur haleine... c'est un silence ému, une admiration concentrée et profonde... Puis viennent les bombes lumineuses, le bouquet de ce grand feu d'artifice, et les cris du public, et les fleurs et les couronnes qui pleuvent autour du prêtre de l'harmonie frémissant sur son trépied; et les jeunes belles, qui, dans leur égarement sacré, baisent avec larmes le bord de son manteau; et les hommages sincères obtenus des esprits sérieux, et les applaudissements fébriles arrachés à l'envie; les grands fronts qui se penchent, les cœurs étroits surpris de s'épanouir... » Et le lendemain, quand le jeune inspiré a répandu ce qu'il voulait répandre de son intarissable passion, il part, il disparaît, laissant après soi un crépuscule éblouissant d'enthousiasme et de gloire... C'est un rêve!... C'est un de ces rêves d'or qu'on fait quand on se nomme Liszt ou Paganini.

Mais le compositeur qui tenterait, comme je l'ai fait, de voyager pour produire ses œuvres, à quelles fatigues, au contraire, à quel labeur ingrat et toujours renaissant ne doit-il pas s'attendre!... Sait-on ce que peut être pour lui la torture des répétitions ?... Il a d'abord à subir le froid regard de tous ces musiciens médiocrement charmés d'éprouver à son sujet un dérangement inattendu, d'être soumis à des études inaccoutumées. — « Que veut ce Français ? Que ne reste-t-il chez lui ? » Chacun néanmoins prend place à son pupitre; mais au premier coup d'œil jeté sur l'ensemble de l'orchestre, l'auteur y reconnaît bien vite d'inquiétantes lacunes. Il en demande la raison au maître de chapelle : « La première clarinette est malade, le hautbois a une femme en couches, l'enfant du premier violon a le croup, les trombones sont à la parade; ils ont oublié de demander une exemption de service militaire pour ce jour-là; le timbalier s'est foulé le poignet, la harpe ne paraîtra pas à la répétition, parce qu'il lui faut du temps pour étudier sa partie, etc. » On commence cependant, les notes sont lues, tant bien que mal, dans un mouvement plus lent du double que celui de l'auteur; rien n'est affreux pour lui comme cet alanguissement du rythme! Peu à peu son instinct reprend le dessus, son sang échauffé l'entraîne, il précipite la mesure et revient malgré lui au mouvement du morceau; alors le gâchis se déclare, un formidable charivari lui déchire les oreilles et le cœur; il faut s'arrêter et reprendre le mouvement lent, et exercer fragment par fragment ces longues périodes dont, tant de fois auparavant, avec d'autres orchestres, il a guidé la course libre et rapide. Cela ne suffit pas encore; malgré la lenteur du mouvement, des discordances étranges se font entendre dans certaines parties d'instruments à vent; il veut en découvrir la cause : « Voyons les trompettes seules!... Que faites-vous là ? Je dois entendre une tierce, et vous produisez un accord de seconde. La deuxième trompette en *ut* a un *ré,* donnez-moi votre *ré*!... Très bien! La première a un *ut* qui produit *fa,* donnez-moi votre *ut*! Fi!... l'horreur! vous me faites un *mi* bémol!

— Non, monsieur, je fais ce qui est écrit!

— Mais je vous dis que non, vous vous trompez d'un ton!

— Cependant je suis sûr de faire l'*ut*!

— En quel ton est la trompette dont vous vous servez ?

— En *mi* bémol!

— Eh! parlez donc, c'est là qu'est l'erreur, vous devez prendre la trompette en *fa.*

— Ah! je n'avais pas bien lu l'indication; c'est vrai; excusez-moi.

— Allons! quel diable de vacarme faites-vous là-bas, vous, le timbalier!

— Monsieur, j'ai un *fortissimo.*

— Point du tout, c'est un *mezzo-forte,* il n'y a pas deux F, mais un M et un F. D'ailleurs vous vous servez de baguettes de bois et il faut employer là les baguettes à tête d'éponge; c'est une différence du noir au blanc.

— Nous ne connaissons pas cela, dit le maître de chapelle; qu'appelez-vous des baguettes à tête d'éponge ? Nous n'avons jamais vu qu'une seule espèce de baguettes.

— Je m'en doutais; j'en ai apporté de Paris. Prenez-en une paire que j'ai disposée là sur cette table. Maintenant, y sommes-nous ?... Mon Dieu! c'est vingt fois trop fort. Et les sourdines que vous n'avez pas prises!...

— Nous n'en avons pas, le garçon d'orchestre a oublié d'en mettre sur les pupitres; on s'en procurera demain, etc. »

Après trois ou quatre heures de ces tiraillements antiharmoniques, on n'a pas pu rendre un seul morceau intelligible. Tout est brisé, désarticulé, faux, froid, plat, bruyant, discordant, hideux! Et il faut laisser sur une pareille impression soixante ou quatre-vingts musiciens qui s'en vont, fatigués et mécontents, dire partout qu'ils ne savent pas ce que cela veut dire, que cette musique est un enfer, un chaos, qu'ils n'ont jamais rien essuyé de pareil. Le lendemain, le progrès se manifeste à peine; ce n'est guère que le troisième jour qu'il se dessine formellement. Alors, seulement, le pauvre compositeur commence à respirer; les harmonies bien posées deviennent claires, les rythmes bondissent, les mélodies pleurent et sourient; la masse unie, compacte, s'élance hardiment; après tant de tâtonnements, tant de bégayements, l'orchestre grandit, il marche, il parle, il devient homme! L'intelligence ramène le courage aux musiciens étonnés; l'auteur demande une quatrième épreuve; ses interprètes qui, à tout prendre, sont les meilleures gens du monde, l'accordent avec empressement. Cette fois, *fiat lux!* « Attention aux nuances! Vous n'avez plus peur ? — Non! Donnez-nous le vrai mouvement ? — Via! » Et la lumière se fait, l'art apparaît, la pensée brille, l'œuvre est comprise! Et l'orchestre se lève, applaudissant et saluant le compositeur; le maître de chapelle vient le féliciter; les curieux qui se tenaient cachés dans les coins obscurs de la salle, s'approchent, montent sur le théâtre, et échangent avec les musiciens des exclamations de plaisir et d'étonnement, en regardant d'un œil surpris le maître étranger qu'ils avaient d'abord pris pour un fou ou un barbare. C'est maintenant qu'il aurait besoin de repos. Qu'il s'en garde bien, le malheureux! C'est l'heure pour lui de redoubler de soins et d'attention. Il doit revenir avant le concert, pour surveiller la disposition des pupitres, inspecter les parties d'orchestre, et s'assurer qu'elles ne sont point mélangées. Il doit parcourir les rangs, un crayon rouge à la main, et marquer sur la musique des instruments à vent les désignations de tons usitées en Allemagne, au lieu de celles dont on se sert en France; mettre partout : *in C, in D, in Des, in Fis,* au lieu de en *ut*, en *ré*, en *ré bémol,* en *fa dièse.* Il a à transposer pour le hautbois un solo de cor anglais, parce que cet instrument ne se trouve pas dans l'orchestre qu'il va diriger, et que l'exécutant hésite souvent à transposer lui-même. Il faut qu'il aille faire répéter isolément les chœurs et les chanteurs, s'ils ont manqué d'assurance. Mais le public arrive, l'heure sonne; exténué, abîmé de fatigues de corps et d'esprit, le compositeur se présente au pupitre-chef, se soutenant à peine, incertain, éteint, dégoûté, jusqu'au moment où les applaudissements de l'auditoire, la verve des exécutants, l'amour qu'il a pour son œuvre le transforment tout à coup en machine électrique, d'où s'élancent invisibles, mais réelles, de foudroyantes irradiations. Et la compensation commence. Ah! c'est alors, j'en conviens, que l'auteur directeur vit d'une vie aux virtuoses inconnue! Avec quelle joie furieuse il s'abandonne au bonheur de *jouer de l'orchestre*! Comme il presse, comme il embrasse, comme il étreint cet immense et fougueux instrument! L'attention multiple lui revient; il a l'œil partout; il indique d'un regard les entrées vocales et instrumentales, en haut, en bas, à droite, à gauche; il jette avec

Andromède libérée par Persée (détail). Piero di Cosimo (1462-1521). Offices, Florence.
(Cliché Anderson - Giraudon).

Le Concert. Valentin (1594-1632). Louvre. (*Cliché Giraudon*).

son bras droit de terribles accords qui semblent éclater au loin comme d'harmonieux projectiles : puis il arrête, dans les points d'orgue, tout ce mouvement qu'il a communiqué; il enchaîne toutes les attentions; il suspend tous les bras, tous les souffles, écoute un instant le silence... et redonne plus ardente carrière au tourbillon qu'il a dompté.

Luctantes ventos tempestatesque sonoras
Imperio premit, ac vinclis et carcere frenat.

Et dans les grands adagio, est-il heureux de se bercer mollement sur son beau lac d'harmonie! prêtant l'oreille aux cent voix enlacées qui chantent ses hymnes d'amour ou semblent confier ses plaintes du présent, ses regrets du passé, à la solitude et à la nuit. Alors souvent, mais seulement alors, l'auteur chef oublie complètement le public; il s'écoute; il se juge; et si l'émotion lui arrive, partagée par les artistes qui l'entourent, il ne tient plus compte des impressions de l'auditoire, trop éloigné de lui. Si son cœur a frissonné au contact de la poétique mélodie, s'il a senti cette ardeur intime qui annonce l'incandescence de l'âme, le but est atteint, le ciel de l'art lui est ouvert, qu'importe la terre!...

Puis à la fin de la soirée, quand le grand succès est obtenu, sa joie devient centuple, partagée qu'elle est par tous les amours-propres satisfaits de son armée. Ainsi, vous, grands virtuoses, vous êtes princes et rois par la grâce de Dieu, vous naissez sur les marches du trône; les compositeurs doivent combattre, vaincre et conquérir pour régner. Mais même les fatigues et les dangers de la lutte ajoutent à l'éclat et à l'enivrement de leurs victoires, et ils seraient peut-être plus heureux que vous... s'ils avaient toujours des soldats.

LETTRE A LISZT, Mannheim-Weimar.
MÉMOIRES, 1841.

FRANZ LISZT

FRANZ LISZT (1811-1886) fut avant tout un virtuose et cela dès son plus jeune âge : à treize ans, il donna un concert à l'Opéra de Paris et composa un opéra. Don Sanche. *On estime généralement que cette virtuosité contraria son génie, ou ne l'exprima que superficiellement. Liszt est demeuré très célèbre par ses* Rhapsodies hongroises *ou son* Rêve d'amour. *Il est l'inventeur, avec Berlioz, du poème symphonique, transcription musicale d'une œuvre littéraire, lança le genre de la rhapsodie et fut un novateur en matière d'instrumentation, comme dans l'écriture pianistique.*

CRITIQUE ET AUTOCRITIQUE

L'œuvre de certains artistes, c'est leur vie. Inséparablement identifiés l'un à l'autre, ils sont semblables à ces divinités de la fable, dont l'existence était enchaînée à celle d'un arbre des forêts. Le sang qui fait battre leur cœur est aussi la sève qui s'étale en feuilles et en fruits sur leurs rameaux, et le baume précieux que l'on recueille sur leur écorce, ce sont les larmes silencieuses qui coulent une à une de leurs paupières. Le musicien surtout qui s'inspire de la nature, mais sans la copier, exhale en sons les plus intimes mystères de sa destinée. Il pense, il sent, il parle en musique; mais comme sa langue, plus arbitraire et moins définie que toutes les autres, se plie à une multitude d'interprétations diverses, à peu près comme ces beaux nuages dorés par le soleil couchant qui revêtent complaisamment toutes les formes que leur assigne l'imagination du promeneur solitaire, il n'est pas inutile, il n'est surtout pas ridicule, comme on se plaît à le répéter, que le compositeur donne en quelques lignes l'esquisse psychique de son œuvre, qu'il dise ce qu'il a voulu faire, et que, sans entrer dans des explications puériles, dans de minutieux détails, il exprime l'idée fondamentale de sa composition. Libre alors à la critique d'intervenir pour blâmer ou louer la manifestation plus ou moins belle et heureuse de la pensée; mais de cette façon elle éviterait une foule de traductions erronées, de conjectures hasardées, d'oiseuses paraphrases d'une intention que le musicien n'a jamais eue, et de commentaires interminables reposant sur le vide. — Il paraît peu de livres aujourd'hui qu'on ne fasse précéder d'une longue préface, qui est, en quelque sorte, un second livre sur le livre. Cette précaution, superflue à beaucoup d'égards, lorsqu'il s'agit d'un livre écrit en langue vulgaire, n'est-elle pas d'absolue nécessité, non pas à la vérité pour la musique instrumentale, telle qu'on la concevait jusqu'ici (Beethoven et Weber exceptés), musique ordonnée carrément d'après un plan symétrique, et que l'on peut, pour ainsi dire, mesurer par pieds cubes; mais pour les compositions de l'école moderne, aspirant généralement à devenir l'expression d'une individualité tranchée ? N'est-il pas à regretter, par exemple, que Beethoven, d'une si difficile compréhension, et sur les intentions duquel on a tant de peine à tomber d'accord, n'ait pas sommairement indiqué la pensée intime de plusieurs de ses grandes œuvres et les modifications principales de cette pensée ?

J'ai la ferme conviction qu'il y a une sorte de critique philosophique des œuvres d'art que personne ne saurait mieux faire que l'artiste lui-même : ne vous raillez pas de mon idée, quelque bizarre qu'elle puisse paraître au premier abord. Croyez-vous que le musicien de bonne foi, après un certain temps écoulé, quand la fièvre de l'inspiration est calmée et qu'il est également guéri de l'enivrement du triomphe ou de l'irritation de l'insuccès, ne sait pas mieux que tous les aristarques du monde par quel endroit il a failli, quels sont les côtés défectueux de sa composition, et pourquoi ils le sont ? Reste donc à se sentir un orgueil assez dégagé de toute vanité pour oser le dire franchement et courageusement au public. Ce courage est-il donc si difficile ?

A George Sand, Paris, janvier 1867.
Gazette Musicale, 16 juillet 1837.

LUDWIG TIECK (1773-1853)

LA RÉACTION DE L'ESPRIT EST NÉCESSAIRE...

Je fais trop d'honneur aux Tartares (les Turcs opiomanes) en les supposant capables d'un plaisir analogue aux plaisirs intellectuels d'un Anglais. Car la musique est un plaisir intellectuel ou sensuel, suivant le tempérament de l'auditeur.

Et, soit dit en passant, à la seule exception d'une fine extravagance sur ce sujet dans la *Deuxième nuit,* je ne me rappelle qu'une chose adéquate qui ait été dite, dans toute la littérature, au sujet de la musique. C'est un passage du *Religio Medici* de sir T. Browne... qui a une valeur philosophique, en ce qu'elle souligne la vraie théorie des effets musicaux.

L'erreur de la plupart des gens est de supposer que c'est par l'oreille qu'ils communiquent avec la musique, et que par conséquent ils sont purement passifs vis-à-vis de ses effets. Mais il n'en est pas ainsi : c'est par la réaction de l'esprit en face des impressions de l'oreille (la *matière* venant de l'oreille, la *forme* venant de l'esprit) que le plaisir se construit; et c'est pourquoi des gens dont l'oreille est également bonne diffèrent tant sur ce point les uns des autres. Or l'opium, en augmentant considérablement l'activité de l'esprit, augmente généralement et nécessairement le mode particulier de son activité grâce à quoi nous sommes capables de dégager d'une suite matérielle de sons organiques un plaisir intellectuel déterminé.

THOMAS DE QUINCEY (1785-1859)

UNE PASSIVITÉ ABSOLUE EST INDISPENSABLE

Une troisième jouissance, dont je m'étais promis un grand plaisir, me causa une totale désillusion, et pour une raison qu'il peut être utile de faire connaître, afin d'avertir autrui. J'avais un piano et la somme nécessaire pour prendre des leçons d'un maître de musique. Mais la première découverte que je fis fut qu'une étude de huit ou dix heures par jour était indispensable si l'on voulait tirer de cet instrument un grand profit. Une autre découverte mit le comble à mon désenchantement. C'était celle-ci : pour le dessein particulier que j'avais en vue, il était clair qu'une maîtrise de l'instrument ne m'était pas avantageuse, pas même celle de Thalberg[1]. (Mais) trop tôt, je me rendis compte que, pour jouir de la musique avec profondeur et volupté, une *passivité* absolue était indispensable chez l'auditeur. Acquérez toute la dextérité qu'il vous plaira, il n'en reste pas moins qu'une activité, une vigilance, une anxiété accompagnera toujours un effort sérieux d'exécution musicale; et cela est si loin de se concilier avec l'extase berceuse inséparable de la vraie jouissance musicale que, même en supposant un vaste mécanisme capable d'exécuter tout un oratorio, mais exigeant par instants de l'auditeur une poussée du pied, même cela, même une si petite poussée du pied, amoindrira sans conteste tout votre plaisir. C'est ainsi qu'une simple découverte psychologique fit s'évanouir mes espérances musicales.

EDGAR POE

RESTER VAGUE, IMPRÉCIS, EXTATIQUE

La poésie présente des images perceptibles avec des sensations indéfinies; la musique est *essentielle* à cet effet, puisque la compréhension de sons agréables est la plus indéfinie de nos conceptions. La musique associée à une idée agréable, c'est la poésie; la musique sans idée, ce n'est que de la musique; l'idée sans la musique, c'est, de par son caractère défini, de la prose. Ainsi le poète, comme tout à l'heure le philosophe, professe que la musique ne peut être que quelque chose de vague, d'imprécis, d'extatique. (Cette vue, si familière aux hommes de lettres, n'a pas peu contribué à fausser le goût public, mais ce n'est pas le lieu d'instruire ce procès.) « Si vous exprimez avec des sons des idées trop définies, vous enlevez tout aussitôt à la musique son caractère spirituel, idéal, intrinsèque et essentiel. Vous faites évanouir son caractère voluptueux de rêve. Vous dissolvez l'atmosphère de mysticité dans laquelle elle flotte. Vous tarissez l'haleine

---

1. Célèbre pianiste virtuose du XIXe siècle.

de la fée. La musique devient une idée tangible et facile à saisir, — elle est une chose de la terre; elle est grossière.

... La musique, pour les modes divers du mètre, du rythme et de la rime, est d'une importance si considérable en poésie qu'on ne saurait jamais la rejeter impunément. C'est dans la musique que l'âme atteint le plus profondément la grande fin pour laquelle, sous l'inspiration du sentiment poétique, elle lutte : la création de la beauté supérieure. Il se peut, en effet, que cette fin sublime se trouve ici réellement atteinte de temps à autre. Il nous est souvent donné de ressentir avec une joie frémissante qu'il s'échappe d'une harpe terrestre des notes qui ne peuvent avoir été étrangères aux anges. Aussi peut-on à peine douter que, dans l'union de la poésie et de la musique au sens ordinaire du mot, ne se découvre le plus vaste champ pour le développement poétique. Les vieux Bardes et Minnesingers avaient des avantages que nous ne possédons point et Th. Moore, chantant ses propres chants, ne faisait, de la manière la plus légitime, que les perfectionner en tant que poèmes.

BAUDELAIRE (1821-1867)

CETTE MUSIQUE EST LA MIENNE[1]...

Je me suis toujours figuré que si accoutumé à la gloire que fût un grand artiste, il n'était pas insensible à un compliment sincère, quand ce compliment était comme un cri de reconnaissance, et enfin que ce cri pouvait avoir une valeur d'un genre *singulier* quand il venait d'un Français, c'est-à-dire d'un homme peu fait pour l'enthousiasme et né dans un pays où l'on ne s'entend guères plus à la poésie et à la peinture qu'à la musique. Avant tout, je veux vous dire que je vous dois *la plus grande jouissance musicale que j'aie jamais éprouvée.* Je suis d'un âge où on ne s'amuse plus guère à écrire aux hommes célèbres, et j'aurais hésité longtemps encore à vous témoigner par lettre mon admiration, si tous les jours mes yeux ne tombaient sur des articles indignes, ridicules, où on fait tous les efforts possibles pour diffamer votre génie. Vous n'êtes pas le premier homme, monsieur, à l'occasion duquel j'ai eu a souffrir et à rougir de mon pays. Enfin l'indignation m'a poussé à vous témoigner ma reconnaissance; je me suis dit : Je veux être distingué de tous ces imbéciles.

La première fois que je suis allé aux Italiens, pour entendre vos ouvrages, j'étais assez mal disposé, et même, je l'avouerai, plein de mauvais préjugés; mais je suis excusable; j'ai été si souvent dupe; j'ai entendu tant de musique de charlatans à grandes prétentions. Par vous j'ai été vaincu tout de suite. Ce que j'ai éprouvé est indescriptible, et si vous daignez ne pas rire, j'essaierai de vous le traduire. D'abord il m'a semblé que je connaissais cette musique, et plus tard en y réfléchissant, j'ai compris d'où venait ce mirage; il me semblait que cette musique était *la mienne,* et je la recon-

---

1. Cette lettre, adressée à Richard Wagner, fut écrite par Baudelaire avant de rédiger ses articles fameux sur ses œuvres. Nous avons préféré la faire figurer, ici, à leur place, Baudelaire y exprimant un point de vue très personnel de son esthétique musicale.

naissais comme tout homme reconnaît les choses qu'il est destiné à aimer. Pour tout autre que pour un homme d'esprit, cette phrase serait immensément ridicule, surtout écrite par quelqu'un qui, comme moi, *ne sait pas la musique*, et dont toute l'éducation se borne à avoir entendu (avec grand plaisir, il est vrai) quelques beaux morceaux de Weber et de Beethoven.

Ensuite le caractère qui m'a principalement frappé, ç'a été la grandeur. Cela représente le grand, et cela pousse au grand. J'ai retrouvé partout dans vos ouvrages la solennité des grands bruits, des grands aspects de la nature, et la solennité des grandes passions de l'homme. On se sent tout de suite enlevé et subjugué. L'un des morceaux les plus étranges et qui m'ont apporté une sensation musicale nouvelle est celui qui est destiné à peindre une extase religieuse. L'effet produit par l'*Introduction des invités* et par la *Fête nuptiale* est immense. J'ai senti toute la majesté d'une vie plus large que la nôtre. Autre chose encore : j'ai éprouvé souvent un sentiment d'une nature assez bizarre, c'est l'orgueil et la jouissance de comprendre, de me laisser pénétrer, envahir, volupté vraiment sensuelle, et qui ressemble à celle de monter dans l'air ou de rouler sur la mer. Et la musique en même temps respirait quelquefois l'orgueil de la vie. Généralement ces profondes harmonies me paraissaient ressembler à ces existants qui accélèrent le pouls de l'imagination. Enfin, j'ai éprouvé aussi, et je vous supplie de ne pas rire, des sensations qui dérivent probablement de la tournure de mon esprit et de mes préoccupations fréquentes. Il y a partout quelque chose d'enlevé et d'enlevant, quelque chose aspirant à monter plus haut, quelque chose d'excessif et de superlatif. Par exemple, pour me servir de comparaisons empruntées à la peinture, je suppose devant mes yeux une vaste étendue d'un rouge sombre. Si ce rouge représente la passion, je le vois arriver graduellement, par toutes les transitions de rouge et de rose, à l'incandescence de la fournaise. Il semblerait difficile, impossible même d'arriver à quelque chose de plus ardent; et cependant une dernière fusée vient tracer un sillon plus blanc sur le blanc qui lui sert de fond. Ce sera, si vous voulez, le cri suprême de l'âme montée à son paroxysme.

J'avais commencé à écrire quelques méditations sur les morceaux de *Tannhaüser* et de *Lohengrin* que nous avons entendus; mais j'ai reconnu l'impossibilité de tout dire.

Ainsi je pourrais continuer cette lettre interminablement. Si vous avez pu me lire, je vous en remercie. Il ne me reste plus qu'à ajouter que quelques mots. Depuis le jour où j'ai entendu votre musique, je me dis sans cesse, surtout dans les mauvaises heures : *Si au moins je pouvais entendre ce soir un peu de Wagner!* Il y a sans doute d'autres hommes faits comme moi. En somme vous avez dû être satisfait du public dont l'instinct a été bien supérieur à la mauvaise science des journalistes. Pourquoi ne donneriez-vous pas quelques concerts encore en y ajoutant des morceaux nouveaux? Vous nous avez fait connaître un avant-goût de jouissances nouvelles; avez-vous le droit de nous priver du reste? — Une fois encore, monsieur, je vous remercie; vous m'avez rappelé à moi-même et au grand, dans de mauvaises heures.

Ch. BAUDELAIRE.

Je n'ajoute pas mon adresse, parce que vous croiriez peut-être que j'ai quelque chose à vous demander.

LETTRE A R. WAGNER, 17 février 1860.

NIETZSCHE

LE PAROXYSME EST DESTRUCTEUR

L'excès et le dérèglement, voilà bien ce qui passait [*aux yeux de Wagner*] pour la nature.

Comme acteur, il ne voulait imiter l'homme que dans sa manifestation la plus agissante et la plus palpable, au paroxysme de la passion. Car sa nature extrême voyait dans tous les autres états faiblesse et fausseté. La peinture de l'émotion offre pour l'artiste un danger extraordinaire. Enivrer, saisir les sens, produire l'extase, surprendre violemment, remuer la sensibilité à tout prix — effrayantes tendances!

Dans *Tannhaüser,* il cherche à motiver chez un individu une série d'états extatiques : il paraît penser que c'est dans ces états que l'homme naturel commence à se montrer.

Contraindre la musique au service de la violence naturaliste de la passion, c'est la dissoudre, la bouleverser et la rendre incapable pour l'avenir de résoudre le problème (de son association harmonique avec la poésie et la danse).

Il y a des excès du genre le plus suspect dans *Tristan,* par exemple les explosions à la fin du second acte[1]. Il y a manque de mesure dans la scène des coups de bâton des *Maîtres Chanteurs.* Wagner sent qu'il a, en ce qui regarde la forme, toute la grossièreté de l'Allemand et il aime mieux combattre sous la bannière de Hans Sachs que sous celle des Français ou des Grecs. Notre musique allemande (Mozart, Beethoven) s'est incorporé aussi bien la forme italienne que la chanson populaire, et c'est pourquoi, avec l'organisme riche et délicat de ses lignes, elle ne correspond plus à la lourdeur rustico-bourgeoise.

---

1. C'est un lapsus, Nietzsche veut dire : à la fin de la seconde scène du second acte.

RICHARD WAGNER

WAGNER (1813-1883) est un génie musical comparable en étendue et en importance historique à Shakespeare, Hugo ou Gœthe. Il a surtout entièrement modifié la conception de l'opéra, qu'avaient prophétisée sans l'exprimer Gluck et Weber. Il se préoccupa d'unir étroitement la musique et le texte et rédigea lui-même ses livrets. Il attribua aux personnages ou aux situations dramatiques leur expression musicale propre : il est à ce titre l'inventeur du leitmotiv. *Il créa ainsi un opéra de style expressif et non plus décoratif et adventice, comme le style italien*[1]. *De telles recherches le conduisirent à enrichir la technique orchestrale et vocale et à des solutions harmoniques inédites. D'inspiration nationale, mythologique, mystique, épique, ses opéras, d'autre part, outrepassent le cadre d'un divertissement musical et même celui d'une œuvre simplement dramatique. Ils visent à travers le germanisme à l'universel, de même que, du point de vue esthétique, ils postulent la possibilité d'un art* total, *où musique, drame et poésie soient confondus en une seule création.* Tannhäuser, Lohengrin, Tristan et Iseult, Les Maîtres Chanteurs, Les Nibelungen, Parsifal *sont les étapes gigantesques de cette entreprise, qui bouleversa la musique du XIXe siècle, avant de lasser par ses outrances, par son caractère de gageure et, il faut l'avouer, par des faiblesses nées de trop grandes ambitions. Cette « musique de l'avenir » enfanta surtout un présent prodigieux.*

L'UNIQUE FORME DE LA MUSIQUE

... *L'unique forme de la musique est la mélodie* (...) sans la mélodie, la musique ne peut pas même être conçue (...) musique et mélodie sont rigoureusement inséparables. Dire qu'une musique est sans mélodie, cela veut dire seulement, pris dans l'acception la plus élevée : le musicien n'est pas

1. Voir p. 610 son dialogue avec Rossini.

parvenu au parfait dégagement d'une forme saisissante qui gouverne avec sûreté le sentiment. Et ceci indique simplement que le compositeur est destitué de talent, et que ce défaut d'originalité l'a réduit à composer son morceau de phrases mélodiques rebattues, et qui, par conséquent laissent l'oreille indifférente. Mais, dans la bouche de l'amateur ignorant, et en présence d'une vraie musique, cet arrêt n'a qu'une signification : c'est qu'on parle d'une certaine forme étroite de la mélodie, laquelle appartient, comme nous l'avons déjà vu, à l'enfance de l'art musical; aussi, ne prendre plaisir qu'à cette forme doit-il nous paraître chose vraiment puérile. Il s'agit donc moins ici de la mélodie que de la pure forme de danse qu'elle a revêtue d'abord exclusivement.

ÉLOGE DE LA SYMPHONIE

La forme spéciale de la fugue appliquée à la mélodie de danse fournit l'occasion d'étendre aussi la durée du morceau; elle permettait de faire alterner la mélodie dans toutes les voix, de la reproduire tantôt abrégée, tantôt allongée, de la montrer tour à tour sous des aspects variés par la modulation harmonique, et de lui conserver, par des thèmes juxtaposés ou contrastés au moyen du contrepoint, un mouvement intéressant. Un second procédé consista à combiner ensemble plusieurs mélodies de danses, à les faire alterner selon leur expression caractéristique, et à les relier par des transitions pour lesquelles l'art du contrepoint fournit des ressources particulières. Sur cette base si simple s'éleva la symphonie proprement dite. Ce fut le génie de Haydn, qui donna pour la première fois à cette forme ses vastes proportions, et qui, par l'inépuisable variété des motifs, liés et transformés de mille manières, porta sa puissance expressive à une hauteur encore inconnue. La mélodie italienne d'opéra avait dépéri par indigence de structure et de forme; mais grâce aux chanteurs les mieux doués sous le rapport du talent et de l'âme, soutenue par le plus noble organe de la musique, elle avait acquis, néanmoins, pour l'oreille une grâce de coloris, une suavité de sens, inconnues jusque-là aux maîtres allemands, et qui manquait à leurs mélodies instrumentales. Ce fut Mozart qui, pénétré de ce charme, parvint en même temps à donner à l'opéra italien le riche développement de la musique instrumentale allemande, et à la mélodie de l'orchestre toute la douceur de l'air chanté italien. Les deux maîtres, Haydn et Mozart, transmirent leur héritage, déjà si riche et si plein de promesses, à Beethoven; et celui-ci porta la symphonie à une telle largeur et à une telle puissance de forme, il remplit cette forme d'une si grande et si irrésistible variété de richesses mélodiques, que la symphonie de Beethoven se dresse aujourd'hui devant nous comme une colonne qui indique à l'art une nouvelle période; car, avec cette symphonie, a été enfantée au monde une œuvre à laquelle l'art d'aucune époque ni d'aucun peuple n'a rien à opposer qui en approche ou qui y ressemble.

Les instruments parlent dans cette symphonie, une langue dont aucune époque n'avait encore eu connaissance; car l'expression, purement musicale jusque dans les nuances de la plus étonnante diversité, enchaîne l'auditeur pendant une durée inouïe jusque-là, lui remue l'âme avec une énergie qu'aucun autre art ne peut atteindre; elle lui révèle dans sa variété une régularité si libre et si hardie que sa puissance surpasse nécessairement pour nous toute logique, bien que les lois de la logique n'y soient nullement contenues, et qu'au contraire la pensée rationnelle, qui procède par principe et conséquence, ne trouve ici nulle prise. La symphonie doit donc nous apparaître, dans le sens le plus rigoureux, comme la révélation d'un autre monde; dans le fait, elle nous dévoile un enchaînement des phénomènes du monde qui diffère absolument de l'enchaînement logique habituel; et l'enchaînement qu'elle nous révèle présente avant tout un caractère incontestable : c'est de s'imposer à nous avec la persuasion la plus irrésistible, et de gouverner nos sentiments avec un empire si absolu qu'il confond et désarme pleinement la raison logique.

LETTRE SUR LA MUSIQUE, 1860.

... J'ai recours encore une fois à la métaphore pour vous caractériser, en concluant, la grande mélodie telle que je la conçois, qui embrasse l'œuvre dramatique tout entière, et pour cela je m'en tiens à l'impression qu'elle doit nécessairement produire. Le détail infiniment varié qu'elle présente doit se découvrir non pas seulement au connaisseur, mais au profane, à la nature la plus naïve, dès qu'elle est arrivée au recueillement nécessaire. Elle doit donc d'abord produire dans l'âme une disposition pareille à celle qu'une belle forêt produit, au soleil couchant, sur le promeneur de la ville. Cette impression, que je laisse au lecteur à analyser, selon sa propre expérience, dans tous ses effets psychologiques consiste, et c'est là ce qu'elle a de particulier, dans la perception d'un silence de plus en plus éloquent. Il suffit généralement au but de l'art d'avoir produit cette impression fondamentale, de gouverner par elle l'auditeur à son insu et de le disposer ainsi à un dessein plus élevé; cette impression éveille spontanément en lui ses tendances supérieures. Celui qui se promène dans la forêt, subjugué par cette impression générale, s'abandonne alors à un recueillement plus durable; ses facultés, délivrées du tumulte et du bruit de la ville, se tendent et acquièrent un nouveau mode de perception; doué pour ainsi dire d'un sens nouveau, son oreille devient de plus en plus pénétrante. Il distingue avec une netteté croissante les voix d'une variété infinie qui s'éveillent pour lui dans la forêt; elles vont se diversifiant sans cesse; il en entend qu'il croit n'avoir jamais entendues; avec leur nombre s'accroît aussi d'une façon étrange leur intensité; les sons deviennent toujours plus retentissants; à mesure qu'il entend un plus grand nombre de voix distinctes, de modes divers; il reconnaît pourtant, dans ces sons qui s'éclaircissent, s'enflent et le dominent, la grande, l'unique mélodie de la forêt : c'est cette mélodie même qui, dès le début, l'avait saisi d'une impression religieuse. C'est comme si, par une belle nuit, l'azur profond du firmament enchaînait son regard; plus il s'abandonne sans réserve à ce spectacle, plus les armées d'étoiles de la voûte céleste se révèlent à ses yeux distinctes, claires, étincelantes, innombrables. Cette mélodie laissera en lui un éternel retentissement; mais la redire lui est impossible; pour l'entendre de nouveau, il faut qu'il retourne dans la forêt, qu'il y retourne au soleil couchant. Quelle serait sa folie de vouloir saisir un des gracieux chanteurs de la forêt, de vouloir le faire élever chez lui, afin d'apprendre un fragment de la grande mélodie de la nature! Que pourrait-il entendre alors, si ce n'est.. quelque mélodie à l'italienne ?

Ibid.

« LOHENGRIN », LE SUJET TRAGIQUE PAR EXCELLENCE

Dans le *Tannhäuser,* j'avais aspiré à me mettre hors d'une sensualité frivole et qui me répugnait — hors de l'unique expression de la sensualité du monde présent; — mon instinct allait vers le pur inconnu, le chaste, le virginal, comme vers l'élément de la satisfaction d'un désir noble, mais foncièrement sensuel cependant, seulement d'un désir tel que la frivolité contemporaine ne pouvait le satisfaire. Sur le sommet recherché de la chasteté et de la pureté, j'étais maintenant parvenu par la force de mon désir : je me sentais en dehors du monde moderne dans un empyrée lumineux, sacré, qui, dans le ravissement du sentiment de mon isolement me remplissait de cet effroi voluptueux que nous éprouvons à la cime des Alpes, lorsque nous sommes entourés de l'océan de l'air azuré et que nous regardons en bas vers les montagnes et les vallées.

Le penseur gravit de tels sommets, pour se donner l'illusion, sur cette hauteur, de se sentir « délivré » de tout élément « terrestre », comme au comble de la puissance humaine : ici enfin, il parvient à jouir de soi-même, et, dans l'influence de l'atmosphère plus fraîche des hauteurs alpestres, il parvient finalement à se figer en une monumentale statue de glace et, comme tel, lui, le philosophe et critique, il considère le brûlant univers des phénomènes vivants qui s'agite à ses pieds.

L'aspiration qui m'avait porté sur cette hauteur était une aspiration artistique, sensuellement humaine; je ne voulais pas m'évader du chaud foyer de la *vie*, mais de l'atmosphère bouillonnante et fangeuse de la triviale sensualité d'une *certaine* vie, de la vie du présent moderne. Sur cette hauteur me réchauffait aussi le rayon de soleil de l'amour. Et cette bienheureuse solitude, à peine m'entourait-elle, qu'elle éveillait en moi une aspiration nouvelle, qui me subjuguait indiciblement, l'aspiration à descendre *des hauteurs vers les profondeurs,* de la splendeur solaire de la chasteté la plus pure vers l'ombre intime de l'étreinte de l'amour humain.

De ces hauteurs, mon regard chargé de désirs, découvrit *la Femme;* la femme, à laquelle aspirait le Hollandais volant plongé dans l'océan profond de sa détresse; la femme qui, dans *Tannhäuser,* montrait comme une étoile du ciel le chemin vers les hauteurs, loin des antres voluptueux du Venusberg, et qui maintenant, d'une hauteur lumineuse, faisait descendre Lohengrin sur le sein réchauffant de la terre.

Lohengrin cherchait la femme qui crût en lui : qui ne demandât pas qui il était ni d'où il venait, mais qui l'aimât tel qu'il serait, et parce qu'il était tel qu'il lui apparaissait. Il cherchait la femme à laquelle il n'eût pas à se faire connaître, à se justifier, mais qui l'*aimât* sans condition. Il lui fallait pour cela dissimuler sa nature supérieure car, en ne découvrant pas, en ne révélant pas cette nature, essence supérieure, — ou pour mieux dire : *surélevée,* — résidait pour lui l'unique garantie qu'il n'était pas seulement admiré et regardé avec étonnement pour l'amour de cette essence, — ou bien qu'il était honoré et adoré — comme un être incompris, — alors que ce qu'il cherchait précisément, ce n'était pas l'admiration ni l'adoration, mais l'unique chose qui pût le libérer de son isolement, et apaiser son désir, — l'*amour, être aimé, être compris par l'amour.*

Avec son esprit élevé, avec sa conscience la plus sachante, il ne voulait devenir autre chose et n'être autre chose qu'un homme complet, sentant chaudement et ressenti chaudement, donc *homme* avant tout, c'est-à-dire artiste absolu, non pas dieu. Ainsi aspirait-il à la femme, au cœur humain. Et ainsi descendit-il de sa solitude sauvage et ensoleillée lorsqu'il entendit d'ici, au milieu de l'humanité, l'appel de cette femme, de ce cœur. Mais en lui persiste, ineffaçable, l'auréole révélatrice de la nature supérieure : il ne peut apparaître autrement que merveilleux; l'étonnement du commun, la bave de l'envie projettent leurs ombres jusque dans le cœur de la femme aimante; doute et jalousie le persuadent qu'il n'a pas été *compris;* mais seulement *adoré,* et lui arrachent l'aveu de sa divinité; anéanti par cet aveu, il retourne dans sa solitude.

Cela devait me paraître alors — et cela me paraît encore aujourd'hui — bien incompréhensible que le caractère profondément tragique de ce sujet et de cette figure pussent demeurer lettre morte et que le sujet pût être si mal compris que le *Lohengrin* fît une impression froide, blessante, plus capable de susciter l'aversion que la sympathie. Cette objection me fut faite d'abord par un homme avec qui j'étais lié d'amitié et dont j'estime infiniment l'esprit et le savoir.

... Je reconnais maintenant avec l'évidence la plus nette le caractère et la situation de ce Lohengrin comme le type du sujet proprement, uniquement tragique, surtout comme le tragique de l'élément vital du présent moderne, et même — toutes proportions gardées — de signification semblable pour le présent en général à celle d'Antigone pour la vie publique grecque.

Au-delà de ce moment tragique, le plus élevé et le plus vrai, du présent, il n'y a plus que la pleine unité de l'esprit et de la sensualité, l'élément réel et uniquement *serein* de la vie et de l'art, de l'avenir vers sa force la plus haute.

COMMUNICATION A MES AMIS, 1851.

SIEGFRIED, L'HOMME VÉRITABLE

Tous nos désirs, et nos passionnés instincts, qui nous transportent réellement dans l'*avenir,* nous cherchons à leur donner une perceptibilité sensuelle à l'aide des images du passé, pour leur donner la forme que ne peut leur prêter le présent moderne. Dans l'effort que je faisais pour donner une forme artistique aux aspirations de mon cœur, et dans mon zèle à rechercher *ce qui* m'attirait si irrésistiblement vers la source des légendes de la patrie primitive, je remontai pas à pas jusqu'à l'antiquité la plus reculée, où je devais enfin, pour mon ravissement, rencontrer, là dans l'antiquité *la plus haute* l'*homme* jeune et beau dans la fraîcheur la plus éclatante de sa force.

Mes études m'emportèrent ainsi, à travers les poèmes du moyen âge, jusqu'au fond du vieux mythe allemand originel; un à un, je parvins à lui arracher les voiles que lui avait jetés, en le défigurant, la poésie ultérieure, et je parvins enfin à l'apercevoir dans sa beauté la plus virginale. Ce que je vis là, ce n'était plus la figure historique conventionnelle, dans laquelle le vêtement doit nous intéresser plus que le corps véritable; mais bien l'homme véritable, nu, en qui j'étais obligé de reconnaître toutes les pulsations du sang, toutes les contractions des muscles vigoureux, dans le mouvement le moins étriqué, le plus libre; en un mot, l'*Homme véritable*.

J'avais en même temps cherché cet homme *dans l'histoire*. Alors s'offrirent à moi des *contingences,* rien que des contingences : mais l'*homme*, je ne le vis que dans la mesure où les contingences le déterminaient, mais non comme il aurait dû les déterminer. Afin de trouver les raisons de ces contingences qui, dans leur force d'expression, obligent l'homme le plus fort à gaspiller sa force à la poursuite de buts inutiles et qu'il n'atteint jamais, je foulai de nouveau le sol de l'antiquité hellénique, et ce fut là encore que, revenu enfin *au mythe* seul, j'y reconnus les raisons de ces *contingences :* seulement dans ce mythe ces contingences sociales étaient manifestées sous des traits aussi simples, aussi déterminés et plastiques à la fois, que ceux déjà remarqués dans la créature humaine elle-même : et le mythe me ramena de ce côté encore une fois exclusivement vers cet homme, *créateur* involontaire des contingences qui commandaient enfin et opprimaient l'homme, anéantissant sa liberté, avec leur déformation documentaire et monumentale, comme éléments de l'histoire, comme de mensongères représentations et contingences juridiques.

Si depuis longtemps déjà la superbe figure de Siegfried m'avait attiré, elle ne me ravit cependant complètement que lorsque j'eus réussi à la voir se dresser devant moi, débarrassée de tout travestissement intérieur, dans son apparition la plus proprement humaine. Ce n'est qu'alors que je découvris la possibilité d'en faire le héros d'un drame, ce à quoi je n'avais jamais pensé tant que je ne l'avais connu que d'après le médiéval *Nibelungenlied*.

Ibid.

NIETZSCHE

UN LIEN TOUT EXTÉRIEUR

Lorsque le musicien compose un lied, ce ne sont ni les images ni les sentiments exprimés dans le texte qui l'inspirent comme musicien : mais une inspiration musicale venue de tout autres sphères choisit ce texte comme propre à l'exprimer symboliquement elle-même. D'une relation nécessaire entre le poème et la musique il ne peut donc être question : les deux mondes du son et de l'image mis ici en contact, sont trop loin l'un de l'autre pour pouvoir contracter plus qu'un lien extérieur; le poème n'offre qu'un symbole et est à l'égard de la musique ce qu'est l'hiéroglyphe égyptien de la bravoure par rapport au guerrier valeureux lui-même. Les plus hautes révélations de la musique nous font sentir malgré nous la grossièreté de toute représentation imagée et de tout sentiment auquel on prétendrait trouver quelque analogie avec elles. Ainsi les derniers quatuors de Beethoven font honte à toute représentation sensible, et d'une façon générale à tout le domaine de la réalité empirique. Le symbole ici n'a plus en présence du Dieu souverain qui véritablement se révèle aucune signification : et même il offense par sa matérialité.

Trad. H. Albert.

CHARLES GOUNOD

INGRES ME RÉVÉLA LE BEAU...

Avant de quitter l'Académie[1], M. Ingres voulut me laisser un souvenir qui m'est doublement précieux comme gage de son affection et comme relique de son talent; il fit mon portrait au crayon, et me représenta assis au piano et ayant devant moi le *Don Juan* de Mozart.

Je sentis profondément le vide qu'allait me faire son dé-

1. La villa Médicis, à Rome.

part et combien me manquerait cette salutaire influence d'un maître dont la foi était si vive, l'ardeur si communicative et la doctrine si sûre et si élevée. Il y a dans les arts, autre chose que le savoir technique, l'habileté spéciale, la connaissance et la possession, même parfaites, des procédés : tout cela est bien et même absolument nécessaire; mais tout cela ne constitue que les matériaux de l'artiste, l'enveloppe et le corps d'un art particulier et déterminé. Dans tous les arts, il y a quelque chose qui n'appartient exclusivement à aucun et qui est commun à tous, au-dessus de tous, et sans quoi ils ne sont plus que de simples métiers; ce quelque chose, qui ne se voit pas, mais qui est l'âme de la vie, c'est l'Art.

L'Art est une des trois grandes transformations que subissent les réalités au contact de l'esprit humain, selon qu'il les considère à la lumière idéale et souveraine de l'un des trois grands aspects du Bien, du Vrai et du Beau. L'Art n'est pas plus un rêve pur qu'il n'est une pure copie; il n'est ni l'Idéal seul, ni le Réel seul; il est, ainsi que l'homme lui-même, la rencontre, l'union des deux. Il est l'unité dans la dualité. Par l'Idéal seul, il est au-dessus de nous; par le Réel seul, il reste au-dessous. La Morale est l'humanisation, l'incarnation du Bien; la Science est celle du Vrai; l'Art est celle du Beau.

C'est à cet apostolat du Beau qu'appartenait M. Ingres; c'est là qu'était sa vie; on le sentait dans ses discours autant que dans ses œuvres, et plus encore, peut-être, que dans ses œuvres, tant les hommes de *foi* sont des hommes de *désirs*, et tant l'effort de l'aspiration les emporte au-delà du chemin parcouru. De cette hauteur, il répandait sur un musicien autant de lumière que sur un peintre, et révélait à tous le foyer commun des vérités supérieures. En me faisant comprendre ce que c'est que l'Art, il m'en a plus appris sur mon art propre que n'auraient pu le faire quantité de maîtres purement techniques.

Quelque peu que j'eusse recueilli de ce précieux contact, ce peu avait suffi pour laisser en moi une empreinte qui ne devait plus s'effacer et un souvenir qui allait me tenir lieu de présence réelle.

MÉMOIRES D'UN ARTISTE, 1896.

... *ET MENDELSSOHN, BACH*

Mendelssohn me reçut admirablement. J'emploie ce mot à dessein pour qualifier la condescendance avec laquelle un homme de cette valeur accueillait un enfant qui ne pouvait être à ses yeux qu'un écolier. Pendant les quatre jours que je passai à Leipzig, je puis dire que Mendelssohn ne s'occupa que de moi. Il me questionna sur mes études et sur mes travaux avec le plus vif et le plus sincère intérêt: il voulut entendre au piano mes derniers essais, et je reçus de lui les paroles les plus précieuses d'approbation et d'encouragement...

Mendelssohn était organiste de premier ordre et voulut me faire connaître plusieurs des nombreuses et admirables compositions que le grand Sébastien Bach a écrites pour l'instrument sur lequel il régna en souverain. Il fit, à cette intention, visiter et remettre en état le vieil orgue de Saint-Thomas dont Bach lui-même avait joué jadis, et là, pendant plus de deux heures, me révéla des merveilles que je ne soupçonnais pas; puis, pour mettre le comble à ses gracieusetés, il me fit cadeau d'un recueil de motets de ce Bach pour lequel il avait une religieuse vénération, à l'école duquel il avait été formé dès son enfance, et dont, à l'âge de quatorze ans, il dirigeait et accompagnait par cœur le grand oratorio de la *Passion selon saint Matthieu.*

Telle fut pour moi l'obligeance parfaite de cet homme charmant, de ce grand artiste, de cet immense musicien, enlevé, dès la fleur de l'âge, — trente-huit ans, — à l'admiration qu'il avait conquise et aux chefs-d'œuvre que lui eût réservés l'avenir. Etrange destinée du génie, même le plus aimable! ces œuvres exquises qui font aujourd'hui les délices des abonnés du Conservatoire, il a fallu la mort de celui qui les avait écrites pour leur faire trouver grâce devant les mêmes oreilles qui les avaient autrefois repoussées.

Ibid.

FAUST A CAPRI

Ce fut en été que je visitai Capri pour la première fois. Il faisait un soleil ardent et une chaleur torride. Pendant le jour, il fallait ou s'enfermer dans une chambre en demandant à l'obscurité un peu de fraîcheur et de sommeil, ou se plonger dans la mer et y passer une partie de la journée, ce que je faisais avec délices. Mais ce qu'il est difficile d'imaginer, c'est la splendeur des nuits sous un pareil climat, dans une telle saison. La voûte du ciel est littéralement palpitante d'étoiles; on dirait un autre océan dont les vagues sont faites de lumière, tant le scintillement des astres emplit et fait vibrer l'espace infini. Pendant les deux semaines que dura mon séjour, j'allais souvent écouter le silence vivant de ces nuits phosphorescentes : je passais des heures entières, assis sur le sommet de quelque roche escarpée, les yeux attachés sur l'horizon, faisant parfois rouler, le long de la montagne à pic, quelque gros quartier de pierre dont je suivais le bruit jusqu'à la mer, où il s'engouffrait en faisant un friselis d'écume. De loin en loin, quelque oiseau solitaire faisait entendre une note lugubre et reportait ma pensée vers ces précipices fantastiques dont le génie de Weber a si merveilleusement rendu l'impression de terreur dans son immortelle scène de la « fonte des balles » de l'opéra *Le Freischütz.*

Ce fut dans une de ces excursions nocturnes que me vint la première idée de la « nuit de Walpürgis » du *Faust* de Gœthe. Cet ouvrage ne me quittait pas; je l'emportais partout avec moi, et je consignais, dans des notes éparses, les différentes idées que je supposais pouvoir me servir le jour où je tenterais d'aborder ce sujet comme opéra, tentative qui ne s'est réalisée que dix-sept ans plus tard.

Ibid.

ÉDOUARD LALO

LALO (1823-1892) est l'auteur du Roi d'Ys, *mais aussi de la* Rhapsodie norvégienne, *de la* Symphonie espagnole, *du* Concerto russe, *de* Namouna, *un ballet oriental. Cela ne l'empêcha pas d'être un musicien très français de caractère, d'une originalité discrète et d'un style clair sans recherches excessives.*

LE DOMAINE PUR DES SONS

Je suis très heureux quand une de mes œuvres vous est sympathique, et surtout en cette circonstance où il s'agit d'une symphonie [1] que j'ai travaillée fiévreusement pendant

1. *La Symphonie en sol mineur,* 1887.

quatre mois, sachant d'avance que ce genre n'intéresse qu'une infime minorité. — Vous paraissez désirer personnellement un renseignement sur la pensée qui prédomine dans ma symphonie; hélas! je vais vous scandaliser, je n'ai eu aucune pensée *littéraire* dans le sens que vous y attachez : — quand j'écris une œuvre avec *paroles,* je deviens l'esclave de ce que la convention appelle la vérité et l'expression musicales d'après un texte donné; — mais lorsque j'écris de la musique sans *texte littéraire,* je n'ai devant moi et autour de moi que le domaine des *sons,* mélodique et harmonique; pour un musicien, cet immense domaine possède en lui-même, *en dehors de toute littérature,* ses poésies et ses drames. — Pour ma Symphonie, j'ai exposé dans une brève introduction la phrase maîtresse que vous avez bien voulu remarquer; elle est prédominante dans le numéro 1; et je la rappelle dans les autres numéros toutes les fois que mes intentions poétiques ou dramatiques *musicales* (ne riez pas) m'ont paru nécessiter son intervention...

LETTRE AU CRITIQUE JULLIEN.

GEORGES BIZET

MIEUX VAUT FAIRE MAUVAIS QUE MÉDIOCRE

Je suis très préoccupé en ce moment, car je m'aperçois que mon petit opéra[1] pourrait bien devenir une *excellente* chose, et, plus je suis convaincu de cela, plus aussi je dois être difficile pour ce qui me reste à faire. Je voudrais, autant que possible, faire une chose à peu près complète. Je ne voudrais pas de tâches, c'est difficile. Heureusement, j'ai fait un grand progrès : je puis *refaire,* et j'en profite. Tu sais qu'à Paris, lorsque j'avais composé quelque chose, je ne pouvais le recommencer; ici, au contraire, j'en suis enchanté. Autre progrès : il me semble que toute mon habileté et ma *triture* musicale ne me servent plus de rien; je ne puis rien

1. *Don Procopio,* opéra italien, « envoi » pour l'Institut.

faire sans idée, ce qui fait qu'aucun des morceaux de mon opéra ne sera *nul*. Je suis persuadé qu'il vaut mieux faire mauvais que médiocre, et je tâche de faire bien ce qui vaudra encore mieux. J'ai un mal énorme à composer, et c'est bien naturel : je n'ai pas de points de comparaison où m'appuyer, et je ne puis me contenter d'une chose que quand je la crois *bonne*, tandis qu'à la classe, ou à l'Institut, il me suffisait que mon travail fût meilleur que celui de mes camarades.

Tu vois que j'envisage tout cela sérieusement. Je sens aussi se fortifier mes affections artistiques. La comparaison des peintres et des sculpteurs avec les musiciens y est pour quelque chose. Tous les arts se touchent ou plutôt il n'y a qu'un art. Qu'on rende sa pensée sur la toile, sur le marbre ou sur le théâtre, peu importe : la pensée est toujours la même. Je suis plus que jamais convaincu que Mozart et Rossini sont les deux plus grands musiciens. Tout en admirant de toutes mes facultés Beethoven et Meyerbeer, je sens que ma nature me porte plus à aimer l'art pur et *facile* que la passion dramatique. De même, en peinture, Raphaël est le même homme que Mozart; Meyerbeer sent comme sentait Michel-Ange. Ne va pas me croire exclusif, non; au contraire, je suis arrivé à reconnaître que Verdi est un homme de génie engagé dans la plus déplorable route qui fut jamais.

CORRESPONDANCE.

LE GÉNIE DE LA NATURE ET CELUI DE LA RAISON

Mon goût se prononce définitivement pour le théâtre, et je sens vibrer certaines fibres dramatiques que j'ignorais jusqu'à ce jour. Enfin, j'ai bon espoir.

Encore une bonne chose : jusqu'à présent, je flottais entre Mozart et Beethoven, Rossini et Meyerbeer. Maintenant je sais ce qu'il faut adorer. Il y a deux sortes de génies : le génie de la nature et le génie de la raison. Tout en admirant immensément le second, je ne te cacherai pas que le premier a toutes mes sympathies. Oui, mon cher, j'ai le courage de préférer Raphaël à Michel-Ange, Mozart à Beethoven, et Rossini à Meyerbeer, ce qui équivaut à dire que, si j'avais entendu Rubini, je l'aurais préféré à Duprez. Je ne mets pas les uns au second rang pour mettre les autres au premier, ce serait absurde; seulement, c'est une affaire de goût, un ordre d'idées exerce sur ma nature une plus forte attraction que l'autre. Quand je vois le *Jugement dernier,* quand j'entends la *Symphonie héroïque* ou le quatrième acte des *Huguenots,* je suis ému, surpris, et je n'ai pas assez d'yeux, d'oreilles, d'intelligence pour admirer. Mais quand je vois l'*Ecole d'Athènes,* la *Dispute du Saint-Sacrement,* la *Vierge de Foligno,* quand j'entends les *Noces de Figaro* ou le second acte de *Guillaume Tell,* je suis complètement heureux, j'éprouve un bien-être, une satisfaction complète, j'oublie tout : ah! qu'on est heureux d'être doué ainsi! Enfin tâchons de n'être pas trop crétin, ce sera déjà quelque chose.

Ibid.

SE DÉFIER DE LA FACILITÉ

Si tu savais avec quelle peine je travaille, tu comprendrais bien facilement que je sois moins avancé que je ne l'espérais. Oui, je me défie de ma facilité : j'ai autour de moi dix garçons intelligents qui ne seront jamais que des artistes médiocres, et cela à cause de la fatale confiance avec laquelle ils s'abandonnent à leur grande habileté. L'habileté dans l'art est presque indispensable, mais elle ne cesse d'être dangereuse qu'au moment où l'homme et l'artiste sont faits. Je ne veux rien faire de *chic,* je veux avoir des *idées* avant de commencer un morceau, et ce n'est pas ainsi que je travaillais à Paris. Il en résulte une certaine paralysie que je ne surmonterai complètement que dans un ou deux ans.

Ibid.

GOUNOD : UN ADORATEUR DE SON ART

Quelle nature sympathique! Comme on subit avec bonheur l'influence de cette chaude imagination! Pour lui « l'art est un sacerdoce » : c'est lui qui le dit; moi, j'ajoute qu'il est le seul homme qui adore vraiment son art parmi nos musiciens modernes.

Ibid.

VERDI : UN GRAND TALENT SANS STYLE

Verdi est un homme d'un grand talent, qui manque de la qualité essentielle qui fait les grands maîtres : le style. Mais il a des élans de passion merveilleux. Sa passion est brutale, c'est vrai, mais il vaut mieux être passionné ainsi que de ne pas l'être du tout. Sa musique exaspère quelquefois, elle n'ennuie jamais. Somme toute, je ne comprends pas les enthousiastes et les détracteurs qu'il a soulevés. Il ne mérite, selon moi, ni les uns ni les autres.

Ibid.

ESPOIR, C'EST-A-DIRE CERTITUDE

Je vous dis ceci en cachette, tout à fait confidentiellement : si je compare mon *Vasco de Gama* aux grandes choses de l'art, je reste bien au-dessous, cela va sans dire, mais si je veux lutter avec nos bonnes choses contemporaines, je crois avoir, sinon l'avantage, au moins le droit de disputer.

Il faut bien que ce soit *vous* pour que j'ose une semblable confidence; mais je suis heureux en ce moment : je sens que j'ai fait presque bien, et que je vais faire dix fois mieux encore. Je puis affirmer que je suis musicien, ce dont j'ai douté bien longtemps. Que j'arrive en deux, en quatre ou en dix ans, peu importe : je suis assez jeune pour ne pas perdre l'espérance de jouir de mes succès. Donc, espoir, espoir, c'est-à-dire certitude. Du reste, le moment est bon : Gounod seul est un homme; derrière lui, rien. Verdi n'écrira plus, dit-on, et puis, écrirait-il, je doute qu'il retrouve souvent de ces éclairs de génie tels qu'en contiennent le *Trovatore*, la *Traviata* et le quatrième acte de *Rigoletto*. C'est une belle nature d'artiste perdue par la négligence et le succès de mauvais aloi.

Ibid.

CONTRE L'ESPRIT DE SYSTÈME

Depuis quelques années, l'esprit de système a fait en art et en critique d'art des progrès inquiétants; de là cette polémique stérile, ces discussions arides qui égarent, qui dévorent, qui énervent les organisations les plus courageuses, les plus robustes, les plus fécondes; de là aussi ces divisions, ces subdivisions, ces classifications, ces définitions quelquefois obscures, souvent erronées, toujours inutiles ou dangereuses. On chicane au lieu d'avancer, on ergote au lieu de produire. Les compositeurs se font rares, mais, en revanche, les partis, les sectes se multiplient à l'infini; l'Art s'appauvrit jusqu'à la misère, mais la technologie s'enrichit jusqu'à la diffusion. Jugez-en vous-même : nous avons la musique française, la musique allemande, la musique italienne, et, accessoirement la musique russe, la musique hongroise, la musique polonaise, etc.; sans compter la musique arabe, la musique japonaise, et la musique tunisienne, très en faveur toutes les trois depuis l'ouverture de l'Exposition Universelle... Nous avons aussi la musique de l'Avenir, la musique du Présent et la musique du Passé; puis la musique philosophique et politique, récemment découverte... Nous avons encore la musique mélodique, la musique harmonique, la musique savante (la plus dangereuse de toutes) et, enfin, la musique-canon, brevetée S.G.D.G.[1]. J'en oublie! Nous aurons la musique à aiguille, à hélice, à pompe foulante et refoulante... refoulante surtout! Quel galimatias! Pour moi, il n'existe que deux musiques : la bonne et la mauvaise. Béranger a défini l'art ainsi : « L'Art, c'est l'Art, et voilà tout. » ... Est-ce qu'il est nécessaire de décrier Molière pour aimer Shakespeare ? Est-ce que le génie n'est pas de tous les pays, de tous les temps ?

... Non, le Beau ne vieillit pas! le Vrai ne meurt pas!... Comment! un poète, un peintre, un musicien, consacre le plus pur de son intelligence et de son âme à concevoir et à exécuter une œuvre; il croit, il doute, s'enthousiasme, se désespère, jouit, souffre tour à tour; et lorsque, plus anxieux, plus tremblant qu'un criminel, il vient nous dire : « Voyez et jugez! », au lieu de nous laisser émouvoir, nous lui demandons son passeport! nous nous enquérons de ses opinions, de ses relations, de ses antécédents artistiques... Mais

---

1. Allusion à une cantate de Rossini, le *Chant des Titans*, exécutée à l'Exposition de 1867.

ce n'est plus de la critique, cela; c'est de la police!... L'artiste n'a pas de nom, pas de nationalité; il est inspiré ou il ne l'est pas; il a du génie, du talent, ou il n'en a pas; s'il en a, il faut l'adopter, l'aimer, l'acclamer; s'il n'en a pas, il faut le respecter, le plaindre... et l'oublier!... Nommez-vous Rossini, Auber, Gounod, Wagner, Berlioz, Félicien David ou Pitanchu, que m'importe ?... Faites-moi rire ou pleurer, peignez-moi l'amour, la haine, le fanatisme, le crime; charmez-moi, éblouissez-moi, transportez-moi, et je ne vous ferai pas la sotte injure de vous classer, de vous étiqueter comme des coléoptères!...

SUR L'ART ET LA CRITIQUE, 1867.

SOYONS NAIFS ET VRAIS

... Soyons donc naïfs, vrais; ne demandons pas à un grand artiste les qualités qui lui manquent, et sachons profiter de celles qu'il possède. Quand un tempérament passionné, violent, brutal même, quand un Verdi dote l'art d'une œuvre vivante et forte, pétrie d'or, de boue, de fiel, de sang, n'allons pas lui dire froidement : « Mais, cher monsieur, cela manque de goût, cela n'est pas distingué. » *Distingué!...* Est-ce que Michel-Ange, Homère, Dante, Shakespeare, Beethoven, Cervantes, et Rabelais sont *distingués ?...*

... J'ai horreur du pédantisme et de la fausse érudition. Certains critiques de troisième ou quatrième ordre usent et abusent d'un jargon soi-disant technique, aussi inintelligible pour eux que pour le public. Je me garderai soigneusement de ce travers ridicule. Vous ne trouverez donc ici aucun renseignement sur les octaves, quintes, tritons, fausses quintes, dissonances, consonances, préparations, résolutions, suspensions, renversements, cadences rompues, interrompues ou évitées, canons à l'écrevisse et autres gentillesses; je renverrai les amateurs de cet aimable langage aux savants articles de M. de L..., ils y apprendront, entre autres choses du plus palpitant intérêt, que Nicolo a écrit les *Rendez-vous bourgeois* en contrepoint non renversable; qu'il est nécessaire d'écouter l'instrumentation de Mendelssohn avec le soin le plus scrupuleux, l'auteur du *Songe d'une nuit d'été* traitant la partie du deuxième basson aussi mélodiquement que la partie de premier violon, etc.

...En vérité, je vous le dis, les compositeurs sont les parias, les martyrs de la société moderne. Comme les gladiateurs antiques, ils tombent en s'écriant : *Salve popule, morituri te salutant!* Oh! la musique, quel art splendide! mais quel triste métier!... enfin... attendons!... attendons!... et surtout, espérons!...

Ibid.

ERNEST CHAUSSON

CHAUSSON (1855-1899) fut le disciple de César Franck, après avoir suivi et abandonné l'enseignement académique de Massenet. Il ne fut jamais l'objet d'une célébrité tapageuse, et la musique demeura pour lui un art plein d'idéalisme personnel, solitaire et laborieux. On connaît surtout de lui la Symphonie en *mi* bémol majeur, *influencée par Franck,* Le Poème de l'Amour et de la Mer, *et ses mélodies sur des textes de Maeterlinck et Shakespeare.*

TRISTE NÉCESSITÉ DE DEVOIR CRÉER

Ah! mon cher ami, que vous êtes heureux d'être dilettante. Vous jouissez tranquillement de tout ce qui est beau et c'est pour vous que les poètes travaillent, depuis Homère jusqu'à Baudelaire (toute proportion gardée); vous passez tant qu'il vous plaît de Shakespeare à Beethoven et de Michel-Ange à Spinoza. Comme vous êtes vraiment sage de vous en tenir là. En dehors des grands hommes il y a des milliers de petites fourmis qui piochent ingratement et suent consciencieusement; ce qu'elles font n'a pas grande portée; cela ne change rien et pourtant elles ne peuvent faire autre chose. Pourquoi diable suis-je une de ces bêtes-là ? Vous avez beau dire que la facilité n'est pas une qualité, ce qui est parfaitement vrai, il est très vrai aussi qu'un certain degré de peine indique la volonté forçant la nature. Je vois clairement, en m'observant, tout ce que je tiens des autres, et je conclus qu'il n'y a pas une parcelle, dans tout ce que je puis faire, qui soit tout à fait à moi, et rien qu'à moi. De là à me demander s'il ne vaudrait pas mieux ne rien faire, il n'y a qu'un pas. Mais c'est justement là que mon manque de logique apparaît. Je vous parle, mon cher ami, avec une entière franchise, parce que je suis sûr que vous ne vous moquerez pas de moi; je n'y mets ni vanité, ni fausse modestie; cela ne trompe personne, pas même soi. Je sais très bien que je puis arriver un jour ou l'autre à écrire une œuvre musicale intéressante pour quelques esprits curieux, mais entre cela et une œuvre d'art véritable il y a un monde. Comment se fait-il donc que je ne puisse m'empêcher d'écrire ? Je l'ai essayé; je ne puis pas; il y a alors en moi comme une fonction organique qui ne s'accomplit pas; je deviens tout à fait insupportable. Ce qu'il y a de plus bizarre, c'est que, malgré tout ce que je viens de vous dire sur la perception de l'œuvre d'art et le découragement où je suis de n'y pouvoir jamais parvenir, je travaille comme si, à ce moment, je pensais tout à fait différemment. Mais une fois l'entrain passé, je rage de voir combien ce que je fais est si loin de ce que voudrais faire, de ce qu'il me semble que j'entends dans ma tête. Et le lendemain je retravaille tout de même. Ajoutez à cela le spectre rouge de Wagner qui ne me lâche pas. J'en arrive à le détester. Alors je le fouille, je tâche de lui découvrir des vices cachés, je lui en trouve, mais en même temps je me rappelle que je viens d'avoir telle conversation avec tel ami et que ce que je viens de penser, je ne l'aurais peut-être pas pensé tout seul. Et après tout, est-il vraiment une chose que nous pensions absolument libres de toute influence ?

1884.

JE SUIS ENSORCELÉ...

Je suis ensorcelé. Tout ce qu'on raconte des charmes, des envoûtements, des nouements d'aiguillettes, est vrai, car c'est certainement un sort de cette espèce qui m'a été jeté, ou qui est venu tout seul se fourrer dans moi. Ce n'est pas de la grinche; la rage, le désespoir, tout cela n'est que de la babiole auprès de l'état frénétique dans lequel je suis. C'est vraiment de la folie furieuse. Il y a de quoi. Imaginez que depuis que je suis ici, je travaille comme un misérable et que je reste à la même mesure! J'ai bien essayé d'arrêter, impossible. Je reviens à mon papier comme à un vice. De faire autre chose, impossible encore. Je ne puis penser et je ne pense qu'à cette unique mesure. Aussi je l'exècre; je me dis des injures, je me flanque des coups de poing. Comme vous pensez, cela avance à grand-chose. Et le plus horrible, ce que je suis en train de faire est très bien. Je ne vous dis pas cela souvent de ma musique; cette fois, je crois sincèrement que c'est bien. Sans doute même, c'est trop bien pour moi, j'ai eu un commencement de veine et puis je me trouve en plan sans pouvoir continuer, sans vouloir abandonner, en proie à toutes les frénésies. Je me rejoue sans cesse ce qui est fait, espérant toujours qu'une bonne inspiration va me faire dépasser la fatale mesure, et c'est toujours la même chose, et je recommence et je m'arrête de nouveau. Vous pensez que je viens de m'arrêter à l'instant même. C'est pour la vingtième fois de la journée. C'est comme cela tous les jours. Cela sera demain encore de même. Je n'ose plus me lever le matin en pensant à l'affreuse journée que je vais passer. Benjamin Godard et Atta Troll sont heureux; ils ont du génie, et même de la facilité. Dans mes moments de lucidité, je cherche à me rendre compte de ma maladie. Ça, je l'ai trouvé du coup. Cela provient de mes mélodies. Ah! je les déteste maintenant et j'espère bien n'en plus jamais faire. Toutes, de mauvaises actions, sauf *Hébé,* peut-être, et quinze mesures de *Nanny*. De la crème de musique! Des frottements harmoniques jolis peut-être, mais qui intoxiquent, énervent et rendent impuissant. Drenanisme musqué, je vous dis que cela est misérable, Vous aviez raison pour Debussy. Ce n'est pas cela qu'il faut faire. Et pourtant, c'est joli, je l'aime encore, mais parce que c'est l'œuvre d'un autre. Ah! non, ce n'est plus là la musique que je voudrais faire. Voyez de Bréville. Tâchez de lui faire comprendre qu'il court à l'abîme. Citez-moi comme exemple : dites-lui l'état de gâte (temporaire espérons-le), où je suis pour avoir fait des mélodies que des amis ont trouvées agréables. Est-ce que d'Indy et Franck font des mélodies ? Mais aussi, ils font d'autres choses.

Voyons, ne vous moquez pas de moi et conseillez-moi. J'ai besoin d'une idée; je l'ai sur le bout des doigts; je la sens presque, je la soupçonne plutôt. Impossible de l'écrire. Ça, ça doit être une maladie connue. Envoyez-moi des médicaments, des conseils, mais pas de consolations. Il faut absolument que j'accouche. Je vous assure qu'il m'est impossible de continuer à mener cette vie-là.

Adieu, je vais recommencer. Si cela vient, je vous le dirai en post-scriptum.

Si cela servait à quelque chose de jurer, mais non, ça n'avance à rien; alors, je ne jure pas, je me rappelle que vous n'aimez pas cela.

P.-S. — J'ai cru un moment avoir trouvé, mais non. Ce n'est pas encore comme ça. Pourtant, au dernier moment, j'aperçois une faible lueur, je vais m'y remettre après dîner ou demain matin. Je suis éreinté!.

METTRE LA JOCONDE EN MUSIQUE

Avant de quitter Paris, je suis allé chez un coiffeur me faire couper les cheveux. Vous savez combien cela est ennuyeux. Pour me distraire, je regardais une affreuse gravure, pendue au-dessus de la glace, et qui représentait Raphaël visitant l'atelier de Léonard de Vinci pendant que celui-ci faisait le portrait de la Monna Lisa. Inutile d'insister sur le geste bête de Raphaël, et des autres personnages. J'abrège, car vous ne devez pas deviner où je veux en venir. Je ne sais si l'apposition de mains graisseuses sur la tête et les lotions de Portugal sont un excitant au travail de tête, mais je pensai, je ne sais pourquoi, qu'il serait amusant de faire la musique que l'on raconte qu'entendait la Joconde, pendant que Léonard de Vinci la « portraicturait ». Soyez certain d'avance que je ne songe à rien moins qu'à un pastiche de vieille musique. Je voudrais tout simplement (!) exprimer à ma manière le sourire mystérieux de la Joconde, et pourquoi elle se montre si peu sensible en apparence à ces belles montagnes bleues qui l'entourent et à ce ravissant petit ruisseau rouge qui lui coule dans le dos. Si vous voyez Bouchor, demandez-lui si son poème de la *Joconde* a paru quelque part et, si oui, dites-lui qu'il serait bien gentil de me l'envoyer. Ce n'est pas tout. Vous savez qu'il ne me suffit pas de geindre, et que j'embête toujours mes amis quand je travaille ou me prépare à travailler.

J'imagine que la meilleure forme pour ce que je veux faire serait celle de la musique de chambre qui n'en serait pas. Je suis tenté d'écrire un triple quatuor, c'est-à-dire quatuor à cordes, quatuor d'instruments à vent et quatuor vocal. J'y ajouterais sans doute une contrebasse, ce qui me ferait un *tredecetto,* forme très nouvelle comme le nom vous l'indique. Les paroles m'embarrassent beaucoup. J'ai emporté un Pétrarque et ne trouve rien dedans qui corresponde à ce que je veux. Peut-être trouverai-je une *Canzone* dans la *Vita Nova*...

1886.

UN POÈME QUE JE FAIS SEUL DANS MA TÊTE

... Je ne vous ai guère parlé du Poitou. C'est que je ne pense guère au paysage en ce moment. Cette éternelle pâmoison devant un arbre ou deux arbres qui forment bouquet, ou trois arbres qui font comme un commencement de forêt, finit par m'agacer. Ce n'est pas que mon goût pour la nature diminue, mais j'y cherche autre chose que l'objet en lui-même. Si j'étais peintre et paysagiste je penserais autrement; comme je ne le suis pas et ne fais même plus d'aquarelles, j'admire surtout les choses qui évoquent en moi des idées. Je ne dis guère cela qu'à vous, car je suis certain que vous ne m'accuserez pas d'utilitarisme. La beauté n'a pas d'autre raison d'être qu'elle-même. Je suis toujours de cet avis. Mais combien de choses ne sont belles que par la manière dont nous les voyons! Cela dit, il n'y a pas dans toute la terre un seul petit coin où nous ne puissions trouver quelque chose de beau, à un point de vue quelconque. Je ne vous ai pas parlé du pays parce que je l'ai peu regardé, tout en l'admirant et le sentant beaucoup. Je dois même lui être très reconnaissant, car il vient de me fournir une idée que je cherchais vaguement depuis longtemps. Vous connaissez mon antipathie pour la musique descriptive. En même temps je me sentais incapable de faire de la musique pure comme Bach et Haydn. Il fallait donc trouver autre chose. J'ai trouvé. Il ne reste plus qu'à voir si j'aurai en moi la force d'exprimer ce que je sens. Tant que ne fais qu'y songer, je suis plein de confiance; une fois le crayon à la main je me trouve tout petit garçon. Pourtant j'ai commencé. Je vous montrerai à la rentrée de l'hiver un poème symphonique qui n'est guère qu'un essai. Il est déjà assez avancé; l'esquisse en serait même terminée si je n'étais pas arrêté depuis une huitaine de jours par une difficulté matérielle idiote; il me faut trouver encore une trentaine de mesures pour arriver à la fin que je ferai, je crois, assez vite. Quant au titre, je n'arrive pas à en trouver un qui me convienne. Pour le moment, je l'intitule *Dans les bois,* mais je voudrais trouver mieux. Surtout que cela ne rend pas du tout ce que je veux exprimer, et, dans ce cas, il vaudrait peut-être mieux ne pas mettre de titre[1].

Pensez à la *Fontaine aux lianes*, de Leconte de Lisle. Retranchez-en le côté exotique (floraison indienne, etc.) et le côté semi-dramatique (l'homme *mort aux yeux grands ouverts*) et vous pourrez approximativement vous faire une idée du poème symphonique en question. Je ne sais si je m'exprime assez clairement et si vous me comprenez bien. Je veux un poème que je fais seul dans ma tête et dont je ne sers que l'impression générale au public; je veux par-dessus tout rester absolument musical, si bien que les auditeurs qui ne me suivraient pas entièrement puissent être suffisamment satis-

1. Aucune trace n'est restée de ce projet.

Allégorie de l'Ouïe (détail). Yan Brueghel (1568-1625). Prado, Madrid.
(Cliché Anderson - Giraudon).

ARMIDE TRAGEDIE.

PROLOGUE.

Le Théâtre Repréſente vn Palais.

Frontispice de l'*Armide* de Lulli. Bibliothèque de l'Opéra, Paris. *(Cliché Erlanger de Rosen)*

faits par le côté musical. Il n'y a aucune description, aucune affabulation; il n'y a plus que des sentiments. Je pense faire quatre ou cinq poèmes symphoniques de ce genre, tout à mon aise, et parmi lesquels se trouvera *La Nuit* que je ne suis décidément pas en train d'écrire cet été. Je songe déjà à un *Printemps* (Botticelli) et à un *Chant de la Terre...*

1886.

GIUSEPPE VERDI (1813-1901).

LA MUSIQUE DE L'AVENIR

Moi aussi, je sais qu'il y a une *musique de l'avenir* : mais je pense en ce moment et je penserai également l'année prochaine, que pour faire des souliers, il faut du cuir et de la peau. Que te semble-t-il de cette stupide comparaison, qui signifie que pour mettre un opéra en musique, il faut avant tout avoir de la musique dans le ventre ? Je déclare que je suis et que je serai un admirateur enthousiaste des musiciens de l'avenir à cette condition qu'ils fassent de la musique, quels qu'en soient le genre, le système, etc., mais musique! Assez, assez je ne voudrais pas que la maladie pût se communiquer à moi, en en parlant...

Lettre au comte Arrivabene.

Je ne saurais te dire ce qui va sortir de toute cette fermentation musicale. Il y a celui qui veut être mélodiste, comme Bellini, et celui qui veut être harmoniste, comme Meyerbeer. Pour moi, je ne voudrais ni l'un, ni l'autre. Je voudrais que le jeune artiste, lorsqu'il se met à composer, ne songeât jamais à être ni mélodiste, ni harmoniste, ni réaliste, ni idéaliste, ni toutes ces pédanteries que le diable emporte! La mélodie et l'harmonie ne doivent être que des moyens dans la main de l'artiste pour faire de la musique : et si un jour vient où l'on ne parlera plus ni de mélodie, ni d'harmonie, ni d'école italienne ou d'école allemande, ni du passé, ni de l'avenir, alors, peut-être, le règne de l'art commencera. Il y a encore un autre malheur : c'est que tous .les opéras des jeunes compositeurs sont le fruit de la crainte. Personne n'écrit en s'abandonnant : et lorsque ces jeunes auteurs se mettent à écrire, l'idée qui les domine, c'est de ne pas heurter le public et d'entrer dans les bonnes grâces des critiques.

Ibid.

Tous [les jeunes compositeurs] manifestent une tendance, un désir de *trouver*, d'être originaux. Cette tendance est très louable, si elle ne dépasse pas les limites. Mais voici le péril de l'art, de tous les arts à notre époque : il y a des artistes qui ont les poumons forts et l'haleine longue; ils arriveront, malgré les aspérités du chemin. La plupart se casseront le cou, après une brève course : et s'ils marchent un peu plus longtemps, ils resteront hors d'haleine. A mon avis, pourtant, il ne faut pas se désespérer. Moi, j'admire beaucoup cet ardent désir de *trouver*.

Ibid.

LE SENTIMENT NATIONAL

Nous avons besoin, plus que jamais, d'avoir des opéras sains, qui ne soient atteints ni de mal français, ni de mal allemand.

G. V.

Vous semble-t-il que ma physionomie soit celle d'un Allemand ? Vous semble-t-il que, sous ce soleil et sous ce ciel, j'aurais pu écrire *Tristan* ou la *Trilogie* ?...

... Observez, s'il vous plaît, le phénomène de l'architecture en Allemagne et en Italie, et vous verrez que les deux formes artistiques, latine et gothique, concordent parfaitement avec les formes musicales qui dominent dans les deux pays. En effet, dans l'architecture latine, la ligne est plane, simple, harmonieuse, avec un commencement, un milieu, une fin, qui vous font goûter tout de suite la clarté de l'idée et qui vous reposent et vous réjouissent par leur belle eurythmie. La ligne gothique, au contraire, est aiguë et découpée : son développement est capricieux et irrégulier; et la fin va se perdre en suivant l'entortillement de ces arabesques qui montent, montent et semblent vouloir disparaître dans les nuages. Eh bien! la musique allemande se confond avec l'architecture gothique, dont elle a les caractères, si j'ose dire, métaphysiques. La musique italienne (la *vraie*) vit du même sentiment qui fait vivre l'architecture latine, dont elle a les lignes harmonieuses, l'énergie, l'éloquence spirituelle. C'est de cette façon que les deux arts arrivent, avec une pareille concordance de manifestations, à fixer le *sentiment national* dans l'art. On peut dire que l'inspiration du musicien et celle de l'architecte naissent de la même source, l'harmonie des formes, et qu'elles marchent vers un but unique : l'harmonie du Beau.

LETTRE AU MARQUIS MONALDI.

Nous tous, maîtres, critiques, public, nous avons fait tout notre possible pour renoncer à notre nationalité musicale. Maintenant nous sommes à bon port : encore un pas et nous serons germanisés en ceci comme en tant d'autres choses. C'est une consolation de voir s'instituer partout des sociétés de quatuor, des sociétés orchestrales, et puis encore quatuor et orchestre, orchestre et quatuor, etc., pour apprendre au public le *grand Art,* comme dit Filippi! Alors, quelquefois, il me vient une idée bien mesquine et je me dis à moi-même, tout bas : mais si nous, en Italie, nous faisions, en échange, des quatuors vocaux pour chanter Palestrina et ses contemporains, Marcello, etc.; ne serait-ce point du *grand Art* ? Et ce serait de l'art italien... L'autre, non... Mais chut : que personne ne m'écoute...

LETTRE AU COMTE ARRIVABENE, 1879.

... Je vois que les artistes vraiment supérieurs jugent sans préjugé d'école, de nationalité, d'époque. Si les artistes du Nord et du Sud ont des tendances diverses, il est bon qu'elles soient diverses. Tous devraient maintenir *les caractères propres de la nation,* comme Wagner a très bien dit. Heureux, vous qui êtes encore les fils de Bach!... Et nous ? Nous aussi, fils de Palestrina, nous avons eu un jour une école grande... et nôtre! Maintenant, elle s'est faite bâtarde et menace ruine. Oh! si nous pouvions recommencer!...

LETTRE AU CHEF D'ORCHESTRE ALLEMAND VON BÜLOW,
14 avril 1892.

Cité par BONAVENTURA, *Verdi*, Paris, 1923.

CÉSAR CUI

CESAR CUI (1835-1918) est surtout connu pour être le théoricien du Groupe des Cinq, *qui comprenait Rimsky-Korsakov, Moussorgsky, Balakirev et Borodine, fondé à Saint-Pétersbourg, vers 1865, et qui prônait avant tout une inspiration nationale à caractère folklorique et un style musical tourné vers la richesse et la puissance de l'expression. Cui est aussi l'auteur d'opéras, comme le* Prisonnier du Caucase.

MANIFESTE DU GROUPE DES CINQ

... La nouvelle école russe prit à tâche de mettre en lumière certains principes de la plus haute importance, dont un des premiers est celui-ci : la musique dramatique doit avoir une valeur intrinsèque, comme musique absolue, abstraction faite du texte. On avait trop longtemps négligé ce principe; de nos jours même, on est loin de l'observer strictement. Les compositeurs n'ayant pour principale préoccupation que la mélodie pure et la virtuosité vocale, moyens infaillibles de succès, les banalités les plus étonnantes, les plus naïves en même temps, avaient une raison d'être et passaient sans difficulté. Ce qui, dans une composition symphonique, aurait été mis à l'index avec le dédain le mieux justifié, trouvait naturellement sa place dans un opéra. Les Italiens sont hors concours pour leur supériorité en cette affaire. N'aspirant qu'aux succès faciles, fondés sur les fioritures, sur des *si* bémol et des *ut* dièse aigus, se tenant avec le public en communion de mauvais goût et le maintenant dans cet état inculte, il ne leur suffit pas d'abuser des thèmes les plus banals, il leur faut encore étaler ces laideurs dans toute leur nudité, sans même chercher à les atténuer par une harmonie tant soit peu élégante. Les meilleurs parmi ces musiciens ou se répètent l'un l'autre, ou bien se répètent eux-mêmes, comme style, thèmes et harmonies. Par ce moyen, ils ont réussi à faire de leurs opéras une série de jumeaux abâtardis, d'une ressemblance désespérante. Il suffit, pour s'en convaincre, de jeter un coup d'œil sur les trente et quelque opéras italiens de Rossini, sur les soixante-dix et plus de

Donizetti. L'un et l'autre n'ont que deux ou trois ouvrages typiques, dont le reste de leurs œuvres n'est que la reproduction plus ou moins faible et pâle. Et même dans leurs chefs-d'œuvre, que de lieux communs, que de pages insignifiantes et banales!

Chez un grand nombre de compositeurs, non italiens, les résultats sont à peu près les mêmes; ils écrivent trop, ils spéculent trop souvent sur les moyens heureux des exécutants, sur le bel et irrésistible effet des décors, sur l'agrément toujours sûr des scènes de ballet. Meyerbeer lui-même, un des plus grands compositeurs dramatiques, ne gagnerait-il pas beaucoup à la suppression des princesses et des reines à roulades dans ses opéras ?

La nouvelle école russe envisage la question à un point de vue absolument différent. Selon son principe, rien ne doit détourner la musique d'opéra d'être par elle-même de vraie et belle musique; tout ce que l'art musical a de plus séduisant doit s'y rapporter; le charme de l'harmonie, la science du contrepoint, la polyphonie et le coloris de l'orchestre doivent y aller de pair. Un tel précepte peut ne pas paraître d'une application très pratique; il semblerait qu'un temps de repos pris çà et là, à la faveur d'un lieu commun, plus ou moins prolongé selon la circonstance, ferait bien l'affaire de l'auditoire, lui épargnerait la lassitude d'une attention trop soutenue. Non pas! l'école russe ne veut tirer aucun profit de semblables combinaisons, si avantageuses qu'elles paraissent, ni faire de telles concessions. Elle ne changerait à aucun prix son point de vue à cet égard. Elle marche tranquille et fière vers l'idéal qui l'appelle, — cette source vive d'intelligence, d'honnêteté et d'éternelle poésie, — sans se préoccuper de la réussite ou de l'insuccès.

La musique vocale doit être en parfaite concordance avec le sens des paroles. Encore une vérité claire et simple, bonne à répéter, et dont l'application n'est que trop fréquemment négligée. Le texte ne sert pas exclusivement à faciliter l'émission de la voix, car si telle était sa destination, il suffirait d'en prendre un au hasard et de l'accoler à une musique quelconque. Puisque les textes varient, puisque chacun d'eux a un sens particulier, il est de toute nécessité que la partie musicale y soit intelligemment appropriée. Chaque phrase de texte doit avoir son équivalent dans une correcte déclamation musicale. C'est du sens du texte que doit sortir la phrase musicale, les sons étant destinés à compléter l'effet de la parole. Le sentiment psychique peut souvent être exprimé en musique avec plus de profondeur et de puissance qu'il ne pourrait jamais l'être au moyen des mots. Une des propriétés capitales de la musique, c'est de peindre avec des couleurs vives et expressives les mouvements de l'âme, les passions, de communiquer directement et pleinement avec la source de sensibilité du cœur humain; la parole, de son côté, lui crée une signification déterminée, définit en quelque sorte toutes ces aspirations.

Ces convictions, solidement établies sur l'union absolue du texte et de la musique, font que l'école russe ne traite pas la question du poème avec légèreté; les musiciens qui représentent cette école ont, de préférence, recours aux productions des grands poètes. Ils recherchent l'art dans le sujet même, et aspirent à ce que, du texte choisi par eux, il surgisse une nouvelle création qui soit une œuvre d'art dans les deux sens, poétique et musical.

Pour la musique comme pour le livret, *la structure des scènes composant un opéra doit dépendre entièrement de la situation réciproque des personnages ainsi que du mouvement général de la pièce.* C'est là de la logique élémentaire dont parfois les plus grands compositeurs ne font aucun cas... Dans combien d'opéras ne trouve-t-on pas, sur quelque *Corriam, fuggiam,* un chœur ou un ensemble qui, ne tenant aucun compte du sens des paroles, perd un temps énorme en scène avant qu'on voie les choristes prendre leur course! Voici encore dans un opéra quelconque — on n'a que l'embarras du choix, — une catastrophe, quelque grave péripétie dramatique : aussitôt les personnages de s'aligner tout le long de la rampe, ayant sur leurs talons le chœur rangé par séries, et d'entamer un morceau très long, sur un mouvement lent et large; le morceau reprend son cours. En dépit du bon sens, la musique d'opéra a fini par prendre certains plis automatiques, certaines coupes bizarres. On trouve assez rarement des morceaux d'opéra construits autrement qu'en deux ou trois parties reliées entre elles par des récitatifs du caractère le plus incolore. Voyez s'avancer devant le trou du souffleur ce héros de la scène lyrique, ténor ou baryton. Il va chanter un grand air. Il lui faut faire montre d'abord de son talent déclamatoire : il débute donc par quelques phrases de récitatif. Puis pour prouver son aptitude au chant large, il attaque un *andante cantabile*; mais il excelle aussi, grâce à Dieu, dans les airs de bravoure émaillés de fioritures; alors vient nécessairement un *allegro,* à la fin duquel éclate une note presque impossible, haute ou grave, longtemps retenue sur une *fermata...* Quant aux duos, trios, quatuors, etc., ils sont, pour la plupart, taillés sur ce modèle.

La nouvelle école russe comprend toute la fausseté de ces formes immuables et stéréotypées. Elle est convaincue que le développement musical d'un opéra demande une complète indépendance de formes et n'est commandé que par le texte ou par la situation scénique. Une certaine régularité de forme, un travail architectonique savant, émaillé de licences de bon goût, sont admissibles dans un opéra, à la condition d'être bien motivés; ils peuvent convenir, par exemple, à une marche, à des danses caractéristiques, à une ouverture ou à des entractes, morceaux essentiellement symphoniques. Mais ces formes régulières, du domaine de la musique instrumentale pure, ne peuvent raisonnablement cadrer avec des scènes dramatiques et momentanées, là où les thèmes et les rythmes s'altèrent, où des redites et des reprises seraient contraires au sens intime de l'action. Pour ce qui est des motifs d'une grande ampleur ou d'une mélodie soutenue comme celle d'une cantilène, ils font toujours bien quand ils sont en bonne place, comme par exemple pour exprimer les mouvements lyriques. Mais on peut aussi les modifier en les faisant reparaître par fragments, par échappées, en les remaniant de différentes façons; on peut les rétrécir jusqu'aux phrases courtes du récitatif mélodique. Tout dépend de la marche du sujet; la musique ne doit pas faire route à part et s'abstraire du texte. Un modèle de forme mélodique, si réussi qu'il soit, ne saurait servir à la construction de plusieurs morceaux dans le même opéra, par la raison que, dans une œuvre lyrique, il ne se présente ordinairement pas deux situations complètement semblables, avec un texte offrant la même analogie.

La nouvelle école russe ne rejette nullement les ensembles, ni les chœurs, mais elle veut que les scènes de ce genre soient sérieusement motivées; il ne faut pas que la marche du drame en soit ralentie. Ainsi les chœurs représentent la foule, le peuple, et non pas seulement les choristes; ils doivent offrir un sens déterminé, rassemblement, émeute, etc., et non s'intercaler entre d'autres morceaux dans le seul but de faire contraste avec eux, ou pour laisser reposer les solistes.

En outre, la nouvelle école russe s'efforce de rendre musicalement le caractère et le type des personnages avec tout le relief possible, de modeler pour ainsi dire chaque phrase d'un rôle dans un moule individuel et non général; de caractériser avec vérité, enfin, l'époque historique du drame et de rendre dans son sens poétique autant qu'exact la couleur locale, les côtés descriptifs et pittoresques de l'action.

Tous ces principes ont, sans doute, beaucoup d'affinité avec les idées wagnériennes; mais les procédés pour atteindre le même but diffèrent essentiellement entre ces deux écoles. Wagner concentre tout l'intérêt musical sur l'orchestre, jusqu'à n'accorder qu'une importance secondaire à la partie vocale. Pendant qu'il fait exposer le thème par l'orchestre, les personnages de ses opéras n'émettent que des fragments de récitatifs qui, pris séparément, n'ont aucune valeur intrinsèque, ni aucun sens précis. C'est un procédé complètement faux. Les personnages d'un opéra tiennent la scène et ne se bornent pas à compléter l'orchestre; ils prononcent les paroles du texte qui amènent nécessairement la musique; c'est par eux que l'action existe; le public les observe et les écoute; c'est à eux, par conséquent, et non à l'orchestre, que doit être dévolu le principal rôle musical. Grâce à la manière dont Wagner traite — ou plutôt maltraite — la question, c'est l'intérêt du second plan qui prend le dessus; d'ailleurs, chez lui, l'orchestre et le chant se heurtent, se combattent réciproquement, et l'orchestre finit par tuer le chant. Il semble que Wagner fait tous ses efforts pour amoindrir le rôle musical des personnages de ses œuvres. Au contraire, les musiciens russes réservent aux chanteurs (sauf de rares exceptions) toute la suprématie musicale, toutes les phrases importantes de la partition. Pour eux, les chanteurs sont les véritables interprètes des idées musicales du compositeur. On voit bien par là que la nouvelle école russe procède de Glinka et de Dargomijsky.

Pour marquer le caractère de chaque personnage, Wagner adopte le procédé suivant : il revêt en quelque sorte le chanteur d'une phrase musicale comme d'un habit, qu'il porte partout avec lui et qui annonce chacune de ses entrées en scène. Ce moyen, si simple et si bien approprié à son but qu'il paraisse, ne fait pas beaucoup d'honneur aux héros de Wagner, pourquoi, en effet, sont-ils condamnés à un motif à perpétuité ? pourquoi leur est-il refusé de s'annoncer de diverses manières ? Cela rappelle, comme on en a fait la remarque, ces légendes naïves sortant de la bouche des gens, dans les enluminures du moyen âge. Le compositeur russe, lui, n'est pas avare de thèmes pour ses personnages; il leur en donne autant que les situations lui semblent l'exiger. Il est vrai qu'il se réserve le droit de travailler ces thèmes de différentes façons (changement de rythme, de coloris, d'harmonie, etc.); en se développant et se diversifiant, ils ne perdront rien de leur unité et serviront à peindre le caractère du personnage avec toute la souplesse voulue. — Outre ces bouts de phrases orchestrales symbolisant un personnage, Wagner en emploie encore pour exprimer une idée,· la vengeance, par exemple; ou même un objet inanimé, le glaive; et il suffit du moindre rapport à l'une de ces idées, de la plus légère réminiscence de cet objet, pour que la phrase reparaisse aussitôt comme poussée par un ressort. — Comme si chaque personne ne pouvait pas avoir une opinion toute différente, un sentiment tout autre en envisageant le même sujet! Il va sans dire que l'école russe ne donne pas dans de pareilles erreurs.

La Musique en Russie, 1880.

MOUSSORGSKY

MOUSSORGSKY (1835-1881) réalise ce prodige d'être l'un des plus originaux musiciens russes et en même temps un musicien autodidacte. Ayant débuté dans la carrière des armes, il l'abandonna pour la musique, mais dut se faire ensuite bureaucrate pour gagner sa vie. En outre, il était persécuté par des troubles psychiques assez graves, auxquels l'alcoolisme avait sa part. Il mourut dans la misère à quarante-deux ans. Son art est tout instinctif et ne doit rien aux conventions esthétiques. Moussorgsky était profondément artiste. Il avait de la musique une idée transcendante; il la faisait relever d'un réalisme psychologique supérieur; il voyait dans la mélodie l'expression d'un chant universel. Son chef-d'œuvre, Boris Godounov, *de même que la* Khovantchina, *est une œuvre nationale, populaire, mais aussi subversive, au style rude et parfois primitif, mais qui se soucie également de la psychologie profonde des personnages. Son poème symphonique,* Une nuit sur le mont Chauve, *est une œuvre hallucinée. Sa suite, intitulée* Tableaux d'une exposition, *inspirée par une exposition d'un peintre de ses amis, est un essai curieux de transcription musicale de spectacles visuels. Les mélodies sur le thème de la Mort témoignent également d'une intention expressionniste toute moderne.*

VERS DES RIVES NOUVELLES

La reproduction artistique de la beauté seule, au sens matériel du terme, est un grossier enfantillage, la première enfance de l'art. Découvrir les traits délicats de la nature humaine et des groupes humains, sonder avec opiniâtreté ce terrain vierge et en faire la conquête, voilà la mission du véritable artiste. Vers des rives nouvelles! sans redouter les tempêtes, à travers les écueils et les abîmes, vers des rives nouvelles! l'homme est un animal sociable et ne saurait être autre chose; dans les groupes humains exactement comme dans l'individu, il y a des traits de caractère subtils qui échappent à l'observation, que nul n'a touchés encore; les découvrir et les étudier, par la lecture, l'observation, l'intuition, les saisir dans son for intérieur et en nourrir ensuite les hommes comme d'un aliment sain et substantiel que nul n'a goûté encore, voilà une tâche! C'est admirable! Que c'est admirable!

L'ART N'A PAS DE LIMITES

Voici la pensée qui me tourmente : les *Ivans*[1] et surtout le *Iaroslav* d'Antokolski, les *Bourlaki* de Répine et — *last not the least!* — l'enfant rachitique dans l'*Oiseleur* de Perov, le premier couple dans les *Chasseurs* du même, la *Procession au village,* qu'on ne m'a pas montrée, mais que j'ai vue — pourquoi toutes ces figures vivent-elles comme si elles étaient vraiment devant vous en chair et en os, si bien qu'en les voyant on se dit involontairement : « Voilà comme je voulais vous voir » ? Et pourquoi ne trouvons-nous pas la même vie dans la musique nouvelle, malgré toutes ses qualités ? Pourquoi dit-on en l'écoutant : « Ah! oui, je croyais que vous ?... etc. » Je vous en prie, expliquez-moi cela! Mais ne me parlez pas des « limites de l'art »; je n'y crois guère, car les limites dans l'art, dans la foi de l'artiste, cela ne signifie pas autre chose que l'immobilité. En effet, si un cerveau admirable n'a pas trouvé sa voie vers la liberté, s'ensuit-il qu'un autre, même moins doué, ne puisse la trouver à son tour ? Alors, où sont les limites ?

INERTIE DE LA TRADITION

Quand je pense à certains artistes demeurés en arrière, en deçà du barrage, non seulement j'éprouve une colère impuissante, mais un vrai dégoût. Tout l'effort de ces messieurs les porte à se dépenser au compte-gouttes, bien régulièrement, bien gentiment; ils s'y complaisent, mais pour peu qu'on ait du sang dans les veines, on est saisi de fureur : mes amis vénérés, sortez un peu des gonds comme il sied à des êtres en chair et en os; montrez si vous avez des griffes ou si vos membres sont palmés, si vous êtes des bêtes féroces ou des

1. Œuvres de peintres russes contemporains de Moussorgsky.

amphibies. — Mais à quoi pensé-je ? — et le barrage ? — Ces artistes, dépourvus d'intelligence et de volonté, se sont empêtrés dans les liens de la tradition, ce sont les témoins ambulants de la loi de l'inertie et malgré cela ils s'imaginent accomplir des hauts faits. Tout cela n'aurait pas d'importance si ces artistes n'avaient pas brandi autrefois une autre bannière pour la porter haut, fiers de montrer le chemin aux hommes. Sur leur route, soutenus par le poing d'airain de Balakirev, ils ont eu pendant un temps un souffle puissant moins formidable que le sien, mais analogue; ils se sont proposé des tâches qui eussent donné du casse-tête même à des hommes plus grands qu'eux. Maintenant le poing d'airain de Balakirev s'est relâché et ils sentent tout à coup qu'ils sont fatigués et qu'ils ont besoin de repos. Où trouver cette quiétude ? Bien entendu dans la tradition : « Nous allons faire ce que faisaient nos prédécesseurs. » On a mis la vaillante bannière de guerre dans un coin, on l'a cachée avec soin derrière de vieux meubles, on l'a enfermée à double tour derrière sept portes. Alors ils ont trouvé la quiétude désirée et aujourd'hui ils se reposent. Les voilà sans bannière, sans désirs, sans visées lointaines, assis sur ce qui a été fait depuis longtemps et pour cela nul n'a besoin d'eux. Et les grenouilles accroupies dans leur marais héréditaire, se gonflant confortablement, coassent de temps en temps leurs gluantes louanges à ces artistes. Comment ne les loueraient-elles pas ? Le « puissant petit groupe » n'est plus qu'une bande de traîtres sans cœur; on voit que leur fouet n'était qu'un jouet d'enfant. Il semble qu'il n'y a rien au monde de moins vivace, de plus inutile que des artistes de cette trempe!

PARLER AUX HOMMES LE LANGAGE DU VRAI

Presque tout n'est que duperie au temps merveilleux où nous vivons, où tout prospère sauf l'humanité. Ce n'est pas par derrière, mais ouvertement, avec impudence, *à bout portant* que les principes suprêmes les plus vivaces de l'art ont été trahis, et cela dans la maison même où fleurissait jadis une vie nouvelle, où s'unirent des forces intellectuelles nouvelles, où de nouvelles tâches s'ouvraient à l'art. Mais paix à C. Cui et à N. Rimsky-Korsakov, car « les morts ne craignent pas le knout ». Tout ce que j'écris là, je l'ai connu dans votre maison. « La vérité aime un milieu véridique. » Tout était vrai alors chez vous, de notre côté et du leur — les murs mêmes ne mentiront pas : tout était vérité et quelle vérité! — Les messieurs que je viens de nommer (Cui et Korsakov) ont répudié définitivement la tâche la plus sacrée de l'art qui est de parler aux hommes le langage du vrai... je crois presque que Borodine ne se serait pas rallié à eux, mais il est trop tard à présent pour établir le fait et d'ailleurs cela n'aurait plus d'intérêt. Oh! si Borodine savait se mettre en colère!

Chercher l'originalité caractéristique d'un individu et de la foule, creuser ces régions, y puiser toute leur beauté partout où on la trouve, — voilà la mission de l'artiste! (...) Dans la foule comme dans l'individu, il y a des trésors que nul n'a touchés. Les deviner, les chercher, les trouver et en nourrir les hommes comme d'un aliment sain et nouveau... Voilà le problème et en même temps la joie suprême!

Depuis quelque temps, depuis un temps déjà considérable, le Moussorianine[1] est assailli par de vilains doutes, en proie à la méfiance et à l'indécision. Le Moussorianine travaille, mais pour travailler, il a besoin de repos. *Khovantchina*[2] est une tâche trop grande, trop insolite. Vous, généralissime[3] — de cela je suis convaincu — vous n'imaginez certainement pas que vos remarques et vos suggestions ne soient pas aussi bienvenues que de coutume. Mais quoi! *j'ai suspendu le travail, et je réfléchis!* L'objet de mes réflexions — aujourd'hui, hier, depuis des semaines, demain — est toujours le même : désir de sortir vainqueur de la lutte et d'adresser aux hommes un nouveau message d'amitié dans le langage du franc-parler, afin qu'il retentisse dans toute l'immense étendue de la plaine russe : parole de vérité proférée par un musicien obscur, mais qui n'en est pas moins un champion combattant pour les idées saines du véritable art.

L'ACTE DE CRÉER PORTE EN SOI LES LOIS DE LA BEAUTÉ

Je me réjouis de votre *Antar*[4]. En ce qui concerne vos remarques à propos de « la Puissance », j'admets que la conception orientale de la puissance, considérée sous ses aspects

---

1. Diminutif de Moussorgsky.
2. L'opéra que Moussorgsky composait alors.
3. Son ami Stassov, à qui la lettre est adressée, et qui lui avait fait des reproches.
4. *Antar*, de Rimsky-Korsakov, à qui cette lettre est adressée. « La Puissance » et « l'Amour » sont les titres de deux de ses parties.

extérieurs, n'est pas incompatible avec l'art tel que nous l'entendons, car elle s'y exprime principalement par un déploiement de pompe. Mais en ce qui concerne la dernière partie, « l'Amour », je suis contre les mesures de l'introduction. Entrer en matière directement, sans la moindre espèce de préambule, ainsi que vous l'aviez fait auparavant, serait à mon avis plus artistique, plus simple, plus authentique. Est-ce donc bien vrai que le goût esthétique, après que le ton de *ré* majeur a été affirmé, réclamerait le *la* joué par les cors français pour introduire le *ré* bémol majeur mélancolique, pathétique ? C'est donc vous qui parlez ainsi, vous, le Glinka de l'esthétique (n'en rougissez pas!). Et puis, qu'est-ce qui pouvait être plus pathétique, après le *forte* en *ré* majeur, *pomposo* (par lequel se termine votre « Puissance ») que l'inquiet *ré* bémol majeur, directement, sans aucune préparation... O préparations, que de bonnes choses ont été ruinées par vous!

En ce qui concerne le développement symphonique, laissez-moi vous dire ceci : vous semblez consterné parce que vous écrivez *à la* Korsakov et non *à la* Schumann. Je vous prie pourtant de considérer qu'un plat russe de viande hachée et d'herbes est aussi exécrable pour un Allemand que ses soupes au lait ou aux cerises le sont pour nous (oui, je sais bien que comparaison n'est pas argument!). Bref, le développement symphonique, considéré du point de vue de la technique, est une production allemande. L'Allemand, lorsqu'il pense, commence par analyser, puis il se met à démontrer. Notre frère le Russe démontre tout d'abord, puis, par la suite il peut s'amuser à analyser. Quand vous m'aviez montré « l'Amour » chez Borodine, vous n'aviez point toléré de préparations, et maintenant vous commencez à les admettre.

Mais en voilà assez là-dessus. Laissez-moi vous dire, cher Korsinka, que l'acte de créer porte en soi les lois de la beauté, qui sont affaire de critique intérieure, et non extérieure; et dont les conséquences sont déterminées par l'instinct de l'artiste. Là où vient à manquer l'un de ces deux éléments, il ne peut y avoir création artistique. Car la création artistique les implique toutes deux, et l'artiste est une loi vis-à-vis de lui-même.

Lorsqu'un artiste commence à refondre son œuvre, il n'est pas satisfait de refonte satisfaisante, et gâche sans doute, ce faisant, une ou deux belles choses. Il faut alors qu'il continue jusqu'à ce qu'il cesse d'être articulé et qu'il mâche tout ce qui reste à ruminer. Or nous sommes des animaux omnivores, pas le moindre du monde des ruminants.

LETTRE A RIMSKY-KORSAKOV.

LES RÈGLES ET L'ART VIVANT

En admettant que j'évite la technique, est-ce que cela signifie que je n'y suis pas bon ? Quand je mange une bonne tourte, dois-je faire attention à la quantité de beurre, d'œufs, de choux et de poissons qui entrèrent dans sa confection ? On la juge au manger.

En vérité, aussi longtemps que le compositeur demeurera sous le joug des conventions, les autocrates du développement symphonique continueront à régner, fortifiant leur talmud comme l'alpha et l'omega de l'art. Les gens avisés, pendant ce temps-là, sentent que ces règles n'ont rien à faire avec l'art vivant. A nous l'espace! le monde de la musique est illimité. Je n'ai rien contre la symphonie, mais bien contre les symphonistes, les incorrigibles conservateurs.

ENTENDRE UNE VOIX DANS L'AIR[1]...

Hier, tandis que j'étais assis sous le toit de verdure du balcon, je me suis consolé à écouter la chanson d'un groupe d'oisifs. Ils chantaient leur chanson en s'accompagnant d'un accordéon; j'ai retenu l'air, mais j'étais trop timide pour arrêter les gens et m'informer auprès d'eux du texte, ce que je regrette à présent. J'étais assis sur ce balcon, en réfléchissant à la *Khovantchina,* et avec succès.

Sur le vapeur, entre Odessa et Sébastopol, non loin du phare de Tharankhounchout, lorsque la plupart des passagers commencèrent à avoir le mal de mer, j'ai noté une mélodie grecque et une mélodie hébraïque chantées par deux femmes; pour cette dernière, j'ai même soutenu leur chant, si bien qu'elles m'en félicitèrent et m'appelèrent « Maître ». (A propos, à Odessa, je suis allé assister au service dans deux synagogues, et j'ai été dans le ravissement. J'ai noté deux

---

1. Parmi bien des musiciens qui se sont nourris de folklore musical, figure, au premier rang, Moussorgsky, précurseur de Bartok, et dont presque toute l'œuvre, de *Boris* à la *Khovantchina*, est pénétrée de telles influences.

thèmes juifs : l'un, du chantre, l'autre, à l'unisson, chante à côté de l'orgue; jamais de ma vie je n'oublierai ces deux mélodies.)

Les matériaux que vous m'avez si aimablement fournis[1] sont fort bienvenus et prouvent que, dans mon entreprise d'écrire un drame musical historique, je suis la bonne voie. Je pense ici surtout à la mélodie des Anciens Croyants : elle est si caractéristique d'une peine implacable, d'un consentement inflexible à affronter tous les coups du destin, que je n'hésiterai pas une seconde à l'employer *unisono* à la fin de la *Khovantchina,* pour la scène du suicide collectif sur le bûcher. Je comprends parfaitement les notes d'ornement, les *gruppetti,* pour ainsi dire; chanté en octaves, le chant, avec ces ornements, sonnera merveilleusement ancien et vrai.

Pourtant, j'entends une voix dans l'air, et la *Khovantchina* doit attendre. Ce sera d'abord un opéra-comique qui viendra, *La foire de Sorochinsky,* d'après Gogol. Je ménage bien mes forces créatrices. Deux poids lourds comme *Boris* et la *Khovantchina* à la suite pourraient trop m'éprouver. Et l'opéra-comique aura l'avantage de me fournir des caractères différents et une position différente vis-à-vis de l'histoire, du lieu et des caractéristiques nationales.

Les éléments des chansons ukrainiennes sont si peu connus que d'incompétents experts considèrent ces chansons comme des contrefaçons (des contrefaçons de *quoi ?*). Nous possédons de ces chansons un nombre qui n'est point négligeable. Bref, mon travail est découpé; puissé-je avoir la force nécessaire et le savoir-faire!

Néanmoins, la *Khovantchina* ne restera pas en friche. Les humeurs de l'imagination créatrice sont trompeuses, plus instables que la plus changeante des coquettes; on doit les saisir quand elles viennent, et l'on doit se soumettre sans réserves à leurs dictatures vagabondes. En ce moment même je pourrais difficilement ne point les saisir; puisqu'au moment même où je commençais à réaliser que le chant des Anciens Croyants devait contenir des notes d'ornement, vous m'en fournissez la preuve évidente.

Les chansons populaires que vous m'avez envoyées ne mourront point si je dois vivre : je les sèmerai à la volée.

---

1. Mme Karmalina, à qui est adressée cette lettre et la suivante, était une éminente folkloriste.

Je n'oserai moi-même vous remercier. Comment pourrais-je vous remercier pour ce qui est votre vocation même, pour votre infatigable activité dans la préservation des chefs-d'œuvres du peuple ? C'est l'histoire, et non point moi, Moussorgsky, qui vous devra des remerciements pour ce que vous faites pour l'art. Mais personne ne pourrait être plus reconnaissant que je le suis.

★

Vous savez que dans *Boris,* j'ai donné des scènes de la vie du peuple. Mon désir est maintenant de prophétiser, et ce que je prophétise, c'est : la mélodie de la vie, et non celle du classicisme. Je suis au travail sur le discours humain. C'est avec bien du mal que je viens juste d'achever un type de mélodie dérivée de ce discours. J'ai réussi à incorporer le récitatif dans la mélodie (exception faite, naturellement, des mouvements dramatiques, pour lesquels même plus d'interjection peut être compatible). J'appellerais volontiers ce type mélodie bien conçue. Mon travail me réjouit. Un jour, tout à coup, le chant inattendu, ineffable se lèvera contre la mélodie classique (aujourd'hui si désuète), intelligible à l'un comme à tous. Si je réussis, je figurerai dans l'art comme un conquérant — et je dois réussir.

JE VOUS DÉDIE MON PROPRE MOI-MÊME

Je ne sais s'il est d'usage de dédier un ouvrage avant qu'il soit écrit. Je n'en ai cure, et je contemple l'avenir avec confiance. Je vous dédie donc cette partie de ma vie qui sera consacrée à composer la *Khovantchina.* Je peux le dire sans peur de ridicule : « Je vous dédie mon propre moi-même et ma vie durant cette période. » Car je me souviens combien j'ai « *vécu* » *Boris,* et, de cette époque où j'y travaillais, je comserve un tendre, ineffaçable souvenir. Aujourd'hui, je commence à *vivre* votre libretto, combien de belles impressions j'en tire! Que de nouvelles contrées à explorer[1].

LETTRE A STASSOV.

---

1. Certains musiciens, comme Rimsky-Korsakov, reprochaient à Moussorgsky, autodidacte, de manquer de technique.

TCHAIKOVSKY

AUCUN SUJET DÉFINI

Vous demandez si la *Symphonie* a un programme précis[1]. D'ordinaire, quand on me pose cette question, à propos d'un ouvrage symphonique, je réponds : « Non, absolument aucun. » Et à la vérité ce n'est pas un problème facile. Comment exprimer ces sentiments vagues qu'on éprouve en écrivant une œuvre instrumentale qui n'a en soi aucun sujet défini ? C'est un développement purement lyrique, une confession musicale de l'âme qui, pleine des impressions d'une existence, s'épanche à l'aide des sons comme le poète lyrique au moyen des vers. La différence est que la musique est un langage incomparablement plus délicat et plus puissant pour exprimer les mille et multicolores instants de la vie spirituelle. En général la semence d'une future création musicale germe instantanément et de la façon la plus inattendue. Si le sol est fertile, si l'on est disposé à travailler, la graine prend racine avec une force et une rapidité surprenante et apparaît à la surface de la terre sous forme d'une petite tige qui produit des feuilles, des branches et enfin des fleurs. Cette comparaison est ce qui approche le plus, à mon sens, de la description de l'opération créatrice. Si la semence lève à un moment favorable, la principale difficulté est surmontée. Le reste pousse tout seul.

UN ÉTAT DE SOMNAMBULISME

Les mots sont impuissants pour exprimer la joie sans bornes qui me pénètre lorsque je conçois une idée nouvelle et qu'elle commence à prendre forme. On oublie tout, on est fou, on tremble, on frémit dans tous ses organes et on a à peine le temps de tracer les premiers contours, tant une idée suit rapidement la précédente. Parfois, au milieu de cet élan magique, un choc venu du dehors vous éveille de cet état de somnambulisme. La sonnette tinte, le domestique entre, la pendule sonne, vous rappelant qu'il faut songer à la besogne quotidienne. Ces interruptions sont des tourments inexpri-

---

1. L'ensemble des textes qui suivent est extrait d'une correspondance de Tchaïkovsky avec sa grande amie Mme von Meck; trad. M. Rémon, *op. cit.*

mables. Quelquefois l'inspiration s'envole, on a à la rechercher... souvent en vain. Fréquemment il faut alors recourir à un procédé de travail technique absolument froid et voulu. Ce sont peut-être ces moments-là qui sont cause, dans les ouvrages des grands maîtres, de ces passages où la cohérence organique fait défaut et où l'on peut distinguer des liaisons artificielles, des coutures et des pièces rapportées. Mais c'est inévitable. Si cet état mental de l'artiste, appelé inspiration, que j'ai essayé de définir, se prolongeait sans interruption, il n'y survivrait pas un jour. Les cordes claqueraient et l'instrument volerait en morceaux. Une chose néanmoins est indispensable : il faut que l'idée essentielle de l'ouvrage, en même temps que la silhouette générale des différentes parties ne soient pas dues à une recherche, mais apparaissent simplement par l'effet de ce pouvoir surnaturel, incompréhensible, qu'on n'a jamais réussi à analyser, qui s'appelle l'inspiration.

MA MÉTHODE DE CRÉATION

Il est très agréable de causer avec vous de ma méthode de création. Je n'ai jamais encore révélé ces merveilleuses manifestations de l'esprit, d'une part parce que peu de personnes m'ont prié de le faire, d'autre part parce que ceux qui me le demandaient ne m'inspiraient pas le désir de leur répondre. Mais il me plaît beaucoup de vous exposer mes procédés de composition, parce que vous êtes d'une sensibilité rare pour ma musique...

... Ne croyez pas ceux qui s'efforcent de vous persuader que la création musicale est un exercice froid, purement cérébral. Seule la musique qui jaillit des profondeurs d'une âme d'artiste, mue par l'inspiration, peut toucher l'auditeur et s'emparer de lui. Il n'est pas douteux que le plus grand génie musical a quelquefois travaillé sans être échauffé par l'inspiration. Celle-ci est un hôte qui ne vient pas à la première invitation. En attendant il faut travailler, et un artiste sincère ne peut pas demeurer les mains croisées parce qu'il n'est pas d'humeur à composer. Si l'on attend l'envie favorable, au lieu d'aller au-devant d'elle, on est aisément entraîné à la paresse et à l'apathie. Il faut tenir bon, avoir confiance, et l'inspiration viendra.

Cela m'est arrivé encore aujourd'hui. Je vous ai écrit que j'avais travaillé régulièrement, mais sans enthousiasme. Si j'avais cédé au manque d'entrain, je n'aurais sûrement rien produit pendant longtemps. Mais la foi et la patience ne m'abandonnent jamais, et aujourd'hui, depuis ce matin, j'ai été en proie à ce mystérieux et inexplicable feu de l'inspiration dont je vous ai parlé; grâce à lui, je sais que tout ce que j'ai écrit aujourd'hui pénétrera le cœur du public et le touchera.

Je ne pense pas que vous m'accuserez de vanité si je vous dis que l'apathie dont j'ai parlé est très rare chez moi. Cela tient, je crois, à ce que j'ai de la patience et me suis exercé à ne pas céder à l'inertie. Je sais me dominer. Je me félicite de ne pas avoir suivi l'exemple de mes frères russes qui, souffrant du manque de confiance en eux, de maîtrise de soi, abandonnent leur travail à la moindre difficulté. Voilà pourquoi, malgré leur grand talent, ils produisent si peu et n'obtiennent que des résultats d'amateurs.

Vous me demandez comment je travaille à l'orchestration. Je ne compose jamais dans l'abstraction, l'idée musicale ne me vient jamais qu'avec la forme extérieure qui lui convient. Je trouve donc simultanément et l'idée musicale, et son orchestration. Lorsque j'ai écrit le *Scherzo* de notre *Symphonie,* je l'ai imaginé exactement tel que vous l'avez entendu. Il est impossible si on ne l'exécute pas *pizzicato.* Joué avec l'archet, il perdrait tout intérêt. Ce serait une âme sans corps et tout son charme s'évanouirait.

Quant à l'élément russe dans mes œuvres, il est vrai que je commence souvent à écrire avec l'intention de me servir de te ou tel chant populaire. Parfois, comme dans le *Final* de notre *Symphonie,* cela se fait de soi-même, de façon tout à fait inattendue. Pour ce qui est du caractère russe de ma musique en général, — son rapport avec les chants populaires en fait de mélodie et d'harmonie, — j'ai grandi dans un endroit paisible, imprégné depuis ma petite enfance de la miraculeuse beauté des chants populaires russes, si bien que j'aime passionnément toute expression de l'âme russe, bref, je suis un Russe « cent pour cent »...

MES DEUX GENRES DE COMPOSITIONS

... Je divise mes compositions en deux catégories :

I. — Celles que j'écris sur mon initiative personnelle par suite d'un désir soudain et d'une impulsion intime urgente.

II. — Les ouvrages inspirés par le dehors, par exemple à la requête d'un ami ou d'un éditeur, ou sur commande comme ma *Cantate*, écrite pour l'Exposition polytechnique, ou ma *Marche slave*, pour un concert de la Croix-Rouge.

Je m'empresse d'expliquer que la valeur d'une œuvre ne dépend pas de la catégorie à laquelle elle appartient. Très souvent un morceau produit artificiellement est très réussi, tandis que des pièces entièrement dues à mon inspiration sont parfois moins bien venues pour diverses raisons accidentelles. Les conditions dans lesquelles se trouve le compositeur au moment où il écrit, et dont dépend son état d'esprit, ont une extrême importance. L'artiste, quand il crée, a besoin de calme. En ce sens, l'activité créatrice est toujours objective, même la création musicale, et on se trompe si l'on se figure que l'artiste peut, grâce à son talent, s'affranchir de ses sentiments particuliers du moment. Les émotions tristes ou joyeuses qu'il traduit sont toujours et immanquablement rétrospectives. Sans motif spécial de me réjouir, je peux être dans une disposition heureuse pour créer et inversement je peux, dans les circonstances les plus favorables, écrire une musique sombre et désespérée. Bref, l'artiste vit une double vie, une existence humaine ordinaire et une artistique et elles ne coïncident pas toujours. En tout cas, pour la composition, je le répète, l'essentiel est de se débarrasser momentanément des ennuis de l'existence quotidienne et de s'abandonner sans réserve à celle de l'artiste.

LES OUVRAGES INSPIRÉS

Pour les ouvrages de la première catégorie, ou inspirés, point n'est besoin, fût-ce du moindre effort de volonté. Il suffit d'obéir à la voix intérieure et, si la vie quotidienne ne vient pas entraver celle de l'artiste, l'œuvre avance avec la plus extrême facilité. On oublie tout, l'esprit frémit délicieusement, vibre, et, avant qu'on ait suivi son rapide élan jusqu'au bout, le temps a fui sans qu'on s'en aperçoive. Il y a là quelque chose du somnambulisme : *on ne s'entend pas vivre.* Il est impossible de décrire de pareils moments. Tout ce qui sort de la plume en ces heures-là, ou qui simplement reste dans la tête, a toujours de la valeur, et, si l'artiste n'est pas interrompu de l'extérieur, ce sera sa meilleure œuvre.

LES OUVRAGES COMMANDÉS

Pour les travaux commandés, il faut quelquefois se créer son inspiration. Bien souvent il faut d'abord vaincre sa paresse, son manque d'envie. Alors se dressent divers obstacles. On remporte parfois facilement la victoire, ou bien l'inspiration disparaît complètement. Mais le devoir de l'artiste est, à mon avis, de ne jamais céder, parce que la paresse est un fort penchant de l'homme et rien ne nuit plus à l'artiste que de se laisser dominer par elle. On ne peut se permettre d'attendre l'inspiration : elle ne rend pas visite aux paresseux, elle vient à celui qui l'appelle. On accuse le peuple russe de manquer d'activité créatrice et ce qui justifie peut-être ce reproche, c'est que le Russe est affreusement paresseux. Il adore remettre au lendemain, il possède du talent naturel, mais a aussi un manque naturel de maîtrise de soi. Cette maîtrise, il faut l'acquérir, il faut se dominer et ne pas tomber dans ce dilettantisme dont a souffert même un talent aussi extraordinaire que celui de Glinka.

RIMSKY-KORSAKOV

RIMSKY-KORSAKOV (1844-1908) fut la personnalité la plus importante du point de vue théorique du Groupe des Cinq. *Il fut attiré très jeune par l'œuvre de Glinka et la pensée de Balakirev, fondateur du groupe avec César Cui. Il écrivit un* Traité d'harmonie pratique *et un* Traité d'instrumentation *devenus classiques. Il rédigea aussi des* Mémoires, *qui constituent un document précieux pour l'histoire de la musique russe, dans la deuxième moitié du XIX*e *siècle. Il écrivit de nombreux opéras, dont* Sadko, *la* Fiancée du Tsar, Kitèje, *trois symphonies, dont la seconde est intitulée* Antar, Schéhérazade, *de la musique de chambre, etc. Sa musique, comme il se doit, est d'inspiration populaire russe. Ses opéras sont d'un caractère moins réaliste que ceux de son époque et de son école. Il y est, comme dans ses œuvres symphoniques, plein d'imagination et de lyrisme.*

LA COULEUR ORCHESTRALE

Notre époque, l'époque post-wagnérienne, est celle de l'éclat et du pittoresque de la couleur orchestrale. Berlioz, Glinka, Liszt, Wagner; les compositeurs français modernes : Delibes,

Bizet et autres; ceux de la nouvelle école russe : Borodine, Balakirev, Glazounov et Tchaïkovsky, ont amené ce côté de l'art à l'apogée de son éclat; ils ont rejeté dans l'ombre, à ce point de vue là, les coloristes leurs prédécesseurs : Weber, Meyerbeer et Mendelssohn, au génie desquels ils restent redevables de leurs progrès mêmes.

L'AME MÊME DE L'ŒUVRE

C'est une grande erreur que de dire : tel compositeur instrumente bien, telle composition (orchestrale) est bien instrumentée. Car l'instrumentation est un des aspects de l'*âme même de l'œuvre.* L'œuvre même est pensée orchestralement, et promet dès sa conception de certaines couleurs d'orchestre, inhérentes à elle et à son auteur seuls. Serait-il possible de séparer de son orchestration l'essence même de la musique de Wagner ? Cela reviendrait à dire : tel tableau de tel peintre est admirablement *dessiné* en couleurs.

Parmi les compositeurs, anciens ou modernes, il en est plus d'un à qui manque la couleur au point de vue du pittoresque sonore; cette qualité est en dehors du champ de leur activité créatrice. Dira-t-on pour cela qu'ils ne *savent* point orchestrer ? Beaucoup d'entre ceux-là savent sans doute mieux orchestrer que maint coloriste. Brahms ne savait-il donc pas orchestrer ? Pourtant, on ne rencontre point dans ses œuvres de sonorités éclatantes ni pittoresques. Cela veut dire que par son essence même sa pensée créatrice ne comportait point la tendance vers la couleur, ne l'exigeait point.

Il y a là un secret impossible à transmettre; et qui le possède doit y veiller religieusement, ne pas être tenté de l'avilir en le réduisant à un ensemble de recettes apprises.

AXIOMES SUR L'ORCHESTRATION

J'ai pris pour point de départ les axiomes fondamentaux que voici :

I. — Il n'y a point dans l'orchestre de timbres laids.

II. — Toute composition doit être écrite de manière à pouvoir s'exécuter facilement; plus les parties des exécutants sont faciles, pratiquement réalisées, mieux s'obtient l'expression artistique de la pensée du compositeur.

III. — L'œuvre doit être écrite pour l'effectif orchestral réel sur lequel on compte, ou tout au moins pour l'effectif réellement désirable (si l'auteur a en vue quelque dessein nouveau) et non pas pour un effectif illusoire, ainsi que persistent encore à le faire beaucoup de compositeurs qui introduisent dans leurs partitions des instruments de cuivre de tons inusités, sur lesquels les parties ne sont exécutables que parce qu'on ne les joue pas dans le ton voulu par l'auteur.

UNE ÉTUDE GRADUELLE

Il est difficile d'offrir une méthode quelconque pour apprendre l'orchestration sans maître. Généralement parlant, il convient de procéder graduellement de l'orchestration la plus simple à des types de plus en plus compliqués.

D'ordinaire, qui étudie l'orchestration passe par les phases suivantes : 1° la période durant laquelle on se concentre sur les instruments à percussion, d'où l'on croit que dépende tout entière la beauté du son, en lesquels on met toutes ses espérances — c'est le degré inférieur; 2° la période où l'on se passionne pour la harpe : on se croit tenu de doubler de la sonorité de cet instrument tous les accords; 3° on ne vénère plus que les bois et les cuivres; on recherche les sons bouchés, auxquels les cordes viennent s'adjoindre soit en sourdine, soit en pizzicati; 4° le goût s'avère plus développé, et l'on ne manque plus de préférer à tous autres matériaux le groupe des archets, qu'on sait reconnaître pour le plus riche et le plus expressif. Il importe, lorsqu'on travaille seul, de bien lutter contre les égarements des trois premières périodes.

Traité d'Instrumentation.

HUGO WOLF

HUGO WOLF (1860-1903) est surtout un auteur de musique vocale. Il écrivit nombre de lieder *(plus de 250) sur des poèmes de Gœthe, de Mörike, d'Eichendorff, et sur des traductions allemandes de poèmes espagnols et italiens. Cette œuvre « spécialisée » n'en est pas moins très diverse et pleine d'invention. Wolf fut un des musiciens les plus doués pour pénétrer dans l'intimité des œuvres littéraires, pour unir musique et poésie. On l'a appelé le « Wagner du lied ».*

LE DIABLE T'EMPORTE DE PLAISIR

Il est maintenant sept heures du soir, et je suis aussi heureux que le plus heureux des rois. Encore un nouveau *Lied*! Mon cœur, si tu l'entendais!... Le diable t'emporte de plaisir!...

Encore deux nouveaux *Lieder*! Il y en a un qui sonne si horriblement étrange que cela me fait peur. Rien de pareil n'existait encore. Dieu assiste les pauvres gens qui l'entendront un jour!...

Si vous entendez le dernier *Lied* que je viens de faire, vous ne pouvez plus avoir qu'un désir dans l'âme : mourir... Votre heureux, heureux Wolf...

1888.

★

Ce que j'écris maintenant, je l'écris pour l'avenir... Depuis Schubert et Schumann, il n'y a rien eu de semblable!...

1889.

Wagner a, dans et par son art, accompli une si puissante œuvre libératrice que nous pouvons nous réjouir de ce qu'il nous est tout à fait inutile de donner l'assaut au ciel, puisqu'il nous a été conquis. Il est beaucoup plus sage de nous chercher dans ce beau ciel une place bien agréable. Cette agréable petite place, je voudrais la trouver, non pas dans un désert, avec de l'eau, des sauterelles et du miel sauvage, mais dans une compagnie joyeuse, originale, parmi les tintements de guitares, les soupirs d'amour, les clairs de lune, etc., bref, dans un opéra-comique, un opéra-comique tout à fait ordinaire, sans le lugubre spectre libérateur d'un philosophe schopenhauerisant à l'arrière-plan...

1890.

UNE BÊTE SOURDE ET STUPIDE[1]

De composer, je n'ai plus la moindre idée! Dieu sait comment cela finira! Priez pour ma pauvre âme...

... Depuis quatre mois, je souffre d'un marasme d'esprit qui me donne, très sérieusement, la pensée de fuir ce monde pour toujours... Seul doit vivre qui véritablement vit. Je suis depuis longtemps déjà un mort. Si c'était seulement une mort apparente! Mais je suis mort et enterré; la force de gouverner mon corps me prouve seule que je vis, que je semble vivre. Puisse la matière suivre bientôt l'esprit qui s'en est allé! C'est mon intime, c'est mon unique vœu. Depuis quinze jours, j'habite à Traunkirchen, la perle du Traunsee... Tous les agréments que peut souhaiter un homme sont réunis pour me préparer un heureux sort... Le repos, la solitude, la plus belle nature, l'air le plus rafraîchissant. Bref, tout ce qui peut être au gré d'un ermite de ma sorte. Et pourtant, pourtant, mon ami, je suis la plus misérable créature de cette terre. Tout respire autour de moi le bonheur et la paix, tout s'agite, et palpite, et fait ce qu'il doit faire... Seul, moi, ô Dieu!... Seul, je vis comme une bête sourde et stupide. A peine si la lecture me distrait encore un peu! Dans mon désespoir, je m'y jette. Pour la composition, c'est fini; je ne peux même plus me figurer ce que c'est qu'une harmonie et une mélodie, et je commence presque à douter que les compositions qui portent mon nom soient vraiment de moi. Bon Dieu! A quoi bon tout ce bruit,... à quoi bon ces magnifiques projets si c'était pour en arriver à cette misère!...

Le ciel donne à chacun un génie tout entier, ou pas de génie du tout. L'enfer m'a donné tout à demi.

Combien vrai! oh! combien vrai! Malheureux! Dans la fleur de tes ans, tu es allé en enfer, et tu as jeté dans les gueules malfaisantes du destin son présent illusoire, et toi-même avec! O Kleist!...

1891.

---

1. En deux ans (1888-1890), Hugo Wolf écrivit deux cents mélodies, puis se tut et treize ans plus tard mourut fou.

★

... Vous me demandez des nouvelles de mon opéra ? Seigneur Dieu! Je serais déjà content si je pouvais écrire le plus petit *liedchen*! Et maintenant, un opéra ?... Je crois bien fermement que c'est fini de moi... Je pourrais aussi bien parler chinois que composer quelque chose. C'est effroyable!... Ce que je souffre de cette oisiveté, je ne puis le décrire. Je voudrais me pendre.

... Tu t'informes des causes de mon profond abattement, et tu voudrais verser du baume sur mes blessures... Oui, si tu pouvais quelque chose! Mais, pour mes souffrances, aucune plante de cette terre ne peut rien. Seul, un dieu peut me secourir. Rends-moi des inspirations, réveille le démon qui sommeille en moi, qu'il me possède de nouveau, et je veux t'appeler un dieu et t'élever des autels! Mais c'est là un appel aux dieux, non aux hommes. A ceux-là, qu'il appartienne de prononcer sur mon sort! De quelque façon que cela puisse tourner pour moi, même si c'est le pire, je le supporterai, oui, quand même aucun rayon de soleil ne devrait plus éclairer ma triste existence... Et là-dessus, nous voulons, une fois pour toutes, tourner la page, et en avoir fini avec ce douloureux chapitre de ma vie.

1894.

MUSICIENS D'AUJOURD'HUI, *trad. R. Rolland*

EMMANUEL CHABRIER

CHABRIER (1814-1894) a composé des opéras et des opérettes, comme Briséis, *l'*Etoile, *ou* Vaucochard et fils Ier, *des pièces pour piano, des mélodies, de la musique d'orchestre, dont la fameuse* España, *etc. Il fut un musicien plein de verve, d'humour, de fantaisie. Il influença Satie, Ravel et bien d'autres musiciens modernes. Il fut ami des peintres impressionnistes. L'exubérance était, pour lui, une façon de se libérer des contraintes académiques. Ce fut un révolutionnaire souriant, mais non sans ferveur ni lucidité.*

ÊTRE PERSONNEL ET DIVERS

C'est évident que je suis vieux jeu pour ces jeunes maîtres, archi-vieux jeu. Lalo aussi, Franck lui-même pareillement. Je vais plus loin, je crois qu'au fond, Wagner leur semble usé jusqu'à la corde. Moi, ma première préoccupation est de faire ce qui me plaît, en cherchant avant tout à dégager ma personnalité; ma seconde est de ne point être emmerdant. *Ils font tous la même musique*; ça peut être signé de celui-ci, de celui-là, peu importe; ça sort du même atelier. C'est de la musique où l'on veut tout mettre et où il n'y a rien. Puis, dans cet ordre d'idées-là, on peut facilement être dépassé dans dix ans. Bruno, Marty seront vieux jeu à leur tour; soyez tranquilles, il y a certainement quelque part des jeunes cervelles qui se préoccupent de les vieux-jeuser. Pendant ce temps-là, le chœur d'introduction en *fa* d'*Obéron*, que j'entendais, hier, plus ou moins bien joué par une musique municipale de Boulogne, est simplement et naïvement éternel; on ne le vieux-jeusera jamais. Au total, c'est surtout la *forme* du livret d'opéra qui a vieilli; depuis Meyerbeer, c'est toujours le même livret, on est agacé, on veut autre chose; et d'autre part, une conversation musicale pendant quatre actes, comme on la réclame aujourd'hui, doit conduire à une monotonie désespérante. Vous avez trois personnages : chacun d'eux a son motif typique : Marchez! Avec *trois motifs* symphoniquement développés, vous devez faire votre ouvrage. Voilà ce qu'on veut. Ça m'est égal; je puis le faire; il est certain que l'*unité* d'une œuvre y gagne. C'est une entité. Mais c'est aussi au détriment de la variété, du rythme, de mille formes que veut revêtir cet art sublime et dont on se passe bénévolement.

Berlioz, français avant tout (il n'était pas vieux jeu à son époque!), en mettait-il de la variété, de la couleur, du rythme dans la *Damnation, Roméo,* l'*Enfance du Christ*! — Ça manque d'unité! vous répond-on. — Moi je réponds : Merde! Si pour être *un* il est fatal d'être ennuyeux, je préfère être deux, trois, quatre, dix, vingt — enfin je préfère avoir dix couleurs sur ma palette et broyer tous les tons. Et pour cela, je ne veux pas nécessairement refaire éternellement : 1° un acte d'exposition; 2° l'acte des dindes, avec vocalise de reines; 3° l'acte du ballet avec le sempiternel final qui rebrouille les cartes; 4° le duo d'amour de rigueur; 5° le chahut de minuit moins vingt, pétarade de mousqueterie, chaudière à juifs, mort des principaux labadens. Sous prétexte d'unité, j'allais dire d'uniformité, il y a dans Wagner, et il est plus fort que le père Bruno, des quarts d'heure de musique ou *récit absolu,* dont tout être sincère, sans parti pris, dépourvu de fétichisme, doit trouver chaque minute longue d'un siècle. Ça, je le prouverai *la partition à la main*, quand on voudra. On s'en fout!!!

Ce sont des *soudures*, comme sous l'ancien régime, pour arriver à des passages plus intéressants, et pas toujours. Moi, je veux que ce soit beau *partout*, et le beau prend trente-six formes; s'il ne faut traiter que le gris perle, ou le jaune serin avec leurs nuances, ça ne me suffit pas, et sur le catalogue du Bon Marché, il y a trois cents nuances rien que dans le gris perle. Un peu de rouge, nom de Dieu! à bas les gniou-gniou! jamais de la même teinte! De la variété, de la forme, de la vie par-dessus tout et de la *naïveté* si c'est possible, et c'est ça le plus dur! — Que pourrais-je bien faire pour épater la galerie ? Voilà l'ennemie. Oui, la galerie est épatée, certes; elle ne l'est qu'une fois de cette façon-là; on ne l'y repince pas deux. Mais c'est entendu : tous ces gens-là sont très forts, on le sait; mais on ne le leur demande pas : le premier morceau de la symphonie en *mi* bémol est très fort aussi; il dure vingt minutes : est-ce que ça se voit ? Zut; voulez-vous que je vous dise : *ils n'y croient pas* à leur musique : ils la trouvent *bien faite, moderne*, mais elle les emmerde tous les premiers; mais voilà : il faut la faire comme ça, sous peine d'être un pompier, comme ce sacré Weber ou ce butor de père Beethoven. Hypothèse : si l'un d'eux pouvait, oh! bien à regret, faire un beau matin l'ouverture du *Freischütz, il n'oserait pas la montrer*. Le fait est que c'est bigrement mélodique; je ne sais fichtre pas où Weber avait la tête ce jour-là. — Où est le beau ? Je puis entendre vingt fois de suite l'ouverture d'*Obéron*; je n'écouterais pas deux fois la *Bénédiction des Poi-*

gnards[1]; et je suis aussi rassasié de l'un que de l'autre de ces deux morceaux.

LETTRE A SON ÉDITEUR, 1886, *Chabrier d'après ses lettres*, 1934.

UNE MUSIQUE QUI PAIE COMPTANT

C'EST TRÈS CLAIR, cette musique-là, ne vous y trompez pas, et ça paie comptant : c'est certainement de la musique d'aujourd'hui ou de demain, *mais pas d'hier*; je crois donc bon et *habile* (!) de publier ça. Dans dix ans, on sera très fort, mes enfants; ce que je fais sera du Nadaud; vous verrez! Allez de l'avant. Ce qu'il ne faut pas, c'est de la musique *malade*; ils sont là quelques-uns, et des plus jeunes, qui se tourmentent tout le temps pour lâcher trois pauvres bougres d'accords altérés, toujours les mêmes du reste; ça ne vit pas, ça ne chante pas, ça ne pète pas. Je le leur crie bien fort, pourtant, mais ils me traitent de pompier, de *pompier*, mon propre mot!

LETTRE A SON ÉDITEUR ACCOMPAGNANT L'ENVOI DE MÉLODIES, 1884, *ibid.*

DE « BRISÉIS » A LA « VALSE DES VEAUX »

Briséis[2], ça sera très chouette. Si Mottl[3] veut, il peut déjà en montrer le premier acte que j'ai fini d'orchestrer avant-hier; une heure vingt-cinq minutes de musique, mon petit coco! Je me suis *étripé*; et je m'esbats dans le second. C'est très parsifalesque de poème, et je crois que tu seras satisfait, et Mottl aussi, des efforts que j'ai faits pour bâtir une œuvre *personnelle* et qui — je le voudrais tant! — ne sera pas ridée de sitôt. Que c'est dur de faire de la musique! et je comprends, certes, ceux dont l'esthétique est si élevée qu'ils envoient toute besogne au diable; mais moi, je m'en fous : il faut que je gueule, j'aime ce que je fais; il y a, je le dis naïvement et crânement, il y a, là-dedans, des pages tout à fait bien. Oui, oui, ce n'est pas défendu de s'emballer sur sa chère ponte : ça n'est pas si facile qu'on le croit de fabriquer quelque chose de bien, et on est, après tout, plus courageux que celui qui

1. Scène des *Huguenots* de Meyerbeer.
2. *Briséis*, opéra que Chabrier écrivait alors.
3. Félix Mottl, le célèbre chef d'orchestre allemand.

se croise les bras. Enfin, je suis comme ça, mais je m'esquinte. Ça ne sera pas fini avant deux ans; je ne puis pas y travailler toute l'année : il faut que je me remette à donner des leçons. Ça se vide, mon pauvre petit, et je ne puis être mon maître; si ça continuait, à soixante ans il me faudrait accepter une maigre place de *Grosse Trommel*[1] à Orléans : je ne voudrais pas en arriver là!

Ta romance, je ne te l'ai pas envoyée parce qu'il doit y avoir des corrections dans les paroles; ce *tirage* ne compte pas; sinon tu l'aurais reçu le premier, c'est évident. Je vais aussi continuer, sur des coins de table, la série des animaux[2]; ça m'est payé, et c'est moins banal que les Mars pleurards, les Avril baveux, les Mai biliosoglaireux que les dames rotent l'hiver dans les salons. Je t'enverrai la *Valse des Veaux* dès qu'elle aura paru; ça te changera de cette sacrée « vieille au coin d'un feu paisible », que nous allions hurler autrefois chez des rastaquouères élégants.

Ibid.

L'AUTEUR D' « ESPANA » SUR LE MOTIF[3]

DE SÉVILLE :

Eh bien! mes enfants, nous en voyons des derrières andalous se tortiller comme des serpents en liesse! Nous ne bougeons plus le soir des *bailos* flamencos entourés, tous deux, de *toreros* en costume de ville, le feutre noir fendu au milieu, la veste ajustée au-dessus des hanches et le pantalon collant dessinant des jambes nerveuses et deux fesses du plus beau galbe. Et les *gitanas* chantant leurs *malaguenas* ou dansant le *tango*, et le manzanille que l'on se passe de main en main et que tout le monde est forcé de boire. Ces yeux, ces fleurs dans d'admirables chevelures, ces châles noués à la taille, ces pieds qui frappent un rythme varié à l'infini, ces bras qui courent frissonnants le long d'un corps toujours en mouvement, ces ondulations de la main, ces sourires éclatants, et cet admirable derrière sévillan qui se tourne en tout sens alors que le reste du corps reste immobile, — et tout cela au

1. Grosse caisse.
2. Mélodies de Chabrier sur des animaux, la *Villanelle des petits Cochons roses*, les *Gros Dindons*, les *Petits Canards*.
3. A Séville, Chabrier s'inspira plusieurs fois pour son œuvre de la musique populaire espagnole, par exemple pour le célèbre *España*.

cri de *ole, ole, anda la Maria! anda la Chiquita! Eso, eso, Baile la Carmen, anda! anda!* vociféré par les autres femmes et le public! Cependant, les deux guitaristes graves, la cigarette aux lèvres, continuent à gratter n'importe quoi à trois temps (le *tango* seul est à deux temps). Les cris des femmes excitent la danseuse qui, sur la fin de son pas, devient littéralement folle de son corps. C'est inouï! Hier soir, deux peintres nous ont accompagnés et prenaient des croquis, moi j'avais mon papier à musique à la main; nous avions toutes les danseuses autour de nous; les chanteuses me redisaient leurs chants puis se retiraient en serrant fortement la main d'Alice et la mienne...

... Et nous allons mener cette vie pendant un mois, jusqu'à Barcelone, en passant par Malaga, Cadix, Grenade, Valencia!!! Ah! mes pauvres nerfs! Enfin, il faut bien voir quelque chose avant de claquer — mais, mes amis, celui-là n'a réellement rien vu qui n'a pas assisté au spectacle de deux ou trois Andalouses *boulant* des fesses, et en mesure aussi, également en *mesure* de *anda! anda! anda!* et les éternels claquements de mains : elles battent avec un instinct merveilleux le trois-quatre à *contretemps,* pendant que la guitare suit pacifiquement son rythme.

Comme d'autres battent le temps de chaque mesure, chacune battant un peu à sa fantaisie, c'est un amalgame de rythmes des plus curieux du reste, je note tout cela...

DE GRENADE :

Tous les soirs, nous roulons avec Alice les cafés-concerts, où se chantent les malaguenas, les soledas, les zapateados et les petenéras; puis les danses, qui sont absolument arabes, c'est tout dire; si tu les voyais se tortiller du derrière, se déhancher, se contorsionner, je crois que tu ne demanderais pas à t'en aller... A Malaga, la chose devint tellement forte que j'ai dû sortir mon épouse de là-dedans : ce n'était même plus drôle. Ça ne s'écrit pas, mais ça se retient et je te le raconterai. Je n'ai pas besoin de te dire que j'ai noté une masse de choses; le tango, une manière de danse où la femme imite avec son derrière le tangage du navire, est la seule à deux temps; tout le reste, tout, est à 3/4 (Séville) ou à 3/8 (Malaga et Cadix); dans le Nord, c'est autre chose, il y a du 5/8 très curieux. Le 2/4 du tango est toujours genre habanera; voici le tableau : une ou deux femmes dansent, deux drôles grattent n'importe quoi sur de maigres guitares, et cinq à six femmes hurlent, avec une voix très cocasse et des triolets impossibles à écrire, car elles changent l'air, — des bribes d'air à chaque instant, — hurlent, dis-je, des machines dans ce genre-là (*citation musicale*) avec les syllabes, les paroles, les ports de voix, les mains qui claquent et frappent les six croches en accusant la troisième et la sixième; les cris de : *Anda! Anda! la Salud! Eso es la Mariquita! graciá, nationidad! Baïla, la chiquilla! Anda! Anda! Consuelo! Olé, la Lola! olé la Carmen! que graciá, que elegancia!* tout ça pour exciter la jeune personne à la danse, c'est vertigineux, c'est inénarrable!

La sevillana, c'est autre chose : c'est le 3/4 dans ce genre-ci (et avec des castagnettes) (*citation musicale*). Tout ça prend une allure extraordinaire avec deux accroche-cœur, une paire de castagnettes et une guitare. Les malaguenas ne peuvent pour ainsi dire pas s'écrire : c'est une mélopée qui a pourtant une forme et qui se termine toujours sur la dominante; la guitare fournit quand même un 3/8, et le bonhomme (quand c'en est un) est toujours assis à côté de son guitariste, tient une canne entre ses jambes, et bat, avec, le 3/8, sur ce rythme-là (*citation musicale*), toujours syncopé, les femmes elles-mêmes, d'instinct, syncopent les mesures de mille manières et arrivent, dans la danse, avec les pieds, à frapper un nombre inouï de rythmes; leurs talons frappent des choses comme celles-ci : (*citation musicale*), tout ça avec le talon; c'est du rythme et de la danse : les airs que gratte la guitare n'ont pas de valeur; du reste, ils ne peuvent s'entendre, avec les cris de : *Anda! Olé! Olé! la chiquilla! graciá! que elegancia! Anda! Olé! Olé! la chiquirritita;* et plus on crie, plus la danseuse rit à pleines dents et se déhanche et est folle de son corps.

Ibid.

GABRIEL FAURÉ

UNE LANGUE UNIVERSELLE

Le *Mazeppa*[1] de Tchaïkovsky ne peut manquer d'être un ouvrage remarquable, pourtant je ne pense pas qu'il y ait lieu pour un musicien français de renoncer à traiter le même

1. Fauré désirait alors (1885) écrire un opéra sur le même sujet que le *Mazeppa* de Tchaïkovsky, projet qu'il ne réalisa pas.

Le beau séjour des cinq sens (détail). Abraham Bosse (1602-1676). *(Cliché Bulloz).*

La Musique. Nicolas Bonnart (1646-1718). Bibliothèque de Versailles. *(Cliché Giraudon).*

sujet après lui, musicien essentiellement russe. Ce n'est pas que j'aie la prétention, moi, de faire de *Mazeppa* un opéra essentiellement français : je vous avouerai même que, d'une manière générale, je ne puis admettre de telles subtilités pour cet art qui s'appelle la musique et dont la première qualité est d'être une langue universelle ou plutôt la langue d'une patrie tellement au-dessus de toutes les autres qu'elle s'abaisse lorsqu'elle traduit des sentiments ou des traits de caractères propres à telle ou telle nation. C'est au moyen d'une théorie si volontiers admise que la musique française doit être légère et pimpante, que la musique allemande doit être lourde, compacte ou inintelligible à force de profondeur. Je crois, au contraire de cela, qu'un musicien véritablement doué fait de la musique sans marque de nationalité. Or ce n'est pas, et c'est là que je voulais en venir, le cas de l'Ecole russe et de Tchaïkovsky en particulier, qui, de peur de n'être pas assez de son pays, prend le plus souvent des thèmes populaires qu'il développe avec plus ou moins d'art. Je dirai la même chose de Brahms à propos de son exploitation des thèmes hongrois et de Grieg qui s'est bâti une belle réputation avec des chansons de son pays. Mais ne trouvez-vous pas que les productions de ces artistes ne constituent le plus souvent que des curiosités piquantes, intéressantes au même titre qu'un joli costume hongrois ou qu'une image dorée d'un Christ de Moscou ? Donc, si par la grâce de Dupuy et de Dieu je fais un *Mazeppa,* je vous jure qu'il ne portera pas la trace d'une préoccupation française ou allemande. J'essaierai de traduire de mon mieux des sentiments humains avec des accents plus qu'humains si c'est possible. Cela a l'air très hardi, mais si je savais bien rendre ma pensée cela paraîtrait fort humble...

EXPÉRIENCE ET CRITIQUE

Je pense que les chances de juger sainement une œuvre d'art sont d'autant plus certaines lorsqu'on a soi-même pratiqué et expérimenté cet art toute sa vie.

Je pense également qu'une lutte constante avec les difficultés de cet art incline très naturellement vers l'indulgence. J'ajouterai enfin que l'exercice de la critique oblige à regarder au-delà de sa propre voie, et qu'ainsi elle élargit considérablement la manière de voir.

UN ART HAUTEMENT PROPORTIONNÉ AUX SENTIMENTS

S'il fallait démontrer, une fois de plus, combien, en matière de musique, nous restons, nous, Français, méfiants à l'égard de nous-mêmes, combien injustement nous nous obstinons à n'accorder d'attention qu'aux événements qui se produisent au-delà de nos frontières, de crédit qu'aux jugements qui nous parviennent du dehors, il me suffirait de rappeler que lorsque Gluck, sous l'influence des œuvres de Lulli, de Haendel, de Rameau et, plus encore, sous l'irrésistible impulsion de son propre génie, abandonnant l'art italien, « amuseur de l'ouïe », résolut de pénétrer les esprits, de remuer les cœurs, et conçut cet art puissant et expressif dont chaque manifestation nous émeut toujours si profondément, en un mot, lorsque Gluck, avec *Orphée* et *Alceste,* fut devenu le grand Gluck, ses compatriotes cessèrent de le comprendre.

Alors le célèbre artiste tourna ses regards vers Paris. Paris l'accueillit; Paris — en dépit des forcenés piccinistes — acclama *Orphée, Iphigénie en Aulide, Alceste, Armide, Iphigénie en Tauride*; et c'est Paris, enfin, qui consacra cette gloire que ni les ans, ni le courant des conceptions nouvelles, ni la mobilité des goûts et des opinions n'ont pu diminuer.

Et ne sommes-nous pas en droit de prétendre que Gluck nous appartient un peu, non seulement parce que les maîtres qui lui montrèrent la voie qu'il devait parcourir si glorieusement, Lulli et Rameau, sont nôtres, non seulement parce que Paris fut le principal théâtre de son triomphe, mais encore parce que Quinault lui a fourni *Armide,* Racine les deux *Iphigénie* et qu'ainsi, par trois fois, son génie musical s'inspira de notre génie littéraire ?

Il faut se réjouir de ce que le public ait pu se rapprocher, ces dernières années, des chefs-d'œuvre de Gluck; qu'il ait pu mesurer, d'après des représentations théâtrales, cet art si hautement proportionné aux sentiments qu'il traduit avec une force d'expression qu'on n'a pas dépassée.

Sur l'Armide de Gluck, 1905.

LA MUSIQUE M'ÉCHAPPE

Je fais tout mon possible pour améliorer ma santé dans l'espoir que mes oreilles en seront améliorées. A tout instant j'ai l'occasion de constater combien la musique m'échappe, et cela me cause une tristesse toujours plus grande! Il est bien certain que depuis un an la dégringolade, à ce point de vue, a été terrible...

Je suis atterré par ce mal qui m'atteint dans ce qu'il m'eût été si indispensable de conserver intact. C'est irrespectueux, ou tout au moins inconsidéré de rappeler Beethoven. Pourtant la seconde partie de sa vie ne fut *qu'un long désespoir*! Or il y a des périodes de musique, des sonorités dont je n'entends *rien, rien*! de la mienne comme de celle des autres. Ce matin, j'avais placé du papier à musique sur ma table; je voulais essayer de travailler. Je ne me sens plus qu'un affreux manteau de misère et de découragement sur les épaules...

Cité par PH. FAURÉ-FRÉMIET, *Gabriel Fauré*, août 1903.

DERNIÈRES VOLONTÉS

On trouvera les deux premiers morceaux de mon *Quatuor* sur ma table à écrire à Paris. Le troisième morceau est ici. Je désire que l'on demande à Roger Ducasse d'indiquer les mouvements, nuances et autres indications que je n'ai pas eu le temps d'écrire. Il est très habitué à ma musique et saura s'y reconnaître mieux que personne. Ceci fait, je désire que le *Quatuor* ne soit publié et joué qu'après avoir été essayé devant le petit groupe d'amis qui ont toujours entendu mes œuvres les premiers : Dukas, Poujaud, Lalo, Bellaigue, Lallemand, etc. J'ai confiance en leur jugement, et c'est à eux que je confie le soin de décider si ce *Quatuor* doit être édité ou détruit. S'il est exécuté, j'aimerais que la première audition soit donnée au bénéfice de la Société des anciens élèves du Conservatoire. Les deux premières parties du *Quatuor* sont d'un style expressif et soutenu. La troisième doit avoir un caractère léger et plaisant, sorte de scherzo rappelant le finale de mon *Trio*.

Ibid., 19 septembre 1924.

★

Quand je n'y serai plus, vous entendrez dire de mon œuvre : *Après tout, ce n'était que ça!...* On s'en détachera peut-être... Il ne faudra pas vous tourmenter, ni vous affliger. C'est fatal, cela s'est produit pour Saint-Saëns et pour d'autres... Il y a toujours un moment d'oubli... Tout cela n'a pas d'importance. J'ai fait ce que j'ai pu... et puis jugez, mon Dieu!...

Ibid., 2 novembre 1924.

SAINT-SAËNS

PLUS LOIN QUE L'OREILLE ET QUE LA RAISON

Non, la musique n'est pas un instrument de plaisir physique. La musique est un des produits les plus délicats de l'esprit humain. Dans les profondeurs de son intelligence, l'homme possède un sens intime spécial, le sens esthétique, par lequel il perçoit l'art : la musique est un des moyens de mettre ce sens en vibration. Derrière le sens de l'ouïe, d'une délicatesse merveilleuse, qui analyse les sons, qui perçoit leur différence d'intensité, de timbre et de nature, il y a, dans les circonvolutions du cerveau, un sens mystérieux qui découvre toute autre chose.

Vous connaissez la *Symphonie pastorale*; vous avez entendu cette ronde de paysans, qui s'anime graduellement jusqu'au vertige, jusqu'à la folie. Au plus fort de la danse, tout cesse brusquement, et sans transition d'aucune sorte, les basses font entendre *pianissimo* une note étrangère à la tonalité. Cette note qu'on entend à peine, c'est un voile noir qui s'étend tout à coup, c'est l'ombre de l'implacable fatalité apparaissant au milieu d'une fête, c'est une angoisse indicible à laquelle personne n'échappe. Au point de vue de l'oreille et de sa « jouissance physique », au point de vue même de la froide raison, cette note est absurde, car elle détruit la tonalité et le développement logique du morceau.

Et pourtant cette note est sublime.

Elle ne s'adresse donc ni à l'oreille qui veut être caressée, ni à cette raison myope qui se repaît de phrases carrées comme une figure de géométrie. Il y a donc, dans l'art des sons, quelque chose qui traverse l'oreille comme un portique, la raison comme un vestibule, et qui va plus loin.

Toute musique dépourvue de ce quelque chose est méprisable.

En modifiant un des aphorismes de Stendhal, il faut dire : « Si, en musique, on sacrifie au plaisir physique l'idéal qu'elle doit nous donner avant tout, ce qu'on entend n'est plus de l'art. »

Vue sous cet angle, la musique change d'aspect : la perspective est tout autre et les questions sont déplacées. Il ne s'agit plus de rechercher ce qui donne plus ou moins de plaisir à l'oreille, mais ce qui dilate le cœur, ce qui élève l'âme, ce qui éveille l'imagination en lui découvrant les horizons d'un monde inconnu et supérieur. Il se trouve alors que la préséance d'une partie de l'art sur l'autre devient complètement indifférente. Telle mélodie parfaitement claire se trouve sans valeur, telle suite d'accords dépourvue de mélodie est d'une beauté profonde; par contre, il se trouve qu'une mélodie d'une simplicité extrême s'élève d'un coup d'aile aux plus grandes hauteurs, tandis que des œuvres prétentieusement travaillées rampent sur la terre. Il n'y a pas de recette pour faire des chefs-d'œuvre, et ceux qui préconisent tel ou tel système sont des marchands d'orviétan.

HARMONIE ET MÉLODIE

... Il est parfaitement juste de dire : « Il ne faut que de l'étude et de la patience pour produire des accords agréables; mais trouver un beau chant est l'œuvre du génie. » On peut dire avec une égale justesse : « Il ne faut que de la facilité pour produire une mélodie agréable; mais trouver de beaux accords est l'œuvre du génie. »

Les belles mélodies et les belles harmonies sont également le produit de l'inspiration; mais qui ne voit qu'il faut un cerveau bien plus puissamment organisé pour imaginer les belles harmonies ?

On a cherché à répandre cette idée, que l'harmonie était le produit de la réflexion, de la science, et que l'inspiration n'y était pour rien. Comment se fait-il donc que les hommes de génie qui trouvent les belles mélodies soient aussi les seuls qui trouvent les belles harmonies, et que nul professeur médiocre et savant n'ait eu l'idée, par exemple, d'écrire l'*Oro supplex et acclinis* du *Requiem* de Mozart, qui n'est autre chose qu'une suite d'accords ? La vérité, c'est que les vrais musiciens trouvent les belles harmonies comme les belles mélodies, spontanément, sans que la « science » ait rien à y voir. Or, on aura beau dire, créer de toutes pièces une œuvre complexe sera toujours le fait d'une organisation supérieure. C'est aussi la marque d'un public arrivé à un haut point de culture que l'amour des belles harmonies.

Les gens qui ne goûtent que les mélodies avouent sans le savoir qu'ils ne veulent pas prendre la peine de discerner et de coordonner les différentes parties d'un tout afin d'en saisir l'ensemble; quant à supposer qu'ils ne le pourraient pas, s'ils le voulaient, et les accuser par cela même d'être en retard sur les progrès de la civilisation, c'est une audace dont nous ne prendrons pas la responsabilité. Quoi qu'il en soit, ces gens-là forment avec les Orientaux et les sauvages le public dont la force d'inertie s'oppose à la marche de l'art à travers le monde; ils ne se doutent pas que les jouissances les plus profondes et les plus exquises de la musique leur sont inconnues; ils sont comme les enfants qui croient connaître le bonheur quand ils mangent des confitures.

HARMONIE ET MÉLODIE, 1885.

VINCENT D'INDY

UN ART ET UNE SCIENCE

Considérée, suivant les époques et les pays, tantôt comme *art,* tantôt comme *science,* la musique tient en réalité de l'art et de la science : aussi les nombreuses tentatives faites pour la définir n'ont-elles abouti pour la plupart qu'à jeter la confusion sur cette question. Sans proposer ici une nouvelle définition, dont le seul effet serait d'accroître le nombre déjà considérable de ses devancières sans les mettre d'accord, nous dirons seulement que la musique a pour base les vibrations sonores; pour éléments, le rythme, la mélodie, l'harmonie; pour but, l'expression esthétique des sentiments.

Il suffira donc, pour entreprendre utilement l'étude historique et critique des formes de l'art musical, d'en bien connaître les trois éléments constitutifs :

Rythme,
Mélodie,
Harmonie,

et d'établir le lien qui rattache ces trois éléments à une branche de la science générale.

Ainsi se vérifiera le double caractère *scientifique* et *artistique* de la musique.

Le *rythme,* résultant de l'inégalité des temps, s'exprime par des nombres et dépend des lois *arithmétiques.*

La *mélodie,* qui prend son origine dans l'accent, procède de la *linguistique.*

L'*harmonie* enfin, basée sur la résonance des corps, obéit aux lois des *vibrations.*

La musique relève donc à la fois des sciences *mathématiques* par le rythme, des sciences *naturelles* par la mélodie, des sciences *physiques* par l'harmonie.

Toutefois, ces trois éléments, d'origine scientifique, ne peuvent atteindre l'effet artistique, l'*expression,* qu'à la condition d'être en *mouvement,* car la musique, nous venons de le voir, est essentiellement un art de *succession...*

Seul, des trois éléments de la musique, le *rythme* est commun à tous les arts, il en est l'élément primordial et esthétique.

Le *rythme* est universel, il apparaît dans le mouvement des astres, dans la périodicité des saisons, dans l'alternance régulière des jours et des nuits. On le retrouve dans la vie des plantes, dans le cri des animaux et jusque dans l'attitude et la parole de l'homme.

On doit considérer le rythme comme antérieur aux autres éléments de la musique; les peuples primitifs ne connaissent pour ainsi dire pas d'autre manifestation musicale.

La *mélodie,* directement issue du langage par l'accent, est presque aussi répandue que le rythme; ces deux éléments combinés ont suffi pendant de longs siècles à constituer un art musical très avancé.

Quant à l'*harmonie,* basée sur la simultanéité des mélodies, elle est l'effet d'une conception relativement récente, mais accessible seulement à une élite, relativement peu nombreuse encore, et affinée par une éducation plus complète.

Bien des peuples ignorent l'harmonie, quelques-uns peuvent même ignorer la mélodie; aucun n'ignore le rythme.

COURS DE COMPOSITION MUSICALE, Ier livre, 1912.

ÉQUILIBRE DE LA MÉLODIE ET DE L'HARMONIE

Tout mouvement qui tend à rompre l'équilibre, que ce soit du côté mélodique, comme en 1820, ou du côté harmonique, comme en 1910, est rétrograde et nuisible au réel développement de l'art.

Ainsi, la gamme par tons, constituée de six notes, est loin d'être un progrès sur notre gamme occidentale traditionnelle, puisqu'elle supprime toute tonalité et conséquemment toute modulation. Or, le changement de lieu tonal par le moyen de la modulation est l'un des éléments les plus précieux de l'expression, s'en priver systématiquement est donc un retour en arrière vers la monotonie barbare des époques reculées.

Et vraiment les compositions basées sur ce mode atonal n'ont plus aucune proportion possible, elles n'ont aucune raison logique de durer trois minutes plutôt que trois quarts d'heure, et la fatigue seule de l'auditeur — peut-être de l'auteur — peut amener celui-ci à tracer la barre de mesure finale.

« Alors, va s'écrier quelque bachi-bouzouk en délire, c'est une levée de boucliers contre Ravel et Debussy! »

LE PROCÉDÉ N'EST PAS UN BUT

Non, certes, pas contre Ravel et Debussy; ils n'ont rien de commun avec les ignorants dont je parlais en commençant cet article, car ils possèdent, eux, un métier solide, en outre de leurs belles qualités natives; non, pas contre Ravel et Debussy, mais contre les debussystes et les ravélistes, proclamateurs de dogmes faux et propagateurs d'erreurs graves dont pourrait souffrir la jeune génération, trop encline à ne voir dans toute manifestation d'art que le *procédé*, sans se douter que l'abus du procédé a été, de tout temps, la spéciale ressource des impuissants.

« Mais, dira-t-on, qui nous apprendra où commence l'abus ?... » Précisément ce *bon sens* dont je déplorais l'oblitération tout à l'heure, ce bon sens qui, seul, peut nous faire apprécier les notions de logique et d'équilibre sans lesquelles il n'est point d'art.

En somme, que demande-t-il, ce bon sens ? Des choses cependant bien simples : que le jeune musicien commence par apprendre son métier et qu'il ne se laisse point ensuite hypnotiser par un procédé à la mode, employé avec fruit, il est vrai, par certaines natures, mais qui ne peut constituer à lui seul tout l'art musical.

Et je terminerai par cet adage, bien connu de mes élèves :

« Tous les procédés sont bons, à la condition de ne jamais devenir le but principal et de n'être regardés que comme des moyens pour faire de la *musique*. »

LE BON SENS EN MUSIQUE, S.I.M., novembre 1912.

ERIK SATIE

CE QUE JE SUIS

Tout le monde vous dira que je ne suis pas un musicien. C'est juste.

Dès le début de ma carrière, je me suis, de suite, classé parmi les phonométrographes. Mes travaux sont de la pure phonométrique. Que l'on prenne le *Fils des Etoiles* ou les *Morceaux en forme de poire, En habit de cheval* ou les *Sarabandes,* on perçoit qu'aucune idée musicale n'a présidé à la création de ces œuvres. C'est la pensée scientifique qui domine.

Du reste, j'ai plus de plaisir à mesurer un son que je n'en ai à l'entendre. Le phonomètre à la main, je travaille joyeusement et sûrement.

Que n'ai-je pesé ou mesuré ? Tout de Beethoven, tout de Verdi, etc. C'est très curieux.

La première fois que je me servis d'un phonoscope, j'examinai un *si* bémol de moyenne grosseur. Je n'ai, je vous assure, jamais vu chose plus répugnante. J'appelai mon domestique pour le lui faire voir.

Au phono-peseur un *fa* dièse ordinaire, très commun, atteignit 93 kilogrammes. Il émanait d'un fort gros ténor dont je pris le poids.

Connaissez-vous le nettoyage des sons ? C'est assez sale. Le filage est plus propre; savoir les classer est très minutieux et demande une bonne vue. Ici nous sommes dans la phonotechnique.

Quant aux explosions sonores, souvent si désagréables, le coton, fixé dans les oreilles, les atténue, pour soi, convenablement. Ici, nous sommes dans la pyrophonie.

Pour écrire mes *Pièces froides,* je me suis servi d'un kaléidophone-enregistreur. Cela prit sept minutes. J'appelai mon domestique pour les lui faire entendre.

LA JOURNÉE DU MUSICIEN (fragment)

L'artiste doit régler sa vie.

Voici l'horaire précis de mes actes journaliers :

Mon lever : à 7 h 18; inspiré : de 10 h 23 à 11 h 47. Je déjeune à 12 h 11 et quitte la table à 12 h 14.

Salutaire promenade à cheval, dans le fond de mon parc : de 13 h 19 à 14 h 53. Autre inspiration : de 15 h 12 à 16 h 07.

Occupations diverses (escrime, réflexions, immobilité, visites, contemplation, dextérité, natation, etc.) : de 16 h 21 à 18 h 47.

Le dîner est servi à 19 h 16 et terminé à 19 h 20. Viennent des lectures symphoniques, à haute voix : de 20 h 09 à 21 h 59.

Mon coucher a lieu régulièrement à 22 h 37. Hebdomadairement, réveil en sursaut à 3 h 19 (le mardi).

Je ne mange que des aliments blancs : des œufs, du sucre, des os râpés; de la graisse d'animaux morts; du veau, du sel, des noix de coco, du poulet cuit dans de l'eau blanche; des moisissures de fruits, du riz, des navets, du boudin camphré, des pâtes, du fromage (blanc), de la salade de coton et de certains poissons (sans la peau).

Je fais bouillir mon vin, que je bois froid avec du jus de fuchsia. J'ai bon appétit; mais je ne parle jamais en mangeant, de peur de m'étrangler.

Je respire avec soin (peu à la fois). Je danse très rarement. En marchant, je me tiens par les côtes et regarde fixement derrière moi.

D'aspect très sérieux, si je ris, c'est sans le faire exprès. Je m'en excuse toujours, et avec affabilité.

Je ne dors que d'un œil; mon sommeil est très dur. Mon lit est rond, percé d'un trou pour le passage de la tête. Toutes les heures un domestique prend ma température et m'en donne une autre.

Depuis longtemps je suis abonné à un journal de modes. Je porte un bonnet blanc, des bas blancs et un gilet blanc.

Mon médecin m'a toujours dit de fumer. Il ajoute à ses conseils :

« Fumez, mon ami : sans cela, un autre fumera à votre place. »

PARFAIT ENTOURAGE (fragment)

Vivre au centre d'œuvres glorieuses de l'art est une des plus grandes joies qui se puissent ressentir. Parmi les précieux monuments de la pensée humaine que la modestie de ma fortune m'a fait choisir pour partager ma vie, je parlerai d'un magnifique faux Rembrandt, profond et large d'exécution, si bon à presser du bout des yeux, comme un fruit gras, trop vert.

Vous pourriez voir aussi, dans mon cabinet de travail, une toile d'une beauté incontestable, objet d'admiration unique : le délicieux *Portrait attribué à un Inconnu.*

Vous ai-je parlé de mon Teniers simulé ? C'est une adorable et douce chose, pièce rare entre toutes. Ne sont-ce pas là pierreries divines, serties de bois dur ? Oui ?

Pourtant, ce qui surpasse ces œuvres magistrales, ce qui les écrase du poids formidable d'une géniale majesté, ce qui les fait pâlir par son éblouissante lumière ? un faux manuscrit de Beethoven — sublime symphonie apocryphe du maître — acheté pieusement par moi, il y a dix ans, je crois.

Des œuvres du grandiose musicien, cette *10e Symphonie* encore ignorée est une des plus somptueuses. Les proportions en sont vastes comme un palais; les idées en sont ombreuses et fraîches; les développements en sont précis et justes.

Il fallait que cette symphonie existât : le nombre 9 ne saurait être beethovénien. Il aimait le système décimal : « J'ai dix doigts », expliquait-il.

Venus pour absorber filialement ce chef-d'œuvre, de leurs oreilles méditatives et recueillies, quelques-uns, sans raison, crurent à une conception inférieure de Beethoven, et le dirent. Ils allèrent plus loin même.

Beethoven ne peut être inférieur à lui-même dans aucun cas. Sa technique et sa forme restent augurales, même dans l'infime. Le rudimentaire ne lui est pas applicable. Il ne s'intimide pas du contrat imputé à sa personne artistique.

Croyez-vous qu'un athlète, longuement célébré, dont la force et l'adresse furent reconnues par des triomphes publics, s'infériore du fait de porter aisément un simple bouquet de tulipes et de jasmins assemblés ? Est-il moindre, si l'aide d'un enfant s'y ajoute ?

Vous n'y encontrerez pas.

AMBROISE THOMAS

Son art ? Je n'en parlerai pas, s'il vous plaît, me bornant à conter ici quelques impressions vagues.

Pourquoi parler de sa si curieuse prosodie ? Philine chante : « *Je-e* suis Titania la blonde »; Laerte nous dit : « Belle, ayez pitié *de-e* nous. » C'est assez.

Mais où donc ai-je laissé mon parapluie ?

Son grand âge le désigna pour représenter la grandeur musicale de France. Il fut accepté sans protestation, comme il le fut sans joie, du reste. Cela indifférait.

Heureusement que ce parapluie n'avait pas une grande valeur.

La place qu'il occupa dans le monde de la musique officielle s'offrit considérable, mais ne l'augmenta pas dans l'esprit des artistes : quelque chose comme les superbes fonctions d'un général commandant de Corps d'Armée, très en vue et très honoraire. Ce n'est pas mal, direz-vous. Je veux bien.

J'ai dû oublier mon parapluie dans l'ascenseur.

Physiquement ? Il était grand, d'aspect sec, bourru : une sorte d'épouvantail. Avec obstination, il se singularisait en ne passant pas les bras, qu'il tenait contre le corps, dans les manches d'un copieux pardessus en ratine, fortement vaste, ce qui lui donnait l'air de porter perpétuellement un de ses amis sur son dos. C'était sa manière, à lui, de porter des longs cheveux.

Mon parapluie doit être très inquiet de m'avoir perdu.

Peut-être avait-il les bras trop gros; ou bien, ne les pouvait-il mouvoir, direz-vous ? Je ne le crois pas : sa redingote et son gilet le revêtaient suivant l'usage établi depuis longtemps, se montrant corrects et noirs.

Il est mort comblé d'honneurs.

NOTES POUR SOCRATE[1]

Le Banquet. — Musique d'ameublement. — Pour une salle.	Encadrement (danse). Tapisserie (le *Banquet*, sujet). Encadrement (danse, reprise).
Phèdre. — Musique d'ameublement. — Pour un vestibule.	Colonnade (danse). Bas-relief (marbre, sujet). Colonnade (danse, reprise).
Phédon. — Musique d'ameublement. — Pour une vitrine.	Ecrin (duvet de porc, danse). Camée (Agate d'Asie, *Phédon*, sujet). Ecrin (danse, reprise).

1. Drame symphonique en trois parties avec voix sur des dialogues de Platon, 1819.

★

Une mélodie n'a pas son *harmonie*, non plus qu'un paysage n'a sa couleur. La situation harmonique d'une mélodie est infinie, car la mélodie est une expression dans l'Expression.

Dans un brouillon pour *Socrate*.

RIEN QU'EN SOI-MÊME

L'exercice d'un art nous convie à vivre dans le renoncement le plus absolu...

Capituler sera toujours signe de faiblesse — sinon, de lâcheté... Un vrai musicien doit être soumis à son art; ... il doit se placer au-dessus des misères humaines; il doit puiser son courage en lui-même, rien qu'en lui-même.

Je m'ennuie à mourir de chagrin; tout ce que j'entreprends timidement rate avec une hardiesse inconnue jusqu'à ce jour.

Que faire, sinon se tourner vers Dieu et le montrer du doigt. Je finis par supposer qu'il est encore plus bête qu'il n'est puissant, le vieil homme...

Lettre a son frère Conrad, 1900.

PAUL DUKAS

*PAUL DUKAS (1865-1935) fut un des plus grands professeurs de musique modernes. Il enseigna la composition au Conservatoire de Paris de 1927 à sa mort, et écrivit nombre d'articles critiques. Son œuvre la plus connue est l'*Apprenti sorcier, *inspiré de la ballade de Gœthe. Il composa peu, mais en recherchant toujours la perfection du style.* Ariane et Barbe-Bleue, *son drame lyrique, l'a fait comparer à Debussy.*

OSER ÉCRIRE UN ACCORD PARFAIT

Que va-t-on faire de nouveau cette année en musique ? Quelle sera la mode du jour ?

Un critique — aussi ridicule qu'incompétent — vient de déclarer solennellement que les vieux modes majeurs et mineurs ont vécu. Il sera désormais de bon ton de n'employer que les modes *lydien, hypolydien, mixolydien*, etc.

Toutes ces affirmations péremptoires ne dénotent qu'un amateurisme bien superficiel. Car nos anciens modes majeurs et mineurs ne doivent pas être considérés comme les produits du hasard; ils viennent d'une expérience de plusieurs siècles et sont la résultante de toute la musique du passé.

Quoi de plus beau, d'ailleurs, qu'un accord parfait majeur ? Et pourtant, à notre époque, il faut une singulière hardiesse pour oser en écrire un. De nos jours, le fait de risquer une cadence parfaite redevient une grande nouveauté.

UN FOND RÉEL DE TONALITÉ

Il ne faut absolument rien entendre, ne pas être musicien pour concevoir l'atonalité absolue. Derrière les combinaisons d'accords les plus complexes, l'oreille doit toujours distinguer un fond de tonalité plus ou moins lointain peut-être, mais réel.

RETOURNER AUX SOURCES

Où allons-nous ? Tout a été fait. Depuis ces vingt dernières années, il semble que les limites extrêmes aient été atteintes. On ne peut être plus ingénieux, plus raffiné que Ravel, plus audacieux que Stravinsky.

Quelle sera la nouvelle formule d'art ? Il faudra retourner aux sources mêmes, à la simplicité, pour trouver quelque chose de véritablement neuf. Le contrepoint ? Là, sans doute, se trouve l'avenir.

AVOIR DES IDÉES

Partout il est de bon ton d'affirmer que le genre de la symphonie se démode et qu'il n'y a plus moyen, à notre époque, d'employer cette forme usée.

Et pourquoi ? Alors que nous admettons bien encore la sonate, trio, quatuor, quintette, etc., qui ont exactement la même coupe.

Ce qui se conçoit en musique de chambre peut aussi bien se réaliser dans le domaine de l'orchestre. Il suffit simplement d'avoir des idées et d'être à la hauteur de cette noble forme.

Difficulté d'exécution? Peut-être. Mais s'il fallait s'en préoccuper, nous n'écririons jamais rien.

L'IDÉE ENGENDRE LA FORME

César pensait avec froideur et combattait avec fureur : principe qu'il importe d'observer en composition.

L'idée doit engendrer la forme. L'inverse ne peut se concevoir.

LA BASE ÉTERNELLE DE LA MUSIQUE

Bach ? Le plus antiromantique des musiciens. Il est bien le reflet de son époque, sage et très pondérée. Mais dans sa musique, quelle énergie contenue! Quelle puissance derrière ce masque d'impassibilité! On y devine une force semblable à celle des atomes de la matière qui, s'ils n'étaient solidement contenus, feraient sauter le monde. Ainsi est la pensée de Bach, puissance comparable à Wagner. Mais autant ce dernier est expansif et débordant, autant Bach s'enferme dans la forme rigoureuse et implacable. Toute sentimentalité semble exclue de son œuvre. Il se place sur un plan tellement supérieur qu'il domine et dominera toujours toute la musique. Pourtant, à travers cette pensée si hautaine, on aperçoit parfois l'homme derrière, comme à travers les créneaux d'une infranchissable muraille (notamment dans quelques préludes du *Clavecin bien tempéré*).

Bach sera toujours joué dans cinquante, dans cent ans. C'est la base éternelle de la musique.

DESTIN DES FORMES

Certaines formes d'expression musicale disparaissent parfois de la circulation et reviennent ensuite après de longues années, par suite de courants d'idées artistiques ou littéraires. Mais on les revoit alors sous un jour tout différent.

Ce qui semblait ridicule ou cocasse au siècle dernier peut paraître maintenant du plus grand sérieux. Il suffit de l'opinion de quelqu'un de très autorisé.

Ainsi, par exemple, la musique religieuse de la fin du XVIIIe siècle, le style rococo, la façon légère, conventionnelle et cavalière d'interpréter les textes sacrés (Mozart, Haydn, Pergolèse, Rossini, etc.), paraissaient complètement faux au siècle dernier (voyez l'opinion de Berlioz dans *A travers chants*).

Alors que maintenant quelques auteurs soi-disant modernes reprennent ces anciennes formules en les déguisant plus ou moins habilement sous un tissu harmonique bigarré, et les font avaler comme chef-d'œuvre nouveau au bon public.

DIFFICULTÉ DE LA SONATE

La sonate : le point difficile en abordant cette forme est de ne pas tomber dans la sonate pédantesque, dans ces morceaux prétentieux, dans ces thèmes qui ont l'air de sortir tout seuls du piano, se gonflent et annoncent solennellement : c'est moi le thème.

Il importe pourtant de conserver un certain style et de ne pas tomber dans le morceau de genre. Là réside évidemment la difficulté.

Ne pas être ennuyeux, et ne pas être non plus trop facile et trop lâché.

GLOIRE ET ÉCLIPSE

Un qui serait bien surpris s'il revenait parmi nous, c'est César Franck.

De son vivant, il fut peu joué et totalement incompris. Il n'entendit qu'une seule fois sa *Symphonie*, et, encore, jouée par condescendance. Maintenant, il figure constamment aux programmes de nos grands concerts et serait fort étonné de cette gloire posthume.

Un qui serait également stupéfait — mais dans le sens inverse — s'il reparaissait en ce monde, c'est Saint-Saëns. Lui, si joué de son vivant, verrait son nom disparaître de plus en plus des affiches de théâtres et de concerts. Son étoile semble baisser même à l'étranger — notamment en Allemagne — où il était très apprécié autrefois.

BRAHMS!

Brahms ? Lourd, germanique. Beaucoup de bière dans sa musique. Il imite beaucoup : on sent chez lui Beethoven, Schubert, Schumann (moins la fièvre).

C'était autrement un homme extrêmement habile, sachant construire solidement. Il était aussi très hongrois. Là, dans ce genre, il a parfaitement réussi.

LA MUSIQUE DU SILENCE

Quoi de plus éloquent qu'un silence bien amené, au cours d'un développement musical ? Riche et chargé de sens, il fait rebondir l'action sans interrompre pour cela le rythme général du morceau.

C'est un mode d'expression relativement moderne auquel n'avaient pas songé les artistes du XVIIIe siècle, qui écrivent une musique continue, sans aucune interruption. L'usage en devient plus courant au XIXe siècle, surtout chez les compositeurs de tempérament dramatique.

Pourtant Mozart, déjà, utilise ces suspensions de sens dans l'ouverture de *Don Juan* dont les grands silences sont d'une éloquence émouvante.

Après lui, Beethoven s'en est servi constamment. A cet égard, les premières mesures de l'ouverture de *Coriolan* constituent une trouvaille géniale. Ces accords, d'une vigueur et d'une force surhumaines dépassent les possibilités expressives de la musique et ont la valeur d'un geste. Il est certain que ce morceau aurait profondément étonné Bach et les musiciens de son temps, si loin de cet esprit.

Après Beethoven, Weber, Schumann, Wagner, tous les romantiques et les modernes ont usé de ce procédé si utile et d'un très grand effet. Sauf Chopin, cependant, qui réalise une musique presque continue, sans suspension de sens.

LE MYSTÈRE EN MUSIQUE

Chez les classiques, le mystère n'existe pas : les idées sont franches, nettes, précises, la sonorité sans équivoque.

Pourtant déjà chez Mozart, dans la *Flûte enchantée*, le sentiment du mystère apparaît, mais c'est plutôt un mystérieux de caractère qu'un mystérieux d'impression, qui sort du caractère des thèmes et non de la sonorité orchestrale.

LE NU MUSICAL

La pauvreté apparente peut devenir quelquefois une richesse. Bien employé, le nu musical paraît admirable. Une idée dépouillée dépasse parfois en beauté les plus complexes entassements de sonorités recherchées et subtiles.

Tout ne doit pas être en or. L'artiste doit aussi employer les gris et les arrière-plans, et ne peut avoir du génie à toutes les mesures.

Toutefois, méfions-nous du style systématiquement « dépouillé », qui masque trop souvent l'impuissance et la pauvreté. Ceux qui le prônent ne le pratiquent que parce qu'ils ne peuvent devenir « opulents ».

DRAME ET THÉATRE

Certains grands musiciens — Haydn et Beethoven, par exemple — ont le sens du drame, mais n'ont pas celui de la scène, du théâtre; sentiments bien distincts et fort différents.

Au théâtre, le musicien doit faire plus de sacrifice que d'offrande.

CHERCHER L'INENTENDU

Il semble bien inutile de refaire ce qui a déjà été si bien réalisé par d'autres. La musique « déjà entendue », de « seconde main », ne sert à rien et ne présente aucun intérêt. Il faut la proscrire impitoyablement et chercher de « l'inentendu ».

Il n'est pas nécessaire d'ailleurs d'écrire beaucoup [1], vingt-cinq pages suffisent (voyez l'*Après-midi d'un faune*). Mais ce sont ces vingt-cinq pages qui, justement, manquent dans notre littérature musicale actuelle.

Propos rapportés par Georges Favre,
Paul Dukas, 1948.

MAURICE BARRÈS (1862-1923)

UN PLAISIR PHYSIQUE

Les amateurs viennent de lire un livre de M. Saint-Saëns, *Harmonie et mélodie*, intéressant parce que l'auteur repré-

---

1. Paul Dukas, qui exerçait sur ses propres œuvres une critique impitoyable, n'en devait effectivement laisser qu'un petit nombre, mais dont l'influence et la célébrité sont considérables.

sente un peu l'école française. Des personnes diverses l'ont apprécié en termes injurieux ou complimenteurs; mais tous les musiciens, critiques et autres, s'accordent à féliciter l'écrivain pour ce qu'il raille si joliment cette théorie de Stendhal que « le but de la musique est de nous procurer un plaisir physique ».

Petits exécutants et gros compositeurs se gaussent d'une telle naïveté; ils inventent des dédains pour cet incompétent et rivalisent de stupeur en face de cet inconnu.

A parler franc, Stendhal, parmi ces flûtes, ces violons et ces cuivres discords rappelle assez le triangle légendaire et consciencieux qui, sans souci des rivalités, suit sa partie et frappe juste; c'est à lui qu'on s'en prend quand se fait trop évidente la cacophonie; c'est à l'accabler que s'affirme la bonne entente de l'orchestre. Le petit triangle est un honnête homme; il ne brigue pas le bâton de maestro. Il n'est pas gêné par Wagner, il ne prétend pas exprimer le génie de sa race, il ne vise qu'à donner la note juste. On gagnerait à écouter le détail de son opinion.

Pareil à ces bienfaiteurs qu'on nomme tabac, femme ou dévouement, tout art nous soustrait aux prévisions, au souvenir, à nos inquiétudes familières, et nous procure un plaisir spécial. Certes, il serait d'une âme mal née, ou d'un vieillard, d'humilier aucune de ces minutes aimables, ivresse, amour, dilettantisme, mais il est aux initiés une joie unique où nous introduit ce jeu spécial des sons, la musique expressive.

Quand, à propos de Haydn, Stendhal exprimait le désir que l'harmonie disparût pour faire place à la mélodie seule, il n'avait en vue que la musique italienne; il n'entendit jamais que ces opéras de Rome, de Milan, de Florence, où l'harmonie, vain hommage à quelque tradition, n'intervient que pour couper l'intérêt au lieu de le renforcer. Il prétendait simplement alléger la musique de tout ce qui n'augmente pas le plaisir de l'auditeur. Aujourd'hui que des hommes de génie ont tiré un parti merveilleux de cette harmonie, stérile et désagréable dans les œuvres fréquentées de Stendhal, puisque la mélodie ne suffit plus à réjouir notre oreille, sa pensée exacte se traduit par le vœu d'une musique où tous les moyens acquis seraient employés à nous réjouir.

CONSENTIR AUX RÊVES LES PLUS NOBLES...

Sous l'archet de Wagner et de Beethoven tout l'appareil de la misère humaine s'éloigne, le décor où nous sommes accoutumés s'efface; des sensations inconnues et très définies nous pénètrent avec la phrase musicale; elle s'élargit, nous enveloppe, nous baigne. Une fiction plus réelle que la réalité se substitue aux apparences habituelles. Un univers nouveau est jeté sur l'ancienne ordonnance. Univers incomparable qu'ignore encore le Verbe et modelé sur le rêve des plus nobles! Illusion plus certaine et plus nette que l'horizon familier de notre fenêtre! Et notre imagination n'intervient pas ici, ce n'est pas elle qui nous crée la félicité de l'Art suprême; pour glisser à cette joie, il nous suffit de consentir et de lâcher les joncs, la vase ou les fleurs qui nous retiennent contre le courant.

Stendhal raconte de Michel-Ange que, déjà très vieux, il fut trouvé un jour d'hiver, après la chute d'une grande quantité de neige, errant au milieu des ruines du Colisée. Il venait monter son âme au ton qu'il fallait pour pouvoir sentir les défauts et les beautés de la coupole de Saint-Pierre. C'est sur le boulevard, au café, que nous attendons l'heure de pénétrer dans la cathédrale de Beethoven et de Wagner; le signal du chef d'orchestre suffira-t-il à écarter cette vaine journée qui bouillonne en notre âme, avec ses intrigues et ses plaisirs médiocres, et qui nous interdit de voir ou d'entendre ? L'auteur de *Parsifal* exige justement que son œuvre soit représentée tous les trois ans seulement et sur le théâtre de Bayreuth, en un jour solennel après des préparations.

... *A DES RÊVERIES PLUS FAMILIÈRES*

Dans l'intervalle de ces fêtes, que faire de ces violons et de tous ces tubas ? Pourquoi ces mêmes moyens, qui peuvent créer un univers de joie, n'amuseraient-ils pas ce monde ? Que des sonorités et des rythmes tombent sur l'ordinaire de nos sensations comme une poussière de félicité; qu'une autre musique nous fasse à mi-côte un plaisir plus familier, un gracieux jardin de rêveries après les solitudes de Beethoven et de Wagner...

Vers trois heures, quand pâlit le jour d'hiver par les vitres grésillées, dans l'appartement où les fleurs sont éclatantes et courbées, est-il plaisir furtif plus doux que de rêver à autre chose tandis que sonne sa cadence un piano, doucement. Notre pensée, teintée de ces airs, s'amoindrit, nous échappe et s'efface. Nous sommes ignorants, un peu las, et la vie nous est agréable. C'est avec ses nuances infinies et changeantes, le plus délicat des plaisirs d'épiderme que nous fait ainsi la toute spirituelle musique du XVIIIe siècle, de Mozart et de Haydn. Elle n'atteint pas à être une fiction assez nette et définie pour nous être une vie et une réalité; les gazes légères de l'illusion dont elle ne peut faire le voile sacré d'un tabernacle, elle les jette sur le monde, en couvre les buissons, pare la volupté, et toutes choses nous réjouissent.

Ce charme séduisit Stendhal aux soirées d'Italie, parmi les femmes attendries et tous les enthousiasmes du soleil. Il le voulait plus exquis encore. Sans doute il oublia d'inventer l'art de Wagner! Il désirait qu'en toute musique tous moyens fussent employés à le réjouir. C'était un honnête homme, car il respectait la logique, incapable de feindre aucun enthousiasme, même pour être à la mode; il est probable que de nos jours, il eût dit : « Les compositions de M. Saint-Saëns, de ses amis et de ses rivaux, me donnent des bâillements nerveux; je dormirais à les entendre, si j'étais moins mal assis. J'ai peine à croire que tel soit le but de l'art. »

LES PÉDANTS INCAPABLES ET TRISTES

Impuissants à créer ces mondes de joie où nous introduisent Beethoven et Wagner, nos musiciens dédaignent cependant d'égayer notre vie. Cette maladroite dignité est bien de cette époque infatuée des apparences graves.

Avec obstination, M. Saint-Saëns se précipite au pied de la théorie wagnérienne, à laquelle il doit son génie. D'ailleurs, il se refuse à lui faire un enfant et s'attarde aux menues faveurs, sans la moindre folichonnerie. Cette réserve n'est point si naïve! Les petits enfants qui allongent les jambes pour suivre la musique du régiment, imitent eux aussi la gravité du trombone; ils gonflent les joues et tourmentent un cuivre fictif; ils sont charmants, car ils ignorent que l'âme sonore du trombone leur manque. Nos compositeurs savent bien qu'elle leur fait défaut, l'âme de Wagner, et, pour s'en consoler, déclarent qu'elle ne convient pas à la France. Ils édulcorent le maître allemand. Sur des souvenirs oiseux de Shakespeare ou de Dumas, ils se fatiguent en rythmes et sonorités méritoires, mais insuffisantes à égayer un honnête homme. Aucune création expressive d'ailleurs. La salle s'énerve sous l'orchestre; des têtes se tournent lentement, inquiètes de quelque distraction; mes deux voisins, entre leurs mâchoires, avec angoisse étouffent un bâillement. Parfois, un éclat de cuivre, un rythme gaillard nous réveille, on espère je ne sais quoi. L'interminable fleuve a repris son cours; nous essayons des calculs, nous préparons des mots pour l'entracte, nous tâtons nos cigarettes. Ah! jouer au bilboquet avec la tête de ce monsieur chauve! Seul un pompier de service, qui s'endort et qu'on entrevoit, me met quelque gaieté au cœur. Et la longue palinodie qui s'éternise!...

Je sais que chacun affecte au sortir de ces étuves lyriques un chaud enthousiasme; je crois qu'à soi-même très peu avouent leur réelle horreur pour ces distractions. Rien de plus rare que l'honnêteté dans les choses de l'esprit; il faut, pour y parvenir, de profondes méditations et un courage indomptable. Le commun, les femmes surtout, s'en tiennent à la mode; elles ont du feu dans le regard et la tête joliment dressée, et c'est toujours une agréable attitude. D'ailleurs, elles n'applaudissent pas moins les œuvres contraires, la tendresse ardente de Massenet, Bizet...

Avec deux ans de leçon, des personnes d'intelligence moyenne peuvent goûter à ces séances une vraie satisfaction : le plaisir de comprendre, rapprocher ce fragment de tel passage de Wagner, noter cette dissonance audacieuse... Elles ne sentent rien au surplus et ce pédantisme louable diffère d'une initiation artistique, autant qu'une férule d'un archet. Ah! qu'elle pleure, Juliette si douce, sur les balcons d'Italie! Les jeunes hommes autour des chaires professorales n'ont pas même le temps de souffrir.

UNE GAIETÉ QUI SE PERD

Sur ce siècle, des buveurs sont attablés; les filles y suppléent l'amour, et le calembour l'esprit. Et tous veulent qu'on les égaye. Hier nous entendîmes la belle folie de Jacques Offenbach, où tournoient dans un scandale les appétits; des bras ronds et fermes agitent les chapeaux chinois de l'amour, les poitrines aiguës désirent; tout un peuple monte vers la joie et le mépris de fort agréable façon...

L'opérette maintenant n'est plus qu'un petit opéra-comique insupportable, une manière d'histoire vraie, une anecdote possible d'où l'imprévu et tous les charmes de l'absurde sont scrupuleusement bannis. Offenbach savait son métier; il apprit à composer des musiques religieuses médiocres, et, dédaigneux des compromis, il n'eut souci désormais que d'amuser son boulevard. Rappellerai-je quelles inepties confient à cette heure, pour l'ordinaire de notre distraction, les graves affolés de la gaieté française aux vieilles dames de nos petits théâtres ?

Les cafés-concerts seront mis prochainement sous la surveillance d'un officier d'académie. M. Paulus demande des conseils à Sarcey.

DEUX BUTS POUR L'ÉCOLE FRANÇAISE

Depuis qu'il est quelque avantage à posséder du talent, chacun veut en tenir boutique. Le pédantisme est installé sur la figure de mes contemporains comme M. Jules à son comptoir. Parfois, je songe tristement à la stupeur des petits enfants qui naissent en ces années solennelles et scientifiques! Que peuvent leur chanter les nourrices ? Au moins les petits bâtards s'endorment gaiement sur un air de *la Belle Hélène*; mais les bébés honnêtes ? Avec de telles distractions au début de l'existence, comment s'étonner que cette jeunesse soit chauve et pas très maligne à l'heure des premières fantaisies ?

Ah! qu'il lui plaise quelque jour de choisir de jolies filles pas trop maigres, avec les plus beaux yeux du monde, et de s'offrir en un théâtre spécial une aimable soirée. L'air y serait possible, les rafraîchissements rapides, on fumerait un peu dans les promenoirs et ce pendant qu'une musique caresserait doucement la salle, assis en des fauteuils, sincères, nous songerions à toutes choses. Mais surtout il serait absent, ce gymnaste en sueur qui mène son orchestre avec une telle véhémence qu'assurément tout homme pitoyable s'indignerait d'une pareille fureur chez le conducteur d'un camion.

Puis, à certains jours, les plus nobles, les Elus, seuls capables de s'élever à la compréhension suprême, s'achemineraient aux mondes que crée le génie; dépouillés de l'atmosphère banale des railleries et des amertumes, pénétrés des sons, ils vivraient le Rêve défini par le musicien et plus vrai que les coutumières apparences.

Tels sont les deux buts fixés aujourd'hui à l'école française par cette affirmation de Stendhal, que la musique a pour but de nous procurer un plaisir physique.

Tout compromis n'apportera que banalité et ennui. On goûte aisément quelque volupté dans un caprice furtif. Il n'y faut qu'un peu d'imagination; plus haute et très grave est la joie d'aimer; mais s'assoupir en des caresses pondérées, c'est une misère qu'excuse seul le besoin de perpétuer l'espèce...

Que M. Saint-Saëns, professeur savant, fasse donc des élèves.

La Revue illustrée, 1885.

ANDRÉ SUARÈS (1868-1948)

ICI LA MATIÈRE N'EST PLUS RIEN

Il n'y a pas, il ne peut pas y avoir de poésie réaliste, parce que la poésie est la seule réalité. La musique vériste est du même ordre inutile et bas, à peine une curiosité ou une façon d'ajouter quelques couleurs criardes au décor du théâtre.

Que serait la poésie réaliste, sinon la description de l'objet ? Or, le poète ne décrit pas l'objet; il n'en donne pas les coordonnées sur la carte de l'action, mais sur le plan de l'esprit et d'une éternelle présence : au lieu de peindre l'objet, il en cherche la forme non matérielle, et s'il réussit dans son art, il arrive à la créer. Tous les Mores sont de la poussière à Chypre et à Venise; mais Othello est vivant; même après s'être tué.

Tout est sujet dans le poème; et que ce soit une statue, un bas-relief, une ode, un drame, un portrait, une page de pensée ou une figure peinte, dans le poème il n'y a jamais que le poète. Et je dirais que le poète y est d'autant plus souvent qu'il semble n'y pas être et qu'il y est plus caché. A plus forte raison le musicien, qui est un poète sans espace. La musique et la poésie se tiennent ici de bien près. Ici la matière n'est plus rien.

LA MUSIQUE, TEMPS DANS L'ESPACE

L'harmonie du musicien est la couleur propre de sa poésie. Tous les aveux du cœur et de la nature sensible sont harmoniques, au moins chez les modernes. Mais n'ai-je pas vérifié cent fois que l'amour n'a pas été connu des anciens ? L'harmonie de Bach est son génie; sa polyphonie est le génie de son pays et de son siècle, où d'ailleurs il met sa marque. La musique n'est ni verticale ni horizontale, parce qu'elle est les deux. Elle est du temps dans l'espace. Toutefois, l'oreille saisit le spatial et le cœur est l'organe du temps. Inversement, l'architecture est de l'espace absolu, où pourtant l'esprit introduit une succession temporelle.

Bien loin d'être la ligne pure, la polyphonie est le contraire de la ligne. Plusieurs lignes ensemble font un tissu harmonique. Le triomphe de la polyphonie est précisément d'imposer le tissu des lignes comme une harmonie continue. Du reste, comme dans la physique la notion de courbe continue, la notion de ligne s'efface de la musique, à mesure qu'on la presse de plus près. La polyphonie est une mélodie d'accords. En art, rien ne donne une plus haute et plus rayonnante satisfaction à l'esprit. La grande polyphonie, délivrée du contrepoint scholastique et des marches formelles, est l'harmonie même.

Voilà pourquoi notre inépuisable Jean-Sébastien Bach fait figure de Père éternel dans l'univers de la musique. Que l'on compare un instant sa polyphonie à celle de Haendel, si forte, si sûre, mais beaucoup moins libre, jaillissante et sensible : j'y trouve la même opposition profonde qu'entre le style de Bossuet et celui de Pascal. Haendel paraît d'autant moins harmonique et vertical que Bach l'est davantage.

Il faut parcourir plus d'un long siècle et venir jusqu'à Wagner pour rencontrer un musicien qui porte dans la polyphonie le génie poétique de Bach. Dans Wagner, la polyphonie est délivrée de l'école; mais quand Wagner fait marcher librement ensemble les thèmes opposés ou divers de sa symphonie, il est plus voisin de Bach que personne. Il l'est, du reste, dans la mystique du sentiment et l'effusion perpétuelle. Sans doute, le souci de la scène, la grosse artillerie du théâtre, la recherche fatale de l'effet, multipliée par l'excès romantique gâtent souvent dans Wagner la pureté musicale. Mais la puissance, la grandeur pensante et surtout la profondeur intense sauvent tout. Le prélude du dernier acte de *Parsifal* est peut-être ce qui rappelle Bach le plus singulièrement dans toute la musique. Qu'il s'agit donc peu de métier et de mode à une telle hauteur! Les parentés et les ressemblances sont toutes dans la profondeur. Le vertical est le sens des natures et des émotions profondes.

APOLLON ET BACCHUS

La simplicité est le lieu commun de tous les critiques sans portée. Rien n'est simple. La molécule est un monde. La plus simple vue de l'esprit est d'une complexité prodigieuse. Tout n'est simple qu'aux ignorants, et peut-être aux fanatiques. Les autres, quand ils parlent de simplicité, ils abdiquent par là même le peu qu'ils savent; ils perdent aussitôt le sens de ce qu'ils font. Ni le physique, ni la pensée, ni la nature, ni la vie, ni les caractères ne se laissent ainsi réduire. Rien n'est simple; mais j'accorde que tout doit sembler l'être, tout ou à peu près. Bref, il n'est de simplicité que dans l'expression. Encore n'est-ce qu'une apparence. Ce qui est simple pour un grand esprit ne l'est pas pour son critique. La vie des chefs-d'œuvre le prouve, où l'on peut toujours découvrir du nouveau. On vient de voir, après trois cents ans, combien Pascal est peu compris, surtout de ceux qui l'admirent et qui lui comparent sans vergogne un rhéteur politique étranger à toute vérité, ou un faiseur de tours en vers, faux en tout, faux penseur et faux géomètre.

Il n'y a pas de simplicité harmonique désormais, pas plus qu'il n'est une psychologie simple ou une mathématique. Les principes sont toujours simples, si l'on veut, à condition de n'y pas regarder de près. On n'explique pourtant rien de ce que l'on convient d'admettre. La pensée ni le sentiment de l'homme, tel que l'ont fait tous les siècles de l'art et de la science, ne peuvent pas avoir la simplicité de l'âme primitive. Elle est simple parce qu'elle est presque vide ou d'un seul tenant, comme le cerveau d'un nouveau-né ou cette main enfantine, fermée sur elle-même, sans dessins intérieurs et sans lignes, page sans écriture et qui n'a pas encore servi.

Aujourd'hui, avec leurs préjugés et leurs partis pris d'école, les gens confondent tout, même ce qu'ils distinguent. Il faut être dionysiaque avant d'écrire, et apollinien quand on écrit. Le grand artiste est à ce prix. Tout l'un ne sert de rien, comme tout l'autre.

La part de la poésie dans la musique est celle d'Apollon. La musique est la part de Bacchus dans la poésie.

La polyphonie est d'Apollon, et aussi nécessaire dans la musique que la belle architecture dans l'art d'écrire. Mais l'harmonie est dionysiaque. Et sans Bacchus, ni le musicien ni le poète ni même l'architecte n'ont vraiment rien à chanter, eussent-ils beaucoup à dire ? Qu'ils le disent alors en nombre et dans le pur langage des nombres, qui est la mathématique. Cependant il n'y a que les Bacchantes folles dans l'orgie où le délire de l'espèce et le culte se confondent, où le sang de la femme et le sang de la vigne se mêlent, les chevelures et les pampres, il n'y a que les Bacchantes pour croire que Bacchus est ivre : quand il les a enivrées, il se retire. Je ferai un mythe de la retraite de Bacchus sur le Parnasse, parmi les Muses.

DEUX RAPPORTS OPPOSÉS

Wagner et Debussy. Ils sont tous les deux profondément musiciens. Mais Wagner n'est pas musicien seulement; et surtout, n'être que musicien, c'est ce qu'il n'a pas voulu. Il était né dans le théâtre. Le génie de la scène l'a tenté plus tôt, peut-être, que le génie de la musique. Il a respiré, dès l'origine, l'air de Beethoven mourant; et Beethoven l'a corrompu par l'exemple. Dans Beethoven, le musicien le cède presque partout au poète; et l'on peut même dire que le poète le cède au héros. Pour la première fois, avec Beethoven, l'artiste musicien s'est décidément élevé à la conscience et à la fonction de grand homme : on n'entre point dans cette voie sans le vouloir et sans prétendre y rester. Beethoven ne vit sans doute que pour la musique; mais sa musique n'est pas seulement l'art des sons; elle est une poésie sonore, une morale sonore, une action sonore, enfin une religion. Dans Beethoven, je vois toujours le musicien de la Révolution : à sa manière, il est le Napoléon de son art, comme Chateaubriand briguait de l'être à la sienne. Les trois hommes sont nés à quelques mois les uns des autres, et les deux plus proches sont morts presque en même temps.

Wagner poète entend bien faire au théâtre ce que Beethoven a fait dans sa symphonie. Il en a eu l'ambition dès le début; il l'a soutenue jusqu'à la fin. Quand il célèbre, à soixante ans, le centenaire du Grand Vieux Sourd, il le peint en précurseur; il en fait le Mage et le Baptiste de la musique nouvelle : il en est lui-même le Rédempteur. Il déclare sans cesse que le drame musical n'est pas seulement le plus haut exploit de la musique, mais l'œuvre suprême de l'art; elle rend même toutes les autres inutiles; elles y sont asservies. La volonté de Wagner est d'unir dans un seul homme, Beethoven et Shakespeare; et lui-même, lui seul est cet homme-là.

Musicien comme il était, cent ou cinquante ans plus tôt, instruit à l'école de Bach, dans sa Leipzig natale, Wagner n'eût jamais visé si haut; il excède son art. Il y mêle cet amer poison de la morale, qui semble le poison mental de l'homme : car toute doctrine, en art, et toute volonté théologique, est de la morale.

Notre Debussy est étranger à ces desseins. Il en est pur; il en reste aussi exempt qu'on puisse l'être; et personne même ne l'a été autant que lui de son temps. Plus il est poète, plus il est musicien. Il ne connaît le poème, il ne le réalise dans son monde intérieur que sous la forme musicale; et toutes ses idées naissent harmoniques. Car il est riche de pensée, quoi qu'il semble; il peut raisonner sur son art comme Wagner lui-même, et plus purement. On ne saurait être plus fin critique, ni d'une pointe plus perçante : là même où il est le moins juste, il n'est pas dupe : il sait très bien qu'il manque à la justice; il connaît sa malice; mais il le veut ainsi : il combat; il lutte contre une tyrannie toute-puissante; il a résolu de vaincre et de se rendre libre.

Voilà donc où je voulais en venir : l'opposition totale de Wagner et de Claude-Achille au théâtre vient de ce que les deux grands musiciens ont une idée totalement contraire du rôle que doit jouer la musique. Wagner musicien n'écrit son poème qu'en vue de la musique, et proprement de la symphonie accrue des voix. La musique pour lui est la poésie au cube, multipliée par l'orchestre, que multiplie la voix humaine. Toute œuvre musicale de Wagner est une transposition du poème à la troisième puissance. Et, par là, il est dans la quantité comme on ne le fut jamais avant lui, Beethoven seul excepté. Il croit que la musique peut donner au drame un Shakespeare trois fois plus tragique, trois fois plus intense.

Debussy, son idée et son instinct, son sentiment et sa volonté sont tout contraires. Son art ne transpose pas dans l'ordre de la quantité : il traduit. Il met tout en musique avec un scrupule incomparable et une intelligence exquise; tout est de l'ordre de la qualité. Sa musique est une traduction merveilleuse, comme on prendrait un poème écrit dans une langue commune pour le faire passer dans une langue de choix, celle de l'expression, telle que l'esprit de finesse la rêve et l'exige.

Wagner n'aurait rien pu faire sur un poème qui ne fût pas de lui. Debussy n'avait aucun besoin d'inventer son poème : quel qu'il fût, quelque chef-d'œuvre littéraire qu'il eût choisi, il l'eût traduit en musique; il l'eût fait sien; il l'eût créé à nouveau dans le sein de l'harmonie.

POÉSIE, MUSIQUE DE LA PENSÉE

La nature, à la fin, se délivrera d'elle-même dans une sublime conscience. C'est là que la pensée ne fera plus qu'un avec l'instinct; car là il n'y aura plus d'autre instinct que l'instinct de connaissance. Tout ce que l'homme aura souffert de la nature, et qu'il lui fallait souffrir pour se séparer de l'instinct et prendre conscience, trouvera dans la connaissance parfaite une égale récompense. Voilà où l'on peut mesurer la distance infinie qui sépare la connaissance de la simple raison ou du pur intellect. L'intellect est de l'automate ou du mécanique à l'égard de la conscience, qui est la connaissance toujours vivante, toujours en train de se faire. La raison est du tout fait, et comme la matière de l'esprit.

La poésie, la musique, la forme artistique sont à la fois les revanches du tout-puissant instinct enchaîné dans l'homme, et les vols d'essai, les essors tout-puissants de la conscience humaine vers le ciel de la connaissance.

Un art intellectuel n'a pas de sens. Mais s'il pense réellement, il a un nom : la science.

Toute forme d'art est musicale si elle est vraiment artistique. L'architecture est une musique de l'espace. La poésie est une musique de la pensée en passion avec la vie. Et Psyché le sait bien, qui se donne éternellement à l'Amour pour que naisse le chant.

La musique est la poésie de Psyché qui s'éveille. La musique trompe l'ombre et elle enchante les ténèbres.
La musique est le soleil du crépuscule.
La musique est le soleil et le miroir de la tristesse.
O chant, c'est toi l'invitation à l'oubli.

MUSIQUE ET POÉSIE, *La Revue Musicale*, 1er novembre 1924.

CLAUDE DEBUSSY

DEBUSSY (1862-1918) n'admettait pas qu'on le considérât comme un « impressionniste » de la musique. Son apport à cet art est cependant comparable à celui d'un Monet. Il s'opposa farouchement à Wagner, dont il considérait l'influence comme « stérile et pernicieuse ». Il entendit rénover entièrement les lois et les coutumes de l'harmonie. Son intuition d'une telle révolution musicale fut confirmée et informée par les idées de Satie et des poètes symbolistes. C'est à Mallarmé qu'il doit sa première grande œuvre originale, l'Après-Midi d'un Faune, *qui s'attache à exprimer musicalement les impressions naturelles ou psychologiques les plus fugitives, en autant d'images sonores étayées par une savante technique instrumentale.* La Mer *est une symphonie complexe, qui n'obéit pas aux lois du genre et se développe selon une complexité d'inspiration toute personnelle.* Pelléas et Mélisande, *le seul opéra de Debussy, témoigne d'une rigoureuse fidélité au livret, sans abdiquer, pour autant, d'une invention spécifiquement musicale. Dans ses pièces pour piano, comme dans ses œuvres orchestrales, Debussy a poussé au plus haut degré ses recherches de « chimie harmonique ».*

OPINIONS DE M. CROCHE

M. Croche avait une tête sèche et brève, des gestes visiblement entraînés à soutenir des discussions métaphysiques; on peut situer sa physionomie en se rappelant les traits du jockey Tom Lane et de M. Thiers. Il parlait très bas, ne riait jamais, parfois il soulignait sa conversation par un muet sourire qui commençait par le nez et ridait toute sa figure comme une eau calme dans laquelle on jette un caillou. C'était long et insupportable.

Tout de suite, il sollicita ma curiosité par une vision particulière de la musique. Il parlait d'une partition d'orchestre comme d'un tableau, sans presque jamais employer de mots techniques, mais des mots inhabituels d'une élégance mate et un peu usée qui semblaient avoir le son des vieilles médailles. Je me souviens du parallèle qu'il fit entre l'orchestre de Beethoven représenté pour lui par une formule blanc et noir, donnant par conséquent la gamme exquise des gris, et celui de Wagner : une espèce de mastic multicolore étendu presque uniformément et dans laquelle il me disait ne plus pouvoir distinguer le son d'un violon et celui d'un trombone.

Comme son insupportable sourire se manifestait particulièrement aux moments où il parlait de musique, je m'avisai tout à coup de lui demander sa profession. Il me répondit d'une voix qui tuait toute tentative de critique : « Antidilettante... » et continua sur un ton monotone et exaspéré : « Avez-vous remarqué l'hostilité d'un public de salle de concert ? Avez-vous contemplé ces faces grises d'ennui, d'indifférence ou même de stupidité ? Jamais elles ne font partie des purs drames qui se jouent à travers le conflit symphonique où s'entrevoit la possibilité d'atteindre au faîte de l'édifice sonore et d'y respirer une atmosphère de beauté complète. Ces gens, monsieur, ont toujours l'air d'être des invités plus ou moins bien élevés : ils subissent patiemment l'ennui de leur emploi, et s'ils ne s'en vont pas, c'est qu'il faut qu'on les voie à la sortie; sans cela, pourquoi seraient-ils venus ? Avouez qu'il y a de quoi avoir à jamais l'horreur de la musique. » Comme j'arguais d'avoir assisté et même participé à des enthousiasmes très recommandables, il répondit : « Vous êtes plein d'erreur, et si vous manifestiez tant d'enthousiasme, c'est avec la secrète pensée qu'un jour on vous rendrait le même honneur! Sachez donc bien qu'une véridique impression de beauté ne pourrait avoir d'autres effets que le silence... Enfin, voyons, quand vous assistez à cette féerie quotidienne qu'est la mort du soleil, avez-vous jamais eu la pensée d'applaudir ? Vous m'avouerez pourtant que c'est d'un développement un peu plus imprévu que toutes vos petites histoires sonores. Il y a plus... Vous vous sentez trop chétif et vous ne pouvez pas y incorporer votre âme. Mais, devant une soi-disant œuvre d'art, vous vous rattrapez, vous avez un jargon classique qui vous permet d'en parler d'abondance. »

Je n'osai pas lui dire que j'étais assez près d'être de son avis, rien ne desséchant la conversation comme une affirmation; j'aimai mieux lui demander s'il faisait de la musique. Il releva brusquement la tête en disant : « Monsieur, je n'aime pas les spécialistes. Pour moi, se spécialiser, c'est rétrécir d'autant son univers et l'on ressemble à ces vieux chevaux qui faisaient tourner anciennement la manivelle des chevaux de bois et qui mouraient aux sons bien connus de la *Marche lorraine*! Pourtant, je connais toute la musique et n'en ai retenu que le spécial orgueil d'être assuré contre toute espèce de surprise... Deux mesures me livrent la clef d'une symphonie ou de toute autre anecdote musicale. Voyez-vous! Si l'on peut constater chez quelques grands hommes une « obstinée rigueur » à se renouveler, il n'en va pas ainsi chez beaucoup d'autres, qui recommenceront obstinément ce qu'ils avaient réussi une fois, et leur habileté m'est indifférente. On les a traités de maîtres! Prenez garde que ce ne soit qu'une façon polie de s'en débarrasser ou d'excuser de trop pareilles manœuvres. En somme, j'essaie d'oublier la musique parce qu'elle me gêne pour entendre celle que je ne connais pas ou connaîtrai demain... Pourquoi s'attacher à ce que l'on connaît trop bien ? »

Je lui parlai des plus notoires parmi les contemporains, il fut plus agressif que jamais... « Je suis curieux des impressions sincères et loyalement ressenties beaucoup plus que de la critique, celle-ci ressemblant trop souvent à ces variations brillantes sur l'air de : « Vous vous êtes trompé parce que vous ne faites pas comme moi », ou bien : « Vous avez du talent, moi je n'en ai aucun, ça ne peut pas continuer plus longtemps... » J'essaie de voir à travers les œuvres les mouvements multiples qui les ont fait naître et ce qu'elles contiennent de vie intérieure; n'est-ce pas autrement intéressant que le jeu qui consiste à les démonter comme de curieuses montres ?

« Les hommes se souviennent mal qu'on leur a défendu, étant enfants, d'ouvrir des pantins... (c'est déjà un crime de lèse-mystère) : ils continuent à vouloir fourrer leur esthétique nez là où il n'a que faire. S'ils ne crèvent plus de pantins, ils expliquent, démontent et, froidement, tuent le mystère : c'est plus commode et alors on peut causer. Mon Dieu, une incompréhension notoire excuse les uns; quelques autres, plus féroces, y mettent de la préméditation : il faut bien défendre sa chère petite médiocrité... Ces derniers ont une clientèle fidèle.

« Je m'occupe fort peu des œuvres consacrées soit par le succès, soit par la tradition; une fois pour toutes, Meyerbeer, Thalberg, Reyer... sont des hommes de génie, ça n'a pas autrement d'importance.

« Les dimanches où le bon Dieu est gentil, je n'entends aucune musique; je vous en fais toutes mes excuses... Enfin,

L'homme-orchestre. (1695) Larmessin. B.N. Cabinet des Estampes, Paris.
(Cliché Rigal).

Page suivante :

Frontispice du *Musicalischer Lexicon* de J.G. Walther (1732).
Bibliothèque Nationale, Paris. *(Cliché Giraudon).*

Alles was Odem hat,
lobe den Herrn,

veuillez vous en tenir au mot « impressions », auquel je tiens pour ce qu'il me laisse la liberté de garder mon émotion de toute esthétique parasite.

« Vous avez tendance à grossir des événements qui auraient semblé naturels, par exemple, à l'époque d'un Bach. — Vous me parlez de la sonate de M. Paul Dukas, il est probablement de vos amis, et même critique musical ? Autant de raisons pour se dire du bien. On vous a pourtant dépassé dans l'éloge, et M. Pierre Lalo, dans un feuilleton du journal *Le Temps* exclusivement consacré à cette sonate, lui sacrifiait du même coup celles qu'écrivirent Schumann et Chopin. Certes la nervosité de Chopin sut mal se plier à la patience qu'exige la confection d'une sonate; il en fit plutôt des « esquisses très poussées ». On peut tout de même affirmer qu'il inaugura une manière personnelle de traiter cette forme, sans parler de la délicieuse musicalité qu'il inventait à cette occasion. C'était un homme à idées généreuses, il en changeait souvent sans en exiger un placement à cent pour cent qui est la gloire la plus claire de quelques-uns de nos maîtres.

« Naturellement M. Pierre Lalo ne manque d'évoquer la grande ombre de Beethoven à propos de la sonate de votre ami Dukas. A sa place, j'en aurais été médiocrement flatté! Les sonates de Beethoven sont très mal écrites pour le piano; elles sont plus exactement, surtout les dernières, des transcriptions d'orchestre; il manque souvent une troisième main que Beethoven entendait certainement, du moins je l'espère. Il valait mieux laisser Schumann et Chopin tranquilles : ceux-là écrivirent réellement pour le piano et. si cela paraît mince à M. Pierre Lalo, il peut au moins leur être reconnaissant d'avoir préparé la perfection que représentent un Dukas... et quelques autres. »

Ces derniers mots furent exprimés par M. Croche avec une imperturbable froideur : c'était à prendre ou à jeter par les fenêtres. J'étais trop intéressé et le laissai continuer, après un long silence pendant lequel il parut ne plus vivre que par la fumée de son cigare, dont, curieusement, il regardait monter la spirale bleue, semblant y contempler de curieuses déformations... peut-être d'audacieux systèmes... Son silence interloquait et effrayait un peu. Il reprit : « La musique est un total de forces éparses... On en fait une chanson spéculative! J'aime mieux les quelques notes de la flûte d'un berger égyptien, il collabore au paysage et entend des harmonies ignorées de nos traités... Les musiciens n'écoutent que la musique écrite par des mains adroites; jamais celle qui est inscrite dans la nature. Voir le jour se lever est plus utile que d'entendre la *Symphonie Pastorale*. A quoi bon votre art presque incompréhensible ? Ne devriez-vous pas en supprimer les complications parasites qui l'assimilent pour l'ingéniosité à une serrure de coffre-fort ?... Vous piétinez parce que vous ne savez que la musique et obéissez à des lois barbares et inconnues. On vous salue d'épithètes somptueuses et vous n'êtes que des malins. Quelque chose entre le singe et le domestique. »

J'osai lui dire que des hommes avaient cherché, les uns dans la poésie, les autres dans la peinture (à grand-peine j'y ajoutai quelques musiciens) à secouer la vieille poussière des traditions, et que cela n'avait eu d'autre résultat que de les faire traiter de symbolistes ou d'impressionnistes, termes commodes pour mépriser son semblable... « Ce sont des journalistes, des gens de métier qui les traitent ainsi, continuait M. Croche sans broncher, mais ça n'a aucune importance. Une idée très belle en formation contient du ridicule pour les imbéciles. Soyez certain qu'il y a une espérance de beauté plus certaine dans ces hommes ridiculisés que dans cette espèce de troupeau de moutons qui, docilement, s'en va vers les abattoirs qu'une fatalité clairvoyante leur prépare. »

« Rester unique... sans tare... L'enthousiasme du milieu me gâte un artiste tant j'ai peur qu'il ne devienne, par la suite, que l'expression de son milieu. Il faut chercher la discipline dans la liberté et non dans les formes d'une philosophie devenue caduque et bonne pour les faibles. N'écouter les conseils de personne, sinon du vent qui passe et nous raconte l'histoire du monde. » A ce moment, M. Croche parut s'éclaircir : il me semblait que je voyais en lui et j'entendais ses paroles comme une musique inouïe... « Savez-vous une émotion plus belle qu'un homme resté inconnu le long des siècles, dont on déchiffre par hasard le secret ? Avoir été un de ces hommes, voilà la seule forme valable de la gloire. »

Le jour se levait; M. Croche était visiblement fatigué et il s'en alla. Je l'accompagnai jusqu'à la porte palière; il ne pensa pas plus à me serrer la main que je ne songeai à le remercier. Longtemps j'écoutai le bruit de son pas qui diminuait étage par étage. Je n'osai espérer le revoir jamais.

M. Croche, Antidilettante, 1921.

UNE MUSIQUE SANS MOTIFS

Eh quoi! Vous ne le voyez donc pas : avec sa puissance formidable, malgré sa puissance, Wagner a égaré la musique par des voies stériles et pernicieuses. Il avait accepté de Beethoven un héritage redoutable. Déjà pour Beethoven l'art de développer consiste en des redites, d'incessantes reprises de motifs identiques. Et Wagner a exagéré ce procédé presque jusqu'à la caricature. Je hais le leitmotiv, n'en eût-il point abusé, mais seulement usé avec goût et discernement. Pensez-vous que dans une composition une même émotion puisse être exprimée deux fois ? Il faut qu'il n'y ait pas réfléchi, ou c'est un effet de la paresse. Ne vous laissez pas duper au changement du rythme et du ton : c'est renchérir tout uniment sur la tromperie... Je voudrais qu'on arrive, j'arriverai à une musique vraiment dégagée de motifs, ou formée d'un seul motif continu, que rien n'interrompt et qui jamais ne revienne sur lui-même. Alors, il y aura développement logique, serré, déductif; il n'y aura pas, entre deux reprises du même motif, caractéristique et topique de l'œuvre, un remplissage hâtif et superflu. Le développement ne sera plus cette amplification matérielle, cette rhétorique de professionnel façonnée par d'excellentes leçons, mais on le prendra dans une acception plus universelle et enfin psychique.

Propos rapportés par A. FONTAINAS.

LE MYSTÈRE ET LE GOUT

Il y a eu, il y a même encore, malgré les désordres qu'apporte la civilisation, de charmants petits peuples qui apprirent la musique aussi simplement qu'on apprend à respirer. Leur conservatoire, c'est le rythme éternel de la mer, le vent dans les feuilles et mille petits bruits qu'ils écoutèrent avec soin, sans jamais regarder dans d'arbitraires traités. Leurs traditions n'existent que dans de très vieilles chansons, mêlées de danses, où chacun, siècle sur siècle, apporta sa respectueuse contribution. Cependant la musique javanaise observe un contrepoint auprès duquel celui de Palestrina n'est qu'un jeu d'enfant. Et si l'on écoute, sans parti pris européen, le charme de leur « percussion », on est bien obligé de constater que la nôtre n'est qu'un bruit barbare de cirque forain...

Chez les Annamites on représente une sorte d'embryon de drame lyrique, d'influence chinoise, où se reconnaît la formule tétralogique; il y a seulement plus de dieux et moins de décors... Une petite clarinette rageuse conduit l'émotion; un tam-tam organise la terreur..., et c'est tout. Plus de théâtre spécial, plus d'orchestre caché. Rien qu'un instinctif besoin d'art, ingénieux à se satisfaire; aucune trace de mauvais goût!

— Seraient-ce donc les professionnels qui gâtèrent les pays civilisés ?

Quant le dieu Pan assembla les sept tuyaux de la syrinx, il n'imita d'abord que la longue note mélancolique du crapaud se plaignant aux rayons de la lune. Plus tard, il lutta avec le chant des oiseaux. C'est probablement depuis ce temps que les oiseaux enrichirent leur répertoire. Ce sont là des origines suffisamment sacrées, d'où la musique peut prendre quelque fierté et conserver une part de mystère... Au nom de tous les dieux, n'essayons pas plus de l'en débarrasser que de l'expliquer. Ornons-le de cette délicate observance du « goût ». Et qu'il soit le gardien du Secret.

Du Goût, S.I.M., 1913.

L'ÉSOTÉRISME MUSICAL

Et voici qu'a sonné pour moi l'heure de la trente et unième année, et je ne suis pas encore très sûr de mon esthétique, et il y a des choses que je ne sais pas encore! (faire des chefs-d'œuvre, par exemple, puis être très sérieux entre autres choses, ayant le défaut de trop songer ma vie, et de n'en voir les réalités qu'au moment où elles deviennent insurmontables). Peut-être suis-je plus à plaindre qu'à blâmer, en tout cas en vous écrivant ceci, je compte sur votre pardon et votre patience.

J'ai eu la visite d'Henry de Régnier, qui témoigne d'une grande sympathie pour vous, c'est un peu parler de corde dans la maison d'un pendu! Aussi, pour la peine, j'ai sorti mes amabilités des grands jours et joué *L'Après-midi d'un Faune* où il trouve qu'il fait chaud comme dans un four, et dont il loue le frissonnement! (arrangez cela comme vous le voudrez). D'ailleurs quand il parle poésie, il devient profondément intéressant, et montre une sensibilité tout affinée.

Comme il me parlait de certains mots de la langue française dont l'or s'était terni à trop fréquenter du vilain monde, je pensais en moi-même qu'il en était de même pour certains accords dont la sonorité s'était banalisée dans des musiques d'exportation, cette réflexion n'est pas d'une nouveauté poignante, si je n'ajoute qu'ils ont perdu en même temps leur essence symbolique.

Vraiment la musique aurait dû être une science hermétique, gardée par des textes d'une interprétation tellement longue et difficile qu'elle aurait certainement découragé le troupeau de gens qui s'en servent avec la désinvolture que l'on met à se servir d'un mouchoir de poche! Or, et en outre, au lieu de chercher à répandre l'art dans le public, je propose la fondation d'une « Société d'ésotérisme musical », et vous verrez que M. Helmann n'en sera pas, ni M. de Bonnières non plus.

Pendant ce temps où je vous écris, au-dessous de moi la jeune fille au piano scie de la musique en *ré* que c'en est effrayant! et c'est une preuve, hélas! vivante, que j'ai trop raison.

A Ernest Chausson, 6 septembre 1893.

LE RÊVE ET LA RÉALITÉ

La réalisation scénique d'une œuvre d'art, si belle soit-elle, est toujours contradictoire au rêve intérieur, qui, tour à tour, la fit sortir de ses alternatives de doute et d'enthousiasme. Le beau mensonge dans lequel vécurent si longtemps les personnages du drame et vous-même, — où il semble parfois qu'ils vont se dresser d'entre les pages du muet manuscrit et qu'on va les toucher, — n'excuse-t-il pas l'effarement à les voir vivre devant vous par l'intervention de tel ou tel autre artiste ? C'est presque de la peur, et l'on ose à peine leur parler; à vrai dire ils ont l'air de *revenants*. A partir de ce moment plus rien ne semble vous appartenir de l'ancien rêve, une volonté étrangère s'interpose entre vous et lui : le geste vif des machinistes précise le décor, et les oiseaux de la forêt se nichent dans les *bois* de l'orchestre, le lustre s'allume, le jeu du rideau suspend ou prolonge l'émotion; des applaudissements, des rumeurs agressives semblent les bruits d'une fête lointaine, fête où vous n'êtes guère que le parasite d'une gloire pas toujours désirée telle qu'on vous la décerne, car réussir au théâtre, c'est, le plus souvent, répondre à des vœux anonymes et de l'émotion assimilable... En cette année 1902, où l'Opéra-Comique monta *Pelléas et Mélisande* avec le soin que l'on sait, j'éprouvais quelques-unes des impressions ci-dessus décrites, peut-être inutilement, mais qui serviront au moins à soutenir ce que je voudrais dire plus loin. Le personnage de Mélisande m'avait toujours paru difficilement réalisable. J'avais bien essayé d'en noter musicalement la fragilité, le charme distant; il restait son attitude, ses longs silences qu'un geste faux pouvait trahir, ou même rendre incompréhensibles. Et surtout la voix de Mélisande, secrètement entendue si tendre, qu'allait-elle être ? — tant la plus belle voix du monde peut devenir l'ennemie inconsciente de l'expression propre à tel personnage. Il ne m'appartient pas plus qu'il n'est de mon goût de parler ici des phases diverses par lesquelles on passe pendant le travail des répétitions. Celles-ci furent, du reste, les meilleures parmi mes heures de théâtre; j'y connus des dévouements inestimables et de grands artistes. Parmi ces derniers se dégageait une artiste curieusement personnelle. Je n'avais presque jamais rien à lui dire; en elle se dessinait peu à peu le personnage de Mélisande; j'attendais avec une confiance singulière, mélangée de curiosité... Vint enfin le cinquième acte, — la mort de Mélisande, — et ce fut un étonnement dont je ne puis rendre l'émotion. C'était la douce voix secrètement entendue, avec cette tendresse défaillante, cet art si prenant auquel je ne voulais pas croire jusquelà, et qui depuis a fait s'incliner l'admiration du public, avec une ferveur toujours grandissante, devant le nom de Mlle Mary Garden.

MUSICA, 1908.

LE SECRET DE LA COMPOSITION

Qui connaîtra le secret de la compositiion musicale ? Le bruit de la mer, la courbe d'un horizon, le vent dans les feuilles, le cri d'un oiseau déposent en nous de multiples impressions. Et, tout à coup, sans qu'on y consente le moins du monde, l'un de ces souvenirs se répand hors de nous et s'exprime en langage musical. Il porte en lui-même son harmonie. Quelque effort que l'on fasse, on n'en pourra trouver de plus juste ni de plus sincère. Seulement ainsi, un cœur destiné à la musique fait les plus belles découvertes. Si je vous parle ainsi, ce n'est pas pour vous prouver justement que je n'en ai pas. J'abomine les doctrines et leurs impertinences. C'est pourquoi je veux écrire mon songe musical avec le plus complet détachement de moi-même, je veux chanter mon paysage intérieur avec la candeur naïve de l'enfant. Sans doute cette innocente grammaire d'art ne va pas sans heurts. Elle choquera toujours les partisans de l'artifice et du mensonge. Je le prévois et m'en réjouis. Je ne ferai rien pour me créer des adversaires, mais je ne ferai non plus rien pour convertir mes inimitiés en amitiés. Il faut m'efforcer d'être un grand artiste pour oser être moi-même et souffrir pour ma vérité. Ceux qui ressentent à ma façon ne m'en aimeront que davantage. Les autres m'éviteront, me haïront. Je ne ferai rien pour me les concilier. En vérité, le jour lointain, — il faut espérer que ce sera le plus tard possible, — où je ne susciterai plus de querelles, je me le reprocherai amèrement. Dans ces œuvres dernières dominera nécessairement la détestable hypocrisie qui m'aura permis de contenter tous les hommes.

A UN JOURNALISTE, 1911.

TROUVER LE DESSIN PARFAIT D'UNE IDÉE

... Une chose que je voudrais vous voir perdre, c'est la préoccupation des « dessous »; je m'explique : je crois que nous avons été mis dedans, toujours par le même R. Wagner, et que trop souvent nous songeons au cadre avant d'avoir le tableau, et quelquefois la richesse de celui-ci nous fait passer sur l'indigence de l'idée, je ne parle pas du cas où des dessous magnifiques habillent des idées comparables à des poupées de treize sous! On gagnerait, il me semble, à prendre le parti contraire, c'est-à-dire à trouver le dessin parfait d'une idée et de n'y mettre alors que juste ce qu'il faudrait d'ornements, car vraiment « certains » sont pareils à des prêtres revêtant de gemmes incomparables des idoles en bois de sapin! Regardez la pauvreté de symbole cachée dans plusieurs des derniers sonnets de Mallarmé, où pourtant le métier d'ouvrier d'art est porté à ses dernières limites, et regardez Bach, où tout concourt prodigieusement à mettre l'idée en valeur, où la légèreté des dessous n'absorbe jamais le principal, d'ailleurs, ce sont là des choses connues de vous, et je ne les dis qu'à titre de conversation.

A ERNEST CHAUSSON.

COULEURS ET TEMPS RYTHMÉS

Je me persuade de plus en plus que la musique n'est pas, par son essence, une chose qui puisse se couler dans une forme rigoureuse et traditionnelle. Elle est de couleurs et de temps rythmés...

Le reste, c'est une blague inventée par de froids imbéciles sur le dos des Maîtres, qui n'ont presque généralement fait que de la musique d'époque!

Seul, Bach a pressenti la vérité.

En tout cas, la musique est un art très jeune, aussi bien comme moyens que comme « connaissance ».

LETTRE A JACQUES DURAND, 1907.

Je trouve notre époque si singulièrement désobligeante par son tumulte à propos de moins que rien. Nous nous moquons, bien à tort, du « bluff » américain qui, un de ces jours, nous retombera sur le nez — bien désagréablement pour la vanité française.

Les *Images* ne seront pas absolument terminées à votre retour, mais j'espère vous en jouer une grande partie... J'essaie de faire « autre chose », — en quelque sorte, des *réalités,* — ce que les imbéciles appellent « impressionnisme », terme aussi mal employé que possible, surtout par les critiques d'art qui n'hésitent pas à en affubler Turner, le plus beau créateur de mystère qui soit en art!

Sur le ton de cette lettre, ne me croyez pas devenu pessimiste, j'ai horreur de cette attitude d'esprit-là; seulement, de temps en temps, les gens me dégoûtent et il faut que je le crie à quelqu'un qui ne prenne pas cela pour une maladie.

Ibid., 1908.

J'ai travaillé ces derniers jours à *La Chute de la Maison Usher* et presque achevé un long monologue de ce pauvre Roderick. C'est triste à faire pleurer des pierres... car justement, il est question de l'influence qu'ont les pierres sur le moral des neurasthéniques.

Ça sent le moisi d'une façon charmante, et ça s'obtient en mélangeant les sons graves du hautbois aux sons harmoniques des violons (B.S.G.D.G.). Ne parlez de cela à personne, car j'y tiens beaucoup.

Ibid., 1909.

Je travaille autant qu'il m'est possible. C'est encore dans ces moments-là où je suis le mieux pour satisfaire mon goût de l'inexprimable! Si je puis réussir, comme je le veux, cette progression de l'angoisse que doit être *La Chute de la Maison Usher,* je crois que j'aurais bien servi la musique!...

Ibid., 1910.

... Je passe mon existence dans *La Maison Usher*... elle n'a rien d'une maison de santé, et j'en sors parfois les nerfs tendus comme les cordes d'un violon.

Ibid., 1910.

La musique, après des jours de néant, semble vouloir m'être plus clémente. Mais, mon Dieu! que cette personne a souvent mauvais caractère et ne veut se laisser prendre par aucun côté.

Ibid., 1910.

Excusez-moi... Les journées s'en vont sans que je m'en aperçoive, c'est angoissant et intolérable.

Je travaille comme un tâcheron, sans regarder derrière moi. — Dieu sait combien j'aurai écrasé de monde! — Ce n'est tout de même pas une vie et je me prends à envier l'employé du bureau de poste de Bécon-les-Bruyères!

Ibid., 1911.

Personnellement, je suis dans la fièvre de trouver tout ce qui me manque et dans l'angoisse de finir n'importe quoi, à tout prix! C'est une curieuse maladie qu'avait Léonard de Vinci. Seulement, il avait, en même temps, du génie. Ça arrange beaucoup de choses. Je me contente d'avoir une inlassable patience, ce qui — comme dit l'autre — peut parfois tenir lieu de génie.

Ibid., 1912.

ALBERT ROUSSEL

ALBERT ROUSSEL (1869-1937) fut un disciple de Vincent d'Indy. Après une période impressionniste, il adopta une esthétique plus formelle, comme Ravel à la fin de sa vie. Il est l'auteur du ballet Le Festin de l'araignée, *de la* Suite en fa, *de symphonies comme* La Mer, *de musique de chambre. C'est un musicien inspiré, dont la sensibilité gouverne les compositions, en donnant à sa technique un caractère qui ne laisse pas d'être personnel.*

UNE FOLLE TENTATIVE

Comme je suis heureux de penser [...] que la musique a le pouvoir de te transporter hors de la vie commune et de te rendre à l'espoir, à l'amour de la vie, à tout ce qu'il y a en nous de grand, de beau, de suprahumain. Certes, oui, la musique est, avec la poésie et plus encore peut-être que la poésie, l'art par excellence, car elle a le don de transfiguration, et elle s'adresse surtout à ceux qui « aiment » et à ceux qui, comme disait saint Augustin,« aiment à aimer ».

A SA FEMME, 26 avril 1916.

★

... Arriver à suggérer l'émotion, la sensation de puissance et d'infini, de charme, de colère, de douceur, de tout ce qu'il est possible de ressentir que recèle la mer, ce doit être la plus vaste joie qui soit donnée au monde à un artiste dans le domaine de son art, et, quand on y réfléchit, il semble bien que ce soit une tentative ridicule et folle.

A SA FEMME, 25 juin 1917.

UNE MUSIQUE EN SOI

Ce que je voudrais réaliser, c'est une musique se satisfaisant à elle-même, une musique qui cherche à s'affranchir de tout élément pittoresque et descriptif, et à jamais éloignée de toute localisation dans l'espace. Loin de vouloir décrire, je m'efforce toujours d'écarter de mon esprit le souvenir des objets et des formes susceptibles de se traduire en effets musicaux. Je ne veux faire que de la musique.

★

La période qu'avec plus ou moins de raison on a appelée « impressionniste », et où déjà l'expression des sentiments ne se faisait jour qu'à travers le voile transparent d'un symbolisme nuageux, semble définitivement close. En même temps que la mécanique envahit la musique, que les machines tendent à se substituer aux orchestres humains, les jeunes compositeurs répudient la sensibilité trop apparente, l'aveu trop manifeste de leur personnalité en faveur de jeux sonores d'où semble bannie non seulement toute intention littéraire ou descriptive, mais encore toute intervention d'éléments qui ne seraient pas strictement musicaux. Certains esprits s'alarment de cette orientation de l'art musical, de cette abdication de la sensibilité devant de simples architectures, de froides combinaisons de lignes et de sonorités.

Je crois fermement que cette réaction était nécessaire.

Prise entre le wagnérisme qui triomphait encore dans l'Europe centrale et l'influence de Debussy qui était devenue prépondérante en France, la musique, vers les premières années du XXe siècle, cherchait une issue. Sans recourir à un absolu déterminisme, ne sommes-nous pas autorisés à admettre que les profondes modifications apportées depuis vingt ans à la vie sociale, les changements survenus dans nos mœurs, l'énergie remise en honneur, allant parfois jusqu'à la brutalité, l'évolution des arts plastiques, l'invasion du machinisme, tout cela commandait en quelque sorte à la musique son orientation nouvelle...

On retourne à des lignes plus nettes, les traits plus fortement accusés, un rythme plus vigoureux, l'harmonie cessant d'être considérée comme la préoccupation dominante du musicien, telles semblent être les principales caractéristiques d'une époque qui, sans renier aucune des découvertes des époques précédentes, ne s'appuie sur elles que pour s'exprimer autrement. Deux courants s'y dessinent, l'un qui tend vers une complète atonalité, l'autre qui conduit à une polytonalité plus ou moins indépendante. Si la première de ces deux tendances me paraît dangereuse, érigée en principe, une polytonalité qui, sous la prédominance d'un ton original bien établi, met en mouvement des dessins qui lui sont étrangers et les entrelace en habiles contrepoints, ne peut qu'apporter un enrichissement nouveau à la langue musicale.

Le fait que les compositions à programme, que les poèmes symphoniques descriptifs semblent de plus en plus abandonnés pour les formes classiques, où seule règne la musique, doit-il être interprété comme un signe que cette musique sera inexpressive et indifférente ? Il serait absurde de prétendre que la sensibilité du musicien ne jouera désormais plus aucun rôle dans la composition d'une œuvre. (Il ne faut pas, bien entendu, prendre le mot de « sensibilité » dans le sens d'attendrissement, bonté, mièvrerie, mais bien dans le sens de perméabilité aux sollicitations de toutes sortes qui lui viennent de la nature — et encore ici j'entends le mot « nature » dans son sens le plus étendu et le plus général.) C'est, tout au contraire, cette sensibilité qui transfigurera la matière sonore et qui lui donnera cette illumination intérieure où se reconnaît sans discussion possible l'empreinte de l'artiste élu.

Mais l'expression restera inhérente à la forme du dessin musical. Libre à l'auditeur d'interpréter, de transformer à sa guise le déroulement des ondes sonores. Après la récente exécution d'une œuvre, dont l'auteur assurait qu'il ne s'était inspiré d'aucune idée extra-musicale, un critique, dans un article d'ailleurs favorable, se récriait contre cette prétention, affirmant que « l'audition de l'œuvre lui avait donné des impressions de gaieté, de frénésie rythmique... qu'il avait vu des buées irisées..., senti la fraîcheur d'une eau claire..., etc. ». Simple malentendu. Il n'appartient pas à l'auteur d'interdire aux auditeurs de sentir ou de voir ceci ou cela. Car le langage musical, par son imprécision même, produit, suivant les natures auxquelles il s'adresse, des réactions différentes.

Mais qu'aucune préoccupation étrangère à la conduite harmonieuse des lignes sonores n'ait hanté l'esprit du compositeur, cela seul permet à la musique de livrer dans toute sa pureté à ceux qui l'aiment pour elle-même le secret de sa beauté et l'étendue de son pouvoir.

RICHARD STRAUSS

RICHARD STRAUSS (1884-1949) était le fils de Franz Strauss, un joueur de cor de Munich. Il fit de solides études musicales. Soutenu par Hans von Bülow, un des plus importants musiciens d'Allemagne, il fit une carrière brillante de chef d'orchestre. D'abord disciple enthousiaste de Wagner, Strauss, sous l'influence de l'Italie, échappa à son emprise et composa des pièces réalistes, pleines d'exubérance technique. Il écrivit six poèmes symphoniques, dont Till Eulenspiegel, Don Quichotte *et* Vie d'un héros, *et des opéras, comme* Salomé *et* Electre, *qui déplurent au début par leur réalisme et leurs audaces purement musicales. Il inaugura, le premier en son temps, des dissonances hardies et enrichit considérablement l'orchestration moderne.*

FRÉQUENTER LES INSTRUMENTS ET LEURS PRATICIENS

En matière d'orchestration, — comme en toutes matières artistiques d'ailleurs, — les ouvrages théoriques sont chose particulièrement délicate. J'entends par là qu'un musicien doué d'inspiration et pratiquant à l'orchestre un instrument quelconque se trouvera de prime abord, et sans aucune connaissance des principes de l'instrumentation, plus expert en cet art que tel pianiste éminent ou tel prince de la critique qui, se sentant non moins doué, aurait pâli sur les traités d'orchestration, mais sans jamais avoir approché un instrument de plus près que de la distance de sa stalle à l'estrade de concert.

C'est pourquoi, à tous ceux dont l'ambition tend plus haut qu'à gratifier leurs contemporains de quelques morceaux de sonorité agréable, savamment orchestrés suivant le goût du jour, à tous ceux auxquels il n'a pas été donné de se trouver journellement en contact, dans les fonctions directoriales, avec les forces démoniaques des timbres orchestraux, — à tous ceux-là, je tiens à donner tout d'abord ce conseil : qu'ils se donnent la peine, tout en étudiant les partitions des maîtres, de se mettre en rapport avec des praticiens des divers instruments, afin de se familiariser, sous leur direction, avec la technique exacte, les timbres propres aux différents registres et les petits préludes secrets de chacun de nos engins sonores.

Le moindre perfectionnement apporté par un instrumentiste ingénieux à l'embouchure, au système de clefs ou à tout autre détail de la disposition ou de la matière de l'instrument qu'il pratique, le moindre des effets techniques qu'il s'est amusé à combiner en une heure de désœuvrement, sont susceptibles d'ouvrir des perspectives insoupçonnées à l'artiste créateur en quête d'expressions nouvelles pour des idées nouvelles, et peuvent servir davantage le progrès qu'un ouvrage théorique ne s'appuyant que sur des faits antérieurs.

Il faut se garder cependant d'exagérer l'importance de ce facteur. Si en effet la virtuosité de l'instrumentiste est susceptible de fournir au compositeur des impulsions nouvelles, l'action inverse, c'est-à-dire l'intuition géniale qui, après avoir semblé défier par ses exigences toute tentative de réalisation, finit par attirer à elle tous les techniciens avides de progrès, a exercé jusqu'à nos jours, dans l'évolution musicale, une influence beaucoup plus grande encore sur l'avancement de la facture instrumentale, le développement de la virtuosité et l'extension des capacités expressives des divers instruments.

IMPORTANCE DU QUATUOR A CORDES

L'origine de l'orchestre *symphonique* réside particulièrement (abstraction faite des fugues pour orgue de Bach) dans les quatuors à cordes de Haydn et de Mozart. Toutes les formules symphoniques de ces deux maîtres attestent si bien, au point de vue du style, de la thématique, de la ligne mélodique et de la figuration, le caractère des multiples possibilités polyphoniques du quatuor, qu'on pourrait presque — n'était la contradiction des termes — les désigner sous le nom de quatuors à cordes avec bois obligés et renforcement d'instruments bruyants (cors, trompettes, timbales).

La participation plus importante des bois dans les cinquième et neuvième symphonies de Beethoven ne doit pas nous faire méconnaître, chez ce maître lui-même, les affinités avec le style du quatuor à cordes. Mais ici, plus que chez Haydn et Mozart, le génie propre de la musique de piano introduit ses tournures caractéristiques, ce génie du piano qui dominera plus tard l'orchestre de Schumann et de Brahms, — pas toujours, malheureusement, à l'avantage de ces maîtres : à l'instinct de coloriste de Liszt demeurait réservée la mission de transfigurer à l'orchestre l'esprit particulier du style pianistique.

L'indépendance et la liberté du chœur polyphonique de Bach, qu'on chercherait en vain dans n'importe laquelle des neuf symphonies de Beethoven lui-même, revit enfin dans les derniers quatuors du maître de Bonn : c'est là, c'est dans la belle ligne mélodique des quatre voix équipollentes du quatuor classique, que Richard Wagner a trouvé le style orchestral de *Tristan* et des *Maîtres chanteurs,* c'est là qu'il a puisé les sonorités merveilleuses et sans précédent de son quatuor d'orchestre.

VOIE DRAMATIQUE DU STYLE ORCHESTRAL

Il convient naturellement de tenir compte, à cet égard, de ce fait que le développement du *Melos,* de Haydn à Beethoven, accroissait de lui-même les exigences techniques de l'orchestre en exhibant des détails de coloris orchestral de plus en plus éloignés du style de la musique de chambre et tendant à se rapprocher du deuxième ordre du développement du style orchestral, celui que j'ai désigné plus haut sous le nom de « voie dramatique ».

Dans leurs œuvres dramatiques et dans leurs oratorios, d'écriture généralement homophone (ce style est d'ailleurs encore préféré aujourd'hui au style polyphonique par notre bon public théâtral), Händel, Haydn et Gluck ont volontairement et de prime abord accentué le coloris instrumental, dans l'intention de vivifier les éléments poétique et scénique de la toute-puissance suggestive des timbres; — d'où la répartition de l'ensemble orchestral en différents groupes animés chacun d'une âme spéciale, en individualités instrumentales « parlantes ».

Les maîtres de l'école romantique, Weber particulièrement, se trouvaient déjà poussés, par le choix même de leurs sujets dramatiques (*Freischütz, Oberon, Euryanthe*), à étendre sans cesse leurs découvertes dans ce domaine. Il était enfin réservé au génie de Richard Wagner de synthétiser les deux tendances en incorporant, à la technique de composition et d'orchestration de l'école *symphonique* (polyphonique), les riches moyens expressifs de l'école *dramatique* (homophone).

CONSEILS AU JEUNE SYMPHONISTE

Tous ceux qui se proposent d'aborder l'art symphonique devraient, pour bien faire, débuter par la composition de quelques quatuors à cordes, qu'ils soumettraient ensuite à l'appréciation de deux violonistes, d'un altiste et d'un violoncelliste. Si ces braves instrumentistes estiment leurs parties « bien écrites pour l'instrument », alors — mais alors seulement — le jeune amant des Muses pourra poursuivre vaillamment son chemin, — en commençant de préférence par le petit orchestre. Dans le cas contraire, qu'il se choisisse une carrière différente... Lorsque enfin son impatience d'aborder le grand orchestre deviendra irrésistible, que le « jeune maître » ouvre les onze partitions de Richard Wagner, qu'il les compare soigneusement l'une à l'autre; qu'il observe combien chacune de ces œuvres possède sa combinaison instrumentale propre, son style orchestral particulier; qu'il admire la noble discrétion qui se manifeste là dans l'emploi de tous les moyens orchestraux, combien tout y est réduit au minimum d'expression. Qu'il en rapproche comme exemple de « ce qu'il ne faut pas faire », le procédé de ce compositeur contemporain (d'ailleurs un musicien excellent, très averti), qui me soumit un jour une ouverture d'opéra-comique dans laquelle les quatre tubas des *Nibelungen*, unis au groupe traditionnel des cuivres, exécutaient les rythmes les plus endiablés, cela comme simples renforçateurs du *tutti*!

Et comme, horrifié, je demandais à l'auteur ce que venaient faire dans une ouverture d'opéra-comique ces instruments imaginés par Wagner, avec tant de discernement et de sûreté, pour évoquer le monde ténébreux des *Nibelungen*, il me répondit avec candeur :

« Mais pardon! aujourd'hui, tous les grands orchestres possèdent des tubas : pourquoi donc ne les emploierais-je pas ? »

Alors je me tus, en songeant à part moi :

« Voilà un homme perdu; à cela il n'y a rien à faire! »

Préface au *Traité d'Instrumentation* d'Hector Berlioz.

ALFRED CORTOT

ALFRED CORTOT (né en 1877) est un des plus grands pianistes contemporains, à qui Debussy et Ravel, entre autres, doivent d'avoir été interprétés avec un génie personnel et une fidélité qui contribuèrent grandement à leur fortune auprès du grand public.

ATTITUDE DE L'INTERPRÈTE

Les données de l'interprétation musicale sont fonction d'époque, et chaque génération de virtuoses s'est inconsciemment employée à conformer à la sensibilité spécifique de son temps les modalités expressives des œuvres du passé.

Fécond anachronisme qui permet d'attester, au cœur des formes périmées, la persistance d'un message d'éternelle signification, et qui le charge d'un irrésistible accent de renouveau et de sincérité. Magnifique coexistence du passé et du présent sous le signe prédestiné du chef-d'œuvre.

Car ces mêmes sonorités qui s'en viennent du fond des âges témoigner de la pérennité du sentiment humain, elles ne font pas que certifier son indestructible identité au travers des évolutions artistiques qui l'ont emporté dans leur courant. Leur approche incite celui qui prétend les interroger et les traduire, à se révéler à lui-même, grâce à elles, faisant renaître à l'image des émotions qui lui sont familières, les reflets d'une beauté dont les ans n'ont décoloré que l'apparence.

Ce n'est qu'ainsi, opposant à la sournoise menace d'une nonchalante admiration les frémissantes réactions de sa propre personnalité, que l'interprète digne de ce nom peut faire obstacle à la lente usure des traditions infertiles.

Audacieuses familiarités, certes, et qui ne vont pas parfois, et suivant la diversité des tempéraments, sans engendrer de discutables excès. Mais elles seules cependant réussissent à préserver des déchéances irrémédiables ces hardiesses de style ou de forme dont s'enorgueillissait dans un temps révolu la neuve physionomie d'une production musicale.

Et loin de tenir pour des inconvenances, comme le font certains pédagogues dépourvus d'imagination, ces licences par quoi un artiste-né tente de soustraire les œuvres qu'il a pour mission de faire revivre, aux atteintes débilitantes des lieux communs et des poncifs d'habitude, il conviendrait plutôt d'accueillir comme un gage de vivifiant respect, ennemi de toute lettre morte, hostile à toute attitude musicale figée par l'indifférence, cette féconde illusion qui porte l'interprète à se croire pour un instant l'auteur de l'œuvre qui requiert sa collaboration, et à en façonner l'expression selon le mystérieux secret de son rêve intérieur.

Peu importe qu'au Beethoven génialement dramatisé d'un Liszt, dont l'exécution était le symbole de toutes les orageuses aspirations du romantisme, ait succédé la philosophique exégèse d'un Hans de Bülow, synthétique représentation musicale d'une époque qui ne croit plus guère aux désenchantements de René. Ou que, plus près de nous et s'inspirant du souci de lucidité scientifique qui caractérise notre temps, un Busoni se soit efforcé de porter le scalpel de l'analyse raisonneuse dans la blessure à jamais ouverte d'un immortel tourment.

Ou encore, qu'un Paderewski, galvanisant toute musique du seul contact de sa personnalité généreuse, ait tenté paradoxalement de faire entendre la voix ardente et nostalgique de la Pologne au travers de la pathétique confidence que le génie du maître allemand dicte, depuis un siècle, à l'écho des âges.

A chacune de ces transfusions spirituelles, de ces ferventes et contradictoires confrontations imaginatives, les sonates sublimes ont répondu en témoignant d'une vie plus nombreuse et d'une plasticité plus émouvante. Tels ces hauts sommets qui s'ennuagent ou s'inondent de clarté suivant les jeux des heures et des saisons, et changent d'aspect tout en gardant l'immuable dessin de leur inaltérable structure, elles se sont colorées des reflets de toutes les sensibilités, sans y rien abandonner de leur indélébile signification première.

Elles se sont universalisées, en quelque sorte, au contact de ces aspirations divergentes qui trouvaient à s'exprimer en elles et par elles avec tant d'ardeur, et sans en altérer l'accent de surhumaine objectivité.

Et l'ombre de Beethoven n'a pu que se réjouir, dans son cercueil de gloire, de voir fructifier au cœur de quelques-uns de ses plus illustres interprètes le sens profond de ce conseil qu'il leur avait légué en une phrase lapidaire : « Il faut que la musique fasse jaillir du feu de l'esprit. »

Pourrions-nous approprier à notre temps pareille recommandation qui n'est en somme autre chose qu'une parfaite définition des exigences de l'interprétation et de son pouvoir de suggestion ?

Il y a lieu, semble-t-il, de pencher pour la négative, et cela en vertu de considérations à quoi ne serait pas étrangère cette loi d'époque dont je viens d'admettre l'inévitable répercussion sur la mentalité des virtuoses.

Et les grands responsables en pourraient bien être la radio et le phonographe, artisans actifs d'une tendance de plus en plus prononcée des jeunes musiciens vers un idéal de pure perfection instrumentale. Il n'est pas douteux, j'en conviens, que ces étonnantes transmissions aveuglées que tend à multiplier la mécanisation progressive de la musique et au cours desquelles, hors de tout contact direct, l'oreille de l'auditeur est seule sollicitée, se doivent au premier chef d'être matériellement correctes.

Une fausse note, une licence de rythme, une fantaisie d'interprétation, tout ce détail humain de l'exécution musicale qui trouve dans l'atmosphère de la salle de concert son excuse ou sa légitimation, selon qu'on y fait intervenir un facteur d'inspiration ou de nervosité, deviennent ici, et à la lettre, rigoureusement insupportables.

La surprise heureuse d'un moment d'exaltation, amplifié par la présence de l'auditeur, le dynamisme communicatif, la personnalité vibrante qui sont fonction de cette éloquence spéciale commandée par le rite de l'estrade, s'avèrent inopérants et même répréhensibles, s'agit-il de la qualité, en quelque sorte aseptisée, d'une émission ou d'un enregistrement. La musique ici ne se revêt de tout son efficace qu'à la condition de se manifester sous son aspect le plus objectif qui est celui de l'architecture dans le temps.

Il lui faut avant tout proportion et clarté, et le plaisir qu'on en attend exige presque son anonymat ou tout au moins son absolue soumission aux données extérieures du texte proposé.

C'est là qu'un curieux conflit semble diviser les jeunes pianistes de cette génération et ne permet peut-être pas de porter sur leurs activités un jugement équitable.

Il suffit aux uns — ceux qui paraissent pleinement destinés à satisfaire aux exigences quasi négatives que je viens de dire — d'estimer que la musique sert avant tout à bien jouer du piano.

Il a été donné aux autres — fidèles à une conception dont l'avenir n'est plus, hélas! un sûr garant — de persévérer dans cette croyance que l'instrument ne compte qu'autant qu'il se fait le serviteur d'une pensée créatrice qui va plus loin que la note.

Et l'attitude conciliante du public, accueillant d'un semblable enthousiasme et d'un même applaudissement, aussi bien le virtuose soucieux d'éblouir que l'artiste désireux de convaincre, n'est pas faite pour départager les convictions ni pour tracer le sûr dessin de la voie ouverte aux vocations encore hésitantes.

Il m'est peut-être superflu de dire de quel côté vont mes préférences, ni combien je souhaiterais qu'à l'épreuve — et peut-être grâce au concours de la proche télévision qui saura sensibiliser les procédés de communication musicale dont je viens de dénoncer les tendances réfrigérantes — les jeunes interprètes de notre temps ne soient pas tenus de renoncer à ce don d'eux-mêmes, à ces facultés imaginatives qui passionnent et fertilisent la musique et lui restituent sa profonde signification.

Car il serait peut-être contraire qu'à l'idée de progrès dont se réclament justement les merveilleuses inventions propices à la diffusion de plus en plus généralisée des chefs-d'œuvre, se puisse adjoindre cette conséquence décevante que la musique n'est plus comme par le passé apte « à faire jaillir du feu de l'esprit » — mais uniquement des feux d'artifices d'entre les doigts.

REVUE INTERNATIONALE DE MUSIQUE, 1939-1940.

ALFREDO CASELLA

ALFREDO CASELLA (1883-1947) fut mêlé aux mouvements esthétiques italiens et français au début du siècle et joua sans doute un rôle important dans le retour à un certain formalisme; il fut aussi un théoricien brillant du piano.

L'ESTHÉTIQUE DU PIANO

Je ne me propose pas d'établir une hiérarchie entre les différents instruments de musique, entreprise qui, d'ailleurs, n'aurait aucune utilité ni justification, chacun des instruments ayant été créé pour un but déterminé auquel les autres ne peuvent servir. De même que les œuvres d'art, les instruments musicaux ne se comparent pas entre eux; ils sont en grande partie le fruit d'une intuition mi-scientifique, mi-esthétique, et par conséquent, sous un certain angle, aussi des œuvres d'art. Pourtant nous pouvons affirmer sans hésitation que le piano est, depuis Liszt, le moyen sonore expressif qui réunit en lui la plus grande somme de ressources et de possibilités que jamais un instrument musical ait possédé. Cette supériorité sur les autres instruments est d'ailleurs clairement démontrée par l'abondance de la littérature pianistique relativement aux autres, supériorité de qualité et de quantité, qui suffit à prouver l'immense « confiance », l'immense prédilection dont a bénéficié le piano, depuis Clementi jusqu'à nos jours, dans l'opinion des compositeurs. Ainsi que la plus ou moins grande beauté d'une langue se prouve par la richesse correspondante de la poésie nationale (les langues sans beauté ne donnent pas de poètes), ainsi la magnificence de la littérature pour piano est une preuve lumineuse de la position privilégiée qu'a toujours occupé notre instrument par sa « personnalité » particulière, polyédrique et phonique.

Voici un très curieux extrait d'un article qu'écrivit Liszt en 1837 dans la *Gazette musicale* :

« Personnellement, je ne sens pas la nécessité de l'orchestre ou de l'opéra. Le piano est pour moi ce que le navire est pour le marin et le cheval pour l'Arabe. Plus encore, ma langue, ma vie, mon « moi ». Ma passion fait vibrer ses cordes et son clavier participe intimement à mes différents états d'âme. Pour moi, l'importance du piano est énorme, il me tient lié par des chaînes que je ne pourrai jamais briser. A mon avis, c'est lui qui tient le plus haut poste dans la nombreuse famille des instruments musicaux. Parmi eux, il est le plus complexe et le seul qui progresse continuellement et qui se perfectionne chaque jour. Son extension est de plus de sept octaves, donc dépasse celle du plus grand orchestre, et les dix doigts d'un homme suffisent à manœuvrer cet énorme matériel sonore, tandis que l'orchestre nécessite le travail de cent exécutants. Nous pouvons imiter les accords d'une harpe, chanter comme les violons, détacher, lier, exécuter sur le même piano des milliers et des milliers de traits divers qui auparavant n'étaient possibles que sur beaucoup d'instruments divers. Le piano a, plus qu'aucun autre instrument, la possibilité de participer à la vie de l'homme, et cependant vit d'une vie bien à lui et a un développement personnel. Micro-cosme, « microdeus ».

« Ma principale ambition est de laisser aux pianistes qui me succéderont une somme d'expériences vécues, une œuvre pianistique dignement approfondie qui leur permettra, quand ils l'auront étudiée, de dépasser mes propres résultats. Je me souviens de l'histoire du chien de La Fontaine, qui abandonnait l'os qu'il était en train de ronger pour courir après une ombre. Peut-être que l'heure est proche où je m'oublierai moi-même pour poursuivre je ne sais quelle insaisissable fantasmagorie. »

La caractéristique principale du piano, celle qui le différencie nettement de n'importe quel instrument, est son indépendance absolue quant à la « vocalité ». En effet, tandis que les autres instruments, à cordes et à vent, ont la voix humaine comme modèle évident et s'en inspirent constamment pour leur *cantabile,* le piano au contraire a pu se prévaloir de son incapacité à soutenir le son, pour se créer un *cantabile* différent de tous les autres, qui lui est absolument propre, car, je le répète, indépendant de la voix. Personne aujourd'hui ne peut dire de bonne foi qu'on ne peut faire « chanter » un Steinway ou un Bechstein. Mais, encore une fois, le *cantabile* que l'exécutant obtient de ces instruments n'imite pas la voix humaine et par conséquent est essentiellement irréel.

Irréelle aussi toute l'atmosphère créée par la pédale quand celle-ci semble transformer chaque note en la poétisant, quand elle ajoute au son réel toutes les aspirations sonores que la loi acoustique lui confère, enveloppant ainsi chaque dessin trop précis, chaque ligne trop coupante, dans un idéal de vaporeuse limpidité. Cette capacité du piano à évoquer une atmosphère totalement irréelle, parfois vraiment *magique,* n'a jamais été réalisée à l'orchestre, nonobstant l'art d'un Maurice Ravel ou d'un Alban Berg, tous deux maîtres qui, au moyen d'une technique fabuleuse, ont poussé la « dissociation atomique » de l'orchestre à ses extrêmes limites. Malgré ces résultats prodigieux, le piano conserve entièrement sa supériorité dans le domaine du mystère sonore et de l'irréalité harmonique.

C'est probablement pour ces possibilités d'imprécision et de *Sehnsucht,* que les Romantiques firent du piano leur instrument de prédilection, trouvant en lui l'interprète le plus fidèle de leurs passions et de leur pessimisme.

Le même instrument pourtant qui réussit à dominer l'« arithmétique » sonore en enveloppant la note d'un halo qui en rend la dénomination incertaine peut, avec une égale fortune, servir à la frénésie rythmique et orgiastique du jeu nègre dans le *jazz hot.*

En écoutant cette dureté métallique, cette succession incessante et martelante de sons aigus et secs, qui pourrait croire que ce même instrument est capable de nous transporter dans le monde féerique de la *Berceuse* de Chopin ou bien de *La Terrasse des audiences au clair de lune* de Debussy ?

A toutes les époques, dans le classicisme comme dans le romantisme, dans l'impressionnisme ou dans l'actuelle époque « linéaire », le piano a toujours été capable de tout affronter, de tout dire, de satisfaire à toutes les exigences esthético-instrumentales. Cela seul suffit à expliquer l'immense importance du piano dans la vie musicale du XIXe siècle et du siècle présent, importance qui, certes, n'a pas souffert, comme certains voudraient le faire croire, de l'avènement du gramophone et de la radio. Ces moyens très utiles de diffusion musicale ont, il est vrai, déterminé la rapide disparition de cette catégorie de jeunes filles à la recherche d'un mari, qui, dans les réunions de famille, jouaient *La prière d'une vierge* (et ce ne seront pas nous, musiciens, qui déplorerons cette perte); mais ils n'ont rien enlevé à l'énorme importance du piano dans la vraie vie artistique contemporaine (de plus, le piano est un des instruments les plus radiogéniques qui existent).

Notons que, contrairement au violon et au violoncelle, dont la construction n'a plus évolué depuis Stradivarius à nos jours, la fabrication du piano a fait, depuis Cristofori, des progrès gigantesques qui dureront probablement encore longtemps. Pourtant, ces énormes progrès ont ceci de curieux, qu'ils n'ont jamais été un obstacle à l'exécution d'aucune musique du passé, car le caractère fondamental du piano demeure inaltéré, et l'immense amélioration apportée à la qualité et à la durée du son a pourtant toujours permis l'exécution d'un morceau de Chopin ou bien d'une sonate de Beethoven, sans que les rapports sonores conçus par les compositeurs pour l'instrument de cette époque eussent à en souffrir le moins du monde.

Le piano représente, avec l'orchestre, le plus grand courant musical indépendant du théâtre et n'ayant avec ce dernier aucun rapport. Beaucoup des plus grands compositeurs-pianistes n'écrivirent pas (ou à peine) pour le théâtre : Bach, Clementi, Schumann, Schubert, Mendelssohn, Chopin, Liszt, Brahms, etc., tous créateurs de tempérament « antiscénique » qui adoraient notoirement le « melodramma » sans jamais s'y consacrer.

On raconte des choses prodigieuses concernant les improvisations de certains génies, tels que Beethoven ou Chopin, événements artistiques qui ont laissé des souvenirs inoubliables à tous ceux qui eurent le bonheur d'y être présents. Notre imagination, tout intuitive, essaye de se recréer ces merveilleuses mélodies, malheureusement perdues pour toujours, musique que seul connut, par un soir de mélancolie et de solitude, le meilleur et le plus fidèle confident des plus grands : le piano.

Revue Internationale de Musique, 1939-1940.
trad. Mme R. Bernard.

MAURICE RAVEL

MAURICE RAVEL (1875-1937), fit, malgré lui, scandale en 1905, en n'obtenant pas le Prix de Rome, alors que sa valeur était déjà connue de musiciens et de musicologues comme Romain Rolland. On l'accusa étrangement plus tard de plagier Debussy, à propos de ses Histoires Naturelles. *Il ne tarda pas à faire justice de cette animadversion et, aujourd'hui, il apparaît comme l'un des plus grands compositeurs contemporains. Sa* Valse *et son* Boléro *l'ont fait connaître du grand public à qui il a su imposer ses audaces harmoniques et orchestrales.*

ESQUISSES AUTOBIOGRAPHIQUES[1]

Je suis né à Ciboure, commune des Basses-Pyrénées, voisine de Saint-Jean-de-Luz, le 7 mars 1875.

Mon père, originaire de Versoix, sur la rive du Léman, était ingénieur civil... Ma mère appartenait à une ancienne famille basquaise.

A l'âge de trois ans, je quittai Ciboure pour Paris, où j'ai toujours demeuré depuis.

Tout enfant, j'étais sensible à la musique. A toute espèce de musique. Mon père, beaucoup plus instruit dans cet art que ne le sont la plupart des amateurs, sut développer mes goûts et de bonne heure stimuler mon zèle.

A défaut du solfège, dont je n'ai jamais appris la théorie, je commençai à étudier le piano à l'âge de six ans environ. Mes maîtres furent Henri Ghys, puis M. Charles-René, de qui j'ai pris mes premières leçons d'harmonie, de contrepoint et de composition.

En 1889, je fus admis au Conservatoire de Paris dans la classe de piano préparatoire d'Anthiôme, puis, deux ans plus tard, dans celle de Charles de Bériot.

Mes premières compositions, demeurées inédites, datent de 1893 environ. J'étais alors dans la classe d'harmonie de Pes-

1. Il s'agit là d'un texte rédigé par Roland-Manuel, que Maurice Ravel a lu et approuvé.

sard. L'influence d'Emmanuel Chabrier était visible dans la *Sérénade grotesque* pour piano; celle de Satie dans la *Ballade de la Reine morte d'aimer.*

En 1895, j'écrivis mes premières œuvres publiées : le *Menuet antique* et la *Habanera pour piano.*

J'estime que cette œuvre contient en germe plusieurs éléments qui devaient prédominer dans mes compositions ultérieures.

En 1897, tout en étudiant le contrepoint et la fugue sous la direction d'André Gédalge, j'entrai dans la classe de composition de Gabriel Fauré.

Je suis heureux de dire que je dois les plus précieux éléments de mon métier à André Gédalge. Quant à Fauré, l'encouragement de ses conseils d'artiste ne me fut pas moins profitable.

C'est de cette époque que date mon opéra inédit et inachevé de *Schéhérazade,* assez fortement dominé par l'influence de la musique russe. Je concourus pour le prix de Rome en 1901 (où j'obtins un second grand prix), en 1902 et en 1903. En 1905, le jury m'exclut du concours définitif.

Les Jeux d'Eau, parus en 1901, sont à l'origine de toutes les nouveautés pianistiques qu'on a voulu remarquer dans mon œuvre.

Cette pièce, inspirée du bruit de l'eau et des sons musicaux que font entendre les jets d'eau, les cascades et les ruisseaux, est fondée sur deux motifs à la façon d'un premier temps de *sonate,* sans toutefois s'assujettir au plan tonal classique.

Mon quatuor en *fa* (1902-1903) répond à une volonté de construction musicale imparfaitement réalisée sans doute, mais qui apparaît beaucoup plus nette que dans mes précédentes compositions. *Schéhérazade,* où l'influence, au moins spirituelle, de Debussy est assez visible, date de 1903. Là encore je cède à la fascination profonde que l'Orient exerça sur moi dès mon enfance.

Les Miroirs (1905) forment un recueil de pièces pour le piano qui marquent dans mon évolution harmonique un changement assez considérable pour avoir décontenancé les musiciens les plus accoutumés jusqu'alors à ma manière.

Le premier en date de ces morceaux — et le plus typique de tous — est à mon sens le second du recueil : *Les oiseaux tristes.* (J'y évoque) des oiseaux perdus dans la torpeur d'une forêt très sombre aux heures les plus chaudes de l'été.

Après le recueil des *Miroirs,* je composai une *Sonatine* pour le piano et les *Histoires naturelles.* Le langage direct et clair, la poésie profonde et cachée des pièces de Jules Renard me sollicitaient depuis longtemps. Le texte même m'imposait une déclamation particulière étroitement liée aux inflexions du langage français. La première audition des *Histoires naturelles* à la Société nationale de Musique de Paris provoqua un véritable scandale, suivi de vives polémiques dans la presse musicale d'alors.

Les *Histoires naturelles* m'ont préparé à la composition de l'*Heure espagnole*, comédie lyrique dont le livret est de M. Franc-Nohain, et qui est elle-même une sorte de conversation en musique. L'intention y est affirmée de renouer avec la tradition de l'opéra-bouffe.

Ma Mère l'Oye, pièces enfantines pour piano à quatre mains, date de 1918. Le dessein d'évoquer dans ces pièces la poésie de l'enfance m'a naturellement conduit à simplifier ma manière et à dépouiller mon écriture. J'ai tiré de cet ouvrage un ballet qui fut monté par le Théâtre des Arts : l'ouvrage fut écrit à Valvins à l'intention de mes jeunes amis Minnie et Jean Godebski.

Gaspard de la Nuit, pièces pour piano d'après Aloysius Bertrand, sont trois poèmes romantiques de virtuosité transcendante.

Le titre de *Valses nobles et sentimentales* indique assez mon intention de composer une chaîne de valses à l'exemple de Schubert. A la virtuosité qui faisait le fond de *Gaspard de la Nuit* succède une écriture nettement plus clarifiée, qui durcit l'harmonie et accuse les reliefs de la musique. Les *Valses nobles et sentimentales* furent exécutées, pour la première fois, au milieu des protestations et des huées, au concert sans nom d'auteur de la S.I.M. Les auditeurs votaient pour l'attribution de chaque morceau. La paternité des *Valses* me fut reconnue à une faible majorité. La septième me paraît la plus caractéristique.

Daphnis et Chloë, symphonie chorégraphique en trois parties, me fut commandée par le directeur de la Compagnie des ballets russes : M. Serge de Diaghilew. L'argument en est de Michel Fokine, pour lors chorégraphe de la célèbre troupe. Mon intention en l'écrivant était de composer une vaste fresque musicale, moins soucieuse d'archaïsme que de fidélité à la Grèce de mes rêves, qui s'apparente assez volontiers à celle qu'ont imaginée et dépeinte les artistes français de la fin du XVIIIe siècle.

L'œuvre est construite symphoniquement selon un plan tonal très rigoureux, au moyen d'un petit nombre de motifs dont les développements assurent l'homogénéité symphonique de l'ouvrage.

Ebauché en 1907, *Daphnis* fut plusieurs fois remis sur le

métier et notamment le finale. L'œuvre a paru d'abord aux Ballets russes. Elle est aujourd'hui au répertoire de l'Opéra.

Trois poèmes de Mallarmé : j'ai voulu transposer en musique la poésie mallarméenne. Et particulièrement cette préciosité pleine de profondeur et spéciale à Mallarmé.

Surgi de la croupe et du bond : le plus étrange, sinon le plus hermétique de ses sonnets. J'ai pris à peu près pour cette œuvre l'appareil instrumental du *Pierrot lunaire* de Schoenberg.

Le *Trio*, dont le premier thème est de couleur basque, fut composé entièrement en 1914, à Saint-Jean-de-Luz.

Au commencement de 1915, je m'engageai dans l'armée et vis de ce fait mon activité musicale interrompue jusqu'à l'automne de 1917 où je fus réformé. Je terminai alors le *Tombeau de Couperin*. L'hommage s'adresse moins en réalité au seul Couperin lui-même qu'à la musique française du XVIIIe siècle.

Après le *Tombeau de Couperin*, mon état de santé m'empêche quelque temps d'écrire. Je ne me remis à la composition que pour écrire la *Valse*, poème chorégraphique, dont l'idée première était antérieure à la *Rapsodie espagnole*. J'ai conçu cette œuvre comme une espèce d'apothéose de la valse viennoise à laquelle se mêle, dans mon esprit, l'impression d'un tournoiement fantastique et fatal. Je situe cette valse dans le cadre d'un palais impérial, environ 1855. Cet ouvrage, qui était dans mon intention essentiellement chorégraphique, n'a été mis à la scène jusqu'ici qu'au théâtre d'Anvers et qu'aux ballets de Mme Rubinstein.

La *Sonate pour violon et violoncelle* date de 1920, époque à laquelle je m'installai à Montfort-l'Amaury. Je crois que cette sonate marque un tournant dans l'évolution de ma carrière. Le dépouillement y est poussé à l'extrême. Renoncement au charme harmonique; réaction de plus en plus marquée dans le sens de la mélodie.

Sur un tout autre plan, l'*Enfant et les sortilèges*, fantaisie lyrique en deux actes, obéit à des préoccupations analogues.

Le souci mélodique qui y domine, s'y trouve servi par un sujet que je me suis plu à travailler dans l'esprit de l'opérette américaine. Le livret de Mme Colette autorisait cette liberté dans la féerie. C'est le chant qui domine ici. L'orchestre, sans faire fi de la virtuosité instrumentale, reste néanmoins au second plan.

Tzigane, morceau de virtuosité dans le goût d'une rhapsodie hongroise.

Les Chansons Madécasses me semblent apporter un élément nouveau, dramatique — voire érotique, qu'y a introduit le sujet même des chansons de Parny. C'est une sorte de quatuor où la voix joue le rôle d'instrument principal. La simplicité y domine. L'indépendance des parties [s'y affirme] que l'on trouvera plus marquée dans la *Sonate* [pour piano et violon].

Je me suis imposé cette indépendance en écrivant une *Sonate* pour piano et violon, instruments essentiellement incompatibles, et qui, loin d'équilibrer leurs contrastes, accusent ici cette même incompatibilité.

En 1928, sur la demande de Mme Rubinstein, j'ai composé un *Boléro* pour orchestre. C'est une danse d'un mouvement très modéré et constamment uniforme, tant par la mélodie que par l'harmonie et le rythme, ce dernier marqué sans cesse par le tambour. Le seul élément de diversité y est apporté par le *crescendo* orchestral.

Telle est pour l'essentiel mon œuvre actuelle; dans un avenir que je ne puis prévoir, je compte faire entendre un *Concerto* pour piano et orchestre et un grand ouvrage lyrique tiré de la *Jeanne d'Arc* de Joseph Delteil.

REVUE MUSICALE, décembre 1928.

CE SONT LES MUSICIENS QUI PARLENT LE MIEUX DE LA MUSIQUE

..., Je viens de lire votre étude sur Stravinsky. Elle me confirme, dussé-je en le déclarant m'attirer les foudres des musicographes et même de Jean Cocteau, que ce sont les musiciens qui parlent le mieux de la musique, quand ils se donnent la peine de l'étudier profondément...

A E. ANSERMET, 18 juillet 1921.

LA VOLONTÉ SERVANTE DE L'INSTINCT

Cette longue patience, ou *volonté*, dans laquelle, bien malencontreusement, Buffon crut découvrir l'essence même du génie, n'est en réalité, qu'un adjuvant utile. Le principe du *génie*, c'est-à-dire de l'invention artistique, ne peut être constitué que par l'instinct, ou sensibilité. Ce qui n'était peut-être, dans l'esprit du naturaliste, qu'une boutade, a engendré une erreur plus funeste, relativement moderne. C'est celle qui prétend faire diriger l'instinct artistique par la volonté.

Celle-ci ne doit être que la servante attentive de celui-là.

Servante robuste, lucide, qui doit obéir intelligemment aux ordres de son souverain, se plier à ses moindres caprices; favoriser la poursuite de sa route, ne jamais tenter de l'en détourner; l'aider à se parer magnifiquement, mais ne jamais choisir parmi sa propre défroque aucun vêtement, fut-il somptueux. Parfois, cependant, le maître est si débile que la servante est obligée de le soutenir, voire de le guider. Certains auditeurs, assez peu sensibles eux-mêmes, ne laissent pas de s'en montrer satisfaits.

Ce que l'on est tenté d'estimer particulièrement en ces œuvres maussades, c'est ce qu'on appelle le « métier ». Or, en art, le *métier*, dans le sens absolu du mot, ne peut exister. Dans les proportions harmonieuses d'un ouvrage, dans l'élégance de sa conduite, le rôle de l'inspiration est presque illimité. La volonté de développer ne peut être que stérile.

S.I.M., 1912.

LA JOIE DE VIVRE

MON CHER MARNOLD,

Il y a déjà quelques jours que j'aurais dû vous remercier; je comptais le faire de vive voix. Et il faut que je me dépêche de vous dire que votre article m'a consolé de celui du *Temps*. Ce n'est pas à cause des éloges (oui, cependant, un petit peu), mais parce que vous avez mieux compris mes tentatives. Délicat, raffiné, quintessencié, flûte! Je ne croyais pas me tromper à ce point sur moi-même.

Vous avez vu autre chose dans mes dernières pièces et c'est ce dont je vous suis reconnaissant. Ce n'est pas subtil ce que j'entreprends pour le moment, une grande valse (*sic*), une manière d'hommage à la mémoire du grand Strauss, pas Richard, l'autre, Johann. Vous savez mon intense sympathie pour ces rythmes admirables et que j'estime la joie de vivre exprimée par la danse bien plus profonde que le puritanisme franckiste. Par exemple je sais bien ce qui m'attend auprès des adeptes de ce néo-christianisme mais ça m'est égal...

7 février 1906.

LA SIMPLICITÉ

Rien n'est plus simple que le lever du jour dans *Daphnis et Chloé*. C'est tout bonnement une pédale tenue par trois flûtes et, dans sa contexture harmonique principalement, le thème se développe comme *En revenant de la revue.*

A E. Ansermet, 18 juillet 1921.

RAVELIANA

Créer un poncif, c'est le génie.

L'inspiration n'est que la récompense du travail quotidien.

Si vous n'avez rien à dire, vous n'avez rien de mieux à faire, en attendant de vous taire pour de bon, qu'à redire ce qui a été bien dit. Si vous avez quelque chose à dire, ce quelque chose n'apparaîtra jamais plus clairement que dans votre involontaire infidélité au modèle.

Propos rapportés par Roland-Manuel.

A propos des « Histoires naturelles » de Jules Renard :

Je n'ai pas l'intention d'ajouter, par ma musique, à la valeur des paroles, je veux seulement les interpréter. Je sens et je pense en musique, et je voudrais penser les mêmes choses que vous. Il y a la musique intellectuelle : d'Indy. Il y a la musique sentimentale, instinctive : la mienne...

Propos rapportés par Colette.

MANUEL DE FALLA

MANUEL DE FALLA (1876-1946) est à l'Espagne ce que les Cinq *sont à la Russie, mais avec cette différence qu'il imposa aux thèmes et aux rythmes folkloriques espagnols une conception de l'harmonie toute moderne, comme l'avait fait Albeniz, dans son* Iberia. *Il écrivit des ballets, dont le célèbre* Amour sorcier, *une suite pour orchestre,* Nuits dans les jardins d'Espagne, *des compositions pour piano, des mélodies, etc.*

AUDACE, DISTINCTION ET PERFECTION

J'ai toujours pensé que Ravel[1], loin d'être *l'enfant terrible* que beaucoup ont cru voir en lui durant la première période de sa complète révélation, nous offrait le cas exceptionnel d'une sorte de petit prodige dont l'esprit, miraculeusement cultivé, eût accompli des *sortilèges* par le moyen de son art. Telle est la raison à mon point de vue, pour laquelle sa musique n'est pas toujours susceptible d'être jugée sans une connaissance préalable de la sensibilité personnelle qu'elle traduit si exactement; faute de quoi la critique peut trahir la vérité jusqu'au point de nier l'existence de toute émotion dans une musique où palpite précisément une intense candeur expressive, parfois dissimulée sous des traits d'une ironie mélancolique ou malicieuse. Art audacieux, de distinction suprême et de rare perfection, dont les procédés d'écriture, strictement liés au choix exact de moyens sonores, obéissent toujours à l'intention créatrice. Un tel art ne révèle pas seulement cette activité d'esprit, fruit de l'étude et de l'expérience, mais autre chose de surcroît, qui dépasse ces forces conscientes et que nul ne peut acquérir par des moyens purement humains.

---

1. Manuel de Falla vient ici — et brillamment — compenser le mutisme que Ravel, par une trop pudique discrétion, a gardé sur son art.

UNE ESPAGNE IDÉALEMENT PRESSENTIE

La *Rapsodie* [*espagnole*], outre qu'elle confirmait musicalement l'impression que la *Sonatine* m'avait produite, me surprit par son caractère espagnol. En parfait accord avec mes propres intentions (et tout à l'opposé de ce qu'a fait Rimsky dans son *Capriccio*), cet hispanisme n'était pas obtenu par la simple utilisation de documents populaires, mais beaucoup plus — la *Jota* de la *Feria* exceptée — par un libre emploi des rythmes, des mélodies modales et des tours ornementaux de notre lyrisme populaire, éléments qui n'altéraient point la manière propre de l'auteur, bien qu'il s'appliquât à un langage mélodique si distinct de celui dont il use dans la *Sonatine*. Il est sûr que quelques observations de Viñes [1] sur les difficultés que certains passages opposaient pratiquement à la netteté d'une bonne exécution à quatre mains, suscitèrent en Ravel l'idée très rapidement réalisée — et avec quelle efficacité! — d'orchestrer la version primitive. C'est ainsi que débuta la série admirable de ces transcriptions du piano à l'orchestre, où brillent une ingéniosité et une virtuosité qui n'ont jamais été surpassées.

Mais comment m'expliquer l'hispanisme subtilement authentique de notre musicien, sachant, de son propre aveu, qu'il n'avait avec notre pays que des relations de voisinage, pour être né près de sa frontière ?

Je résolus rapidement le problème : l'Espagne de Ravel était une Espagne idéalement pressentie au travers de sa mère, de qui l'exquise conversation, toujours en excellent espagnol, me ravissait quand elle évoquait devant moi ses années de jeunesse passées à Madrid. Mme Ravel me parlait d'une époque assurément antérieure à la mienne, mais dont les us et coutumes avaient laissé des souvenirs qui m'étaient familiers. Je compris alors quelle fascination avait exercé sur son fils, depuis l'enfance, ces obsédantes évocations nostalgiques, avivées sans doute par cette puissance que communique à tout souvenir le thème de chanson ou de danse qui s'y lie d'inséparable façon. Et cela explique l'attrait que Ravel dut ressentir dès son plus jeune âge pour un pays auquel il avait si souvent rêvé; et pourquoi, par la suite, quand il voulut caractériser musicalement l'Espagne, il se servit avec prédilection du rythme de *habanera*, la chanson la plus en vogue parmi celles que sa mère entendit dans les *tertulias* [2] madrilènes de

---

1. Célèbre pianiste espagnol qui révéla au public parisien les œuvres alors discutées de Debussy, Satie, Ravel, etc.
2. Mot castillan, dont le terme français *assemblée* ne donne qu'une traduction approximative.

ces temps révolus. A la même époque, Pauline Viardot-Garcia, que sa prestigieuse célébrité mettait en relation constante avec les meilleurs musiciens de Paris, leur faisait connaître cette même chanson. C'est pour cela que la *habanera,* chose surprenante pour tout Espagnol, a continué de vivre dans la musique française comme un élément caractéristique de la nôtre, bien que l'Espagne l'ait oubliée depuis un demi-siècle...

Tel n'a pas été le sort de la *Jota*, utilisée en France dans une intention identique et qui conserve en Espagne toute la vitalité qu'elle eut par le passé. Me rapportant à ce modèle de notre folklore, j'oserai dire qu'aucun Espagnol n'a réussi de façon plus génialement authentique à nous donner, mieux que Chabrier, la version d'une *Jota* « criée » comme en chante le peuple d'Aragon dans ses rondes nocturnes.

L'AME SECRÈTE DE RAVEL

L'art de Ravel n'est pas tout « de finesse et d'esprit » comme parle notre Gracian et comme l'affirment certains. Il atteste au demeurant la force occulte qui l'anime. Son goût des résonances harmoniques latentes, son orchestre même, dont la souplesse diaphane est pleine de frissons, suffiraient à démentir cette impassibilité qu'avec quelque apparence peut-être, on a cru reconnaître chez notre musicien, et qui n'était à mon sens qu'une réserve inconsciente de sa nature. Je n'appuierai pas ici mes remarques sur la fine sensibilité d'enfant prodige qui palpite dans son expression mélodique — sensibilité qu'accusent également l'accent et l'inflexion inimitables de sa déclamation. Je veux seulement attester que celui qui a vu Ravel en butte aux épreuves suprêmes de la vie, ne saurait mettre en doute la puissance émotive de son âme. Je n'oublierai jamais la preuve qu'il m'en donna lors de la grave maladie de son père, quand ensemble nous regagnâmes Paris à marches forcées; ni comment, une fois rentré chez lui, et voyant que toute espérance humaine était perdue, il me pria, avec une hâte angoissée, d'aller chercher notre ami l'abbé Petit (hélas! disparu lui aussi!) pour qu'il assistât chrétiennement le moribond. Car cette âme excellente et secrète de Ravel ne s'épanchait qu'en de telles conjonctures, exception faite seulement, mais constamment, pour ce qui concernait la musique, élaborée dans ce monde interne, refuge de l'artiste contre la réalité perturbatrice de toute action féconde de l'esprit.

Pouvons-nous comprendre autrement que des œuvres comme le *Quatuor, Gaspard de la Nuit* et l'*Heure espagnole* aient été composées aux temps *héroïques* de leur auteur ? Je m'explique

Frontispice du *Traité* de Pablo Minguet, XVIIIe s. *(Cliché Giraudon).*

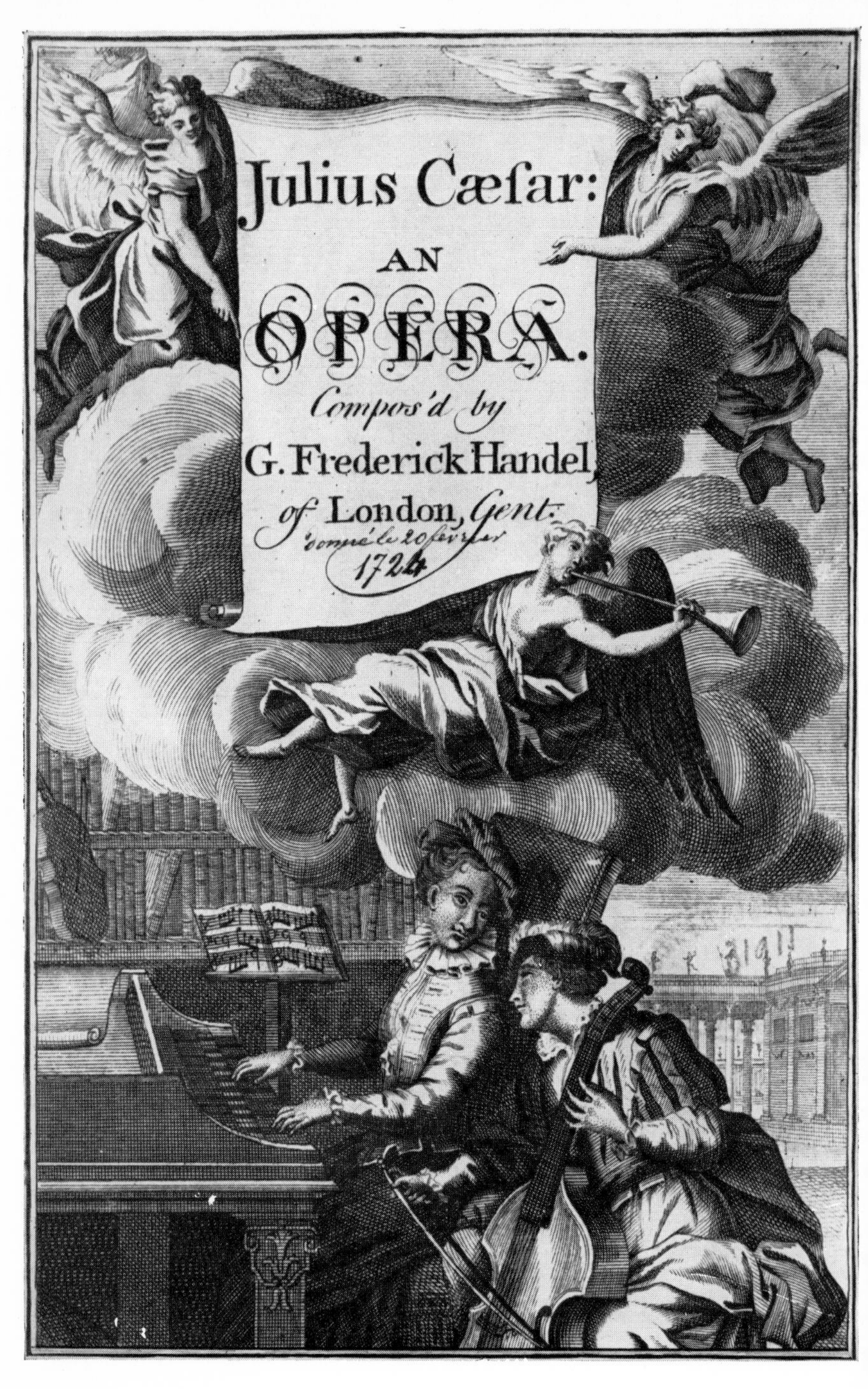

Frontispice de l'édition de *Jules César* de Haendel (1724).
Bibliothèque du Conservatoire. *(Cliché Giraudon).*

par là le contraste si vif entre telle humble chambre de travail et la précieuse qualité d'une musique où les somptueux ornements sont répandus, et dont Ravel nous offrait la révélation devant un vieux piano, aussi modeste que le mobilier qui l'entourait!...

Quand je pense aux projets que la mort n'a pas permis de réaliser à un grand artiste que j'aime, mon chagrin de l'avoir perdu s'en augmente.

Entre ceux de Maurice Ravel, il en est un qui revêt une importance singulière et dont il nous parlait avec une préférence marquée aux temps qui environnent la composition de *Daphnis.* Je songe à un *Saint François d'Assise* dont, si je me souviens bien, il avait été jusqu'à ébaucher une partie : celle du sermon aux oiseaux. C'est grand dommage que des travaux de nécessité immédiate nous aient privés d'une musique qui eût été sans doute, grâce à cette pure et sereine expression si particulière à Ravel, la plus franciscaine de celles qu'a inspirées le *Poverello.* C'est pourquoi je me console et m'enchante à l'imaginer à l'aide d'autres ouvrages de son auteur présumé, parmi lesquels le *Quatuor*, éloigné chronologiquement, mais non spirituellement du projet en question, où se rencontrent, par une heureuse coïncidence qui prend jusqu'à l'apparence d'une prédestination, des échos du carillon d'Assise. Et quand je pense à *Ma Mère l'Oye*, j'en arrive à conjecturer que dans la seconde partie et le final (dont le début a un si beau caractère religieux) Ravel utilise les esquisses de son *Saint François*, lequel, issu de France, eût été si agréable à ce saint qu'on surnomma *il Francesco* à raison de l'amour avec lequel il évoquait la France au temps de sa jeunesse.

UN ART FRANÇAIS ET MODESTE

Il semble heureusement qu'un accord unanime se soit fait pour reconnaître le caractère typiquement français de l'art de Ravel, même quand il s'applique à des thèmes exotiques. Il serait difficile en effet de le nier. Pour l'affirmer, en revanche, il suffirait de fixer notre attention sur sa phrase mélodique, aussi française par le sentiment que par cette physionomie toute spéciale due à une prédilection pour certains intervalles à quoi le clavier nous invite à nous délecter. Mais indépendamment de cette excellente qualité, le style ravélien (si ferme et si beau en son audace, si clair, si ordonné, et si précis) nous en offre une autre, non moins belle : je veux dire son absence de vanité; vertu très remarquable si l'on songe que notre auteur a composé la majeure partie de son œuvre en des temps où, cédant à des influences étrangères, on avait coutume d'exiger de la musique qu'elle feignît pour le moins l'ambition hautaine d'atteindre ce que l'on considérait alors comme transcendant.

Ne voyons-nous pas se manifester dans ce non-conformisme de Ravel le plus intelligent et le plus rare discernement ? Ce même discernement qui le dissuadait de travailler avec intention en vue d'un futur trop hypothétique; ce futur humain et constant à quoi chaque génération a coutume de sacrifier la possible efficacité de son propre présent.

La Revue Musicale, 1939, *trad. par Roland-Manuel.*

IGOR STRAVINSKY

STRAVINSKY (né en 1882) fut mis de bonne heure à l'école des musiciens russes par son père, qui était chanteur à l'Opéra de Saint-Pétersbourg. Il fut le disciple de Rimsky-Korsakov, qui l'eut pour élève dans sa classe d'orchestration. Protégé par Serge de Diaghilev, il écrivit la partition du ballet russe l'Oiseau de feu, *puis* Petrouchka, *que Debussy salua comme des chefs-d'œuvre. Le* Sacre du Printemps *fit de lui l'un des plus célèbres musiciens du XXe siècle, après le scandale d'usage qui accueille généralement la naissance du génie. L'apport de Stravinsky à la musique moderne concerne aussi bien le rythme que l'harmonie, la polytonalité que la mélodie. Après la guerre de 1918, il s'est ouvert aux effets du contrepoint et à une écriture rigoureuse et classique, avec la* Symphonie des Psaumes *et* Œdipe roi. *Ses œuvres récentes reflètent des recherches dans le domaine de la musique sérielle. Malgré ce changement d'attitude, l'œuvre de Stravinsky demeure homogène grâce à la puissance de ses effets et ses prouesses techniques. Il a conservé les qualités russes, en leur imposant un ordre classique et une logique implacable d'écriture.*

RAVEL DÉFEND STRAVINSKY

Il est pénible de constater qu'au moment où les compositeurs français ont libéré la musique d'un grand nombre de préjugés, dans ce pays où la logique, l'enthousiasme lucide pouvaient élever la critique au rang d'un art noblement utile, une foule d'amateurs incompétents, qui se sont improvisés musicographes, s'efforcent d'exalter des gloires consacrées, le plus souvent lorsqu'elles sont à leur déclin, et de lutter aveuglément contre toute espèce de tentative. Tout leur raffinement s'applique à trouver de nouveaux moyens d'attaque (...) C'est ce qui est arrivé pour le *Sacre du Printemps.* Cela se reproduira bientôt pour le *Rossignol* (...) Tandis qu'au *Sacre* étaient décochées les plus violentes épithètes : Barbarie, mystification, hystérie, antimusicalité — qu'en savent-ils ? —, ce ne sont ici que menuailles, subtilités, amusettes. En effet le *Rossignol* ne fait pas beaucoup de bruit; et l'on sait que, pour une grande partie du public et pour la majorité des critiques, le bruit et quelques formules éprouvées sont nécessaires à la grandeur. « Cela ne touche ni l'esprit ni le cœur », dit l'un. « Les effets de cette discordance voulue, en maint passage amusant, dit l'autre, ont paru beaucoup plus superficiels que dans le *Sacre* » (...) Combien me loué-je de n'être pas semblable à celui-ci qui, déjà blasé d'un art qu'il n'a jamais goûté, nous apprend que « cet événement est resté au-dessous de son attente », que « rien ne s'use plus vite que des hardiesses qui se répètent sans se renouveler » et que, « après le *Sacre*, la poétique de M. Stravinsky, dans le *Rossignol*, parut, non pas réactionnaire, mais déjà stationnaire », constatation qui stupéfiera tous les musiciens. En effet, ce qui a frappé ceux-ci, c'est précisément les nouvelles hardiesses de l'auteur du *Sacre*, cette conception musicale dont on ne découvre que l'embryon dans son œuvre précédente (...) Cette évolution a frappé vivement un autre critique qui nous déclare, sans détours, que « le *Sacre du printemps* paraît du Meyerbeer auprès des deux derniers tableaux du *Rossignol* ». Il faut dire que ce critique est aussi compositeur, ce qui semble devoir lui donner plus d'autorité pour apprécier ses confrères. Il faut dire aussi, hélas! que sa confraternité se manifeste le plus souvent par de l'amertume (...)

MAURICE RAVEL, *Comoedia illustré,* 1914.

INSPIRATION, ART, ARTISTE

La plupart des mélomanes croient que ce qui donne le branle à l'imagination créatrice du compositeur est un certain trouble émotif, généralement désigné du nom d'*inspiration.*

Je ne songe pas à refuser à l'inspiration le rôle éminent qui lui est dévolu dans la genèse que nous étudions : je prétends seulement qu'elle n'est aucunement la condition préalable de l'acte créateur, mais une manifestation secondaire dans l'ordre du temps.

Inspiration, art, artiste, autant de mots pour le moins fumeux qui nous empêchent de voir clair dans un domaine où tout est équilibre et calcul, où passe le souffle de l'esprit spéculatif. C'est ensuite, mais ensuite seulement que naîtra ce trouble émotif qui est à la base de l'inspiration et dont on parle impudiquement en lui donnant un sens qui nous gêne et qui compromet la chose même. N'est-il pas clair que cette émotion n'est qu'une réaction du créateur aux prises avec cette inconnue qui n'est encore que l'objet de sa création et qui doit devenir une œuvre ?

Chaînon par chaînon, maille par maille, il lui sera donné de le découvrir. C'est cette chaîne de découvertes et chaque découverte par elle-même qui donnent naissance à l'émotion, — réflexe quasi physiologique, comme l'appétit fait surgir la salive —, cette émotion qui suit toujours, et de près, les étapes du processus créateur.

Toute création suppose à l'origine une sorte d'appétit que fait naître l'avant-goût de la découverte. Cet avant-goût de l'acte créateur accompagne l'intuition d'une inconnue déjà possédée mais non encore intelligible, et qui ne sera définie que par l'effort d'une technique vigilante.

Cet appétit qui s'éveille en moi à la seule idée de mettre en ordre des éléments notés n'est pas du tout chose fortuite comme l'inspiration, mais habituelle et périodique, sinon constante, comme un besoin de nature.

Ce pressentiment d'une obligation, cet avant-goût d'un plaisir, ce réflexe conditionnel, comme dirait un physiologiste moderne, montrent clairement que c'est l'idée de la découverte et du labeur qui m'attire.

Le fait même d'écrire mon œuvre, de mettre, comme on dit, la main à la pâte, est inséparable pour moi du plaisir de la création. En ce qui me concerne, je ne puis séparer l'effort spirituel de l'effort psychologique et de l'effort physique; ils se présentent à moi sur le même plan et ne connaissent pas de hiérarchie.

Le mot *artiste* qui, dans le sens où on l'entend le plus généralement aujourd'hui, confère à celui qui le porte le plus haut prestige intellectuel, le privilège de passer pour un pur esprit, ce terme orgueilleux est tout à fait incompatible à mes yeux avec la condition de l'*homo faber.*

C'est ici le lieu de nous souvenir que, dans le domaine qui nous est dévolu, s'il est vrai que nous sommes *intellectuels*, notre office n'est pas de cogiter, mais d'opérer.

Le philosophe Jacques Maritain nous rappelle que dans la structure puissante de la civilisation médiévale, l'artiste avait seulement rang d'artisan, « et toute espèce de développement anarchique était interdite à son individualisme, parce qu'une naturelle discipline sociale lui imposait du dehors certaines conditions limitatives ». C'est la Renaissance qui a inventé l'artiste, l'a distingué de l'artisan et a commencé d'exalter le premier aux dépens du second.

A l'origine le nom d'artiste était donné seulement aux *maîtres ès arts* : philosophes, alchimistes, magiciens; mais peintres, sculpteurs, musiciens et poètes n'avaient droit qu'à la qualité d'artisans.

Les artisans bien subtils
Animent de leurs outilz
L'airain, le marbre, le cuyvre,

dit le poète du Bellay. Et Montaigne énumère dans ses *Essais* les « peintres, poètes ou aultres artizans ». Au XVIIe siècle encore La Fontaine salue un peintre du nom d'artisan et se fait reprendre à ce propos par un critique de mauvaise humur qui pourrait être l'ancêtre de la plupart des nôtres.

INVENTION ET IMAGINATION

L'idée de l'œuvre à faire est tellement liée pour moi à l'idée de l'agencement et du plaisir qu'il nous procure par lui-même que si, par impossible, on venait à m'apporter mon œuvre tout achevée, j'en serais honteux et déconfit comme d'une mystification.

Nous avons un devoir envers la musique, c'est de l'inventer. Je me souviens qu'un jour, pendant la guerre, comme je passais la frontière française, un gendarme me demanda quelle était ma profession. Je lui répondis tout naturellement que j'étais inventeur de musique. Le gendarme, vérifiant alors mon passeport, me demanda pourquoi j'y étais désigné en qualité de compositeur. Je lui répondis que l'expression inventeur de musique me paraissait répondre plus exactement au métier que j'exerce que celle qu'on m'attribue sur les documents qui m'autorisent à passer les frontières.

L'invention suppose l'imagination, mais ne doit pas être confondue avec elle. Car le fait d'inventer implique la nécessité d'une trouvaille et d'une réalisation. Ce que nous imaginons ne prend pas obligatoirement forme concrète et peut rester à l'état de virtualité; tandis que l'invention n'est pas concevable en dehors de sa mise en œuvre.

Ce qui nous occupe ici, ce n'est donc pas l'imagination en soi, mais bien l'imagination créatrice : la faculté qui nous aide à passer du plan de la conception au plan de la réalisation.

Au corps de mon travail, je me heurte soudain à quelque chose d'inattendu. Cet élément inattendu me frappe. Je le note. A l'occasion je le mets à profit. Il ne faut pas confondre cet apport du fortuit avec ce caprice d'imagination que l'on nomme communément fantaisie. La fantaisie implique la volonté préétablie de s'abandonner au caprice. Bien différente est cette collaboration de l'inattendu qui tient de façon immanente à l'inertie de processus créateur, et qui est lourde de possibilités qui n'ont pas été sollicitées et qui viennent à point pour fléchir ce qu'il y a toujours d'un peu trop rigoureux dans notre volonté nue. Il est bon d'ailleurs qu'il en soit ainsi : « Dans tout ce qui s'incline avec grâce, dit quelque part G.-K. Chesterton, il faut qu'il`y ait un effort de raideur. Les arcs sont beaux quand ils se courbent, seulement parce qu'ils essaient de demeurer rigides. La rigidité cédant un peu, comme la Justice inclinée par la Miséricorde, est toute la beauté de la terre. Toute chose essaie d'être droite, et, par bonheur, aucune n'y parvient. Essayez de grandir droit et la vie vous inclinera. »

LE DON D'OBSERVATION

La faculté de créer ne nous est jamais donnée toute seule. Elle va toujours de pair avec le don d'observation. Et le véritable créateur se reconnaît à ce qu'il trouve toujours autour de lui, dans les choses les plus communes et les plus humbles, des éléments dignes de remarque. Il n'a que faire d'un beau paysage : il n'a pas besoin de s'entourer d'objets rares ou précieux. Il n'a pas besoin de courir à la recherche de la découverte : elle est toujours à portée de sa main. Il lui suffira de jeter un regard autour de lui. Ce qui est connu, ce qui est partout le sollicite. Le moindre accident le retient et conduit son opération. Si son doigt glisse, il le remarquera; à l'occasion, il tirera profit de l'imprévu qui lui révèle une défaillance.

On ne crée pas l'accident : on le remarque pour s'en inspirer. C'est la seule chose, peut-être, qui nous inspire. Un compositeur prélude comme un animal fouille. L'un et l'autre fouillent parce qu'ils cèdent au besoin de chercher. A quoi répond cette investigation chez le compositeur ? A la règle qu'il porte sur soi comme un pénitent ? Non : il est en quête de son plaisir. Il cherche une satisfaction qu'il sait bien qu'il ne trouvera pas sans un effort préalable. On ne s'efforce pas d'aimer; mais l'aimer suppose le connaître, et pour connaître il faut s'évertuer.

C'est le même problème que se posaient, au Moyen Age, les théologiens du pur amour. Connaître pour aimer, aimer pour connaître : nous ne tournons pas ici dans un cercle sans fin, nous nous élevons dans une spirale, pourvu que nous ayons fait un effort de principe, voire un exercice de routine.

Pascal n'a pas autre chose en vue, quand il écrit que la coutume « incline l'automate, qui incline l'esprit sans qu'il y pense. Car il ne faut pas se méconnaître, poursuit Pascal, nous sommes automate autant qu'esprit... »

Nous fouillons donc dans l'attente de notre plaisir, guidés par notre flair, et soudain nous nous heurtons à un obstacle inconnu. Nous en éprouvons une secousse, un choc, et ce choc féconde notre puissance créatrice.

La faculté d'observer, et de tirer parti de ses remarques n'appartient qu'à celui qui possède, au moins dans l'ordre où il opère, une culture acquise et un goût inné. Un marchand, un amateur qui achète le premier les toiles d'un peintre inconnu, qui sera célèbre vingt ans plus tard sous le nom de Cézanne, ne nous fournit-il pas un exemple manifeste de ce goût inné ? Qu'est-ce donc qui guide son choix ? Un flair, un instinct dont procède ce goût, faculté toute spontanée, antérieure à la réflexion.

CULTURE ET TRADITION

Quant à la culture, c'est une sorte d'élevage qui, dans l'ordre social, confère le poli de l'éducation, nourrit et achève l'instruction. Cet élevage s'exerce pareillement dans le domaine du goût. Il est essentiel au créateur, qui doit sans cesse affiner son goût sous peine de perdre sa perspicacité. Notre esprit, comme notre corps, requiert un continuel exercice; il s'atrophie si nous ne le cultivons pas.

C'est la culture qui met le goût en pleine valeur et lui permet de se prouver par son seul exercice. L'artiste se l'impose à soi-même et finit par l'imposer à autrui. C'est ainsi que s'établit la tradition.

La tradition est bien autre chose qu'une habitude, même excellente, puisque l'habitude est, par définition, une acquisition inconsciente et qui tend à devenir machinale, alors que la tradition résulte d'une acceptation consciente et délibérée. Une tradition véritable n'est pas le témoignage d'un passé révolu; c'est une force vivante qui anime et informe le présent. En ce sens, le paradoxe est vrai, qui affirme plaisamment que tout ce qui n'est pas tradition est plagiat...

Bien loin d'impliquer la répétition de ce qui fut, la tradition suppose la réalité de ce qui dure. Elle apparaît comme un bien de famille, un héritage qu'on reçoit sous condition de le faire fructifier avant de le transmettre à sa descendance. Brahms est né soixante ans après Beethoven. De l'un à l'autre, et de tout point, la distance est grande; ils ne s'habillent pas de la même façon, mais Brahms suit la tradition de Beethoven sans lui emprunter aucune pièce de son habillement. Car l'emprunt d'un procédé n'a rien à voir avec l'observance d'une tradition. On replace un procédé, on renoue une tradition pour faire du nouveau. La tradition assure ainsi la continuité de la création. L'exemple que je viens de vous citer ne constitue pas une exception, mais un témoignage, entre cent, d'une loi constante.

Ce sens de la tradition qui est un besoin de nature ne doit pas être confondu avec le désir qu'un compositeur éprouve d'affirmer la parenté qu'il se découvre à travers les siècles avec un maître du passé.

VERDI ET WAGNER

Fallait-il que le poison du drame lyrique fût subtil et tenace pour s'être insinué jusque dans les veines de ce colosse qu'est Verdi ?

Et comment ne pas regretter que ce maître de l'Opéra traditionnel, parvenu au terme d'une longue vie jalonnée par tant de chefs-d'œuvre authentiques, ait couronné sa carrière par ce *Falstaff* qui, s'il n'est pas le meilleur ouvrage de Wagner, n'est pas davantage le meilleur opéra de Verdi ?

Je sais que je vais à l'encontre de l'opinion commune qui veut que le meilleur Verdi réside dans l'altération du génie auquel nous devons *Rigoletto*, le *Trouvère, Aïda* et la *Traviata.* Je sais que je défends précisément ce que l'élite d'avant-hier méprisait dans l'œuvre de ce grand compositeur. J'en suis fâché; mais je prétends qu'il y a plus de substance et plus d'invention véritable dans l'air de la *Donna e mobile*, par exemple, où cette élite ne voyait que déplorable facilité, que dans la rhétorique et les vociférations de la *Tétralogie.*

Qu'on le veuille ou non, le drame wagnérien trahit une continuelle enflure. Ses brillantes improvisations gonflent démesurément la symphonie et la nourrissent moins que l'invention, tout à la fois modeste et aristocratique, qui éclate à chaque page de Verdi.

Je vous ai prévenus au début de mes cours que je reviendrais sans cesse sur la nécessité de l'ordre et de la discipline, me voici amené à vous ennuyer encore en revenant sur le même propos.

La musique de Richard Wagner est plus d'improvisation que de construction, au sens musical spécifique. Les airs, les ensembles et leurs rapports réciproques dans la structure d'un opéra confèrent à l'œuvre tout entière une cohérence qui n'est que la manifestation extérieure et visible d'un ordre interne et profond.

L'antagonisme de Wagner et de Verdi vient à point illustrer ma pensée à cet égard.

Tandis qu'on abandonnait Verdi au répertoire des orgues de Barbarie, on se plaisait à saluer en Wagner le révolutionnaire-type. Rien n'est plus significatif que cet abandon de l'ordre à la muse des carrefours, au moment où l'on glorifie le sublime dans le culte du désordre.

L'œuvre de Wagner répond à une tendance qui n'est pas à proprement parler un désordre, mais qui tâche de suppléer à un manque d'ordre. Le système de la mélodie infinie traduit parfaitement cette tendance. C'est le perpétuel devenir d'une musique qui n'avait aucun motif de commencer comme elle n'a aucune raison de finir. La mélodie infinie apparaît ainsi comme un outrage à la dignité et à la fonction même de la mélodie qui est, nous l'avons dit, le chant musical d'une phrase cadencée. Sous l'influence de Wagner, les lois qui assurent la vie du chant se sont trouvées transgressées et la musique a perdu le sourire mélodique. Cette façon de faire répondait peut-être à un besoin; mais ce besoin n'était pas compatible avec les possibilités de l'art musical qui est limité dans son expression à proportion des limites de l'organe qui le perçoit. Un mode de composition qui ne s'assigne pas à lui-même des bornes devient pure fantaisie. Les effets qu'il produit peuvent amuser par accident mais ne sont pas susceptibles de répétition. Je ne puis concevoir une fantaisie qui se répète, car elle ne peut se répéter qu'à son détriment.

DEVANT L'INFINI DES POSSIBILITÉS

Entendons-nous sur ce mot de fantaisie. Nous ne prenons pas le mot au sens qui s'attache à une forme musicale déterminée, mais dans l'acception qui suppose un abandon de soi aux caprices de l'imagination. Ce qui suppose que la volonté de l'auteur est volontairement paralysée. Car l'imagination n'est pas seulement la mère du caprice, mais la servante et la pourvoyeuse de la volonté créatrice.

La fonction du créateur est de passer au crible les éléments qu'il en reçoit, car il faut que l'activité humaine s'impose à elle-même ses limites. Plus l'art est contrôlé, limité, travaillé, et plus il est libre.

En ce qui me concerne, j'éprouve une espèce de terreur quand, au moment de me mettre au travail, et devant l'infini des possibilités offertes, j'éprouve la sensation que tout m'est permis. Si tout m'est permis, le meilleur et le pire, si rien ne m'offre de résistance, tout effort est inconcevable, je ne puis fonder sur rien et toute entreprise, dès lors, est vaine.

Suis-je donc obligé de me perdre dans cet abîme de liberté ? A quoi m'attacherai-je pour échapper au vertige qui me prend devant la virtualité de cet infini ? Pourtant je ne périrai pas. Je vaincrai ma terreur et me rassurerai à l'idée que je dispose des sept notes de la gamme et de ses intervalles chromatiques, que le temps fort et le temps faible sont à ma portée, et que je tiens ainsi des éléments solides et concrets qui m'offrent un champ d'expérience tout aussi vaste que ce vague et vertigineux infini qui m'effrayait tout à l'heure. C'est de ce champ que je vais tirer mes racines, bien persuadé que les combinaisons qui disposent de douze sons à chaque octave et de toutes ces variétés de la rythmique me promettent des richesses que toute l'activité du génie humain n'épuisera jamais.

Ce qui me tire de l'angoisse où me plonge une liberté sans condition, c'est que j'ai toujours la faculté de m'adresser immédiatement aux choses concrètes qui sont ici en question. Je n'ai que faire d'une liberté théorique. Qu'on me donne du fini, du défini, de la matière qui ne peut servir à mon opération que pour autant qu'elle est à la mesure de mes possibilités. Elle se donne à moi avec ses limites. A mon tour de lui imposer les miennes. Nous voici donc entrés, bon gré mal gré, dans le royaume de la nécessité. Et pourtant qui de nous a jamais entendu parler autrement de l'art que comme d'un royaume de liberté ? Cette espèce d'hérésie est uniformément répandue parce qu'on s'imagine que l'Art est en dehors de l'activité commune. Or en art, comme en toute chose, on ne bâtit que sur un fond résistant : ce qui s'oppose à l'appui s'oppose aussi au mouvement.

Ma liberté consiste donc à me mouvoir dans le cadre étroit que je me suis à moi-même assigné pour chacune de mes entreprises.

Je dirai plus : ma liberté sera d'autant plus grande et plus profonde que je limiterai plus étroitement mon champ d'action et que je m'entourerai de plus d'obstacles. Ce qui m'ôte une gêne m'ôte une force. Plus on s'impose de contraintes et plus on se libère de ces chaînes qui entravent l'esprit.

A la voix qui commande de créer, je réponds d'abord avec effroi, je me rassure ensuite en prenant pour armes les choses qui participent de la création mais qui lui sont encore extérieures; et l'arbitraire de la contrainte n'est là que pour obtenir la rigueur de l'exécution.

Nous conclurons de tout ceci à la nécessité de dogmatiser sous peine de manquer le but. Si ces mots nous gênent et s'ils nous semblent durs, nous pouvons nous abstenir de les prononcer. Ils n'en contiennent pas moins le secret du salut : « Il est évident, écrit Baudelaire, que les rhétoriques et les prosodies ne sont pas des tyrannies inventées arbitrairement, mais une collection de règles réclamées par l'organisation même de l'être spirituel, et jamais les prosodies et les rhétoriques n'ont empêché l'originalité de se produire distinctement. Le contraire, à savoir qu'elles ont aidé l'éclosion de l'originalité, serait infiniment plus vrai. »

POÉTIQUE MUSICALE, 1945.

RENÉ LEIBOWITZ

RENE LEIBOWITZ (né en 1913) a reçu l'enseignement de Webern et connu Schœnberg, dont il s'est fait le commentateur. Théoricien du dodécaphonisme et critique musical, il est l'auteur de concertos, de mélodies, de sonates.

QU'EST-CE QUE LA MUSIQUE DE DOUZE SONS? [1]

> *« Dodécaphonisme » : Méthode de composer avec douze sons qui ne sont pas apparentés entre eux. Elle consiste, en premier lieu, dans l'usage incessant d'une série de douze sons différents. Cela signifie évidemment qu'aucun son n'est répété au sein de la série, et que celle-ci utilise tous les sons de la gamme chromatique, quoique dans un ordre différent de cette gamme. Elle n'est en rien identique à la gamme chromatique.*
>
> ARNOLD SCHOENBERG.

Chaque chef-d'œuvre musical remet en question toute la musique. Si nous voulons le comprendre, il nous faut remettre en question tout notre savoir musical, et c'est pour cela qu'avant d'aborder les problémes spécifiques qui se posent pour le *Concerto*, op. 24, de Webern, il est indispensable de remonter aux sources afin que le *sens* même de ces problèmes, ainsi que les besoins compositionnels qui les ont fait naître, se dévoilent peu à peu à nous.

---

1. Nous n'avons pas cru devoir, rappelons-le, dans l'ensemble de ce livre, à moins d'y être obligés par le mutisme des musiciens, faire figurer des textes de critique et d'exégèse musicales. Il nous a paru néanmoins nécessaire, à une époque où le dodécaphonisme apparaît comme une esthétique aussi célèbre qu'obscure pour le grand public, de donner la parole à René Leibowitz, qui en est un exégète incontesté.

FAUSSE INTERPRÉTATION DE SCHOENBERG ET DE SES DISCIPLES

Nous savons que Webern fut avec Alban Berg le principal disciple d'Arnold Schoenberg. L'importance de ce maître a généralement été très mal comprise. Ce qui frappe presque tous ceux qui approchent l'art de Schoenberg c'est ce par quoi cet art semble différer de l'art musical antérieur, alors que ce qui, à mon avis, paraît essentiel, c'est ce par quoi la musique de Schoenberg prolonge la tradition du passé. Mais qui dit « prolonger » ou tout simplement « tradition » dit « mouvement », « renouvellement ». Sans mouvement, sans renouvellement, il ne saurait y avoir de tradition, puisque celle-ci se trouverait, à un moment ou à un autre, arrêtée, c'est-à-dire de ce fait supprimée dans le présent.

Je ne crains donc pas d'affirmer que ce qui constitue l'aspect primordial de l'activité schoenbergienne, c'est son aspect traditionnel. De la sorte, toutes les acquisitions dont fait preuve cette activité, acquisitions qui lui confèrent son aspect nouveau, sont avant tout les conséquences de l'évolution de principes anciens.

Il se peut cependant que la plupart de ceux qui jusqu'ici ont commenté ou critiqué cette musique ne se soient guère aperçus de cela et c'est sans doute pour cette raison que l'on a dit beaucoup de choses à propos des qualités soi-disant spéciales de l'art de Schoenberg et de ses disciples, alors qu'on a systématiquement omis de mentionner sa qualité la plus importante à savoir l'usage qui y est fait des principes essentiels de la composition musicale.

Les termes vagues et confus d' « atonal » ou d' « atonalité », employés inévitablement dès qu'il s'agit de cette musique, ont fait beaucoup de tort à cet égard. En premier lieu ce sont des slogans, et, comme tous les slogans, ils constituent une simplification qui rend la tâche facile à ceux qui ne veulent pas penser. En deuxième lieu ils impliquent une restriction en matière de tons ou de sons et cela, étant donné que la musique est surtout faite de tons ou de sons ne peut donner qu'une image complètement fausse des buts poursuivis par tout vrai musicien. Pour ma part je suis convaincu que Schoenberg, Berg et Webern sont de vrais musiciens et, aussi académique que cela puisse paraître, j'essaierai de le démontrer précisément par des voies qui, jusqu'à présent, pour d'obscures raisons ont été évitées.

ÉVOLUTION ET SIGNIFICATION DES DISSONANCES

Le choc qu'éprouvent la plupart des auditeurs peu familiarisés avec la musique de Schoenberg, de Berg et de Webern, est dû en premier lieu à ce que l'on appelle le caractère « dissonant » des œuvres de ces maîtres. Je voudrais dire pour commencer qu'en dehors du fait qu'il n'y a pas de différence absolue entre consonance et dissonance, beaucoup d'auditeurs se sont fort bien habitués aux « pires » dissonances et cependant n'ont pas, ce faisant, acquis la possibilité de comprendre et d'apprécier certaines œuvres, même parmi les plus anciennes de nos trois maîtres où ces dissonances ne sont pas bien « terribles ». Cela montre : 1° que les soi-disant dissonances ne sont pas ce qu'il y a de principal dans ces œuvres; 2° que ces dissonances, tout en étant des éléments nouveaux, sont aussi des éléments traditionnels.

Examinons d'abord le deuxième point. Toute l'évolution de la polyphonie — depuis ses débuts, vers le Xe siècle, jusqu'à la musique de Wagner et des autres romantiques — montre un progrès continuel en matière de dissonance. Au début seules quelques rares relations harmoniques furent considérées comme consonantes (unisson, octaves, quintes justes). Peu à peu d'autres combinaisons furent promues au même rang (tierces, sixtes, dans certains cas même les quartes).

Qui plus est, un nuage toujours croissant d'accords considérés comme dissonants fut fait jusqu'à ce qu'il soit possible d'observer dans la musique de Wagner, par exemple, que les dissonances sont devenues prédominantes. Il est donc clair que l'usage progressif, toujours accru des dissonances est l'un des aspects principaux de la tradition musicale. En fait, chaque vrai compositeur, tout en introduisant des sons nouveaux — ce par quoi il est original et révolutionnaire —, ne fait que prolonger la chaîne logique de l'évolution musicale — et en cela il reste traditionnel. Comme je l'ai déjà dit, l'on s'habitue fort bien aux sonorités nouvelles parce qu'il n'y a pas de différence « en soi » entre ces sonorités nouvelles et les sonorités anciennes. L'harmonie de Wagner et de Debussy peut être considérée comme dissonante si on la compare à celle de Mozart, et cependant elle est devenue agréable à l'oreille — consonante en vérité — pour la plupart des auditeurs.

Une question cependant se pose : quel a été le moteur de l'évolution de la musique dans le sens du progrès constant de la dissonance ? La réponse est simple : *c'est la prise de conscience de plus en plus totale à l'égard des possibilités de la gamme chromatique.* Le système tonal (qui a été la base de toute la pratique musicale au cours des derniers trois siècles), quoique d'origines diatoniques, s'est incorporé, depuis le début, l'usage des possibilités offertes par la gamme chromatique. L'extension progressive de ces possibilités a déterminé le progrès de la dissonance. Il n'y a donc pas lieu de s'étonner si la musique de Wagner — essentiellement chromatique en ce qu'elle recherche certaines possibilités, inouïes auparavant, de la gamme chromatique — fait aussi un emploi prépondérant de la dissonance.

Les caractéristiques en ce domaine de la musique de Wagner déterminent la situation musicale dans laquelle se trouvait Schoenberg au début de sa carrière, mettons vers 1897. Son tempérament musical puissant et authentique l'attire vers les grands maîtres de ce temps : Wagner, Brahms, Bruckner, Mahler, dont il assimile le langage avec la plus grande vigueur. Mais, parce que traditionnel dans le vrai sens du terme, il devint aussi un novateur et se trouva donc poussé à prolonger la tradition dont il avait hérité. Toutes les possibilités de la gamme chromatique devaient être exploitées; de la sorte toutes les figures mélodiques et harmoniques, auxquelles cette gamme peut donner lieu, devinrent des objets permanents dans la musique de Schoenberg et de son école.

LA PENSÉE MUSICALE ET LE CONCEPT DE LA VARIATION

Cependant, comme je l'ai déjà dit, tout cela n'est qu'un aspect particulier, et certainement pas le plus important, de cette musique. Si tel était le cas, les auditeurs, qui depuis longtemps déjà se sont familiarisés avec les sonorités nouvelles, apprécieraient maintenant les œuvres de Schoenberg et de ses disciples. La raison pour laquelle ces œuvres sont si difficiles à comprendre est que ce sont des œuvres de grands compositeurs, c'est-à-dire d'artistes dont la pensée musicale est riche et complexe. Composer de la musique signifie penser en figures musicales. Lorsque nous analysons un morceau de musique nous disons : ceci est la mélodie, ceci l'harmonie, ceci le rythme, la forme est telle, l'orchestration employée est telle; de plus nous décrivons tous ces éléments et nous essayons de saisir leur logique et leur interdépendance. Le compositeur n'analyse pas, mais il pense synthétiquement en mélodies, en harmonies, en sonorités orchestrales, etc. : c'est cela la pensée musicale.

Comme toute pensée, la pensée musicale a besoin d'être exprimée et affirmée clairement afin d'être comprise, ce qui signifie qu'elle a besoin d'articulations précises; d'unité malgré la diversité, ou, pour employer les propres termes de Schoenberg, « de logique malgré la variété ». L'instrument le plus important et le plus adéquat pour arriver à de tels résultats est le concept de la variation musicale. Tous les grands maîtres du passé ont tendu vers l'incorporation de ce concept en tant que principe fondamental de la composition musicale, mais ce qui était implicite dans le passé est devenu explicite pour la première fois dans l'œuvre d'Arnold Schoenberg.

Ici encore l'attitude de Schoenberg est d'une lucidité exceptionnelle. *Une attitude consciente à l'égard des principes compositionnels.*

Une semblable attitude met l'accent sur la véritable tâche du compositeur qui, considéré de la sorte, est un homme qui crée sous la plus haute tension artistique, qui invente sans cesse, qui fait appel constamment à toutes ses facultés : un homme dont la richesse d'imagination ne doit jamais être limitée, mais qui doit donner naissance à un nombre illimité de figures musicales, tout en les organisant d'une façon logique et cohérente.

LA VARIATION PERPÉTUELLE

Le problème compositionnel fondamental peut donc être défini comme suit : *maximum d'invention et d'organisation*, c'est-à-dire inventer des figures musicales nombreuses et variées tout en les présentant aussi clairement et brièvement que possible. Si nous admettons cela, nous voyons qu'il est nécessaire de trouver un instrument suffisamment puissant pour produire la cohérence et l'unité, là où la confusion pourrait aisément mener au chaos. Un tel instrument nous est fourni, comme je l'ai déjà indiqué, par le concept de la variation, mais le sens complet de concept, tel qu'il a été hérité par Schoenberg, n'avait pas encore été explicité avant Schoenberg lui-même. C'est ici que l'innovation schoenbergienne devient radicale. Le concept de la variation s'étend au concept de la *variation perpétuelle.*

Regardons cela de plus près. L'idée de la variation implique que nous varions *quelque chose.* La variation perpétuelle signifie : 1° que nous varions continuellement (ce qui s'identifie à l'invention continuelle de figures nouvelles) et 2° que nous

Louis-Léopold Boilly. Concert improvisé. Détail. Musée de Saint-Omer.

(Phot. Giraudon)

varions tout le temps la même chose. De là nous déduisons que l'origine de cette « manière d'être » de l'acte compositionnel se trouve dans ce que Schoenberg appelle l'*idée unificatrice.* C'est cette préoccupation qui, bien avant de le conduire à ses œuvres dites atonales, constituait déjà la caractéristique essentielle de la musique de Schoenberg. Ne nous étonnons donc pas des difficultés que nous rencontrons lorsque nous essayons de comprendre certaines de ses œuvres, même parmi les plus anciennes. Déjà une œuvre comme le premier *Quatuor à cordes* en *ré* mineur, op. 7, qui date de 1904, ne se contente pas de l'unité première que fournit le simple emploi des fonctions tonales. La pensée musicale s'enrichit ici d'une superstructure thématique d'une densité extraordinaire en ce qui concerne les relations entre les divers motifs. Ce premier quatuor, qui est une œuvre d'une longueur et d'une variété peu communes, n'est construit que sur un très petit nombre d'éléments thématiques de base, qui apparaissent constamment en de multiples combinaisons et variations nouvelles.

PROPRIÉTÉS DE LA GAMME CHROMATIQUE

Nous sommes maintenant en possession des deux principes essentiels qui déterminent le caractère et l'évolution de la musique de Schoenberg. L'emploi continuel de toutes les possibilités de la gamme chromatique a amené Schoenberg à transgresser les limites du système tonal classique lequel, diatonique à ses origines, ne suffisait plus à contenir les éléments produits par le chromatisme. Harmoniquement par exemple, la théorie classique n'admettait que quelques douzaines d'accords (transposés sur tous les degrés, cela en fait quelques centaines), tandis que la gamme chromatique contient cinquante-cinq accords différents de trois sons, cent soixante-cinq accords de quatre sons, trois cent trente accords de cinq sons, quatre cent soixante-deux accords de six sons et aussi quatre cent soixante-deux accords de sept sons, de nouveau trois cent trente, cent soixante-cinq et cinquante-cinq accords respectivement de huit, de neuf et de dix sons, onze accords de onze sons et un accord de douze sons, ce qui fait un total de plus de deux mille et avec les transpositions plus de quatre mille accords. Inutile de dire que, mélodiquement aussi, un semblable enrichissement a lieu. En suspendant les fonctions tonales classiques (pour la première fois dans son deuxième *Quatuor à cordes,* op. 10, en 1908), Schoenberg introduit un monde sonore où tous ces éléments deviennent permanents et définitifs.

LA TECHNIQUE DE DOUZE SONS

Nous arrivons maintenant à un point où Schoenberg fut forcé de faire un usage complet de son concept de variations, ou plutôt où il devint nécessaire que ce concept fût formulé explicitement en termes d'une technique compositionnelle précise. Les fonctions tonales, bien qu'elles ne constituaient pas une *fin* en soi mais seulement un *moyen* pour atteindre l'unité, possédaient le pouvoir d'articuler et de coordonner le discours musical. La suppression de ces fonctions — devenue indispensable — privait néanmoins la pensée musicale d'un de ses éléments d'organisation le plus puissant et le plus liant. De nouveaux moyens devaient être découverts et c'est ce que fit Schoenberg en interrogeant scrupuleusement certains phénomènes constants d'un grand nombre de ses propres œuvres, ainsi que d'œuvres de Berg et de Webern. Le résultat fut la technique de douze sons expérimentée d'abord partiellement dans les *Cinq pièces pour piano,* op. 23, et dans la *Sérénade,* op. 24 (1923), et finalement complètement constituée dans la *Suite pour piano,* op. 25, et le *Quintette pour instruments à vent,* op. 26 (1924).

En ce qui concerne l'origine de cette technique Schoenberg a dit dans une lettre : « J'ai toujours été préoccupé par le désir de fonder la structure de ma musique consciemment sur une idée unificatrice, qui devait produire non seulement toutes les autres idées, mais aussi régir leurs accompagnements et les accords, les harmonies[1]. »

C'est ici que le concept de la variation perpétuelle devient un principe technique. L'idée unificatrice est la pensée première du musicien. La conscience du compositeur l'appréhende et la constitue en tant que motif, accord ou suite d'accords. De toute façon, ce qui la caractérise essentiellement, c'est une *série* d'intervalles horizontale ou verticale. Cette série d'intervalles devient ainsi l'origine et le support de toutes les idées à venir. En bref, tous les éléments de la composition seront des variations perpétuelles d'une série originale et fondamentale. Ainsi Schoenberg crée la technique *sérielle* que les *Cinq pièces pour piano,* op. 23, utilisent de dif-

---

1. Lettre à Nicolas Slominsky (in *Music since,* 1900, New York).

férentes manières. Son sens profond réside dans les points suivants :

1° Elle unifie le matériau mélodique.
2° Elle produit la logique de l'harmonie.
3° Elle crée l'unité entre la mélodie et l'harmonie.

Les deux premiers points ont, comme nous l'avons vu, toujours été les préoccupations majeures de Schoenberg; le deuxième point en particulier demandait une réalisation nouvelle depuis la suspension des fonctions tonales. Quant au troisième point il constitue l'un des aspects les plus radicaux du concept de variation.

La technique sérielle, combinée avec la volonté d'utilisation de toutes les possibilités de la gamme chromatique, devient la base de la technique des douze sons. L'idée unificatrice est une *série de douze sons différents* (arrangés dans un certain ordre), telle qu'elle se trouve appréhendée par la conscience du compositeur. Cette série avec ses transpositions et ses variantes typiques (renversements et mouvements rétrogrades, ces variantes étant des types classiques de variations mélodiques), est utilisée fonctionnellement à travers toute la composition et donne naissance à toutes les figures mélodiques et harmoniques. De la sorte se trouve établie une méthode de composition qui, sans l'aide de la tonalité et fondée sur l'application pleine et radicale du concept de variation, donne la possibilité aux figures sonores nouvelles de s'organiser en tant qu'entités reliées logiquement et de façon cohérente.

QU'EST-CE QUE LA MUSIQUE A DOUZE SONS ?

ARNOLD SCHŒNBERG

LES THÉORICIENS PARALYSENT

Ce livre, je l'ai appris de mes élèves...

De tous les arts, la musique est celui que ses propres maîtres contribuent le plus à paralyser dans son développement. Nul, en effet, ne défend son domaine avec autant d'âpreté que celui qui sait que ce domaine, au fond, ne lui appartient pas. L'effort accompli pour prouver qu'une chose vous appartient est d'autant plus grand que le certificat de propriété en est plus difficile à produire. Les théoriciens de la musique qui, d'ordinaire, ne sont pas des artistes, ou qui sont de mauvais artistes, ce qui revient au même, ont, par conséquent, toutes raisons pour vouloir consolider leur position contraire à l'ordre des choses. Ils savent que les étudiants apprennent le plus par l'exemple des grands maîtres et de leurs chefs-d'œuvre; ils s'en rendent compte, et malgré cela ils voudraient remplacer par l' « ersatz » d'un système le modèle vivant.

LE BEAU EST L'EXPÉRIENCE DE QUELQUES-UNS

Comment est-il possible de dire que : « telle ou telle combinaison harmonique sonne bien ou qu'elle sonne mal » ? Qui est juge en semblable matière ? L'autorité des grammairiens de la musique ? Ils répètent, souvent sans avoir bien compris, ce qu'on leur a enseigné, et non pas ce qu'ils ont trouvé par eux-mêmes; ils se font l'écho de la croyance générale, parce qu'elle est un résultat de l'expérience collective. Mais ils oublient que le beau, lui, ne provient pas d'une expérience collective, mais de l'expérience de quelques-uns. Dans tous les cas, si de semblables concepts existaient sans fondements véritables, leur nécessité devrait, tout au moins, s'affirmer d'une façon évidente et irréfutable, émaner, en quelque sorte, de l'essence même de leurs systèmes.

PAS DE TÉMÉRITÉ EFFRÉNÉE

A ceux qui étudient l'harmonie par simple intérêt pour les œuvres d'art qu'ils voudraient mieux comprendre et les chefs-d'œuvre qu'ils désirent approfondir, il importe peu, pendant le laps de temps très court qu'ils consacrent à l'examen des formes musicales, que les exemples dont ils se servent soient modernes ou non. Mais il leur sera parfois utile de trouver un traité qui tienne compte des plus récentes expériences de l'évolution du Beau, même de celles que désapprouvent les oreilles démodées. Ils finiront, inévitablement, par ressentir le besoin d'un ouvrage semblable. Le compositeur, par contre, peut attendre tranquillement que la nature et sa propre évolution se chargent de le diriger. Il serait souhaitable qu'il ne désirât même pas écrire telles œuvres qu'une personnalité entièrement dégagée est seule capable d'endosser; de ces choses comme les artistes en ont écrit presque malgré eux, pour céder à la contrainte de leur propre évolution, mais jamais sous l'impulsion d'une témérité effrénée, ni surtout par suite de lacunes d'ordre technique dans leur plan général de leur œuvre.

UN INDIVIDUALISME DE PHILISTIN

Notre époque a mis au premier plan ceux qui travaillent sans véritable but. L'effrayante consommation de points de vue aussi nombreux que divers, de mouvements philosophiques et artistiques originaux et séduisants, tient probablement à un individualisme mal compris, un individualisme de « philistin », et aboutit à une surestimation de l'originalité qui nous empêche de trouver le point de vue nécessaire à tout examen équitable et clair. En venant au jour, chaque vérité nouvelle semble anéantir toutes les précédentes, et l'on croit un instant qu'elle seule va donner enfin la clef de l'énigme éternellement cherchée par une humanité tâtonnante. On en arrive presque à imaginer que toute la science d'antan n'est qu'une entrave et qu'il vaudrait peut-être mieux faire table rase du passé, pour être vraiment apte à comprendre et à répandre la doctrine nouvelle. L'appel de semblables idées ne reste jamais vain. De l'ignorant, elles font un facteur de culture qui se pose en arbitrage face à toute force créatrice, avec une cruauté qui ressemble fort à celle des professionnels.

LE BEAU PAR LE VRAI

Le Beau n'existe qu'à partir du moment où les profanes, ceux qui ne produisent pas, commencent à en ressentir l'absence. Il ne se manifeste pas plus tôt, n'étant pas pour l'artiste un véritable besoin. A ce dernier, il ne faut que le vrai. Il lui suffit d'avoir pu s'exprimer, d'avoir pu dire ce qui devait être dit, selon les lois inhérentes à sa nature d'artiste. Les lois naturelles à l'homme de génie sont les lois de l'humanité future. L'insurrection de la médiocrité contre elles s'explique suffisamment du fait que ces lois sont bonnes. Chez l'homme impuissant, la lutte contre le bien est un besoin d'autant plus violent qu'il lui faut absolument, pour masquer sa nudité, de la beauté que les génies prodiguent involontairement. Le beau, si toutefois il existe, est insaisissable; celui-là seul le fait jaillir, qui possède la force de contemplation nécessaire à l'éveiller, à le créer chaque fois de nouveau, par la seule force de cette contemplation. Tant qu'elle dure, il existe; avec elle, il s'évanouit. L'autre beauté, aux règles immuables, et aux formes intangibles n'est que la nostalgie des impuissants. L'artiste ne s'en soucie point, car il dédaigne tout accomplissement; le désir lui suffit de cette beauté que les médiocres veulent posséder. C'est à l'artiste pourtant que le beau se révèle, mais sans qu'il l'ait recherché, puisqu'il ne tend que vers le vrai.

TRAITÉ D'HARMONIE, 1911.

LA CONTRAINTE INTÉRIEURE

J'ai commencé la composition des *Gurrelieder* au début de 1900, et celle des mélodies d'après George et des morceaux de piano en 1908. L'intervalle qui sépare ces deux dates explique suffisamment la grande différence des deux styles. La réunion au programme d'une seule soirée de deux œuvres si diverses exige quelques explications, car elle a été faite dans un but déterminé qui en sera peut-être, tout à la fois, la justification.

Les mélodies d'après Stefan George m'ont permis d'atteindre pour la première fois à un idéal d'expression et de forme qui me poursuivait depuis lontemps. Je n'ai eu jusqu'à présent ni les forces, ni la maîtrise suffisante pour l'exprimer.

Maintenant que j'ai définitivement choisi cette voie, je suis conscient d'avoir brisé tous les freins d'une esthétique surannée. Toutefois, bien que je tende à un but qui me semble sûr, je prévois déjà toutes les résistances qu'il me va falloir surmonter, j'en éprouve toute la véhémence, même chez les tempéraments les plus insignifiants, et je crains que ceux-là mêmes qui, jusqu'à présent, ont fait crédit à mes paroles, ne veuillent pas reconnaître la nécessité d'une telle révolution.

Aussi ai-je cru bon de prouver par les *Gurrelieder*, qui avaient bien peu d'amis il y a huit ans et qui en ont un peu plus aujourd'hui, que ce n'est pas une carence d'invention, ou des lacunes dans ma science technique, ou encore l'ignorance des exigences de l'esthétique vulgaire qui me poussent dans cette direction. Je suis l'esclave d'une contrainte intérieure plus forte que mon éducation; elle me fait obéir à une conception qui, m'étant innée, a plus de pouvoir sur moi que ma formation artistique première.

Notice de programme, pour le première audition des Trois pièces de piano, op. 11, et des Mélodies de George, 1909.

UNE REPRÉSENTATION DE MOI-MÊME

Je m'efforce de laisser libre cours à mes émotions conscientes ou inconscientes, à mes sentiments, à mes instincts; de telle sorte que, dans cette transposition musicale de ma personnalité, il y ait le moins de perte possible. Pour moi, la forme n'est pas le but, ou l'un des buts du travail artistique, mais un adjuvant qui a sa raison d'être parce que la transposition en question ne saurait être toujours parfaite, un adjuvant nécessaire pour transformer en *énergie* les *calories* perdues, et qui, là où les forces de l'expression directe font défaut, satisfait notre besoin d'une apparente logique. C'est avouer hautement, n'est-ce pas, que ma musique n'est que la représentation de moi-même.

ÊTRE INTELLIGIBLE

La *forme*, dans les arts et spécialement en musique, vise surtout à la compréhensibilité. La détente qu'éprouve un auditeur satisfait lorsqu'il est capable de suivre une idée, son développement et les raisons d'un tel développement, — cette détente est, psychologiquement, proche de ce que l'on pourrait nommer le sentiment du beau. Ainsi, la valeur artistique exige cette compréhensibilité, non seulement en vue d'une satisfaction intellectuelle, mais aussi pour satisfaire l'émotion.

L'idée du créateur doit être *exposée* (de façon intelligible), quelle que soit l'émotion qu'on a cherché à évoquer.

La composition avec douze sons n'a d'autre but que la compréhensibilité. En face de certains événements de l'histoire musicale récente, une telle affirmation peut paraître surprenante. Les œuvres composées dans ce style n'ont pas réussi à se faire comprendre, et cela malgré leurs nouveaux moyens d'organisation. De la sorte, si on oublie que les contemporains ne sont généralement pas des juges définitifs, mais que leurs jugements sont, dans la plupart des cas, démentis par l'histoire, on pourrait considérer cette méthode de composition comme étant condamnée. Il est vrai qu'elle semble accroître les difficultés de l'auditeur, mais en même temps, elle crée une compensation en handicapant aussi le compositeur. Car composer avec cette méthode ne devient pas chose plus aisée, mais dix fois plus difficile. Ainsi seul le compositeur le plus armé devient capable de composer pour l'amateur de musique bien armé.

CONFÉRENCE DE LOS ANGELES, rapportée par René Leibowitz, *Polyphonie,* IV.

ALBAN BERG

CREDO[1]

... un des plus grands maîtres de tous les temps; un de ceux qui ne peuvent être surpassés, parce qu'en eux s'incarnent à la fois la science et la sensibilité musicales d'une époque; un maître qui acquiert cependant une importance particulière, une grandeur sans précédent, du fait qu'en lui les styles de deux époques convergent et atteignent à une haute floraison, qu'il émerge à leur intersection telle une borne puissante, aussi gigantesque par rapport à l'une qu'à l'autre.

---

1. Pour honorer son maître Schoenberg à l'égal des plus grands musiciens, Alban Berg cite ici un texte du grand musicologue Rieman sur Jean-Sébastien Bach, en le mettant en parallèle avec ses propres opinions sur Schoenberg.

Il appartient au même titre...

... à la période précédente, celle de la musique polyphonique, du style contrapunctique et imitatif, et à la période de la musique harmonique.

... à la période de la musique harmonique et à la période de la musique polyphonique, du style contrapunctique et imitatif, qui recommence avec lui.

Il expose, pour la première fois dans toute son envergure, le système...

... des tonalités modernes, qui supplante celui des modes liturgiques.

... des séries de douze sons, qui supplante celui des tonalités majeures et mineures.

Il a vécu dans une période de transition, dans un temps où le style nouveau n'en était qu'à un stade primaire de son développement. Son génie réunit les particularités des deux styles : compositeur vocal aussi bien qu'instrumental, il est l'héritier d'un patrimoine artistique multi-séculaire. Il résume, éclaircit, amène à une connaissance plus pure et plus achevée toutes les fonctions harmoniques, toutes les formes, petites et grandes, qu'avait produites la polyphonie. Sa mélodie est si robuste, originelle, inépuisable; sa rythmique, si multiple et vivante; son harmonie, si choisie, voire audacieuse, et pourtant si claire et translucide, que ses œuvres resteront un objet, non seulement d'admiration, mais aussi d'étude assidue et de constante émulation.

ECRITS D'ALBAN BERG, *trad. H. Pousseur.*

BELA BARTOK

BELA BARTOK (1881-1945) a consacré la plus grande partie de son existence et de son œuvre à l'exploration de la musique populaire d'Europe Centrale et à son adaptation à un langage musical personnel. Ainsi sa musique n'a-t-elle pas un caractère folklorique prépondérant. Ses chefs-d'œuvre, le 3e Concerto pour piano et orchestre, *le* Concerto pour orchestre, *ne reflètent pas une telle influence : ils l'ont assimilée et ressortissent à la musique pure. Ses audaces d'ordre modal, rythmique et tonal ont, certes, le caractère primitif des musiques populaires hongroises, mais elles font, avant tout, de Bartok l'un des esprits les plus inventifs de la modernité musicale.*

DE L'IMPORTANCE DE LA MUSIQUE POPULAIRE

Beaucoup de gens croient que l'harmonisation des mélodies populaires est une tâche relativement facile, plus facile en tout cas que la composition sur un thème « original » : le compositeur n'est-il pas déchargé de la partie de son travail qui est l'invention de thèmes nouveaux ?

Cette conception est entièrement erronée.

Manier des mélodies populaires est extrêmement difficile. J'oserais affirmer qu'il est aussi difficile de travailler avec des airs populaires que de composer une œuvre originale de grande envergure. Il suffit de rappeler que toute mélodie étrangère déjà préexistante impose de lourdes contraintes au compositeur. C'est là une des grandes difficultés de la tâche. L'autre découle du caractère particulier de la mélodie populaire. Ce caractère, il faut d'abord le reconnaître, puis s'en pénétrer, enfin le mettre en relief lors de la transcription, et non l'escamoter.

Ce qui est certain, c'est que la transcription des mélodies populaires demande autant de disposition ou, comme on dit, d' « inspiration » que n'importe quelle œuvre musicale.

Certains estiment qu'il est à la fois inopportun et nuisible de s'inspirer de la musique populaire.

Avant de réfuter cette opinion, je voudrais rechercher comment la tendance actuelle, basée sur la musique populaire, peut s'accorder avec la tendance dite « atonique », ou « Zwölfton-Musik » [1] ?

Disons-le franchement : elle ne le peut d'aucune façon.

Pourquoi ? Parce que la musique populaire est exclusivement tonale; une musique populaire atonale est inconcevable. Or, la « Zwölfton-Musik » atonique ne peut se baser sur la musique populaire tonale; ce serait un non-sens. Ce qui est incontestable, c'est que le retour d'une partie des compositeurs du XXe siècle aux vieilles musiques populaires n'a pas peu contribué à arrêter la progression de la tendance atonale.

Loin de moi l'idée que, pour les compositeurs de notre époque, il n'y a point de salut hors de la musique savante à base folklorique. Mais certains de nos adversaires ne sont pas aussi tolérants que nous, lorsqu'ils parlent du rôle et de l'importance de la musique populaire. C'est ainsi que l'un de nos compositeurs émérites déclarait récemment : « Le mobile inavoué de la collecte des chants populaires, entreprise sur une grande échelle dans le monde entier, est une certaine paresse intellectuelle. On aspire à se rafraîchir en puisant dans une source neuve, à féconder les cerveaux desséchés. Or, ce désir masque en réalité une impuissance intérieure, c'est un recul devant la lutte et un recours à des moyens qui, tout commodes qu'ils soient, paralysent l'âme. »

Cette regrettable affirmation est d'un bout à l'autre entachée d'erreur.

Que s'imaginent ceux qui pensent ainsi ? Ils croient peut-être que le compositeur, amateur de chansons populaires, s'étant installé à sa table pour « composer », et, n'ayant pas trouvé la moindre mélodie, saisit en désespoir de cause le premier recueil de chants populaires, choisit un ou deux morceaux et... compose une symphonie, sans les douleurs de l'enfantement.

Eh bien, non, la question n'est pas si simple. L'erreur fatale de nos adversaires consiste à attribuer une importance exagérée au *sujet*. Qu'ils se rappellent donc l'exemple de Shakespeare, qui n'a jamais écrit de drame dont il ait lui-même inventé le sujet... Avait-il donc, lui aussi, le cerveau desséché au point d'être obligé d'emprunter ses sujets ? Voulait-il, lui aussi, masquer son « impuissance intérieure » ? L'exemple de Molière est encore plus éloquent : cet auteur ne se contenta pas d'emprunter des sujets, il alla jusqu'à reprendre certains éléments structuraux de l'œuvre dont il avait emprunté le sujet, jusqu'à recopier certaines expressions et même des phrases entières. Nous savons que l'un des oratorios d'Hændel

1. Musique dodécaphonique.

est tout simplement l'arrangement d'une œuvre de Stradella, mais un arrangement fait de main de maître, bien supérieur à l'œuvre originale, et pas un seul instant l'auditeur ne pense à Stradella. Peut-on parler ici de plagiat, de « cerveaux desséchés », d' « impuissances » ? Evidemment, non, pas plus que chez Shakespeare, lorsqu'il emprunte à Marlowe le sujet d'une de ses tragédies, chez Molière, lorsqu'il puise aux sources espagnoles, chez Stravinsky, lorsqu'il utilise des sujets d'origine populaire ou étrangère.

Le sujet est à l'œuvre littéraire ce qu'est le matériel thématique à l'œuvre musicale. Mais en musique comme en littérature, en sculpture ou en peinture, ce n'est pas l'origine du sujet qui importe, mais la manière dont on traite celui-ci. Cette « manière » traduit la maîtrise, la puissance d'expression, la personnalité de l'artiste.

On peut aborder la question sous un autre angle.

L'œuvre de Sébastien Bach — peut-on l'ignorer — résume avec génie cent ans de musique et même plus. Les éléments de cette musique, ses motifs, ses sujets sont, pour l'essentiel, des formes bien connues des prédécesseurs de Bach. On ne compte pas dans la musique de ce maître les formes que l'on retrouve chez Frescobaldi et un grand nombre de compositeurs d'une époque antérieure. Est-ce un mal ? Est-ce un plagiat ? Pas du tout. Tout artiste a le droit de chercher une base dans ce qui l'a précédé : ce n'est pas seulement un droit, c'est une nécessité. Pourquoi n'aurions-nous alors pas le droit de prendre pour base l'art populaire ?

La conception qui attribue une si grande importance à l'invention thématique est née au XIXe siècle. C'est une conception propre au romantisme : elle prétend chercher l'individuel dans toute chose.

Je crois qu'il apparaît avec suffisamment de clarté que si un compositeur jette les racines de son art non pas dans la musique de Brahms ou de Schumann, mais dans la musique populaire de son propre pays, il ne donne des signes ni de « dessèchement », ni « d'impuissance ».

Il est une autre conception, diamétralement opposée à la précédente : les nombreux protagonistes de cette idée s'imaginent que, pour faire éclore un art musical national, il suffit de se pencher sur la musique populaire et de greffer ses formules sur celles de la musique occidentale.

Cette conception souffre du même vice que la précédente. Ses partisans attachent, une fois de plus, trop d'importance au sujet, et ne pensent pas à la composition, qui constitue pourtant la création proprement dite. Or, la composition est la pierre de touche du génie.

Aussi disons-nous que la musique populaire n'a de signification artistique que si, traitée par des compositeurs de grand talent, elle accède à la musique savante en lui imprimant son caractère propre.

Ni la musique populaire, ni aucun autre matériel musical ne peuvent devenir valables s'ils sont traités par des incapables. Ceux-ci ont beau « s'inspirer » de la musique populaire, ou de tout autre matériel musical le résultat sera le même, c'est-à-dire égal à zéro.

La musique populaire possède une importance particulière et joue un rôle prépondérant dans les pays où il n'existe guère d'autres traditions musicales et où ce peu de traditions musicales est « quantité négligeable ». Tels sont la plupart des pays de l'est et du sud de l'Europe. et notamment la Hongrie.

Qu'il me soit permis, pour terminer, de citer les paroles de Kodaly sur le rôle que joue à cet égard la musique populaire :

« La musique hongroise ancienne a laissé si peu de documents écrits qu'il ne saurait y avoir d'histoire de la musique hongroise sans musique populaire. De même que la langue populaire possède de nombreux éléments communs avec la langue ancienne, la musique populaire doit forcément suppléer au manque de documents historiques. Du point de vue artistique, la musique populaire est plus importante pour nous que pour les peuples qui ont formé, il y a déjà des siècles, un style musical indépendant. Dans ces pays-là, la musique populaire a été absorbée par la musique savante, et le musicien allemand trouvera dans Bach et dans Beethoven ce que nous ne pouvons chercher que dans nos campagnes, à savoir la vie organique d'une tradition nationale. »

1931.

MES TROIS SOURCES

Mon opinion est la suivante : Je me tiens pour un compositeur hongrois. On ne peut me considérer comme un « compositorul român » en raison de mes œuvres originales dans lesquelles j'utilise mes mélodies propres, fondées sur la musique populaire roumaine ou s'en inspirant, tout comme il est impossible de qualifier de compositeurs hongrois ou espagnols Brahms, Schubert et Debussy, en raison de l'utilisation, dans leurs œuvres originales, d'un matériel thématique d'inspiration hongroise ou espagnole. A mon sens, vous ou les autres chercheurs feriez mieux de renoncer à cette désignation. Vous devriez vous contenter de constater « qu'ici et là, dans telle et telle œuvre, on trouve une thématique d'inspiration roumaine ». Si votre opinion était juste, on pourrait tout aussi bien me qualifier de « compositeur slovaque », et je serais un compositeur pourvu de trois nationalités! Et puisque me voilà engagé dans le chemin de la sincérité, permettez-moi de vous dire ici quelques pensées que ce sujet me suggère.

Mon travail de compositeur, justement parce qu'il procède de trois sources (hongroise, roumaine et slovaque), peut en somme être considéré comme l'incarnation de la pensée d'intégrité qui est tellement proclamée aujourd'hui en Hongrie. Naturellement, je ne vous écris pas tout ceci pour vous pousser à le proclamer, et, certainement, vous vous garderez bien de le faire : en effet, ce sujet-là n'est pas fait pour la presse roumaine. Je ne signale ces idées que pour vous exposer une opinion qui n'est pas du tout absurde, et que je me suis formée il y a dix ans environ, à un moment où nos chauvins m'attaquaient de la manière la plus violente et m'accusaient de jouer, en matière de musique, le rôle d'un *Scotus Viator*.

En revanche, mon idée maîtresse véritable, celle qui me possède entièrement depuis que je suis compositeur, c'est celle de la fraternité des peuples, de leur fraternité envers et contre toute guerre, tout conflit. Voilà l'idée que, dans la mesure où mes forces me le permettent, j'essaie de servir par mes œuvres. C'est pourquoi je ne me refuse à aucune influence, qu'elle soit de source slovaque, roumaine, arabe ou autre. Pourvu que cette source soit pure, fraîche et saine! En raison de ma position géographique, la source hongroise m'est plus proche : c'est pourquoi l'influence hongroise domine dans mes œuvres. Quant au problème de savoir si, indépendamment des sources différentes, mon style est d'un caractère hongrois (et c'est là l'essentiel) il appartient à d'autres d'en juger, pas à moi. De toute façon, en ce qui me concerne, je sens que mon style possède ce caractère. Car enfin, il faut que, d'une manière ou d'une autre, caractère et milieu soient en harmonie...

A Octavian Beu, 10 janvier 1931.

RYTHME PARLANDO ET RYTHME DE DANSE

J'ai été très intéressé par les profondes réflexions de l'article de M. Percy Grainger, *Melody versus Rythmus*[1].

---

1. L'étude de Bartok est une réponse à une étude de Percy Grainger, qui avait paru dans les numéros du 6 octobre et du 29 septembre 1932 de la revue *The Music News* de Chicago. C'est Storm Bull qui avait attiré l'attention de Bartok sur l'article de P. Grainger. A cette époque, Storm Bull était l'élève de Bartok à Budapest. Bartok écrivit cette réponse quelques jours plus tard, le 10 octobre 1933. L'étude de Bartok, ou sa réponse, a été publiée en anglais dans le numéro du 19 janvier 1934 (déclaration de Storm Bull).

J'aimerais tout juste faire deux remarques à ce sujet, remarques qui m'ont été inspirées par l'état primitif de la musique, tel que je l'ai observé chez les peuples de l'Europe orientale et de l'Afrique du Nord.

Dans cet état primitif, nous ne trouvons que deux sortes de musiques, la première sur un rythme libre parlando, la deuxième liée à un rythme de danse. Dans la première, le rythme n'est constant que dans les grandes lignes; dans les détails, par contre (inspiration du moment, diction), il est soumis à des variations tout à fait infimes, souvent à peine perceptibles. Par contre, et c'est ce que j'aimerais souligner en tant que première remarque, les *deux musiques ont leur rythme,* alors même qu'elles diffèrent l'une de l'autre pour le caractère. Parce qu'une mélodie sans rythme est inconcevable, tandis qu'on peut imaginer un rythme sans mélodie.

Ces deux sortes de musiques ont en fait la même valeur aux yeux de ces peuples presque primitifs : ils jouent la musique de rythme libre parlando lorsqu'il n'y a pas de mouvements, et les rythmes liés lorsque les mouvements sont liés à la musique (c'est-à-dire dans la danse). Il ne semble pas y avoir de préférence pour l'une ou l'autre sorte de musique, dont le choix dépend uniquement de l'occasion. L'existence de la musique à rythme lié et sa richesse, c'est-à-dire le fait qu'il existe des divertissements avec danses, montrent justement que la musique à rythme lié est aussi nécessaire que l'autre genre de musique. De plus, il ne saurait être question d'une influence quelconque de l'esprit « négrier » : les peuples vivant dans un état primitif ne composent de musique que *suivant leurs propres instincts et spontanément.*

Quant à son rôle et son caractère, la musique parlando libre de ces peuples correspond donc à cette musique plus élevée que M. Grainger appelle « mélodique », et la musique à rythme lié correspond à ce qu'il nomme « rythmique ». De toute façon, la musique des peuples vivant dans un état primitif reflète un état absolument naturel, qui semble me donner raison lorsque j'affirme que l'humanité, de par sa nature, désire et trouve nécessaire et la musique « mélodique » et la musique « rythmique ». Quant à moi, j'ai l'impression que ces deux genres sont égaux, et je considère que l'œuvre musicale la plus parfaite est celle qui renferme ces deux genres. Telle est, je pense, l'œuvre de J.-S. Bach.

10 octobre 1933.

EDGAR VARÈSE

VARESE, né à Paris en 1885, mais résidant la plupart du temps aux Etats-Unis, sera sans doute considéré dans l'histoire de la musique comme l'un des pionniers les plus audacieux dans le domaine de la recherche de l'acoustique appliquée et des timbres nouveaux que permettent les diverses innovations de la musique électronique (voir p. 535).

UNE ŒUVRE N'EXISTE QU'AU PRÉSENT

Je me refuse à prendre en considération les qualités éphémères d'une œuvre : ses artifices voyants sont destinés à divertir les snobs et les esthètes oisifs qui lui attribuent, par cela même, l'épithète de moderne. En art, il n'y a que ce qui a existé plus ou moins tôt ou tard. Il n'y a pas d'œuvre moderne ou ancienne, mais seulement celle qui existe au présent. Les idées changent, et avec elles leur moyen d'expression. Dans les œuvres d'aujourd'hui comme dans celles qui les ont précédées, les mêmes principes sont communs à toutes. Le compositeur ne doit pas être tenu pour responsable si l'habitude et la paresse mentales empêchent certaines gens de suivre le processus en perpétuelle évolution de ces éléments et principes et leur font souhaiter d'interrompre cet impitoyable mouvement et de substituer à ces éléments et à ces principes des formules stéréotypées.

Cité par KLAREN.

LA PERTURBATION NÉCESSAIRE

En parlant de musique, ce qu'il ne faut jamais oublier, c'est que, pour entendre la musique, l'auditeur doit avant tout être soumis à un phénomène physique, c'est-à-dire que tant qu'une perturbation, un dérangement atmosphérique entre la source productrice du son et l'auditeur n'a pas lieu, il ne peut y avoir musique. Chaque fois qu'une œuvre est exécutée, elle ne peut l'être qu'au moyen d'une machine productrice de sons, les instruments qui composent nos orchestres et qui sont soumis aux mêmes lois physiques que toutes les autres machines.

Artistes répétant un rôle pour un opéra comique. Carmontelle (1717-1806).
Musée de Chantilly. *(Cliché Giraudon).*

Un concert sous le Directoire. Tannay (1755-1830). Coll. privée *(Cliché Bulloz).*

INTÉGRALES

Les Intégrales furent conçues pour une projection spatiale. Je les construisis pour certains moyens acoustiques qui n'existaient pas encore, mais qui, je le savais, pouvaient être réalisés et seraient utilisés tôt ou tard. Tandis que dans notre système musical, nous répartissons des quantités dont les valeurs sont fixes, dans la réalisation que je souhaitais, les valeurs auraient continuellement changé en relation avec une constante. En d'autres termes, ç'aurait été comme une série de variations où les changements auraient résulté de légères altérations de la forme d'une fonction ou de la transposition d'une fonction à l'autre.

JEAN COCTEAU

UNE MUSIQUE SIMPLE

Il faut que le musicien guérisse la musique de ses enlacements, de ses ruses, de ses tours de cartes, qu'il l'oblige le plus possible à rester en face de l'auditeur.

Un poète a toujours trop de mots dans son vocabulaire, un peintre trop de couleurs sur sa palette, un musicien trop de notes sur son clavier.

Schoenberg est un maître; tous nos musiciens et Stravinsky lui doivent quelque chose, mais Schoenberg est surtout un musicien de tableau noir.

Satie contre Satie. — Le culte de Satie est difficile, parce qu'un des charmes de Satie, c'est justement le peu de prise qu'il offre à la déification.

En musique la ligne c'est la mélodie. Le retour au dessin entraînera nécessairement un retour à la mélodie.

Satie enseigne la plus grande audace à notre époque : être simple. N'a-t-il pas donné la preuve qu'il pourrait raffiner plus que personne ? Or il déblaie, il dégage, il dépouille le rythme. Est-ce de nouveau la musique sur qui, disait Nietzsche, « l'esprit danse », après la musique « dans quoi l'esprit nage » ?

Ni la musique dans quoi on nage, ni la musique sur qui on danse : DE LA MUSIQUE SUR LAQUELLE ON MARCHE.

Assez de nuages, de vagues, d'aquariums, d'ondines et de parfums la nuit; il nous faut une musique sur la terre, UNE MUSIQUE DE TOUS LES JOURS.

La musique est le seul art dont la foule admette qu'il ne représente pas quelque chose. Et pourtant, la belle musique est la musique ressemblante.

La ressemblance, en musique, ne consiste pas en une représentation, mais en une puissance de vérité masquée.

Pelléas, c'est encore de la musique à écouter la figure dans les mains. Toute musique à écouter dans les mains est suspecte. Wagner, c'est le type de la musique qui s'écoute dans les mains.

LE COQ ET L'ARLEQUIN, 1918.

LA LUMIÈRE ET LES LIGNES LE RYTHME ET LA MÉLODIE

Peu à peu la musique se dépouille. Les dissonances précieuses s'effritent. Il en reste bien encore par-ci par-là, mais on distingue un effort pour déblayer. Cette tendance récente à construire s'arrangera mal des chanteuses qui récitent, murmurent, ne chantent pas. Seule, une cantatrice rompue aux vocalises permettrait d'écrire des œuvres nettes...

Après des années de clignements d'yeux au soleil et de « rapports de tons », les peintres retournent à la lumière et aux lignes. Il est fatal que le rythme et la mélodie réapparaissent chez les musiciens.

CARTE BLANCHE, 14 avril 1919.

LA SCIENCE FAITE CHAIR

M. Marnold, critique du *Mercure,* me reproche de ne parler que par métaphores de la musique. C'est pour moi le seul langage possible. Aidé par les musiciens, je pourrais éblouir les lecteurs crédules. Mais outre que les musiciens tiennent les articles de techniciens pour incompréhensibles, je ne suis pas technicien et cherche avant tout à me faire bien comprendre.

« On ne peut aimer une musique, me disait M. Marnold, sans savoir à fond le contrepoint et l'harmonie. » C'est prétendre qu'on ne peut jouir d'un arbre sans connaître la nature de ses fibres, d'un plat sans être cuisinier. Voilà notre terrain de dispute avec un homme bien sympathique, puisqu'il n'hésite pas à défendre les jeunes.

Mais s'il est néfaste que l'art s'imagine trouver des ressources dans la science, rien n'empêche l'artiste d'ouvrir la cage aux chiffres. L'art, c'est la science faite chair.

LE SECRET PROFESSIONNEL, 1922.

DARIUS MILHAUD

LE GROUPE DES SIX [1]

Après un concert à la Salle Huyghens, au cours duquel Bertin chanta les *Images à Crusoë*, de Louis Durey, sur le texte de Saint-Léger, et le Quatuor Capelle joua mon *Quatrième Quatuor*, le critique Henri Collet fit paraître dans *Comœdia* un feuilleton intitulé : « Les cinq Russes et les six Français. » D'une façon absolument arbitraire, il avait choisi six noms : ceux d'Auric, de Durey, d'Honegger, de Poulenc, de Tailleferre et le mien, simplement parce que nous nous connaissions, que nous étions bons camarades et que nous figurions aux mêmes programmes; sans se soucier de nos différents tempéraments et de nos natures dissemblables : Auric et Poulenc se rattachaient aux idées de Cocteau, Honegger au romantisme allemand et moi au lyrisme méditerranéen. Je désapprouvais foncièrement les théories esthétiques communes et les considérais comme une limitation, un frein déraisonnable à l'imagination de l'artiste qui doit trouver, pour chaque œuvre nouvelle, des moyens d'expression différents et souvent opposés; mais il était inutile de résister! L'article de Collet eut un tel retentissement mondial que « le Groupe des Six » était constitué et j'en faisais partie, que je le veuille ou non.

NOTES SANS MUSIQUE.

---

1. De même que, dans la musique russe, le groupe des cinq, le groupe des six (Milhaud, Honegger, Poulenc, Auric, G. Tailleferre, Durey) n'a pas incarné dans la musique française un esthétique collective. Ce n'est qu'historiquement que cette dénomination est légitime.

ARTHUR HONEGGER

ARTHUR HONEGGER (1892-1955) fit partie du Groupe des Six, *ou, plus exactement, se fit connaître en même temps qu'eux, ce groupe n'ayant jamais constitué une école et n'ayant eu que l'âge et l'amitié pour fondement commun. Au reste, Honegger est celui qui se distingue le plus du groupe, par son écriture puissante, ses rythmes forts, ses dissonances accusées. Il attira sur lui l'attention avec* Le Roi David *et* Pacific 231, *qui est une recherche mathématique du développement rythmique. Il composa cinq symphonies, dont la troisième est d'inspiration liturgique et la cinquième de caractère dodécaphonique, sans pourtant mettre en jeu la doctrine de Schœnberg. Honegger écrivit des opéras, des oratorios, sur des textes de Claudel, la musique de scène du* Soulier de Satin, *etc. Il est un des plus importants pionniers de la modernité musicale, sans jamais avoir donné à son originalité une base théorique classique.*

UNE OPÉRATION MENTALE

... Pour le vulgaire, l'acte de composer de la musique reste une chose incompréhensible. « Alors, quand vous composez, vous cherchez sur votre piano ce qui pourra faire un morceau ? Mais quand c'est un morceau pour l'orchestre, vous ne pouvez pas jouer toutes les parties instrumentales en même temps ? »

J'essaye d'expliquer que la construction sonore doit se faire d'abord dans l'esprit, puis être notée sur le papier dans ses grandes lignes :

« Mais sans entendre jouer les notes ?

— D'autant moins que je ne joue pour ainsi dire pas de piano.

— Vous êtes donc obligé de faire jouer par quelqu'un d'autre ?

— Non, car c'est une opération mentale qui se passe dans le cerveau du compositeur. Je ne dis pas cependant que le contrôle de certains passages au piano soit inutile, ne serait-ce que pour aider à l'enchaînement des différents éléments employés un peu comme un *guide-âne*... »

Lorsque vous lisez un livre, vous n'êtes pas obligé de prononcer les mots à haute voix : ils résonnent dans votre esprit. C'est l'esprit, la pensée qui doit créer la musique, et non pas les doigts se promenant au hasard sur les touches. Toutefois, la recherche au piano peut être féconde, surtout chez les compositeurs habiles instrumentistes qui se livrent à l'improvisation. Schumann condamnait cette technique, mais il est probable qu'un Chopin ou un Liszt la pratiquaient. Elle peut avoir des résultats excellents. Alors, le hasard devient inspiration, car le premier jet est repris, remanié, amélioré, précisé par la science musicale de l'auteur. J'envisage très bien le cas suivant : le compositeur assis devant son clavier et qui plaque des accords. Il peut, tout à coup, être séduit par un enchaînement de deux ou plus de ces accords. Ils lui serviront de base pour tout le caractère harmonique d'une pièce. Berlioz, lui, concevait une ligne mélodique et cherchait l'harmonisation sur sa guitare. Cela explique cette tendance à l'homophonie qui lui est propre. Bach et les polyphonistes devaient rarement user de ce procédé.

La lecture d'un texte musical sans instrument paraît un tour de force aux non-initiés. Un ami me racontait avec admiration que, dans un train, il avait vu une chanteuse apprendre son rôle, malgré l'absence de piano! Reconnaissons d'ailleurs que la lecture d'une partition d'orchestre est infiniment moins aisée qu'une lecture de texte littéraire et qu'il faut un long entraînement pour y parvenir. Il suffit de contrôler la façon dont certains chefs d'orchestre lisent ces partitions pour être fixé... Les signes y sont multiples et l'œil est obligé de parcourir un fort grand espace, puisqu'il faut lire en même temps le haut et le bas d'une page qui comporte une trentaine de portées. Au fond, il est assez normal que l'on s'étonne de ce qui fait justement la particularité de notre métier et qu'on nous dise : « Alors, vous regardez les notes et vous entendez ce que ça fait ? »

Ce qui a toujours stupéfié les foules, c'est l'existence du compositeur sourd. Il n'est pas exclu qu'une grande part de l'admiration vouée à Beethoven ne revienne à son infirmité. Au vrai, mis à part le côté tragique de cette situation, le fait pour un créateur de ne pouvoir jamais entendre l'*exécution* de son ouvrage devait soulever pour lui de grandes difficultés techniques. Beethoven avait progressivement oublié la manifestation purement sonore de certains dispositifs. Nous le découvrons dans l'écriture des voix de la *Missa solemnis* ou de la *IXe Symphonie*. On observe également le grand intervalle entre la main droite et la gauche dans l'écriture pianistique et surtout dans la paradoxale harmonisation des anacrouses.

Pourtant, cela n'avait aucune influence sur l'essence même

de sa pensée. Je serais tenté de dire que cette surdité, qui le murait en lui-même, aidait à la concentration de son génie et le détachait des fadeurs et des banalités de son temps.

J'ai, par hasard, retrouvé dans un numéro ancien de la revue *Die Muzik,* consacré à Beethoven, un article du Dr J. Niemack sur la surdité du maître. Il prend un exemple précis : le passage central de la *Cavatine* du *Quatuor Op. 130,* où le premier violon déclame, sur un rythme étrangement entrecoupé, une ligne mélodique que Beethoven a notée « Beklemmt » (angoissé). « Faites entendre ce passage à un cardiologue, dit le Dr Niemack, et demandez-lui s'il connaît ce rythme ? »

« Naturellement, répondra-t-il, c'est le battement du cœur d'un artérioscléreux dont l'organe est affecté d'insuffisance compensée. »

La surdité rendait Beethoven plus sensible encore au bruit des battements de son cœur. Le Dr Niemack se demande, en conséquence, si l'esthéticien peut considérer comme valables de telles reproductions de phénomènes maladifs.

Je suis compositeur.

INVENTER SON MODÈLE

Un métier qu'on ignore, ou bien on le croit très facile, ou bien on l'estime prodigieux. J'ai, moi-même, sur la conscience d'avoir tenu à des peintres des discours qui les enrageaient. Je leur disais : « Comme votre art est facile! Vous reproduisez un modèle que vous avez vu. Vous pouvez, pendant des années de votre vie, peindre trois pommes dans une assiette, sous prétexte que Cézanne a peint trois pommes dans une assiette. Ces trois pommes, vous pouvez les placer devant vous et les reproduire. Vous avez un modèle qui existe. Vous peignez une nature morte, représentant une bouteille de vin, une pipe, un bout de saucisson; ou bien vous dessinez une belle dame toute nue ou, au contraire, joliment habillée. Tout cela est à la portée de vos regards. » Le génie du sculpteur consiste à donner à un corps qu'il connaît anatomiquement un élan qui exprime sa personnalité. Il a, lui aussi, le modèle sous les yeux quand il travaille.Le musicien doit inventer d'abord son modèle, et le reproduire ensuite. Si je veux écrire une sonate pour piano et violon, je n'ai absolument rien devant les yeux ou dans ma mémoire. Je dois tout inventer.

Ibid.

UNE OPÉRATION SECRÈTE, INTRANSMISSIBLE

En musique, la composition, la conception de l'œuvre est une opération secrète, mystérieuse et intransmissible. Avec la meilleure foi du monde, comment expliquer le processus de la création ?

Je comparerai volontiers une symphonie ou une sonate à un roman dont les thèmes sont les personnages. Nous les suivons, après avoir fait leur connaissance, dans leurs évolutions, dans la progression de leur psychologie. Leurs physionomies personnelles nous demeurent présentes. Les uns suscitent notre sympathie, les autres nous causent de la répulsion. Ils s'opposent ou se conjuguent; ils s'aiment, s'allient ou se combattent.

Ou bien, si l'on préfère, voici une comparaison architecturale : imaginez un édifice que l'on bâtit, dont on perçoit d'abord vaguement le plan général et qui, progressivement, se précise dans l'esprit.

Nous avons, comme dans les autres arts, des règles que nous avons apprises et qui nous viennent des maîtres. Mais en plus du « métier » réfléchi, volontaire, hérité, il reste une impulsion dont nous ne sommes pour ainsi dire pas responsables. C'est une manifestation de notre subconscient qui nous reste inexplicable.

Le plus sincèrement du monde, une grande partie de mon travail échappe à ma volonté. Ecrire de la musique, c'est dresser une échelle sans pouvoir l'appuyer contre un mur. Pas d'échafaudage : l'édifice en construction ne tient en équilibre que par le miracle d'une espèce de logique intérieure, d'un sens inné des proportions. Je suis à la fois l'architecte et le spectateur de mon œuvre : je travaille et je considère. Quand un obstacle imprévu m'arrête, je quitte mon établi, je m'assieds dans le fauteuil de l'auditeur et je me dis : « Après avoir entendu ce qui précède, que souhaiterais-je qui puisse me donner sinon le frisson du génie, du moins l'impression de la réussite ? Qu'est-ce qui, logiquement, devrait arriver pour me satisfaire ? » Et j'essaye de trouver la suite, non pas la formule banale que chacun prévoit, mais au contraire un élément de renouveau, un rebondissement de l'intérêt. De proche en proche, suivant cette méthode, ma partition s'achève.

La surprise est, en général, une preuve d'insécurité, le fait d'un musicien qui sait mal son métier. Un compositeur digne de ce nom doit avoir tout prévu. Dans ces conditions, il se contente de vérifier par l'oreille ce que son cerveau a conçu. Si je bénéficiais des privilèges accordés aux peintres, je me ferais jouer par un orchestre à ma disposition mes ébauches successives : ce serait prendre du recul à ma façon. Malheureusement, c'est impossible, il faut attendre la répétition générale. A ce moment, le matériel d'orchestre est établi, les parties sont copiées, et toute correction sérieuse entraîne un travail considérable. On doit se contenter de rectifier les erreurs de copie. Je sais bien que certains éditeurs acceptent, après une première édition, de regraver des pages entières : ils sont peu nombreux, vous l'imaginez! Au demeurant, il faut savoir accepter ses risques.

La comparaison la mieux appropriée me semble être celle du constructeur de navires qui, au moment du lancement, risque de voir la coque se retourner. Heureusement l'accident n'offre pas, musicalement, le même caractère d'évidence.

Beaucoup de partitions modernes flottent la tête en bas. Très peu de gens s'en aperçoivent.

Ibid.

LE GRAND JET MÉLODIQUE

J'ai cherché, avant toute chose, la ligne mélodique, ample, généreuse, d'une coulée, et non pas la juxtaposition laborieuse de petits fragments qui s'agrègent mal les uns aux autres. Le grand jet mélodique n'exclut nullement la ponctuation du discours; il est la pierre de touche des ouvrages réussis; nous le trouvons chez tous les maîtres. Cependant, on a discuté et l'on discute encore de ce que doit être au juste une mélodie. La critique a refusé le don mélodique tour à tour à Bach, à Mozart, à Beethoven, à Schumann, à Wagner, à Gounod, à Debussy. Le grand mot, en face d'une œuvre nouvelle, c'est : « Il n'y a pas de mélodie! » Les Pougin, les Oscar Commettant, les Fétis, les Scudo, les Hanslick et *tutti quanti* n'admettaient comme mélodies que des motifs accompagnés par des formules aussi simples et banales que possible : les arpèges (appelés « nouilles » en jargon de métier) ou les rythmes de valses (dits « rime et poupettes »). Dès que ces mêmes motifs se trouvent soutenus par d'autres mélodies, c'est-à-dire accompagnés polyphoniquement, ils perdent titre et qualité aux yeux de ces censeurs bornés. Quelle surprise de trouver ce point de vue chez un Stravinsky dans sa *Poétique musicale* : « Au moment où Beethoven léguait au monde des richesses dues en partie *à ce refus du don mélodique,* un autre compositeur, dont les mérites n'ont jamais été égalés à ceux du maître de Bonn, semait à tous vents, avec une infatigable profusion, des mélodies magnifiques et de la plus rare qualité, les distribuant *gratuitement* comme il les avait reçues, sans même penser à se reconnaître le mérite de les avoir enfantées. » Plus loin, on lit : « Bellini avait tout juste ce qui manquait à Beethoven.» Si ce point de vue peut paraître à beaucoup légèrement paradoxal, l'on n'en appréciera que plus la déclaration suivante : « Je *commence* à penser, d'accord avec le grand public, que la mélodie doit conserver sa place au sommet de la hiérarchie des éléments qui composent la musique. »

La plus haute des formes mélodiques, je l'imagine comme un arc-en-ciel, qui monterait et redescendrait, sans qu'à aucun moment l'on puisse dire : « Ici, vous voyez, il a repris le fragment B, là, le fragment A », — toutes choses qui appartiennent d'ailleurs au domaine artisanal et ne peuvent intéresser que des élèves. Les auditeurs devraient se laisser porter par les lignes mélodiques ou les valeurs rythmiques, sans se préoccuper d'autre chose.

Ibid.

IL N'Y A PAS DE MOTS NOUVEAUX

Il existe, me semble-t-il, deux catégories de compositeurs. Ceux qui ont eu l'audace d'apporter des pierres nouvelles à l'édifice. Ceux qui les ont taillées, mises en place et en ont bâti des chaumières ou des cathédrales. Pour les premiers, la tâche est terminée, jusqu'à ce qu'on emploie de nouveaux intervalles — quarts, tiers, dixièmes de ton. Pour les autres, la recherche peut se poursuivre, dans la mesure où l'on a quelque chose à dire. Car il n'y a plus de nouvelles harmonies en puissance, ni de lignes mélodiques qui n'aient pas déjà été employées, mais il y a toujours un usage original des harmonies anciennes et récentes. Personnellement, je crois que les mêmes problèmes se posent à l'écrivain et au compositeur. Rappelez-vous la réponse que fit Louis Beydts à l'enquête du *Figaro* : « On s'accorde à penser qu'André Gide est le meilleur écrivain de notre temps, et, cependant, il emploie exactement les mêmes mots que Racine. »

Il n'y a pas de mots nouveaux. Tous les mots ont déjà été employés : on ne peut trouver que de nouvelles combinaisons. Pour être clair, je rappellerai que les combinaisons entre les douze sons chromatiques qui forment notre matériel sonore sont mathématiquement limitées. Pour aller du premier au cinquième degré, ou revenir du cinquième au premier, il y a une série de contours mélodiques qui se reproduisent obligatoirement. Il ne peut donc plus se créer une mélodie qui ne rappelle l'un ou l'autre de ces contours. Cela permet au critique ou à l'auditeur quelconque de décréter qu'il n'y a rien de nouveau dans la musique moderne...

Il en est de même pour les accords comprenant les douze sons chromatiques superposés. Depuis une trentaine d'années, ils ont été couramment employés par les compositeurs. Mais, aujourd'hui, il est impossible d'ajouter un treizième son supplémentaire : le matériel est au complet.

LES FORÇATS DU DODÉCAPHONISME

Ce qui me frappe [*à notre époque*], c'est la hâte des réactions, l'usure précoce des procédés. Il a fallu des siècles, de Monteverde jusqu'à Schœnberg, pour obtenir la libre disposition des douze sons. A partir de cette découverte, l'évolution devient tout à coup très rapide. Nous sommes tous devant un mur : ce mur fait de tous les matériaux amoncelés peu à peu, aujourd'hui dressé devant nous, chacun s'efforce d'y trouver une issue; il la cherche, selon son intuition personnelle.

Il y a, d'une part, les tenants de la méthode Satie : ils préconisent le retour à la simplicité... *Sancta simplicitas!* D'autre part, ceux qui, reprenant quarante ans plus tard les recherches de Schœnberg, cherchent la sortie du côté de l'atonalité en érigeant, plus arbitrairement encore, le système du dodécaphonisme. Ce système sériel se targue d'une codification très étroite : les dodécaphonistes me font l'effet de forçats, qui, ayant rompu leurs chaînes, s'attacheraient volontairement aux pieds des boulets de cent kilos pour courir plus vite... Leur dogme est entièrement comparable à celui du contrepoint d'école, à la différence près que le but du contrepoint est seulement d'assouplir la plume et de stimuler l'invention par l'exercice, quand les principes sériels sont présentés, non comme des moyens mais comme une fin!

Je crois qu'il n'y a là aucune possibilité d'expression pour un compositeur, parce que son invention mélodique est soumise à des lois intransigeantes qui entravent la libre expression de sa pensée. Je ne suis pas du tout opposé à la discipline librement consentie, et même recherchée, pour des fins artistiques. Mais il faut que cette discipline ait un sens et ne soit pas arbitraire et décrétale.

D'autre part, la liberté anarchique, du point de vue de la résultante harmonique des lignes superposées, ouvre la voie aux plus dangereuses fantaisies. Voici ce que dit René Leibowitz, le théoricien éminent du dodécaphonisme : « ... Il ressort que la pensée du compositeur peut enfin s'exercer de façon entièrement linéaire (horizontale), *puisque aucune restriction verticale ne peut avoir de prise sur lui.* Pas de dissonances défendues, pas de formules harmoniques fixes (telles les finales du contrepoint modal, tels les degrés harmoniques du contrepoint tonal; c'est dire que le compositeur peut donner libre cours à l'invention de ses voix, qui acquièrent ainsi à la fois une totale liberté individuelle et la faculté de se superposer librement les unes aux autres. » Et, plus loin : « ... *la possibilité immanente* pour le compositeur d'écrire d'une façon purement horizontale, sans aucun souci vertical *a priori*[1]. »

Evidemment, les restrictions imposées par la formation d'une série orthodoxe se trouvent largement compensées par cette liberté. Cela explique pourquoi les jeunes les moins doués d'invention musicale se sont jetés avec enthousiasme sur cette technique. Il ne faut pourtant pas oublier que l'auditeur entend la musique verticalement et que les combinaisons contrapuntiques les plus complexes perdent tout intérêt et deviennent d'une facilité élémentaire lorsqu'elles peuvent se passer de toute discipline.

Un autre inconvénient du système dodécaphonique est la suppression de la modulation qui offre tant de possibilités, sans cesse renouvelées. « Passer d'une région à une autre, avoue Leibowitz, équivaut alors *vaguement* à ce que signifiait la modulation au sein de l'architecture tonale. » Enfin, je redoute la pauvreté de la forme... « puisqu'on peut dire que toute pièce dodécaphonique n'est qu'une suite de variations sur sa série initiale »[2].

Le but d'une conquête est d'élargir l'espace, d'abolir les frontières, non pas de les resserrer. L'effort des créateurs a toujours été dans le sens d'une libération des formules et des conventions. Mais que d'exemples du contraire autour de nous! Ainsi les démagogies évoluent-elles vers un impérialisme plus autocratique que celui qu'elles ont détruit, tandis que les dictatures reviennent à la démagogie! Je crains fort que la poussée dodécaphonique — nous la voyons d'ailleurs sur son déclin — n'amorce une réaction vers une musique trop simpliste, trop rudimentaire. On se guérira d'avoir avalé de l'acide sulfurique en buvant du sirop. L'oreille, fatiguée des intervalles de neuvièmes et de septièmes, accueillera avec plaisir les musiques d'accordéon et les chansons sentimentales!

Ibid.

---

1. René Leibowitz, *Introduction à la musique de douze sons.*
2. René Leibowitz, *Schœnberg et son école.*

IL SIGNOR VACARMI

Ne parlons pas [*à propos de la « musique concrète »*] de découverte. Ces montages sonores viennent à la suite des essais tentés en 1912 par l'Ecole des *bruitistes* italiens, Russolo et Marinetti. Ces tentatives sont légitimes et je ne m'en indigne pas. Pourquoi ne pas organiser des bruits de machines de forges, de moteurs d'avions, comme on utilise les sons d'un violon, d'une flûte ou d'un trombone ? Cela donnerait peut-être d'excellents résultats, profitables au cinéma et à la musique de scène. Mais n'est-ce pas là une preuve de ce que j'avançais plus haut ? Il faut émouvoir les sens, percuter les tympans de plus en plus sclérosés. Nous n'en sommes plus au temps où, pour quelques coups de grosse caisse, on surnommait Rossini : « Il Signor Vacarmi. »

Ibid.

ARCHITECTURE

J'attache une grande importance à l'architecture musicale que je ne voudrais jamais voir sacrifiée à des raisons d'ordre littéraire ou pictural. J'ai une tendance, peut-être exagérée, à rechercher la complexité polyphonique. Mon grand modèle est Jean-Sébastien Bach... Je ne cherche pas, comme certains musiciens anti-impressionnistes, un retour à la simplicité harmonique. Je trouve au contraire que nous devons nous servir des matériaux harmoniques créés par cette école qui nous a précédés, mais dans un sens différent, comme base à des lignes et à des rythmes. Bach se sert des éléments de l'harmonie tonale comme je voudrais me servir des superpositions harmoniques modernes... Je n'ai pas le culte de la foire, ni du music-hall, mais au contraire celui de la musique de chambre et de la musique symphonique dans ce qu'elle a de plus grave et de plus austère... (1921).

UN NOUVEAU JOUEUR DU MÊME JEU

Si je participe encore d'un ordre de choses à l'agonie, c'est qu'il me paraît indispensable, pour aller de l'avant, d'être solidement rattaché à ce qui nous précède. Il ne faut pas rompre le lien de la tradition musicale. Une branche séparée du tronc meurt vite. Il faut être un nouveau joueur du même jeu, parce que changer les règles c'est détruire ce jeu et le ramener au point de départ. L'économie des moyens me semble souvent plus difficile, mais aussi plus utile que l'audace trop volontaire. Il est inutile de défoncer les portes qu'on peut ouvrir (*Réponse à Jean Cocteau*).

Cité par Roland-Manuel, *Arthur Honegger*, 1943.

DARIUS MILHAUD

POLYTONALITÉ

J'avais entrepris à fond la question de la polytonalité. J'avais remarqué, et c'était un signe pour moi, que dans un petit duetto de Bach écrit en canon à la quinte, on avait vraiment l'impression de deux tonalités se suivant, se superposant, mais que la texture harmonique demeurait bien entendu tonale. Les contemporains, Stravinsky, Koechlin, se servaient d'accords contenant plusieurs tonalités, souvent traitées en contrepoint d'accords ou en pédales d'accords. Je me mis à étudier toutes les combinaisons possibles en superposant deux tonalités et en étudiant les accords ainsi obtenus; je recherchai également ce que produisaient leurs renversements. J'essayai toutes les solutions imaginables en modifiant le mode des tonalités qui composaient ces accords. Je fis le même travail pour trois tonalités. Je ne comprenais pas, puisque dans les traités d'harmonie l'on étudiait les accords ainsi que leurs renversements et les lois qui présidaient à leurs enchaînements, pourquoi un travail du même ordre ne pouvait se faire avec la polytonalité. Je me familiarisais avec certains de ces accords. Leur audition me satisfaisait plus particulièrement que les autres, car un accord polytonal est plus subtil dans la douceur, plus violent dans la force. Je construisis la musique de *Choéphores* en me servant de ces recherches et j'ajoutai le sous-titre de « Variations harmoniques » sur mon manuscrit. En effet, pour chaque strophe et antistrophe, j'établis dans la plupart des morceaux une recherche harmonique définie, que je traitai en appliquant à la succession des accords, la technique de la variation. Mais l'essentiel de la musique résidait dans la ligne mélodique générale. Même lorsque j'étudiais les accords de douze notes, je ne m'en servais que pour soutenir une mélodie diatonique, me souvenant du conseil de Gédalge : « Faites donc huit mesures que l'on puisse chanter sans accompagnement. » 1915.

NOTES SANS MUSIQUE, 1915.

GEORGES AURIC

GEORGES AURIC (né en 1899) fut, lui aussi, un compositeur du Groupe des Six. *Il est l'auteur de ballets, comme* Les Fâcheux, *de pièces pianistiques, de mélodies, de musique de chambre, de films, etc. Son désir de « rester révolutionnaire » dans son œuvre s'exprime avec discrétion et légèreté.*

RESTER RÉVOLUTIONNAIRE

Dans toute musique, il faut pouvoir dépasser la joie immédiate, le premier charme, et par derrière l'émouvante et changeante barrière sonore, découvrir une pensée dont la substance est immatérielle et profitable à la façon de ces aliments dont se nourrissent, dans les contes merveilleux, les enchanteurs et les fées. Ce n'est pas sacrifier au moindre intellectualisme que de constater qu'il y a autre chose, dans la musique, que la seule satisfaction de notre oreille.

Je m'entends dire que je fais « simple ». Soit. C'est du moins sans théorie préconçue sur la simplicité. Car il s'agit aussi peu de dépouillement que d'académisme. Je prétends même rester révolutionnaire.

Propos rapportés par J. BRUYR, *L'Ecran des Musiciens*, Paris, Les Cahiers de France, 1930.

LOUIS DUREY (né en 1888)

RIEN QUE DE LA MUSIQUE

C'est vers 1913 ou 1914 que je découvris, dans un supplément des *Cahiers d'Aujourd'hui*, une page du *Livre des Jardins suspendus* de Schoenberg. Cette écriture fermée et dure me fut une révélation.

Pas de jour sans une page, ou tout au moins sans une de ces petites *Inventions à deux instruments* dont j'ai de gros cahiers. Il y a toujours à apprendre. J'apprends à dominer la matière, à mieux plier le son suivant la manière qui est celle du troisième mouvement de mon second quatuor. J'adore la musique de chambre : les quatre instruments classiques, la voix. Pas de tricherie. Rien que de la musique.

Propos rapportés par J. Bruyr, *op. cit.*

MAURICE JAUBERT

MAURICE JAUBERT (1900-1940), prématurément disparu à la dernière guerre, est surtout considéré comme l'un des pionniers de la musique de films.

REVENIR A LA JEUNESSE

On cherchera bientôt, aux programmes, sous le nom des auteurs, ces deux mots-ci : « Génie garanti. » Ainsi enferme-t-on, pour personnes pâles, l'iode de la *Mer* debussyste en d'élégants petits flacons; ainsi roule-t-on le dynamisme formidable du *Sacre* en papillotes! On nous rabat les oreilles de néo-debussysme, de schoenbergisme, de tradition, ou que sais-je encore ? Mais qui nous reparlera de la simple émotion humaine ? Voilà qui serait autrement neuf et autrement important! La bonne musique, est-ce donc autre chose ?...

Iriez-vous, dans un poème, ergoter sur l'alternance des rimes masculines et féminines ou sur l'altération ? Expliqueriez-vous le *Bateau Ivre* ? La musique, cependant, en est là! C'est pourquoi je déteste tant parler d'esthétique musicale...

... A la vérité, le génie, c'est l'enfance retrouvée. Ne vous citais-je pas Voltaire ? Le premier qui a comparé l'enfance à une fleur était un homme de génie, a-t-il dit; le second était un imbécile. Comptez les imbéciles de la musique actuelle : je ne m'en chargerai pas. La musique doit revenir à la jeunesse; retrouver, si l'on veut, ce sens du « joli » que les vieux maîtres tenaient par « don d'enfance » : ce qui ne veut pas dire qu'elle doit tout passer à son cœur, comme à un enfant malade. Si, dès le jeune âge, on apprenait à chanter, à écrire, ou, mieux, à sentir en musique, il se redécouvrirait des musiciens spontanés, de vrais musiciens.

Propos rapportés par J. Bruyr, *op. cit.*

JACQUES IBERT

JACQUES IBERT (né en 1890) a écrit des opéras, dont Le Roi d'Yvetot *et* L'Aiglon *(en collaboration avec Arthur Honegger), des ballets, de la musique de films, des symphonies comme la* Suite élizabéthaine, *d'après une musique de scène pour le* Songe d'une nuit d'été. *Sans préjugé théorique moderniste, Ibert accomplit une œuvre originale, dont les audaces ne sont jamais exemptes de raffinement.*

JE MODULE...

Des recettes infaillibles pour fabriquer de la musique ? Laissons les recettes au manuel de la parfaite cuisinière. L'art dépouillé ? Soit. Mais irais-je tout nu ? Non pas. Je me vêts. Et mieux, je m'habille. Humoriste ? Pourquoi donc ?

Pour avoir écrit *Angélique* ? Ni humoriste, ni hédoniste. N'allez point en conclure que je cherche plus loin que mon plaisir. Mon plaisir est de moduler : je module. Atonalité est synonyme de catalepsie et de mort. Il n'empêche que j'aime *Pierrot lunaire* et les *Etudes d'orchestre.* Mais après cela, je retourne à Ravel...

Où va la musique ? Je le sais moins encore. Et j'ai pour les vaticinations assez peu de goût. D'ailleurs ne croyez-vous pas que l'important n'est pas de savoir où va la musique, et que le principal, c'est qu'elle aille ?...

Propos rapportés par J. Bruyr, *op. cit.*

SERGE PROKOFIEV

L'œuvre profondément originale et novatrice de Prokofiev (1891-1953), quoique fort différente de celles de Stravinsky, son compatriote, de Bartok ou de Schœnberg, marqua comme elles l'esthétique musicale de notre époque. Très diverse, allant du ballet à l'opéra, de la musique de chambre à la symphonie ou au concerto, de la cantate à la musique de film, elle présente toujours une généreuse richesse mélodique, harmonique, rythmique et instrumentale. Elle a aussi bien exercé son influence sur la musique occidentale (Prokofiev vécut longtemps en Europe et en Amérique) que sur celle de son pays (où il écrivit ses dernières et magistrales œuvres).

ORIGINALITÉ ET COLLECTIVITÉ

Quand vous arrivez en U.R.S.S., vous êtes tout de suite saisi par une différence essentielle : ici la musique de théâtre est réellement nécessaire et son sujet ne fait pas de doute : il doit être héroïque et constructif, car ce sont là les traits qui caractérisent l'époque présente. J'ai le grand désir d'écrire un opéra sur des thèmes soviétiques... Dans le temps libre que m'ont laissé les concerts, j'ai lu un grand nombre de livrets avec le plus grand intérêt.

La vertu cardinale (ou, si vous voulez, le vice) de ma vie a toujours été la recherche de l'originalité, pour mon propre langage musical. Je hais l'imitation, je hais les méthodes banales. Je ne veux pas porter le masque de quelqu'un d'autre. Je veux toujours être moi-même.

En Union Soviétique la musique existe pour des millions d'hommes qui ont dû vivre absolument sans elle ou qui ne sont entrés que rarement en rapport avec elle. C'est à ces millions d'hommes nouveaux que le compositeur soviétique moderne doit pourvoir.

La musique, dans notre pays, en est arrivée à appartenir à la grande masse. Leur goût artistique, leur exigence de l'art grandissent avec une incroyable vitesse. Et, ayant cela dans l'esprit, le compositeur doit faire les « amendements » correspondants à chaque nouvelle œuvre qu'il produit. Il tire parfois comme sur des cibles mouvantes. Ce n'est qu'en visant le goût à venir, qu'il évite d'être à la traîne des exigences d'aujourd'hui. C'est pourquoi je sens que toute entreprise de simplification de la part du compositeur est une erreur.

Qu'est-ce qui est réel ? Qu'est-ce qui est bon ? Non pas les airs vulgaires qui plaisent tout d'abord et deviennent bientôt incroyablement ennuyeux, mais la musique qui prend sa source dans les classiques et les chansons populaires.

★

Quel sujet dois-je chercher ? Non pas une caricature des carences qui ridiculise les faits, les faits négatifs de notre vie. A l'heure actuelle cela ne m'intéresse pas. Ce qui m'intéresse est un sujet relatif à un principe positif. Les héros de la construction. Les hommes nouveaux. La lutte pour abattre les obstacles. Ce sont les états d'âme et les émotions avec lesquels j'aimerais remplir de grandes fresques musicales.

Dans la musique écrite pendant cette année productive [1937], je me suis efforcé à la clarté et à un langage mélodieux, mais en même temps je n'ai en aucune façon essayé de me restreindre aux méthodes communes de l'harmonie et de la mélodie. C'est précisément ce qui rend lucide, directe, une musique si difficile à composer — la clarté doit être nouvelle, non pas ancienne.

Bien que chaque pays ait sa *Cendrillon*, j'ai voulu la traiter comme un vrai conte de fées russe. En outre, je vois Cendrillon elle-même non seulement comme un personnage de conte de fées, mais comme un être humain vivant.

Il y a cent ou cent cinquante ans, mes ancêtres se réjouissaient de gaies pastorales et de la musique de Mozart et Rameau; au siècle précédent, ils admiraient la musique lente et sévère; aujourd'hui, dans la musique comme en toute autre chose, c'est la vitesse, l'énergie et la vigueur que l'on préfère.

Cité d'après ISRAEL NESTIER, *Sergei Prokofiev, His musical life*. Translated from the Russian by Rose Prokofieva, 1946.

KHATCHATURIAN

KHATCHATURIAN (né en 1903) s'est surtout intéressé au folklore de la Russie orientale, mais pour en adapter les mélodies à un style personnel et inspiré. Son écriture est pleine de contrastes, basée sur des rythmes puissants. Son Concerto pour piano et orchestre *et son ballet intitulé* Gayaneh *sont célèbres à l'étranger, et témoignent du caractère profondément populaire de sa conception musicale.*

CE QUE J'ENTENDS PAR CARACTÈRE POPULAIRE DE LA MUSIQUE

La question du caractère populaire de l'art est l'un des plus importants problèmes de l'activité créatrice des compositeurs soviétiques. Etre lié à son peuple, puiser dans les sources intarissables de son art, exprimer ses intérêts essentiels, n'est-ce pas le but suprême de tout artiste véritable ?

Pour essayer de définir ma conception du caractère populaire de l'art, je dois me tourner vers ma vie de musicien, vers les nombreuses impressions artistiques de mon enfance et de mon adolescence : j'ai grandi dans une atmosphère de très riche folklore musical; la vie du peuple, ses fêtes, ses coutumes, ses joies et ses malheurs, le pittoresque des mélodies arméniennes, azerbaïdjanaises et géorgiennes, interprétées par les chanteurs et musiciens populaires : tout ceci m'a profondément marqué. Ce sont ces impressions qui ont déterminé les bases de ma pensée musicale et rendu possible mon éducation de compositeur. Elles ont servi de point d'appui à mon individualité artistique, que devaient former ensuite des années d'études et d'activité créatrice. Quelles qu'aient pu être les modifications ou l'amélioration de mes goûts musicaux, l'empreinte initiale reçue dès l'enfance demeure la base de mon œuvre.

Le peuple crée le langage musical; il est la source de cette originalité, qui ne se retrouve nulle part ailleurs et qui quelquefois est indéfinissable, de la structure de l'intonation qui permet de distinguer infailliblement l'appartenance nationale de telle ou telle œuvre musicale. Au long des siècles, les peuples de l'univers ont créé des milliers, des dizaines de milliers de merveilleuses mélodies : ces mélodies expriment non seulement les sentiments et les pensées de nombreuses générations de simples gens, mais elles définissent aussi la variété infinie des formes, des genres, des styles d'art national de chaque pays. Le compositeur professionnel est l'héritier légitime de toute cette immense richesse, et non seulement l'héritier, mais aussi le maître. Un artiste honnête et sincère, qui veut exprimer d'une façon juste la réalité, peut et doit puiser largement dans le puissant torrent des mélodies populaires. Il doit le considérer comme un matériau précieux pour la création de nouvelles valeurs de *ses propres* images. Le monde infiniment riche et varié des chansons populaires ouvre au compositeur un champ d'activité immense.

Il serait injuste de rejeter la méthode des compositeurs qui introduisent dans leurs œuvres d'authentiques chansons populaires en certaines circonstances. Nous savons que les classiques russes ont largement utilisé ce procédé. Il peut être extrêmement fécond de respecter la mélodie populaire, laissant le thème intact et s'efforçant de l'enrichir par l'harmonie et la polyphonie, de l'élargir et de renforcer son caractère expressif grâce à une orchestration colorée. Dans certaines de mes œuvres, j'ai souvent appliqué cette méthode.

Mais je préfère l'utilisation audacieuse, créatrice, de la mélodie populaire. Dans ce cas, guidé par son sujet et son sens artistique le compositeur se sert de la mélodie populaire comme d'une graine féconde, comme de la cellule d'intonation initiale qu'on peut librement et hardiment développer, transformer et enrichir.

C'est précisément cette méthode d'utilisation libre des mélodies populaires que j'admire dans les chefs-d'œuvre de la musique russe classique; moi-même je m'y suis efforcé à maintes reprises, en cherchant à utiliser dans mes œuvres l'expérience des grands maîtres du passé.

On peut également modifier ou repenser la musique populaire en changeant son rythme, en enrichissant son timbre.

Les mélodies populaires ont toujours été et sont encore pour moi une source importante de matériau thématique. « Tamisés », selon l'expression d'Assafiev, par la conscience du compositeur, ces thèmes forment un nouvel alliage de rythmes et d'intonations, nécessaire pour exprimer les nouvelles idées, les nouveaux rythmes de notre époque socialiste.

Il va de soi que ce n'est pas la seule méthode d'assimilation des mélodies nationales. Dans la plupart de mes œuvres je me suis efforcé de créer des matériaux thématiques sans recourir à des emprunts concrets. Je rappellerai ici deux de mes symphonies, les concerti pour violon et violoncelle et le *Poème à Staline*. Presque tous les thèmes y sont originaux : ils ne sont pas liés à des mélodies populaires définies. Toutefois, à mon avis, les thèmes de ces œuvres sont proches des chants et danses populaires arméniens, l'esprit de la musique nationale y est conservé.

Il arrive parfois également que d'importants fragments de musique originale, personnelle, sont mêlés aux thèmes et aux refrains populaires. Ces refrains apparaissent quelquefois inconsciemment, comme l'écho de mélodies entendues autrefois et enfouies dans la mémoire de l'auteur.

Il convient d'attacher une importance particulière à la couleur harmonique de la mélodie populaire; c'est là une des plus importantes manifestations de l'oreille du compositeur. La structure interne des accords de chacune des mélodies populaires doit être parfaitement comprise.

Combien l'oreille sensible à la musique populaire est déchirée en écoutant les arrangements de mélodies orientales faits par certains musicâtres qui leur ont imposé le lit de Procuste d'un schéma harmonique scolastique et abstrait! Il en va de même parfois pour les thèmes populaires russes déformés par des harmonisations arbitraires.

Dans mes expériences personnelles de recherche sur le caractère national des harmonies il m'est arrivé plus d'une fois de partir de la représentation auditive de la tonalité concrète des instruments populaires à structure particulière et de l'échelle harmonique qui en découle. J'aime beaucoup, par exemple, la tonalité du *tar*, dont les virtuoses savent tirer des harmonies d'une beauté surprenante et profondément émouvante; elles ont un sens caché, propre; elles obéissent à des lois à elles.

Pour atteindre le fond du problème qui nous occupe, j'ai tout naturellement recours à ma propre expérience de la composition. Or cette expérience me dit tout ce que je dois à ma culture musicale populaire arménienne, comme à celle d'autres peuples de la Transcaucasie.

Je ne peux pas taire l'énorme et bienfaisante influence exercée sur mon œuvre par la grande culture du peuple russe et, en particulier, par la musique de Glinka, Borodine, Rimsky-Korsakov et Tchaïkovsky. J'ai commencé très tard à étudier la musique, très tard aussi j'ai fait la connaissance de la musique classique de Russie et d'Europe occidentale. Toute l'expérience auditive que j'ai accumulée inconsciemment pendant mon enfance, était étroitement liée à la musique des peuples de Transcaucasie. Soudain ici, à Moscou, s'ouvrirent à moi de nouveaux horizons musicaux, de nouvelles formes et possibilités de conception artistique et de représentation de la vie.

Je me rappelle à quel point je fus bouleversé par ces nouvelles impressions. Mon oreille, formée par la musique orientale, mes idées musicales déterminées par la structure des intonations des peuples de Transcaucasie n'ont pu « s'adapter » immédiatement à la perception d'un monde musical nouveau : le monde majestueux et puissant de la musique russe.

L'éminent compositeur russe, Nicolas Iakovlevitch Miaskovski, mon inoubliable maître, a, avec une délicatesse extraordinaire et une compréhension profonde, orienté ma pensée vers la connaissance de toute la richesse de la musique classique russe et occidentale, vers l'assimilation de l'art professionnel de la composition. Il n'a pas cherché à violer ou à changer le sens très vif de la musique populaire dont j'étais imprégné depuis l'enfance. Au contraire il a préservé par tous les moyens mon sens de l'orientation dans le domaine du ton, de l'intonation et du rythme de la musique orientale.

L'influence de l'école classique russe sur le développement de l'œuvre de tous les compositeurs de nos républiques nationales sœurs et des pays de démocratie populaire est profondément progressiste.

Nous, compositeurs soviétiques, nous possédons un auditoire dons les compositeurs des temps passés ne pouvaient que rêver. La musique soviétique doit être digne de ce magnifique auditoire. Et c'est en cela que réside en fin de compte le problème du caractère populaire.

KAK IA PONIMAIOU NARODNOST V MOUZYKE, dans *Sovietskaia mouzyka*, 1952, *trad. E. Chaclis.*

CHOSTAKOVITCH

ARCHITECTURE DE LA SYMPHONIE

Je pense qu'il faut considérer les différentes parties d'une symphonie non seulement comme les chaînons d'un ensemble unique, mais encore comme des œuvres indépendantes appartenant à une grande forme. Chacune des parties — que ce soit l'allegro ou le scherzo d'une sonate, l'adagio ou le finale — doit avoir son propre développement musical et dramatique. Ce développement ne doit pas se baser seulement sur les caractéristiques intrinsèques des thèmes choisis, il doit appuyer l'idée *directrice* de l'œuvre entière.

La musique ne peut demeurer longtemps dans une même disposition d'esprit : héroïque, gaie, méditative, funèbre, etc. Le contraste est toujours indispensable, de même que la présentation de situations toujours nouvelles, l'adjonction de nouvelles teintes, Pensons au finale de la *Quatrième symphonie* de Tchaïkovsky. Imaginez combien l'efficacité de cette musique serait diminuée si elle était *exclusivement* une musique de fête, très gaie, et si elle n'était pas entrecoupée par le « thème du destin » connu par les parties précédentes. Ce thème, de peu d'importance par sa durée, fait une grande impression; grâce à son introduction, l'action dramatique du finale, comme de toute la symphonie, est réellement accomplie et atteint à la perfection.

Dans le finale de la *Sixième symphonie* de Tchaïkovsky, au contraire, la musique est très tragique. Mais cette fois encore ce mouvement perdrait beaucoup s'il n'y avait une partie secondaire lumineuse; quoique ce thème ne soit pas en lui-même, à mon avis, la meilleure trouvaille mélodique de Tchaïkovsky, dans l'ambiance générale il produit néanmoins une impression étonnante en donnant au finale le fini et la perfection.

Dans une série de critiques, on a noté un certain manque de fini dramatique du finale de ma *Dixième symphonie*. J'estime que ces remarques sont entièrement fondées. Bien que la musique du finale de cette symphonie soit achevée d'une façon générale, je sens malgré tout qu'il y a quelque chose que je n'ai pas réussi. Il manque visiblement un thème de contraste d'une large inspiration mélodique. Dans le finale de la *Dixième symphonie* prédominent des thèmes rapides, mobiles, mais il aurait fallu en plus un thème ample et chantant quelque part au milieu, ou peut-être près de la fin ou même tout à fait à la fin. Cela aurait sans doute renforcé le finale et toute la symphonie. Dois-je modifier la dernière partie de la symphonie ou la récrire ? Il est possible que je le fasse un jour ou l'autre, mais pas maintenant. J'ai conçu l'œuvre dans son ensemble, je l'ai vécue et y revenir à présent me serait très difficile.

Je souhaite ardemment aux jeunes compositeurs de mettre en application toutes les critiques valables faites à l'adresse de leurs œuvres. Quant à moi personnellement, cela ne m'a pas toujours réussi; il ne m'est presque pas arrivé de refaire, de corriger mes œuvres manquées; ce qui était mal écrit est resté mauvais. Je ne me suis efforcé de corriger mes défauts que dans mes derniers travaux. Je vois maintenant que ce n'est pas tout à fait juste. Il faut se comporter en maître vis-à-vis de ses œuvres : il faut revoir d'un point de vue critique ce qui a paru quelque peu faible ou insuffisant, et le refaire.

LA MUSIQUE A PROGRAMME

La vie montre à quel point la musique symphonique à programme est nécessaire à notre auditoire de masse et aimée de lui. A ce propos, nous autres compositeurs, nous avons de grandes obligations envers nos auditeurs. Nous travaillons peu dans ce genre important, intéressant et riche de possibilités créatrices. Je suis persuadé que le fait de recourir à la musique à programme enrichit beaucoup la pensée créatrice d'un compositeur de talent et contribue à développer son métier. La réalisation musicale d'un programme clair, riche de contenu, exige que le compositeur fasse preuve d'un maximum d'imagination et de génie inventif. Voilà pourquoi je voudrais inviter nos jeunes compositeurs à travailler plus activement dans le domaine de la musique à programme.

Les grands classiques du passé écrivaient beaucoup de musique à programme. Je citerai Liszt, Tchaïkovsky, Rimsky-Korsakov. Ces compositeurs pénétraient jusqu'au fond même du programme à réaliser. Nous avons beaucoup à apprendre d'eux. Chez nous, les auteurs de morceaux à programme limitent parfois leur tâche à la description des aspects extérieurs d'un sujet littéraire. C'est le cas, à mon avis, du poème symphonique de A. Nesterov : *Le Bouleau blanc*. Il y a dans le poème des pages d'assez bonne musique, mais il semble que l'auteur n'ait pas réussi à transmettre la pensée fondamentale de la source littéraire. Il a « parcouru » trop superficiellement le sujet.

Certes, dans les morceaux à programme, les procédés de peinture sonore jouent un assez grand rôle. Ainsi, dans l'admirable poème symphonique de Richard Strauss, *Till Eulenspiegel*, l'image principale est poussée presque jusqu'à une peinture naturaliste. Mais en dehors de cette « peinture » musicale précise des choses, cette œuvre exprime clairement une très bonne idée générale et cela rachète la profusion des détails naturalistes.

D'ailleurs, dans la musique à programme comme dans les autres genres musicaux, il n'y a pas de recettes strictes et définitives : faites ainsi et pas autrement. Chaque thème nouveau exige une solution nouvelle, des procédés nouveaux.

Il faut noter avec beaucoup de satisfaction et de joie que l'on compose un plus grand nombre d'opéras sur des sujets pris dans l'époque actuelle. Je veux faire la réserve suivante : à mon avis, il faut comprendre la notion d'actualité d'un sujet d'opéra d'une façon plus large que nous ne l'admettons généralement. Les sujets contemporains ne peuvent se limiter seulement au moment présent : 1955; pour nous, la révolution de 1905, la révolution d'octobre 1917, la guerre civile, la grande guerre nationale, etc., gardent toute leur actualité artistique. Les héros de ces grands événements historiques nous sont proches et chers. Ils sont nos contemporains. Leurs images peuvent et doivent servir de noble exemple à la jeune génération soviétique. Il me semble que dans cette direction l'opéra soviétique a obtenu des succès incontestables, comme l'opéra de D. Kabalevski, *Nikita Verchinine*, que l'on répète en ce moment au Bolchoï[1].

On peut signaler un bon exemple d'attitude critique d'un auteur vis-à-vis de son œuvre. Je veux parler de l'opéra de K. Moltchanov : *l'Aurore*. A la première audition on fit à l'auteur de sérieuses remarques critiques. A la suite de cela, il modifia beaucoup son opéra et, me semble-t-il, en mieux. Maintenant l'opéra produit une impression beaucoup plus favorable. Il faut souhaiter qu'il soit rapidement mis en représentation.

A Léningrad, le compositeur A. Tchernov met la dernière main à son opéra, *Cyrille Izvekov* (d'après le roman de Fédine,

1. Opéra de Moscou.

Premières joies), qui promet également d'être intéressant. Il faut saluer par tous les moyens la venue de nos compositeurs d'opéras à des sujets soviétiques contemporains.

Je veux parler aussi de la création de l'opéra de S. Prokofiev, *Guerre et paix*, au Mali Théâtre de Léningrad. C'est une œuvre sur un sujet historique et patriotique, intéressant et très émouvant. L'opéra fut écrit par l'auteur pour être donné en deux soirées. La version actuelle de l'opéra pour une seule soirée est bonne, à mon avis, mais malheureusement, elle nécessite des coupures importantes, beaucoup de bonne musique a été perdue. On sait pourtant que la tétralogie, *l'Anneau du Nibelung*, de Wagner est exécutée en quatre soirées; pourquoi donc ne pourrait-on pas représenter *Guerre et paix* de Prokofiev en deux soirées ? Il me semble indispensable de le faire.

LA CULTURE NÉCESSAIRE

Enfin, il faut parler spécialement du degré de culture nécessaire au compositeur pour son travail.

Est-il nécessaire de démontrer que la composition de musique n'est pas une distraction facile, mais un travail difficile, extrêmement sérieux ? Je connais des compositeurs qui écrivent facilement, rapidement, et réfléchissent peu à leur travail; de ce fait, leurs œuvres sont insuffisamment achevées. Il me semble qu'un artiste véritable doit considérer son travail créateur comme une noble tâche, sans tolérer aucune insouciance ou utilitarisme vide.

Un organisme cinématographique m'a demandé un jour d'écrire la musique d'un film. Comme je refusais, arguant de mes nombreuses occupations, le représentant de cet organisme me dit : « Ne vous inquiétez pas, nous vous assurerons toutes les conditions pour votre travail. » J'avoue que je pensai qu'il voulait me décharger de certaines affaires courantes ou m'emmener au bord de la mer... Il est apparu que ce camarade pensait différemment. « Vous n'écrirez que les thèmes, me dit-il, et nous vous trouverons de bons aides qui écriront l'accompagnement et orchestreront le tout. Vous n'aurez qu'à les diriger. » Evidemment, je refusai catégoriquement cette honteuse proposition. Mais je fus très étonné de voir que le représentant d'une organisation sérieuse, créatrice d'œuvres artistiques, considérait que l'on pouvait encourager une pratique aussi dénaturée. Effectivement, dans ce studio, des compositeurs se manifestent par de modestes « ébauches thématiques »; après quoi une « équipe » réalise leur projet. Les noms des membres de l' « équipe » restent, en principe, inconnus du public.

Je pense qu'un tel système de création musicale ne peut être qualifié que d'*affairisme* grossier; c'est une forme d'exploitation du travail créateur. Nous en parlons assez souvent dans les couloirs, mais nous ne faisons pas toujours preuve de l'intransigeance nécessaire envers ceux qui s'y livrent. Il ne faut pas, il ne faut absolument pas permettre dans notre milieu une telle attitude, malhonnête et mercantile, envers l'art! Dès qu'un compositeur prend ce chemin, cherchant à travailler un peu moins et à gagner un peu plus, il est fini en tant qu'artiste.

Tout musicien honnête doit adopter envers son art une attitude véritablement noble et *chevaleresque*. L'artiste qui fournit consciemment une production de mauvaise qualité est malhonnête vis-à-vis du peuple et de lui-même.

N'est-il pas évident qu'un compositeur véritable doit travailler *lui-même* sur son œuvre ? Les conseils pertinents des camarades, des critiques, des auditeurs peuvent lui être très utiles, mais ils ne peuvent remplacer son propre travail créateur. Si une personne n'écrit que la mélodie pendant que quelqu'un d'autre écrit l'accompagnement, ou bien si quelqu'un instrumente la musique d'un autre, cela n'est pas une aide fraternelle. Je dirai que de tels faits sont des exemples frappants de l'exploitation de l'homme par l'homme.

Enfin, je me permettrai de donner aux jeunes compositeurs quelques conseils pratiques que je considère comme très importants. Tout compositeur doit apprendre à bien jouer du piano. L'exécution à quatre mains, le déchiffrage des partitions facilite beaucoup l'étude de la musique classique ou contemporaine. Etudier une œuvre, ce n'est pas la jouer une fois et passer à l'œuvre suivante, c'est jouer cette œuvre bien des fois pendant plusieurs jours si elle vous a intéressé; cela signifie, en fin de compte, pénétrer dans le secret du génie créateur de celui qui a composé cette œuvre.

Il m'arrive parfois d'entendre dire à de jeunes musiciens que l'étude de la musique des autres prend beaucoup trop de temps, qu'il vaudrait mieux écrire soi-même quelque chose. C'est évidemment une idée fausse. L'étude de la musique des grands maîtres du passé est particulièrement utile au jeune compositeur : tout compte fait, sa propre musique sera d'autant plus originale qu'il aura mieux étudié la musique de valeur écrite par les autres.

On dit un jour à un compositeur de Léningrad que son dernier ouvrage ressemblait fort à une œuvre connue de Beethoven. Ayant pris cette remarque pour un grave reproche, le compositeur répondit fièrement : « Vous vous trompez, je n'ai jamais entendu cette musique de Beethoven. » Cette réponse, certes, parut étrange, car ce compositeur était assez cultivé et il était de son devoir de connaître l'héritage classique. S'il avait en son temps étudié cette œuvre de Beethoven, il aurait peut-être composé différemment son ouvrage, en évitant une ressemblance regrettable.

Je pense qu'il faut entendre l'originalité dans la création musicale de façon large. Emprunter des procédés particuliers chez les grands compositeurs du passé ne signifie pas copier des pages ou des mesures entières d'œuvres connues. Il faut examiner d'une manière approfondie leur technique, la comprendre et ensuite utiliser tel ou tel procédé, après l'avoir modifié ou, mieux encore, après l'avoir développé conformément à l'objectif artistique qu'on se propose.

AIMER SON OUVRAGE

On me demande parfois quel est mon avis sur mes propres œuvres, en particulier sur mes œuvres symphoniques. Je réponds habituellement par ce vieux proverbe russe : même si l'enfant est borgne, il est cher à son père et à sa mère. On peut voir beaucoup de défauts dans son œuvre, mais on ne l'en aime pas moins. Si l'on n'aime pas son propre ouvrage (ce qui n'exclut pas une attitude critique à son égard), si l'on est indifférent envers le résultat de son travail, on ne réussira rien. C'est pourquoi je ne cache pas que j'aime en général presque toutes mes œuvres, bien que je discerne en elles des défauts parfois considérables et très graves. Le compositeur qui cesse de voir les défauts de ses œuvres ne progresse pas, il piétine sur place.

On demanda un jour à Gœthe laquelle de ses œuvres il estimait la meilleure. Il répondit : « Je n'ai pas encore écrit cette œuvre. » C'est une réponse très juste et étonnamment sensée. Si un compositeur dit d'une de ses œuvres que c'est la meilleure de tout ce qu'il a écrit, il ne pourra plus écrire par la suite. L'amour de soi-même n'a rien de commun avec l'amour de son œuvre, comme la présomption n'a rien de commun avec la confiance en ses propres forces sans laquelle rien ne peut réussir. Si nous étudions c'est pour être parfaitement armé, pour avoir une confiance inébranlable en nos possibilités au moment d'aborder le travail créateur.

La grande majorité de mes œuvres symphoniques, de ma musique de chambre et de mes autres œuvres jusqu'à présent, me sont chères, à l'exception peut-être des *Deuxième, Troisième* et *Quatrième Symphonies*, qui sont complètement ratées. Ces œuvres étaient visiblement le reflet d'une certaine irrésolution dans mon activité créatrice. A part ces trois symphonies, il y a encore des œuvres que je n'ai pas parfaitement réussies, et je peux même dire que je ne les aime pas. Un jour, je tâcherai de m'expliquer plus en détail. Chez nous, les compositeurs présentent peu de causeries autobiographiques ou autocritiques; cependant de telles « confessions artistiques » seraient très utiles pour le milieu musical. En ce qui concerne mes aspirations personnelles, mon but est d'écrire à l'avenir des œuvres musicales, dans les genres les plus différents, à la gloire de notre peuple, à la gloire de notre grande patrie et de notre remarquable culture musicale soviétique d'avant-garde.

BESSEDA S MOLODYMI KOMPOSITORAMI, dans *Sovietskaia mouzyka*, 1955, 10, 10-17, *trad. Jacqueline Macorigh.*

ANDRÉ JOLIVET

ANDRE JOLIVET (né en 1905) est l'un des plus originaux parmi les musiciens français contemporains. Il fit partie, avec Olivier Messiaen, Yves Baudrier, Daniel-Lesur, du groupe « Jeune France », un peu avant la guerre. Passionné par les rythmes de l'Afrique noire comme par les recherches acoustiques de son maître Edgar Varèse, il a écrit une œuvre très diverse dans un style puissant, dynamique et très solidement organisé. De la suite pour piano Mana *aux* Danses Rituelles *pour orchestre (un* Sacre du Printemps *français), du* Quatuor *ou du* Concerto *pour Onde Martenot à la* Symphonie *ou à l'oratorio* Jeanne d'Arc, *il s'exprime dans un langage très nouveau qui n'en est pas moins profondément lié à une longue tradition classique, ainsi qu'en témoignent les lignes qui suivent, conclusion de sa magistrale étude sur le maître allemand.*

SUR BEETHOVEN

Ce livre est à Beethoven ce qu'une image est à la vie. Reconstituer la figure du grand musicien d'après les données fragmentaires que l'on possède sur lui, c'est vouloir décrire la fulgurance d'un éclair d'après un cliché blanc sur noir. L'essentiel est donc d'interroger son œuvre. Vous avez lu le livre; allez entendre la musique. (Ce qui compte pour une musique, c'est d'être jouée — et écoutée.) Vous vous projetterez vous-même dans cette musique, avec vos idées, vos inquiétudes, vos préoccupations personnelles. Vous apprécierez alors comment la musique de Beethoven est un des plus parfaits miroirs en lesquels les hommes peuvent interroger leurs traits — et leur âme.

De quoi dépend la satisfaction artistique, d'ordre à la fois esthétique et éthique, au contact de cette musique ? Du rapport entre la vérité et la beauté dans l'œuvre d'art. Or celle-ci est le produit de l'énergie organisatrice de l'artiste. Et Beethoven possédait au plus haut degré la principale qualité du musicien, qui est de ressentir et vivre les émotions le plus passionnément qui soit et de dominer froidement la pensée lorsqu'elle entreprend de couler le flot musical dans un cadre limité par les règles de l'écriture et les nécessités de l'acoustique. Novalis disait à peu près que le musicien, pour être complet, doit être aussi actif que réceptif. Réceptif, pour percevoir les vibrations harmoniques de la Nature; actif, pour agir, par son œuvre pleinement réalisée, sur ses auditeurs.

C'est ce que Romain Rolland exprime aussi quand il dit : « Mais quand... l'artiste est assez vigoureux pour creuser jusqu'aux grandes lois de la vie générale et aux rythmes essentiels de l'esprit, il se trouve que le chef-d'œuvre du génie individuel devient... l'expression naturelle de l'humanité. »

C'est de la Nature même que l'artiste extrait les éléments de l'œuvre d'art. Ces éléments seront d'autant plus gonflés de sève vitale que « le créateur est plus vivant, c'est-à-dire qu'il participe davantage à la vie de cet univers [1] ». Tout ce qui émane de son individualité somptueusement riche a le dynamisme des éléments naturels, et c'est parce que Beethoven était si « incarné » qu'il pouvait, par intuition, trouver dans sa propre conscience les rapports qui permettent d'établir une architecture musicale en accord avec les lois naturelles.

Wagner, analysant à propos de Beethoven le processus créateur, aboutit à une constatation analogue : « Ces sentiments, ces Idées, nous ne les comprendrions pas si nous ne parvenions à l'essence des choses, fondement de ces Idées... par la conscience immédiate de nous-mêmes... » Or, cette conscience de nous-mêmes, « cette vie interne, c'est elle qui nous rattache de façon immédiate à la nature entière [2] ».

Beethoven était un homme. Non un surhomme, mais un homme complet, tant aux points de vue physique et intellectuel que moral. Sa mission était de réaliser une harmonie avec ses propres réactions dans et contre son milieu, de transformer son dynamisme vital en musique par une concentration appliquée. Concentration favorisée par son goût de l'isolement, lui-même accru par la surdité qui évitait à Beethoven les contingences : « Immole à ton art, une fois encore, toutes les mesquineries de la vie sociale [3]. » Beethoven ne tournait pas ses regards vers l'extérieur, mais vers l'intérieur. Il se trouva aussi dans la nécessité physiologique d'écouter vers l'intérieur. Et qui regarde ainsi, qui écoute ainsi, trouve Dieu.

---

1. R. Rolland.
2. Wagner, *Beethoven*, trad. J.-L. Crémieux.
3. Beethoven, *Carnets intimes.*

Beethoven nous renseigne sur son sentiment à l'égard de l'action créatrice : « ... Je n'ai jamais pensé à écrire pour la gloire et les honneurs. Ce que j'ai dans le cœur, il faut que ça sorte, voilà pourquoi j'écris. »

Cette conscience que Beethoven avait de sa mission, telle que nous l'avons définie, explique aussi son attitude à l'égard de l'Amour.

On a tellement divagué sur cette question qu'il nous paraît nécessaire, dans cette conclusion, de la préciser une fois pour toutes, sans souci du romanesque comme sans pudibonderie. Bien sûr, on allègue la facilité avec laquelle Beethoven s'éprit, à maintes reprises, de ses jeunes élèves. On peut dire que l'aversion qu'il éprouvait pour l'enseignement fut tempérée par l'élégance et la beauté de ses élèves féminines, et que, pour elles, jamais son zèle et son exactitude ne furent en défaut.

Mais on sait aussi que Beethoven eut un sentiment très élevé et très pur de l'Amour. Il répugnait à se dégrader dans des rencontres bestiales. « Sans l'union des âmes, la jouissance des sens sera toujours un acte bestial. Elle ne nous laisse aucune impression de nature élevée, rien que des remords », note-t-il dans ses carnets intimes. Et encore, sur un plan plus général : « La vie n'est pas le bien suprême, mais, parmi les maux, le mal suprême, c'est la faute. » Bien sûr, l'homme qu'il est a des faiblesses. Soyons aussi vrais qu'il sait l'être à son propre égard. « Les faiblesses de la nature sont inhérentes à la nature elle-même[1]. » Parfois il succombe, non sans regrets, nous venons de le constater. Cependant, le plus souvent, il se domine. Et lui-même nous dit pourquoi : « Si j'avais voulu ainsi sacrifier ma force de vie, que serait-il resté pour le noble, le meilleur ? » (En français dans son cahier de conversation.)

Cela vient bien du même être qui relève ce précepte de la philosophie hindoue : « Heureux, celui qui a refoulé toutes ses passions et qui, de toute sa force d'action, s'accomplit. »

Cette domination, cette économie de la force vitale, cette concentration de tout l'être marquent la musique de Beethoven d'un accent original.

Si la Musique se manifeste par Bach, Haydn et Mozart, Beethoven, lui, agit sur la Musique.

En plus de son accent personnel, l'art de Beethoven présente une autre nouveauté : fondé sur une conception issue de celle de notre grand Rameau, la musique *Art expressif*, il manifeste une double préoccupation morale et sociale.

Son action directe, son efficience sur les hommes, cet art

1. Beethoven, *Carnets intimes*.

La leçon de harpe. J.B. Mauzaisse (1784-1844). Musée de Versailles. *(Cliché Bulloz).*

Les attributs de la Musique. J.B. Oudry (1636-1755). Musée de Sèvres.
(Cliché Giraudon).

les doit, certes, à la simplicité apparente et naturelle de ses mélodies, à la franchise de ses rythmes, à la carrure métrique de ses phrases; il les doit plus encore à la simplicité des éléments psychologiques que Beethoven oppose : Douleur et Joie, Orgueil et Amour, Mélancolie et Humour, Combat et Paix. Ainsi Beethoven trouve le chemin du cœur des hommes qui vivent, confusément, ces grands débats.

Ainsi Beethoven s'est attaché avant tout aux grands contenus de la Vie : l'élan vers le Très-Haut, l'aspiration à la liberté, l'amour des hommes et de la nature. Ces éléments, il les adopte avec la couleur que leur a donnée le XVIIIe siècle : aspiration à la liberté morale et sociale, façon sentimentale de considérer la nature, conception de la « belle âme », espoir de la constitution d'une Internationale des élites, prélude à la fraternité universelle des hommes, souci de moralité. (Cf. Beethoven, *Journal intime* : « La paix et la liberté sont les plus grands des biens. »)

Mais, pour nous, l'élément essentiel de l'art beethovénien, c'est l'idée de l'héroïsme vainqueur des épreuves. L'épreuve victorieusement surmontée : la chute, le sacrifice, la remontée, c'est toute la vraie destinée humaine, c'est le grand œuvre de l'humanité, le principe essentiel des religions.

Une vérité morale complète ce principe : l'épreuve n'est salvatrice que si elle est consentie. Personne mieux que Beethoven n'a su respecter cette vérité. Sa vie et son œuvre nous précisent le sens de la Vie. Des violences passionnées de la jeunesse, Beethoven atteint les parfaites altitudes du renoncement et de l'Amour Divin. Et lorsqu'il note dans ses carnets intimes : « ... Pour toi, il n'est plus de bonheur qu'en toi-même, en ton art », ou encore : « La loi morale en nous et le ciel étoilé au-dessus de nous... » ne prouve-t-il pas qu'il applique le sublime précepte du Christ : « Le royaume des cieux est en vous » ?

« On dit que l'Art est long, courte la vie. — C'est seulement la vie qui est longue, l'art est court. Car si son souffle est capable de nous élever jusqu'aux dieux, il n'est que la faveur d'un instant. » Par cette pensée, Beethoven a énoncé le problème essentiel qui se pose à l'artiste, au compositeur en particulier. L'œuvre d'art n'existe pas sans une parcelle de l'éternité divine, et elle ne vit pas si ses formes sensibles ne sont pas ordonnées. Faire entrer l'Eternel immuable dans un ordre successif et sensible, c'est le drame du musicien. Ce drame, Beethoven le vit en toute humilité, dans son effort opiniâtre pour le « mieux-faire ». Il le dit lui-même dans une lettre : « Le véritable artiste n'a point d'orgueil; il sait, hélas! que l'art n'a point de limites; il sent obscurément combien il est éloigné du but, et, tandis que peut-être d'autres l'admirent, il déplore de n'être pas encore arrivé là-bas où un génie meilleur ne brille pour lui que comme un soleil lointain[1]. »

Beethoven, composant, se bat pour trouver, dans les cadres traditionnels, la forme musicale adéquate à son intuition de l'univers sonore.

Quand il est sorti vainqueur de sa lutte avec les modulations, la carrure, le métronome, qu'il a compté les mesures, ménagé la préparation d'un accord, calculé l'opposition des timbres de l'orchestre, balancé sur la place d'un *forte*, d'un *crescendo*, ou sur une indication de *tempo*, lorsque, en bref, il a, dans les limites des lois de l'acoustique, de l'enchaînement des accords, des stratagèmes contrapunctiques, donné à l'œuvre l'aspect extérieur susceptible de transmettre l'émotion intérieure qui l'a soutenu pendant son long travail de maïeutique, alors l'œuvre appartient aux hommes.

S'il l'a réussie, c'est une œuvre d'art; les hommes s'y retrouvent. Chacun d'eux ressentira de façon particulière le contenu émotionnel du chef-d'œuvre.

Mais, chez tous, par le truchement de la forme sensible, c'est l'être spirituel qui sera touché.

Voilà qui concilie la conception romantique du Beethoven-mage et l'image réaliste du Beethoven-croque-notes.

Nous ne minimisons ni l'utilité astreignante de l'obstiné travail matériel de réalisation, ni la qualité et la puissance de l'émotion initiale qui veut s'exprimer. L'un et l'autre concourent à un résultat unitaire qui ne prend toute sa valeur que sur le plan spirituel — le seul où toute émotion sublimisée soit vraie.

Reconnaissons qu'au moment où il crée, il n'y a chez l'artiste ni attitude ni sentiments suprahumains; il y a, le plus souvent, lutte pénible avec la matière. Mais affirmons qu'il serait absurde de nier, dans les chefs-d'œuvre, la présence d'éléments spirituels. Cette présence certaine permet de penser que *tout se passe comme si* l'homme qui crée le chef-d'œuvre était, par une grâce spéciale, le truchement de l'Esprit, et détenait de Dieu le privilège de compléter en certains points la création divine.

Cet homme mérite bien d'être considéré par la masse comme un héros, héros de la pensée humaine. Son caractère héroïque se dégage de l'ensemble de sa vie créatrice, et n'est en rien diminué, à nos yeux, si nous considérons cette vie dans sa quotidienne et patiente action artisanale, comme une simple

---

1. *Correspondance de Beethoven*, trad. Chantavoine.

existence d'homme, avec ses petites joies et ses pauvres douleurs.

Et c'est bien ce double aspect de sa vie que Beethoven évoquait en notant dans son journal intime une pensée qui, pour nous, demeure le symbole enchanteur de l'homme et du musicien : « Tu es un héros, — tu es, ce qui est dix fois plus, un homme vrai. »

BEETHOVEN (1955), Richard-Masse, éditeurs, Paris.

OLIVIER MESSIAEN

OLIVIER MESSIAEN (né en 1908) est l'une des personnalités les plus importantes de la musique française actuelle. Elève de Paul Dukas, il commença dès ses premières œuvres à inventer un nouveau langage, tant sur le plan mélodique (modes à transpositions limitées créés par lui) et l'harmonie qui s'ensuit par la superposition des divers modes que sur le plan rythmique (modes rythmiques et leur contrepoint). Ces innovations formelles, exposées pour la première fois dans son ouvrage Technique de mon langage musical, *servent à l'expression d'idées souvent mystiques, dont la base est chrétienne. Profondément influencé par la musique hindoue* (ragas et talas), *par le gamelang indonésien (qui avait déjà frappé Debussy), Messiaen n'en a pas moins étudié dans la nature, avec patience et amour, le chant des oiseaux, qui est l'objet de ses plus récentes œuvres.*
Malgré les genres très divers dans lesquels le compositeur s'est exprimé — des suites d'orgue (La Nativité du Seigneur, Les Corps glorieux) *aux œuvres pour piano, qui sont de véritables « sommes »* (Visions de l'Amen, Vingt regards de l'Enfant Jésus, Catalogue d'Oiseaux) *où il faut associer le nom de leur géniale interprète, Yvonne Loriod, des mélodies* (Poèmes pour Mi, Chants de Ciel et de Terre, Harappa) *aux grandes œuvres d'orchestre* (Petites Liturgies de la Présence divine, *la monumentale* Turangalila-Symphonie) *— toutes ces œuvres reflètent une unité profonde dans leur évolution : les oiseaux du* Catalogue, *par exemple, sont déjà présents, figurant les anges, dans les* Visions de l'Amen, *écrites une quinzaine d'années auparavant.*
A côté de son activité de compositeur, Messiaen s'est dévoué depuis longtemps à l'enseignement musical et est professeur au Conservatoire. Il est aussi organiste à la Trinité.

La nature, les chants d'oiseaux!
Ce sont mes passions. Ce sont aussi mes refuges.

Dans les heures sombres, quand mon inutilité m'est brutalement révélée, quand toutes les langues musicales : classiques, exotiques, antiques, modernes et ultra-modernes, me semblent réduites au résultat admirable de patientes recherches, sans que rien derrière les notes justifie tant de travail — que faire, sinon retrouver son visage véritable oublié quelque part dans la forêt, dans les champs, dans la montagne, au bord de la mer, au milieu des oiseaux ?

C'est là que réside pour moi la musique. La musique libre, anonyme, improvisée pour le plaisir, pour saluer le soleil levant, pour séduire la bien-aimée, pour crier à tous que la branche et le pré sont à vous, pour arrêter toute dispute, dissension, rivalité, pour dépenser le trop-plein d'énergie qui bouillonne avec l'amour et la joie de vivre, pour trouer le temps et l'espace et faire avec ses voisins d'habitat de généreux et providentiels contrepoints, pour bercer sa fatigue et dire adieu à telle portion de vie quand descend le soir.

Divinement parle Rilke : « Musique : haleine des statues, silence des images, langue où prennent fin les langues!... » Le chant des oiseaux est encore au-dessus de ce rêve du poète. Il est surtout très au-dessus du musicien qui essaie de le noter. N'importe! l'ornithologie est une science. Comme toute science, elle entraîne travaux et difficultés.

Cela fait environ dix-huit ans que je note des chants d'oiseaux. A l'époque de mes premières notations, j'étais souvent indécis quant à l'attribution du chant et l'identification de l'oiseau. Par la suite, j'ai demandé conseil à des spécialistes de terrain et me suis considérablement instruit au cours de promenades dirigées. Après un séjour en Charente chez l'ornithologue Jacques Delamain, j'ai écrit mon *Réveil des oiseaux,* pour piano et orchestre, et les « Chants d'oiseaux » de mon *Livre d'orgue.* Puis, séduit par l'étrangeté, la luminosité, les couleurs violentes de certains oiseaux de l'Inde, de la Chine, de la Malaisie, des deux Amériques, j'ai écrit mes *Oiseaux exotiques* pour piano solo, deux clarinettes, xylophone, orchestre à vents et percussions.

Enfin, voyant qu'il était impossible à un seul homme de connaître, reconnaître, entendre et noter les quelque dix mille espèces d'oiseaux répandues sur le globe, j'ai résolu de m'en tenir à la France seule. Ce fut le parcours de certaines régions avec les ornithologues y résidant. La Camargue avec Jacques Penot, l'île d'Ouessant avec Robert-Daniel Etchecopar, l'Hérault avec François Hüe, et surtout les Pyrénées-Orientales et la région de Banyuls avec Henri Lomont.

Tout cela fait, je pus — sans identification ni jeu de mots — voler de mes propres ailes. Et, chaque printemps — armé de crayons, gommes, papier à musique, carton à dessin, et d'énormes jumelles — je parcours une nouvelle province de France, à la recherche de mes maîtres.

C'est ainsi que j'ai écrit le *Catalogue d'oiseaux* pour piano seul, dont Yvonne Loriod a donné, le 15 avril 1959, à Paris, salle Gaveau, pour les Concerts du Domaine Musical organisés par Pierre Boulez, la première audition. C'est une œuvre sans fin. Si la mort ne vient pas arrêter mes projets, ce premier catalogue d'oiseaux devrait être suivi d'un deuxième et peut-être d'un troisième. Il comporte treize pièces d'inégale longueur. Chaque pièce est le résultat de plusieurs séjours dans une province française. Elle porte en titre le nom de l'oiseau-type de la région choisie. Il n'est pas seul : ses voisins d'habitat l'entourent et chantent aussi (ce qui donne une plus grande variété de langage à la pièce) — son paysage, les heures du jour et de la nuit qui changent ce paysage, sont également présents, avec leurs couleurs, leurs températures, la magie de leurs parfums.

Tout est vrai : les mélodies et les rythmes du soliste, les mélodies et les rythmes des voisins, les contrepoints de l'un et des autres, les réponses, les mélanges, les périodes de silence, la correspondance du chant et de l'heure.

Le rendu des timbres était particulièrement difficile, surtout au piano : chacun sait que le timbre provient du plus ou moins grand nombre d'harmoniques — il a donc fallu chercher des combinaisons de sons inattendues, réinventées à chaque instant et pour chaque oiseau. Par contre, le piano, par l'étendue de son registre et l'immédiat de ses attaques, était le seul instrument capable de lutter de vitesse dans le tempo et les déplacements de hauteurs avec certains grands virtuoses, tels que l'Alouette Lulu, l'Alouette des champs, la Fauvette des jardins, la Fauvette à tête noire, le Rossignol, la Grive musicienne, le Phragmite des joncs, la Rousserolle Effarvatte. Lui seul aussi pouvait rendre les percussions rauques ou grincées du Grand Corbeau, de la Rousserolle Turdoïde, les raclements du Râle de genêts, les hurlements du Râle d'eau, les aboiements du Goéland argenté, le timbre sec et impérieux de pierre frappée du Traquet stapazin, le charme ensoleillé du Merle de roche ou du Traquet rieur.

Je n'ai rien à dire des rythmes, pourtant si importants dans cette œuvre. Ils sont souvent signés de moi-même, et je m'en excuse — j'affirme cependant qu'ils restent au service de ce que j'ai vu et entendu.

Mon hommage s'adresse successivement : à la région de mon enfance, l'Oisans, au glacier de la Medje, aux Alpes du Dauphiné, avec le Chocard des Alpes; — à la Branderaie de Gardépée en Charente, avec le Loriot, le bel oiseau jaune d'or aux ailes noires; — au cap Rederis, au cap l'Abeille, dans le Roussillon, près de Banyuls, avec le Merle bleu; — toujours au cap l'Abeille, avec le Traquet stapazin, dressé sur les pierres dans son beau costume de soie orange et de velours noir; — à la route de Petichet à Cholonge (Isère), à l'épouvante de la nuit, avec la Chouette hulotte et ses cris d'enfant assassiné; — par opposition, à la douceur, au calme de la nuit, entre le col du Grand-Bois et Saint-Sauveur-en-Rue, dans le Forez, avec l'exquise virtuosité de l'Alouette Lulu; — aux étangs de Sologne, avec la Rousserolle Effarvatte et tous ses compagnons des roseaux et des marais, le Phragmite des joncs, la Rousserolle Turdoïde, le Râle d'eau, et même le Héron Butor et le chœur des grenouilles; — à la chaleur et à la lumière du désert de la Crau, en Provence, avec l'Alouette calandrelle; — aux bords de la Charente et du Charenton, avec la Bouscarle; — au cirque de Mourèze, dans l'Hérault, à son chaos de dolomies, de rochers fantastiques en forme de Stégosaure et de Diplodocus, avec le Merle de roche, tête bleue, queue rousse, ailes noires, poitrine orangé vif, entouré des Choucas, du Rouge-Queue Tithys, et des ululements puissants et graves du Grand Duc à la fin de la nuit; — aux champs de Petichet, entre le lac de Laffrey et la montagne chauve du Grand-Serre, en Dauphiné, avec la Buse variable et son plané dont les orbes emplissent tout le paysage; — encore au Roussillon et au cap Béar, près de Port-Vendres, à la mer bleu saphir et bleu Nattier argentée de soleil, avec le Traquet rieur; — enfin, à l'île d'Ouessant dans le Finistère, à la mer noire et terrible, avec le tragique appel en glissando du Courlis cendré, et les cris des oiseaux de rivage (Tournepierre à collier, Chevalier Gambette, Huîtrier Pie, Sterne Caugek), hachés par le bruit du ressac. Une des pièces les plus intéressantes est peut-être le Traquet stapazin — à cause de la variété de son paysage, de ses oiseaux, de ses heures. On y voit les Pyrénées-Orientales, les falaises, la mer bleue, les garrigues, les vignobles en terrasses; on y entend le Bruant Ortolan, la Fauvette à lunettes, le Grand Corbeau, la Fauvette Orphée, le Cochevis de Thékla, le Goéland argenté, et mon ami le Traquet stapazin; le disque rouge et or du soleil y sort de la mer à cinq heures du matin, pour descendre derrière les montagnes, dans le rouge, l'orange et le violet, vers neuf heures du soir.

Tout cela est resté gravé dans mon souvenir avec une telle force poétique que je ne pouvais l'écrire en musique sans émotion. Qu'on ne s'y trompe pas cependant! Seuls les oiseaux sont de grands artistes. Les véritables auteurs de mes pièces, ce sont eux! Si par moments la qualité musicale tombe, c'est que le compositeur s'est montré trop à découvert dans le paysage, c'est qu'il a malencontreusement fait dissonance, en posant ses pieds sur le gravier, en tournant sa page, en cassant quelque branche sèche...

Texte de présentation du CATALOGUE D'OISEAUX,
Ed. Alphonse Leduc, Paris.

LE BRUIT DANS LA MUSIQUE

Bien avant l'époque actuelle, en marge de la musique conçue selon les lois de la résonance harmonique et exécutée sur des instruments appropriés à cet effet, on trouve des traces de ce qu'on pourrait appeler une « musique de bruits ». Outre bien des musiques « primitives », des exemples en sont fournis par l'étrange sonorisation de certaines cérémonies, les charivaris *de nos campagnes, ou toutes sortes d'imitation de bruits naturels. Au début de notre siècle, les disciples de Marinetti, dans le mouvement futuriste italien, essayèrent de composer une musique, qui mêlait aux percussions, des bruits naturels, dans un esprit influencé par le machinisme grandissant, et dont le lecteur trouvera ci-dessous le singulier manifeste.*
De telles tentatives cependant étaient bien éloignées, par leurs buts et leurs moyens de ce grand mouvement esthétique qu'allait permettre l'invention de l'électronique. Il ne s'agit plus ici de bruits, mais d'un très riche éventail de sons nouveaux, impossibles à réaliser avec les anciens instruments. Une telle musique permet de modifier le son des instruments traditionnels, de les employer simultanément avec une musique non instrumentale, ou bien, enfin, de n'utiliser que cette dernière. Notons, en outre, qu'une telle musique peut se passer de toute notation classique et nécessite de nouvelles notations d'aspect mathématique.
Edgar Varèse fut le premier à employer concurremment une musique électronique et instrumentale; Pierre Schaeffer et son école, eux, n'emploient que des moyens électroniques, dans le cadre de ce qu'ils ont nommé la musique concrète, *terme, selon nous, peu approprié. Il faut ajouter que des musiciens allemands, comme Stockhausen, se servent volontiers de moyens électroniques pour structurer une musique faite d'éléments naturels, comme la voix humaine, par exemple.*
Il va sans dire que nous pourrions ici donner le détail des problèmes que soulèvent ces formes musicales naissantes. Elles ont encore l'avenir devant elles et notre but n'est pas de jouer les prophètes.

Audacieux et tapageur, le *Futurisme* a tout fait pour ameuter les passants. Depuis le jour où il partit en guerre contre le *Clair de Lune*, jusqu'à sa dernière campagne en faveur de la

Différenciation innombrable des sexes, il a semé la terreur, et le rire aussi, parmi tous les arts. Peinture, sculpture, drame et syntaxe ont tour à tour frissonné à l'appel de l'*outre-homme* révolté, vociférant, clamant : « Guerre aux traditions, mort aux musées, destruction de tout ce que l'humanité appelle le passé, voire le présent ».

La musique ne devait pas être épargnée. Le *Manifeste des musiciens futuristes,* signé Pratella, en 1911, et la déclaration de Russolo sur l'*Art des Bruits,* parue dernièrement, sont des assauts fougueux, qu'il y aurait cruauté à vouloir ignorer. Bruyants, puisqu'il s'agit de bruit, et réclamiers, puisque futuristes, ces manifestes s'inspirent à la fois d'une haine vivace contre les doctrines admises et d'une passion violente pour les nouveautés outrancières.

Ecoutons Pratella :

« Il est incontestable que l'Italie ne peut guère opposer un seul nom de musicien novateur à ceux de Debussy, Dukas, Charpentier, Richard Strauss, Edward Elgar, Moussorgsky, Rimsky-Korsakov, Glazounov et Sibélius, qui tous, avec plus ou moins de génie, s'efforcent de surpasser le génie révolutionnaire de Richard Wagner.

« Nous croyons d'autre part en l'intarissable inspiration musicale de notre race; nous déclarons aussi que l'infériorité actuelle de la musique italienne est le produit logique : 1° des conservatoires de musique empestés par le traditionalisme ignorant des professeurs; 2° des grands éditeurs, marchands de notes et de voix, ladres et peureux.

« En effet, les jeunes musiciens italiens qui sortent de l'atmosphère méphitique des conservatoires sont immédiatement apprivoisés par les éditeurs qui, après leur avoir imposé une horreur profonde pour l'originalité créatrice, un mépris chronique pour l'art et une adoration absolue pour les différents crétinismes du public, les entraînent à jamais par des contrats étrangleurs aux pieds de ces deux grands modèles en carton-pâte : Puccini et Giordano.

« Jeunes compositeurs d'Italie, désertez donc les conservatoires et les académies pour étudier et composer dans la plus absolue des libertés. Révoltez-vous contre la tyrannie des éditeurs, l'outrecuidance du public et le bavardage des critiques plus ou moins vendus.

« Attaquons ensemble le préjugé de la musique *bien faite* — bon devoir de rhétorique — et conspuons cette phrase courante, lâche autant que stupide : *il faut revenir à l'ancienne musique.* Détruisons le règne du chanteur. Il faut que son importance corresponde exactement à celle d'un instrument de l'orchestre. Transformons la conception, la valeur et le titre de poème dramatique pour la musique.

« Il faut que chaque compositeur soit l'auteur de son propre poème.

« Combattons ensemble catégoriquement toutes les reconstructions historiques, la mise en scène traditionnelle et le mépris du costume moderne dans l'opéra. Luttons ensemble contre le succès énervant et délétère des romances du genre Tosti et Costa et des chansonnettes napolitaines. Proscrivons l'ensemble de la musique sacrée qui, étant donné la banqueroute des religions, est devenue le monopole exclusif de tous les directeurs de conservatoires, affamés de gloriole et dénués de talent.

« Arrachons de l'esprit du public le goût des vieux opéras, dont l'exhumation encombre la marche des musiciens novateurs, obligeons ensemble le public, par une propagande assidue, à défendre tout ce qui éclate d'original et de révolutionnaire en musique.

« Glorifions-nous enfin d'être injuriés et sifflés par la horde des moribonds et des opportunistes.

« On crie de part et d'autre que nous sommes des fous. Cela ne nous étonne pas, car Palestrina aurait probablement considéré Bach comme un fou. Bach aurait considéré Beethoven comme un fou, Beethoven aurait considéré Wagner comme un fou. Rossini déclarait en plaisantant qu'il avait enfin compris une page de musique wagnérienne en la lisant de bas en haut. Après une audition de l'ouverture de *Tannhäuser,* Verdi écrivait à un ami que Wagner n'était qu'un pauvre aliéné.

« C'est donc à la fenêtre d'une glorieuse maison de fous que nous proclamons comme un principe essentiel de notre révolution futuriste que le contrepoint et la fugue, sottement considérés comme l'une des branches les plus importantes de l'enseignement musical, ne sont plus guère à nos yeux que les ruines de cette vieille science de la polyphonie qui s'étend des Flamands à Bach. Nous les remplaçons par la polyphonie harmonique, fusion logique du contrepoint et de l'harmonie, qui évitera aux musiciens la peine utile de dédoubler leurs efforts en deux cultures opposées : l'une trépassée, l'autre contemporaine et partant inconciliables parce qu'elles sont les fruits différents de deux sensibilités différentes.

« Le ciel changeant, les eaux mouvantes, les forêts, les montagnes, la mer, l'enchevêtrement fumeux des ports marchands, les grandes capitales houleuses et leurs innombrables cheminées d'usines, se transforment en voix puissantes et prodigieuses à travers l'âme du musicien. Ces voix chantent les passions, les volontés, les joies et les douleurs de l'homme que la magie de l'art rattache ainsi et mêle à la nature. Les formes musicales ne sont ainsi que les apparences et les fragments d'un seul Tout. »

Encore un peu vague cette déclaration se trouve complétée par celle du peintre Russolo, que voici :

« Mon cher Balilla Pratella, grand musicien futuriste,

« Le 9 mars 1913, durant notre sanglante victoire remportée sur quatre mille passéistes au théâtre Costanzi de Rome, nous défendions à coup de poing et de canne ta *Musique futuriste,* exécutée par un orchestre puissant, quand tout à coup mon esprit intuitif conçut un nouvel art que, seul, ton génie peut créer : l'Art des Bruits, conséquence logique de tes merveilleuses innovations.

« La vie antique ne fut que silence. C'est au XIXe siècle seulement, avec l'invention des machines, que naquit le bruit. Aujourd'hui le bruit domine en souverain sur la sensibilité des hommes. Durant plusieurs siècles la vie se déroula en silence, ou en sourdine. Les bruits les plus retentissants n'étaient ni intenses, ni prolongés, ni variés. En effet, la nature est normalement silencieuse, sauf les tempêtes, les ouragans, les avalanches, les cascades et quelques mouvements telluriques exceptionnels. C'est pourquoi les premiers sons que l'homme tira d'un roseau percé ou d'une corde tendue, l'émerveillèrent profondément.

« Les peuples primitifs attribuèrent au son une origine divine. Il fut entouré d'un respect religieux et réservé aux prêtres qui l'utilisèrent pour enrichir leurs rites d'un nouveau mystère. C'est ainsi que se forma la conception du son comme chose à part, différente et indépendante de la vie. La musique en fut le résultat, monde fantastique superposé au réel, monde inviolable et sacré. Cette atmosphère hiératique devait nécessairement ralentir les progrès de la musique, qui fut ainsi devancée par les autres arts. Les Grecs eux-mêmes, avec leur théorie musicale fixée mathématiquement par Pythagore et suivant laquelle on admettait seulement l'usage de quelques intervalles consonants, ont limité le domaine de la musique et ont rendu presque impossible l'harmonie qu'ils ignoraient absolument. La musique évolua au Moyen Age avec le développement et les modifications du système grec du tétracorde. Mais on continua à considérer le son dans son déroulement à travers le temps, conception étroite qui persista longtemps et que nous retrouvons encore dans les polyphonies les plus compliquées des musiciens flamands. L'accord n'existait pas encore; le développement des plus différentes parties n'était pas subordonné à l'accord que ces parties pouvaient produire ensemble; la conception de ces parties n'était pas verticale, mais simplement horizontale. Le désir et la recherche de l'union simultanée des sons différents (c'est-à-dire de l'accord son complexe) se manifestèrent graduellement : on passa de l'accord parfait assonant aux accords enrichis de quelques dissonances de passage, pour arriver aux dissonances persistantes et compliquées de la musique contemporaine.

« L'art musical rechercha tout d'abord la pureté limpide et douce du son. Puis il amalgama des sons différents, en se préoccupant de caresser les oreilles par des harmonies suaves. Aujourd'hui l'art musical recherche des amalgames de sons les plus dissonants, les plus étranges et les plus stridents. Nous nous approchons ainsi du *son-bruit.* Cette évolution de la musique parallèle à la multiplication grandissante des machines qui participent au travail humain. Dans l'atmosphère retentissante des grandes villes aussi bien que dans les campagnes autrefois silencieuses, la machine crée aujourd'hui un si grand nombre de bruits variés que le son pur, par sa petitesse et sa monotonie, ne suscite plus aucune émotion.

« Pour exciter notre sensibilité, la musique s'est développée en recherchant une polyphonie plus complexe et une variété plus grande de timbres et de coloris instrumentaux. Elle s'efforça d'obtenir les successions les plus compliquées d'accords dissonants et prépara ainsi le bruit musical.

« Cette évolution vers le son-bruit n'est possible qu'aujourd'hui. L'oreille d'un homme du XVIIIe siècle n'aurait jamais supporté l'intensité discordante de certains accords produits par nos orchestres (triplés quant au nombre des exécutants); notre oreille au contraire s'en réjouit, habituée qu'elle est par la vie moderne, riche en bruits de toute sorte. Notre oreille pourtant, bien loin de s'en contenter, réclame sans cesse de plus vastes sensations acoustiques. D'autre part, le son musical est trop restreint, quant à la variété et à la qualité de ses timbres. On peut réduire les orchestres les plus compliqués à quatre ou cinq catégories d'instruments différents quant au timbre du son : instruments à cordes frottées, à cordes pincées, à vent en métal, à vent en bois, instruments de percussion. La musique piétine dans ce petit cercle en s'efforçant vainement de créer une nouvelle variété de timbres. Il faut rompre à tout prix ce cercle restreint de sons purs et conquérir la variété infinie des sons-bruits.

« Chaque son porte en soi un noyau de sensations déjà connues et usées qui prédisposent l'auditeur à l'ennui, malgré les efforts de musiciens novateurs. Nous avons tous aimé et goûté les harmonies des grands maîtres. Beethoven et Wagner ont délicieusement secoué notre cœur durant bien des années. Nous en sommes rassasiés. C'est pourquoi nous prenons indéfiniment plus de plaisir à combiner idéalement des bruits de tramways, d'autos, de voitures et de foules criardes, qu'à écouter encore, par exemple, l'*Héroïque* ou la *Pastorale.*

« Nous ne pouvons guère considérer l'énorme mobilisation de forces que représente un orchestre moderne sans constater ses piteux résultats acoustiques. Y a-t-il quelque chose de plus ridicule au monde que vingt hommes qui s'acharnent à redoubler le miaulement plaintif d'un violon ? Ces franches déclarations feront bondir tous les maniaques de musique, ce qui réveillera un peu l'atmosphère somnolente des salles de concert. Entrons-y ensemble, voulez-vous ? Entrons dans l'un de ces hôpitaux de sons anémiés. Tenez : la première mesure vous coule dans l'oreille l'ennui du déjà-entendu et vous donne un avant-goût de l'ennui qui coulera de la mesure suivante. Nous sirotons ainsi, de mesure en mesure, deux ou trois qualités d'ennui en attendant toujours la sensation extraordinaire qui ne viendra jamais. Nous voyons en attendant s'opérer autour de nous un mélange écœurant formé par la monotonie des sensations et par la pâmoison stupide et religieuse des auditeurs, ivres de savourer pour la millième fois, avec la patience d'un bouddhiste, une extase élégante et à la mode. Pouah! Sortons vite, car je ne puis guère réprimer trop longtemps mon désir fou de créer enfin une véritable réalité musicale en distribuant à droite et à gauche de belles gifles sonores, enjambant et culbutant violons et pianos, contrebasses et orgues gémissantes! Sortons.

« D'aucuns objecteront que le bruit est nécessairement déplaisant à l'oreille. Objections futiles que je crois oiseux de réfuter en dénombrant tous les bruits délicats qui donnent d'agréables sensations. Pour vous convaincre de la variété surprenante des bruits, je vous citerai le tonnerre, le vent, les cascades, les fleuves, les ruisseaux, les feuilles, le trot d'un cheval qui s'éloigne, les sursauts d'un chariot sur le pavé, la respiration solennelle et blanche d'une ville nocturne, tous les bruits que font les félins et les animaux domestiques et tous ceux que la bouche de l'homme peut faire sans parler ni chanter.

« Traversons ensemble une grande capitale moderne, les oreilles plus attentives que les yeux, et nous varierons les plaisirs de notre sensibilité, en distinguant les glouglous d'eau, d'air et de gaz dans les tuyaux métalliques, les borborygmes et les râles des moteurs qui respirent avec une animalité indiscutable, la palpitation des soupapes, le va-et-vient des pistons, les cris stridents de scies mécaniques, les bonds sonores des tramways sur les rails, le claquement des fouets, le clapotement des drapeaux. Nous nous amuserons à orchestrer idéalement les portes à coulisses des magasins, le brouhaha des foules, les tintamarres différents des gares, des forges, des filatures, des imprimeries, des usines électriques et des chemins de fer souterrains.

« Nous voulons entonner et régler harmoniquement et rythmiquement ces bruits très variés. Il ne s'agit pas de détruire les mouvements et les vibrations irrégulières (de temps et d'intensité) de ces bruits, mais simplement fixer le degré ou ton de la vibration prédominante. En effet le bruit se distingue du son par ses vibrations confuses et irrégulières (quant au temps et à l'intensité). Chaque bruit a un ton, parfois aussi un accord qui domine sur l'ensemble de ces vibrations irrégulières. L'existence de ce ton prédominant nous donne la possibilité pratique d'entonner les bruits, c'est-à-dire de donner à un bruit une certaine variété de tons sans perdre sa caractéristique, je veux dire le timbre qui le distingue. Certains bruits obtenus par un mouvement rotatoire peuvent nous offrir une gamme entière, ascendante ou descendante, soit qu'on augmente ou soit qu'on diminue la vitesse du mouvement.

« Chaque manifestation de notre vie est accompagnée par le bruit. Le bruit nous est familier. Le bruit a le pouvoir de nous rappeler à la vie. Le son, au contraire, étranger à la vie, toujours musical, chose à part, élément occasionnel, est devenu pour notre oreille ce qu'un visage trop connu est pour notre œil. Le bruit, jaillissant confus et irrégulier hors de la confusion irrégulière de la vie, ne se révèle jamais entièrement à nous et nous réserve d'innombrables surprises. Nous sommes sûrs qu'en choisissant et coordonnant tous les bruits nous enrichirons les hommes d'une volupté insoupçonnée.

« Bien que la caractéristique du bruit soit de nous rappeler brutalement à la vie, l'art des bruits ne doit pas être limité à une simple reproduction imitative. L'art des bruits tirera sa principale faculté d'émotion du plaisir acoustique spécial que l'inspiration de l'artiste obtiendra par des combinaisons de bruits. Voici les 6 catégories de bruits de l'orchestre futuriste que nous nous proposons de réaliser bientôt mécaniquement :

1	2	3	4	5	6
Grondements Eclats Bruits d'eau tombante Bruits de plongeon Mugissements	Sifflements Ronflements Renâclements	Murmures Marmonnements Bruissements Grommellements Grognements Glouglous	Stridences Craquements Bourdonnements Cliquetis, Piétinements	Bruits de percussion sur métal, bois, peau, pierre, terre cuite, etc.	Voix d'hommes et d'animaux, cris, gémissements, hurlements, rires, râles, sanglots.

« Résultat : un concert de bruiteurs, donné à Milan le 11 août dernier, avec le concours de quatre réseaux de bruits suivants :

3 bourdonneurs,	3 sifflleurs,	1 fracasseur,
2 éclateurs,	2 bruisseurs,	1 stridenteur,
1 tonneur.	2 glouglouteurs.	1 renâcleur.

« Malgré une certaine inexpérience de la part des exécutants, nous dit le compte rendu officiel de cette mémorable journée, l'ensemble fut presque toujours parfait, et les effets saisissants obtenus par Russolo révélèrent aux auditeurs une nouvelle volupté acoustique. Le programme contenait quatre morceaux :

Réveil de la Capitale — *On dine à la terrasse du Casino*
Rendez-vous d'autos et d'aéroplanes — *Escarmouche dans l'oasis* [1].

Extrait de la REVUE MUSICALE, S.I.M., 1er décembre 1913.

1. Je me rappelle Marinetti ornant de toute sorte d'onomatopées la récitation de son poème *Le Siège de Sébastopol*, un peu à la manière de Janequin dans le chœur de *La Bataille de Marignan*. L'effet était assez saisissant (G. B.).

EDGAR VARÈSE

NÉCESSITÉ D'UNE NOUVELLE MATIÈRE SONORE (1916)

Il faut que notre alphabet musical s'enrichisse. Nous avons aussi terriblement besoin de nouveaux instruments. Les futuristes (Marinetti et ses *bruiteurs*) ont commis à cet égard une grosse erreur. Les nouveaux instruments doivent être susceptibles de se prêter à des combinaisons variées et ne doivent pas simplement nous rappeler des choses déjà entendues. Les instruments ne doivent être, après tout, que des moyens temporaires d'expression. Les musiciens doivent aborder cette question avec le plus grand sérieux, aidés par des ingénieurs spécialisés. J'ai toujours senti dans mon œuvre personnelle le besoin de nouveaux moyens d'expression. Je refuse de ne me soumettre qu'à des sons déjà entendus. Ce que je recherche, ce sont de nouveaux moyens techniques qui puissent se prêter à n'importe quelle expression de la pensée et la soutenir.

Interview dans le NEW YORK TELEGRAPH, mars 1916.

1922

Ce que nous voulons, c'est un instrument qui puisse nous donner un son continu à n'importe quelle hauteur. Le compositeur et l'électricien devront travailler ensemble à l'obtenir. Nous ne pouvons, à aucun prix, continuer à travailler dans les vieilles couleurs de l'Ecole. Vitesse et synthèse sont les caractéristiques de notre temps. Nous avons besoin d'instruments du XXe siècle pour nous aider à les réaliser en musique.

CHRISTIAN SCIENCE MONITOR, juillet 1922.

PIERRE SCHAEFFER (né en 1910)

GENÈSE DE LA MUSIQUE CONCRÈTE

I

J'écris ces lignes à l'orée du demi-siècle. Trop de choses sont arrivées ces derniers temps pour que nous soyons trop affirmatifs. Qui nous dit que durant ces cinquante années une nouvelle musique ne se soit pas mise à s'inventer ? Nous n'en sommes pas encore tellement sûrs. Nous l'avons appelée musique concrète. C'est peut-être déjà trop. Que celui qui aime les exposés systématiques, les professions de foi et l'intempérance dogmatique s'arrête ici, il serait déçu, mais que celui qui cherche le témoignage d'une recherche, l'étonnement d'une curiosité, l'inquiétude d'un résultat veuille bien poursuivre. Nous le convions à partager le journal de bord d'une croisière solitaire. Solitaire, s'il s'agit de cette musique que nous avons appelée concrète, pour que coïncident étymologie et embryologie. Bien peu solitaire, en réalité, s'il s'agit d'une *attitude*, d'une démarche de l'esprit et d'un parti devant l'événement. Ce qui nous arrive à propos de la musique concrète est une aventure courante en ce demi-siècle de clarté, en ce siècle de demi-clarté, où la moitié du puzzle est encore tout emmêlée dans sa boîte à surprises. Cependant, devenons assez clairvoyants pour n'être plus surpris si le hasard fait bien les choses, si nous avons davantage à pouvoir qu'à vouloir, si la puissance nous est donnée avec l'obéissance, et la partition après le déchiffrage.

1948

Mars.

De retour à Paris, j'ai commencé à collectionner les objets. Je vais à la Radio française au Service du bruitage. J'y trouve des claquettes, des noix de coco, des klaxons, des pompes à bicyclettes. Je songe à une gamme de pompes. Il y a des gongs. Il y a des appeaux. Je ris de découvrir des appeaux à la Radiodiffusion française qui après tout est une administration. Je songe au bordereau n° 237 RD dans lequel le préposé au bruitage s'est justifié de son achat. Le contrôleur financier n'a pas dû le prendre pour quelqu'un de sérieux. Quand on pense qu'ils achètent des appeaux avec les crédits du budget! L'appeau me redonne du courage. J'emporte aussi des timbres, un jeu de cloches, un réveil, deux crécelles, deux tourniquets à musique avec leur coloriage pour enfants. Le fonctionnaire préposé me fait quelques difficultés. On vient d'habitude le trouver pour un accessoire précis, pour un « bruitage » qui se rapporte à un texte. Moi, je veux tout. Je convoite. Je suppute. Je fais l'impasse.

A vrai dire et sans doute par superstition, je pense qu'aucun de ces objets ne me servira. Ils sont compromis. Peut-être l'appeau ? Cependant après quelques démêlés avec l'administration, et non sans avoir signé plusieurs décharges, je les emporte.

Je les emporte avec la joie d'un enfant qui sortirait du grenier, les bras remplis de bricoles inutiles et compromettantes.

Sous l'œil goguenard du préposé,
Avec un secret sentiment de ridicule,
Plus exactement de malhonnêteté,
Dès le départ, j'ai mauvaise conscience.

Je ne saurais assez insister sur cette compromission qui vous amène à vous saisir de trois douzaines d'objets pour faire du bruit sans la moindre justification dramatique, sans la moindre idée préconçue, sans le moindre espoir. Bien plus, avec le secret dépit de faire ce qu'il ne faut pas faire, de perdre son temps, ceci dans une époque sérieuse où le temps même nous est mesuré.

Tel est l'état d'esprit du musicien concret après son premier rapt d'objets (concrets ?).

1er avril.

On comprendra mieux le malaise du musicien concret si l'on met en regard ses intentions. Voici, par exemple, ce qui figure dans ses notes :

« Sur une pédale rythmique, parfois interrompue par un ralenti logarithmique, surperposition de bruits circulaires. Cadence de bruits purs (?). Puis, fugue de bruits différentiels. Terminer sur une série de battements où alterneront le lâche et le serré. Le tout à traiter comme un andante. Ne pas avoir peur de la longueur, ni de la lenteur. »

3 avril.

Les objets sont maintenant rangés dans un placard. Il n'a pas été facile de trouver un placard fermant à clé au studio d'essai. C'était pourtant indispensable après toutes les décharges que j'ai signées. Je songe qu'il me faut un métronome.

Celui qu'on m'envoie ne bat pas régulièrement, les suivants non plus. C'est incroyable ce qu'un métronome peut manquer de sens du rythme!

4 avril.

Brusque illumination. Joindre un élément de son au bruit. Soit associer à l'élément de percussion l'élément mélodique. D'où l'idée de bois taillés de différentes longueurs, de tubes plus ou moins accordés. Premiers essais.

5 avril.

Mes bouts de bois sont dérisoires. Il me faudrait un atelier. C'est déjà toute une histoire de les tailler de diverses longueurs dans diverses matières. Il faut ensuite les disposer pour qu'on en puisse jouer commodément. Je me retrouve devant le problème du piano. Je désigne sous le nom de piano à bruits l'amoncellement de matériaux qui commence à encombrer le studio. Les habitués du studio d'essai, que mes excentricités n'étonnent plus, me jugent encombrant, cette fois-ci. Je convoite depuis huit jours l'établi de l'atelier. Je réclame son déménagement. Il est costaud et ne vibre pas. On peut y clouer toutes sortes de supports. J'y dispose mes clochettes et une rangée de trompes.

Je n'ai toujours pas confiance dans ces préparatifs.

7 avril.

Deuxième illumination. Tous ces morceaux de bois malhabiles m'adressent un muet reproche. Ils ne sont rien d'autre que des résonateurs accordés sur des demi-longueurs d'onde, puisqu'ils sont coincés à un « nœud » et vibrent selon un « ventre » à leur extrémité libre. Ainsi, après une excursion enfantine me vois-je ramené à la maison paternelle. Première leçon de cours d'acoustique et de théorie de la musique. Solfège élémentaire. Le Conservatoire et la Faculté se rient de moi. La musique m'environne comme une citadelle infranchissable. Je n'ai que de mauvaises notes. Poussons l'expérience jusqu'au bout. Il me faut les accessoires d'un orgue et non pas un « piano à bruits ». Je me précipite chez Cavaillé-Coll et Pleyel. Je découvre des accessoires d'orgue démolis par les bombardements. Je reviens avec un camion plein de trente-deux pieds, d'anches battantes. Mon originalité consistera à n'en pas jouer comme les organistes, mais de taper dessus à coups de maillets, de les désaccorder peut-être. La guerre s'en était déjà chargée.

12 avril.

J'ai besoin d'une quantité d'aides pour des essais de plus en plus laborieux. L'un d'eux souffle dans les deux plus grands tuyaux agréablement voisins d'un « petit ton ». Nous rions beaucoup de cette expression. Petit ton ou grand demi-ton au choix. Le second aide, armé de deux maillets couvre péniblement une octave de gisants xylophoniques. Un troisième est préposé aux clochettes. Je compose à tout hasard une partition de quelques mesures. On répète, on se trompe, on recommence, on enregistre. Le résultat est navrant.

Tandis que le son produit par le gros tuyau de bois carré est curieux, varié (suivant qu'on le frappe à différents endroits, sur différents supports), le résultat de la partition est d'une pauvreté dérisoire. J'ai maintenant l'impression de rétrograder. Je supporte mal la déférence dont je suis entouré. Qu'espèrent-ils de moi et de ces essais alors que je suis si intimement persuadé d'être engagé dans une impasse ?

15 avril.

Parmi tous ces essais, je ne retiens que deux ou trois curiosités : une lame vibrante dont on approche un objet quelconque. Il se produit alors un frappement. Cela fait un bruit de guêpe écrasée si c'est une lame accordée sur un son aigu ou si c'est une cloche. Il existe toute une gamme de ces bruits.

Inversement, je cherche à faire construire une lame vibrant à une fréquence donnée grâce à un électro-aimant qu'on pourrait approcher de divers résonateurs. On superposerait ainsi à une fondamentale un bruit annexe, puis le timbre du résonateur. Dès que j'entre dans cette expérimentation les résultats sont d'une grande monotonie.

De plus, tous ces bruits sont identifiables. Sitôt entendus, on pense verre, cloche, gong, fer, bois, etc. Je tourne le dos à la musique.

19 avril.

En faisant frapper sur une de mes cloches, j'ai pris le son *après* l'attaque. Privée de sa percussion, la cloche devient un son de hautbois. La situation évolue. Il s'est produit une fissure dans le dispositif ennemi. Le moral change de camp.

21 avril.

Si j'ampute les sons de leur attaque, j'obtiens un son différent, mais si je compense la chute d'intensité au potentiomètre, j'obtiens un son filé dont je déplace le maximum à volonté. J'enregistre ainsi une série de notes fabriquées de cette façon, chacune sur un disque. En disposant ces disques sur des pick-up, je puis, grâce au jeu des potentiomètres, jouer de ces notes comme je l'entends, successivement ou simultanément. Bien entendu, la technique instrumentale de cet ensemble est lourde, peu apte à aucune virtuosité; mais il y a instrument.

Il y a instrument. J'ai toujours eu peu de curiosité pour les instruments nouveaux d'ordre électro-acoustique : ondes ou ondiolines; tout en appréciant leur ingéniosité et leur efficacité dans certains cas... Mon père est violoniste, ma mère chanteuse. On peut donc penser que je suis rébarbatif à toute musique directement électrique, d'où ma démarche différente, mon bazar en bois et en fer-blanc, mes trompes à vélos. Il y a parti pris au départ, et sans doute atavisme. Je ne cherche pas à imiter, mais à fabriquer.

23 avril.

Cette fois, c'est dans l'abstrait que je pars. Si peu commode qu'il soit, j'exploite mon procédé en tant qu'hypothèse. Autrement dit, soit un orgue dont les touches correspondraient chacune à un tourne-disque dont on garnirait à volonté le plateau de disques appropriés, soit un clavier qui mettrait en action les pick-up simultanément ou successivement, grâce à un mélangeur à « n » directions : on obtient *théoriquement* un instrument-gigogne capable non seulement de remplacer tous les instruments existants, mais tout instrument concevable, musical ou non, dont les notes correspondent ou non à des hauteurs données dans la tessiture. Cet instrument imaginaire qui ressemble plus à une proposition de la géométrie pure qu'à un violon m'excite intellectuellement. Je n'ai pas tellement le goût des solutions théoriques, mais je n'ignore pas combien de telles structures intellectuelles, quand elles ont des correspondances dans le champ des possibles, peuvent être utiles. Ce sont des échafaudages que nous pouvons alors jeter sur le réel. Nous pouvons même nous servir de ces passerelles, y faire un bout de chemin et brûler des années d'expérimentation indigente. Tout cela me vient de ma culture scientifique que j'ai tellement maudite autrefois pour le temps perdu, le manque d'intérêt humain. Comme je me trompais! Me voici exactement au centre de la roue, au moyeu d'où partent les rayons de la connaissance. Vers l'art ou la technique, vers le concevable ou l'utilisable, vers l'expérimenté ou le deviné. Tout cela pour l'archétype d'un piano imaginaire, du piano le plus général, un instrument pour encyclopédistes. Ce siècle n'est-il pas celui d'une nouvelle encyclopédie ?

LES DEUX MUSIQUES

La musique ordinaire est à la musique concrète ce qu'est la mécanique classique à celle de la relativité. La musique ordinaire est un cas particulier d'une musique généralisée. Le cas particulier est celui de la note ou son de fréquence définie. Il semble que les discussions sur les notes, les tonalités et les modalités, aient connu, ces dernières décades, une sorte d'essoufflement. C'est qu'il est peut-être temps, sans négliger la mécanique des notes, de penser en termes plus généraux, et de concevoir la matière sonore dans sa complexité. Il faut alors remplacer le trièdre de référence (durée, fréquence, intensité, pour un instrument considéré) par un système de référence plus complexe, où évolueraient, non pas les notes d'un instrument, mais des objets sonores définis par leur contexture harmonique et rythmique, leur tessiture moyenne, leur couleur et leur réverbération, leurs plans, leur niveau absolu. Ces objets évoluent, eux aussi, bien entendu, dans la durée. Mais il s'agit d'une durée à deux degrés. Il y a leur durée interne, qui les fait se constituer en tant qu'objets sonores, par construction. Puis il y a la durée dans laquelle ils sont juxtaposés. C'est peut-être là que réside la différence essentielle entre les deux musiques. La classique évoluant dans une durée simple, comme un mobile sur un axe. La musique concrète faisant se mouvoir dans la durée des objets ayant eux-mêmes une durée interne.

S'il en était ainsi, les deux musiques, contrairement à ce que nous avons espéré plus tôt, seront difficilement mélangeables. Elles auront entre elles des rapports analogues à ceux qui existent entre prose et poésie. La musique ordinaire est un discours. Elle évolue linéairement, s'exprime sans arrêt. Quoique nous venions d'écrire que la musique, grâce à Dieu, ne voulait rien dire, il n'en est rien; la musique, sans arrêt, signifie quelque chose, elle n'arrête pas de s'exprimer. Tandis que si, de ce discours, est extrait un fragment considéré en soi, pour sa valeur plastique, qu'on ne se préoccupera plus d'articuler logiquement, mais de juxtaposer comme un tableau d'exposition, comme les mots d'un poème, on obtiendra une musique sans volonté d'expression immédiate, offrant, comme des objets de contemplation, des paillettes sonores, définitivement figées quoique toutes vibrantes du temps qui passe.

On sait que l'essence de la musique est dans la rencontre du nombre avec le temps. On peut se demander s'il faut laisser nos chiffres couler dans le temps qui passe, ou les forcer à se graver dans du temps maintenu. Une musique suprême serait alors d'isoler comme des cristaux de temps. Dans un premier cas, celui dont nous avons l'habitude, la musique est et demeure le divin langage de l'homme. Elle s'écoule avec sa vie. Elle a la douceur du temps perdu, sa mortelle douceur. L'autre musique, offensante et offensive, tenterait d'arracher des parcelles de temps retrouvé, pour en faire l'objet d'une contemplation douloureuse, prometteuse, qui sait, d'éternité.

Paris, décembre 1949.

POLYPHONIE, *Revue Musicale,* trimestrielle,
La Musique mécanisée, 1er trimestre 1950.

ANDRÉ BOUCOURECHLIEV

LA MUSIQUE ÉLECTRONIQUE

Que la musique électronique, phénomène « moderne » par excellence, soit en consonance avec les bouleversements survenus dans tous les domaines de la création humaine, cela est certain. Or, si elle rend particulièrement sensible la remise en question d'un monde sonore, auquel elle ouvre des voies nouvelles et « inouïes », ce n'est pas en tant que domaine spécifique et séparé, mais comme un des aspects de la musique actuelle : cette consonance se découvre au niveau non de la technique, mais du langage. *Modernes* sont non seulement les moyens — spectaculaires — mais plus encore les conceptions du devenir musical qui les ont provoqués. Parler de musique électronique, c'est parler de musique tout court.

Parler de musique électronique, c'est aussi la démythiser : c'est auréolée de mystère, suscitant à la fois la défiance et la fascination, qu'elle est entrée dans la vie publique. Certes, moins nombreux sont aujourd'hui ceux qui la considèrent encore comme un monde à part, qui l'intègrent dans l'univers douteux de la science vulgarisée où semblent la situer son apparent « avant-gardisme », ses instruments « insolites », ses « laboratoires ». Mais il importe de dissiper tout vestige de malentendus, prompts à renaître, car en matière de musique le goût du sensationnel, hier polarisé sur le « culte de la personnalité » du virtuose, se cherche aujourd'hui de nouveaux exutoires. Pour autant que les aspects « inouïs » de la musique électronique se prêtent à de tels transferts, elle doit les refuser. Il importe de proposer à l'auditeur la confrontation incessante de tous les domaines de la création musicale moderne, au lecteur la totalité d'une situation stylistique.

C'est aujourd'hui seulement que l'on peut mettre en parallèle les critères et les démarches de la musique et les autres domaines de la création humaine. L'abandon total des formes de pensée dualistes, la conception d'une relativité et d'une multiplicité des rapports structurels, le rejet des concepts hiérarchisés *a priori*, du certain au bénéfice du probable, du périodique au bénéfice du statistique, le dépassement des formes closes et immuables au bénéfice des structures mobiles et des formes ouvertes, tels sont schématiquement les éléments d'un nouvel inventaire conceptuel. Ils ne sont pas moins justifiables « de l'intérieur », dans l'évolution spécifique du langage musical.

Nous ne retracerons pas — cela a été fait maintes fois — l'évolution du langage musical jusqu'à Webern et l'après-guerre; il est nécessaire seulement de rappeler l'état de la musique occidentale telle qu'elle fut « léguée » à l'actuelle génération de compositeurs, à laquelle il appartenait de créer une nouvelle esthétique.

On sait à quelle pensée nouvelle des rapports structurels devait mener, après la dissolution de la tonalité et la réforme schœnbergienne, l'œuvre de Webern. Pour Schœnberg l'organisation des hauteurs des sons en séries dodécaphoniques n'entraînait pas encore toutes les dimensions du discours musical dans des rapports nouveaux; chez Webern, en revanche, cette répercussion se faisait jour et donnait lieu à de nouvelles formes dans lesquelles toutes les dimensions tendent à instaurer une polyvalence générale des structures, aboutissant à un éclatement multi-directionnel des rapports dans la forme [1].

Implicite chez Webern, la promotion de tous les paramètres musicaux (durées, intensités, timbres) à une fonction structurelle de type sériel, ne devait cependant être explicitée et consciemment constituée en méthode qu'après la seconde guerre. Cette absolue coordination des paramètres dans un principe sériel unique, problème majeur des musiciens à cette époque, se heurtait à des contradictions instrumentales évidentes d'échelles plus ou moins incompatibles, de notation,

---

1. Henri Pousseur a particulièrement bien montré cette nouvelle *nature* des structures weberniennes (voir *De Schœnberg à Webern : une mutation*, dans *Incontri Musicali*, n° 1, éd. Suvini-Zerboni, Milan).

d'exécution. Le recours à de nouveaux moyens de réalisation, mettant à la disposition du compositeur le *continuum* des dimensions musicales, s'imposait dès lors. D'ailleurs, il n'y avait plus aucune raison, dans une musique qui avait profondément transformé ses formes et sa syntaxe, de se servir d'une échelle tempérée des hauteurs, élaborée par et pour un langage disparu; il apparaissait, au contraire, impérieux de faire déterminer par le principe organisateur unique de l'œuvre aussi bien de nouvelles échelles que des spectres nouveaux, en un mot d'étendre l'architecture d'une œuvre donnée à l'architecture de son matériau sonore même. C'est alors que les musiciens ont été amenés à faire appel au domaine électroacoustique : la musique électronique apparaît, dans cette évolution, comme une nécessité.

Si, à l'heure actuelle, les motifs de notre recours au domaine électronique ont sensiblement évolué, si les préoccupations musicales font maintenant appel à d'autres aspects spécifiques de ce domaine, nombre de ses vertus, de ses justifications de la première heure demeurent valables. Il est d'ailleurs remarquable que même les toutes premières œuvres électroniques n'avaient pas ce caractère « expérimental » qu'elles s'étaient vu attribuer lors de leurs premières confrontations avec le public. D'emblée les compositeurs mettaient en œuvre un univers sonore parfaitement maîtrisé. Certes, il était circonscrit — avec la plus grande rigueur — non seulement par la nécessité de s'imposer des limites dans un « univers où tout est possible », mais surtout parce qu'il surgissait d'une démarche musicale précise qui écartait délibérément tout ce qu'elle ne pouvait directement justifier. Si la réalité sonore perçue entrait moins en ligne de compte que la rigueur et la pureté de la pensée musicale, il est notoire que les musiciens furent les premiers à dépasser cette attitude. En effet, la pratique des nouveaux moyens avait vite fait de développer une sensibilité spécifique aux évolutions sonores d'un matériau extrêmement riche et malléable. Pour « désincarnées » que puissent nous paraître aujourd'hui ces premières œuvres, elles ne restent pas moins valables, car elles témoignent d'une création immédiate de nouvelles *formes* et révèlent déjà une claire conscience de cette « relativité » des structures musicales dont il a été, et dont il sera encore question. Je pense ici à l'*Etude I* de Stockhausen, réalisée au studio de la NWDR à Cologne, en 1953. Cette œuvre — une des premières dans ce nouveau domaine — restera un exemple sans précédent de recherche formelle et, bien que « dépassée » aujourd'hui, elle s'inscrit dans l'histoire de la musique moderne à une place toute particulière, dont je tiens à souligner l'importance.

Dans l'*Etude I* nous sommes en présence d'un univers musical qui s'élabore à partir de son « degré zéro »; il s'agit d'une véritable création *ex nihilo* qui prend comme extrêmes limites l'infini et le néant, s'en entoure et s'y situe comme une sorte de perpétuelle probabilité de ces extrêmes. Il n'y a plus là d'évolution d'un point à un autre, mais des tendances — impliquées par les déclenchements sériels pouvant survenir à tout moment — vers ce néant que sont ici les seuils de la perception des sons; le concept de « sériel » y apparaît comme fonction double : à la fois syntaxe et forme, méthode et conception. Les notions de « début », de « développement », de « fin » sont abolies. C'est un « monde sonore en rotation » [1] qui filtre à travers les limites de l'audible.

Il serait trop facile de cataloguer cette œuvre comme « expérience »; elle *n'est pas* une expérience, quoique le compositeur lui-même la qualifie ainsi, mais bien l'appropriation spirituelle d'un monde nouveau. Trop facile de « rejeter » cette œuvre pour la seule raison qu'elle ferait abstraction, dans une certaine mesure, de la matière sonore perçue, en choisissant de s'incarner dans le son sinusoïdal pur — le seul, en définitive, qui lui puisse permettre cette aventure irréversible dans l'absolu. Si la musique — instrumentale et électronique — a aujourd'hui évolué, pris de la distance au regard de ses premières prospections inspirées, c'est d'autant plus nettement que nous apparaissent le sens et la justesse de la démarche de Stockhausen. Quant à ces sons purs, ils nous semblent aujourd'hui non point « pauvres », mais comme encore trop chargés de matière : le compositeur aurait-il pu incarner sa conception de l'œuvre dans un silence rendu sensible, qu'il l'aurait peut-être fait.

De cette œuvre aux œuvres les plus récentes, les acquisitions de la musique électronique sont suffisamment riches pour qu'il vaille la peine déjà d'en retracer brièvement l'histoire — aspect en mouvement d'une esthétique musicale nouvelle. Dans cette perspective, il me paraît nécessaire d'introduire tout d'abord le lecteur dans un studio électronique [2], de lui en montrer les éléments et le fonctionnement.

Les principaux groupes d'appareils d'un studio sont constitués par les générateurs électroniques de sons, les dispositifs de transformation ultérieure de ces sons, le bloc d'enregistre-

---

1. Voir *Une expérience électronique*, par K. Stockhausen, dans les *Cahiers de la Compagnie Renaud-Barrault*, n° 3, Julliard, éd.

2. Certains éléments en ont été déjà exposés, très brièvement, dans *Esprit*, janvier 1957, et dans la *Nouvelle Revue Française*, février 1958.

ment (magnétophones), par lequel passent, pour s'y inscrire, toutes les opérations sonores, enfin les instruments de mesure et de contrôle. Des dispositifs d'automation plus ou moins évolués peuvent s'intégrer à tous les stades du travail. Quoique les techniques et les démarches, toujours personnelles, puissent être extrêmement diverses et soient, bien entendu, conditionnées par la nature spécifique de chaque œuvre, et quoique le compositeur fasse aujourd'hui appel presque simultanément à l'ensemble des groupes opératoires du studio, décrire ces instruments, c'est, tout au moins schématiquement, décrire les étapes d'une œuvre en cours d'élaboration.

Les générateurs de sons (et les dispositifs de prise de son directe, lorsqu'on combine des éléments vocaux ou instrumentaux avec les sons électroniques) fournissent au compositeur la matière sonore première. Celle-ci relèvera principalement d'une démarche soit synthétique, soit analytique — élaborée à partir de sons sinusoïdaux, composantes élémentaires de tout phénomène sonore, que des générateurs produisent dans des conditions d'utilisation parfaites — ou à partir d'un spectre « total », appelé « bruit blanc », fourni par un générateur spécial. Il s'agit ici d'un mélange statistique de toutes les fréquences sonores audibles, que le compositeur morcellera, au moyen de filtres, jusqu'à pouvoir rejoindre la composante élémentaire : le son sinusoïdal (résultant du filtrage d'un phénomène statique, non périodique, celui-ci sera de caractère instable, fluctuant en durée, intensité et fréquence d'une manière aléatoire).

Opérer le choix du matériau sonore, l'élaborer, est un acte avant tout musical : ce choix sera conditionné par l'intention du compositeur. A son tour, le matériau engage les structures : il s'agit de prévoir son expansion future. Docile, mais aussi résistant, il est riche, dès l'abord, de ses futures manières d'être. Dès lors, le plier aux exigences de l'œuvre ne doit pas impliquer qu'on aille contre ses tendances spécifiques. Le matériau électronique fonctionnellement pensé et fonctionnellement traité devra « brûler » totalement dans sa mise en œuvre, sans laisser de scories.

Le matériau électronique a été, à ses débuts, statique. Aujourd'hui, on ne compose plus avec des fréquences, des intensités, des spectres, mais avec des *évolutions* de spectres, d'intensités, de densité. La matière sonore est désormais insaisissable *à un instant donné*. Saisir tel « objet », voire tel rapport sonore, est impossible : seul son parcours temporel peut en rendre compte; matière et temps sont indissociables — ils sont, en fin de compte, identiques. Nous reviendrons encore sur cette conception fondamentale de la matière sonore nouvelle.

Ces complexes sonores en mouvement, que le compositeur

crée lui-même dès l'abord, ou dont il prépare les conditions de développement, sont alors travaillés, dans la mesure où l'exige l'intention musicale, avec toutes les ressources de transformation sonore qu'offre le second groupe opératoire du studio : variateurs de la vitesse de déroulement de la bande magnétique, modulateurs et filtres de fréquence et d'amplitude, chambres d'écho, etc. Des corrélations étroites entre les paramètres sonores pourront être créées à ce stade opératoire; par exemple, on pourra imprimer à tel ensemble de fréquences (et nous ne penserons désormais plus à un spectre fixe, mais à un *mouvement* spectral) les intensités en mouvement de telle autre structure : il s'ensuit une triple relation entre durée, intensité et timbre. Les filtrages, mobiles eux aussi, continus ou discontinus, pourront mettre en lumière telle ou telle zone de fréquences (ou d'intensité, lorsqu'il s'agit de filtres d'amplitude), circonscrire ainsi un champ d'évolutions.

Le montage des structures est, aussi bien dès ce stade qu'au stade définitif de la distribution stéréophonique, un travail extrêmement important, le plus personnel aussi. Il ne s'agit pas d'un simple « collage », pour autant que l'œuvre est conçue comme un réseau d'évolutions, un ensemble d'interférences de mouvements : il s'agit d'organiser ces interférences dans la forme. Enfin, les magnétophones à pistes multiples prennent en charge la distribution spatiale des structures; on sait que le compositeur prévoit ces mouvements dans l'espace dès la conception de l'œuvre.

Telle peut être, schématiquement, l'utilisation des instruments qu'un studio offre au compositeur. La mise en œuvre simultanée de structures électroniques et de sons réels (voix, instruments) — que ceux-ci soient enregistrés ou destinés à être exécutés par des interprètes en même temps que se déroule la bande électronique — détermine évidemment autant de conceptions et de techniques particulières.

Il convient de dire ici le rôle capital que joue l'homme de science, nouvel auxiliaire du musicien. Le physicien, l'ingénieur qui crée le studio doivent fournir au compositeur une réponse concrète à ses exigences musicales, traduire celles-ci dans son propre univers et leur donner une réalité technique. De même, sa recherche, ses découvertes peuvent ouvrir une nouvelle direction, enrichir les conceptions et la technique du musicien. L'homme de science peut aller jusqu'à prévoir une évolution de la pensée musicale, devancer et clarifier une voie d'expansion latente : le courant créateur, dans cette collaboration, est à double sens.

Comment les studios de musique électronique se développeront-ils dans l'avenir ? Deux principes semblent devoir orienter leur évolution : mouvement et automation. Les installations d'aujourd'hui reposent encore sur une conception statique du matériau électronique. Les mouvements internes des paramètres sonores se font, aujourd'hui encore, artisanalement, « à la main ». Une automation extrêmement poussée des opérations techniques devra bannir ce côté artisanal, infiniment long et fastidieux et relèguera, tout au moins pour la majeure partie du travail, les ciseaux et le ruban adhésif au musée des accessoires inutiles. Déjà le compositeur développe des techniques, dans les micro-durées notamment, qui tendent à réduire ces préparations artisanales : cependant, le problème ne pourra être véritablement résolu qu'avec la collaboration d'auxiliaires électroniques aussi « intelligents » que possible.

Les nouvelles formes musicales — instrumentales, électroniques, ou résultant de la synthèse de ces deux domaines — témoignent d'une nouvelle esthétique : ne conditionnent-elles pas également une nouvelle vie publique de l'art musical, de nouveaux moyens de diffusion, mais surtout de nouveaux rapports entre l'œuvre et la société ? Quoiqu'il ait été déjà beaucoup écrit sur ces problèmes (notamment par Stockhausen et par Henri Pousseur, dont l'article « Nouvelle sensibilité musicale » est un des plus importants à cet égard), il convient de dire, en conclusion de cet exposé, comment se précisent déjà ces rapports.

Le langage musical actuel dont les structures sont pures de toute orientation *a priori* et ne reconnaissent d'autres contingences que celles de leurs relations instantanées et uniques dans la forme, provoque non seulement la libération de leurs tendances multiples, mais sollicite également la liberté de l'auditeur, son activité accrue au sein d'un univers *ouvert* à son intention créatrice. Le rite du concert traditionnel emprisonne cependant encore, dans une certaine mesure, sa liberté face à l'œuvre, l'immobilise face à une durée devenue aléatoire. Ne peut-on dès lors imaginer, comme l'ont fait les compositeurs cités tout au long de cet article, la diffusion d'un programme permanent où l'auditeur serait libre d'entrer et de sortir au moment de son choix, où il serait, d'autre part, libre de ses mouvements à l'intérieur d'un réseau stéréophonique, libre de choisir, d'articuler pour ainsi dire, son espace personnel dans celui, ouvert, de l'œuvre ? Temps et espace seront ainsi le privilège de l'auditeur. Les salles de concert ont été conçues pour des formes musicales et des modes de communication différents de ceux d'aujourd'hui et de demain. L'espace — nouvelle dimension musicale — est variable d'une œuvre à l'autre; l'œuvre ne devrait-elle pas conditionner dès lors un espace architectural, lui aussi mobile, susceptible de s'y accorder ?

Le monde dans lequel nous vivons remet en question ses données traditionnelles dans tous les domaines et accède à de nouvelles conceptions, à de nouvelles formes d'action qui ont marqué l'art d'aujourd'hui : à leur tour, les formes, l'esthétique nouvelle d'un art modifieront, modifient déjà les rapports entre les œuvres et les hommes.

Esprit, janvier 1960.

L'OPÉRA

La leçon de chant. Daumier (1808-1879). Amsterdam. *(Cliché Bulloz).*

La Joueuse de guitare. Renoir (1844-1919). *(Cliché Bulloz)*.

On pourrait s'étonner de la place qu'occupe dans ce livre cette rubrique « opéra », si l'on ne se souvenait que cette forme d'expression dramatique fut pendant près de trois siècles *l'une des plus importantes de la musique en Europe. Le mot « opéra » lui-même ne signifie-t-il pas l' « œuvre » par excellence ? La symphonie, au sens où nous l'entendons aujourd'hui, et qui succéda à la suite d'orchestre, ne date que de la fin du XVIII*e *siècle. Mais auparavant, depuis le début du XVII*e *siècle, il n'y avait guère, à côté de l'opéra, que la musique d'église, la musique de danse ou de ballet, la musique de chambre* (*soupers du roi, etc.*) *et les chansons, à danser ou à boire. On sait que l'opéra vit le jour en Italie, à la suite des madrigaux dramatiques, à l'extrême fin de la Renaissance. Mais il était en réalité la conséquence d'une évolution de formes dramatiques très anciennes où la musique était liée au spectacle joué : tragédies grecques, messes de fêtes, mystères et jeux du Moyen Age, etc. Les premiers opéras furent des œuvres de circonstance. Les opéras de Monteverdi* (Orphée, Poppée, Ariane, Ulysse), *à l'aurore même du XVII*e *siècle, au moment où la Renaissance finissante allait céder le pas au classicisme, furent composés pour des fêtes de cours italiennes. Les relations étroites entre l'Italie et la France amenèrent l'opéra dans ce pays. Comme François I*er *avait invité des peintres, Mazarin invita des musiciens italiens. Lulli, de naissance italienne, n'en créera pas moins avec Quinault, son librettiste, le véritable opéra français, au moment même où la tragédie de Corneille et de Racine connaît son apogée. C'est alors qu'éclate dans la France intellectuelle et courtisane du Roi Soleil un véritable engouement pour l'opéra : « J'honore tout ce qui est opéra! » écrit Mme de Sévigné. Et elle ajoute même : « Je crois que j'y pleurerais comme à la comédie. » Lulli et Quinault, de fait, devaient illuminer de leur génie tout l'opéra des époques suivantes, et, à la fin du XVIII*e *siècle, on en parlera encore comme des* contemporains, tant leur apport créatif était resté vivace. Par ailleurs, on peut regretter que le « phare » éblouissant du vieux Lulli ait trop éclipsé aux yeux de la postérité de très grands musiciens tels que Campra et ses successeurs.

Cependant, l'opéra français se heurta toujours à cette époque classique à une opposition véhémente parfois de la part de certains amateurs puristes de tragédie : Boileau en est un exemple typique, et sa collaboration avec Racine pour écrire un livret d'opéra ne devait jamais aboutir. Ce fait, à l'aube glorieuse de l'opéra français, vaut qu'on s'y arrête. L'extrême concision du langage racinien, par rapport à l'expression, et la rigueur monotone d'un alexandrin portant en lui sa propre musique ne se prêtaient guère au chant de l'opéra. Certains esprits ont pressenti alors qu'un livret d'opéra devait procéder de règles bien différentes de celles d'une tragédie déclamée. Il apparut sans doute très tôt, dès Quinault, et, bien avant, dès Monteverdi, que la structure musicale d'un opéra exigeait des parties explicatives de l'action, dynamiques — les récitatifs — et des parties statiques, où les personnages exprimaient leurs états d'âme dans les diverses situations où les amenait l'action : airs, duos, chœurs, etc. Il fallait aussi ménager la place des ballets. Ainsi, les paroliers des opéras devaient-ils se prêter à bien d'autres lois que les auteurs de tragédie. Que l'on compare le livret d'Hippolyte et Aricie de Rameau, par l'abbé Pellegrin, et la Phèdre de Racine, et l'on comprendra l'abîme qui sépare la tragédie et l'opéra.

A mesure que l'opéra français s'éloignait de ses modèles italiens et tendait à prendre des formes et une inspiration nationales, dont Rameau devait incarner la plus parfaite et originale réussite, un grand mouvement d'opposition se fit jour pour proclamer la supériorité de l'opéra italien. On a peine aujourd'hui à s'expliquer la passion avec laquelle s'affrontèrent les partisans du style musical français et ceux du style italien. Une véritable bataille esthétique s'engagea qui devait durer plus d'un siècle, et dont le point culminant devait être, sous Louis XVI, la célèbre querelle des bouffons. Il s'agissait non seulement du style musical, mais encore de la langue du texte chanté. Les plus grands écrivains et philosophes du temps se mêlèrent à cette querelle d'opéra au milieu du public des courtisans et des bourgeois. Entre-temps, un musicien germanique, Gluck, était arrivé à la Cour de Versailles, protégé par Marie-Antoinette, et dont on a aujourd'hui un peu trop oublié l'importance immense dans l'évolution de la musique dramatique — au moins aussi grande, plus tard, que celle de Wagner.

Aussi étrange que cela nous paraisse, lorsque nous entendons ces musiques en apparence si formelles, si stylisées, compositeurs, critiques et public de l'époque demandaient à la musique d'opéra une expression extrêmement réaliste de l'action et des sentiments, ainsi qu'une stricte obéissance au texte — voir les textes cités plus loin. Nous sommes aujourd'hui habitués, à la suite de tant de livrets en vers de mirliton des opéras du XIXe siècle, à ne considérer surtout dans l'opéra que la valeur en soi de la musique; pourtant, à la fin du XVIIIe siècle, on appréciait surtout celle-ci en fonction de son appropriation au sens du texte, à sa véracité par rapport aux actions et aux sentiments des personnages : les préfaces dédicatoires de Gluck en disent long sur ce sujet.

La position de Mozart, au milieu de ces querelles, est singulière. D'abord, on ne l'a pas suffisamment remarqué, ses sujets d'opéra n'ont plus trait — à part Titus — à l'antiquité gréco-latine sacro-sainte à ces époques, où Gluck trouvait presque toujours son inspiration : ils se réfèrent davantage soit à l'opéra-comique de Favart ou aux comédies de Beaumarchais, sujets contemporains (Cosi fan tutte, Les Noces de Figaro), soit à une sorte de baroque tragique et métaphysique (Don Juan) ou mystico-féerique (La Flûte enchantée). Rien de commun avec Gluck, son contemporain. Un miracle se passe alors : en dehors de toute querelle esthétique, sur des livrets étranges ou inattendus mais sur des formes anciennes, Mozart édifie par sa musique seule un nouvel opéra de rêve, mais avec des résonances profondément humaines qui préluderont aux recherches expressives et poétiques des romantiques. Désormais, une nouvelle transcendance du réalisme se fait jour : Don Juan sera la Bible de Gounod comme de Verdi ou de Wagner.

Après Mozart, en effet, un nouveau miracle se produit en Allemagne : la scène s'est déplacée, la querelle des bouffons s'éloigne dans le passé, les cors d'Obéron, après le Commandeur de Don Juan annoncent une nouvelle époque de l'opéra. On ne dira jamais assez la grandeur de Weber. Quelque chose a enfin changé dans l'opéra. Tandis que Beethoven s'évertue à poursuivre une forme musicale dramatique qui lui échappe, Weber, le romantique, écrit déjà comme Wagner. Pendant ce temps, les Italiens continuent de suivre le même style, tout en l'appropriant au goût nouveau pour le bel canto et les voix exceptionnelles. Les diamants célestes de la Reine de la Nuit de La Flûte enchantée, les frissons nocturnes d'Agathe du Freischütz romanticisent le classicisme des Bellini. Mais l'opéra italien, de Rossini jusqu'aux avant-derniers opéras de Verdi, reste tributaire du XVIIIe siècle et de Mozart par sa coupe et par ses airs.

Cependant qu'en Allemagne aucun des grands romantiques, à part Weber, ne réussit à écrire un vrai opéra (ni Beethoven, ni Schubert, ni Schumann, ni Liszt, ni Mendelssohn malgré leur grand désir n'y parviendront), Paris est une pépinière d'opéras nouveaux. Du Premier au Second Empire, les Cherubini, Auber, Meyerbeer, Halévy, etc., créent une sorte d'opéra baroque et romantique, où le caractère dramatique de la musique est poussé à l'extrême, grâce aux pires recettes, tout en préservant, au sein d'une action très compliquée à la manière des mélodrames de l'époque, des oasis de très belle musique — injustement oubliée aujourd'hui.

Il convient de dire ici qu'à l'époque de Balzac et de Stendhal on allait à l'Opéra comme aujourd'hui au music-hall. On attendait le contre-mi de la Malibran, dans Donizetti, comme au cirque, de nos jours, le saut périlleux du trapéziste. En dehors de l'air de la Folie de Lucie de Lamermoor, on soupait dans les loges en bavardant de choses et d'autres, sans prêter attention à la musique, ni à l'action que l'on connaissait pour avoir lu le livret.

Aussi ne doit-on pas s'étonner de l'insuccès total de Berlioz qui réclamait, dans ses Troyens, une attention de tous les instants. L'opéra, pour le public, c'étaient quelques airs bien chantés par des vedettes, environnés d'une espèce de « musique de fond », comme on dit aujourd'hui au cinéma.

Enfin Wagner vint, avec un rêve analogue à celui de Gluck et de Weber : leur lignée est directe. L'opéra italien figure alors dans ce dialogue étrange au regard de la postérité, sous les traits d'un Rossini, vieux lion comblé d'honneurs et vieillissant dans le silence, en tête à tête avec un Wagner plein de flamme et nourri de tous les rêves germaniques — auxquels Verdi lui-même se brûlera les ailes.

Pendant près d'un demi-siècle, Wagner, le mythologue, sera l'incarnation même de l'opéra, redevenu avec lui un spectacle total. Il arrivera à fasciner le plus français et le plus franc des musiciens français, Chabrier. Au moment pourtant où tous les esprits éclairés, de Baudelaire à Gautier et de Mallarmé à Lalo et Chausson, tombent sous son emprise, Nietzsche brûle celui qu'il a adoré — le surhomme — et Bizet écrit Carmen, l'un des plus évidents chefs-d'œuvre de l'opéra français.

Nietzsche revient à une musique « méditerranéenne », qui ne devait pas survivre à Bizet. L'opéra européen ne se remettra pas de cette crise. Quand Wagner écrit ses derniers opéras et quand Gounod se laisse influencer par Schumann et Mendelssohn, Moussorgsky, en Russie, rejette l'opéra germanique de la même façon que Bizet. Boris et Carmen créent un nouveau style, qui ne doit rien à l'esthétique germano-italienne de Glinka, Lalo, etc.

C'est alors que Debussy écrit Pelléas, nourri aussi bien de Moussorgsky que de Wagner, de Satie que de Rameau, et pourtant parfaitement original quant à l'esthétique. Ainsi Pelléas se trouve-t-il à l'intersection de trajectoires diverses et contradictoires, qu'harmonise l'extrême sensibilité d'un musicien *génial. De même que* Carmen *était sortie de ce qu'avaient de meilleur les plus ou moins mauvais opéras contemporains, de même* Pelléas *naît d'une médiation, crée un langage nouveau, entend exprimer certains mystères, d'une manière plus subtile et moins facile à percevoir, au premier abord, que Wagner. Pendant ce temps, Massenet et Puccini continuent à nager dans un paroxysme sentimental, une esthétique vocale des plus faciles, supportant tout de même des mélodies sensibles et souvent fort réussies.*

C'est alors que Richard Strauss écrit ses œuvres dans un langage synthétique, où se mêlent les voix de Brahms, Wagner, Mozart et Debussy. Ainsi se termine à peu près l'histoire de l'opéra, dans le sens classique du terme.

Car il est difficile, aujourd'hui, d'appeler Mavra *ou* Wozzeck *un opéra. Des tendances musicales purement esthétiques semblent prendre le pas sur le drame lui-même. Des tentatives comme celles de Britten, de Della Piccola ou de Menotti, si intéressantes soient-elles, n'ont pas toujours conquis le grand public. Les œuvres musicales dramatiques actuelles sont davantage des cantates, des oratorios, des symphonies déclamées que des opéras. Messiaen, Jolivet, Stravinsky ne se risquent plus à écrire des œuvres qui conviendraient à ce terme.*

Avec la radio, la musique dramatique hésite à prendre d'autres formes. Il serait intéressant de savoir pourquoi. Le ballet, par exemple, le mimodrame musical semblent recueillir les suffrages qui naguère allaient à l'opéra. Il apparait étrange que nos pères, nos grands-pères, nos aïeux aient pu s'enthousiasmer d'un opéra, quand aujourd'hui semble surtout nous importer la voix d'or d'une Tebaldi ou d'une Callas, dont la publicité inopportune ne saurait pourtant effacer l'étrange message inactuel qu'elles portent jusqu'à nous. L'Opéra est devenu davantage un Musée du passé qu'un laboratoire de l'avenir.

G. B.

BIANCHERIE

UN MADRIGAL DRAMATIQUE AU XVIe SIÈCLE

Un des chanteurs, avant la musique, lira d'une voix forte le titre de la scène, les noms des personnages et les arguments.

Le lieu de la scène est une chambre de moyenne grandeur, le mieux close possible (pour la qualité du son). Dans un angle de la pièce, on a mis deux grands tapis sur le parquet, et un décor agréable. Deux sièges sont disposés, l'un à droite, l'autre à gauche. Derrière le décor, des banquettes pour les chanteurs, qui sont tournés vers le public, et éloignés l'un de l'autre de la distance d'une palme. Derrière eux, un orchestre de luths, clavicembali, etc., accordés à la voix. Au-dessus, une grande toile qui abrite chanteurs et musiciens.

Les chanteurs (invisibles) suivent la musique sur les parties : ils seront trois (ou mieux six), à la fois; ils donneront de l'entrain aux paroles gaies, de la passion aux tristes, et prononceront à haute et intelligible voix. Les acteurs récitants (seuls en scène) doivent préparer leurs rôles, les bien savoir par cœur, et suivre habilement la musique. Il ne sera pas mauvais qu'il y ait un souffleur pour aider chanteurs, instrumentistes et récitants.

Saviezza Giovenile...

ANDRÉ MAUGARS

ANDRE MAUGARS fut un célèbre joueur de viole du XVIIe siècle, musicien de Richelieu et auteur d'un ouvrage paru en 1639, Response faicte à un Curieux sur le sentiment de la Musique en Italie... *Il fut également directeur de la musique du roi d'Angleterre Jacques Ier et traduisit Bacon en français.*

LA COMÉDIE MUSICALE EN ITALIE AU DÉBUT DU XVIIe SIÈCLE

Il reste maintenant, suivant mon dessein, que je vous entretienne de la vocale, des chantres et de la façon de chanter d'Italie.

Il y a un grand nombre de *castrati* pour le dessus, et pour la haute-contre, de fort belles tailles naturelles, mais fort peu de basses creuses. Ils sont tous très assurés de leurs parties et chantent à livre ouvert la plus difficile musique. Outre ce, ils sont presque tous comédiens naturellement; et c'est pour cette raison qu'ils réussissent si parfaitement dans leurs comédies musicales. Je les en ai vus représenter trois ou quatre cet hiver dernier; mais il faut avouer avec vérité qu'ils sont incomparables et inimitables en cette musique scénique, non seulement pour le chant, mais encore pour l'expression des paroles, des postures et des gestes des personnages qu'ils représentent naturellement bien.

Pour leur façon de chanter, elle est bien plus animée que la nôtre; ils ont certaines flexions de voix que nous n'avons point; il est vrai qu'ils font leurs passages avec bien plus de rudesse, mais aujourd'hui ils commencent à s'en corriger...

RÉPONSE FAITE A UN CURIEUX SUR LE SENTIMENT DE LA MUSIQUE D'ITALIE, 1639.

PURCELL (1658-1695)

UNE MISE EN SCÈNE D'OPÉRA A LONDRES EN 1660 : LE « DIOCLÉTIEN »

Tandis que l'on joue une symphonie, une machine descend, assez grande pour occuper tout l'espace depuis le devant jusqu'au fond de la scène, et rejoint le plancher par deux échelles de nuages. Sur cette machine sont quatre scènes séparées, représentant les palais de deux dieux et de deux déesses. Le premier est le palais de Flore, colonnes de marbre rouge et blanc surgissant des nuages; les colonnes sont cannelées et enguirlandées de toutes sortes de fleurs, les piédestaux et les cannelures enrichis d'or. Le second est le palais de la déesse Pomone, colonnes de marbre bleu, ornées de toutes sortes de fruits et enrichies d'or, parées de grappes de raisin retombant tout autour d'elles. Le dernier est le palais du Soleil; il est supporté de chaque côté par une rangée de figures représentant les dieux termes, le bas en marbre blanc, le haut doré; le tout est surmonté d'un nuage resplendissant sur lequel est placé un trône. En même temps que cette machine descend sur la scène, il s'élève d'au-dessous de la scène une plaisante perspective d'un noble jardin, avec des fontaines et des orangers dans de grands vases, l'allée centrale conduisant vers un palais que l'on aperçoit dans le lointain; en même temps, entrent Silvanus, Bacchus, Flore, Pomone, les dieux fluviaux, les faunes, les nymphes, les héros, les héroïnes, les bergers, les bergères, les grâces et les plaisirs avec le reste de leur suite; les danseurs se placent sur les différentes scènes de la machine, les chanteurs se rangent autour de la scène.

INDICATIONS DE MISE EN SCÈNE DE DIOCLÉTIEN, 1660.

VOITURE (1598-1648)

UN DIVERTISSEMENT CHEZ LES PRÉCIEUX

Le Soleil se couchoit dans une nuée d'or et d'azur, et ne donnoit de ses rayons qu'autant qu'il en faut pour faire une lumière douce et agréable; l'air estoit sans vent et sans chaleur, et il sembloit que la terre et le Ciel, à l'envi de Madame du Vigean, vouloient festoyer la plus belle Princesse du monde. Après avoir passé un grand parterre, et de grands jardins tous pleins d'orangers, elle arriva en un bois, où il y avoit plus de cent ans que le jour n'estoit entré, qu'à cette heure-là, qu'il y entra avec elle. Au bout d'une allée grande à perte de veuë, nous trouvasmes une fontaine qui jettoit toute seule plus d'eau que toutes celles de Tivoli. A l'entour estoient rangés vingt-quatre violons, qui avoient de la peine à surmonter le bruit qu'elle faisoit en tombant. Quand nous en fusmes approchez, nous découvrismes dans une niche qui estoit dans une palissade une Diane à l'âge d'onze ou douze ans, et plus belle que les forests de Grèce et de Thessalie ne l'avoient jamais veuë. Elle portoit son arc et ses flèches dans ses yeux, et avoit tous les rayons de son frère à l'entour d'elle. Dans une autre niche auprès, estoit une de ses Nymphes, assez belle et assez gentille pour estre une de sa suite. Ceux qui ne croyent pas les fables creurent que c'estoit Mademoiselle de Bourbon et la Pucelle Priande. Et à la vérité elles leur ressembloient extrémement. Tout le monde estoit sans proférer une parole, en admiration de tant d'objets qui étonnoient en mesme temps les yeux et les oreilles : quand tout à coup la Déesse sauta de sa niche, et avec une grâce qui ne se peut représenter, commença un bal qui dura quelque temps à l'entour de la fontaine. Cela est étrange, Monseigneur, qu'au milieu de tant de plaisirs, qui devoient remplir entièrement, et attacher l'esprit de ceux qui en jouïssoient on ne laissa pas de se souvenir de vous : et que tout le monde dit que quelque chose manquoit à tant de contentemens, puisque vous et Madame de Rambouïllet n'y estiez pas. Alors, je pris une harpe, et chantay.

Pues quiso me fuerte dura
Que saltando mi Senor.
Tambien saltasse mi dama.

Et continuay le reste si mélodieusement, et si tristement, qu'il n'y eut personne en la compagnie à qui les larmes n'en vinssent aux yeux, et qui ne pleurast abondamment. Et cela eust duré trop longtemps, si les violons n'eussent vistement sonné une sarabande si gaye, que tout le monde se leva aussi joyeux que si de rien n'eust esté. Et ainsi sautant, dansant, voltigeant, piroüettant, capriolant, nous arrivasmes au logis, où nous trouvasmes une table qui sembloit avoir esté servie par les Fées...

... Au sortir de la table, le bruit des Violons fit monter tout le monde en haut, où l'on trouva une chambre si bien esclairée, qu'il sembloit que le jour qui n'estoit plus dessus la terre s'y fust retiré tout entier. Là, le bal recommença, en meilleur ordre, et plus beau qu'il n'avoit esté autour de la fontaine. Et la plus magnifique chose qui y fust, c'est, Monseigneur, que j'y dansay. Mademoiselle de Bourbon jugea qu'à la vérité je dansois mal, pource qu'à la fin de toutes les cadences il sembloit que je me misse en garde...

... On reprit le chemin de Paris à la luëur de vingt flambeaux. Nous traversâmes tout l'Ormessonnois, les grandes plaines d'Espinay, et passasmes sans aucune résistance par le milieu de Saint Denis. M'estant trouvé dans le carosse auprès de Madame ***, je luy dis de vostre part, Monseigneur, un *Miserere* tout entier : auquel elle respondit avec beaucoup de gentillesse et de civilité. Nous chantasmes en chemin une infinité de *Sçavans,* de *Petits-dois,* de *Bon-soirs,* de *Pon-Breton...*

LETTRE A MGR LE CARDINAL DE LA VALETTE.

MARCO DA GAGLIANO

MARCO DA GAGLIANO (1575-1642) fut maître de chapelle de San Lorenzo, à Florence. Il fonda l'Académie Degl'Elevati, *où se réunissaient les amateurs de musique. On a conservé de lui deux opéras,* Dafne *et* Flora, *basés sur le récitatif, contenant des* arias *vocalisés et de nombreux chœurs, qui sont parmi les meilleurs des opéras florentins de l'époque.*

L'OPÉRA, UN ART TOTAL!...

Un spectacle vraiment de princes, admirable par-dessus tous; car en lui s'unissent tous les plus nobles plaisirs : l'invention poétique, le drame, la pensée, le style, la douceur des rimes, le charme de la musique, les concerts des voix et des instruments, l'exquise beauté du chant, la grâce des danses et des gestes, l'attrait de la peinture même (dans les décors et les costumes) : enfin l'intelligence et les plus nobles sentiments sont charmés à la fois par les arts les plus parfaits qu'ait retrouvés le génie humain.

PRÉFACE A DAPHNÉ, 1608.

BOILEAU (1636-1711)

... ET PERNICIEUX

Par toi-même bientôt conduite à l'opéra,
De quel air penses-tu que ta sainte verra
D'un spectacle enchanteur la pompe harmonieuse,
Ces danses, ces héros à voix luxurieuse;
Entendra ces discours sur l'amour seul roulants,
Ces doucereux Renauds, ces insensés Rolands,
Saura d'eux qu'à l'Amour, comme au seul dieu suprême
On doit immoler tout, jusqu'à la vertu même;
Qu'on ne saurait trop tôt se laisser enflammer;
Qu'on n'a reçu du ciel un cœur que pour aimer;
Et tous ces lieux communs de morale lubrique,
Que Lulli réchauffa des sons de sa musique!
Mais de quels mouvements, dans son cœur excités
Sentira-t-elle alors tous ses sens agités!
Je ne te réponds pas qu'au retour, moins timide,
Digne écolière enfin d'Angélique et d'Armide,
Elle n'aille à l'instant, pleine de ces doux sons,
Avec quelque Médor pratiquer ces leçons.

SATIRE DES FEMMES.

JEAN DE LA FONTAINE (1621-1695)

DES ENNUIS DE MACHINES ET DES BEAUTÉS INCONCILIABLES

Des machines d'abord le surprenant spectacle
Eblouit le bourgeois, et fit crier miracle;
Mais la seconde fois il ne s'y pressa plus;

Il aima mieux le Cid, Horace, Héraclius.
Aussi de ces objets l'âme n'est point émue,
Et même rarement ils contentent la vue.
Quand j'entends le sifflet, je ne trouve jamais
Le changement si prompt que je me le promets :
Souvent au plus beau char le contre-poids résiste;
Un dieu pend à la corde, et crie au machiniste;
Un reste de forêt demeure dans la mer,
Ou la moitié du ciel au milieu de l'enfer.
« Quand le théâtre seul ne réussiroit guère,
La comédie au moins, me diras-tu, doit plaire :
Les ballets, les concerts, se peut-il rien de mieux
Pour contenter l'esprit et réveiller les yeux ? »
Ces beautés, néanmoins, toutes trois séparées,
Si tu veux l'avouer, seroient mieux savourées.
Des genres si divers le magnifique appas
Aux règles de chaque art ne s'accommode pas.
Il ne faut point, suivant les préceptes d'Horace,
Qu'un grand nombre d'acteurs le théâtre embarrasse;
Qu'en sa machine un dieu vienne tout ajuster.
Le bon comédien ne doit jamais chanter :
Le ballet fut toujours une action muette.
La voix veut le téorbe, et non pas la trompette;
Et la viole, propre aux plus tendres amours,
N'a jamais jusqu'ici pu se joindre aux tambours...

PLUS D'AMOUREUX BERGERS!

Ce n'est plus la saison de Raymon ni d'Hilaire :
Il faut vingt clavecins, cent violons, pour plaire,
On ne va plus chercher au bord de quelque bois
Des amoureux bergers la flûte et le hautbois.
Le téorbe charmant, qu'on ne vouloit entendre
Que dans une ruelle, avec une voix tendre,
Pour suivre et soutenir par des accords touchants
De quelques airs choisis les mélodieux chants,
Boisset, Gaultier, Hémon, Chambonnière, la Barre,
Tout cela seul déplaît, et n'a plus rien de rare;
On laisse là du But, et Lambert, et Camus;
On ne veut plus qu'Alceste, ou Thésée, ou Cadmus.
Que l'on n'y trouve point de machines nouvelles,
Que les vers soient mauvais, que les voix soient cruelles
(De Baptiste épuisé les compositions

Ne sont, si vous voulez, que répétitions) :
Le François, pour lui seul contraignant sa nature,
N'a que pour l'opéra de passion qui dure.

UNE PASSION QUI DURE

Les jours de l'Opéra, de l'un à l'autre bout,
Saint-Honoré, rempli de carrosses partout,
Voit, malgré la misère à tous états commune,
Que l'opéra tout seul fait leur bonne fortune.
Il a l'or de l'abbé, du brave, du commis;
La coquette s'y fait mener par ses amis;
L'officier, le marchand, tout son rôti retranche
Pour y pouvoir porter tout son gain le dimanche;
On ne va plus au bal, on ne va plus au Cours :
Hiver, été, printemps, bref, opéra toujours;
Et quiconque n'en chante, ou bien plutôt n'en gronde
Quelque récitatif, n'a pas l'air du beau monde.
Mais que l'heureux Lulli ne s'imagine pas
Que son mérite seul fasse tout ce fracas :
Si Louis l'abandonne à ce rare mérite,
Il verra si la ville et la cour ne le quitte.

SÉPARER LES PLAISIRS

Ce grand prince a voulu tout écouter, tout voir;
Mais il sait de nos sens jusqu'où va le pouvoir,
Et que, si notre esprit a trop peu de portée,
Leur puissance est encor beaucoup plus limitée;
Que lorsqu'à quelque objet l'un d'eux est attaché,
Aucun autre de rien ne peut être touché :
Si les yeux sont charmés, l'oreille n'entend guères;
Et tel, quoiqu'en effet il ouvre les paupières,
Suit attentivement un discours sérieux,
Qui ne discerne pas ce qui frappe ses yeux.
Car ne vaut-il pas mieux, dis-moi ce qu'il t'en semble,
Qu'on ne puisse saisir tous les plaisirs ensemble,
Et que, pour en goûter les douceurs purement,
Il faille les avoir chacun séparément ?
La musique en sera d'autant mieux concertée;
La grave tragédie, à son point remontée,
Aura les beaux sujets, les nobles sentiments,
Les vers majestueux, les heureux dénoûments;

Les ballets reprendront leurs pas et leurs machines,
Et le bal éclatant de cent nymphes divines,
Qui de tout temps des cours a fait la majesté,
Reprendra de nos jours sa première beauté.

ÉPÎTRE A M. DE NYERT.

PIERRE CORNEILLE (1606-1684)

UN POÈTE PRUDENT

Je me suis bien gardé de faire rien chanter qui fût nécessaire à l'intelligence de la pièce, parce que communément, les paroles qui se chantent étant mal entendues des auditeurs par la profusion qu'y apporte la diversité des voix qui les prononcent ensemble, elles auraient fait une grande obscurité dans le corps de l'ouvrage.

PRÉFACE D'ANDROMÈDE, 1650.

LA BRUYÈRE

LA BRUYERE (1645-1696), observateur sagace de ses contemporains, a bien vu dans le jeune opéra de son temps ses qualités et ses défauts, ce qu'il apportait de neuf et ce qu'il laissait en friche, et en quoi il se séparait de la littérature, en étant avant tout un spectacle.

UNE ÉBAUCHE DE SPECTACLE ET DE POÈME

L'on voit bien que l'*opéra* est l'ébauche d'un grand spectacle; il en donne l'idée.

Je ne sais pas comment l'*opéra,* avec une musique si parfaite et une dépense toute royale, a pu réussir à m'ennuyer.

Il y a des endroits de l'*opéra* qui laissent en désirer d'autres; il échappe quelquefois de souhaiter la fin de tout le spectacle : c'est faute de théâtre, d'action et de choses qui intéressent.

L'*opéra* jusqu'à ce jour n'est pas un poème, ce sont des vers; ni un spectacle, depuis que les machines ont disparu par le bon ménage d'*Amphion* et de sa race : c'est un concert, ou ce sont des voix soutenues par des instruments. C'est prendre le change et cultiver un mauvais goût que de dire, comme l'on fait, que la machine n'est qu'un amusement d'enfant, et qui ne convient qu'aux marionnettes; elle augmente et embellit la fiction, soutient dans les spectateurs cette douce illusion qui est tout le plaisir du théâtre, où elle jette encore le merveilleux. Il ne faut point de vols, ni de chars, ni de changements aux *Bérénices* et à *Pénélope* : il en faut aux *opéras,* et le propre de ce spectacle est de tenir les esprits, les yeux et les oreilles dans un égal enchantement.

Ils ont fait le théâtre, ces empressés, les machines, les ballets, les vers, la musique, tout le spectacle, jusqu'à la salle où s'est donné le spectacle, j'entends le toit et les quatre murs dès leur fondement. Qui doute que la chasse sur l'eau, l'enchantement de la table, la merveille du labyrinthe ne soient encore de leur invention ? J'en juge par le mouvement qu'ils se donnent, et par l'air content dont ils s'applaudissent sur tous les succès. Si je me trompe, et qu'ils n'aient contribué en rien à cette fête si superbe, si galante, si longtemps soutenue, et où seul a suffi pour le projet et pour la dépense, j'admire deux choses : la tranquillité et le flegme de celui qui a tout remué, comme l'embarras et l'action de ceux qui ont rien fait.

Les connoisseurs, ou ceux qui se croyent tels, se donnent voix délibérative et décisive sur les spectacles, se cantonnent aussi, et se divisent en des parties contraires, dont chacun, poussé par un tout autre intérêt que par celui du public ou de l'équité, admire un certain poème ou une certaine musique, et siffle tout autre. Ils nuisent également, par cette chaleur à défendre leur prévention, et à la faction opposée et à leur propre cabale; ils découragent par mille contradictions les poëtes et les musiciens, retardent les progrès des sciences et des arts, en leur ôtant le fruit qu'ils pourroient tirer de l'émulation et de la liberté qu'auroient plusieurs excellents maîtres de faire, chacun dans leur genre et selon leur génie, de très bons ouvrages.

Des Ouvrages de l'Esprit.

ANONYME (XVIIe s.)

LES SŒURS ENNEMIES

La Musique italienne :

O musique françoise! apprends moy, je te prie,
Ce qui te semble en moy digne de raillerie.

La Musique françoise :

Le trop de liberté que tu prends dans tes chants,
Les rend parfois extravaguans.

La Musique italienne :

Toy, par tes notes languissantes,
Tu pleures plus que tu ne chantes.

La Musique françoise :

Et toy, penses-tu faire mieux
Avec tes fredons ennuyeux ?

La Musique italienne :

Mais ton orgueil aussi ne doit pas se promettre,
Qu'à ton seul jugement je me veuille soumettre.

La Musique françoise :

Je composeray comme toy,
Si tu veux chanter comme moy.

La Musique italienne :

Si mon amour a plus de violence,
Je dois chanter d'un ton plus fort.
Quand on se void prest de la mort,
Le plus haut que l'on peut on demande assistance.

La Musique françoise :

Mon chant fait voir par sa langueur
Que ma peine est vive et pressante.
Quand le mal attaque le cœur,
On n'a pas la voix éclatante.

Toutes deux :

Cessons donc de nous contredire,
Puisque dans l'amoureux empire,
Où se confond incessamment
Le plaisir avec le tourment
Le cœur qui chante et celuy qui soupire
Peuvent s'accorder aysément.

BALLET DE LA RAILLERIE, musique de Lulli, 1659.

VIVALDI

VIVALDI (1678?-1741) fut pris souvent comme modèle par Bach lui-même. Il composa de nombreux concertos, dont les Quatre Saisons, *très célèbres de nos jours. Il écrivit aussi une trentaine d'opéras, des symphonies, etc. Il enseigna la musique à l'Hospice de la Pietà, à Venise, qui recueillait les jeunes orphelines. Sa musique est d'une clarté, d'une ferveur et d'une variété d'effets instrumentaux remarquables.*

OPÉRA ET PATENOTRES

On avait choisi la *Griselda,* opéra d'Apostolo Zeno et de Pariati, qui travailloient ensemble avant que Zeno partit pour Vienne au service de l'Empereur, et le Compositeur qui devoit le mettre en musique, étoit l'abbé Vivaldi qu'on appeloit, à cause de sa chevelure, *il Prete rosso* (le Prêtre roux). Il étoit plus connu par ce sobriquet que par son nom de famille.

Cet ecclésiastique, excellent joueur de violon et compositeur médiocre, avoit élevé et formé pour le chant Mlle Giraud, jeune chanteuse née à Venise, mais fille d'un Perruquier François. Elle n'étoit pas jolie, mais elle avait des grâces, une taille mignonne, de beaux yeux, de beaux cheveux, une bouche charmante, peu de voix, mais beaucoup de jeu. C'étoit elle qui devoit représenter le rôle de Griselda.

M. Grimani m'envoya chez le musicien pour faire dans cet Opéra les changements nécessaires soit pour raccourcir le Drame, soit pour changer la position et le caractère des airs au gré des acteurs et du Compositeur. J'allai donc chez l'abbé Vivaldi, je me fis annoncer de la part de Son Excellence Grimani; je le trouvai entouré de musique, et son bréviaire à la main. Il se lève, il fait le signe de la croix en long et en large, met son bréviaire de côté, et me fait le compliment ordinaire : « Quel est le motif qui me procure le plaisir de vous voir, monsieur ? — Son Excellence Grimaldi m'a chargé des changements que vous croyez nécessaires dans l'Opéra de la prochaine foire. Je viens voir, monsieur, quelles sont vos intentions. — Ah! ah! vous êtes chargé, monsieur, des changements dans l'opéra de *Griselda* ? M. Lalli n'est donc plus attaché aux Spectacles de M. Grimani ? — M. Lalli, qui est fort âgé, jouira toujours des profits des Epitres dédicatoires et de la vente des livres, dont je ne me soucie pas. J'aurai le plaisir de m'occuper dans un exercice qui doit m'amuser, et j'aurai l'honneur de commencer sous les ordres de M. Vivaldi. (L'Abbé reprend son bréviaire, fait encore un signe de croix et ne répond pas.) — Monsieur, lui dis-je, je ne voudrois pas vous distraire de votre occupation religieuse; je reviendrai dans un autre moment. — Je sais bien, mon cher monsieur, que vous avez du talent pour la Poésie; j'ai vu votre *Bélisaire* qui m'a fait beaucoup de plaisir, mais c'est bien différent : on peut faire une Tragédie, un Poème Epique, si vous voulez, et ne pas savoir faire un Quatrain musical. — Faites-moi le plaisir de me faire voir votre Drame. — Oui, oui, je le veux bien; où est donc fourrée *Griselda* ? Elle étoit ici... *Deus in adjutorium meum intende. Domine... Domine... Domine...* Elle étoit ici tout à l'heure. *Domine ad adjuvandum...* Ah! la voici, voyez, monsieur, cette scène entre Gualtiere et Griselda; c'est une scène intéressante, touchante. L'Auteur y a placé à la fin un air pathétique, mais Mlle Giraud n'aime pas le chant langoureux, elle voudroit un morceau d'expression, d'agitation, un air qui exprime la passion par des moyens différents, par des mòts, par exemple, entrecoupés, par des soupirs élancés, avec de l'action, du mouvement; je ne sais pas si vous me comprenez. — Oui, monsieur, je comprends très bien; d'ailleurs j'ai eu l'honneur d'entendre Mlle Giraud, je sais que sa voix n'est pas assez forte... — Comment, monsieur, vous insultez mon écolière ? Elle est bonne à tout, elle chante tout. — Oui, monsieur, vous avez raison, donnez-moi le livre, laissez-moi faire. — Non, monsieur, je ne puis pas m'en défaire, j'en ai besoin, et je suis pressé. — Eh bien, monsieur, si vous êtes pressé, prêtez-le moi un instant, et sur-le-champ je vais vous satisfaire. — Sur-le-champ ? — Oui, monsieur, sur-le-champ. »

L'Abbé, en se moquant de moi, me présente le Drame, me donne du papier et une écritoire, reprend son bréviaire et récite ses Psaumes et ses Hymnes en se promenant. Je relis la scène que je connaissois déjà : je fais la récapitulation de ce que le musicien désiroit, et en moins d'un quart d'heure, je couche sur le papier un air de huit vers partagé en deux parties. J'appelle mon Ecclésiastique, et je lui fais voir mon ouvrage. Vivaldi lit, il déride son front, il relit, il fait des cris de joie, il jette son office par terre, il appelle Mlle Giraud. Elle vient : « Ah! lui dit-il, voilà un homme rare, voilà un Poëte excellent : lisez cet air; c'est monsieur qui l'a fait ici, sans bouger, en moins d'un quart d'heure! (Et en revenant à moi :) Ah! monsieur, je vous demande pardon. » Et il m'embrasse, et il proteste qu'il n'aura jamais d'autre Poëte que moi. Il me confia le drame, il m'ordonna d'autres changemens; toujours content de moi, et l'Opéra réussit à merveille.

GOLDONI, cité par M. Pincherle, *Antonio Vivaldi.*

SAINT-EVREMONT

SAINT-EVREMONT (vers 1615-1703) n'a pas épargné ses critiques à l'opéra, dans sa lettre fameuse au duc de Buckingham. Il lui reproche de trop vite lasser les yeux et les oreilles, de manquer de vraisemblance, d'être un genre ambigu où souvent la poésie est sacrifiée à la musique, etc. Ce ne sont pas là les opinions hâtives d'un profane : ce que Saint-Evremont dit sur le chant et ses différentes interprétations témoigne de son intérêt et de ses connaissances en la matière.

OU L'ESPRIT A SI PEU A FAIRE, LES SENS VIENNENT A LANGUIR

Je commencerai par une grande franchise, en vous disant que je n'admire pas fort les comédies en musique, telles que nous les voyons présentement. J'avoue que leur magnificence me plaît assez; que les machines ont quelque chose de surprenant; que la musique en quelques endroits est touchante; que le tout ensemble paraît merveilleux; mais il faut aussi m'avouer que ces merveilles deviennent bientôt ennuyeuses, car où l'esprit a si peu à faire, c'est une nécessité que les sens viennent à languir. Après le premier plaisir que nous donne la surprise, les yeux s'occupent et se lassent ensuite d'un continuel attachement aux objets. Au commencement des concerts, la justesse des accords est remarquée; il n'échappe rien de toutes les diversités qui s'unissent pour former la douceur de l'harmonie; quelque temps après, les instruments nous étourdissent; la musique n'est plus aux oreilles qu'un bruit confus, qui ne laisse rien distinguer. Mais qui peut résister à l'ennui du récitatif dans une modulation qui n'a ni le charme du chant, ni la force agréable de la parole ? L'âme, fatiguée d'une longue attention où elle ne trouve rien à sentir, cherche en elle-même quelque secret mouvement qui la touche; l'esprit, qui s'est prêté vainement aux impressions du dehors, se laisse aller à la rêverie, ou se déplaît dans son inutilité; enfin la lassitude est si grande, qu'on ne songe qu'à sortir, et le seul plaisir qui reste à des spectateurs languissants, c'est l'espérance de voir finir bientôt le spectacle qu'on leur donne.

La langueur ordinaire où je tombe aux opéras vient de ce que je n'en ai jamais vu qui ne m'ait paru méprisable dans la disposition du sujet et dans les vers. Or, c'est vainement que l'oreille est flattée et que les yeux sont charmés, si l'esprit ne se trouve pas satisfait. Mon âme, d'intelligence avec mon esprit plus qu'avec mes sens, forme une résistance secrète aux impressions qu'elle peut recevoir, ou pour le moins elle manque d'y prêter un consentement agréable, sans lequel les objets les plus voluptueux même ne sauraient me donner un grand plaisir. Une sottise chargée de musique, de danses, de machines, de décorations, est une sottise magnifique, mais toujours sottise; c'est un vilain fond sous de beaux dehors, où je pénètre avec beaucoup de désagrément.

CHANTS LÉGITIMES ET ILLÉGITIMES

Il y a une autre chose dans les opéras, tellement contre la nature, que mon imagination en est blessée : c'est de faire chanter toute la pièce, depuis le commencement jusqu'à la fin, comme si les personnes qu'on représente s'étaient ridiculement ajustées pour traiter en musique et les plus communes et les plus importantes affaires de leur vie. Peut-on s'imaginer qu'un maître appelle son valet ou qu'il lui donne une commission en chantant; qu'un ami fasse en chantant une confidence à son ami; qu'on délibère en chantant dans un conseil; qu'on exprime avec du chant les ordres qu'on donne et que mélodieusement on tue les hommes à coups d'épée et de javelot dans un combat ? C'est perdre l'esprit de la représentation, qui, sans doute, est préférable à celui de l'harmonie; car celui de l'harmonie ne doit être qu'un simple accompagnement, et les grands maîtres du théâtre l'ont ajoutée comme agréable, non pas comme nécessaire, après avoir réglé tout ce qui regarde le sujet et le discours. Cependant l'idée du musicien va devant celle du héros dans les opéras; c'est Lulli, c'est Cavallo, c'est Cesti qui se présentent à l'imagination. L'esprit ne pouvant concevoir un héros qui chante, s'attache à celui qui fait chanter; et on ne saurait nier qu'aux représentations du Palais-Royal on ne songe cent fois plus à Lulli qu'à Thésée, ni à Cadmus.

Je ne prétends pas néanmoins donner l'exclusion à toute sorte de chant sur le théâtre. Il y a des choses qui doivent être chantées; il y en a qui peuvent l'être sans choquer la bienséance ni la raison. Les vœux, les prières, les sacrifices, et généralement tout ce qui regarde le service des dieux, s'est chanté dans toutes les nations et dans tous les temps; les passions tendres et douloureuses s'expriment naturellement par une espèce de chant; l'expression d'un amour que l'on sent naître, l'irrésolution d'une âme combattue de divers mouvements, sont des matières propres pour les stances, et les stances le sont assez pour le chant. Personne n'ignore qu'on avait introduit des chœurs sur le théâtre des Grecs; et il faut avouer qu'ils pourraient être introduits avec autant de raison sur les nôtres. Voilà quel est le partage du chant, à mon avis : tout ce qui est de la conversation et de la conférence; tout ce qui regarde les intrigues et les affaires, ce qui appartient au conseil et à l'action, est propre aux comédiens qui récitent, et ridicule dans la bouche des musiciens qui le chantent. Les Grecs faisaient de belles tragédies où ils chantaient quelque chose; les Italiens et les Français en font de méchantes où ils chantent tout.

UNE CONTRAINTE MUTUELLE

Si vous voulez savoir ce que c'est qu'un *opéra*, je vous dirai que c'est *un travail bizarre de poésie et de musique, où le poète et le musicien, également gênés l'un par l'autre, se donnent bien de la peine à faire un méchant ouvrage.* Ce n'est pas que vous n'y puissiez trouver des paroles agréables et de forts beaux airs; mais vous trouverez plus sûrement à la fin le dégoût des vers où le génie du poète a été contraint, et l'ennui du chant où le musicien s'est épuisé dans une trop longue musique. Si je me sentais capable de donner conseil aux honnêtes gens qui se plaisent au théâtre, je leur conseillerais de reprendre le goût de nos belles comédies, où l'on pourrait introduire des danses et de la musique, qui ne nuiraient en rien à la représentation. On y chanterait un prologue avec des accompagnements agréables. Dans les intermèdes, le chant animerait des paroles qui seraient comme l'esprit de ce qu'on aurait représenté. La représentation finie, on viendrait à chanter une épilogue, ou quelque réflexion sur les plus grandes beautés de l'ouvrage; on en fortifierait l'idée et ferait conserver plus chèrement l'impression qu'elles auraient faite sur les spectateurs. C'est ainsi que vous trouveriez de quoi satisfaire les sens et l'esprit, n'ayant plus à désirer le charme du chant dans une pure représentation, ni la force de la représentation dans la langueur d'une continuelle musique.

C'EST AU MUSICIEN A SUIVRE LE POÈTE

Il me reste encore à vous donner un avis pour toutes les comédies où l'on met du chant : c'est de laisser l'autorité principale au poète pour la direction de la pièce. Il faut que la musique soit faite pour les vers, bien plus que les vers pour la musique. C'est au musicien à suivre l'ordre du poète dont Lulli seul doit être exempt, pour connaître mieux les passions et aller plus avant dans le cœur de l'homme que les auteurs. Cambert a sans doute un fort beau génie, propre à cent musiques différentes et toutes bien aménagées avec une juste économie des voix et des instruments. Il n'y a point de récitatif mieux entendu, ni mieux varié que le sien : mais pour la nature des passions, pour la qualité des sentiments qu'il faut exprimer, il doit recevoir des auteurs les lumières que Lulli leur sait donner et s'assujettir à la direction quand Lulli, par l'étendue de sa connaissance, peut être justement leur directeur.

UN MÉCHANT USAGE DU CHANT ET DE LA PAROLE

Je ne veux pas finir mon discours sans vous entretenir du peu d'estime qu'ont les Italiens pour nos opéras et du grand dégoût que nous donnent ceux d'Italie. Les Italiens, qui s'attachent tout à fait à la représentation, ne sauraient souffrir que nous appelions *opéra* un enchaînement de danses et de musique qui n'ont pas un rapport bien juste et une liaison assez naturelle avec les sujets. Les Français, accoutumés à la beauté de leurs ouvertures, à l'agrément de leurs airs, au charme de leurs symphonies, souffrent avec peine l'ignorance ou le méchant usage des instruments aux opéras de Venise, et refusent leur attention à un long récitatif qui devient ennuyeux par le peu de variété qui s'y rencontre. Je ne saurais vous dire proprement ce que c'est que leur *récitatif*, mais je sais bien que ce n'est ni chanter, ni réciter; c'est une chose inconnue aux anciens, qu'on pourrait définir un *méchant usage du chant et de la parole.* J'avoue que j'ai trouvé des choses inimitables dans l'opéra de Luigi, et pour l'expression des sentiments, et pour le charme de la musique; mais le récitatif ordinaire ennuyait beaucoup, en sorte que les Italiens mêmes attendaient avec impatience les beaux endroits, qui venaient à leur opinion trop rarement. Je comprendrai les plus grands défauts de nos opéras en peu de paroles. On y pense aller à une représentation, et l'on n'y représente rien : on y veut voir une comédie, et l'on n'y trouve aucun esprit de la comédie.

UNE EXPRESSION OUTRÉE

Voilà ce que j'ai cru pouvoir dire de la différente constitution des opéras. Pour la manière de chanter, que nous appelons en France *exécution*, je crois sans partialité qu'aucune nation ne saurait la disputer à la nôtre. Les Espagnols ont une disposition de gorge admirable, mais avec leurs fredons et leurs roulements, ils semblent ne songer à autre chose dans leur chant qu'à disputer la facilité du gosier aux rossignols. Les Italiens ont l'expression fausse, ou du moins outrée, pour ne connaître pas avec justesse la nature ou le degré des passions. C'est éclater de rire plutôt que chanter lorsqu'ils expriment quelque sentiment de joie. S'ils veulent soupirer, on entend des sanglots qui se forment dans la gorge avec violence, non pas des soupirs qui échappent secrètement à la passion d'un cœur amoureux. D'une réflexion douloureuse, ils font les plus fortes exclamations; les larmes de l'absence sont des pleurs de funérailles; le triste devient lugubre dans leurs bouches; ils font des cris au lieu de plaintes dans la douleur; et quelquefois ils expriment la langueur de la passion comme une défaillance de la nature. Peut-être qu'il y a du changement aujourd'hui dans leur manière de chanter, et qu'ils ont profité de notre commerce pour la propreté d'une exécution polie, comme nous avons tiré avantage du leur, pour les beautés d'une plus grande et plus hardie composition.

J'ai vu des comédies en Angleterre où il y avait beaucoup de musique; mais, pour en parler discrètement, je n'ai pu m'accoutumer au chant des Anglais. Je suis venu trop tard en leur pays, pour pouvoir prendre un goût si différent de tout autre. Il n'y a point de nation qui fasse voir plus de courage dans les hommes et plus de beauté dans les femmes. plus d'esprit dans l'un et dans l'autre sexe. On ne peut pas avoir toutes choses. Où tant de bonnes qualités sont communes, ce n'est pas un si grand mal que le bon goût y soit rare : il est certain qu'il s'y rencontre assez rarement; mais les personnes en qui on le trouve l'ont aussi délicat que des gens du monde, pour échapper à celui de leur nation par un art exquis et par un très heureux naturel.

IL N'Y A QUE LE FRANÇAIS QUI CHANTE

Solus Gallus cantat; il n'y a que le Français qui chante. Je ne veux pas être injurieux à toutes les autres nations et soutenir ce qu'un auteur a bien voulu avancer; *Hispanus flet, dolet Italus, Germanus boat, Flander ululat, solus Gallus cantat*; je lui laisse toutes ces belles distinctions et me contente d'appuyer mon sentiment de l'autorité de Luigi, qui ne pouvait souffrir que les Italiens chantassent ses airs après les avoir ouï chanter à M. Nyert, à Hilaire, à la petite La Varenne. A son retour en Italie, il se rendit tous les musiciens de sa nation ennemis, disant hautement à Rome, comme il avait dit à Paris, que, pour rendre une musique agréable, il fallait des airs italiens dans la bouche des Français. Il faisait peu de cas de nos chansons, excepté de celles de Boisset, qui attirèrent son admiration. Il admira le concert de nos violons, il admira nos luths, nos clavecins, nos orgues; et quel charme n'eût-il pas trouvé à nos flûtes, si elles avaient été en usage en ce temps-là! Ce qui est certain, c'est qu'il demeura fort rebuté de la rudesse et de la dureté des plus grands maîtres d'Italie, quand il eut goûté la tendresse du toucher et la propreté de la manière de nos Français.

Je serais trop partial, si je ne parlais que de nos avantages. Il n'y a guère de gens qui aient la compréhension plus lente, et pour le sens des paroles, et pour entrer dans l'esprit du compositeur, que les Français; il y en a peu qui entendent moins la quantité, et qui trouvent avec tant de peine la prononciation; mais après qu'une longue étude leur a fait surmonter toutes ces difficultés, et qu'ils viennent à posséder bien ce qu'ils chantent, rien n'approche de leur agrément. Il nous arrive la même chose sur les instruments, et particulièrement dans les concerts, où rien n'est bien sûr, ni bien juste, qu'après une infinité de répétitions; mais rien de si propre et de si poli, quand les répétitions sont achevées. Les Italiens, profonds en musique nous portent leur science aux oreilles sans douceur aucune : les Français ne se contentent pas d'ôter à la science la première rudesse qui sent le travail de la composition, comme un charme pour notre âme et je ne sais quoi de touchant qu'ils savent porter jusqu'au cœur.

LETTRE A M. LE DUC DE BUCKINGHAM SUR LES OPÉRAS.

BENEDETTO MARCELLO

BENEDETTO MARCELLO (1686-1739) fut un musicien et un poète vénitien, qui occupa des charges juridiques. Son œuvre principale est constituée par les cinquante premiers psaumes, qui furent connus et joués dans toute l'Europe, au XVIIIe siècle. Il écrivit une satire sur l'opéra du temps, Le théâtre à la Mode, *dont il dénonce les ridicules, les ignorances et les désinvoltures.*

UNE SATIRE CONTRE LES MUSICIENS D'OPÉRA

Le compositeur moderne de musique ne devra posséder aucune notion des *Règles* pour bien composer, mais seulement quelque principe général de pratique[1]...

---

1. Il va sans dire que le compositeur italien Marcello exprime ici le contraire de ce que devrait faire un bon musicien d'opéra !

Avant de mettre la main à l'Opéra, il rendra visite à tous les virtuoses auxquels il promettra ce qui peut servir leur *génie*, par exemple, des *airs sans basse*, des *Forlanes*, des *Rigaudons*, etc., le tout avec *Violoncelles, Ours et Comparses à l'unisson.*

Il se gardera de lire tout l'Opéra, pour ne pas se *tromper*, mais il le composera *Vers* par *Vers*, ayant soin encore de faire changer soudain tous les airs et se servant ensuite de *motifs* déjà préparés *dans l'Année*, et si les paroles desdits *Airs* nouveaux ne s'adaptent pas bien sous les *Notes* (ce qui arrivera la plupart du temps), il *tourmentera* de nouveau le poète jusqu'à ce qu'il obtienne satisfaction.

Il composera tous les *Airs* avec *Instruments*, en ayant soin que chaque *Partie* procède par *Notes* ou *Signes* de même valeur, soit des *Croches* ou *Semi-croches* ou *Doubles-croches*; il devra (pour bien composer suivant l'usage moderne), chercher plutôt le *Tapage*, que l'*Harmonie*, laquelle consiste principalement dans la *valeur* différente des *Signes*, les uns *liés*, les autres *détachés*, etc., de même pour écrire une telle *Harmonie*, le compositeur moderne ne devra se servir d'autre liaison que (à la *Cadence*) celle de la *Quarte* habituelle, et de la *Tierce*, et si elles lui paraissaient encore trop donner dans l'ancien, il terminera l'*Air* avec tous les *Instruments* à l'*Unisson.*

Qu'il ait soin aussi que tous les *Airs*, jusqu'à la fin de l'Opéra, soient tour à tour *gais* et *pathétiques*, sans s'embarrasser aucunement des *Paroles*, des *Tons*, ni des *Convenances de la Scène.* En outre, s'il se trouve des *Noms propres* comme *Padre, Imperoy, Amore, Arena, Rengo, Beltà, Lena, Core,* etc., des adverbes comme *no, senza, già,* etc., le Compositeur *moderne* aura soin de composer sur ces mots un *très long Passage*, par exemple *Paaaa..., Impeeee..., Amoooo..., Areeee..., Reeee..., Beltàaaa.., Lenàaaa..., Cooooo...,* etc. Et cela pour s'éloigner du *style ancien* qui ne se servait pas de *Passages*, sur les *Noms propres* ou sur les *Adverbes*; mais bien sur les *Mots* exprimant seulement quelque *Passion* ou le *mouvement*, par exemple : *tormento, affanno, canto, volar, cader,* etc.

Quand le Musico en sera à la *cadence*, le Maître de chapelle ne manquera pas de faire *taire* tous les Instruments; afin de laisser au *Virtuose* ou à la *Virtuose* tout le loisir de s'y arrêter aussi longtemps qu'il lui plaira.

Il ne s'inquiétera pas beaucoup des *Duos* ou des *Chœurs*, afin qu'on puisse les passer à volonté à l'Opéra. Le Maestro *moderne coupera* de même les *sens* ou la *signification* des *Paroles*, surtout dans les Airs, en faisant chanter au Musico le *premier vers* (bien que tout seul il ne signifie rien) et puis en introduisant une longue ritournelle des *Violes, Violettes,* etc., etc.

S'il donne des *Leçons* à quelque *Virtuose* (femme) de l'Opéra, il lui recommandera de mal prononcer, et pour l'y engager, il lui enseignera une *quantité de petits Ornements* et de traits prolongés, afin qu'on ne comprenne pas un *mot*, et de manière que l'on entende, ou que l'on croie *entendre mieux* la Musique...

Le Compositeur *moderne* se montrera très attentif auprès de toutes les Virtuoses de l'Opéra, il les régalera de *vieilles Cantates*, en les transposant pour *leurs voix*, assurant à l'une que l'Opéra ne vit que pour sa voix; ajoutant à l'autre que l'Opéra se *maintient* par sa *Virtu*, et de même à tous les *Comparses*, à l'*Ours*, au *Tremblement de terre*, etc.

Chaque soir il fera entrer des *Masques* sans payer au théâtre, et les placera dans l'orchestre, d'où il sera maître de *congédier* le *Violoncelle* ou la *Contre-basse*, pour leur commodité.

Tous les Maîtres de Chapelle modernes feront imprimer en tête du livret, outre le *Nom* des *Acteurs*, les mots suivants : *« La Musique est du toujours archi-célèbre Signor N. N., maître de chapelle, de concerts, de la chambre, des ballets. d'escrime, etc., etc.,* »

Le Théatre a la mode, vers 1720.

RAMEAU

L'ÉCOLE NE SUFFIT PAS POUR ÉCRIRE UN OPÉRA[1]

Quelques raisons que vous ayez, monsieur, pour ne pas attendre de ma musique théâtrale un succès aussi favorable que celle d'un auteur plus expérimenté en apparence dans ce genre de musique, permettez-moi de les combattre et de justifier en même temps la prévention où je suis en ma faveur, sans prétendre tirer de ma science d'autres avantages que ceux que vous sentirez aussi bien que moi devoir être légitimes. Qui dit un savant musicien, entend ordinairement par là un homme à qui rien n'échappe dans les diffé-

1. Lettre à Houdart de la Motte, pour lui demander des paroles d'opéra.

rentes combinaisons des notes; mais on le croit en même temps tellement absorbé dans ces combinaisons, qu'il y sacrifie tout, le bon sens, le sentiment, l'esprit et la raison. Or ce n'est là qu'un musicien de l'école, école où il n'est question que de notes, et rien de plus; de sorte qu'on a raison de lui préférer un musicien qui se pique moins de science que de goût. Cependant celui-ci, dont le goût n'est formé que par des comparaisons à la portée de ses sensations, ne peut tout au plus exceller que dans de certains genres, je veux dire dans des genres relatifs à son tempérament. Est-il naturellement tendre ? il exprime bien la tendresse; son caractère est-il vif, enjoué, badin, etc... ? sa musique y répond pour lors; mais sortez-le de ces caractères qui lui sont naturels, vous ne le reconnaissez plus. D'ailleurs, comme il tire tout de son imagination, sans aucun secours de l'art, par ses rapports avec ces expressions, il s'use à la fin. Dans son premier feu, il était tout brillant; mais ce feu se consume à mesure qu'il veut le rallumer et l'on ne trouve plus chez lui que des redites ou des platitudes.

ÉTUDIER LA NATURE AVANT DE LA PEINDRE

Il serait donc à souhaiter qu'il se trouvât pour le théâtre un musicien qui étudiât la nature avant que de la peindre, et qui par sa science sût faire le choix des couleurs et des nuances dont son esprit et son goût lui auraient fait sentir le rapport avec les expressions nécessaires. Je suis bien éloigné de croire que je sois ce musicien, mais du moins j'ai au-dessus des autres la connaissance des couleurs et des nuances, dont ils n'usent à propos que par hasard. Ils ont du goût et de l'imagination, mais le tout est borné dans le réservoir de leurs sensations, où les différents objets se réunissent en une petite portion de couleurs, au-delà desquelles ils n'aperçoivent plus rien. La nature ne m'a pas tout à fait privé de ses dons, et je ne me suis pas livré aux combinaisons des notes jusqu'au point d'oublier leur liaison intime avec le beau naturel qui suffit seul pour plaire, mais qu'on ne trouve pas facilement dans une terre qui manque de semences, et qui a fait surtout ses derniers efforts. Informez-vous de l'idée qu'on a de deux cantates, qu'on m'a prises depuis une douzaine d'années, et dont les manuscrits sont tellement répandus en France que je n'ai pas cru devoir les faire graver, puisque j'en pourrais être pour les frais, à moins que je n'y en joignisse quelques autres, ce que je ne puis faire faute de paroles; l'une a pour titre *L'Enlèvement d'Orithie* : il y a du récitatif et des airs caractérisés; l'autre a pour titre *Thétis,* où vous pourrez remarquer le degré de colère que je donne à *Neptune* et à *Jupiter,* selon qu'il appartient de donner plus de sang-froid ou plus de possession à l'un qu'à l'autre, et selon qu'il convient que les ordres de l'un et de l'autre soient exécutés. Il ne tient qu'à vous de venir entendre comment j'ai caractérisé le chant et la danse des Sauvages qui parurent sur le Théâtre-Italien, il y a un ou deux ans, et comment j'ai rendu ces titres, *Les Soupirs, Les Tendres plaintes, Les Cyclopes, Les Tourbillons* (c'est-à-dire les tourbillons de poussière excités par de grands vents), *L'Entretien des Muses, Une Musette, Un Tambourin*, etc. Vous verrez pour lors que je ne suis pas novice dans l'art et qu'il ne paraît pas surtout que je fasse grande dépense de ma science dans mes productions, où je tâche de cacher l'art par l'art même; car je n'y ai en vue que les gens de goût et nullement les savants, puisqu'il y en a beaucoup de ceux-là et qu'il n'y en a presque point de ceux-ci. Je pourrais encore vous faire entendre des motets à grand chœur, où vous reconnaîtriez si je sens ce que je veux exprimer. Enfin en voilà assez pour vous faire faire des réflexions. Je suis avec toute la considération possible, monsieur, votre très humble et très obéissant serviteur.

Paris, 15 octobre 1727.

VOLTAIRE (1694-1778)

L'OUIE ÉVOLUE

On dit que, dans les Indes, l'opéra de Rameau [*Les Indes galantes*] pourrait réussir. Je crois que la profusion de ses doubles croches peut révolter les Lullistes; mais, à la longue, il faudra bien que le goût de Rameau devienne le goût dominant de la nation, à mesure qu'elle sera plus savante. Les oreilles se forment petit à petit. Trois ou quatre générations changent les organes d'une nation. Lulli nous a donné le sens de l'ouïe que nous n'avions point, mais les Rameau le perfectionneront. Vous m'en donnerez des nouvelles dans cent cinquante ans d'ici.

LETTRE DU 11 SEPTEMBRE 1735.

BERTON

BERTON (1767-1844) fils du co-directeur de l'Opéra, à la fin du XVIIIe siècle, relate ici les réformes apportées par son père à l'exécution des opéras.

PRESTIGE UNIVERSEL ET PERMANENT DU GRAND « OPÉRA » DE PARIS

L'*Académie Royale de Musique,* vulgairement appelée *Grand Opéra* est une des créations du grand siècle! Son organisation porte l'empreinte du grandiose qui présidait à toutes les conceptions de cette époque. Aussi c'est en en parlant que Voltaire a dit :

Il faut se rendre à ce palais magique
Où les beaux Vers, la Danse, la Musique
L'art de tromper les yeux par les couleurs,
L'art plus heureux de séduire les cœurs,
De cent plaisirs font un plaisir unique.

Si par la longévité des œuvres des hommes on peut apprécier le mérite de leur conception, certes celle qui présida à la fondation de notre grand Opéra fut (artistiquement parlant) une chose admirable; car c'est en 1646 que le cardinal Mazarin fit inaugurer ce temple des beaux-arts. Nous sommes en 1837, et malgré les changements de gouvernement, la tempête révolutionnaire, l'impéritie de certains directeurs, ce mouvement national, ce mouvement unique est encore debout! et plus brillant que jamais, après cent quatre-vingt-onze ans d'existence.

Vainement les souverains étrangers ont tenté de créer des théâtres semblables dans leurs Etats, malgré leur puissance, leur or, les copies sont toujours restées en dessous du modèle, quelques parties souvent y ont été égales, mais jamais dans aucun de ces théâtres on n'a pu parvenir à atteindre cette perfection, cet accord de chacune des parties, dont en France se compose ce grand tout qui lui en assure la suprématie dont il jouit à juste titre dans l'opinion de toute l'Europe civilisée; aussi l'existence de notre Académie Royale de Musique fut-elle considérée par tous les gouvernements qui ont régi la France depuis la fondation de cet établissement, comme une chose d'intérêt public non seulement sous ses rapports de gloire artistique, mais encore dans ceux de son influence politique et commerciale, car il est notoire que presque tous les étrangers qui forment le projet de visiter dans leurs voyages notre belle France et surtout Paris, n'y soient attirés par le désir de connaître tous les mouvements de sciences et d'arts que renferme cette illustre cité et l'on peut affirmer que notre Grand Opéra est pour beaucoup dans l'attrait irrésistible qui leur fait y prolonger leur séjour. Aussi toutes les fois que le trésor royal se trouvait dans l'impossibilité de subvenir aux frais énormes et indispensables qu'exige la nature de cet établissement tout le corps de ville s'est-il empressé de prendre l'opéra à son compte, sachant combien le commerce de la ville de Paris, et même, quoi qu'en aient voulu dire certains économistes, celui des provinces acquérait de prospérité par le mouvement incessant des capitaux que le luxe nécessaire des représentations faisait verser dans le commerce. Cette vérité a été reconnue par tous nos rois et même la Convention!...

ÉPURER LE CHANTEUR, AVOIR DU GOUT

J'ai déjà dit que mon père prit possession de la place de maître de musique-chef d'orchestre à l'Académie Royale de Musique sous la direction de M. Francœur : c'était en l'année 1757. Comme mon père était né en 1727 il avait donc trente ans à cette époque. Son directeur qui connaissait son goût épuré et son savoir dans l'art de la composition musicale le chargeait de retoucher presque tous les anciens opéras que l'on remettait en scène. Les progrès qu'il avait fait faire dans l'exécution, tant aux instrumentistes qu'aux chanteurs, permettaient de faire quelque tentative pour essayer de tirer la musique française de l'ornière dans laquelle on l'avait embourbée par l'usage incessant d'une insipide psalmodie qui n'était ni du chant ni du récitatif, non comme celui de l'ingénieux Lulli! qui, par la simplicité de ses formes, sa vérité scénique, la religieuse observance des lois de la prosodie, pourrait encore maintenant servir de modèle en ce genre, mais par un prétendu récitatif contraint et presque mesuré, tantôt à 2, à 3 ou à 4 temps et toujours orné de fioritures de l'époque, *flûtés, perlés, trilles, port de voix,* etc. Ce mauvais goût siégeait alors à notre Grand Opéra, ces sujets étaient d'autant plus blâmables dans l'entêtement de leur *statu quo*

L'Univers illustré

JOURNAL HEBDOMADAIRE

RÉDACTION & ADMINISTRATION
Vente au Numéro et Abonnements
ue Auber, n° 3 — Paris
40 CENTIMES LE NUMÉRO

N° 2095
38e Année — 18 Mai 1895
LE JOURNAL PARAIT TOUS LES SAMEDIS

PRIX DE L'ABONNEMENT :
PARIS : Un an, 22 francs. Six mois, 11 fr. 50. Trois mois, 6 francs.
DÉPARTEMENTS : Un an, 22 fr. ; avec la prime franco, 24 francs.
UNION POSTALE : Un an, 23 fr. ; avec la prime franco, 25 francs.

THÉATRE NATIONAL DE L'OPÉRA. — *TANNHAUSER*, opéra en trois actes, poème et musique de Richard Wagner, traduction française de M. Charles Nuitter. — (Dessin de M. Paul Destez.) — Voir l'article « Théâtres ».

Une représentation de *Tannhaüser* en 1895. L'Univers Illustré. Bibliothèque de l'Opéra, Paris. *(Cliché Erlanger de Rosen).*

Musiciens à l'orchestre. Degas (1834-1917). Francfort. *(Cliché Bulloz).*

qu'ils ne pouvaient ignorer le pouvoir qu'a toujours eu sur la masse une mélodie suivie, accentuée et véritablement chantante, une riche harmonie et surtout un rythme constant et bien approprié aux sentiments, aux passions que l'on veut exprimer. *La mélodie, l'harmonie, et le rythme* sont donc en *musique* une trinité indivisible et ce n'est qu'en en faisant un judicieux emploi que le génie de nos grands compositeurs sut lui faire prendre rang parmi les beaux-arts. Pourtant nos rétrogrades n'ignoraient pas entièrement les effets que l'on pouvait obtenir par l'usage de ces moyens, car on en trouve quelquefois des exemples dans leurs œuvres, mais ce n'est jamais que dans les parties accessoires du drame, c'est-à-dire dans les *airs de danse,* dans ce qu'on appelait les *petits airs* toujours chantés par les coryphées ou bien dans les *chœurs* et dans les *marches.* Les situations les plus vives, les plus touchantes, les plus pathétiques, étaient le domaine exclusif de leur froid et lourd récitatif; c'est assurément de cette insipide psalmodie dont J.-J. (Rousseau) a voulu parler lorsqu'il dit que *l'allure de la musique française lui semblait être celle d'une vache qui voudrait galoper.*

UNE RÉVOLUTION MUSICALE

Le besoin des améliorations se faisait d'autant plus sentir que déjà l'on connaissait en France le *Stabat* de Pergolèse et sa *Serva Padrona,* opéra écrit en 1734, ainsi que les belles compositions des Haendel, des Leo, des Hasse, des Durante, des Scarlatti, du célèbre Jomelli et de tant d'autres illustres maîtres dont les œuvres faisaient l'ornement des bibliothèques musicales, de toutes les personnes douées de cet instinct qui sait apprécier les véritables beautés de cet art magique.

Mon père était possesseur d'une grande partie de ces chefs-d'œuvre en manuscrits, cadeaux que lui avaient faits deux illustres amateurs de musique, le comte de Lauraguais et le comte d'Albaret. Comme il chantait fort bien, c'est-à-dire en compositeur, et qu'il accompagnait encore mieux, il se plaisait souvent à dire dans les cercles d'amateurs une grande partie des œuvres de ces Aristotes, de ces Horaces de la véritable musique, à en analyser la beauté et à en faire apprécier tous les mérites.

Si les philosophes du XVIIIe siècle ont su par leurs écrits préparer les esprits aux idées qui ont amené la réforme sociale et notre grande Révolution! je puis dire avec orgueil que je suis fils d'un homme qui, par son savoir et la pureté de son goût, sut aussi préparer les esprits à notre révolution musicale et lui forgea des armes pour l'aider à triompher lorsque son heure serait venue. Ce fut en 1776, le 18 avril, que l'on représenta pour la première fois l'*Iphigénie en Aulide* de Gluck, et c'est de ces jours de triomphe harmonique que l'on doit compter l'ère de cette grande révolution artistique, c'est-à-dire treize ans avant celle de 1789...

Souvenirs de la famille de H. M. Berton,
publiés par M. Ténéo, S.I.M., 1911.

STATUTS POUR L'ACADÉMIE ROYALE DE MUSIQUE

Ce texte est un pamphlet anonyme, publié en 1770, contre l'Opéra de Paris. Les notes piquantes qui l'accompagnent sont de l'auteur.

Article I.

A tous musiciens connus ou non connus
Soit de France, soit d'Italie,
Passés, présents, à venir ou venus
Permettons d'avoir du génie[1].

Article II.

Vu que pourtant la médiocrité
A besoin d'être encouragée,
Toute passable nouveauté
Par nous sera très protégée,
Nous ne manquerons pas de faire de grands frais
Pour doubler un petit succès,
Usant d'ailleurs d'économie

1. Permission dont on n'abusera pas.

Pour les chefs-d'œuvres de nos jours[1]
Et laissant la gloire au génie
De réussir sans nos secours.

Article III.

L'orchestre plus nombreux sous une forte peine[2]
Défendons que jamais on change cette loi,
Dix flûtes au coin de la reine
Et dix flûtes au coin du Roi,
Basse ici, basse là, cors de chasses, trompettes,
Violons, tambours, clarinettes,
Beaucoup de bruit, beaucoup de mouvement,
Surtout pour la mesure un batteur frénétique;
Si nous n'avons pas de musique,
Ce n'est pas faute d'instrument.

Article IV.

Sur le Récitatif, même sur l'Ariette
Doit peu compter l'auteur des vers;
Comme à son tour l'auteur des airs
Doit peu compter sur le poète[3].

Article V.

Si tous deux tristement féconds,
Sans feu comme sans caractère,
Ne donnent qu'un vain bruit de rimes et de sons,
En faveur des abbés qui lorgnent au parterre,
on raccourcira les jupons[4].

Article VI.

Des pièces les plus mal tissues
Comme le bon public ne sait plus s'effrayer[5]
Que même des *fragments* ne peuvent l'ennuyer,

---

1. Sans déroger toutefois à l'acception des personnes; il peut arriver qu'on se réconcilie avec un homme de génie auprès sa mort.
2. La musique n'étant que le plaisir des oreilles, plus on leur donne de son, plus elles doivent être contentes : en conséquence, vingt instruments d'augmentation.
3. Il faut toujours qu'en cas de chute, le musicien et le poète puissent se consoler en s'accusant réciproquement.
4. Pourvu qu'on le puisse encore, on paraît avoir prévu nos ordres là-dessus.
5. Depuis le décès de Quinault ou à peu près.

Et que les nouveautés sont toujours bien reçues[1],
Pourrons quelque jour essayer
Un spectacle complet en scènes décousues[2].

Article XV.

Rien pour l'auteur de la musique,
Pour l'auteur du poème rien,
Et le poète et le musicien
Doivent mourir de faim selon l'usage antique.
Le grand talent n'est pas payé[3]
Le frivole obtient tout, les Cordons et la Crosse,
Rameau devait aller à pied,
Rebel et Francœur en carosse.

Article XVI.

En attendant que pour le Chœur
On puisse faire une recrue,
De quinze ou vingt beautés qui parleront au cœur,
Et ne blesseront point la vue,
Ordre à nos mannequins de bois[4]
Taillés en femmes, enduits de plâtre,
De se tenir toujours immobiles et froids
Adossés en statues aux piliers du théâtre[5].

Article XVII.

Tous remplis du vaste dessein
De perfectionner en France l'harmonie,
Voulions au pontife romain
Demander une Colonie
De ces chantres flûtés qu'admire l'Ausonie,
Mais nous avons vu qu'un castrat,
Car c'est ainsi qu'on les appelle,
Etait honnête à la Chapelle,
Mais indécent à l'Opéra[6].

---

1. Voyez la comédie italienne.
2. Cette idée n'est pas de nous, nous l'avons trouvée dejà exécutée avec succès dans plusieurs tragédies modernes, l'essai peut en être dangereux à l'Opéra, mais nous le ferons un jour de capitation.
3. Cela est juste, si le talent et la richesse se trouvaient ensemble du même côté, que deviendrait Le Riche ?
4. Nous n'entendons point par « mannequins de bois » les chanteurs qui ont exécuté avec de si beaux gestes notre chœur bruyant du second acte de *Sylvie,* M. L'Ecuyer à leur tête.
5. Ne pourrions-nous pas obtenir de M. Vaucanson, célèbre mécanicien, qu'il nous fît deux douzaines de chanteuses pour les chœurs? Ce serait une dépense une fois faite, et après laquelle nous n'aurions plus à craindre nombre d'accidents tels que les grossesses, etc.
6. Toutes nos actrices n'ont eu qu'un cri là-dessus.

Article XVIII.

Pour toute jeune débutante
Qui veut entrer dans les ballets,
Quatre examens au moins, c'est la forme constante[1],
Primo le duc qui la présente,
Y compris l'intendant et les premiers valets,
Ceux-ci près de la nymphe ont droit de préséance;
Secundo nous ses directeurs,
Tertio son maître de danse,
Quarto pas plus de trois acteurs[2].

Article XIX.

A défaut d'examen, certificats de mœurs,
Conçus en termes très flatteurs,
Billets doux et lettres de change;
Mais comme ces certificats
Pourraient offrir un bizarre mélange
Et de fortune, et d'Etats,
Pour prévenir tous les débats,
Des milords d'Angleterre[3] et des marquis de France,
Et des danseurs, et des prélats,
Promettons de garder le plus profond silence.

Article XXI.

Que celles qu'entretient un fermier général
N'insultent pas dans leur ivresse
Celles qui n'ont qu'un duc, l'orgueil sied toujours mal,
Et la modestie[4] intéresse.

Article XXII.

Que celles qu'un évêque apostoliquement
Visite sur la brune au sortir de l'office,
N'aillent pas imprudemment
Prononcer dans la coulisse
Le saint nom de leur amant;

---

1. Statut très respectable par l'ancienneté de son origine.
2. Somme totale, onze examinateurs. Le nombre est assez honnête; cependant, sur les représentations que pourraient nous faire certaines dont nous connaissons les talents, nous pourrions déroger à la dite ordonnance.
3. Nous saisissons cette occasion-ci de remercier au nom de l'Etat celles qui, par un zèle patriotique, attirent et fixent en France les guinées d'Angleterre.
4. Nous renvoyons au *Dictionnaire de l'Académie française* pour la définition de ce mot un peu vieilli.

Voulons qu'au moins on s'instruise
A parler très décemment
Et surtout qu'on respecte l'église [1].

Article XXIII.

Le nombre des amants, limité désormais,
Défense d'en avoir jamais
Plus de quatre à la fois, ils suffisent pour une [2],
Que la reconnaissance égale les bienfaits,
Que l'amour dure autant que la fortune [3].

Article XXIV.

Que celles qui pour prix de leurs heureux travaux
Vivent déjà dans l'opulence,
Ont un hôtel, et des chevaux,
Se rappellent parfois leur première indigence
Et leur petit grenier et leur lit sans rideaux.
Leur défendons en conséquence
De regarder avec pitié
Une pauvre enfant qui commence
Et s'en retourne encore à pied.

Article XXV.

Item ordre à ces demoiselles
De n'accoucher que rarement,
En deux ans une fois, une fois seulement.
Paris ne goûte point ces couches éternelles,
Dans un embarras maudit
Ces accidents-là nous plongent.
Plus leur taille s'arrondit,
Plus nos visages s'allongent [4].

Article XXVI.

Item très solennellement
Prononçons une juste peine
Contre le ravisseur qui vient insolemment
L'or en main dépeupler la scène [5],

---

1. Les Corps se doivent entre eux des égards.
2. D'abord nous n'en avions accordé que deux, mais par égard pour plusieurs honnêtes femmes, nous en avons accordé quatre.
3. D'après la nouvelle convention reçue que nos femmes ont le droit de ruiner leurs amants : la nation les invite à préférer les financiers.
4. Ceci s'adresse à nombre de ces demoiselles qu'il serait trop long de détailler, mais que le public connaît beaucoup.
5. Nous pleurons encore la perte de Mlle Robe enlevée par le sieur Collet d'Hauteville.

Taxe pour chaque enlèvement
Et le tarif incessamment
Public dans tout notre domaine.
Cette taxe imposée à raison du talent,
De la beauté surtout, tant pour une danseuse,
Tant pour une jeune chanteuse,
Rien pour celles de chœurs, nous en ferons présent[1].

Publié par M. Pincherle, *Revue Musicale,* 1931.

GRIMM

GRIMM (1723-1807), que nous citons ici, n'est pas le conteur Wilhelm-Karl, mais le baron Frédéric-Melchior de Grimm, grand journaliste du XVIIIe siècle, auteur de la Correspondance littéraire *(1754-1790). C'est un partisan de la musique italienne. Il fait beaucoup de réserves sur la musique française, qu'il juge moins naturelle et instinctive, et gâtée par la prétention des philosophes et des gens de lettres.*

UN PROCÈS QUI NE FINIRA JAMAIS

J'ai osé condamner *Omphale*[2], madame, avant que de savoir que vous la protégiez. Vous m'ordonnez de justifier en public mon jugement et vous avez raison sans doute; j'ai besoin d'une justification pour avoir jugé de la musique française, et beaucoup plus encore pour n'avoir pas été de votre avis.

---

1. Nous offrons même de payer pour quelques-unes.
2. *Omphale,* de Destouches, sur un poème de la Motte, a été représenté pour la première fois le 10 novembre 1701. De nombreuses reprises en confirmèrent le grand succès, et c'est la dernière, celle du 14 janvier 1752, qui fournit à Grimm l'occasion de sa *Lettre.*

Platée, de Rameau, fut représentée pour la première fois le 4 février 1749, Grimm était, en effet, depuis peu à Paris. Elle ne se soutint que jusqu'en 1754.

Atys, de Lulli, paru en 1675, ne dépassa pas la reprise de 1740; *Armide,* du même, parue en 1686, atteignit l'année 1764; *Hippolyte et Aricie,* de Rameau, de 1733, ne dépassa pas 1767; l'*Europe galante,* de Campra, vécut de 1697 à 1747; les *Fêtes de l'hymen,* de Rameau, jouées en 1747, ne furent l'objet d'aucune reprise; *Issé* enfin, de Destouches, née en 1697, triompha jusqu'en 1757.

Je ne veux point renouveler ici les parallèles usés de la musique européenne et de la musique française, car, comme tous les juges sont parties, c'est un procès qui ne finira jamais. J'en parlerai seulement, autant qu'il est nécessaire pour autoriser la liberté que je prends d'examiner cette dernière; autrement, au lieu de poser mes raisons, on me demanderait peut-être de quel droit je me mêle d'en parler.

Je n'ignore pas que, toutes les fois qu'il est question de leur musique, les Français refusent nettement la compétence à tous les autres peuples et ils ont leurs raisons pour cela. Cependant, quand ces mêmes Français nous assurent que la musique chinoise est détestable, je ne crois pas qu'ils se soient donné la peine de prendre l'avis des Chinois pour prononcer ce jugement. Pourquoi nous ôteraient-ils, par rapport à eux, au moins sur la musique, un droit dont ils usent très librement, et sur plus d'un point, à l'égard des autres nations ?

La musique italienne promet et donne du plaisir à tout homme qui a des oreilles, il ne faut pas plus de préparation que cela. Si tous les peuples de l'Europe l'ont adoptée, malgré la différence des langues, c'est qu'ils ont préféré leur plaisir à leurs prétentions.

Je crois donc pouvoir dire que, la fin de la musique étant d'exciter les sensations agréables par des sons harmonieux et cadencés, tout homme qui n'est pas sourd est en droit de décider si elle a rempli son objet; j'avoue que, pour bien juger une musique nationale, il faut de plus connaître le caractère de la langue par rapport au chant et c'est aussi une étude que j'ai tâché de faire : si je dois me flatter de quelque succès, c'est ce que j'apprendrai de vous, madame, après la lecture de cette lettre.

Commençons donc par admettre le genre, c'est ce que je fais très sincèrement, et je lui trouve de grandes beautés, quoique toujours inférieures à celle de la musique italienne. La musique française est très bien adaptée au génie de la langue; et l'opéra français fait aussi un genre à part, dont la nation a raison d'être jalouse; car tout ce qui est véritablement genre ne saurait être conservé avec trop de soin.

CHANTER N'EST PAS CRIER

Vous voyez, madame, que je suis équitable. Non seulement j'ai jugé la musique française par elle-même; loi toujours négligée par la fureur des comparaisons, mais je n'ai eu nulle peine à m'accoutumer à son génie et à sentir ses beautés : le hasard, il est vrai, a été pour moi. J'arrive à Paris aussi prévenu contre votre opéra que le sont tous les étrangers; j'y cours, bien sûr de le trouver plus mauvais encore que je ne me l'étais figuré : à mon grand étonnement, j'y trouve deux choses que j'étais bien éloigné d'y chercher, de la musique et une voix qui chantait. C'était *Platée,* ouvrage sublime dans un genre que M. Rameau a créé en France, que quelques gens de goût ont senti, et que la multitude a jugé. C'était Mlle Fel qui, avec le plus heureux organe du monde, avec une voix toujours égale, toujours fraîche, brillante et légère, connaissait encore l'art que nous appelons en langage sacré *chanter,* terme honteusement profané en France, et appliqué à une façon de pousser avec effort des sons hors de son gosier et de les fracasser sur les dents par un mouvement de menton convulsif; c'est ce qu'on appelle chez nous *crier,* et qu'on n'entend jamais sur nos théâtres, à la vérité, mais tant qu'on en veut dans les marchés publics. Ma surprise, je l'avoue, fut étrange, et cette expérience m'a corrigé pour jamais, à ce que j'espère, de l'envie de juger avec précipitation sur un bruit vague et incertain. Cependant je n'avais qu'à arriver deux jours plus tôt : on donnait *Médée et Jason* et j'étais affermi dans toutes mes idées.

CONTRE « OMPHALE »

Après la confession que je viens de faire, on me permettra, j'espère, d'obéir à vos ordres et de hasarder quelques remarques sur la musique d'*Omphale*, avec toute la franchise qui m'est naturelle : l'intérêt des arts, du goût, et surtout de la nation, demande qu'on y puisse toujours dire la vérité; et c'est une gloire que la France a seule parmi tous les peuples de l'Europe, que tout étranger peut parler librement dans son sein, même pour relever les défauts qu'il y trouve. Cette noble confiance de ce peuple, l'objet de notre admiration et quelquefois de notre jalousie, en dit plus que nous ne saurions faire, et ce sont nos critiques mêmes qui font son plus bel éloge.

Vous me permettrez, madame, de ne point parler du poème; le respect que j'ai pour le créateur du ballet, pour l'auteur de l'*Europe galante,* d'*Issé* et de tant d'autres beaux ouvrages, me mettrait dans le cas de prouver qu'*Omphale* n'est pas digne de lui : j'aime mieux me borner à la musique, dont l'auteur peut mériter des égards qui me sont moins connus.

Je prévois que les partisans d'*Omphale* m'abandonneront bien des parties de cet opéra et surtout celle qu'on appelle la musique par excellence. Ils conviendront qu'il n'y faut point chercher de savoir, ni de richesse, ni d'harmonie. Ils me parleront du goût, du naturel et de l'expression qui sont dans le chant de cet opéra, et c'est précisément sur ces choses-là que je veux l'attaquer. Selon moi, ce chant est d'un bout à l'autre de mauvais goût et rempli de contresens, triste, sans aucune expression, et toujours au-dessous de son sujet, ce qui est le pire de tous les vices; sans compter que la basse continue, toujours errante au hasard, parcourant avec incertitude le clavier sans savoir où s'arrêter, ne rencontre à la fin la dominante que pour finir, presque toujours à contresens, sur une cadence parfaite.

Pour prouver toutes ces choses, il faudrait parcourir la musique ligne par ligne; mais je ne prétends pas faire un livre; et quand on veut s'éclairer de bonne foi, peu d'exemples bien choisis et peu de réflexions bien méditées suffisent pour juger beaucoup de choses.

On a reproché à M. Rameau de ne point entendre le récitatif; il me paraît même que quelques-uns de ses amis, n'osant au commencement le justifier de ce côté-là, ont mieux aimé avancer que tout le monde peut faire un récitatif, que de soutenir la bonté du sien. Il est pourtant bien constaté qu'il n'y a rien de si difficile au monde que de faire le récitatif, car c'est l'ouvrage du génie tout pur. Mais c'est précisément dans cette partie que je trouve M. Rameau grand très souvent et toujours original[1].

LE GOUT FRANÇAIS EST ENCORE VAGUE

C'est un problème inexplicable en apparence, comment les mêmes spectateurs qui ont applaudi ce chef-d'œuvre de

1. Le caractère du récitatif italien est si sublime qu'il assure lui seul à cette musique une supériorité de laquelle aucun autre n'approche. Je n'imagine rien au-dessus de sa vérité. Egalement capable de toutes les expressions et de tous les caractères, il déclame et marche avec pompe et majesté dans la tragédie. Il parle avec feu et rapidité le langage de toutes les passions, et, avec le même bonheur, il fait parler la joie, la gaieté, le sentiment, l'enjouement, la plaisanterie, la bouffonnerie.

Le récitatif français, au contraire, est, par son genre, triste, lent, monotone, susceptible pourtant de grandes beautés. L'éloge que je viens de faire du récitatif italien ne paraîtra étranger qu'à ceux qui, sans principe et sans réflexion, sont accoutumés à répéter ce qu'ils ont entendu dire à d'autres. Ils me diront que souvent le récitatif n'est pas écouté en Italie, et qu'on n'y a des oreilles que pour les ariettes. Mais il y a des gens en Italie qui préfèrent l'Arioste au Tasse, et il y en a à qui je voudrais défendre d'écouter la musique des Pergolèse, des Buraneli, des Adolphati, tout comme je voudrais empêcher, à Paris, certaines gens d'aller entendre *Pygmalion*...

l'art, ce divin *Pygmalion,* la veille, osent marquer le lendemain le moindre plaisir à *Omphale.* Mais il n'est pas difficile de rendre compte de ces contradictions. C'est aux philosophes et aux gens de lettres que la nation doit, même sans s'en douter, son goût devenu depuis peu général pour la bonne musique, ainsi que pour tous les beaux-arts. C'est à leurs éloges que M. Rameau doit principalement la justice et les honneurs que toute la nation lui rend aujourd'hui. Mais la nature et l'instinct font dans un seul jour, en Italie et ailleurs, plus de prosélytes au bon goût que les philosophes n'en font ici par leurs dissertations en plusieurs années. Ce goût, quoique général en France, est encore vague; il est souvent balancé par de vieux préjugés qui semblent respectables par leur faiblesse même, comme quelquefois la vieillesse n'a d'autre titre à la considération que sa décrépitude. C'est encore aux philosophes et au temps de fixer le goût et de le rendre sûr chez la nation. Dans dix ans d'ici le magasin de l'opéra se débarrassera de bien des prétendus trésors, et il ne sera pas plus pauvre pour cela. *Atys, Armide, Hippolyte et Aricie* seront à la tête de la tragédie, l'*Europe galante et les Fêtes de l'Hymen et de l'Amour* à la tête du ballet; *Issé* sera le modèle des pastorales, et je crains fort que *Platée* ne reste sans rivale comme elle a été sans modèle.

LETTRE SUR OMPHALE, 1752.

J.-J. ROUSSEAU

« *UN PETIT PILLARD SANS TALENT* »

Mon opéra fait[1], il s'agit d'en tirer parti : c'étoit un autre opéra bien plus difficile. On ne vient à bout de rien à Paris quand on y vit isolé. Je pensai à me faire jouer par M. de la Popelinière, chez qui Gauffecourt, de retour de Genève, m'avoit introduit. M. de la Popelinière étoit le Mécène de Rameau; Mme de la Popelinière étoit sa très humble écolière. Rameau faisoit, comme on dit, la pluie et le beau temps dans cette maison. Jugeant qu'il protégeroit avec plaisir l'ouvrage d'un de ses disciples, je voulus lui montrer le mien. Il refusa de le

1. *Le Devin de village.*

voir, disant qu'il ne pouvoit lire des partitions, et que cela le fatiguoit trop. La Popelinière dit là-dessus qu'on pouvoit le lui faire entendre, et m'offrit de rassembler des musiciens pour en exécuter des morceaux. Je ne demandois pas mieux. Rameau consentit en grommelant et répétant sans cesse que ce devoit être une belle chose que la composition d'un homme qui n'étoit pas enfant de la balle et qui avoit appris la musique tout seul. Je me hâtai de tirer en parties cinq ou six morceaux choisis. On me donna une dizaine de symphonistes et pour chanteurs Albert, Bérard et Mlle Bourbonnais. Rameau commença, dès l'ouverture, à faire entendre, par ses éloges outrés, qu'elle ne pouvoit être de moi. Il ne laissa passer aucun morceau sans donner des signes d'impatience; mais à un air de haute-contre, dont le chant était mâle et sonore et l'accompagnement très brillant, il ne put se contenir; il m'apostropha avec une brutalité qui révolta tout le monde, soutenant qu'une partie de ce qu'il venait d'entendre étoit d'un homme consommé dans l'art, et le reste d'un ignorant qui ne savoit pas même la musique. Et il est vrai que mon travail, inégal et sans règle, étoit tantôt sublime et tantôt très plat, comme doit être celui de quiconque ne s'élève que par quelques élans de génie et que la science ne soutient point.

Rameau prétendit ne voir en moi qu'un petit pillard sans talent et sans goût. Les assistants, et surtout le maître de la maison, ne pensèrent pas de même. M. de Richelieu qui, dans ce temps-là, voyait beaucoup monsieur et, comme on sait, Mme de la Popelinière, ouït parler de mon ouvrage et voulut l'entendre en entier, avec le projet de le faire donner à la cour s'il en étoit content.

OPINIONS PARTAGÉES

Il fut exécuté à grand chœur et en grand orchestre, aux frais du roi, chez M. de Bonneval, intendant des Menus. Francœur dirigeait l'exécution. L'effet en fut surprenant. M. le duc ne cessoit de s'écrier et d'applaudir, et à la fin d'un chœur, dans l'acte du Tasse, il se leva, vint à moi, et me serrant la main : « Monsieur Rousseau, me dit-il, voilà de l'harmonie qui transporte, je n'ai jamais rien entendu de plus beau : je veux faire donner cet ouvrage à Versailles. » Mme de la Popelinière, qui étoit là, ne dit pas un mot. Rameau, quoique invité, n'y avoit pas voulu venir. Le lendemain Mme de la Popelinière me fit à sa toilette un accueil fort dur, affecta de rabaisser ma pièce et me dit que, quoique un peu de clinquant eût d'abord ébloui M. de Richelieu, il en étoit bien revenu, et qu'elle ne me conseilloit pas de compter sur mon opéra. M. le duc arriva peu après et me tint un tout autre langage, me dit des choses très flatteuses sur mes talens et me parut toujours disposé à faire donner ma pièce devant le roi. Il n'y a, dit-il, que l'acte du Tasse qui ne peut passer à la cour : il en faut faire un autre. Sur ce seul mot j'allai m'enfermer chez moi, et dans trois semaines j'eus fait à la place du Tasse un autre acte dont le sujet étoit Hésiode inspiré par une muse. Je trouvai le secret de faire passer dans cet acte une partie de l'histoire de mes talens et de la jalousie dont Rameau vouloit bien les honorer. Il y avoit dans ce nouvel acte une élévation gigantesque et plus soutenue que celle du Tasse; la musique en étoit aussi noble et beaucoup mieux faite; et si les deux actes avoient valu celui-là, la pièce entière eût avantageusement soutenu la représentation...

CRITIQUE DE RAMEAU

Il faut reconnaître dans M. Rameau un très grand talent, beaucoup de feu, une tête bien sonnante, une grande connoissance des renversements harmoniques et de toutes les choses d'effet; beaucoup d'art pour s'approprier, dénaturer, orner, embellir les idées d'autrui, et retourner les siennes; assez peu de facilité pour en inventer de nouvelles; plus d'habileté que de fécondité, plus de savoir que de génie, ou du moins un génie étouffé par trop de savoir; mais toujours de la force et de l'élégance, et très souvent du beau chant.

Son récitatif est moins naturel, mais beaucoup plus varié que celui de Lulli; admirable dans un petit nombre de scènes, mauvais presque partout ailleurs, ce qui est peut-être autant la faute du genre que la sienne; car c'est souvent pour avoir trop voulu s'asservir à la déclamation qu'il a rendu son chant baroque et ses transitions dures. S'il eût eu la force d'imaginer le vrai récitatif et de le faire passer chez cette troupe moutonnière, je crois qu'il eût pu exceller.

Il est le premier qui ait fait des symphonies et des accompagnements travaillés, et il en a abusé. L'orchestre de l'Opéra ressembloit, avant lui, à une troupe de quinze-vingts attaqués de paralysie. Il les a un peu dégourdis. Ils assurent qu'ils ont actuellement de l'exécution; mais je dis, moi, que ces gens-là n'auront ni goût ni âme. Ce n'est encore rien d'être ensemble, de jouer fort ou doux et de bien suivre un acteur. Renforcer, adoucir, appuyer, dérober des sons, selon que le bon goût ou l'expression l'exigent, prendre l'esprit d'un accompagnement, faire valoir et soutenir des voix, c'est l'art de tous les orchestres du monde, excepté celui de notre Opéra.

Je dis que M. Rameau a abusé de cet orchestre tel quel. Il a rendu ses accompagnements si confus, si chargés, si fréquens, que la tête a peine à tenir au tintamarre continuel de divers instrumens pendant l'exécution de ses opéras, qu'on auroit tant de plaisir à entendre s'ils étourdissoient un peu moins les oreilles. Cela fait que l'orchestre, à force d'être sans cesse en jeu, ne frappe jamais et manque presque toujours son effet.

Il faut qu'après une scène de récitatif un coup d'archet inattendu réveille le spectateur le plus distrait et le force d'être attentif aux images que l'auteur va lui présenter, ou de se prêter aux sentiments qu'il veut exciter en lui. Voilà ce qu'un orchestre ne fera point quand il ne cesse de racler.

Une autre raison plus forte contre les accompagnemens trop travaillés, c'est qu'ils font tout le contraire de ce qu'ils devroient faire. Au lieu de fixer plus agréablement l'attention du spectateur, ils la détruisent en la partageant. Avant qu'on me persuade que c'est une belle chose que trois ou quatre dessins entassés l'un sur l'autre par trois ou quatre espèces d'instrumens, il faudra qu'on me prouve que trois ou quatre actions sont nécessaires dans une comédie. Toutes ces belles finesses de l'art, ces imitations, ces doubles dessins, ces basses contraintes, ces contre-fugues ne sont que des monstres difformes, des monumens de mauvais goût, qu'il faut reléguer dans les cloîtres comme dans leur dernier asile.

Pour revenir à M. Rameau et finir cette digression, je pense que personne n'a mieux que lui saisi l'esprit des détails, personne n'a mieux su l'art des contrastes; mais en même temps personne n'a moins su donner à ses opéras cette unité si savante et si désirée; et il est peut être le seul au monde qui n'ait pu venir à bout de faire un bon ouvrage de plusieurs beaux morceaux fort bien arrangés.

UNE INQUISITION TRÈS SÉVÈRE

L'Opéra de Paris passe, à Paris, pour le spectacle le plus pompeux, le plus voluptueux, le plus admirable qu'inventa jamais l'art humain. C'est, dit-on, le plus superbe monument de la magnificence de Louis XIV. Il n'est pas si libre à chacun que vous le pensez de dire son avis sur ce grave sujet. Ici, l'on peut disputer de tout hors de la musique et de l'Opéra; il y a du danger à manquer de dissimulation sur ce seul point. La musique françoise se maintient par une inquisition très sévère, et la première chose qu'on insinue par forme de leçon à tous les étrangers qui viennent dans ce pays, c'est que tous les étrangers conviennent qu'il n'y a rien de si beau dans le reste du monde que l'Opéra de Paris. En effet, la vérité est que les plus discrets s'en taisent, et n'osent en rire qu'entre eux.

Il faut convenir pourtant qu'on y représente à grands frais, non seulement toutes les merveilles de la nature, mais beaucoup de merveilles bien plus grandes que personne n'a jamais vues; et sûrement Pope a voulu désigner ce bizarre théâtre par celui où il dit qu'on voit pêle-mêle des dieux, des lutins, des monstres, des rois, des bergers, des fées, de la fureur, de la joie, un feu, une gigue, une bataille et un bal.

Cet assemblage si magnifique et si bien ordonné est regardé comme s'il contenait en effet toutes les choses qu'il représente. En voyant paroître un temple on est saisi d'un saint respect; et pour peu que la déesse en soit jolie, le parterre est à moitié païen.

D'ALEMBERT (1717-1783)

La confrontation des qualités et des défauts réciproques de la musique française et de la musique italienne, aux XVIIe et XVIIIe siècles, a inspiré un certain nombre des textes précédents. Ce débat, vers le milieu du XVIIIe siècle passa les bornes d'une dispute esthétique et opposa violemment ses protagonistes. Un de ses plus célèbres épisodes, appelé la Querelle des Bouffons, *nous est ici raconté et commenté par d'Alembert lui-même.*

DE LA LIBERTÉ DE LA MUSIQUE

I

Il y a chez toutes les Nations deux choses qu'on doit respecter, la Religion & le Gouvernement; en France on y ajoute une troisième, *la musique du pays.* M. Rousseau a osé pourtant en médire, dans cette Lettre fameuse, tant combattue & si peu réfutée; mais les vérités qu'il a eu le courage d'imprimer sur ce grand sujet, lui ont fait plus d'ennemis que tous ses paradoxes; on l'a traité de pertubateur du repos public, qualification d'autant mieux méritée, que la Musique Françoise laisse fort *en repos* ceux qui l'écoutent. Quelques mauvais plaisans prétendoient néanmoins que M. Rousseau eût été mieux nommé perturbateur du *bruit* public, attendu que la Musique Françoise en fait beaucoup.

II

Dans les matières les plus sérieuses il est permis à nos Ecrivains de faire la satire de la Nation; on est bien reçu à nous prouver que sur le commerce, sur le droit public, sur les grands principes de la législation, nous ne sommes encore que des enfants; mais c'est un crime de nous dire que nous ne faisons que balbutier en Musique. La plupart des Lecteurs du Citoyen de Genève opinoient à le traiter comme cet Artiste de la Grece, que des séveres Magistrats chasserent pour avoir voulu ajouter une corde à la lyre. Aurions-nous adopté ce principe de Platon, que tout changement dans la Musique annonce un changement dans les mœurs ? Si c'est là le sujet de nos craintes, nous pouvons être tranquilles; nos mœurs sont à un point de perfection où le changement n'a rien à leur faire perdre.

III

Des Bouffons arrivés d'Italie il y a huit ans, & qu'on eut l'imprudence de montrer au public sur le théâtre de l'Opéra, ont été la funeste cause de la Lettre de M. Rousseau, & d'une guerre civile très-vive qu'elle a excitée parmi nous. Cette guerre suffiroit pour détruire l'opinion commune, que les François trop inconstans & trop légers, ne sont pas capables de s'occuper longtems d'un même sujet. Durant une année, & plus, nos entretiens & nos ouvrages ont épuisé la matière; notre parterre divisé présentoit l'image de deux armées en présence, prêtes à en venir aux mains; & cet espace d'une année, employé à disserter bien ou mal sur la Musique, est sans doute un tems fort honnête pour un pays où l'on ne parle que deux jours d'une bataille perdue, & où l'on emploie même le second à chansonner le Général. Aussi notre querelle musicale avoit été préparée insensiblement & de longue main, comme les grands événemens qui doivent agiter les Etats. Des mouvemens qui d'abord paroissoient légers, s'étendant & se fortifiant peu à peu, ont enfin produit une fermentation violente. En voici l'origine & le progrès. Il y a environ quarante ans que les Directeurs de l'Opéra firent la même faute qu'en 1753; il appellerent sur leur théâtre des Bouffons d'Italie. Les oreilles françoises, quoiqu'accoutumées à la psalmodie de Lulli & de ses disciples, la seule espèce de chant qu'elles connussent encore, accueillirent plus qu'on ne l'avoit espéré la nouvelle Musique qu'on leur faisoit entendre; déjà elle acquéroit des partisans, & la mauvaise doctrine gagnoit du terrain; il fallut pour détruire le mal le couper par la racine; les bouffons furent renvoyés, & la paix revint à l'Opéra avec l'ennui. Cependant quelques Musiciens furent frappés de l'effet qu'avoit produit sur les Auditeurs François cette Musique Italienne, moins uniforme, moins languissante, & moins pauvre que celle dont on nous avoit allaités jusqu'alors. Ces Musiciens essayerent donc de nous donner, comme à des enfants qu'on sevre, une nourriture un peu plus forte. Mouret s'écartant le premier de la route battue, mais s'en écartant peu (car il ne vouloit ni ne pouvoit beaucoup hasarder) osa dans ses Opéras essayer quelques Ariettes, modelées, autant qu'il en étoit capable, sur les airs Italiens qu'on connoissoit en France. La jeunesse, juge impartial, & par là meilleur qu'on ne croit prit plaisir à cette nouveauté; mais les Nestors crioient que c'en étoit fait du *bon genre,* que le goût alloit se perdre, & que le Gouvernement étoit bien mal conseillé de n'y pas mettre ordre. Enfin en 1733 paroît M. Rameau, avec son Opéra d'*Hippolite* à la main. C'est alors que les clameurs redoublent; les brochures injurieuses, les estampes satyriques, les noirceurs secrettes, tous les petits moyens que l'ignorance & l'envie savent si bien mettre en usage contre ce qui leur nuit ou leur déplaît, sont employés pour perdre ce dangereux novateur; le public va l'entendre, il se révolte d'abord, il se partage ensuite, il se réunit enfin en faveur du génie & du talent persécuté. Encouragé par ce succès, d'autant plus flatteur qu'il avoit été disputé long-temps, ce Musicien célèbre en mérite de nouveaux; & après un grand nombre d'Opéras, déchirés d'abord avec fureur, mais applaudis ensuite presque tous avec enthousiasme, il donne enfin l'Opéra bouffon de *Platée,* son chef-d'œuvre & celui de la Musique Françoise. C'est par cet Opéra qu'il faut juger de l'état présent de cet art parmi nous, des progrès dont il est redevable à M. Rameau, & nous osons ajouter, du chemin qui lui reste à faire encore. La gloire de l'illustre Artiste n'a rien à souffrir de cet aveu; peut-être y a-t-il plus loin du lieu d'où il est parti à celui où il est parvenu, que du point où nous sommes aujourd'hui, à celui où nous pouvons arriver. M. Rameau est d'autant plus digne d'estime, qu'il a osé tout ce qu'il a pu, & non tout ce qu'il auroit voulu oser; il a eu le mérite de voir au-delà du terme où il a conduit ses Auditeurs, & le mérite peut-être aussi grand de juger jusqu'où ils pouvoient être conduits. Il eût manqué son but en allant plus loin; il nous a donné, non la meilleure Musique dont il fût capable, mais la meilleure que nous pussions recevoir. Ce n'est pas seulement par leurs ouvrages qu'il faut mesurer les hommes, c'est en les comparant à leur siècle & à leur nation; & si les partisans zélés que M. Rameau s'étoit faits parmi nous, sont devenus plus froids sur la Musique, depuis que l'Italienne a frappé leurs oreilles, ils n'en sentent pas moins tout le prix de ses heureux efforts, & toute la justice des applaudissemens dont ils ont été couronnés.

IV

C'est dans ces circonstances, & après toutes les innovations déjà tentées ou hasardées dans notre Musique, que les Bouffons ont reparu pour la seconde fois sur notre théâtre; ils ont fourni à la plume éloquente de M. Rousseau, déjà exercé à nous dire des vérités dures, une occasion bien favorable de nous instruire & de nous maltraiter. On peut juger s'il a été écouté patiemment. Il a soutenu presque seul, comme ce fameux Romain, les attaques de l'armée françoise, animée & réunie contre sa lettre & contre sa personne. Cette armée, il est vrai, n'étoit guere composée que de troupes légeres; mais si elles ne portoient pas à leur ennemi des coups bien redoutables, elles faisoient contre lui presqu'autant de bruit que la Musique qu'elles défendoient. Ses complices (car la Musique Italienne lui en avoit donné) avoient aussi leur part, quoique plus foiblement, aux traits qu'on lançoit au hasard contre le Philosophe de Geneve. L'Encyclopédie, dont les principaux Auteurs avoient le malheur de penser comme M. Rousseau, & la témérité de le dire, ne fut pas épargnée dans ces circonstances; ce fut comme la première étincelle de l'embrasement général, qui en gagnant de proche en proche, a depuis échauffé tant d'esprits contre cet ouvrage. On représenta les Auteurs comme une société formée pour détruire à la fois la Religion, l'autorité, les mœurs & la Musique. Bientôt, comme par un effet du sort qui les poursuivoit pour les rendre odieux, l'effervescence qu'on les accusoit d'exciter, s'étendit de la Capitale aux Provinces; Lyon fut troublé comme Paris; & c'étoit encore un Encyclopédiste, & par malheur un homme de beaucoup d'esprit, qui étoit à la tête des séditieux.

V

Parmi le grand nombre d'Ecrits sur les deux Musiques, dont M. Rousseau a donné comme le signal, presque tous étoient en faveur de la Musique Françoise, qui en avoit le plus besoin; quelques-uns de ses partisans essayerent de la soutenir par des raisons, le plus grand nombre de la venger par des injures; les Bouffonistes n'écrivoient guere, lisoient encore moins ce qu'on écrivoit contr'eux, & se consoloient des ennemis que la Musique Italienne leur faisoit, par le plaisir qu'ils avoient à l'entendre. En vain pour les dégoûter des airs charmans que les Italiens exécutoient, on les assuroit que ces baladins qui leur faisoient tourner la tête, étoient le rebut de l'Italie, & dignes à peine des tréteaux d'une Place publique; ils répondoient que si l'exécution étoit mauvaise, la Musique étoit divine, & qu'ils préféroient un excellent Livre aussi mal lu qu'on voudroit, à la lecture la mieux faite d'un ouvrage fastidieux. Du reste, soit par la bonté de la cause, soit par l'art qu'ils ont eu de la faire valoir, l'avantage leur est demeuré dans le peu même qu'ils ont écrit; de cette foule innombrable de brochures publiées dans le temps pour & contre l'Opéra François, le *Petit prophete* & la Lettre de M. Rousseau sont les deux seules dont on se souvienne; on a oublié jusqu'au titre des autres.

VI

Ce n'est pas la première fois qu'on a manqué de respect à la Musique Françoise dans le lieu même de son empire. Au commencement de ce siècle, l'Abbé Raguenet, Ecrivain d'une imagination vive, mit au jour un petit ouvrage, où notre Musique étoit presqu'aussi maltraitée que dans la Lettre de M. Rousseau. Cet Ecrit n'excita ni guerres ni haines dans le temps où il parut; la Musique Françoise régnoit alors paisiblement sur nos organes assoupis; on regarda l'Abbé Raguenet comme un séditieux isolé, un conjuré sans complices, dont on n'avoit point de révolution à craindre. M. Rousseau a trouvé des Lecteurs plus aguerris & plus capables de l'entendre, & par conséquent plus de gens intéressés à le combattre. Mais nous ne pouvons nous dispenser de remarquer ici le jugement porté sur le Livre de l'Abbé Raguenet par son Censeur M. de Fontenelle, ce Philosophe si modéré & si pacifique, accoutumé d'ailleurs à nos anciens Opéras dont il avoit les oreilles imbues & pénétrées, élevé enfin dans la Musique la plus Françoise & la moins ultramontaine : *Je crois,* dit-il, *que l'impression de cet Ouvrage sera très-agréable au Public, pourvu qu'il soit capable d'équité.* Cinquante ans plus tard quel cri n'eût pas excité cette approbation ? Le sage Fontenelle n'auroit pas eu l'imprudence ou le courage de parler ainsi de nos jours. Il n'étoit pas homme à se faire des ennemis pour des chansons.

VII

Il y a une espèce de fatalité attachée dans ce siècle à ce qui nous vient d'Italie. Depuis la Bulle *Unigenitus* jusqu'aux Bouffons, tous les présens bons ou mauvais qu'elle a voulu nous faire, ont été pour nous un sujet de trouble. Ne seroit-il pas possible d'accommoder notre différend avec les Italiens, de prendre leur Musique & de leur renvoyer le reste ? Dissensions pour dissensions, celles que l'Opéra peut causer parmi nous seront moins turbulentes, & sur-tout moins ennuyeuses. Qu'on me permette de raconter à cette occasion, comme une matiere de réflexion pour les Philosophes, la conversation que j'eus dans la plus grande chaleur de notre guerre musicale, avec un Janséniste austère qui ne va jamais au spectacle, & qui n'en a pas la plus légère idée. On lui avoit envoyé une de ces brochures dont nous avons été inondés sur la Musique Françoise : « J'ai reçu, me dit-il, une feuille où je ne comprends rien, si ce n'est qu'elle m'a paru fort mal faite & fort mal écrite. Qu'est-ce que le *Correcteur des Bouffons*, l'*Ecolier de Prague*, le *Petit prophete*, le *Coin de la Reine* ? » Je lui expliquai de mon mieux ce que signifioient ces mots. « Hé bien, lui dis-je ensuite, vous n'entendiez rien à tout cela, & vous n'en étiez pas plus à plaindre; cependant apprenez que cette dispute sur la Musique, qui vous touche si peu, & qui n'est pas même parvenue jusqu'à vous, occupe depuis six mois avec fureur les graves citoyens de cette ville; apprenez que l'intérêt violent qu'ils y prennent, a suspendu & presque anéanti celui qu'ils commençoient à prendre à la chose du monde dont vous êtes le plus agité, l'affaire de la sœur Moyzan & celle de la sœur Perpétue. » Mon Janséniste gémit & alla prier Dieu pour l'aveuglement de son siècle.

VIII

Enfin pour calmer les esprits, il a fallu de nouveau renvoyer les Bouffons, à peu près comme il fallut autrefois que Titus renvoyât sa maîtresse pour appaiser les Romains. En vain les Bouffonistes, réduits à la disette, ont demandé instamment qu'on ne les privât pas avec rigueur d'un amusement qu'on leur avoit laissé goûter. Ceux qui président à nos plaisirs (& qui n'en ont guere) ont été aussi inexorables à leurs plaintes, que les vieilles femmes le sont pour interdire l'amour aux jeunes. On n'a voulu ni souffrir à l'Opéra la Musique Italienne, dont elle blessoit, disoit-on, la dignité, mais dont elle dévoiloit encore plus l'indigence, ni permettre à cette Musique de se faire entendre à ses malheureux partisans sur un théâtre particulier, & uniquement destiné pour elle. A peine l'a-t-on soufferte dans quelques Concerts, dont la liberté n'est pas même trop assurée. Je ne sais pourtant si on a bien fait d'ôter cet objet de distraction ou de dispute à une nation vive & frivole, dont l'inquiétude a besoin d'aliment, qui même heureusement n'y est pas difficile, qui est satisfaite pourvu qu'elle parle, mais qui peut exercer sa langue sur des sujets plus sérieux, si on la lui lie sur ses plaisirs. On sait le mot du danseur Pylade à Auguste, qui vouloit prendre parti dans la dispute des Citoyens de Rome au sujet de ce danseur & de son concurrent Bathylle : *Tu es un sot,* dit le Comédien à l'Empereur, *que ne les laisses-tu s'amuser de nos querelles ?* Quoi qu'il en soit, aujourd'hui que l'animosité est éteinte, les brochures oubliées, & les esprits adoucis, tandis que l'attention partagée des Parisiens oisifs est tournée vers des objets plus importans[1], & s'exerce sans fruit comme sans intérêt sur les affaires de l'Europe, seroit-il permis de faire un examen pacifique de notre querelle musicale ?

IX

Je m'étonne d'abord que dans un siecle où tant de plumes se sont exercées sur la liberté du commerce, sur la liberté des mariages, sur la liberté de la presse, sur la liberté des toiles peintes, personne n'ait encore écrit sur LA LIBERTÉ DE LA MUSIQUE. Etre esclaves dans nos divertissemens, ce seroit, pour employer l'expression d'un Ecrivain Philosophe dégénérer non seulement de la liberté, mais de la servitude même. « Vous avez la vue bien courte, répondent nos grands Politiques; toutes les libertés se tiennent, & sont également dangereuses. La liberté de la Musique suppose celle de sentir, la liberté de sentir entraîne celle de penser; la liberté de penser celle d'agir, & la liberté d'agir est la ruine des Etats. Conservons donc l'Opéra tel qu'il est, si nous avons envie de conserver le Royaume; & mettons un frein à la licence de chanter, si nous ne voulons pas que celle de parler la suive bientôt. » *Voilà,* comme disoit Pascal de je ne sais quel raisonnement d'Escobar, *ce qui s'appelle argumenter en forme; ce n'est pas là discourir, c'est prouver.* On aura peine à le croire, mais il est exactement vrai que dans le Dictionnaire de certaines gens, Bouffoniste, Républicain, Frondeur, Athée (j'oubliois Matérialiste) sont autant de termes synonymes. Leur logique profonde me rappelle cette leçon d'un Professeur de Philosophie. « La Dioptrique est la science des propriétés

1. L'auteur écrivoit ceci en 1759, pendant la guerre qui n'a fini qu'en 1763.

des lunettes; les lunettes supposent les yeux; les yeux sont un des organes de nos sens; l'existence de nos sens suppose celle de Dieu, puisque c'est Dieu qui nous les a donnés; l'existence de Dieu est le fondement de la Religion Chrétienne; nous allons donc prouver la vérité de la Religion pour première leçon de Dioptrique. »

X

La majesté de l'Opéra, disent nos gens de goût, seroit outragée, si on y admettoit des Baladins. Cependant si cette *majesté* nous ennuie, je ne vois pas ce qui nous obligeroit à la révérer. D'ailleurs pourquoi la *majesté* d'*Armide* seroit-elle offusquée par la *Serva Padrona,* si celle de *Cinna* ne l'est pas par le *Bourgeois Gentilhomme* ? Pourquoi ces connoisseurs si difficiles, qui se croiroient dégradés de voir *Bertholde à la Cour* après Roland, n'ont-ils pas honte de rire à *Pourceaugnac* après avoir pleuré à *Zaïre* ? Pourquoi enfin leurs oreilles sont-elles blessées des airs comiques d'un intermede Italien, lorsque leurs yeux ne le sont pas des bambochades de Teniers, des figures estropiées de la Chine, & des magots de porcelaine dont leurs maisons sont meublées ?

XI

La Musique Italienne, ajoutent-ils, nous dégoûteroit de la Françoise. Où est l'inconvénient, si la Musique Italienne est préférable ? C'est comme si on eût défendu à Corneille de composer ses pièces, sous prétexte qu'elles devoient faire oublier celles de Hardi & de Jodelle. Mais on fait plus d'honneur à la Musique Italienne qu'elle ne mérite; après l'avoir entendue pendant plus d'un an, il s'en faut bien que nous soyons revenus de la nôtre. On court à l'Opéra les Vendredis comme à l'ordinaire; & les Bouffonistes qui en avoient annoncé la désertion, se sont trompés dans leurs prophéties. Ces Enthousiastes ont jugé de l'impression du vulgaire par celle qu'ils éprouvoient. Ils ont été dans la même erreur que certains Ecrivains de nos jours, qui nous parlent sans cesse des progrès de la nation dans ce qu'ils appellent l'esprit Philosophique, & qui s'imaginent avoir contribué par leurs ouvrages à répandre cet esprit jusques dans le peuple. S'établit-il dans un fauxbourg quelque prétendu faiseur de miracles ? Le peuple y court en foule, & l'esprit philosophique est pris pour dupe. Je me représente les Philosophes vrais ou prétendus, qui ont quelque réforme à faire ou à prêcher, comme étant sur le bord d'un fleuve très-rapide qu'ils se proposent de franchir; ils assemblent leur siecle sur le bord du fleuve, le haranguent, & l'exhortent à les imiter. Ils se jettent ensuite dans le fleuve, & à travers une grêle de traits, que leur lancent la superstition & le despotisme, ils passent à la nage, ne doutant point que leur siecle ne les suive. A peine ont-ils passé, qu'ils se retournent, & voient leur siecle à l'autre bord, qui les regarde, qui se moque d'eux, & qui s'en va; c'est la fable du Berger & son Troupeau[1]. Ne jugeons donc pas de l'effet de la Musique Italienne sur le commun des spectateurs, par celui qu'elle a produit sur un petit nombre. Son futur empire, fût-il aussi infaillible qu'il est douteux, aura besoin de temps pour s'établir. Toute Musique, pour peu qu'elle soit nouvelle, demande de l'habitude pour être goûtée par le vulgaire; c'est pourquoi si l'Opéra François a quelque décadence à craindre, elle n'arrivera que peu à peu, & il pourra survivre encore à la génération qui le regrette. Qu'elle jouisse en paix de ses tranquilles plaisirs; mais qu'elle ne prétende point régler ceux de la génération suivante.

MÉLANGES DE LITTÉRATURE..., 1770.

GLUCK

MES OPÉRAS

ALCESTE (1767).

Lorsque j'entrepris d'écrire la musique de l'*Alceste,* je me proposai de la dépouiller entièrement de tous ces abus qui, introduits soit par la vanité mal entendue des chanteurs, soit par une complaisance exagérée des maîtres, défigurent depuis longtemps l'Opéra italien, et font du plus pompeux et du plus beau de tous les spectacles une chose ridicule et ennuyeuse. Je voulus réduire la musique à son véritable but, qui est de fortifier la poésie par une expression nouvelle, de rendre plus saisissantes les situations de la fable, sans interrompre l'action, sans même la refroidir avec des ornements inutiles. Je pensai que la musique devait être au poème ce que sont à un dessin correct et bien agencé la vivacité des couleurs et le contraste bien ménagé des lumières et des

1. Voyez les *Fables* de La Fontaine, l. IX, fable 19.

ombres qui servent à animer les figures sans en altérer les contours.

Je n'ai pas voulu arrêter l'acteur dans la chaleur du dialogue pour attendre une insipide ritournelle, ni couper un mot pour le retenir sur une voyelle favorable, pour faire valoir dans un long passage l'agilité de sa belle voix; je n'ai pas compris non plus que l'orchestre par une cadence donnât le temps au chanteur de reprendre haleine. Je n'ai pas cru devoir glisser rapidement sur la seconde partie d'un air, peut-être la plus passionnée et la plus importante, répéter quatre fois les paroles de la première partie, et terminer l'air, bien que le sens ne soit pas complet, afin de permettre au chanteur de varier capricieusement l'air de plusieurs manières. En somme, j'ai cherché à bannir de la musique tous ces abus contre lesquels protestent en vain le bon sens et la raison.

J'ai pensé que l'ouverture devait éclairer les spectateurs sur l'action et en être pour ainsi dire l'argument, la préface; que la partie instrumentale devait se mesurer à l'intérêt et à la passion des situations; qu'il ne fallait pas permettre qu'une coupure disparate entre l'air et le récitatif vînt tronquer à contresens la période et enlever à l'action sa force et sa chaleur.

J'ai cru, en outre, que tout mon travail devait tendre à la recherche d'une noble simplicité, évitant de faire ostentation de difficultés au préjudice de la clarté; la découverte de quelque nouveauté ne m'a semblé précieuse qu'autant qu'elle était d'accord avec la situation; enfin il n'y a pas de règle que je n'aie cru devoir sacrifier de plein gré en faveur de l'effet.

Tels sont mes principes. Par un sort heureux, le libretto se prêtait à merveille à mes desseins; le célèbre auteur, imaginant un plan de drame tout nouveau, avait substitué aux descriptions fleuries, aux comparaisons superflues, aux sentencieuses et froides moralités, le langage du cœur, les passions fortes, les situations intéressantes, et un spectacle toujours varié. Le succès a justifié mes principes, et l'approbation générale que j'ai recueillie dans une ville aussi éclairée (Vienne) m'a fait voir sûrement que la simplicité, la vérité et le naturel sont les seules règles du beau dans toutes les productions artistiques.

Epître au Grand-duc de Toscane, *trad. G. de Chacé.*

PARIS ET HÉLÈNE (1770).

L'unique raison qui m'avait poussé à faire imprimer ma musique de l'*Alceste* était l'espérance de rencontrer des imitateurs qui, trouvant déjà la voie ouverte et stimulés par les suffrages d'un peuple éclairé, s'appliqueraient à détruire les abus introduits dans le théâtre italien et à le conduire aussi loin que possible vers la perfection. J'ai le regret de l'avoir jusqu'ici tenté en vain. Les raffinés et les puristes, dont le nombre infini forme le principal obstacle au progrès des beaux-arts, se sont déchaînés contre une méthode qui, en s'enracinant, détruirait d'un coup toutes leurs prétentions d'arbitres souverains.

On a cru pouvoir juger l'*Alceste* d'après des essais incomplets, mal dirigés et encore plus mal exécutés. On a calculé dans une chambre l'effet qu'il produirait dans un théâtre, avec cette même sagacité qui fit jadis, dans une ville de la Grèce, juger à quelques pieds de distance des statues destinées à de hautes colonnes. Une oreille délicate a trouvé telle cantilène trop âpre, tel passage trop rude et mal amené, sans songer qu'à la place qu'elle occupait la phrase musicale était peut-être le maximum de l'expression et offrait le plus beau contraste. Un puriste a profité d'une négligence ou d'une faute d'impression pour condamner tel autre passage comme un crime contre les lois de l'harmonie; enfin à l'unanimité on a décidé la guerre à une musique barbare et extravagante.

Il est vrai qu'on juge les autres parties de l'ouvrage avec le même critérium et qu'on les juge avec l'assurance de ne se pouvoir tromper; mais Votre Altesse en voit tout de suite la raison. Plus on cherche la vérité et la perfection, plus aussi la précision et l'exactitude sont nécessaires. Aux yeux du vulgaire les différences entre Raphaël et les autres peintres sont insensibles; et une altération dans les contours qui ne gâte pas la ressemblance d'un vilain visage défigure entièrement le portrait d'une belle femme. Il s'en faudrait bien peu que mon air d'*Orphée,* « Que ferais-je sans Eurydice ? », en changeant quelque chose dans la façon de le dire, ne devînt une saltarelle de Burattini. Une note plus ou moins tenue, une altération de mouvement, un trop grand déploiement de voix, une appogiature inopportune, une trille, un *passage,* une roulade, peuvent ruiner toute une scène dans un opéra comme le mien et ne pas gâter et même embellir un opéra ordinaire. Aussi la présence de compositeurs à l'exécution d'une musique telle que je la comprends est-elle aussi nécessaire que la lumière du soleil dans un paysage. Il en est la vie, l'âme, pour ainsi dire; sans lui tout reste dans la confusion et dans les ténèbres. Mais il faut s'attendre à ces obstacles tant qu'il y aura dans le monde des gens qui se croient autorisés à décider en dernier ressort sur les beaux-arts parce qu'ils ont deux yeux, deux oreilles. C'est malheureusement un défaut trop commun parmi les hommes que la manie de vouloir discourir sur les choses qu'ils entendent le moins. N'ai-je pas vu dernièrement l'un des plus grands philosophes du siècle[1] se mêler d'écrire sur la musique et avancer comme un oracle que ce sont : *Songes d'aveugles et niaiseries de romans.*

Votre Altesse aura déjà lu le drame de *Pâris* et remarqué qu'il ne fournit pas à la fantaisie du compositeur ces passions fortes, ces grandes images, ces situations tragiques qui dans l'*Alceste* remuent profondément les spectateurs et sont si favorables aux grands effets de l'art. On ne peut donc pas s'attendre à trouver dans cette musique la même force et la même énergie; de même qu'on n'exigerait pas dans un tableau représentant un sujet en pleine lumière les mêmes effets de clair-obscur, les mêmes contrastes que dans un tableau peint dans le demi-jour. Il ne s'agit pas ici d'une femme qui, sur le point de perdre son époux, trouve le courage d'évoquer les divinités infernales au milieu des ténèbres de la nuit, dans une forêt sauvage, et qui, dans les angoisses de l'agonie, tremble sur le sort de son fils et ne peut se séparer d'un époux qu'elle adore. Il s'agit d'un jeune amoureux qui fait contraste avec l'humeur fantasque d'une honnête et orgueilleuse dame, et qui, avec tout l'art d'une passion ingénieuse, finit par triompher d'elle. J'ai dû chercher la variété des couleurs dans le caractère différent des Phrygiens et des Spartiates, en mettant en parallèle la rudesse et la sauvagerie des uns avec la délicatesse et la mollesse des autres. J'ai cru que le chant n'étant dans un opéra qu'une substitution à la déclamation, il devait avec Hélène imiter la rudesse native des Phrygiens, et j'ai pensé que pour conserver ce caractère à la musique, ce ne serait pas une faute de descendre quelquefois jusqu'au trivial. Lorsqu'on veut rester dans la vérité, il faut plier son style au sujet qu'on traite, les plus grandes beautés dans la mélodie et dans l'harmonie devenant des imperfections, des défauts, quand elles sont hors de propos. Je n'espère pas pour mon *Pâris* un meilleur succès que pour l'*Alceste*; quand à mon but d'entraîner les compositeurs de musique vers une réforme si vivement souhaitée, il rencontrera les plus grands obstacles; toutefois je ne cesserai pas de faire de nouvelles tentatives pour la réalisation de mon dessein, et si j'obtiens l'assentiment de Votre Altesse je répéterai avec satisfaction : *Tolle syparium; sufficit mihi unus Plato pro cuncto populo.*

Epître au duc de Bragance, *ibid.*

1. Le jésuite espagnol Artega (1750-1799, auteur de *Le Revoluzioni del Teatro musicale italiano,* 1783-1788.

ARMIDE (1777).

... Vous me dites, mon cher ami[1], dans votre Lettre, que rien ne vaudra jamais l'*Alceste* mais moi je ne souscris pas encore à votre prophétie. *Alceste* est une Tragédie complette, et je vous avoue que je crois qu'il manque très peu de choses à sa perfection; mais vous n'imaginez pas de combien de nuances et de routes différentes la Musique est susceptible; l'ensemble de l'*Armide* est si différent de celui de l'*Alceste*, que vous croirez qu'ils ne sont pas du même Compositeur. Aussi ai-je employé le peu de suc qui me restoit pour achever l'*Armide;* j'ai tâché d'être plus Peintre et plus Poëte que Musicien; enfin, vous en jugerez, si on veut l'entendre. Je vous confesse qu'avec cet Opéra, j'aimerai à finir ma carrière. Il est vrai que pour le Public, il faudra au moins autant de temps pour le comprendre, qu'il lui en a fallu pour comprendre l'*Alceste;* car j'ai trouvé le moyen de faire parler les personnages de manière que vous connaîtrez d'abord à leur façon de s'exprimer, quand ce sera Armide qui parle, ou une suivante, etc., etc. Il faut finir, autrement vous croiriez que je suis devenu fou ou Charlatan. Rien ne fait un si mauvais effet que de se louer soi-même, cela ne convenoit qu'au grand Corneille; mais quand Marmontel ou moi nous nous louons, on se moque de nous, et on nous rit au nez. Au reste, vous avez grande raison de dire qu'on a trop négligé les Compositeurs François; car, ou je me trompe fort, je crois que Gossec et Philidor, qui connoissent la coupe de l'Opéra Françoise, serviroient infiniment mieux le Public que les meilleurs Auteurs Italiens, si l'on ne s'enthousiasmoit pas pour tout ce qui a l'air de nouveauté. Vous me dites encore, mon ami, qu'*Orphée* perd par la comparaison avec *Alceste*. Eh mon Dieu! comment peut-on comparer ces deux ouvrages qui n'ont rien de comparable ? L'un peut plaire davantage que l'autre; mais faites exécuter l'*Alceste* avec vos mauvais Acteurs et toute autre Actrice que Mlle Le Vasseur, et *Orphée* avec ce que vous avez de meilleur, et vous verrez qu'*Orphée* emportera la balance : les choses les mieux faites, mal exécutées, deviennent d'autant plus insupportables. Une comparaison ne peut subsister entre deux ouvrages de différente nature. Que si, par exemple, Piccini et moi, nous faisons chacun pour notre compte l'Opéra de *Roland*, alors on pourroit juger lequel des deux l'auroit mieux fait; mais les divers Poëmes doivent nécessairement produire différentes Musiques, lesquelles peuvent être pour l'expression des paroles, tout ce qu'on peut trouver de plus sublime chacune dans

1. Le bailli du Rollet.

son genre; mais alors toute comparaison *claudicat*. Je tremble presque qu'on ne veuille comparer l'*Armide* et l'*Alceste,* poëmes si différens dont l'un doit faire pleurer, et l'autre faire éprouver une voluptueuse sensation; si cela arrive, je n'aurai pas d'autre ressource que de faire prier Dieu pour que la bonne ville de Paris retrouve son bon-sens...

LETTRE AU BAILLI DU ROLLET.

W.-A. MOZART

PROBLÈMES D' « IDOMÉNÉE » (1781)

Ma tête et mes mains sont tellement prises par le troisième acte qu'il n'y aurait rien de merveilleux si j'étais moi-même transformé en un troisième acte... A lui seul, il me donne plus de peine que tout un *opéra*... Il ne s'y trouve presque aucune scène qui ne soit extrêmement *intéressante*. — L'*accompagnement* de la Voix souterraine ne consiste qu'en 5 instruments : en 3 trombones et deux cors, qui sont *placés* à l'endroit même d'où part la Voix... L'*orchestre* reste muet en entier, à ce moment...

Nous aurons, sans doute, encore beaucoup d'observation à faire, en scène, pour le troisième acte... Par exemple, sur la façon dont arrive la *scène* VI, après l'*aria* d'Arbace... « Idoménée, Arbace », etc... Comment celui-ci peut-il être revenu tout de suite ?... Encore heureux qu'il puisse tout à fait disparaître... Mais, pour jouer au plus sûr, j'ai composé une *introduction* un peu plus longue au *récitatif* du grand prêtre. — Après le chœur de deuil, le Roi, le peuple entier, tout le monde s'en va...; et dans la *scène* suivante, on lit : « *Idomeneo in ginocchione nel tiempo...* » Ce n'est pas possible... Il faut qu'il arrive avec toute sa suite... Il faut, là, une *marche,* de toute nécessité... Dès lors j'en ai écrit une, toute *simple,* pour deux violons, alto, basse et deux hautbois, qui est jouée à *mezza voce*... et pendant laquelle le Roi vient, avec les prêtres qui préparent les choses nécessaires au sacrifice... Et puis le Roi s'agenouille et commence sa prière.

Dans le récitatif d'Elettra, après la Voix souterraine..., il faut aussi mettre : « *partono* »... J'ai oublié de regarder si le mot se trouve dans la copie pour l'impression, et comment il est placé... Je trouve si sot que ces gens se dépêchent tant de disparaître... rien que pour laisser seule *Madame* Elettra!

A son père, Munich, 3 janvier 1781,
trad. H. de Curzon.

La répétition du troisième acte a merveilleusement réussi. On a trouvé qu'il dépassait encore de beaucoup les deux premiers... Seulement le poème y est bien trop long, et par suite, la musique aussi (ce que j'ai toujours dit) : en sorte qu'on coupe l'*aria* d'Idamante « *No la morte io non pavento!* » — lequel est, d'ailleurs, mal placé là — bien que les gens qui l'ont entendu chanter le déplorent..., et le dernier de Raaf aussi... ce qui fait encore plus soupirer... Mais quoi ?... il faut faire de nécessité vertu. — Et puis la sentence de l'*Oracle* est aussi bien longue... je l'ai abrégée... Varesco n'a besoin de rien savoir de tout cela, car tout est imprimé comme il l'a écrit.

A son père, Munich, 10 janvier 1781,
trad. H. de Curzon.

PROBLÈMES DE L' « ENLÈVEMENT AU SÉRAIL » (1781)

L'opéra commençait par un *monologue,* et j'ai prié M. Stéphanie d'en faire une petite *ariette...,* et aussi, après la petite chanson d'Osmin, au lieu de laisser bavarder ensemble les deux personnages, d'en tirer un *duo...* nous avons destiné le rôle d'Osmin à M. Fischer, qui a certainement une excellente voix de basse (encore que l'archevêque m'ait dit qu'elle est trop grave pour une basse; sur quoi je l'ai assuré qu'il chanterait plus haut la prochaine fois). Il faut utiliser un pareil artiste, d'autant qu'il a tout le public d'ici pour lui... Aussi, comme Osmin n'avait, dans le livret *original,* que cette seule petite chanson à chanter, et rien d'autre que le trio et le *final,* je lui ai donné un air au premier acte, et un autre encore au second... Cet air, je l'ai entièrement suggéré à M. Stéphanie... même, l'essentiel de la musique en était déjà achevé avant que Stéphanie en sût un mot... Vous n'aurez ici que le début et la fin, qui doit être d'un bon effet... la colère d'un Osmin tournera de cette façon au comique, parce que j'y emploie la musique turque...

Dans le développement de l'air, j'ai fait briller ses belles notes graves (tant pis pour ce qu'en dit le Midas de Salzbourg!). — Le passage « *Drum beim Barte des Propheten*[1] », etc., est dans le même *tempo* que ce qui précède, mais avec des notes brèves..., et comme sa colère augmente toujours, — tandis que l'on s'imagine que l'air va finir — l'*allegro assai* qui est dans une tout autre mesure et un autre ton,... doit faire juste le meilleur *effet*. Car l'homme qui se trouve dans une aussi violente colère, excède toute règle, toute mesure, toute borne; il ne se connaît plus... Et il faut qu'elle aussi, la musique, ne se connaisse plus. Mais comme les passions, violentes ou non, ne doivent jamais être exprimées jusqu'à exciter le dégoût, et comme la musique, même dans la situation la plus terrible, ne doit jamais offenser l'oreille, mais, pourtant, là encore, la charmer, et donc rester toujours de la musique, je n'ai pas choisi ici un ton étranger à celui de *fa* (qui est le ton de l'air), mais un ton apparenté : non le plus voisin, *ré* mineur, mais le plus éloigné, *la* mineur.

Maintenant, l'air de Belmont en *la* majeur : « *O wie ängstlich, o wie feurig*[2]... », savez-vous comment il est rendu ?... Le cœur qui bat, plein d'amour, est déjà annoncé d'avance... par les deux violons à l'octave... Celui-là, c'est l'air *favori* de tous ceux qui l'ont entendu... et de moi aussi. Il est tout à fait écrit pour la voix d'Adamberger. On y sent le tremblement, l'irrésolution...; on y sent la poitrine gonflée qui se soulève, — ceci *exprimé* par un *crescendo* —; on y entend la voix qui chuchote, qui soupire, — ceci rendu par les premiers violons avec *sourdine* et une flûte, *unisono*...

Le chœur des Janissaires est, pour un chœur de Janissaires, tout ce qu'on peut souhaiter... bref et gai... tout à fait écrit pour les Viennois. — L'air de Constance, je l'ai un peu sacrifié à l'agile gosier de *Mademoiselle* Cavalieri... « *Trennung war mein banges Loos und nun schwimmt mein Aug in Thränen*[3]... » J'ai cherché à l'exprimer, autant qu'y prête un air de *bravoure* à l'italienne. Le *hui*... je l'ai changé en *schnell*, ainsi : « *Doch! wie schnell so und meine Freude* », etc. Je ne sais à quoi pensent nos poètes allemands... Quand même ils ne comprendraient pas le caractère du théâtre, et spécialement des opéras..., ils devraient bien, au moins, ne pas faire parler les gens comme s'ils poussaient des cochons devant eux... « *Hui, Sau!* »

---

1. Par la barbe du prophète !...
2. Avec quelle anxiété, quelle brûlante ardeur... bat mon cœur amoureux.
3. La séparation est devenue mon sort angoissé et maintenant mes yeux sont noyés de larmes !

A présent, le trio, c'est-à-dire le finale du premier acte. — Pedrillo a fait passer son maître pour architecte, afin de lui procurer l'occasion de se rencontrer au jardin avec sa Constance. Le bassa l'a pris à son service... Osmin, comme son intendant, et parce qu'il ne sait rien de cela, qu'il est un grossier rustre et l'ennemi juré de tous les étrangers, fait l'*impertinent* et se refuse à les laisser pénétrer dans le jardin. Ce début, que je résume, est très court..., et le texte y prêtant, j'ai pu l'écrire assez bien pour trois voix. Mais alors commence, tout de suite, le ton *major, pianissimo...,* qui doit marcher très vite...; et la conclusion, alors, fera beaucoup de bruit. — C'est vraiment tout ce qui convient à un finale d'acte... Plus on fait de bruit, mieux ça va... et plus c'est court, mieux cela va aussi... Il faut que les gens ne se refroidissent pas dans leurs applaudissements.

De l'*ouverture,* vous ne trouverez ici que 14 mesures... Elle est très courte...; elle passe sans cesse du *forte* au *piano,* la musique turque reprenant tout le temps à chaque *forte...* Elle module ainsi d'un ton à l'autre... et je crois qu'on ne pourra pas s'y endormir, eût-on passé toute une nuit sans sommeil.

Maintenant, je me trouve comme un lièvre dans du poivre... Voici plus de trois semaines que le premier acte est achevé... Terminés encore un air du second acte et le duo à boire (ceci *per li signori Vienesi*) dont le thème n'est autre que ma Retraite turque... Mais je ne puis rien composer de plus..., parce que toute l'histoire, pour l'instant, est remaniée — sur ma demande, à dire vrai. — A ce début du troisième acte figure un *charmant* quintette, mais c'est bien plutôt un *finale...* et j'aimerais mieux l'avoir comme conclusion du second acte. Pour pouvoir arranger cela, il faut un grand changement, et même combiner une *intrigue* toute nouvelle... et Stéphanie a du travail par-dessus la tête. Il faut bien avoir un peu de patience!

Tout le monde fait la moue quand il s'agit de Stéphanie... Il se peut que, même avec moi, il ne me montre ainsi d'amitié que lorsque je suis là..., mais il n'en *arrange* pas moins fort bien son livret pour moi..., et comme je le veux..., à un cheveu près...; et, par Dieu! je ne lui en demande pas plus... Ah! on jase au sujet de l'*opéra;* mais il faut bien qu'il en soit ainsi...

A SON PÈRE, Vienne, 26 septembre 1781,
trad. H. de Curzon.

QUE LA POÉSIE SOIT FILLE OBÉISSANTE DE LA MUSIQUE

... Maintenant parlons du texte de l'opéra [1]. En ce qui concerne le travail de Stéphanie, vous avez sans doute raison... Pourtant, la poésie est tout à fait mesurée au caractère du sot, grossier et méchant Osmin..., et je sais bien que la versification n'en est pas des meilleures... mais elle s'est trouvée concorder d'une façon si juste avec mes idées musicales (qui m'avaient déjà, d'avance, trotté par la tête), qu'elle a dû, nécessairement, me plaire...; et je parierais bien qu'à la représentation... on n'y regrettera rien. — Pour la poésie incluse dans la pièce de Belmont : *O wie ängstlich,* en *mi,* ne pourrait guère être mieux écrit pour la musique... A part le *Hui* et le *Kummer ruht in meinem Schosz* (car le tourment... ne peut reposer), l'autre air n'est pas mal non plus : surtout la première partie... Et puis, je ne sais, mais... dans un opéra, il faut absolument que la poésie soit fille obéissante de la musique... Pourquoi les opéras bouffes italiens plaisent-ils donc partout..., avec tout ce que leurs livrets renferment de misérable ? — Et même à Paris..., j'en ai été moi-même témoin. — C'est que la musique y règne sans partage... et dès lors on oublie tout le reste.

Oui, un opéra doit plaire d'autant plus que le plan de la pièce aura été mieux établi; que les paroles auront été écrites pour la musique, et qu'on ne rencontrera pas, ici et là, introduites pour satisfaire une malheureuse rime (quelles qu'elles puissent être, par Dieu! les rimes n'ajoutent rien au mérite d'une représentation théâtrale et lui nuisent plutôt), des paroles... ou même des strophes entières qui gâtent toute l'idée du compositeur. Les vers sont bien, pour la musique, la chose la plus indispensable... mais les rimes... pour les rimes, c'est bien la plus nuisible... Les gens qui entreprennent leur œuvre avec tant de pédanterie, sombreront toujours eux et leur musique. — Le mieux, c'est quand un bon compositeur, qui comprend le théâtre et qui est lui-même en état de suggérer des idées, se rencontre avec un judicieux poète, un vrai phénix... C'est alors qu'on ne doit pas s'inquiéter du suffrage des ignorants! — Les poètes me font un peu l'effet des trompettes, avec leurs farces de métier!... Si, nous autres compositeurs, nous voulions suivre toujours si fidèlement nos règles qui étaient très bonnes autrefois (quand on ne savait rien de mieux qu'elles), nous

---

1. *L'Enlèvement au Sérail.*

La leçon de musique. Manet (1832-1883). Coll. Rouart. *(Cliché Bulloz)*.

Le violoniste bleu. Marc Chagall. *(Cliché Giraudon)*.

ferions tout juste d'aussi médiocre musique qu'ils font de médiocres livrets...

A SON PÈRE, Vienne, 13 octobre 1781.
trad. H. de Curzon.

BEETHOVEN

L'OPÉRA ME VAUDRA LA COURONNE DU MARTYRE

Le maudit concert que j'ai été forcé de donner, en partie à cause de ma mauvaise situation, m'a mis en retard pour l'opéra.

La cantate que je voulais donner m'a pris aussi cinq à six jours.

A présent, il faut que tout marche une bonne fois, et j'irais plus vite à écrire quelque chose de neuf qu'à mettre comme maintenant du neuf sur du vieux [1]. D'après ma façon habituelle d'écrire, même dans la musique instrumentale, j'ai toujours l'ensemble devant les yeux; mais ici mon ensemble est partout divisé d'une certaine manière, et il faut que je le repense à nouveau. Donner l'opéra dans quinze jours est chose impossible, je crois toujours que cela pourra prendre quatre semaines.

Cependant le premier acte sera achevé dans quelques jours, seulement il y a beaucoup à faire dans le second acte, et aussi une nouvelle ouverture, ce qui est bien le plus facile, puisque je peux la faire entièrement neuve. Avant mon concert, il n'y avait que quelques esquisses çà et là, aussi bien dans le premier que dans le deuxième acte; c'est seulement depuis quelques jours que j'ai pu commencer à les développer. La partition de l'opéra est si terriblement écrite que je n'ai jamais rien vu de pareil [2]; il faut la revoir note par note... Bref je vous l'assure, cher T., l'opéra me vaudra la couronne du martyre; si vous ne vous étiez pas donné tant de peine avec, si vous n'aviez pas tout arrangé si avantageusement, ce dont je vous remercierai éternellement, j'aurais pu à peine prendre cela sur moi. Vous avez ainsi sauvé encore quelques bons restes d'un navire échoué...

CORRESPONDANCE.

---

1. Il s'agit de la nouvelle version de *Leonore*, l'opéra *Fidélio*.
2. Par suite de la mauvaise écriture de Beethoven, les copistes accumulaient les erreurs.

★

Je te prie de demander à M. de Seyfried qu'il dirige aujourd'hui mon opéra, je veux moi-même aujourd'hui le voir et l'entendre de loin; ainsi du moins ma patience ne sera pas mise autant à l'épreuve que lorsque j'entends de si près massacrer ma musique. Je ne puis faire autrement que de croire qu'on le fait exprès pour moi; je ne veux rien dire des instruments à vent, mais... Fais biffer de mon opéra tous les *pp. cresc.*, tous les *decresc.*, et tous les *f. ff.*; on ne les fait tout de même pas. Je perds toute envie de jamais rien écrire encore, si je dois l'entendre *comme cela.*

Ibid.

STENDHAL

STENDHAL (1783-1842) a porté à Mozart et Cimarosa une fervente admiration, mais c'est de ce dernier qu'il souhaite que s'inspirent les musiciens français de son temps. En matière de musique comme de beaucoup d'autres, Stendhal est un italianiste convaincu, sans toujours être, comme ici, convaincant.

L'HARMONIE DÉPLACÉE AU THÉATRE!

En musique, il y a deux routes pour arriver au plaisir : le style de Haydn et le style de Cimarosa, la sublime harmonie ou la mélodie délicieuse. Mayer, Winter, Maria Weber, ont obtenu de grands succès par des opéras où la mélodie n'occupe qu'un rang bien secondaire. Maria Weber, qui apparemment n'avait que de mauvais chanteurs lorsqu'il écrivit le fameux *Freischutz*, n'y a guères mis que des romances, des duos et des chœurs. On y chercherait en vain ces magnifiques morceaux d'ensemble qui ont assuré le succès de *La Gazza ladra* et d'*Otello* (de Rossini). On s'est mis, je ne sais pourquoi, à appeler *savante* la musique faite par les compositeurs allemands; il me semble que l'harmonie est souvent une science déplacée au théâtre. Elle règne dans la *symphonie*, dans la musique d'église; mais au théâtre, on préfère en général une jolie cantilène de Paesiello aux morceaux d'orchestre les plus compliqués de Spohr ou de Winter. A Paris, les personnes qui savent exécuter proprement une symphonie sur le piano, croient souvent être savantes en musique, et connaître le contrepoint parce qu'elles lisent rapidement un grand morceau de Moschélès. Ces personnes habiles admirent surtout la difficulté vaincue, et tiennent pour la musique *savante;* elles protestent que la musique *savante* leur fait éprouver les transports les plus agréables. A cela, il n'y a absolument rien à répondre : on ne peut nier les sensations. Seulement, il est permis de compter les voix, et de proclamer que les personnes qui préfèrent, au théâtre, la musique *savante* forment une très petite minorité. La majorité des dilettanti préfère, de beaucoup, *Otello* à *Zelmira,* et *Tancrede* à *Semiramide.*

Me sera-t-il permis d'ajouter qu'excepté les personnes qui croient posséder un grand talent sur le piano ou la harpe, cette opinion m'a semblé presque unanime à la représentation de mercredi.

Le JOURNAL DE PARIS, 2 avril 1826,
« Dernière représentation de *Zelmira,*
dans la salle de l'Académie Royale de Musique ».

POUR UN OPÉRA

La musique du siècle Cimarosa est usée en Italie : heureusement elle ne l'est point en France, car nous n'avons pas entendu la dixième partie des chefs-d'œuvre de Cimarosa et de Paesiello; mais il faut arranger cette musique : rien de plus facile. Nos arrangeurs ont beaucoup de science et peu d'idées. Il n'est peut-être pas un air de Cimarosa qui présente une idée claire, originale, frappante. Cette idée est donnée en *mauvais langage,* les accompagnements ont vieilli, eh bien! changeons les accompagnements, rien de plus simple. Supposons qu'on nous présente une pensée frappante de Montesquieu, la phrase qui énonce cette pensée est déparée par deux ou trois fautes de français : quel est celui d'entre nous qui, d'un trait de plume, ne corrigerait pas ces fautes et ne ferait pas parler ce grand homme comme on parle aujourd'hui ?

Voilà tout ce que les opéras bouffons des grands maîtres d'Italie demandent aux arrangeurs. Comme Cimarosa a fait cent opéras et Paesiello deux cents, l'arrangeur aura la liberté de prendre trois ou quatre opéras pour en faire un seul. On pourrait commencer par la *Scuffiara* (« la Marchande de modes ») de Paesiello qui se joue encore tous les ans à Naples avec le plus grand succès.

Une chose me persuade que nous aurons bientôt ce genre de plaisir musical. Si l'on n'a pas recours à ces anciens opéras bouffons, où en trouvera-t-on qui puissent convenir à la sévérité du goût qui distingue le public de Favart ? A l'exception de *La Pietra di Paragone,* on a joué tout Rossini. Il nous resterait le parti que l'on prend dans toutes les capitales d'Italie : appeler un compositeur qui nous ferait pour chaque saison un opéra avec de la musique nouvelle composée pour la voix de nos chanteurs. Un jour, sans doute, nous en viendrons à ce point, mais je plains sincèrement le *maestro* qui fera le premier de la musique nouvelle pour le théâtre Favart. Nous voulons que tous les morceaux d'un opéra soient frappants de beauté; à la Scala, à San Carlo, un joli *duetto,* un air agréable et un beau finale soutiennent un opéra pendant trente représentations.

LE JOURNAL DE PARIS, 7 octobre 1826,
Romeo et Giuletta, 5 octobre.

DIALOGUE ENTRE ROSSINI ET WAGNER[1]

Italien et Allemand. — Regardez cet aimable et folâtre papillon, mais enlevez-lui sa poussière colorée, et voyez comme il vole piteusement et combien peu on fait attention à lui, tandis qu'on retrouve après des siècles des squelettes de géants que leurs descendants se montrent avec curiosité.

Rossini et Beethoven. — Le papillon volait sur le chemin de l'aigle, mais celui-ci l'évita pour ne pas l'écraser d'un coup d'aile.

ROBERT SCHUMANN.

ROSSINI : Ah! monsieur Wagner, comme un nouvel Orphée, vous ne craignez pas de franchir ce seuil redoutable... (*Et sans laisser à Wagner le temps de répliquer* :) Je sais que l'on m'a beaucoup noirci dans votre esprit...

1. Nous reproduisons ici, avec quelques aménagements, un des témoignages sans doute les plus importants qui soient, sur un moment de l'histoire musicale, où s'affrontèrent les traditions du passé incarnées par Rossini, et celles de la nouvelle conception wagnérienne de l'opéra. Le hasard a voulu qu'un mélomane, M. Michotte, assistât à la rencontre des deux artistes et en fît le suivant compte rendu à la manière d'un magnétophone.

L'on me prête à votre sujet maintes railleries que rien d'ailleurs ne justifierait de ma part. Et pourquoi agirais-je de la sorte ? Je ne suis ni Mozart ni Beethoven. Je n'ai pas non plus la prétention d'être un savant; mais je tiens à avoir celle d'être poli, et de me garder d'injurier un musicien qui, comme vous le faites, — d'après ce qu'on m'a dit, s'efforce d'étendre les limites de notre art. Ces grands malins qui prennent plaisir à s'occuper de moi, devraient au moins m'accorder, sauf d'autres mérites, celui de posséder le sens commun.

Quant à mépriser votre musique, d'abord je devrais la connaître; pour la connaître je devrais l'entendre au théâtre, car ce n'est qu'au théâtre et non à la simple lecture d'une partition, qu'il est possible de porter un jugement équitable sur une musique destinée à la scène. La seule composition que je connais c'est votre marche de *Tannhäuser.* Je l'ai entendue plusieurs fois à Kissingen lorsque j'y fis une cure il y a trois ans. Elle produisait grand effet et — je l'avoue bien sincèrement — pour ma part je l'ai trouvée très belle.

Et maintenant que tout malentendu, comme je l'espère, est dissipé entre nous, dites-moi comment vous vous trouvez de votre séjour à Paris. Vous êtes en pourparlers, je le sais, pour faire représenter votre opéra *Tannhäuser* ?...

WAGNER : (*d'un ton simple et empreint de grande bonhomie, plein de déférence*) : Qu'il me soit permis, illustre maître, de vous remercier de ces paroles bienveillantes. Elles me touchent vivement. Elles me prouvent combien dans l'accueil que vous voulez bien me faire, votre caractère — ce dont je n'ai jamais douté — se montre noble et grand. Croyez surtout, je vous prie, quand même vous eussiez émis des critiques sévères à mon égard, — que je ne m'en serais pas senti offensé. Je le sais, mes écrits sont de nature à faire naître des interprétations erronées. Devant l'exposé d'un vaste système d'idées nouvelles, les juges les mieux intentionnés peuvent se méprendre sur leur signification. C'est pourquoi il me tarde de pouvoir faire la démonstration logique et complète de mes tendances, par des exécutions intégrales et aussi parfaites que possible, de mes opéras...

ROSSINI : Ce qui est juste; car les faits valent mieux que les paroles.

WAGNER : Et pour commencer, — tous mes efforts en ce moment tendent à faire représenter *Tannhäuser.* Je l'ai fait entendre naguère à Carvalho qui, bien impressionné, se montra assez disposé à tenter l'aventure; mais rien n'est encore décidé. Malheureusement un mauvais vouloir, qui depuis longtemps sévit dans la presse contre moi, menace de prendre la tournure d'une véritable cabale... Il est à craindre que Carvalho n'en subisse l'influence...

Rossini (*vivement*) : Quel est le compositeur qui ne les ait pas subies à commencer par le grand Gluck lui-même ? Pour ma part, — croyez-le bien, — je n'ai pas été épargné non plus, tant s'en faut. Le soir de la première du *Barbier*, où, selon l'usage établi alors en Italie, pour l'opéra-buffa, je tenais à l'orchestre le clavicembalo pour l'accompagnement des récitatifs, j'ai dû me sauver devant l'attitude d'un public vraiment déchaîné. Je croyais qu'on allait m'assassiner.

Ici, à Paris, où j'arrivai pour la première fois, en 1824, ayant été appelé par la direction du théâtre italien, je fus salué pour ma bienvenue par le sobriquet de « Monsieur *Vacarmini* » qui me resta. Et ce n'est pas de main morte je vous assure, que je fus malmené dans le camp de quelques musiciens et critiques de la presse, ligués d'un commun accord — *accord* aussi parfait que majeur!

Il n'en fut pas autrement non plus à Vienne, lorsque j'y vins en 1822 pour montrer mon opéra *Zelmira*. Weber lui-même, qui d'ailleurs depuis longtemps déjà avait publié des articles fulminants contre moi, à la suite des représentations de mes opéras au théâtre italien de la Cour, me poursuivit sans relâche...

Wagner : Weber, oh! je le sais, était très intolérant. Surtout il devenait intraitable, dès qu'il s'agissait de défendre l'art allemand. C'était impardonnable; de manière — et cela se comprend — que vous n'avez pas eu de rapports avec lui, pendant votre séjour à Vienne ?... Un grand génie et mort si prématurément!...

Rossini : Un grand génie, certes, et le vrai, celui-là; car créateur et puissant par lui-même, il n'imitait personne. En effet, je ne l'ai pas connu à Vienne; mais voici par suite de quelles circonstances je le vis plus tard à Paris, où il s'arrêta quelques jours avant de partir pour l'Angleterre. Dès son arrivée, il fit les visites d'usage aux musiciens les plus en vue : Cherubini, Herold, Boieldieu. Il se présenta également chez moi. N'ayant pas été prévenu de sa visite, je dois convenir qu'en voyant inopinément devant moi ce compositeur génial, j'éprouvai une émotion qui n'était pas loin de ressembler à celle que je ressentis lorsque précédemment, je me trouvai en présence de Beethoven. Très pâle, haletant d'avoir monté mon escalier (car il était déjà fort malade), le pauvre garçon aussitôt qu'il me vit, crut devoir m'avouer — avec un embarras que sa difficulté à trouver les mots français augmentait encore — qu'il avait été très dur pour moi dans ses articles de critique musicale... mais... Je ne le laissai pas achever... « Voyons, lui dis-je, ne parlons pas de cela; d'abord, ajoutai-je, ces articles, je ne les ai point lus, — je ne connais pas l'allemand... Les seuls mots de votre diabolique de langue pour un Italien, qu'il m'a été possible de retenir et de prononcer après une application héroïque, ce sont *ich bin zufrieden.* J'en étais fier, et à Vienne, je m'en servais indistinctement dans toutes les occasions, solennelles ou privées, — solennelles surtout. Cela me valut auprès de la population viennoise, qui passe pour être la plus aimable de tous les Etats allemands, et surtout auprès des belles Viennoises, une réputation d'urbanité achevée : *ich bin zufrieden.* » Ces propos firent sourire Weber; ce qui lui donna plus d'assurance et le mit aussitôt à l'aise.

« D'ailleurs, continuai-je en discutant mes opéras, vous ne m'avez fait que trop d'honneur, à moi qui suis si peu de chose à côté des grands génies de votre pays. Aussi vais-je vous demander de me permettre de vous embrasser; et, croyez-moi, si mon amitié peut avoir quelque prix à vos yeux, je vous l'offre complètement et de tout mon cœur. »

Je l'embrassai avec effusion et je vis apparaître une larme dans ses yeux.

WAGNER : Il était déjà atteint alors, je le sais, de la phtisie, qui devait l'emporter peu de temps après.

ROSSINI : En effet. Il m'apparut dans un état pitoyable : le teint livide, émacié, affecté de la toux sèche des poitrinaires... puis boitant; il faisait peine à voir. Peu de jours après, il vint me retrouver afin de me demander quelques recommandations pour Londres où il allait se rendre. Je fus atterré à la pensée de le voir entreprendre un pareil voyage. Je l'en dissuadai de la façon la plus énergique, lui disant qu'il commettait un crime... un suicide! Rien n'y fit : « Je le sais, me répondit-il, j'y laisserai ma vie... Mais il le faut. Je dois aller monter *Obéron*, mon contrat m'y oblige, il le faut, il le faut... »

Entre autres lettres pour Londres où, pendant mon séjour en Angleterre, j'avais noué d'importantes relations, je lui confiai une lettre de présentation au roi Georges qui, très accueillant pour les artistes, avait été particulièrement affable pour moi. — Le cœur navré, j'embrassai une dernière fois ce grand génie, avec le pressentiment que je ne le reverrais plus. Ce n'était que trop vrai. *Povero Weber!*

... Mais nous parlions des *cabales.* Voici mon opinion à ce sujet; rien de tel que de leur opposer le silence et l'inertie; c'est plus efficace, croyez-moi, que la riposte et la colère. La malveillance est légion; celui qui seul veut se débattre ou, si vous l'aimez mieux, se battre contre cette gueuse ne portera jamais le dernier coup. Pour ma part, me *f...ichant* de ces attaques, — plus on me roulait, plus je ripostai par des *roulades;* aux sobriquets, j'opposai mes *triolets;* aux lazzis mes *pizzicati;* et tout le tintamarre mis en branle par ceux qui ne les aimaient pas, n'a jamais pu me contraindre, je vous le jure, à leur flanquer un coup de grosse caisse de moins dans mes *crescendo* ni m'empêcher, lorsque cela me convenait, de les horripiler par un *felicità* de plus dans mes finals. Que si vous me voyez avec une perruque, ce ne sont pas ces *b...utors*-là, croyez-le, qui ont réussi à faire tomber un seul cheveu de ma tête.

Wagner (*se contraignant pour ne pas éclater de rire*) : Oh! quant à ça (*désignant du geste, le cerveau*), grâce à ce que vous aviez là, maestro, cette inertie dont vous parlez, n'était-ce pas plutôt une véritable puissance; puissance ratifiée par le public et si souveraine qu'il fallait réellement plaindre les fous qui venaient s'y heurter ?... Mais ne m'avez-vous pas fait entendre, il y a un instant, que vous avez connu Beethoven ?

Rossini : C'est la vérité; à Vienne, précisément à l'époque dont je viens de vous parler, en 1822, lorsque mon opéra *Zelmira* y fut représenté. J'avais déjà entendu à Milan des quatuors de Beethoven, je n'ai pas besoin de vous dire avec quelle impression d'admiration! Je connaissais également de lui quelques œuvres de piano. A Vienne, j'assistai pour la première fois à l'exécution d'une de ses symphonies, l'*Héroïque.* Cette musique me bouleversa. Je n'eus plus qu'une pensée : connaître ce grand génie, le voir, fût-ce une seule fois. Je pressentis à ce sujet Salieri, que je savais être en rapport avec Beethoven.

Wagner : Salieri, l'auteur des *Danaïdes ?*

Rossini : Celui-là même. Il avait acquis à Vienne, où il résidait depuis longtemps, une situation très en vue, à la suite de la vogue qu'obtinrent plusieurs de ses opéras, représentés au théâtre italien; il me dit qu'en effet il voyait parfois Beethoven, mais m'avoua qu'en raison de son caractère ombrageux et fantasque, la chose que je demandais n'irait pas très facilement.

Ce même Salieri, entre parenthèses, avait eu également des rapports assez suivis avec Mozart. Après la mort de celui-ci, il fut soupçonné, et même sérieusement accusé, de l'avoir, — par jalousie de métier, — fait disparaître au moyen d'un poison lent [1]...

---

1. Rappelons à ce propos l'opéra de Rimsky-Korsakoff, *Mozart et Salieri.*

WAGNER : De mon temps encore, ce bruit persistait à Vienne.

ROSSINI : Je m'amusai un jour à dire à Salieri, en plaisantant : « C'est heureux pour Beethoven que par instinct de conservation, il évite de vous avoir à sa table; car vous pourriez bien l'envoyer promener dans l'autre monde, comme vous l'avez fait de Mozart. » « J'ai donc l'air d'un empoisonneur ? » répondit Salieri. « Oh! non, répliquai-je, vous avez plutôt l'air d'un fieffé *c...ouard!* » ce qu'il était en effet. — Ce pauvre diable, d'ailleurs, paraissait se soucier assez peu de passer pour être l'assassin de Mozart. Ce qu'il ne digérait pas, c'est qu'un journaliste viennois, défenseur de la musique allemande, — qui n'aimait que médiocrement l'opéra italien et Salieri par-dessus le marché, — avait écrit « que contrairement aux *Danaïdes*, il avait lui, Salieri, vidé son tonneau pour tout de bon et sans beaucoup de peine encore, parce qu'il n'y avait jamais eu grand-chose dedans ». La consternation de Salieri à ce propos était navrante. D'autre part, je dois avouer que, pour satisfaire à mon désir, il crut ne pouvoir mieux faire que de s'adresser à Carpani, le poète italien, qui était *persona grata* auprès de Beethoven et par l'entremise duquel il était quasi certain de réussir. En effet, Carpani s'employa avec tant d'insistance auprès du maître qu'il obtint de celui-ci le consentement à me recevoir.

Dois-je dire ? En montant l'escalier qui menait au pauvre logis où vivait le grand homme, j'eus quelque peine à maîtriser mon émotion. — Lorsque la porte s'ouvrit, je me trouvai dans une sorte de réduit aussi sale qu'il témoignait d'un désordre effroyable. Je me rappelle surtout que le plafond, immédiatement sous le toit, était lézardé de larges crevasses par où la pluie devait pénétrer à flots.

Les portraits que nous connaissons de Beethoven rendent assez bien la physionomie d'ensemble. Mais ce qu'aucun burin ne saurait exprimer, c'est la tristesse indéfinissable répandue en tous ses traits, — tandis que sous d'épais sourcils brillaient comme au fond des cavernes, des yeux qui, quoique petits, semblaient vous percer. La voix était douce et tant soit peu voilée.

Quand nous entrâmes, sans d'abord faire attention à nous, il demeura pendant quelques instants penché sur une impression de musique qu'il achevait de corriger. Puis, relevant la tête, il me dit brusquement en un italien assez compréhensible : « Ah! Rossini, c'est vous l'auteur *del Barbiere di Seviglia ?* Je vous en félicite; c'est un excellent opéra buffa; je l'ai lu avec plaisir et m'en suis réjoui. Tant qu'il existera un opéra italien, on le jouera. Ne cherchez jamais à faire autre chose que l'opéra buffa; ce serait forcer votre destinée que de vouloir réussir dans un autre genre. »

Mais, interrompit aussitôt Carpani qui m'accompagnait (bien entendu, en crayonnant et en allemand, puisqu'on ne pouvait pas autrement poursuivre avec Beethoven la conversation, que Carpani me traduisait mot à mot), il disait donc : « Le maestro Rossini a déjà composé un grand nombre de partitions d'opéra seria, *Tancredi, Otello, Mosè*; je vous les ai envoyées il n'y a pas longtemps, en vous recommandant de les examiner. »

« Je les ai en effet parcourues, répondit Beethoven, mais voyez-vous, l'opéra seria, cela n'est pas dans la nature des Italiens. Pour traiter le vrai drame, ils n'ont pas assez de science musicale; et comment celle-ci, pourraient-ils l'acquérir en Italie ?... »

WAGNER : Ce coup de griffe de lion, n'aurait pas allégé la *Consternation* de Salieri, s'il avait été présent...

ROSSINI : Non, certes! Je lui ai cependant raconté la chose. Il se mordit les lèvres... sans se faire trop de mal, je suppose; car, ainsi que je viens de vous le dire, il était pleutre à tel point, que bien certainement dans l'autre monde, le roi des enfers, pour ne pas rougir de devoir rôtir un pareil *c...ouard*, a dû l'envoyer se faire *f...umer* ailleurs!

Mais revenons à Beethoven. « Dans l'opéra buffa, continua-t-il, nul ne saurait vous égaler, vous autres Italiens. Votre langue et la vivacité de votre tempérament vous y destinent; voyez Cimarosa : combien la partie comique n'est-elle pas supérieure dans ses opéras à tout le reste ? Il en est de même de Pergolèse. Vous Italiens, vous faites grand cas, je le sais, de sa musique religieuse. Il y a dans son *Stabat,* j'en conviens, un sentiment très touchant; mais la forme manque de variété... l'effet est monotone; tandis que la *Serva padrona...* »

WAGNER (*interrompant*) : Il faut convenir, maestro, dit-il, qu'heureusement vous vous êtes gardé de suivre le conseil de Beethoven...

ROSSINI : A dire vrai, je me sentais cependant plus d'aptitude pour l'opéra buffa. Je traitais plus volontiers des sujets comiques que des sujets sérieux. Mais je n'avais guère le choix des libretti, qui m'étaient imposés par les impresarii. — Que de fois ne m'est-il pas arrivé, de ne recevoir d'abord qu'une partie du scénario, — un acte à la fois dont il me fallait écrire la musique sans connaître la suite ni la fin du sujet! Qu'on y songe... il s'agissait pour moi de faire vivre mon père, ma mère et ma grand-mère! Cheminant de ville en ville, comme un nomade, j'écrivais trois, quatre opéras par an. Et croyez bien que cela ne me rapportait pas de quoi faire le grand seigneur. J'ai reçu pour le *Barbier* 1.200 francs une fois payés, plus un habit couleur noisette et à boutons d'or, dont mon impresario me fit cadeau pour que je fusse en état de paraître décemment à l'orchestre. Cet habit pouvait, il est vrai, valoir 100 francs. Total, 1.300 francs. Je n'avais employé que treize jours pour écrire cette partition. Tout compte fait, cela revenait à 100 francs par jour. Vous voyez que je gagnais tout de même un gros salaire. J'en étais bien fier devant mon père qui, lorsqu'il avait l'emploi de tubatore[1] à Pesaro, ne gagnait par jour que 2 fr. 50.

WAGNER : Treize jours! Le fait certainement est unique!... Mais j'admire, maestro, comment, dans de telles conditions, astreint à cette vie de bohème que vous me citez, vous avez pu écrire telles pages d'*Otello*, de *Mosè*, pages supérieures, qui portent la marque non de l'improvisation, mais d'un labeur réfléchi succédant à la concentration de toutes les forces du cerveau ?

ROSSINI : Oh! *j'avais de la facilité et beaucoup d'instinct*. Faute de posséder une instruction musicale approfondie, — d'ailleurs, où l'aurais-je acquise de mon temps en Italie ? — le peu que je savais, je l'ai découvert dans les partitions allemandes. Un amateur de Bologne en possédait quelques-unes : la *Création*, les *Noces de Figaro*, la *Flûte enchantée*... Il me les prêtait, et comme je n'avais pas, à quinze ans, les moyens de me les faire venir d'Allemagne, je les copiai avec acharnement. Je vous dirai qu'il m'arrivait même le plus souvent de ne transcrire d'abord que la partie vocale seulement, sans examiner l'accompagnement d'orchestre. Alors, sur une feuille volante, j'imaginais un accompagnement de mon cru, qu'ensuite je comparais à ceux d'Haydn et de Mozart; après quoi, je complétais ma copie en y ajoutant les leurs. Ce système de travail m'a plus appris que tous les cours du Lycée de Bologne. Ah! si j'avais pu faire mes études scolastiques dans votre pays, je sens que j'aurais pu produire quelque chose de mieux que ce que l'on connaît de moi.

WAGNER : Non pas mieux assurément, pour ne citer que votre scène des Ténèbres, de *Moïse*, la Conspiration de *Guillaume Tell* et, dans un autre ordre, *Quando Corpus morietur*...

ROSSINI : Vous me citez là, je veux bien en convenir, d'heureux quarts d'heure dans ma carrière. Mais qu'est-ce tout cela à côté de l'œuvre d'un Mozart, d'un Haydn ? Je ne

1. Joueur de tuba.

saurais assez vous dire combien j'admire chez ces maîtres cette science souple, cette sûreté qui leur est si naturelle dans l'art d'écrire. Je les leur ai toujours enviées; mais cela doit s'apprendre sur les bancs de l'école, et encore faut-il être Mozart pour savoir en tirer profit. — Quant à Bach, pour ne pas quitter votre pays, — c'est un génie écrasant. Si Beethoven est un prodige dans l'humanité, Bach est un miracle de Dieu! Je suis abonné à la grande publication de ses œuvres[1]. Tenez.. vous voyez précisément là, sur ma table, le dernier volume paru. Vous le dirai-je ? Le jour où le suivant m'arrivera, ce sera encore pour moi un jour de jouissances incomparables. Combien je voudrais, avant de m'en aller de ce monde, pouvoir entendre une exécution intégrale de sa grande *Passion*! Mais ici, chez les Français, il n'y faut point songer...

WAGNER : C'est Mendelssohn qui, le premier, a fait connaître la *Passion* aux Allemands, par une exécution magistrale qu'il dirigea lui-même à Berlin.

ROSSINI : Mendelssohn : Oh! quelle nature sympathique! Je me rappelle avec plaisir les bonnes heures que je passai dans sa société à Francfort, en 1836. Je me trouvais en cette ville, à l'occasion d'un mariage qui se célébrait dans la famille Rothschild et auquel (j'habitais alors Paris) j'avais été confié. Ce fut Ferdinand Hiller qui me fit faire la connaissance de Mendelssohn. Combien je fus charmé d'entendre exécuter sur le piano, entre autres, quelques-unes de ses délicieuses *Romances sans paroles*. Puis il me joua du Weber. Je lui demandai alors du Bach, beaucoup de Bach. Hiller m'avait prévenu que personne ne l'interprétait mieux que lui. Au premier abord, Mendelssohn parut stupéfait de ma demande. « Comment, dit-il, vous Italien, vous aimez à ce point la musique allemande ? » « Je n'aime que celle-là », répliquai-je; puis j'ajoutai, d'une façon un peu trop sans-gêne : « Quant à la musique italienne je m'en *f...iche*! » Il me regarda ahuri; ce qui ne l'empêcha pas de jouer admirablement et avec une rare complaisance, plusieurs fugues et autres pièces du grand Bach. J'appris par Hiller qu'après nous être séparés, Mendelssohn lui dit en rappelant ma boutade : « Ce Rossini est-il vraiment sérieux ? En tout cas, c'est un très drôle de corps! »

WAGNER (*riant de bon cœur*) : Je comprends, maestro, la stupéfaction de Mendelssohn; mais m'est-il permis de vous demander comment se termina votre visite à Beethoven!

---

1. Par la *Bach Gesellschaft*.

comédie musicale. Il n'est pas moins indiscutable cependant, que cette convention ayant été élevée au rang de forme d'art, doit être comprise de façon à éviter les excès qui mènent à l'absurde, au ridicule. Et voilà l'abus contre lequel je réagis. Mais on a voulu embrouiller ma pensée. Ne me représente-t-on pas comme un orgueilleux... dénigrant Mozart...

Rossini (*avec un peu d'humeur*) : *Mozart, l'angelo della musica...* Mais à moins d'être sacrilège, qui donc oserait toucher à celui-là ?

Wagner : L'on m'accuse de répudier, à peu de chose près, — sauf de rares exceptions, dont Gluck et Weber — toute la musique d'opéra existante. On s'obstine, évidemment de parti pris, à ne rien vouloir comprendre à mes écrits. Comment ? Mais loin de contester et de ne pas éprouver au plus haut degré moi-même, le charme — *comme musique pure* — de tant d'admirables pages d'opéras justement célèbres, c'est contre le rôle de cette musique lorsqu'elle est condamnée à faire l'office d'un hors-d'œuvre purement récréatif, ou lorsque esclave de la routine et étrangère à l'action scénique, elle ne s'adresse systématiquement qu'à la sensualité de l'oreille, c'est contre ce rôle-là que je m'insurge et que je veux réagir.

Un opéra, selon ma pensée, étant destiné par son essence complexe, à avoir pour objet de former un organisme, où se concentre l'union parfaite de tous les arts qui contribuent à le constituer : art poétique, art musical, art décoratif et plastique, n'est-ce pas ravaler la mission du musicien, que de vouloir le contraindre à n'être qu'un simple illustrateur instrumental d'un libretto quelconque, qui lui impose d'avance un sommaire numéroté des airs, duos, scènes, ensembles... en un mot des *morceaux* (morceaux, c'est-à-dire : choses *morcelées,* c'est le vrai mot) qu'il aura à traduire en notes; à peu près comme un coloriste qui enluminera des épreuves d'estampes imprimées en noir ? Certes, il est de nombreux exemples où des compositeurs, inspirés par une situation dramatique émouvante, ont écrit des pages immortelles. Mais combien d'autres pages de leurs partitions sont amoindries ou nulles à cause du système vicieux que je signale! Or, tant que ces errements dureront, tant que l'on ne sentira pas régner une pénétration réciproque, complète entre la musique et le poème, ni cette *conception double* fondue d'emblée en une seule pensée, le véritable drame musical ne saurait exister.

Rossini : C'est-à-dire, si je vous comprends bien, que pour réaliser votre idéal, le compositeur devrait être son propre librettiste ? Cela me paraît, pour bien des raisons, une condition quasi insurmontable.

Wagner (*très animé*) : Et pourquoi ? Quelle est la raison qui s'opposerait à ce que les compositeurs, tout en apprenant le contrepoint, fassent en même temps des études littéraires, scrutent l'histoire, lisent les légendes ? Ce qui les amènerait instinctivement par la suite, à s'attacher à tel sujet, poétique ou tragique, en connexité avec leur tempérament ?... Et puis, si l'habileté ou l'expérience leur manquent pour agencer l'intrigue dramatique, n'auraient-ils pas alors la ressource de s'adresser à quelque dramaturge de métier avec lequel ils s'identifieraient par une collaboration couramment entretenue ?

D'ailleurs, parmi les compositeurs dramatiques, il en est peu, je crois, qui n'aient à l'occasion, montré d'instinct des aptitudes littéraires et poétiques remarquables; bouleversant ou refondant à leur gré, soit le texte, soit l'ordonnance de telle scène qu'ils sentaient autrement et comprenaient mieux que leur librettiste. Pour ne pas chercher bien loin, vous-même, maestro, — prenons pour exemple la scène de la Conjuration de *Guillaume Tell* — me direz-vous que vous avez suivi servilement, mot par mot, le texte fourni par vos collaborateurs ? Je ne le crois pas. Il n'est pas difficile, lorsqu'on y regarde de près, de découvrir dans maints endroits, des effets de déclamation et de gradation, qui portent une telle empreinte de *musicalité* (si je puis m'exprimer ainsi), *d'inspiration spontanée,* que je me refuse à attribuer leur genèse à l'intervention exclusive du canevas textuel que vous aviez sous les yeux. Un librettiste, quelle que soit son habileté, ne saurait — surtout dans les scènes qui se compliquent d'ensembles — concevoir l'ordonnance qui convient au compositeur, pour réaliser la fresque musicale, telle que son imagination la lui suggère.

Rossini : Vous dites vrai. Cette scène en effet, fut d'après mes indications profondément modifiée et non sans peine. J'ai composé *Guillaume Tell* à la campagne de mon ami Aguado, où je passais l'été. Là, je n'avais pas sous la main mes librettistes. Ce furent Armand Marrast et Crémieux (entre parenthèse, *deux futurs conspirateurs* contre le gouvernement de Louis-Philippe) qui, se trouvant également en villégiature chez Aguado, me vinrent en aide, dans les transformations du texte et de la versification qui m'étaient nécessaires, pour *ourdir* comme il le fallait, le plan de *mes conspirateurs* à moi, contre Gessler.

Wagner : Voilà donc un aveu implicite, maestro, qui contient déjà en partie la confirmation de ce que je viens de dire; il suffit de donner au principe plus d'extension, pour établir que mes idées ne sont pas aussi contradictoires, ni aussi impossibles à réaliser qu'elles pourraient le paraître de prime abord.

J'affirme qu'il est logiquement inévitable que, par une évolution toute naturelle, lente peut-être, — naîtra, non pas cette *musique de l'avenir* que l'on s'obstine à m'attribuer la prétention de vouloir engendrer tout seul, mais l'*avenir du drame musical,* auquel le mouvement général prendra part et d'où surgira une orientation aussi féconde que nouvelle dans le concept des *compositeurs,* des *chanteurs* et du *public.*

Rossini : C'est en somme, un bouleversement radical! Et croyez-vous que les *chanteurs,* — pour parler d'abord de ceux-ci — habitués à la mise en évidence de leur talent par la virtuosité, laquelle serait remplacée — si je devine bien — par une sorte de *mélopée déclamatoire,* croyez-vous que le *public* habitué, disons le mot, *au vieux jeu,* finiront par se soumettre à des transformations aussi destructives de tout le passé ? J'en doute fort.

Wagner : Ce sera assurément une éducation lente à faire, mais elle se fera. Quant au public, est-ce lui qui forme les maîtres ou sont-ce les maîtres qui forment le public ? Encore une constatation dont je vois en vous une illustre démonstration.

N'est-ce pas, en effet, votre manière bien personnelle qui a fait oublier, en Italie, tous vos devanciers, qui vous a acquis avec une rapidité inouïe une popularité sans exemple ? puis, maestro, votre influence passant la frontière, ne devint-elle pas universelle ?

Quant aux chanteurs, dont vous m'objectez la résistance, ils devront bien se soumettre et accepter une situation qui, du reste, les élèvera. Lorsqu'ils s'apercevront que le drame lyrique, dans sa forme nouvelle, ne leur fournira plus, il est vrai, les éléments des succès faciles particulièrement dus, soit à la force de leurs poumons, soit aux avantages d'un organe charmeur, — ils comprendront que désormais, l'art exigera d'eux une mission plus haute. Obligés de renoncer à s'isoler dans les limites personnelles de leur rôle, ils s'identifieront avec l'esprit tant philosophique qu'esthétique qui domine dans l'œuvre. Ils vivront, si je puis m'exprimer ainsi, dans une atmosphère où — *tout, faisant partie du tout,* — rien ne saurait demeurer secondaire. De plus, déshabitués des succès éphémères d'une virtuosité fugitive, délivrés du supplice de devoir faire retentir leur voix sur des paroles insipides, alignées en rimes banales, — ils s'apercevront combien il leur sera dévolu de pouvoir illustrer leur nom d'une auréole plus glorieuse et plus durable, quand ils s'incarneront les personnages qu'ils représentent, par la pénétration complète — au point de vue psychologique et humain

— de leur raison d'être dans le drame; quand ils s'appuieront sur l'étude approfondie des idées, des mœurs, du caractère de l'époque où se passe l'action; quand ils joindront une diction irréprochable au prestige d'une déclamation magistrale, pleine de vérité et de noblesse.

Rossini : Au point de vue de *l'art pur,* ce sont là sans doute des vues larges, des perspectives séduisantes. Mais au point de vue de la forme musicale en particulier, c'est comme je le disais, l'aboutissement fatal à la mélopée déclamatoire; — l'*oraison funèbre de la mélodie*! Sinon comment allier la notation expressive pour ainsi dire de chaque syllabe du langage, à la forme mélodique, dont un rythme précis et la concordance symétrique des membres qui la constituent, doivent établir la physionomie ?

Wagner : Certes, maestro, pareil système mis en œuvre et poussé avec une telle rigueur, serait intolérable. Mais si vous voulez bien me comprendre, voici : loin de repousser la mélodie, je la réclame au contraire, et à *pleins bords.* La mélodie n'est-elle pas l'épanouissement de tout organisme musical ? Sans la mélodie, rien n'est et ne saurait être. Seulement, entendons-nous : je la réclame autre que celle qui, resserrée dans les limites étroites des procédés conventionnels — subit le joug des périodes symétriques, des rythmes obstinés, des marches harmoniques prévues et des cadences obligatoires. Je veux la mélodie *libre, indépendante,* sans entraves. Une mélodie spécialisant en son contour caractéristique, non seulement *chaque personnage* de manière à ce qu'il ne soit pas confondu avec un autre, — mais encore *tel fait,* tel épisode inhérents à la contexture du drame. Une mélodie de forme bien précise, qui tout en se pliant par ses multiples inflexions au sens du texte poétique, puisse s'étendre, se restreindre, s'élargir suivant les conditions exigées par l'effet musical, tel que le compositeur veut l'obtenir. Et quant à cette mélodie-là, vous-même, maestro, vous en avez stéréotypé un spécimen sublime dans la scène de *Guillaume Tell, « Sois immobile »*, où le chant bien libre, accentuant chaque parole et soutenu par les traits haletants des violoncelles, atteint les plus hauts sommets de l'expression lyrique.

Rossini : De manière que j'ai fait là de la *musique de l'avenir* sans le savoir ?

Wagner : Vous avez fait là, maestro, de la musique de tous les temps, et c'est la meilleure.

Rossini : Je vous dirai que le sentiment qui m'a le plus remué dans ma vie, c'est l'amour que j'avais pour ma mère et pour mon père, et ils me le rendaient avec usure, je me plais à le dire. C'est là, je crois, que j'ai trouvé la note qu'il fallait pour cette scène de la *pomme* — de *Guillaume Tell.*

Mais encore une question, monsieur Wagner, si vous me le permettez : comment accordez-vous avec ce système, l'emploi simultané de deux, de plusieurs voix, ainsi que celui des chœurs ? Pour être logique, il faudrait les prohiber...

WAGNER : Ce serait en effet rigoureusement rationnel, que le dialogue musical se modelât sur le dialogue parlé, en laissant aux personnages la parole, chacun à son tour. Mais d'autre part aussi, on admettra que par exemple, deux personnes distinctes puissent, à un moment donné, se trouver dans un même état d'âme; — partager un sentiment commun et par suite joindre leurs voix pour s'identifier dans une pensée unique. De même que plusieurs personnes assemblées, s'il y a lutte entre les sentiments divers qui les animent, peuvent sensément user de la faculté de les exprimer simultanément tandis qu'individuellement chacune d'elles détermine celui qui lui est propre.

Et comprenez-vous maintenant, maestro, quelles ressources immenses, infinies, vaudra aux compositeurs ce système d'application à chacun des personnages du drame, à chacune des situations, — d'une *formule mélodique type,* susceptible dans le courant de l'action — tout en conservant son caractère d'origine — de se prêter aux développements les plus divers, les plus étendus ?...

Dès lors, ces ensembles où chacun des personnages apparaît dans son individualité, mais où tous ces éléments se combinent dans une polyphonie appropriée à l'action, ces ensembles-là ne nous donneront plus le spectacle, je le répète, de ces ensembles absurdes où les personnages animés des passions les plus contradictoires, se trouvent à un moment donné, condamnés sans rime ni raison, à unir leurs voix dans une sorte de *largo d'apothéose,* dont les harmonies patriarcales font uniquement songer « *qu'on ne saurait être mieux qu'au sein de sa famille* ».

Quant aux chœurs, il est une vérité psychologique : c'est que les masses collectives obéissent plus énergiquement à une sensation déterminée que l'homme isolé; telles l'épouvante, la fureur, la pitié... Il est donc logique d'admettre que la foule puisse collectivement exprimer cet état dans le langage phonique de l'opéra, sans choquer le bon sens. Bien plus, l'intervention des chœurs, dès qu'elle est logiquement indiquée dans les situations du drame, est une puissance sans égale et l'un des plus précieux facteurs de l'effet théâtral. Entre cent exemples, dois-je rappeler l'impression d'angoisse du fougueux chœur d'*Idoménée — Corriano, fuggiamo!*

— sans oublier non plus, maestro, votre admirable fresque de *Moïse, — le chœur si désolé, des ténèbres.*

Rossini : Encore! (*Se frappant le front et très plaisamment.*) Décidément j'avais donc, moi aussi, de grandes dispositions pour la *musique de l'avenir* ?... vous me mettez l'eau à la bouche! Si je n'étais pas trop vieux, je recommencerais et alors... *gare à l'ancien régime*!

Wagner : Ah! maestro, si vous n'aviez pas jeté la plume après *Guillaume Tell* — à trente-sept ans — un crime! vous ignorez vous-même tout ce que vous auriez tiré de ce cerveau-là! Vous n'auriez alors fait que commencer...

Rossini (*reprenant son ton sérieux*) : Que voulez-vous ? Je n'avais pas d'enfants. Si j'en avais eu, j'aurais sans doute continué à travailler. Mais à vous dire vrai, après avoir peiné pendant quinze ans et composé, pendant cette période soi-disant si *paresseuse,* quarante opéras, j'éprouvai le besoin du repos et m'en retournai vivre tranquillement à Bologne.

Du reste l'état des théâtres en Italie, qui déjà durant ma carrière laissaient beaucoup à désirer, était alors en pleine décadence; l'art du chant avait sombré. C'était à prévoir.

Wagner : A quoi attribuez-vous un phénomène aussi inattendu dans un pays où les belles voix sont en surabondance ?

Rossini : A la disparition des *Castrati.* L'on ne saurait se faire une idée du charme de l'organe et de la virtuosité consommée — qu'à défaut d'autre chose et par une charitable compensation — possédaient ces braves des braves. C'étaient aussi des professeurs incomparables. A eux était généralement confié l'enseignement du chant dans les maîtrises attachées aux églises et entretenues aux frais de celles-ci. Quelques-unes de ces écoles étaient célèbres. C'étaient de véritables académies de chant. Les élèves y affluaient et nombre de ceux-ci abandonnaient fréquemment le jubé pour se vouer à la carrière théâtrale. Mais à la suite du nouveau régime politique instauré dans toute l'Italie par mes remuants compatriotes, les maîtrises furent supprimées et remplacées par quelques *conservatoires* où, en fait de bonnes traditions *del bel canto,* on ne *conserve* rien du tout.

Quant aux *Castrati,* ils s'évanouirent et l'usage se perdit d'en tailler de nouveaux. Ce fut la cause de la décadence irrémédiable de l'art du chant. Celui-ci disparaissant, l'opera buffa (ce qu'il y avait de mieux) alla à la dérive. Et l'opera seria ? le public qui, déjà de mon temps, se montrait peu susceptible de s'élever à la hauteur du grand art, ne témoignait plus aucun intérêt à ce genre de spectacle. L'annonce sur l'affiche d'un opera seria avait ordinairement pour seul effet d'attirer quelques spectateurs pléthoriques, désireux de respirer librement, loin de la foule, un air réfrigérant. Voilà pour quelles raisons et quelques autres encore, je jugeai que ce que j'avais de mieux à faire, c'était de me taire. Je me tus et *cosi finita la commedia.*

★

Rossini (*se levant, serrant affectueusement les mains de Wagner*) : Mon cher monsieur Wagner, je ne saurais assez vous remercier de votre visite et particulièrement de l'exposé si clair et si intéressant que vous avez bien voulu me faire de vos idées. Moi qui ne compose plus, étant à l'âge où plutôt on décompose, en attendant que j'aille redécomposer pour tout de bon — je suis trop vieux pour tourner mes regards vers de nouveaux horizons; mais vos idées — quoi qu'en disent vos détracteurs — sont de nature à faire réfléchir les jeunes. De tous les arts, la musique est celui qui, à cause de son essence idéale, est surtout destiné aux transformations. Celles-ci sont sans limites. Après Mozart, pouvait-on prévoir Beethoven ? Après Gluck, Weber ? Et après ceux-ci ce n'est certes pas la fin. Chacun doit donc tâcher, sinon d'avancer, au moins de trouver du nouveau sans se préoccuper de la légende d'un certain Hercule, grand voyageur à ce qu'il paraît, lequel arrivé à un certain endroit où il ne voyait plus très clair, planta, dit-on, sa colonne, puis rebroussa chemin.

Wagner : C'était peut-être un poteau de chasse privée, pour empêcher d'autres de pénétrer plus loin ?...

Rossini : *Chi lo sa?* Vous avez sans doute raison, car on assure qu'il montrait une crâne prédilection pour la chasse au lion. — Espérons toutefois, que notre art ne soit jamais borné par un poseur de colonnes de ce genre-là. Pour ma part, je fus de mon temps. A d'autres, à vous, en particulier, que je vois vigoureux et imprégné de tendances aussi magistrales, il appartient de faire du nouveau et de réussir, — ce que je vous souhaite de tout mon cœur.

(*Ainsi finit cette entrevue mémorable où pendant la grosse demi-heure qu'elle dura, ces deux hommes — dont la verve spirituelle de l'un ne laissa pas en reste les réparties humoristiques de l'autre — n'eurent pas l'air de s'être ennuyés, je puis l'attester.*

Rossini, en nous reconduisant par la salle à manger attenante à sa chambre, s'arrêta brusquement devant un déli-

cieux petit meuble en fine marqueterie, posé entre les deux fenêtres et que tous les habitués de ses salons connaissaient. C'était un petit orgue mécanique du XVIIe siècle, de fabrication florentine.)

ROSSINI : Tenez, ce petit orgue va vous faire entendre quelques vieux airs de mon pays, qui vous intéresseront peut-être. (*Il touche le ressort et aussitôt l'instrument de débiter, avec un son archaïque de flageolet, tout son répertoire. Ce sont des petits airs populaires.*)

Qu'en dites-vous ? voilà du passé et même du trépassé. C'est simple et naïf. Quel en est l'auteur ignoré ? Quelque ménétrier apparemment. Cela date de loin sans doute et cela vit toujours! Est-ce que dans un siècle il en restera autant de nous ?

★

WAGNER (*après avoir pris congé de Rossini*) : J'avoue que je ne m'attendais pas à trouver en Rossini l'homme tel qu'il m'est apparu. Il est simple, naturel, sérieux et se montre apte à s'intéresser à tous les points qui ont été touchés durant ce court entretien. Je ne pouvais pas exposer en quelques mots, toutes les idées que je développe dans mes écrits, concernant le concept que je me suis formé de l'évolution nécessaire du drame lyrique vers d'autres destinées. J'ai dû me restreindre à quelques vues générales, ne m'appuyant que sur des détails pratiques dont il pouvait immédiatement saisir la portée. Mais telles quelles, il fallait s'attendre à ce que mes déclarations lui parussent excessives, étant donné l'esprit systématique qui prévalut au temps où il fit sa carrière et dont nécessairement il reste encore pénétré aujourd'hui. Comme Mozart, il possédait au plus haut degré le don de l'invention mélodique. Il était en outre merveilleusement secondé par son instinct de la scène et de l'expression dramatique. Que n'eût-il pas produit s'il avait reçu une éducation musicale forte et complète ? surtout, si moins italien et moins sceptique, il avait senti en lui la religion de son art ? nul doute qu'il eût pris une envolée, qui l'eût mené aux plus hautes cimes. En un mot, c'est un génie qui s'est égaré faute d'avoir été bien préparé et d'avoir rencontré le milieu pour lequel ses hautes facultés créatrices l'avaient désigné. Mais je dois le constater : de tous les musiciens que j'ai rencontrés à Paris, *c'est le seul vraiment grand.*

E. MICHOTTE, *La visite de R. Wagner à Rossini*, 1860

RICHARD WAGNER

LA REPRÉSENTATION SENSIBLE DU SUJET DANS LE DRAME

Si, une fois pour toutes, le *sujet,* j'entends le sujet considéré du point de vue musical, me déterminait à partir de la ligne de démarcation de ma tendance, il me fallait nécessairement, dans son élaboration, avancer peu à peu jusqu'à la suppression de la *forme d'opéra* qui m'était donnée par la tradition. Cette forme d'opéra n'avait en soi jamais été une forme précise comprenant tout le drame, mais bien plutôt un simple conglomérat arbitraire de minuscules morceaux de chants isolés qui, par leur juxtaposition, toute en hasard, d'airs, de duos, trios, etc., décidait en réalité avec les chœurs et de soi-disant ensembles, de la forme essentielle de l'opéra.

Or, au cours de l'élaboration poétique de mon sujet, il ne s'agissait plus, chose impossible, d'un remplissage adéquat à ces formes toutes faites, mais uniquement de la représentation sensible du sujet dans le drame. Dans tout le cours du drame, je ne voyais d'autres divisions ou solutions de continuité possible, que les actes dans lesquels le lieu et le temps changent, où les scènes dans lesquelles les personnages de l'action changent. L'unité plastique du sujet mythique avait cet avantage que, dans mon ordonnance scénique, tous ces petits détails qui sont indispensables au dramaturge moderne pour expliquer les incidents historiques enchevêtrés, étaient tout à fait inutiles, et que la force de l'exposition pouvait être concentrée sur un petit nombre de moments, toujours importants et décisifs, du développement.

Dans ces quelques scènes, où j'avais chaque fois à mettre en pleine valeur une situation décisive, je devais, dans l'exécution, insister avec une continuité bien calculée dans le plan général qui épuise le sujet; je n'étais pas obligé de me contenter d'allusions, et — pour cause d'économie extérieure, — de me tourner hâtivement d'une allusion à l'autre; mais je pouvais avec le plus grand calme nécessaire représenter clairement et simplement le sujet, jusqu'en ses dernières péripéties nettement compréhensibles pour l'intelligence dramatique. Par la nature du sujet se déterminant elle-même, je n'étais en aucune façon obligé, dans l'esquisse de mes sujets, de voir à considérer à l'avance une forme musicale quelconque, car ces scènes conditionnaient d'elles-mêmes la composition musicale, puisque celle-ci leur était absolument nécessaire. Avec ce sentiment de plus en plus assuré à cet égard, il ne pouvait plus me venir à l'idée d'interrompre et de gêner la forme musicale dérivée nécessairement de la nature des scènes par des morceaux d'emprunt, extérieurs et arbitraires, et la greffe violente de formes conventionnelles de morceaux d'opéra.

Ce faisant, je ne procédais nullement par principe, c'est-à-dire à peu près comme un bouleverseur par réflexion, à la destruction des airs, duos ou autres formes d'opéra; mais l'abandon de cette forme était la conséquence toute naturelle du sujet, de la représentation sensible duquel l'expression qui lui était nécessaire était ma seule préoccupation. La connaissance instinctive de cette forme traditionnelle m'influençait encore à tel point dans mon *Hollandais volant,* que tout observateur attentif reconnaîtra comment elle y détermina l'ordonnance de mes scènes; et progressivement, avec *Tannhäuser* d'abord, puis d'une façon plus décisive encore dans *Lohengrin,* c'est-à-dire après une expérience acquise de plus en plus nette de la nature de mes sujets et du genre d'exposition qui leur était nécessaire, je me dérobai totalement à cette influence et conditionnai la forme de l'exposition, de plus en plus précisément d'après l'exigence et le caractère du sujet et de la situation.

Sur la *trame* de ma musique, ce procédé déterminé par la nature du sujet poétique, marquait une influence toute particulière par rapport à la liaison caractéristique et à *l'enchevêtrement des motifs thématiques.* De même que l'arrangement de mes scènes excluait tout détail qui leur fût étranger et inutile, et dirigeait tout l'intérêt uniquement vers la situation principale, de même tout l'édifice de mon drame s'ordonna en une unité déterminée, dont les parties, faciles à saisir, formaient justement ce petit nombre de scènes ou situations toujours décisives pour l'impression à produire : aucune impression ne devait être produite dans une de ces scènes, qui ne fût dans un rapport essentiel avec l'effet des autres scènes, ainsi la déduction de ces impressions les unes des autres et la perception toujours visible de cette déduction, produisaient l'unité du drame dans son expression. Chacune de ces impressions principales devait, d'après la nature du sujet, acquérir aussi une expression musicale déterminée, qui se révélât à la sensibilité auditive comme un thème musical déterminé. Comme au cours du drame, la plénitude cherchée d'une situation principale décisive n'était accessible que par un développement toujours présent au sentiment des impressions provoquées, il était nécessaire que l'expression musicale qui détermine immédiatement la sensation prît à ce développement une part décisive, jusqu'à la plénitude la plus haute; et cela se fit tout à fait de soi-même au moyen d'une trame toujours caractéristique composée des

thèmes principaux, qui s'étendît non pas sur une seule scène (comme jadis dans le morceau de chant isolé d'opéra), mais *sur tout le drame,* et cela, *en rapport très intime* avec l'intention poétique.

COMMUNICATION A MES AMIS, 1851.

LA MÉLODIE DOIT NAITRE DU DISCOURS

La mélodie d'opéra, dont l'oreille moderne est saturée, perdit peu à peu de son influence sur moi; elle la perdit tout à fait, lorsque je m'occupai du *Hollandais volant.* Si j'étais fondé à repousser cette influence extérieure par la nature de mon procédé, j'acquis pour ma mélodie un aliment compensateur dans le lied populaire, dont je me rapprochai ainsi. Déjà, dans cette ballade, la possession instinctive des propriétés du mélisme populaire national me déterminait; mais ce fut plus décisif encore dans le lied des fileuses et, surtout, dans le lied des matelots.

Ce qui distingue de la manière la plus frappante la mélodie populaire du mélisme italien, c'est surtout son animation vive et *rythmique* qui lui fut transmise en propre par la danse populaire; notre mélodie *absolue* perd la compréhension populaire à mesure exactement qu'elle s'éloigne de cette qualité rythmique, et, comme l'histoire de la musique moderne d'opéra n'est autre chose que celle de la mélodie absolue, on voit avec évidence pourquoi les compositeurs les plus récents, et notamment les Français et leurs imitateurs, devaient en revenir directement à la pure mélodie de danse, et pourquoi la contredanse, avec ses dérivés, détermine aujourd'hui toute la mélodie moderne d'opéra. Or, maintenant, il ne s'agissait plus pour moi de *mélodies d'opéra,* mais de l'expression la plus adéquate à mon sujet; dans le *Hollandais volant,* je me servis donc de la mélodie populaire rythmique, mais là exactement où le sujet me mettait en contact avec l'élément populaire, ne se manifestant plus ou moins que dans le caractère national.

Partout où j'avais à exprimer les sentiments des personnages dramatiques, lorsqu'ils se manifestaient dans des entretiens expressifs, il me fallut abandonner complètement la mélodie populaire rythmique, ou plutôt il me fut impossible de penser à employer ce mode d'expression; mais ici le discours même, d'après son contenu débordant de sensations, était à rendre de telle manière *que ce ne fût pas l'expression mélodique en soi, mais la sensation exprimée* qui éveillât la sympathie de l'auditeur. La mélodie devait donc d'elle-même naître entièrement du discours; pour soi, en tant que mélodie pure, elle ne devait nullement attirer l'attention, mais seulement autant qu'elle était l'expression la plus concrète d'une sensation qui était déterminée avec précision dans le discours.

Avec cette conception nécessaire de l'élément mélodique, je m'écartai dès lors du procédé coutumier de la composition d'opéra, tandis que j'évitais avec intention de rechercher la mélodie habituelle, et, dans un certain sens, la mélodie en général, mais je ne la *faisais naître* que du discours tenu avec un sentiment ardent. On se rendra compte très clairement, par l'examen de ma musique du *Hollandais volant,* comment cela se produisit sous l'influence progressivement affaiblie de la mélodie d'opéra : l'habituel mélisme me déterminait encore à tel point que je conservai, çà et là, toute nue, la cadence du chant; et cela peut servir de preuve à tous ceux qui, avec un peu de réflexion doivent comprendre, d'autre part, qu'avec ce *Hollandais volant,* je m'engageais précisément dans une nouvelle direction sous le rapport de la mélodie.

Dans le développement ultérieur de ma mélodie, tel que je le poursuivis d'instinct dans *Tannhäuser* et *Lohengrin,* je me dérobai de plus en plus nettement à cette influence, et cela dans la mesure même où, et seulement lorsque, la sensation exprimée *dans la langue des vers* me déterminait à son expression exaltée et musicale : ici encore cependant, et notamment dans le *Tannhäuser,* la forme convenue de la mélodie, c'est-à-dire l'intention sentie nécessaire de faire connaître le discours *sous forme de mélodie,* était nettement visible. Comme je m'en rends compte clairement *aujourd'hui,* je fus contraint à cette intention par une *imperfection du vers moderne* dans lequel je ne pouvais trouver encore un aliment naturel et une condition de la manifestation *concrète* de l'expression musicale, en tant que mélodie.

POUR UN THÉATRE WAGNÉRIEN

La complète absence de style dans l'opéra allemand et l'incorrection presque grotesque de l'exécution, ne permettent point de trouver, dans aucun grand théâtre, un personnel artistique entraîné à sa tâche : l'auteur qui, sur ce terrain inculte de l'art, songe à proposer une tâche supérieure et conçue avec sérieux, ne rencontre d'autre appui que le talent de chanteurs isolés qui, n'ayant été instruits dans aucune école, et n'étant guidés par aucun style, ne surgissent que çà et là, et encore rarement, — car le talent des Allemands est en somme minime sur ce point, — et sont ensuite totalement abandonnés à eux-mêmes. Aussi, ce qu'on ne peut rencontrer sur aucun théâtre en particulier, seule une réunion de talents épars, mais rassemblés pour un certain temps en un point déterminé, pourrait l'offrir, si les circonstances sont favorables. Il serait tout d'abord profitable à ces artistes de n'avoir pendant un temps, à s'occuper que d'une seule tâche, dont l'originalité se révélerait avec d'autant plus de rapidité et de précision qu'ils ne seraient interrompus dans leurs travaux habituels par aucun autre exercice. Le résultat d'une telle concentration de forces intellectuelles ne saurait en lui-même être assez apprécié si on le compare à celui que l'on devrait attendre d'une étude poursuivie dans les conditions habituelles, alors que, par exemple, le même chanteur qui, la veille au soir, a joué dans un opéra italien moderne mal traduit, est tenu le lendemain de répéter *Wotan* ou *Siegfried.* Cette méthode permettrait également de consacrer aux répétitions un temps relativement beaucoup plus court qu'il n'est possible de le faire dans le train ordinaire des travaux de répertoire : ce qui serait également fort profitable aux études.

Si donc une interprétation juste et sérieuse des rôles de mon drame n'est possible qu'à la condition de réunir une sélection des meilleurs talents, sa bonne exécution scénique et décorative exige à son tour qu'on le représente seul. Les parfaits résultats atteints dans ce sens par les théâtres de Paris et de Londres s'expliquent surtout par ce fait que la scène reste un certain temps à la disposition des peintres et des machinistes pour la seule pièce qu'ils ont à établir, et que, par suite, ils peuvent effectuer des agencements d'une certaine complication, qui sont impossibles là où les pièces de théâtre changent tous les jours, et où chacune d'elles n'est mise en scène que d'une façon sommaire, poussée parfois jusqu'à l'indécence. Par exemple, la mise en scène que j'ai conçue pour mon *Or du Rhin* est absolument inconcevable pour un théâtre à répertoire aussi changeant que le théâtre allemand, alors qu'à la faveur de circonstances propices elle offre au peintre de décors et au machiniste l'occasion rêvée de montrer que leur art est un art véritable.

Pour achever l'impression, j'attacherais encore une importance toute spéciale à ce que l'orchestre fût rendu invisible par un artifice architectural adapté à la disposition en amphithéâtre de la salle de spectacle. L'importance de cette réforme sera évidente pour quiconque assiste à nos représentations d'opéra, et se trouve involontairement le témoin des mouvements auxiliaires et mécaniques que comporte le jeu des musiciens et leur direction. Tout cela devrait lui rester absolument caché, presque avec autant de soin que les fils, les cordes, les châssis et les planches des décors, qui, considérés des coulisses, détruisent, on le sait, toute illusion. Or, si l'on a jamais constaté par expérience quelle pure sonorité, dégagée de toute immixtion de bruit extra-musical, offre un orchestre que l'on entend à travers une paroi acoustique, et si l'on se représente en outre quelle position favorable prend le chanteur à l'égard du spectateur, lorsqu'il se dresse pour ainsi dire immédiatement devant lui, et combien sa prononciation même est devenue plus intelligible, nous devons conclure au succès de la disposition acoustico-architecturale dont je veux parler. Mais ceci n'est peut-être réalisé que dans mon hypothèse d'un édifice théâtral provisoire et construit spécialement à mes fins.

Le résultat d'une telle représentation ne manquerait pas d'être aussi important, à mon avis, quant à son effet sur le public, qu'en ce qui concerne la représentation elle-même. Habitué jusqu'ici, comme membre du public d'opéra habituel, à rechercher un divertissement frivole dans les productions effarantes de ce genre artistique si équivoque, et à repousser ce qui ne répond pas à ses exigences, l'auditeur de notre festival se trouverait placé soudain dans une situation toute différente. Instruit de façon claire et précise de ce qu'il aurait à attendre en ce lieu, notre public serait composé de personnes invitées officiellement, qui feraient le voyage de la localité hospitalière choisie pour la représentation et s'y donneraient rendez-vous. En plein été, cette visite constituerait en même temps pour chacun une de ces excursions reposantes au cours desquelles on est en droit de chercher, tout d'abord, à se distraire des soucis de ses affaires quotidiennes. Après avoir peiné tout le long du jour au comptoir, au bureau ou dans le cabinet de travail, de chercher, le soir, à dégager pour ainsi dire de leur crampe les forces intellectuelles tendues dans une seule direction, à se distraire en un mot, ce qui explique qu'à chacun selon son goût un divertissement superficiel paraisse bienfaisant, le spectateur, cette fois-ci, après s'être distrait dans la journée, se recueillera à la tombée du crépuscule : et c'est le signal du commencement du festival qui viendra l'y inviter. Ainsi, ses forces étant encore fraîches et facilement impressionnables, le premier accord mystique de l'orchestre invisible le mettra dans cet état de recueillement en l'absence duquel il n'est pas de véritable impression artistique possible. Surpris dans son attente secrète, il suivra de bonne grâce, et, rapidement, se développera en lui un esprit de compréhension dont, jusque-là, il ne pouvait qu'être éloigné et même incapable.

Là où, autrefois, arrivant avec un cerveau las et avide de distraction, il ne pouvait trouver que fatigue nouvelle, et un pénible surcroît d'effort, là où, par conséquent, il avait à se plaindre tantôt de longueurs, tantôt de trop de sérieux, ou même d'une complète inintelligibilité, il éprouvera maintenant la bienfaisante sensation que lui procurera l'exercice facile d'une faculté d'intuition ignorée; elle l'animera d'une ardeur nouvelle et lui portera des lumières à la lueur desquelles il distinguera clairement des choses dont il n'avait aucune idée jusque-là.

POUR L'ÉDITION DE *L'Anneau du Nibelung,* Vienne, 1862.

« *PARSIFAL* », *FESTIVAL SCÉNIQUE* SACRÉ

Comme j'ai été obligé de livrer toutes mes œuvres, si idéalement conçues, à la clientèle de nos théâtres et au public, dont j'ai si profondément ressenti la parfaite immoralité, je me suis bien sérieusement demandé si je ne devais pas tout au moins préserver ce dernier de mes ouvrages, et le plus sacré, du même sort qu'est une vulgaire carrière d'opéra. Il m'a été impossible de ne pas méconnaître, dans ce but, une nécessité décisive, enfin dans le pur objet, dans le sujet de mon *Parsifal.* En effet, comment une action dans laquelle sont mis en scène les mystères les plus sublimes de la foi chrétienne, saurait-elle et pourrait-elle être représentée sur des théâtres comme les nôtres, à côté d'un répertoire d'opéra et devant un public comme le nôtre ? Je n'en voudrais certes pas à nos conseils de fabrique d'élever une protestation justifiée contre des représentations des mystères les plus sacrés sur les scènes mêmes où, la veille et le lendemain, s'étale à son aise la frivolité. C'est dans un sentiment bien déterminé que j'ai intitulé le *Parsifal* « Bühnenweihfestspiel » festival scénique *sacré.* Je dois donc chercher à lui consacrer une scène, et ce ne peut être que mon Bühnenfestspielhaus de Bayreuth, le seul qui existe. C'est là exclusivement que doit être représenté le *Parsifal* dans toute la suite des temps : *jamais* le *Parsifal* ne doit être offert au public comme amusement sur aucun théâtre quelconque : et c'est seulement pour qu'il en soit ainsi que je me préoccupe et que j'ai décidé de prendre mes dispositions et d'aviser aux moyens par lesquels je puisse assurer cette destination de mon ouvrage.

AU ROI LOUIS II DE BAVIÈRE, 28 septembre 1880.

SMETANA

SMETANA (1824-1884) est le père de la musique tchèque, plus précisément bohémienne. Il composa huit opéras, dont la Fiancée vendue, *inspirée par la vie paysanne, et six poèmes symphoniques sous le titre collectif de* Ma patrie. *Il est aussi l'auteur de petites pièces pour piano et de musique de chambre, d'inspiration plus intime. Smetana est avant tout un romantique.*

UNE MUSIQUE PUREMENT TCHÈQUE

... D'un sujet élégant et tendre, on veut faire une stupidité, où des forces, des calembours et des grivoiseries doivent amuser le public! J'en suis si contrarié que je rendrais volontiers ce que M. Pollini m'a donné jusqu'ici pour l'opéra et que je retournerais immédiatement le contrat. Ces messieurs pensent que mon opéra est une pure farce dans le genre d'Offenbach, où les drôleries doivent sévir.

Les Deux Veuves est déjà un cinquième opéra, que j'ai écrit à dessein sur la trame d'un tel texte et dans un tel style musical, pour notre théâtre tchèque, afin que les élégances de salon s'y trouvent conjointes à la tendresse et à la noblesse de la musique. Ce fut pour moi, après m'être exercé dans d'autres genres d'opéra avec les *Brandebourgeois,* la *Fiancée vendue, Dalibor* et *Libuse,* l'essai d'un opéra dans un noble style de salon, et je n'ai trouvé l'appui d'aucun texte plus favorable que celui des *Deux Veuves.* Et maintenant il faut annuler tout mon effort, renoncer à cet heureux résultat musical à cause du goût burlesque de ces beaux messieurs.

Voici ma résolution définitive :

1° Je proteste contre la transposition de l'histoire, de Bohême en France. Ma musique est purement tchèque et elle ne peut être pensée nulle part ailleurs qu'en Bohême. Je donne une extrême importance à la juste déclamation tchèque dans les récits, ce que ces messieurs allemands ne peuvent naturellement pas comprendre, car autant le tchèque

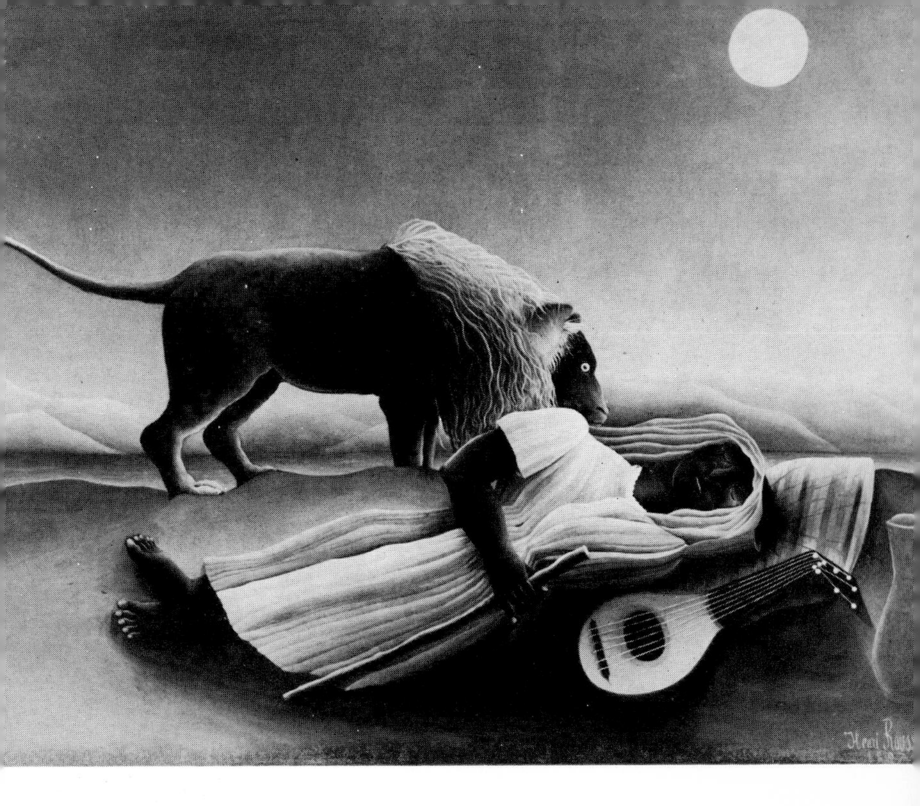

La bohémienne endormie. Henri Rousseau (1844-1910). New-York. *(Cliché Bulloz).*

age suivante :

Le violon au café. Picasso. *(Cliché Bulloz).*

SE

diffère de l'allemand dans l'accent, les longues et les brèves, autant en agit de même la musique tchèque...

2° J'interdis toutes invites à l'applaudissement à la manière des opérettes. Je n'ajouterai pas une seule note; l'opéra ne tend pas à un but aussi bête et je proteste contre toute modification de cette nature. Avec cela on avilirait ma musique jusqu'à la chanson des rues. En ce qui concerne l'action je veux qu'elle reste de notre temps, dans le costume exactement en cours et non de l'époque rococo, où l'on ne faisait que folâtrer et badiner. Des mœurs et des manières nobles doivent s'apprendre de la scène.

3° En ce qui concerne la division en trois actes, qu'ils fassent ce qui leur plaît; mais ici à Prague on respectera la disposition originale. M. Bock se trompe s'il pense que je changerai ou ajouterai une seule note. Il paraît que sa connaissance de l'expression dramatique est uniquement basée sur les couronnes qu'on apporte à la fin des airs... Si le succès de mon opéra dépend des « couronnes » et des incitations à la claque, alors je le regrette, mon opéra. Mais je ne tolérerai pas qu'on lui fasse un nouveau tort. Après tout, je n'ai que fort peu de goût pour la diffusion de ma musique hors des frontières. Ma modestie se contentera de la reconnaissance de ma nation, et les ovations du public tchèque ont récompensé dans une forte mesure mes efforts si purs et si sincères, — sacrés.

ALFRED DE MUSSET (1810-1857)

L'OPÉRA-COMIQUE, PARTAGE DE L'ACTION ET DE LA POÉSIE

Il faut saisir le moment précis où l'action peut s'arrêter, et la passion, le sentiment pur, se montrer et se développer. Ces sortes de scènes, où la pensée de l'auteur quitte pour ainsi dire son sujet, sûre de le retrouver tout à l'heure, et se jette hors de l'intrigue et de la pièce même dans l'élément purement humain, ces sortes de scènes sont extrêmement difficiles; c'est la part de la poésie. L'opéra-comique est justement celui de tous les genres où se montrent le plus distinctement ce temps d'arrêt, ce point de démarcation entre l'action et la poésie. En effet, tant que l'auteur parle, il est clair qu'elle s'arrête. Que devient alors le personnage ? C'est la colère, c'est la prière, c'est la jalousie, c'est l'amour. Que le personnage s'appelle comme il voudra, Agathe ou Elise; Dernance ou Valcour, la musique n'y a point affaire. La mélodie s'empare du sentiment, elle l'isole; soit qu'elle le concentre, soit qu'elle l'épanche largement; elle en tire l'accent suprême : tantôt lui prêtant une vérité plus frappante que la parole, tantôt l'entourant d'un nuage aussi léger que la pensée, elle le précipite ou l'enlève, parfois même elle le détourne, puis le ramène au thème favori, comme pour forcer l'esprit à se souvenir, jusqu'à ce que la muse s'envole et rende à l'action passagère la place qu'elle a semée de fleurs.

DISCOURS DE RÉCEPTION A L'ACADÉMIE FRANÇAISE,
27 mai 1852.

GOUNOD

L'ART DRAMATIQUE DÉPASSE FORME ET STYLE...

On peut, je crois, poser en principe qu'une œuvre dramatique a toujours, à peu de choses près, le succès de public qu'elle mérite[1]. Le succès, au théâtre, est la résultante d'un tel ensemble d'éléments qu'il suffit (et les exemples en abondent) de l'absence de quelques-uns de ces éléments, parfois même des plus accessoires, pour balancer et compromettre l'empire des qualités les plus élevées. La mise en scène, les divertissements, les décors, les costumes, le livret, tant de choses concourent au prestige d'un opéra! L'attention du public a un tel besoin d'être soutenue et soulagée par la variété du spectacle! Il y a des œuvres de premier ordre par certains côtés qui ont sombré, non dans l'admiration des artistes, mais dans la faveur publique, faute de ce condiment nécessaire pour les faire accepter de ceux à qui ne suffit pas le pur attrait du beau intellectuel.

Je ne prétends en aucune sorte réclamer pour la destinée de *Sapho* le bénéfice de ces considérations. Le public apporte,

1. A propos de la première de *Sapho* (1852).

au jugement d'un ouvrage, des titres et des droits qui constituent un genre de compétence et d'autorité à part. On ne doit ni attendre ni exiger de lui les connaissances spéciales qui permettent de décider sur la valeur technique d'une œuvre d'art; mais il a, lui, le droit d'attendre et d'exiger qu'une œuvre dramatique réponde aux instincts dont il vient demander l'aliment et la satisfaction au théâtre. Or, une œuvre dramatique ne repose pas exclusivement sur les qualités de forme et de style; ces qualités sont essentielles, assurément; elles sont mêmes indispensables pour protéger un ouvrage contre les rapides atteintes du temps dont la faux ne s'arrête que devant les traces de la beauté idéale; mais elles ne sont ni les seules, ni même, en un certain sens, les premières : elles consolident et affermissent le succès dramatique, elles ne l'établissent pas.

Mémoires d'un artiste

... *C'EST UN ART DE PORTRAITISTE*

Le succès de *Faust* ne fut pas éclatant; il est cependant jusqu'ici ma plus grande réussite au théâtre. Est-ce à dire qu'il soit mon meilleur ouvrage ? Je l'ignore absolument; en tout cas, j'y vois une confirmation de la pensée que j'ai exprimée plus haut sur le succès, à savoir qu'il est plutôt la résultante d'un certain concours d'éléments heureux et de conditions favorables qu'une preuve et une mesure de la valeur intrinsèque de l'ouvrage même. C'est par les surfaces que se conquiert d'abord la faveur du public; c'est par le fond qu'elle se maintient et s'affermit. Il faut un certain temps pour saisir et s'approprier l'expression et le sens de cette infinité de détails dont se compose le drame.

L'art dramatique est un art de portraitiste : il doit traduire des caractères comme un peintre reproduit un visage ou une attitude; il doit recueillir et fixer tous les traits, toutes les inflexions si mobiles et si fugitives dont la réunion constitue cette propriété de physionomie qu'on nomme un personnage. Telles sont les immortelles figures d'Hamlet, de Richard III, d'Othello, de Lady Macbeth, dans Shakespeare, figures d'une ressemblance telle avec le type dont elles sont l'expression qu'elles restent dans le souvenir comme une réalité vivante : aussi les appelle-t-on justement des créations. La musique dramatique est soumise à cette loi hors de laquelle elle n'existe pas. Son objet est de spécialiser des physionomies. Or ce que la peinture représente simultanément au regard de l'esprit, la musique ne peut le dire que successivement : c'est pourquoi elle échappe si facilement aux premières impressions.

Ibid.

NIETZSCHE

SUPPRIMER LE CHANTEUR

Je pense que nous devons d'une façon générale supprimer le chanteur. Car le chanteur dramatique est une monstruosité. Ou bien nous devons le faire passer dans l'orchestre. Il n'a plus le droit d'altérer la musique; mais il doit agir sous la forme du chœur, par la pleine sonorité de la voix humaine ajoutée à l'orchestre. Donc, rétablir le chœur; en face de lui, le monde des images, le mime. Les anciens observent le vrai rapport : ce n'est que par une préférence sans mesure accordée à l'apollinien que la tragédie a été ruinée : nous devons revenir au stade pré-eschylien...

S'il n'est pas naturel que le chanteur chante dans l'orchestre et que la scène appartienne au mime, du point de vue de l'art, cela ne répugne pas, tant s'en faut.

Trad. Ch. Albert.

GEORGES BIZET

IMPORTANCE DU « MOTIF »

Tu attribues à la faiblesse des *libretti* la suite d'insuccès dont sont victimes nos meilleurs auteurs depuis quelques années; tu as raison, mais il y a une autre raison : c'est qu'aucun de ces auteurs n'a un talent complet. Aux uns, — à Massé, par exemple, — il manque le style, la conception large. A d'autres, — à David, je suppose, — la triture musicale et l'esprit. Aux plus forts, il manque le seul moyen que le compositeur ait de se faire comprendre du public d'aujourd'hui : le *motif*, que l'on appelle à grand tort l' « idée ». On peut être un grand artiste sans avoir le motif, et alors il faut renoncer à l'argent et au succès populaire; mais on peut être aussi un homme supérieur et posséder ce don précieux, témoin Rossini. Rossini est le plus grand de tous parce qu'il a, comme Mozart, toutes les qualités : l'élévation, le style, et enfin... le *motif*. Je suis pénétré et persuadé de ce que je te dis, et c'est pourquoi j'espère. Je sais très bien mon affaire, j'orchestre très bien, je ne suis jamais commun, et j'ai enfin découvert ce *sésame* tant cherché. J'ai dans mon opéra une douzaine de motifs, mais des vrais, rythmés et faciles à retenir, et pourtant je n'ai fait aucune concession à mon goût... L'année prochaine, je chercherai le motif dans le grand opéra, c'est beaucoup plus difficile; mais c'est déjà quelque chose que de l'avoir trouvé dans l'opéra-comique...

UNE MUSIQUE DE TOUS LES TEMPS

... C'est le sort des grands génies d'être méconnus par leurs contemporains. Wagner n'est pas mon ami, et je le tiens en médiocre estime; mais je ne puis oublier les immenses jouissances que je dois à ce génie novateur. Le charme de cette musique est indicible, inexprimable. C'est la volupté, la tendresse, l'amour!

Si je vous en jouais huit jours, vous en raffoleriez!... D'ailleurs les Allemands, qui, hélas! nous valent bien en musique, ont compris que Wagner est une de leurs colonnes les plus solides. L'esprit allemand du XIXe siècle est incarné en cet homme.

Vous savez bien, vous, ce que le dédain a de cruel pour un grand artiste. Heureusement pour Wagner, il est doué d'un orgueil tellement insolent que la critique ne peut le toucher au cœur, — en admettant qu'il ait un cœur, ce dont je doute.

Je n'irai pas si loin que vous et je ne prononcerai pas le nom de Beethoven à côté de celui de Wagner. Beethoven n'est pas un homme, c'est un dieu! — comme Shakespeare, comme Homère, comme Michel-Ange! Eh bien! prenez le public le plus intelligent, faites-lui entendre la plus grande page que possède notre art, la *Symphonie avec chœurs*, il n'y comprendra rien, absolument rien. L'expérience a été faite, on la refait tous les ans avec le même résultat. Seulement, Beethoven est mort depuis cinquante ans et la mode est de trouver cela beau.

Jugez bien vous-même, en oubliant les sots et méchants articles et le plus méchant livre publié par Wagner, et vous verrez. Ce n'est pas la musique de l'avenir, — ce qui ne veut rien dire; — mais c'est, comme vous le dites si bien, la musique de tous les temps, parce qu'elle est admirable...
... Il est bien entendu que, si je croyais imiter Wagner, malgré mon admiration, je n'écrirais plus une note de ma vie. *Imiter* est d'un sot. Il vaut mieux faire mauvais d'après soi que d'après les autres. Et, d'ailleurs, plus le modèle est beau, plus l'imitation est ridicule. On a imité Michel-Ange. Shakespeare et Beethoven! Dieu sait les horreurs que nous a values cette rage d'imiter!...

LETTRE A MME HALÉVY, 1871.

ÉDOUARD LALO

LE ROI D'YS, UN SIMPLE OPÉRA

Lorsqu'il y a deux ans, j'ai détruit la partition du *Roi d'Ys,* j'avais la velléité d'en faire un drame lyrique dans l'acception moderne; mais, après quelques mois de sérieuses réflexions, j'ai reculé, épouvanté devant cette tâche beaucoup trop lourde pour mes forces. — Seul, jusqu'à présent, le colosse Wagner, l'inventeur du vrai drame lyrique, a été de taille à porter un pareil fardeau; tous ceux qui ambitionnaient de marcher sur ses traces, en Allemagne ou ailleurs, ont échoué, les uns piteusement, les autres honorablement quoique toujours en copistes; je les connais tous. Il faudra dépasser Wagner pour lutter sur son terrain avec avantage, et ce lutteur ne s'est pas encore révélé. — Quant à moi, je me suis rendu compte, à temps, de mon impuissance, et j'ai écrit un simple opéra, comme l'indique le titre de ma partition; cette forme, élastique, permet encore d'écrire de la *musique* sans pasticher les devanciers, de même que Brahms écrit des symphonies et de la musique de chambre, dans la vieille forme, sans pasticher Beethoven. — En reconstruisant le *Roi d'Ys,* je me suis servi, avec intention, de formes très brèves : l'avantage que je pressentais, c'était de précipiter *l'action dramatique* de façon à ne pas lasser l'attention du spectateur : le désavantage, c'est celui que vous signalez, — l'écourtement de *la musique.* Vous connaissez ma musique de chambre et vous n'ignorez pas que je sais développer un thème avec ses dessins; dans le *Roi d'Ys,* j'ai fait volontairement tout le contraire, j'ai écarté systématiquement tous les développements des thèmes afin de ne jamais ralentir le mouvement de la scène. — Ce n'est pas une justification que je tente, c'est une explication que je vous donne. — De même, pour les sonorités qui vous déplaisent, voici mon *explication* : Je suis habitué depuis vingt-cinq ans à nos orchestres symphoniques où la grande masse des cordes m'a toujours donné le contrepoids des sonorités cuivrées, et je n'ai pas réfléchi qu'au théâtre j'allais me trouver dans des conditions absolument différentes : des cordes *maigres* en raison de leur petit nombre à côté de la *même* masse des cuivres. — Et cependant l'exemple de Wagner aurait dû me servir de leçon : quand j'entends, dans les concerts symphoniques, les sonorités excessives de Wagner, elles me charment parce que la grande masse des cordes leur fait équilibre, mais les mêmes pages, que j'ai entendues dans tous les théâtres d'Allemagne (sauf à Bayreuth où, paraît-il, l'équilibre est parfait), m'ont fait éprouver partout la même surprise désagréable : la brutalité des cuivres en face de l'insuffisance des cordes trop peu nombreuses. — Vous voyez, cher monsieur, que je fais grand cas de vos critiques : je les laisse subsister entièrement et vous donne raison. — La vérité, c'est qu'il m'eût fallu, il y a vingt-cinq ans, faire des fours au théâtre, pour arriver peu à peu à l'expérience que j'ai acquise dans la musique orchestrale en m'entendant et me corrigeant moi-même...

LETTRE A JULLIEN, 19 mai 1888,

DEBUSSY

DIALOGUE AVEC SON PROFESSEUR ERNEST GUIRAUD (1889) [1]

GUIRAUD : Je ne croirai jamais que le solo du cor anglais, au commencement du troisième acte de *Tristan,* chante un air classique! Je consens à y entendre autre chose qu'un

1. Ces propos entre Debussy, alors âgé de 27 ans, et Guiraud, l'un de ses anciens maîtres du Conservatoire de Paris, rapportés par Maurice Emmanuel, condisciple de Debussy, se situent donc quatre ans avant la genèse de *Pelléas et Mélisande* (1893-1902).

« exercice » et je ne souscris pas à cette étiquette dont un de mes collègues affuble ce *passage,* mais je n'y découvre rien non plus qui rappelle la langue de Beethoven.

DEBUSSY : C'est que vous n'écoutez pas l'harmonie d'*en dessous* : à preuve la scène qui suit, où cette harmonie, sous cette cantilène, est exprimée à l'orchestre. Il n'y a pas dans Wagner un accord ou une succession insolites. Berlioz est beaucoup moins près que lui de Bach et de Mozart; Berlioz est moins rigoureusement « tonal »; Wagner use avec plus de souplesse, plus de richesse aussi, du régime des *tons voisins;* il lui fait rendre tout ce que l'artifice de *changement de mode,* habilement exploité, et les enharmonies, lui permettent de produire; mais en cela il dépasse à peine Haydn et Mozart. Il *élargit* plus souvent, voilà tout.

GUIRAUD : Mais... les duretés ? les altérations ? le chromatisme ? est-ce donc l'art classique ?

DEBUSSY : J'appelle classique tout maître musicien qui croit à un seul « majeur » et à un seul « mineur » diatoniques, à l'exclusion de toute autre gamme, qui, dans l'enchaînement harmonique, *résout* les accords réputés dissonants suivant de prétendues nécessités, lesquelles sont convention pure; qui s'enferme dans le régime des *tons voisins;* qui asservit sa sensibilité à des formules impératives. Il y a certes, entre les classiques, des différences de style, correspondant à des différences de nature; mais aussi un fond commun qui les apparente. Dire de Schumann qu'il est « romantique » n'exprime rien du tout; *item* de Berlioz ou de Liszt. Ils construisent à leur manière, — et encore — avec les anciens matériaux. Ils expriment plus librement leurs émotions que les maîtres de la sonate et de la symphonie à deux thèmes et ils mettent en vedette leur personnage; si c'est cela du romantisme, je veux bien. Mais moi, j'entends toujours la même « musique ». Les soi-disant romantiques sont encore des classiques; et Wagner l'est *plus* qu'eux. Des duretés dans sa langue ? Je n'en perçois pas. Des altérations ? Est-ce qu'il les a inventées ? Du chromatisme ? Il n'use pas même de celui que la gamme à douze demi-tons du clavier peut fournir et qui reste à exploiter[1]. Il demeure inféodé au majeur et au mineur diatoniques. Il n'en sort pas...

GUIRAUD : Mais ces actes sans coupures, cette continuité dramatique, ce mépris des repos, des arrêts, des scènes distinctes, est-ce du *Don Juan ?*

---

1. Debussy, précurseur du dodécaphonisme ?

Debussy : Ça n'en est pas l'envers! C'en est la suite. Si Mozart avait eu l'idée, qui ne lui est jamais venue, de renoncer aux airs détachés et de construire un acte d'un seul tenant, il n'aurait pas pour autant créé un art nouveau : il eût seulement renoncé à une convention, de pure forme, et en y renonçant, il eût parlé la même langue. La seule différence que je mette à l'actif de Wagner, c'est qu'il renonce aux sempiternelles cadences parfaites de l'art classique et surtout à l'odieuse « quarte et sixte » qui les introduit. Ce n'est pas non plus parce que Wagner s'éloigne de la *période carrée* chère à Mozart et aux autres anciens, qu'il crée du neuf. Il *développe* comme eux. Les « motifs » qui signifient « des gens ou des choses » sont les thèmes nourriciers de la symphonie accompagnatrice et il nous sert, à l'occasion, des développements à la manière de Bach ou plus souvent à celle de Beethoven; faites abstraction de la voix, dans *Tristan* ou dans les *Maîtres Chanteurs,* écoutez l'orchestre et dites si cette musique-ci n'est pas la suite et le grossissement de celle-là!

Guiraud : Du moins Wagner traite-t-il la voix à sa manière, qui n'est pas celle de Mozart!

Debussy : C'est ici en effet qu'est la différence, presque extérieure à la musique. Et c'est ici la nouveauté : Wagner tend à se rapprocher de la parole parlée; ou plutôt il prétend s'en rapprocher, tout en traitant les voix très « vocalement ». Il a une façon de déclamer qui n'est ni le *récitatif à l'italienne* ni *l'air lyrique.* Il surajoute les paroles à une symphonie continue, tout en subordonnant cette symphonie aux paroles. Pas assez toutefois. Ses œuvres ne réalisent qu'en partie les principes, qu'il a déclarés, de cette subordination nécessaire. Il manque d'audace, pour les appliquer. Il a trop de précision et de minutie; il ne laisse place à aucun sous-entendu. C'est très émouvant, mais c'est très compact... Et ça chante trop souvent. Il faut « chanter » seulement par endroits.

Guiraud : D'où il suit que vous êtes un « wagnérien »... libéral!

Debussy : Je ne suis pas tenté d'imiter ce que j'admire dans Wagner. Je conçois une forme dramatique autre : la musique y commence là où la parole est impuissante à exprimer; la musique est faite pour l'inexprimable; je voudrais qu'elle eût l'air de sortir de l'ombre et que, par instants, elle y rentrât; que toujours elle fût discrète personne.

Guiraud : Quel poète pourra vous fournir un « poème » ?

Debussy : Celui qui, disant les choses à demi, me permettra de greffer mon rêve sur le sien; qui concevra des personnages dont l'histoire et la demeure ne seront d'aucun temps, d'aucun lieu[1]; qui ne m'imposera pas, despotiquement, la « scène à faire » et me laissera libre, ici ou là, d'avoir plus d'art que lui, et de parachever son ouvrage. Mais qu'il n'ait crainte! Je ne suivrai pas les errements du théâtre lyrique, où la musique prédomine insolemment; où la poésie est reléguée et passe au second plan, étouffée par l'habillage musical, trop lourd. Au théâtre de musique, on chante *trop*. Il faudrait *chanter* quand cela en vaut la peine et réserver les accents pathétiques. Il doit y avoir des différences dans l'énergie de l'expression. Il est nécessaire par endroits de peindre en camaïeu et de se contenter d'une grisaille. Rien ne doit ralentir la marche du drame : tout développement musical que les mots n'appellent pas est une faute. Sans compter qu'un développement musical tant soit peu prolongé est incapable de s'assortir à la mobilité des mots...

... Je rêve de poèmes qui ne me condamnent pas à perpétrer des actes longs, pesants; qui me fournissent des scènes mobiles, diverses par les lieux et le caractère; où les personnages ne discutent pas, mais subissent la vie et le sort...

Propos rapportés par Maurice Emmanuel,
Pelléas et Mélisande.

LAISSONS LES GRANDS POÈTES TRANQUILLES![2]

Les rapports du vers et de la musique ? Je n'y ai pas pensé. Je m'occupe très peu de musique. Les musiciens et les poètes qui parlent toujours musique et poésie me semblent aussi insupportables que les gens de sport qui parlent toujours de sport.

Et d'abord, la vérité, on ne peut pas la dire. Vous voulez la savoir ? Eh bien! c'est qu'en effet les musiciens qui ne comprennent rien aux vers ne devraient pas en mettre en musique. Ils ne peuvent que les gâcher.

---

1. Etrange prescience du texte de Maeterlinck, que Debussy ne devait connaître que trois ans plus tard.

2. Réponse à une enquête : « Sous la musique, que faut-il mettre : de beaux vers, de mauvais, des vers libres, de la prose ? »

Schumann n'a jamais rien compris à Henri Heine. Du moins, c'est mon impression. On peut parler de son grand génie, mais il ne pouvait pas saisir tout ce qu'il y avait de fine ironie dans Henri Heine. Voyez par exemple comme, dans les *Amours du Poète,* il est bien passé à côté...

Les vrais beaux vers, il ne faut pas exagérer, il n'y en a pas tant que ça. Qui en fait aujourd'hui ? Mais quand il s'en trouve, il vaut mieux ne pas y toucher. Henri de Régnier, qui fait des vers pleins, classiques, ne peut pas être mis en musique. Et voyez-vous de la musique sur des vers de Racine ou de Corneille ? Seulement, aujourd'hui, les jeunes musiciens ne veulent voir à côté de leur nom que des signatures célèbres...

Et puis, en musique, dites-moi à quoi ça sert, les vers ? A quoi ? On a plus souvent mis de la belle musique sur de mauvaises poésies que de mauvaise musique sur de vrais vers.

Les vrais vers ont un rythme propre qui est plutôt gênant pour nous. Tenez, dernièrement, j'ai mis en musique, je ne sais pourquoi, trois ballades de Villon... Si, je sais pourquoi : parce que j'en avais envie depuis longtemps. Eh bien, c'est très difficile de suivre bien, de « plaquer » les rythmes tout en gardant une inspiration. Si on fait de la fabrication, on se contente d'un travail de juxtaposition, évidemment ce n'est pas difficile, mais alors ce n'est pas la peine. Les vers classiques ont une vie propre, un « dynamisme intérieur », pour parler comme les Allemands, qui n'est pas du tout notre affaire.

Avec la prose rythmée, on est plus à son aise, on peut mieux se retourner dans tous les sens. Si le musicien devrait faire lui-même sa prose rythmée ? Pourquoi pas ? Qu'est-ce qu'il attend ? Wagner faisait ainsi; mais les poèmes de Wagner, c'est comme sa musique, ça n'est pas un exemple à suivre. Ses livrets ne valent pas mieux que d'autres. C'est pour lui qu'ils valaient mieux. Et c'est le principal.

Pour conclure, laissons les grands poètes tranquilles. D'ailleurs ils aiment mieux ça... En général, ils ont très mauvais caractère.

MUSICA. mars 1911.

GABRIEL FAURÉ

GENÈSE DE PÉNÉLOPE (1907)

29 juillet. J'ai travaillé comme un enragé aujourd'hui, mais je n'ai mis au net que vingt-six mesures! Enfin, c'est toujours ça...

2 août. Il n'y a pas eu encore assez de tours de roue; mais cela se passe toujours ainsi au départ et j'espère que l'accélération définitive ne tardera pas à se manifester...

4 août. J'étais en pleine composition du *Prélude,* mais comme j'ai rencontré le mur fatal, celui qui ne manque jamais de se dresser, je ne me suis pas entêté plus longtemps et j'ai entamé la « scène des Suivantes », celles qui filent et font mollement tourner leurs rouets. Comme il fait très chaud chez elles et qu'il fait très chaud chez moi, ça s'arrange. Pendant cela, la suite du *Prélude* se triturera dans mon cerveau... Si je n'avance pas vite, j'espère, du moins, que ce que je fais est potable...

6 août. J'ai travaillé beaucoup et avancé un peu avec mes donzelles, les fileuses flâneuses. C'est étonnant ce qu'il faut travailler pour dépeindre des gens qui ne travaillent pas, ou peu! Je crois que tout cela marche assez bien, mais, comme toujours, je n'en suis pas absolument sûr...

... Voici plusieurs jours que je sors de mon travail les yeux congestionnés; de plus ma vue reste un peu troublée pendant le temps qui suit... C'est cette sale sclérose qui me détruit peu à peu! Enfin, il faut aller avec ce qu'on a... Ce qui est important, c'est que je travaille tous les jours. Ce matin, j'étais assis à mon balcon à 7 heures. C'était délicieux. Le soleil n'éclairait que la côte de Savoie et n'avait pas encore tourné de mon côté. J'étais devant un paysage gris clair et dans une atmosphère de fraîcheur exquise. C'est égal, mon célèbre oculiste m'a mis la mort dans l'âme... et d'autre part m'a donné sérieusement la pensée que je dois travailler beaucoup pendant qu'il en est temps encore!...

12 août. Ces demoiselles-fileuses m'auront donné beaucoup de mal; en voici ma raison. Dès que le rideau se lèvera, que verra-t-on ? Des femmes qui fileront dans une salle abritée contre un soleil que l'on sent devoir être très ardent audehors. Les unes font nonchalamment tourner leur rouet; les autres s'étirent et bâillent et toutes racontent que le métier de servante est bien dur pour des filles « dont la beauté prit le corps pour asile ». Ce n'est donc pas ce qu'elles disent qui importe; c'est l'atmosphère, c'est leur mollesse dans leur action mêlée de rêverie. Par conséquent c'est la symphonie qui doit commenter tout cela et leurs paroles doivent intervenir, doivent se placer sur un mouvement musical ininterrompu... Des « rouets » et des « fileuses », on en a tant fait qu'il fallait d'abord trouver du nouveau. J'espère que ça y est. Quant au texte, mes donzelles ont déjà chanté deux strophes sur trois! Et je suis convaincu que, dans la suite, d'autres scènes plus importantes me donneront beaucoup moins de peine...

14 août. J'ai fini les trois strophes; j'en suis à *l'éclat de rire* des *Prétendants* qui interrompt le bavardage. L'action va commencer. Je suis satisfait dans la mesure de mes moyens de satisfaction. Mais je ne travaillerai pas cet après-midi et vais aller flâner en bateau jusqu'à Vevey...

16 août. Les « fileuses », cela représente un « morceau ». Ça commence, ça se développe et au moment où, au lieu de conclure, le morceau est suspendu sur une harmonie où se perd la rêverie des donzelles, on entend l'éclat de rire qui révèle la présence au-dehors, et les jeux des *Prétendants*. Me voici donc dans une nouvelle phase : les Servantes vont dire qui sont ces Prétendants, ce qu'ils viennent faire, la résistance que leur oppose Pénélope, — la douloureuse Pénélope — les penchants qu'à ces faciles Servantes inspirent ces Prétendants, etc., etc. Or, tout ceci, il faut que ce soit saisi par l'oreille de l'auditeur, que le dialogue soit clair et que, suivant qu'il est question des uns ou des autres, la musique indique de *qui* il est question. C'est là le système wagnérien : mais il n'y en a pas de meilleur. J'ai déjà le thème qui figure Pénélope. Ce thème sert de premier élément au Prélude que j'ai laissé en suspens parce que je n'ai pas encore trouvé le thème qui m'est nécessaire pour bâtir complètement le morceau. Le second thème, c'est celui qui figurera Ulysse. Quant aux Prétendants, j'ai trouvé, pour les représenter, un thème que j'essaie, car il ne me satisfait pas encore complètement. Je le trouve un peu wagnérien. Il est vrai que ce diable d'homme semble avoir épuisé toutes les formules. J'ai cherché quelque chose qui donne l'impression de brutalité et de complet contentement de soi-même. Et quand je dis que j'*essaie* ce thème, voici en quoi cela consiste : je cherche toutes les combinaisons auxquelles je pourrai plier ce thème suivant les circonstances. Exemple : Une des Servantes dit, en parlant de l'un des Prétendants : « Antinoüs est beau. » Il faut alors que mon thème puisse faire la *roue*... comme un paon! Je cherche tous les moyens de le modifier, d'en tirer des effets variés, soit dans son entier, soit par ses fragments.

En un mot, je me fais des *fiches* qui me serviront au cours de l'ouvrage ou, si tu le préfères, je fais des *études,* comme on en fait pour un tableau. Cette indispensable préparation va m'occuper quelque temps, mais elle facilitera énormément mon travail par la suite... Je voudrais être très clair et crains de n'y pas assez réussir...

20 août... Un formidable coup de collier, au point que je me sens las et voudrais faire n'importe quoi : du tir au pigeon, de la natation, de la pêche à la ligne!... Je crois que je finirai par faire du tramway ou du bateau, tout simplement...

30 août. Pour mes gaillards de « Prétendants », les voici en train de faire beaucoup de bruit, de bousculer les servantes et la vieille Euryclée, afin de pénétrer jusqu'auprès de Pénélope. C'est le côté ennuyeux de la besogne, ces pourparlers et ces discussions, mais c'est nécessaire!...

2 septembre. Je me bats toujours avec mon texte qui, forcément, n'est pas toujours très lyrique :

Nous voulons lui parler, qu'elle vienne,
Cours de notre part le lui dire, chienne!

Et en réalité c'est moins la trivialité des termes qui me choque, que la précision de la rime qui me gêne. Elle répond trop du tac au tac! Et dire qu'on est quelquefois arrêté par des niaiseries comme cela tout un jour; car il faut tout de même un accent musical là-dessus! Enfin, Pénélope va entrer en scène et, avec elle, de la noblesse et de l'élévation...

3 septembre. Je suis encore dans les travaux arides... Il y aura longtemps à travailler. Et puis, de temps en temps, je me réveille la nuit et je considère alors, dans ce mauvais état de veille, que tout ce que j'ai déjà écrit de *Pénélope* est *bien médiocre*!... Des moments comme cela, ça s'est produit pour tout, toute ma vie...

7 septembre. Euryclée, la vieille nourrice, intervient au bruit que font les Prétendants. Et j'ai imaginé d'établir déjà l'impression que produira Pénélope, au troisième acte, lorsqu'elle menace lesdits Prétendants de je ne sais quel danger qu'elle ignore mais qu'elle sent *planer sur eux.* Le langage *orchestral* de la scène d'Euryclée contient donc *en germe* la tragédie finale. Entre Euryclée et les Prétendants, le dialogue n'est pas terminé. Il est important que je ne le hâte pas, parce qu'il prépare l'entrée de Pénélope que je *tiens* dans mon esprit, mais que je n'ai pas encore réalisée. Je suis enchanté de travailler méthodiquement. L'atmosphère générale, de la sorte, restera bien la même d'un bout à l'autre de l'ouvrage...

15 septembre. Voici, enfin, que Pénélope est entrée en scène. La fin de la scène précédente, ou plutôt l'enchaînement avec la scène présente, a été l'occasion d'un sérieux effort. Les Prétendants veulent forcer la porte, la vieille Euryclée leur barre le passage, et l'orchestre gronde avec le thème obstiné de ces messieurs et, par-dessous, avec un fragment du thème d'Ulysse qui leur mord les jambes; et cela monte, monte jusqu'à l'explosion d'un accord qui, dans le *Prélude,* traduit le plus pathétiquement la douleur de Pénélope. C'est sur l'éclat et l'expression de cet accord qu'elle apparaît... Cela fait quatre pages de combinaisons qui n'ont pas été faciles à réaliser. Enfin, ça y est.

17 septembre. Pénélope parle et son éloquence touchante et hautaine aussi me plaît. Puisse-t-elle plaire à ceux qui l'entendront!... Aujourd'hui il fait très beau et je vais aller sur le lac rêver à mes personnages.

18 septembre. Me voici à la tête de *quarante-neuf* pages écrites. Sans doute ce n'est pas énorme si je ne tiens pas compte que dans ces quarante-neuf pages, il y a la matière première qui me fournira la suite, au fur et à mesure qu'elle se présentera.

25 septembre. J'ai fait — je crois — de très bonne besogne hier. J'ai traité, et j'ai grand espoir de l'avoir réussi, tout ce passage : « *Il reviendra, j'en suis certaine* »... jusqu'à : « *Et qu'un jour je pourrai l'adorer davantage.* » Tu vois qu'il y avait de quoi piétiner depuis trois jours! Mais hier tout cela s'est formulé et après toute l'animation croissante des premiers vers — avec, dans l'accompagnement, la partie héroïque et presque joyeuse du thème d'Ulysse — j'ai trouvé pour ces mots : « *J'ai tant d'amour à lui donner encore* », des accents amplement pathétiques et expressifs, — je l'espère — avec, dans l'accompagnement, le thème largement présenté de Pénélope... Aujourd'hui, je suis un peu dans l'exaltation agréable de mes pages musicales trouvées hier et que je vais mettre tout à fait au point en les recopiant.

30 septembre. Je ne me sens absolument plus ici et mon travail mollit un peu... Je rapporterai cinquante-cinq pages tout à fait écrites...

LETTRES DE LAUSANNE A SA FEMME, 1907.

ERIK SATIE

UN DÉCOR MUSICAL

Il faudrait que l'orchestre ne grimace pas quand un personnage entre en scène. Regardez. Est-ce que les arbres du décor grimacent ? Il faudrait faire un décor musical, créer un climat musical où les personnages bougent et causent. Pas de couplets, pas de leitmotiv — se servir d'une certaine atmosphère de Puvis de Chavannes.

Propos de SATIE rapporté à Cocteau par Debussy,
Le Coq et l'Arlequin.

Je veux faire une pièce pour chiens et j'ai mon décor. ***Le rideau se lève sur un os.***

Ibid.

MAURICE RAVEL

UN HUMOUR INCLUS DANS LA MUSIQUE

Ce que j'ai tenté [1], c'est assez ambitieux : régénérer l'opéra bouffe italien : le principe seulement. Cette œuvre n'est pas conçue dans la forme traditionnelle comme son ancêtre, son seul ancêtre, le ***Mariage*** **de Moussorgsky, interprétation fidèle de la pièce de Gogol. L'*****Heure Espagnole*** **est une comédie musicale. Aucune modification du texte de Franc-Nohain hormis quelques coupures. Seul le quintette final pourrait rappeler par sa coupe, ses vocalises, ses effets de voix les ensembles du répertoire. A part ce quintette, c'est plutôt de la déclamation familière que du chant. La langue française, aussi bien qu'une autre, a ses accents, ses inflexions musicales. Et je ne vois pas pourquoi l'on ne profiterait pas de ces qualités pour tâcher de prosodier juste.**

1. En écrivant l'*Heure Espagnole*, qui est avec l'*Enfant et les Sortilèges* la seule œuvre lyrique que Ravel devait écrire pour le théâtre.

Fernand Léger. Les trois Musiciens. Munich.

(Phot. Giraudon)

L'esprit de l'œuvre est franchement humoristique. C'est par la musique surtout, par l'harmonie, le rythme, l'orchestration que j'ai voulu exprimer l'ironie et non, ainsi que dans l'opérette, par l'accumulation arbitraire et cocasse des mots.

... Depuis longtemps je songeais à un ouvrage musical humoristique. L'orchestre moderne me semblait justement pouvoir souligner, exagérer les effets comiques. En lisant *l'Heure Espagnole* de Franc-Nohain j'ai jugé que cette fantaisie cocasse se prêtait à mon projet. Un tas de choses me séduisaient dans cet ouvrage, mélange de conversation familière et de lyrisme ridicule à dessein, atmosphère de bruits insolites et amusants qui enveloppe les personnages en cette boutique d'horlogerie. Enfin le parti à tirer des rythmes pittoresques de la musique espagnole.

ALBAN BERG

UNE ÉVOLUTION DE L'OPÉRA?

Questionné à l'occasion de la création récente d'un opéra contemporain, j'écrivis pour le programme de cette représentation le texte qu'on va lire. Il définit une fois pour toutes ma position générale vis-à-vis du « problème de l'opéra ».

A. B.

Que pensez-vous d'une évolution de l'opéra conforme à l'esprit de notre temps?

— J'en pense ce que je pense de toute évolution artistique. Un jour surgira une œuvre maîtresse. Elle sera tellement orientée vers l'avenir, que l'on pourra parler, en vertu de sa seule existence, d'une « évolution de l'opéra ». Jusqu'alors, l'usage qui peut être fait dans certaines œuvres lyriques de moyens « conformes à l'esprit de notre temps » comme le cinéma, le music-hall, l'amplificateur ou la musique de jazz, s'il assure l'appartenance de ces œuvres au moment présent, ne constitue nulle garantie de leur valeur véritablement progressive. Il marque en elle un aboutissement, mais il ne nous confère pas le pouvoir de nous engager vers de nouvelles découvertes.

Pour que l'on puisse parler du renouvellement d'un genre artistique, comme il s'en effectue dans les opéras de Monteverdi, Lully, Gluck, Wagner et, tout récemment, dans ceux de Schoenberg, le seul emploi des acquisitions techniques les plus récentes, de procédés momentanément en vogue ne suffit pas!

D'ailleurs, faut-il toujours « progresser » ? Ne pourrait-on se contenter de mettre de la belle musique au service de bonnes œuvres dramatiques, ou, mieux encore, de composer une musique si belle qu'elle devienne, malgré tout ce qui s'y oppose, du bon théâtre ?

Ceci m'amène à définir ma prise de position plus personnelle en face du « problème de l'opéra ». Je crois nécessaire de l'expliciter, afin de rectifier une erreur que l'on fait trop souvent à mon sujet depuis la publication de mon opéra *Wozzeck*...

ECRITS D'ALBAN BERG, *trad. H. Pousseur.*

« *WOZZECK* », *UNE MUSIQUE SUBORDONNÉE A L'ACTION*

Même en rêve, il ne m'est pas venu à l'esprit de faire de *Wozzeck* une œuvre révolutionnaire. Ce n'est pas cette intention qui eût pu m'en faire entreprendre la composition, et je n'ai jamais considéré le résultat de cette dernière comme un modèle pour mon propre travail futur ni pour celui d'autres compositeurs. C'est assez dire si je m'attendais peu à ce que *Wozzeck* pût « faire école ».

Certes, en décidant d'écrire un opéra, je formais le vœu de composer de la bonne musique, d'exprimer par les sons le contenu spirituel du drame immortel de Büchner, de transposer son langage poétique dans le langage musical. Mais à part cela, je n'eus nulle autre intention, fût-elle compositionnelle, que de donner au théâtre une œuvre qui lui convienne entièrement, de façonner ma musique dans une conscience constante de sa subordination à l'action, de mettre en elle tout ce qui était nécessaire à la réalisation du drame sur les planches. C'étaient là déjà les tâches essentielles d'un idéal metteur en scène. Bien sûr, je ne voulais, par ailleurs, porter nul préjudice aux prérogatives absolues de la musique, à sa vie autonome que rien de non musical ne doit venir entraver.

Que ce projet ait été mis en œuvre à l'aide de formes musicales plus ou moins anciennes (une des plus importantes parmi mes soi-disant réformes!), me semble une conséquence toute logique.

Il fallait établir un tri judicieux parmi les vingt-six scènes de Büchner, parfois fragmentaires et souvent fort lâchement reliées. Il fallait éviter les répétitions susceptibles de paralyser la variation musicale. Il fallait rapprocher les scènes, les juxtaposer et les grouper en actes. La solution de ce problème relevait déjà de l'architectonique musicale plutôt que de l'art dramatique.

Mon projet de façonner les quinze scènes subsistantes selon un principe contrastant (seul susceptible de leur conférer l'univocité et la prégnance désirables) m'interdisait tout particulièrement de les composer mesure par mesure, au fil du texte littéraire. Aussi pure, aussi structurellement riche que pût être une musique écrite selon cette coutume, aussi justement qu'elle pût illustrer l'action dramatique, il eût été impossible d'empêcher que s'imposât, après quelques scènes seulement, un sentiment de grande monotonie. Les quelque douze intermèdes symphoniques, ne pouvant faire autre chose que se conformer à cette écriture illustrative, auraient aggravé encore cette monotonie, l'auraient poussée jusqu'à l'ennui. Or l'ennui n'est-il pas le dernier résultat auquel le théâtre puisse désirer atteindre ?

USAGE DES FORMES DE « MUSIQUE PURE »

Chaque scène, chaque musique d'entracte — prélude, postlude, transition ou intermède — devait donc se voir attribuer un visage musical propre et identifiable, une autonomie cohérente et clairement délimitée. Cette exigence impérieuse eut pour conséquence l'emploi si discuté de formes musicales anciennes ou nouvelles, dont d'habitude on ne fait usage qu'en « musique pure ». Elles seules pouvaient garantir la prégnance et la netteté des différents morceaux.

Leur introduction dans l'opéra peut avoir été inhabituelle, voire nouvelle à plus d'un point de vue. Ce qui vient d'être dit prouve qu'il n'y eut là nul mérite. C'est pourquoi je puis et dois nier résolument avoir tenté de révolutionner l'opéra par ces innovations.

Cette déclaration n'a pas pour objet de minimiser la valeur de mon œuvre. D'autres, qui la connaissent moins bien, s'en chargent plus volontiers. Je me permettrai néanmoins de révéler ce que je considère comme ma vraie réussite.

Quelque connaissance que l'on ait de la multiplicité des formes musicales contenues dans cet opéra, de la rigueur et de la logique avec lesquelles elles ont été élaborées, de l'adresse combinatoire qui a été mise jusque dans leurs moindres détails, à partir du lever du rideau jusqu'au moment où il tombe pour la dernière fois, il ne peut y avoir personne dans le public qui distingue quoi que ce soit de ces diverses *fugues* et *inventions, suites* et *sonates, variations* et *passacailles,* dont l'attention soit absorbée par autre chose que par l'idée de cet opéra, transcendante au destin individuel de *Wozzeck.*

Je crois que cela m'a réussi!

Ibid.

RÉPONSES A UNE ENQUÊTE

Ce que j'exige des théâtres lyriques contemporains ?

— Qu'ils exécutent les opéras classiques comme s'ils étaient modernes et vice versa!

Comment je me représente le rapport entre musique, parole et scène ?

$a^2+b^2=c^2$! Certes, dans ce rapport triangulaire la musique ne doit pas toujours occuper la place de l'hypoténuse. Mais c'est là, tant pour la composition que pour la représentation, l'état idéal d'une telle section d'or!

D'autre part, vous voudriez savoir ce que j'attends et ce que j'exige personnellement des théâtres lyriques ?

Comme compositeur de *Wozzeck,* j'exige naturellement qu'ils exécutent cette œuvre... mais je ne m'y attends pas!

FORMES MUSICALES DANS « WOZZECK »[1]

Je n'ai pas l'intention de m'opposer aux idées, musicales ou autres, du sieur Joseph Petschnig! Chaque mesure de ma musique s'en charge, mieux que des mots pourraient le faire. Je veux simplement corriger les plus criantes erreurs contenues dans son article sur « la composition atonale d'opéra ».

Tout d'abord, il n'est pas exact de dire que la deuxième scène du premier acte de *Wozzeck* doit « son caractère rhapsodique au fait que la musique en est extrêmement déchiquetée ». Une succession de trois accords y assume une fonction quasi thématique. Toute la scène n'est que le développement par libre variation de cette figure accordique. Sa forme, strictement close, tire sa claire articulation du fait que les trois strophes et le refrain d'une chanson de chasse — populaire, comme il se doit dans une rhapsodie! — sont

1. Réponse à un critique.

entendues successivement, à des distances structurelles bien mesurées.

De même, la *fantaisie* de la deuxième scène du deuxième acte n'est pas « un exemple typique du désordre sonore habituel aux atonalistes », mais une préparation de la triple fugue qui lui fait suite (le titre *fantaisie et fugue* ne laisse subsister aucune équivoque). Elle remplit cette fonction par l'introduction progressive, sur un mode d'abord plus spécifiquement harmonique, des trois sujets de fugue. Ceux-ci tendent à assumer leur véritable destin : la forme contrapunctique fuguée. La critique de M. Petschnig, selon laquelle « le fondement thématique de la triple fugue aurait dû être caractéristique des trois personnages qui y participent et avoir déjà été entendu auparavant », s'avère d'autant moins opportune que les trois thèmes sont effectivement extraits de scènes précédentes, dans lesquelles il est fait usage de ce style caractéristique. Lorsqu'il avoue « ne pas être parvenu à reconstituer la *sonate* à partir de sa thématique « amiboïde », prouve-t-il par là que la forme de cette pièce ne correspond pas, tout de même, au schéma d'un strict mouvement de sonate, comprenant une exposition et une répétition variée, un développement, une deuxième reprise et une coda ? Les thèmes jouent ici le rôle clairement reconnaissable de phrases respectivement principale, transitoire, secondaire et conclusive. Leur proportion n'est pas plus « amiboïde » que celle des thèmes de beaucoup de sonates de Beethoven. Dire ensuite qu' « un *ländler* et une *valse* se disputent le *scherzo* (II, 4) » rend compte d'une manière absolument insuffisante de la forme de cette scène, rend méconnaissable son aspect de mouvement symphonique. En réalité, ces deux danses ne sont qu'un fragment d'une pièce bâtie selon le schéma symétrique classique : *scherzo I, trio I, scherzo II — trio II — scherzo I, trio I, scherzo II.*

Cette mise au point annule d'un même coup toute comparaison inadéquate à *Hans Heiling,* au *Chevalier à la Rose,* ou à *Salomé.* Toutefois, je ne puis que donner raison à M. Petschnig lorsqu'il affirme qu' « il faut se faire violence » pour appeler telle scène un *rondo.* Elle n'est, en effet, que l'introduction de celui-ci. Le *rondo martiale* (II, 5), très vigoureux de caractère et de forme, commence au moment précis où M. Petschnig a interrompu son analyse!

C'est avec aussi peu de clairvoyance, aussi peu de fidélité descriptive, qu'il s'attaque à l'*adagio* pour orchestre du dernier acte (III, 4-5). Ne voyant pas qu'il s'agit tout simplement d'une structure ternaire en *ré* mineur, notre critique constate que « la tonalité de cette musique de transition est des plus douteuses » et que « l'armure, tenue sans doute pour superflue, est abandonnée après deux pages ». La vérité, c'est que la partie centrale, appelée aussi partie modulante (voir Büssler, *Traité d'harmonie*), qui débute lors de cet abandon, ramène finalement la tonalité principale, que l'on ne quittera plus, et dans laquelle l'*adagio* se terminera sans confusion possible. Ce retour sera clairement exprimé par la réintroduction de l'armure. Il n'est donc pas exact de dire que « le morceau fait appel à deux ou à quatre tonalités différentes (l'on ne distingue pas très bien si elles sont majeures ou mineures!) S' « il ne s'agit ici que d'une farce harmonique, au même titre que bien des choses dans cette œuvre ressemblent furieusement à un bluff formel », on est bien heureux d'apprendre qu'il ne s'agit finalement que d'une ressemblance! Même si l'on pouvait donner une preuve flagrante de la « farce harmonique », il apparaît que celle du « bluff », malgré la furieuse ressemblance, serait plus difficile à établir! Prenons l'invention rythmique de la troisième scène et du troisième acte. Si le principe formel qui la règle ne résidait que dans le fait qu'une figure rythmique « s'y trouve répétée çà et là », on ne pourrait certes pas conclure à sa valeur structurelle. En réalité, elle est entièrement bâtie sur cette figure, qui s'impose à l'auditeur à la façon d'un thème. Elle est soumise à toutes les combinaisons, à toutes les formes et formules contrapunctiques imaginables, *fugatos* et strettes, augmentations et diminutions. Elle articule tous les événements harmoniques, mélodiques et thématiques. Comme tant d'autres choses, celle-ci ne devrait pas être si difficile à reconnaître. Il faudrait seulement posséder, outre un peu de bonne volonté, un minimum de jugement. L'une et l'autre semblent faire ici entièrement défaut! Sans quoi, l'œuvre de Büchner ne pourrait pas être si mal comprise et donner lieu à la constatation qu' « il s'agit d'hommes très frustes, adonnés naïvement à leurs instincts sexuels ».

L'on est d'autant plus étonné par l'exactitude d'une remarque subséquente : l'emploi de la voix parlée dans le courant de la scène d'auberge du deuxième acte (pp. 156-159) serait un « procédé tout à fait artificiel, frisant la caricature ». C'est en effet de caricature qu'il s'agit : un ouvrier totalement ivre tient un sermon de carême! Ceci devait être exprimé aussi sur le plan musical : au-dessus du *cantus* du bombardon, les instruments d'un orchestre de foire se contrepointent selon la forme sévère d'un choral figuré à quatre parties. Notre critique n'en souffle mot!

Or l'on peut m'en croire, cette forme et toutes les formes musicales rencontrées au cours de l'œuvre sont réussies. Je puis démontrer d'une manière plus approfondie et plus persuasive leur justesse et leur bien-fondé. Quiconque veut s'en convaincre, s'adresse à moi. Je m'y prêterai volontiers.

Ibid.

PROKOFIEV

UNE CONVENTION ABSURDE

Il y a peu, nous avons constaté, dans les opéras russes, un faiblissement de l'intérêt du compositeur pour les aspects scéniques de l'opéra, avec pour résultat que cet opéra est devenu statique, rempli d'une foule d'ennuyeuses conventions... Selon moi, la coutume d'écrire des opéras sur des textes versifiés est une convention totalement absurde. La prose de Dostoïevsky est plus vive, frappante et convaincante que toute poésie.

1916.

ARTHUR HONEGGER

FAIRE COMPRENDRE *LE TEXTE CHANTÉ*

Au premier rang des moyens [*que j'ai employés*], je placerai une conception de la prosodie qui m'est assez particulière. Et aussitôt, j'ajouterai une chose énorme : les compositeurs français ne paraissent pas se rendre compte de l'importance plastique des textes qu'ils mettent en musique. Je rejoins ici les incertitudes de Richard Strauss, au temps où il composait *Salomé,* d'après le texte français d'Oscar Wilde : « Pourquoi le Français chante-t-il autrement qu'il parle ? Est-ce atavisme ou tradition ? » Sur quoi Romain Rolland lui conseille d'étudier soigneusement *Pelléas,* qu'il considère comme le meilleur exemple de la bonne prosodie française. Strauss achète la partition, la travaille, et s'étonne d'y découvrir « cette même nonchalance de déclamation qui, depuis toujours, m'a tellement surpris dans la musique française ».

Pour moi, le problème s'est posé de la même façon. A l'époque où je composais la musique d'*Antigone,* sur un texte violent et même brutal, je me suis dit parfois : « Si je prosodie ce texte de la façon habituelle, il va perdre son relief, sa force. Le cas de *Pelléas* est exceptionnel; le poème monochrome de Maeterlinck suggérait en effet cette répétition monotone, ce syllabisme imperturbable par l'emploi duquel les sous-debussystes ont efficacement entraîné le théâtre lyrique dans la mort... En aucun cas, la réussite de Debussy ne peut servir de modèle à une déclamation dramatique. »

Ce qu'il me fallait découvrir à tout prix, c'est le moyen de faire *comprendre l*e texte chanté : c'est, à mon sens, la règle du jeu dans le domaine lyrique. Les musiciens dramatiques français ont l'obsession exclusive du dessin mélodique et le souci tout à fait relatif de la conformité du texte et de la musique. D'où cette légende qu'au théâtre lyrique on ne peut jamais comprendre les chanteurs. Or, quatre-vingt-dix-neuf fois sur cent, ce n'est pas la faute des chanteurs, mais celle des compositeurs.

Je devais, à tout prix, m'écarter de cette prosodie négligente, comme de la psalmodie debussyste. J'ai donc cherché l'accent juste, surtout dans les consonnes d'attaque, me trouvant, sur ce terrain, en nette opposition avec les principes traditionnels. Là-dessus, j'ai eu la joie d'être approuvé par Claudel, dont j'ignorais alors la doctrine. Ce qui importe dans le mot, ce n'est pas la voyelle, c'est la consonne; elle joue vraiment le rôle d'une locomotive, traînant le mot tout entier derrière elle. Dans le chant classique, au royaume du *bel canto,* la voyelle était reine, parce que, sur A, E, I, O, U, on peut tenir le son aussi longtemps que l'on veut. A notre époque, et pour une déclamation dramatique, les consonnes lancent le mot dans la salle, elles le font percuter. Chaque mot contient en puissance sa ligne mélodique. En lui surajoutant une ligne mélodique opposée à la sienne, on paralyse son envol et le mot s'écrase sur le plancher de la scène. Ma règle personnelle est de respecter la plastique du mot afin de lui donner toute sa force.

Prenons un exemple dans *Antigone.* A un moment, Créon interrompt violemment le chœur et s'écrie : « Assez de sottises, vieillesse! » La prosodie conventionnelle nous suggère l'accentuation suivante : « Assez de sot*ti*ses, vieil*le*sse! » Essayez de lancer cette phrase avec colère, ainsi rythmée : l'effet agressif s'émousse aussitôt. Pour respecter la situation dramatique et la fureur de Créon, j'ai prosodié : « Assez de *sot*tises, *vieil*lesse! », en m'appuyant sur la racine des mots. De même pour : « L'homme est *i*nouï... L'homme *la*boure... l'homme *chas*se. » Je porte l'accent sur les temps forts.

Cette conception a été généralement désapprouvée par les compositeurs et les critiques, mais, à ma grande joie, les chanteurs, après avoir levé les bras au ciel : « Dieu, que cette musique est compliquée! » venaient me dire, à la deuxième répétition : « Vous aviez raison : quand on en a pris l'habitude, on ne peut plus concevoir de chanter autrement. »

Mon système les aidait particulièrement dans les phrases de débit rapide, ainsi que dans le registre aigu.

Ce système prosodique est poussé à l'extrême dans *Antigone.* Je l'ai cependant utilisé ailleurs. Quand je dois mettre un texte en musique je me le fais lire par l'auteur ou, si l'auteur est mauvais lecteur, j'imagine la manière dont un bon comédien le dirait, de quelle façon il placerait les accents principaux. Dans une phrase, si deux ou trois mots clefs sont bien mis en valeur, le sens général s'impose aussitôt. De m'être trouvé sur ce point en plein accord avec Claudel, ç'a été pour moi un puissant réconfort. Claudel me donnait l'appui le plus précieux : la thèse que je prônais n'était plus une manie, le procédé d'un musicien, mais la conviction étudiée du plus grand poète de notre époque. Je puis également invoquer le témoignage de Paul Valéry qui, lui aussi, me donnait raison. En appliquant mes principes, j'ai seulement voulu restituer son naturel au chant français. Je n'ai pas écrit de récit, à proprement parler, mais des mélodies chantées rapidement, si rapidement même que beaucoup ont cru qu'il ne s'agissait pas de mélodies. Ce qu'on admire, en général, c'est la mélodie lente. Demandez à quelqu'un de vous citer une belle mélodie : elle sera sûrement notée *adagio.* Et c'est absurde. Mais s'il fallait dénombrer les absurdités consacrées par l'usage, on remplirait les rayons d'une bibliothèque...

JE SUIS COMPOSITEUR.

MARCEL DELANNOY

MARCEL DELANNOY (né en 1898) est l'auteur d'ouvrages lyriques, comme Puck *et le* Poirier de Misère, *dépourvus d'austérité, mais non sans de robustes qualités musicales, qui témoignent de possibilités de rénovation fécondes et populaires en matière d'opéra.*

MA SEULE AMBITION, LA PERSONNALITÉ

Depuis le *Poirier,* combien d'autres efforts heureux ou malheureux, combien de joies et de traverses! C'est un autre moi-même que je contemple à travers ses branches avec beaucoup plus de curiosité que de narcissisme. Qu'était donc le jeune farfelu qui se lançait dans pareille entreprise dont seul un miracle pouvait permettre l'aboutissement ? Je revois la chambre que j'occupais en 1926, chez mes parents à Saint-Germain-en-Laye. Sur la table de travail, en bonne place on s'étonnait de voir le crâne que j'avais acheté au Quartier latin et dont je garnissais régulièrement de fleurs les orbites, à la façon d'un de ces Humanistes du début de la Renaissance que je voulais imiter sans bien les connaître. Je devais tenir longtemps rancune à ma chère maman de l'avoir jeté un jour, ce crâne, dans la boîte à ordures, comme suite à une indéniable préméditation. Ainsi s'unissaient le goût d'un certain primitivisme « bourguignon » (ses modes d'église et ses chansons) avec l'atmosphère du Paris des années 1925-1930, où le jazz en sa fraîcheur, Stravinsky et Cocteau étaient rois, pour aboutir à une création musicale dont on a bien voulu reconnaître l'originalité et telle que je ne la saurais recommencer.

Avec l'accession de Louis Masson et de Georges Ricou à la direction de l'Opéra-Comique, le miracle s'était réalisé, que, dans ma candeur — les difficultés devaient commencer plus tard — je trouvais naturel, voire dû. Et le retentissement avait été considérable.

Que de malentendus, de panégyriques et d'éreintements! On alla jusqu'à me taxer de « bolchevisme musical ». (A l'heure qu'il est pourtant, avec trente ans de retard, le *Poirier* ferait encore figure de musique d'avant-garde vis-à-vis de celle d'un Katchaturian.) Aussi bien, si les révolutions du langage sonore se sont succédé depuis sans interruption, pas plus aujourd'hui qu'hier je ne puis considérer le « scandale du bourgeois » comme un critère de valeur. Les « constantes » ont autrement d'importance. D'autres que moi diront quelles sont celles du *Poirier,* et si, après trente années de silence, l'ouvrage a gardé la fraîcheur, l'originalité d'expression et de structure qu'on avait bien voulu lui reconnaître.

En effet, le premier instinct m'avait tout de suite conduit hors des moules traditionnels. Le *Poirier* procède à la fois de l'opera seria, de l'opera buffa, du drame lyrique et du mimodrame. Les chœurs, comme dans ce *Boris* que j'admire sans réserve, y jouent le rôle du personnage principal : le peuple.

Chez moi, les préoccupations de structure et de caractère devaient prendre définitivement le pas sur celles du « langage » dont sont obsédés les musiciens d'aujourd'hui. Et la seule permanence que j'ambitionne dans des ouvrages aussi différents que le *Poirier,* le *Fou de la Dame, Ginevra, Puck,* les *Noces fantastiques,* est la « personnalité ».

Les formes lyriques m'apparaissent devoir évoluer. Pourtant, je ne crois pas plus au néo-vérisme de Menotti qu'au *Sprechtgesang* d'un Alban Berg — pour émouvant que soit un *Wozzeck* — ou qu'à la sagesse d'un Poulenc abrité derrière des architectures littéraires solides et célèbres. J'aime trop le théâtre pur quand il se suffit à lui-même, pour désirer un parallélisme musical superflu. Il me semble que l'emploi de la musique au théâtre doive conduire à des structures nouvelles, dont l'équipe Claudel-Honegger, par exemple, a donné des prémices. C'est tout simplement le vieux rêve romantique de la « fusion des arts », un instant décrié, qui revient sous d'autres formes et sous le vocable « spectacle total » — cher à J.-L. Barrault, cet antimusical amoureux de musique. Cette voie, je l'aurai cherchée toute ma vie. Aujourd'hui, j'aboutis à un nouveau *choréopéra, Abraham et l'Ange,* dont l'Orchestre National donnera la création mondiale en concert public le 17 mai, aux Champs-Elysées. C'est une tentative de compromis, en effet, entre l'opéra et l'oratorio, le ballet (employé comme élément dramatique et non comme divertissement à la façon du XVIIIe siècle), le tout au sein d'une véritable *action.* Après tant de byzantinisme, le moment est arrivé de renoncer à ce dédain qu'on affiche en France depuis cinquante ans à l'égard de la « musique de théâtre », et qui n'est pas sans rappeler celui d'un certain Renard de la fable.

Ainsi donc, à cinq jours d'intervalle, Lyon aura pu écouter chez M. Camerlo, la *Pantoufle de vair* et le *Poirier de misère,* mon œuvre le plus claire et mon œuvre la plus sombre. Alternativement, on a tenté de m'accrocher dans le dos une ou l'autre de ces étiquettes définitives. Eh bien, il faut en prendre son parti et se faire une raison : je suis en même temps l'homme de la *Pantoufle de vair* et celui du *Poirier de misère.*

A propos de la reprise du POIRIER DE MISÈRE à l'Opéra de Lyon, *Résonances Lyonnaises,* avril 1960.

LE JAZZ

Si le jazz a donné lieu à une abondante littérature historique et critique, il n'a jamais inspiré des écrits théoriques importants et ses musiciens ont dédaigné de s'expliquer longuement sur leur art. Ce n'est qu'à travers quelques-unes de leurs déclarations qu'il est possible de connaître leurs idées. Phénomène spécifiquement noir à son origine, tout instinctif, improvisatif, le jazz s'est développé en dehors de toute technique musicale. Mais il s'est chargé, en chemin, d'expériences diverses, approfondies par la conscience personnelle du musicien. Trois textes de Sartre, André Hodeir et Boris Vian introduisent ici les brèves et significatives confessions de quelques-uns des grands musiciens du jazz américain.

JEAN-PAUL SARTRE

NEW YORK CITY

La musique de jazz, c'est comme les bananes, ça se consomme sur place. Dieu sait qu'il y a des disques, en France, et puis des imitateurs mélancoliques. Mais c'est juste un prétexte pour verser quelques larmes en bonne compagnie. J'ai découvert le jazz en Amérique, comme tout le monde. Certains pays ont des réjouissances nationales et d'autres n'en ont pas. Il y a réjouissance nationale quand le public vous impose un silence rigoureux pendant la première moitié de la manifestation et se met à hurler et à trépigner pendant la seconde moitié. Si vous acceptez cette définition, il n'y a pas de réjouissance nationale en France, sauf peut-être les braderies et ventes aux enchères. Ni en Italie; sauf peut-être le vol : on laisse faire le voleur dans un silence attentif (première moitié) et puis on trépigne et on crie « Au voleur! » pendant qu'il s'enfuit (deuxième moitié). Au contraire, la Belgique a les combats de coqs, l'Allemagne a le vampirisme et l'Espagne les corridas. J'ai appris à New York que le jazz était une réjouissance nationale. A Paris il sert à danser, mais c'est une erreur; les Américains ne dansent pas au son du jazz : ils ont à cet effet une musique particulière qui sert aussi aux premières communions et aux mariages et que l'on nomme : *music by Muzak*. Il y a des robinets dans les appartements, on les tourne, et Muzak musique : flirt, larmes, danse. On ferme le robinet, et Muzak ne musique plus : on couche les communiants et les amants.

Au Nick's Bar, à New York, on se réjouit nationalement. C'est-à-dire qu'on s'assied dans une salle enfumée, à côté des matelots, des malabars, des putains sans carte, des dames du monde. Tables, boxes. Personne ne parle. Les matelots vont par quatre. Ils regardent, avec une haine légitime, les godelureaux qui vont s'asseoir dans les boxes avec leur chacune. Ils voudraient des chacunes et ils n'en ont pas. Ils boivent, ils sont durs; les chacunes sont dures aussi : elles boivent, elles ne parlent pas. Personne ne parle, personne ne bouge, le jazz joue. Il joue du jazz de dix heures à trois heures du matin. En France, les jazzistes sont de beaux hommes mats avec des chemises flottantes et des foulards. Si ça vous embête d'écouter, vous pouvez toujours les regarder et prendre des leçons d'élégance. Au Nick's Bar, il est conseillé de ne pas les regarder : ils sont aussi laids que les exécutants d'un orchestre symphonique. Visages osseux, moustaches, vestons, cols demi-durs (au moins au commencement de la soirée) et le regard n'est même pas velouté. Mais les muscles bossuent leurs manches.

Ils jouent. On écoute. Personne ne rêve. Chopin fait rêver, ou André Claveau. Pas le jazz du Nick's Bar. Il fascine, on ne pense qu'à lui. Pas la moindre consolation. Si vous êtes cocu, vous repartez cocu, sans tendresse. Pas moyen de saisir la main de sa voisine et de lui faire comprendre d'un clin d'œil que la musique traduit votre état d'âme. Elle est sèche, violente, sans pitié. Pas gaie, pas triste, inhumaine. Les piaillements cruels d'oiseaux de proie. Les exécutants se mettent à suer, l'un après l'autre. D'abord le trompettiste, puis le pianiste, puis le trombone. Le contrebassiste a l'air de moudre. Ça ne parle pas d'amour, ça ne console pas. C'est pressé. Comme les gens qui prennent le métro ou qui mangent au restaurant automatique. Ça n'est pas non plus le chant séculaire des esclaves nègres. On s'en barbouille, des esclaves nègres. Ni le petit rêve triste des Yankees écrasés par leurs machines. Rien de tout cela : il y a un gros homme qui s'époumone à suivre son trombone dans ses évolutions, il y a un pianiste sans merci, un contrebassiste qui gratte ses cordes sans écouter les autres. Ils s'adressent à la meilleure part de vous-même, à la plus sèche, à la plus libre. à celle qui ne veut ni mélodie ni ritournelle, mais l'éclat assourdissant de l'instant. Ils vous *réclament*, ils ne vous bercent pas. Bielles, arbre de couche, toupie en mouvement. Ils battent, ils tournent, ils grincent, le rythme naît. Si vous êtes dur, jeune et frais, le rythme vous agrippe et vous secoue. Vous sautez sur place, de plus en plus vite, et votre voisine saute avec vous; c'est une ronde infernale. Le trombone sue,

Jazz. Fernand Léger. Collection Daniel Wallard.

Armstrong à la trompette. (Cliché J.P. Leloir).

vous suez, le trompettiste sue, vous suez davantage, et puis vous sentez que quelque chose s'est produit sur l'estrade; ils n'ont plus le même air : ils se pressent, ils se communiquent leur hâte, ils ont l'air maniaque et tendu, on dirait qu'ils cherchent quelque chose. Quelque chose comme le plaisir sexuel. Et vous aussi, vous vous mettez à chercher quelque chose, et vous vous mettez à crier. Il faut crier; l'orchestre est devenu une immense toupie : si vous vous arrêtez, la toupie s'arrête et tombe. Vous criez, ils grattent, ils soufflent, ils sont possédés, vous êtes possédé, vous criez comme une femme qui accouche. Le trompettiste touche le pianiste et lui transmet sa possession comme au temps de Mesmer et de ses baquets. Vous criez toujours. Toute une foule crie en mesure, on n'entend même plus le jazz, on voit des gens, sur une estrade, qui suent en mesure, on voudrait tourner sur soi-même, hurler à la mort, taper sur la figure de sa voisine.

Et puis, tout d'un coup, le jazz s'arrête, le taureau est estoqué, le plus vieux des coqs est mort. C'est fini. Vous avez tout de même bu votre whisky, tout en criant, sans vous en apercevoir. Un garçon impassible vous le remplace. Vous restez hébété un moment, vous vous secouez, vous dites à votre voisine : Pas mal! Elle ne vous répond pas, et ça recommence. Vous ne ferez pas l'amour cette nuit, vous n'aurez pas pitié de vous-même, vous ne serez même pas parvenu à vous saouler, vous n'aurez même pas versé le sang, et vous aurez été traversé par une frénésie sans issue, par ce crescendo convulsionnaire qui ressemble à la recherche coléreuse et vaine du plaisir. Vous sortirez de là un peu usé, un peu ivre, mais dans une sorte de calme abattu, comme après les grandes dépenses nerveuses.

Le jazz est le divertissement national des Etats-Unis.

ANDRÉ HODEIR

LA CHARTE DU JAZZ

1 • Le jazz est la musique profane du peuple noir des Etats-Unis.

On distingue le « Jazz », genre profane, principalement instrumental, du « Negro-Spiritual », cantique religieux, ainsi que des œuvres de caractère symphonique de certains compositeurs noirs (William Grant Still). On distingue aussi le jazz authentique des diverses contrefaçons habituellement désignées sous ce nom, et qui ne répondent pas aux exigences de la véritable musique de jazz; musique de scène, de danse, de film à caractère commercial (exécutions des orchestres de Paul Whiteman, Jack Hilton, Jacques Hélian) ou compositions semi-symphoniques, dites « Jazz symphonique » (Georges Gershwin). Ces contrefaçons sont généralement dues aux musiciens de race blanche. Le Blanc n'est cependant pas à priori inapte à la musique de jazz, mais il ne peut réussir dans ce domaine que dans la mesure où il s'identifie au Noir.

2 ● Le jazz diffère de la musique européenne par le style d'interprétation qu'il utilise (style hot ou nègre) et la présence d'un élément rythmique particulier : le swing.

Le « style hot » et le « swing » sont les deux caractéristiques essentielles de la musique de jazz. On ne les retrouve dans aucun autre genre de musique. L'absence d'un de ces deux éléments, fréquente dans les diverses formes de faux jazz, suffit à priver une exécution de sa qualité de « musique de jazz ».

3 ● Le style hot est un style d'exécution dans lequel la matière sonore est traitée avec la plus grande liberté, ce style requiert l'emploi de procédés tels que le glissando, l'attaque, l'inflexion, le vibrato, les sons bouchés et grinçants.

A l'auditeur comme au musicien européen, un contact prolongé avec la musique de jazz est nécessaire pour familiariser son oreille et éduquer sa sensibilité aux manifestations du style hot et du swing.

Le style hot est une extension au domaine instrumental du style vocal propre aux chanteurs noirs (chanteurs de blues). L'instrument s'efforce à reproduire les inflexions de la voix humaine. La pureté du son n'est pas recherchée pour elle-même, comme dans la musique européenne. L'unité de la matière sonore est rompue : celle-ci se trouve perpétuellement triturée à des fins expressives. Dans le style hot, l' « inflexion » et l' « attaque » ont une importance capitale; elles peuvent exprimer, au même titre que l'invention d'une phrase mélodique, le potentiel créateur et la personnalité d'un musicien; elles communiquent à l'auditeur le « choc physique » propre à la musique de jazz. Le « glissando » est une large inflexion, couvrant plusieurs degrés de la gamme; sa fonction est d'amplifier la force expressive d'une ligne mélodique. Plusieurs sortes de « vibrato », depuis le plus large jusqu'au plus serré, peuvent être utilisés dans une même improvisation hot. La sourdine adoucit, en le modifiant, le timbre de la trompette et du trombone. Des effets extrêmement dramatiques peuvent être obtenus sur ces instruments grâce à l'usage de la sourdine « wa-wa », qui permet également l'émission de sons stridents, grinçants, dénommés « growl ». Le « growl » s'obtient sans sourdine sur la clarinette et le saxophone; il s'apparente aux timbres dits « dirty » (sales), volontairement durcis jusqu'à l'exaspération.

4 • **Le swing est une manière propre aux musiciens de jazz de faire vivre le rythme. Il détermine une sorte de tension psychique et physique et se manifeste sur le plan matériel par un continuel balancement rythmique, chaque temps (ou fraction de temps) semblant subir l'attraction du temps précédent et lui-même exercer une attraction sur le temps suivant.**

Le « swing » exige la réunion de certaines conditions favorables, telles que l'adoption d'un « tempo » aussi régulier que possible et approprié au style de l'exécution, et l'usage de phrases de structure rythmique presque toujours syncopée. L' « accentuation » est également d'une importance capitale, encore qu'il soit possible de jouer avec swing soit en accentuant les temps faibles, soit en accentuant les temps forts, soit en jouant les quatre temps égaux. Le facteur principal semble être « la perfection rythmique de l'exécution », chaque note étant exactement « mise en place », sans toutefois qu'il en résulte la moindre impression de « contrainte », ou de « raideur », qui serait incompatible avec l'idée de « swing ».

Le « swing » est un élément « vivant » par excellence. C'est aussi un élément musical, si l'on considère que la musique ne dispense pas seulement des plaisirs d'ordre intellectuel ou affectif, mais s'adresse dans une large mesure aux sens. Source d'émotion, le « swing » est également un pressant appel à la « danse ». Son importance dans la musique de jazz est prépondérante.

Le terme « swing » n'est pris substantivement que par souci d'éviter une francisation douteuse; c'est, en effet, à l'origine un verbe : « to swing » (balancer) équivaut dans le langage du jazz à « to play » (jouer).

Depuis quelques années, on attribue au terme « swing » une signification nouvelle : contraction de « swing-music », le mot désigne alors la forme moderne de la musique de jazz avec ses arrangements à « riffs » (Count Basie, Lionel Hampton).

On ne retiendra pas ici les diverses significations fantaisistes imposées par la mode et l'ignorance des foules : l'expression « être swing » n'a pas sa place dans la terminologie du jazz.

5 ● En musique de jazz, le principal moyen d'expression est l'improvisation individuelle ou collective sur un thème donné.

Dans l'improvisation individuelle (celle où, soutenu par la « section rythmique », un seul instrument mélodique est en jeu), on distingue la « paraphrase » de la « variation libre ». La première respecte, tout en la modifiant, la ligne mélodique générale du thème. Dans la seconde, l'improvisateur s'appuie uniquement sur les harmonies (qui peuvent être enrichies mais jamais changées) pour créer une nouvelle ligne mélodique indépendante de la première. Ces deux formes d'improvisation s'interpénètrent.

L'improvisation collective est celle où plusieurs parties mélodiques se juxtaposent. Elle est presque toujours « conduite » par l'un des instruments (généralement la trompette), qui s'écarte peu du thème et assure l'équilibre de l'ensemble. La clarinette, le trombone, et, dans certaines combinaisons, le saxophone, tracent sur cette partie principale des « contrepoints » libres créant une polyphonie spontanée. L'improvisation à plus de quatre parties mélodiques est rarement praticable.

On appelle « Jam-session » une séance d'improvisation pure, d'où tout « arrangement » est exclu.

L'improvisation doit se plier aux exigences du « style hot » et du swing. S'appuyant sur le thème donné, le soliste cherche à créer des phrases mélodiques dans lesquelles il exprime sa personnalité, son style.

C'est dire quelle est l'importance de l' « exécution » en musique de jazz. Alors qu'en musique classique l'exécutant n'est qu'un « interprète », il devient ici un « créateur ». L'importance de l'exécution dépasse de beaucoup celle de la composition choisie comme thème. « En musique de jazz, l'œuvre, c'est l'exécution. »

6 ● L'arrangement est un procédé de création qui tend a substituer l'organisation a l'improvisation.

L' « arrangement » intervient lorsque le nombre des exécutants ou le style de l'exécution ne permettent pas l'usage de l'improvisation. L'arrangeur ne se borne pas à transcrire ou à « habiller » une mélodie : il fait ici œuvre de compositeur, prenant avec le thème les mêmes libertés que l'improvisateur. Un arrangement doit donner à l'orchestre auquel il est destiné la possibilité de s'exprimer selon les exigences du « style hot » et du « swing », tout en respectant l'originalité du groupement. L'arrangement, qui presque toujours ne concerne que les ensembles, n'exclut point l'improvisation, laquelle demeure la règle générale des solistes. Arrangement et improvisation peuvent se combiner heureusement, l'un mettant l'autre en valeur.

On distingue deux sortes d'arrangements : l' « arrangement mélodique », qu'il ne faut pas confondre avec l'arrangement commercial, ou « straight », dans lequel l'arrangeur s'efforce de développer le thème mélodiquement (Duke Ellington); et l' « arrangement rythmique », où il est exclusivement fait usage de « riffs », courtes phrases (le plus souvent de deux mesures) destinées à favoriser le « swing » de l'exécution. Survivance des répétitions rythmiques du tam-tam africain, les riffs sont utilisés par séries. La juxtaposition de deux ou plusieurs riffs donnent parfois lieu à d'intéressantes combinaisons sonores (Count Basie). L'arrangement peut être « écrit », il l'est presque toujours lorsqu'il comporte un grand nombre de parties, ou « oral », c'est-à-dire composé sur place par les membres de l'orchestre.

7 • La musique de jazz utilise des thèmes d'une forme et d'un style particuliers : blues, ragtimes, songs.

Il n'est pas vrai que n'importe quel thème puisse convenir à une exécution de musique de jazz. Aucun morceau à trois temps, par exemple, ne pourra être joué avec « swing », à moins qu'on ne le transpose rythmiquement à quatre temps. La musique de jazz a son répertoire, pris au folklore nègre (« blues et ragtimes ») et complété par l'apport blanc (« songs »). Il est possible d'adapter certaines mélodies européennes au style du jazz.

Le « blues » est à la fois une « forme » et un « style ». Vocal à l'origine, comme les « spirituals » et les « chants de plantation » dont il est issu, il est par la suite passé dans le domaine instrumental, donnant naissance au « style hot » et, par là, à la musique de jazz elle-même. Il se caractérise par sa forme tripartite (A. A. B.), s'étendant sur douze mesures (quoiqu'il existe des « blues irréguliers », longs de seize mesures ou davantage), et sa gamme sans note sensible, sujette à de fréquents emprunts à la sous-dominante (« blue-notes » : troisième et septième degrés alternativement majeurs ou mineurs, maintenant une perpétuelle équivoque modale). L'accord de septième de dominante placé sur le premier, le quatrième et le cinquième degré constitue l'essentiel de son chiffrage harmonique. Chant d'amour par excellence, le blues est chanté avec de larges et poignantes inflexions, principalement sur les « blues-notes » (« Saint-Louis Blues », « Royal Garden Blues »).

Le « ragtime », né avec le jazz, n'a pas survécu à la période dite de la Nouvelle-Orléans (on joue cependant encore « Tiger Rag », « Darktown Strutters Ball » et quelques autres ragtimes célèbres). De caractère semi-folklorique, le ragtime a fait place au « song » ou chanson américaine d'inspiration blanche.

Le « song » est habituellement construit selon le schéma A. A. B. A., chaque phrase étant de huit mesures (« Dinah »). Un autre type de song extrêmement courant est celui où le dessin mélodique initial est repris à la dix-septième mesure (« I can't give you anything but love »). Le style harmonique du song, avec ses sixtes ajoutées et ses multiples dissonances, diffère de celui du « blues » : il a considérablement influé sur l'évolution du jazz depuis 1925.

Tous les thèmes du type song ainsi qu'une forte proportion de blues comportent un couplet (« verse ») et un refrain (« chorus »). L'usage de n'utiliser que le « chorus », comme thème d'improvisation s'est peu à peu généralisé; d'où l'expression : « prendre un chorus » qui équivaut à improviser une variation sur un thème donné (le « thème varié » étant la seule forme usitée en musique de jazz).

La forme carrée (douze, seize, trente-deux mesures) de presque tous les thèmes du jazz s'explique par la nécessité où se trouve l'improvisateur de s'appuyer sur une structure simple, impliquant le retour périodique de l'accord de tonique. Les fins de phrases donnent lieu à une chute de la mélodie qu'exploite le soliste dans une fantaisie mélodique ou rythmique appelée « break », parfois exécutée complètement à découvert (« break solo »); les instruments rythmiques peuvent également improviser des « breaks d'accompagnement » destinés à rompre l'uniformité du style à quatre temps.

Le terme « compositeur de jazz » appliqué à l'auteur d'un thème est, le plus souvent, impropre, dans la mesure où ce « thème » n'est plus qu'un « canevas » utilisé par l'improvisateur ou l'arrangeur.

8 • En musique de jazz, la prépondérance instrumentale échoit aux cuivres et aux anches au détriment des cordes; la voix humaine y est souvent traitée en soliste.

La musique de jazz utilise une instrumentation particulière : les instruments, empruntés à l'orchestre européen, n'y sont pas traités de la même façon. La « trompette », le « cornet », le « trombone », la « clarinette », le « saxophone » y ont une individualité beaucoup plus marquée que dans la musique symphonique; leur potentiel expressif est considérablement agrandi. Le choc physique résultant de l'émission sonore de ces instruments est considéré par les musiciens de jazz comme supérieur à celui que peuvent produire la flûte, le hautbois, le cor ou le violoncelle; pour cette raison, ceux-ci ne sont pas employés en musique de jazz; le « violon » l'est rarement, de même que le « vibraphone ». Par contre, le « piano », la « guitare », le « banjo », la « contrebasse » à cordes ou à vent (tuba), traités en instruments de percussion à l'image de la « batterie », fondement de l'orchestre de jazz, sont d'un usage courant.

La technique instrumentale est d'une importance considérable en musique de jazz. Elle permet à l'improvisateur de s'exprimer avec plus ou moins grande liberté; celui-ci doit néanmoins se garder des effets de virtuosité pure, qui échappent totalement à l'esprit du jazz.

En musique de jazz, l'usage des chœurs est tout à fait exceptionnel. Par contre, la « voix » est fréquemment utilisée en tant que soliste, avec ou sans contre-chant instrumental, mais toujours accompagnée du soubassement rythmique habituel. Les instruments ayant adopté des moyens d'expression directement issus du style vocal des « blues », il n'y a aucune différence essentielle entre le jazz vocal et le jazz instrumental. On peut dire cependant que les particularités du style nègre ressortent davantage dans le premier que dans le second.

Le chanteur fait œuvre d'improvisation au même titre que l'instrumentiste. Il a la faculté supplémentaire de pouvoir broder sur les paroles du thème, d'en inventer de nouvelles, ou plus simplement de les remplacer par des syllabes de fantaisie analogues aux vocalises de l'art lyrique européen (« scat-chorus »).

9 • ON DISTINGUE DEUX TYPES PRINCIPAUX D'ORCHESTRES DE JAZZ : LE GRAND ORCHESTRE ET LA PETITE FORMATION. TOUT ORCHESTRE COMPORTE UNE SECTION MÉLODIQUE ET UNE SECTION RYTHMIQUE.

Le grand orchestre est celui où chaque type d'instrument mélodique, cuivres ou anches, est représenté par plusieurs unités groupées en « sections » : section des saxophones (et des clarinettes), section des cuivres (parfois subdivisée en deux sous-sections, trompettes et trombones). L'ensemble de ces sections forme la « section mélodique », qui s'oppose à la « section rythmique », généralement composée d'un piano, d'une guitare, d'une contrebasse et d'une batterie, dont le rôle est de marquer à peu près immuablement les quatre temps, tout en faisant entendre la ligne harmonique du thème.

Vers 1932, le grand orchestre comprenait habituellement cinq cuivres (trois trompettes, deux trombones), quatre saxophones, plus les quatre instruments de rythme; par la suite, les exigences des arrangeurs ont amené certains chefs à s'entourer de quatre ou cinq trompettes, quatre trombones et cinq ou six anches, ce qui porte souvent l'effectif du grand orchestre à vingt unités correspondant à autant de parties réelles.

Dans le grand orchestre, les instruments de la section mélodique n'ont, en dehors des solos, aucune individualité : ce sont de simples cellules du corps que constitue le groupe auquel ils appartiennent, ils doivent conformer leur style d'exécution à celui du chef ou « leader » de la section (premier alto, première trompette).

Au contraire, la petite formation, surtout lorsqu'elle pratique l' « improvisation collective », laisse une grande liberté aux musiciens mélodiques. Ceux-ci, jouant le plus souvent chacun d'un instrument différent, s'opposent l'un à l'autre tout en se complétant. Le type le plus courant de petite formation est celui où aux quatre instruments de rythme s'ajoutent trois solistes : trompette, clarinette, trombone (ou saxophone). De nombreuses autres combinaisons sont possibles depuis celles qui groupent huit ou neuf instruments jusqu'aux « quartettes » et « trios », où section rythmique et section mélodique se confondent. Il faut également mentionner le « soliste intégral » : guitariste, organiste, ou, le plus souvent, pianiste, ainsi que le « soliste accompagné » : piano et batterie.

BORIS VIAN

MÉFIE-TOI DE L'ORCHESTRE

Public des cabarets, méfie-toi de l'orchestre!

Tu arrives là, bien gentil, bien habillé, bien parfumé, bien content, parce que tu as bien dîné, tu t'assieds à une table confortable, devant un cocktail délectable, tu as quitté ton pardessus chaud et cossu, tu déploies négligemment tes fourrures, tes bijoux et tes parures, tu souris, tu te détends. ... Tu regardes le corsage de ta voisine et tu penses qu'en dansant tu pourras t'en approcher... tu l'invites... et tes malheurs commencent.

Bien sûr, tu as remarqué sur une estrade ces six types en vestes blanches dont provient un bruit rythmique; d'abord cela te laissait insensible et puis, petit à petit, la musique entre en toi par les pores de ta peau, atteint le dix-huitième centre nerveux de la quatrième circonvolution cérébrale en haut à gauche, où l'on sait, depuis les travaux de Broca et du capitaine Pamphile, que se localise la sensation de plaisir née de l'audition des sons harmonieux.

Six types en vestes blanches. Six espèces de larbins. Un domestique, *a priori*, n'a point d'yeux, si ce n'est pour éviter de renverser ton verre en te présentant la carte, et point d'oreilles autres que ce modèle d'oreille sélective uniquement propre à entendre ta commande ou l'appel discret de ton ongle de cristal. Tu te permets d'extrapoler pour les six types, à cause de leurs vestes blanches. Oh! public!... Ton doigt dans ton œil!...

(Ne te vexe pas si je te traite tantôt en camarade, comme on entretient un homme, et si tantôt je souligne d'une plume audacieuse le galbe éclatant de ton décolleté — tu le sais bien, public, que tu es hermaphrodite.)

Mais, au moment où tu invites ta voisine... Ah! malheur à toi, public!

Car un des types en vestes blanches, un de ceux qui soufflent dans des tubes ou tapent sur des peaux, ou des touches, ou pincent des cordes, un de ceux-là t'a repéré. Qu'est-ce que tu veux, il a beau avoir une veste blanche, c'est un homme!... Et ta voisine, celle que tu viens d'inviter, c'est une femme!... Pas d'erreur possible!... Elle se garde bien de transporter ici les enveloppes grossières du tailleur, slacks et chaussures épaisses qui, d'aventure, avenue du Bois, le gris du jour aidant, pourraient faire que tu la prisses pour l'adolescente qu'elle n'est point, oh, deux fois non!...

(Deux fois, d'abord, car c'est ce qui frappe le plus le type en veste blanche, à qui sa position élevée permet l'utilisation du regard plongeant, mis à la mode par certains grands du monde. Citons incidemment : Charles de Gaulle, dit Double-Maître, et Yvon Pétra, dit Double-Mètre.)

Et, à ce moment-là, public, tu n'es plus hermaphrodite.

Tu te scindes en un homme horrible — un rougeaud repu, le roi de la boustiffe, un marchand de coco, un sale politicard — et une femme ravissante, dont le sourire crispé témoigne de la dureté des temps, qui l'oblige à danser avec ce rustre.

Qu'importe, homme horrible, si tu as en réalité vingt-cinq ans et les formes d'Apollon, si ton sourire charmeur découvre des dents parfaites, si ton habit, de coupe audacieuse, souligne la puissance de ta carrure.

Tu as toujours le mauvais rôle. Tu es un pingre, un pignouf, un veau. Tu as un père marchand de canons, une mère qui a tout fait, un frère drogué, une sœur hystérique.

Elle!... elle est ravissante, je te dis.

Sa robe!... ce décolleté carré, ou rond, ou en cœur, ou pointu, ou en biais, ou pas de décolleté du tout si la robe commence plus bas... Cette silhouette!... Tu sais, on voit très bien si elle a quelque chose sous sa robe ou rien du tout... Ça fait des petites lignes en relief au haut des cuisses...

(Ça en fait si elle a quelque chose. Si ça ne fait pas de lignes en relief, en général, le type de la trompette fait un couac que tu ne remarques pas parce que tu mets ça, généreusement, sur le compte du jazz hot.)

Et son sourire!... Ses lèvres rouges et bien dessinées, et elles sentent souvent la framboise... Et toi!... Tu danses comme un éléphant et tu écrases sûrement ses pieds fragiles.

Et puis, vous revenez à votre place. Enfin, elle va respirer. Elle se rassied à côté de toi.

Mais quoi ?

La main... Ses ongles effilés laqués d'argent... sur ton épaule de bouseux ?... Et elle te sourit ?...

Ah!... La garce!... Toutes les mêmes!...

Et puis les types en vestes blanches attaquent le morceau suivant...

LES MUSICIENS DE JAZZ (U.S.A.) DISENT :

ALPHONSE PICOU

Ce style particulier [le style « Nouvelle-Orléans »] qui consistait à jouer sans musique était nouveau pour moi. Il me paraissait impossible. Il me semblait que c'était jouer sans les notes.

Je me rappelle que, lorsque nous avions un nouveau morceau nous voulions avoir la partition et ne la jouions que lorsque nous n'en avions plus besoin... C'était le *ragtime*.

JOHNNY ST. CYR

Un musicien de jazz doit être une sorte de travailleur, toujours sur la brèche, en bonne santé et robuste. Cela n'est pas le cas aujourd'hui; ces nouveaux gars n'ont pas de forces. Ils n'*aiment* pas jouer toute la nuit; ils ne pensent pas qu'ils *puissent* jouer sans être « bourrés ». Mais un travailleur a le pouvoir de jouer *hot,* whiskey ou pas... En jouant de la musique pour lui-même, il se repose. Il donne autant de coups de pied en jouant, que les autres en dansant. Et avec vos sentiments naturels, vous ne faites jamais la même chose deux fois. Chaque fois que vous jouez un morceau, de nouvelles idées vous viennent à l'esprit et vous les glissez dedans.

MUTT CAREY. *A propos de Louis Armstrong.*

Qui est le plus grand trompette de jazz ? Louis Armstrong — cela ne fait pas de question! Louis jouait avec son cœur et son âme, et cela pour toute chose. Vous voyez, il essayait de faire le tableau de chaque morceau qu'il jouait pour montrer exactement ce qu'il voulait dire. Il avait des idées, assez de technique pour exposer ce qu'il voulait dire, une lèvre terrible! Vous savez, quand les idées l'assaillaient, il avait le coup pour les transposer exactement sur sa trompette...

Louis chante comme il joue. Je pense que Louis confirme l'idée et la théorie qui veulent que, si on ne peut chanter quelque chose, on ne peut pas non plus le jouer. Quand j'improvise, je chante intérieurement. Je chante ce que je sens et ensuite j'essaye de le reproduire sur ma trompette.

Le timbre de Louis est aussi grand et il remplit toutes ses notes — il n'y a pas de faille quand il joue. Il n'y a rien de capricieux dans la trompette de Louis. Il exécute ce qu'il veut, et il n'y a pas d'accidents dans les notes qu'il sort. Vous savez, c'est un vrai plaisir d'entendre Louis faire des accords. En s'échauffant, il souffle une telle variété de choses, que c'est une merveille pour les oreilles, et un vrai plaisir. Louis a pris le pas sur tous les joueurs de trompette du monde.

CLARENCE WILLIAMS

Je fus le premier à employer le mot « jazz », dans une chanson. Dans *Brown Skin, Who You For ?* et *Mama's Baby Boy,* j'employais les mots « jazz song » sur la partition. Je ne me souviens pas exactement d'où vient le mot, mais je me rappelle avoir entendu une femme le dire quand nous jouions un morceau : « Oh! jazz me, babby », dit-elle.

JIMMY McPARTLAND. *A propos de Bix Beiderbecke.*

Bix contribua grandement au jazz. Je pense qu'il aida à lui donner du poli. Il le rendit plus musical. Sa technique était excellente, son intonation profonde. De même son sens de l'harmonie et son application à la trompette et au piano. Il fut le premier que j'entendis se servir du plein ton ou de la gamme augmentée. Je pense que presque tous les musiciens de jazz — excepté les joueurs de fanfare — ont été d'une manière ou d'une autre influencés par Bix.

Une chose que nous prônions par-dessus tout était la liberté du jazz. Les gens avaient l'habitude de demander à Bix de jouer un *chorus* exactement comme il l'avait enregistré. Il ne pouvait le faire. « C'est impossible, me dit-il un jour, je ne peux trouver deux fois la même manière. C'est une des choses que j'aime dans le jazz, mon garçon, de ne pas savoir ce qui va suivre. »

COLEMAN HAWKINS

Certains disent qu'il n'y avait pas de ténor de jazz avant moi. Tout ce que je sais, c'est que j'avais une certaine façon de jouer et que je ne pensais pas en d'autres termes que ceux du saxo ténor. Je ne pourrais honnêtement caractériser mon style par des mots. Il me semble que tout ce que je joue me vient naturellement. Ça a toujours été ma manière. Elle est influencée par un tas de choses que j'ai entendues inconsciemment et je me trouve moi-même en train de jouer une foule de choses qui en sont sorties. Mais je n'ai jamais étudié comment et pourquoi je joue comme je le fais — ça sort tout naturellement. Comme pour mon plein ton, j'ai toujours joué avec une sorte d'anche raide. Quand j'ai débuté j'avais aussi l'habitude de jouer très haut, car j'essayais de jouer ces *solos* par-dessus sept ou huit autres trompettes...

DUKE ELLINGTON

La mémoire des choses passées est importante pour un musicien de jazz. Je me souviens que j'écrivis une fois un morceau de soixante-quatre mesures sur le temps où j'étais un petit enfant et que j'entendais de mon lit un homme siffler de l'autre côté de la rue, tandis que le bruit de ses pas résonnait...

La musique est, le plus souvent, écrite, car cela fait gagner du temps. Mais elle n'est écrite que pour servir de base à un échange. Il n'y a pas de système établi. La plupart du temps je l'écris et je l'arrange. Parfois je l'écris et l'orchestre et moi collaborons à son arrangement.

BILLY STRAYHORN. *Sur Duke Ellington.*

Ellington joue du piano, mais son véritable instrument est son orchestre. Chacun de ses membres a pour lui une couleur tonale distincte et un caractère émotionnel donné, qu'il mêle pour produire une troisième chose que j'appellerai l' « effet Ellington ».

Quelquefois ce mélange arrive sur le papier et fréquemment tout droit sur l'estrade. Je l'ai souvent vu changer les partitions au milieu d'un morceau parce que le musicien et la partition n'avaient pas le même caractère.

Ce qui intéresse Ellington c'est la personnalité du musicien et ce qui arrive quand diverses personnalités musicales se mêlent. En le regardant sur la scène, l'auditeur peut croire que ses gestes sont de ceux que chacun emploie en face d'un orchestre. Cependant, en l'observant mieux, on peut remarquer le petit mouvement du doigt qui tire le son voulu d'un musicien donné.

En laissant ses hommes jouer naturellement et détendus, Ellington est capable de sonder les recoins intimes de leur esprit et d'en extraire des choses que les musiciens eux-mêmes ignoraient.

ALBERTA HUNTER

Le *blues* ? C'est pour moi quelque chose de quasi religieux. C'est comme un cantique... Quand nous chantons un *blues*, nous chantons de tout notre cœur, avec tout notre sentiment... Oui, pour nous le *blues* est sacré. Quand je chante :

I walk the floor, wring my hands and cry.
Yes, I walk the floor, wring my hands and cry...

je laisse mon âme s'échapper.

W.-C. HANDY

Le *blues* est quelque chose de plus profond que ce que vous appelez aujourd'hui un état d'âme. Comme les *Spirituals,* il vint avec les Noirs, il raconta notre histoire : d'où nous venions et ce que nous avions connu.

Le *blues* vient du plus profond de l'homme. Il est né du néant, de la volonté, du désir. Et quand un homme chantait ou jouait un *blues,* une grand part de ses aspirations était satisfaite.

FATS WALLER

... Je suis très heureux de voir que le jazz est retourné finalement à ce qu'il a de mieux : la mélodie. Maintenant que les *jitterbugs* se sont calmés, et que le *shag*[1] est passé, nous commençons à laisser les vieux maîtres en paix et à mûrir des mélodies de notre propre choix...

C'est la mélodie qui donne de la variété à l'audition. C'est ce qui fait que la musique populaire dure. La marotte de jouer du piano en *boogie-woogie* s'est consumée d'elle-même. Pourquoi ? Parce que c'est trop monotone — que ça sonne toujours pareil.

COUNT BASIE

Mon piano ? Bien! Je ne veux pas « l'enfoncer sous terre », comme on dit. J'aime jouer, mais cette idée de faire un *chorus* après l'autre n'est pas judicieuse, selon moi. C'est pourquoi je fais goûter mon piano aux danseurs à petites doses, et quand je commence un solo, je le fais d'une façon inattendue, ayant l'habitude d'avoir un fort accompagnement rythmique derrière moi.

LESTER YOUNG

L'ennui avec la plupart des musiciens aujourd'hui est qu'ils sont tous semblables. Certes on doit commencer à jouer

---

1. Pas de danse.

comme quelqu'un d'autre. On a un modèle, ou un professeur, et on apprend tout ce qu'il peut vous montrer. Mais ensuite on commence à jouer pour soi-même. Montrer aux gens qu'on a une personnalité. Et je pourrais compter sur les doigts de la main ceux qui, aujourd'hui, le font.

BENNY GOODMAN

Une foule de gars ne savent pas ce qu'ils veulent. Peut-être que je ne le sais pas non plus. Mais il arrive que l'on trouve que ce que l'on fait n'est plus de la musique — c'est devenu une lubie. C'est quelque chose de subtil qui affecte ce que vous jouez. Toute votre attitude se transforme.

DIZZY GILLESPIE

A mes débuts, tout ce que je désirais jouer était *swing*. Eldridge était mon grand homme. Tout ce que je faisais n'était rien que d'essayer de jouer comme lui, mais je n'ai jamais pu vraiment y arriver. Ça faisait un beau gâchis. Aussi j'ai essayé quelque chose d'autre. C'est devenu ce qu'on appelle le *bop*.

BILLY TAYLOR. *Sur Nat Cole.*

Le jazz est une façon très personnelle de faire de la musique. Chacun a son propre style, s'il est bon musicien comme Nat Cole à « La Rue ». Nat avait ce caractère personnel. Art Tatum pouvait le fendre de haut en bas, mais Nat avait sa chose à lui... Il y avait quelque chose dans son style qui faisait de lui un des plus grands pianistes de *blues*.

ERROL GARNER

J'aime jouer certains morceaux à cause de leur mélodie. Pourquoi défigurerais-je cette mélodie ? Les musiciens d'aujourd'hui, pour la plupart, ne suivent pas le public. Ils oublient qu'ils font partie eux-mêmes de ce public, qu'ils ne sont pas des ermites. Ils y sont confondus.

Je me suis fait une idée du jazz en écoutant des enregistrements. Mon style ? C'est le mien. Deux personnes ne peuvent pas réellement jouer de la même façon. C'est peut-être pourquoi personne ne m'imite.

STAN KENTON

Le jazz est toute ma vie. Le jazz peut être arrangé, sans mesure, écrit dans une certaine mesure, arrangé d'une certaine façon, employer tel type de solo ou de coloration. La chose principale est qu'il doit exprimer la chaleur communicative du musicien. Les gens ne peuvent croire que le jazz peut abandonner un rythme invariable. Le jazz est plutôt un son qu'un rythme essentiel. Le jazz émeut plus directement que la musique symphonique : c'est, certes, une musique sans subtilité. Dans la musique symphonique, tout est dans l'interprétation. Le musicien joue pour le chef d'orchestre, il est sa marionnette — c'est l'inverse qui est vrai pour le jazz. Je conduis l'orchestre — nous faisons directement de la musique pour des musiciens donnés — nous ne faisons pas seulement une orchestration...

Pendant longtemps, le jazz fut confondu avec la musique populaire. Maintenant, comme il en a toujours été en Europe, le jazz est différencié de la musique populaire comme de la musique classique. Les modernes méritent d'être écoutés quand ils prouvent que le jazz ne doit pas être dansé.

En fait, je ne pense pas que le jazz voulait être une musique de danse. Les gens l'ont cru parce qu'ils le confondaient avec la musique populaire. Les critiques ont écrit un tas de non-sens sur le fait de savoir si un orchestre est *swing* ou non. C'est idiot! Le jazz est aussi une forme de sonorité. Et le jazz doit évoluer; il ne peut toujours demeurer une musique de danse.

On fait une autre erreur : celle de croire que le jazz peut être seulement joué par de petites formations. Que dire du grand orchestre de Dizzy (Gillespie), pour n'en citer qu'un ? Ce fut une tragédie quand l'orchestre dut être réduit. La raison pour laquelle le jazz est le plus souvent joué par de petites formations est purement économique...

PAUL DESMOND

J'aime la vigueur et la force du simple jazz, les complexités harmoniques de Bartok et Milhaud, la forme (et plus encore la dignité) de Bach, et, parfois, le romantisme lyrique de Rachmaninoff. Voyez-vous, beaucoup d'entre nous, musiciens de jazz actuels, recherchent ces qualités que vous trouvez chez certains musiciens classiques, mais dans le contexte de l'évolution du jazz...

Il y a beaucoup de choses que nous n'avons pas encore faites dans le jazz. Nous n'y avons pas, pour n'en citer qu'une, pris complètement conscience des possibilités polytonales et polyrythmiques.

DAVE BRUBECK

Dans leur intellectualité, la plupart des compositeurs contemporains, y compris la plupart des dodécaphonistes, se sont trop éloignés des sources de notre culture. Et, pour les compositeurs américains, leurs sources doivent être dans le jazz. Ainsi j'espère que ce que j'écris éventuellement reflète plus l'influence du jazz que d'autre chose. Cependant je ne pense pas qu'il faille faire une dichotomie nécessaire entre le jazz et ce qu'on appelle « la musique sérieuse ».

Je pense que le jazz peut être aussi « sérieux » que n'importe quelle « musique sérieuse ».

CHARLIE PARKER

La musique est votre propre expérience, votre pensée, votre sagesse. Si vous ne la vivez pas, elle ne sortira pas de votre trompette.

On vous apprend qu'il y a une limite à la musique. Mais, mon vieux, il n'y en a pas à l'art.

JO JONES

Qu'est-ce que le jazz ? Ce que je peux dire de mieux, c'est que c'est de jouer ce que l'on sent. Tous les musiciens de jazz s'expriment eux-mêmes à travers leur propre instrument, ils expriment ce qu'ils sont, ce qu'ils ont connu durant le jour, la nuit d'avant, durant toute leur vie. Ils ne peuvent cacher leur sentiment...

La musique n'est pas seulement un talent venu du ciel, c'est un privilège divin de pouvoir en jouer. Il ne saurait y avoir la moindre débauche attachée à elle, et elle doit être donnée selon la même veine spirituelle dont elle est issue. C'est quelque chose indépendant de nous-mêmes. C'est pourquoi des musiciens divers s'expriment eux-mêmes d'une manière aussi personnelle avec des instruments divers.

REMERCIEMENTS

En raison des textes qu'elles ont bien voulu nous autoriser à reproduire, et dont elles conservent l'entière propriété, nous tenons à remercier les Editions :

Albin-Michel, pour *Beethoven, les grandes époques* de Romain Rolland;

Mercure de France, pour *Ecrits de Musiciens,* par J.-G. Prod'homme; *R. Strauss* de Joseph Gregor;

Aubier-Montaigne, pour *Esthétique* de Hegel, trad. Jankelevitch;

Julliard, pour *Notes sans Musique* de Darius Milhaud;

Belles-Lettres, pour *La République* de Platon, trad. E. Chambry;

Plon, pour *Lettres de Mozart,* trad. H. de Curzon;

Calmann-Lévy, pour *Mémoires d'un artiste* de Charles Gounod;

Hachette, pour *Musiciens d'aujourd'hui* de Romain Rolland;

La Colombe, pour *Paul Dukas* de Georges Favre;

Du Rocher, pour *Ecrits d'Alban Berg,* trad. M. Pousseur;

Stock, pour *Le Coq et l'Arlequin* de Jean Cocteau;

Du Conquistador, pour *Je suis un Compositeur* d'Arthur Honegger;

Recherches internationales, pour les articles de Chostakovitch et de Khatchaturian parus dans *Essais sur la Musique*;

Richard-Masse, pour *Ludwig von Beethoven* par André Jolivet;

Alphonse-Leduc, pour *Catalogue d'oiseaux* d'Olivier Messiaen;

Nos remerciements vont également à : Mmes CHARTIER et ROLLAND, et MM. Philippe BARRÈS, André BOUCOURECHLIEV, FAURÉ-FRÉMIET, René LEIBOWITZ, ROLAND-MANUEL, Pierre SCHAEFFER, Igor STRAVINSKY.

INDEX

A

B

C

D

E

F

G

H

I

J

K

L

M

N

P

Q

R

S

T

V

W

Y

TABLE DES ILLUSTRATIONS

ACHEVÉ
D'IMPRIMER
SUR LES PRESSES
D'OFFSET-AUBIN
POITIERS (VIENNE)
LE 16 SEPT.
1967

D. L., 3e trim. 1967. — Editeur, n° 953. — Imprimeur, n° 1.754.
Imprimé en France.